KB138143

삼국지

나관중 지음
황석영 옮김

三國志 삼국지 3

창비

원문의 맛 그대로 느끼는 고전의 재미

'삼국지 이야기꾼'의 전성시대

내가 '삼국지'를 처음 알게 된 것은 초등학교 때인 한국전쟁 시기의 피난지 대구에서였다. 당시에 『학원』이란 청소년 잡지가 나오고 있었는데 거기에 김용환(金龍煥)의 「코주부 삼국지」가 연재되고 있었다. 나중에 알았지만 이것은 일제시대 '삼국지'의 대종을 이루었던 요시까와 에이지(吉川英治)의 번역본을 기본 줄거리로 하고 있었다. 즉 유비가 어머니를 위해 돗자리를 짜가지고 저자에 내다 팔아서 차를 구해 오다가 황건적을 만나는 일화가 첫 장면이었다.

서울수복 후 휴전이 되던 무렵인 초등학교 5학년 여름방학에 두툼한 10권짜리 『삼국지』를 대본소에서 빌렸다. 그무렵의 대본소는 전후 각 가정에서 쏟아져나온 책들을 야시장 노천의 책장에 진열해놓고, 일정한 책값을 맡겨두면 아무 책이든 빌려볼 수 있는 식이었다. 내가 그때까지 닥치는 대로 읽은 책들이란 어린이책에서 어른책에 이르기까지 대개는 이른바 '세계명작'이라고 하여, 시대와 배경이 서양이고 작가도 모두 서양인들이었다. 『삼국지』이후에 비로소 『임꺽정』이라든가 『수호지』『서유기』 등등을 읽었다. 그렇게 동양고전을 읽는 맛을 알게 되면서 중학교에 들어가서 『열국지』『금병매』『홍루몽』 등을 읽었던 기억이 난다.

나는 『삼국지』를 초등학교·중학교·고등학교 그리고 군대에서 제대하고 나서도 읽었다. 그러니 유년기를 지나 소년, 청년이 되기까지 몇번이고 읽은 셈이다. 전후의 초등학교 시절에는 학교가 거의 파괴되거나 군부대시설로 사용되고 있어서 교실도 변변히 없었다. 선생님들은 결근이 잦았고 아예 부임이 늦어지는 경우도 있었으며, 몇개 학년을 겹치기로 가르치기도 해서 자습시간이 많았다. 이런 때에는 내가 단골로 앞에 나가서 책에서 본 줄거리들을 그럴듯하게 아이들에게 얘기해주는 날이 많았다. 내가 '삼국지 이야기'를 해주던 때가 이를테면 이야기꾼으로서의 전성기였던 셈이다. 나의 '삼국지 이야기'는 대번에 유명해져서 자습중인 다른 반 아이들이 우리 교실로 몰려오기도 했다. 이야기의 묘미는 아슬아슬한 대목이나 슬픈 장면에서 딱 자르고 다음 시간을 기약하는 데 있었다. 아이들이 그 다음 내용을 물으면 절대로 말해주지 않고 시치미를 떼어야 하는 데도 무지무지한 참을성이 필요했다.

번역을 마음먹기까지: 기존 번역본들에 대한 실망

방북과 망명 뒤에 옥살이를 하던 1997년이었는데, 당국에서 집필을 허용하지 않아 괴롭던 때였다. 시인 이시영, 평론가 최원식 등의 후배들이 면회를 왔다가, 7년형을 받고 옥살이를 하면서 글도 쓰지 못하는 사정이 딱했던지 『삼국지』 번역이나 해보는 게 어떻겠냐고 넌지시 권하는 것이었다. 그래 생각이 나서 옛날에 읽은 정음사판 『삼국지』를 구해보라고 했더니 1955년 무렵에 나온 판이 들어왔다. 우리가 어렸을 때 읽던 『삼국지』는 소설가 박태원(朴泰遠)의 것으로, 그가 월북해버린 뒤에 사장의 이름을 붙여서 나온 정음사판이다. 나중에 나온 것을 살펴보니 간략하게 하느라고 그랬는지 일화를 많이 줄이고 시도 빼버려서 역시 옛날의 것 같은 '읽을 맛'이 안 나서 섭섭했다.

나는 이 사람 저 사람이 면회로 오갈 때마다 넣어준 여러가지 번역본을 비교·검토해가면서 읽다가 어딘가 미흡하다는 느낌 때문에 차츰 실망하기 시작했다. 어떤 역본은 너무 원문대로를 고집한 나머지 직역에 그쳐서 은유와 인용이 엉뚱하게 해석된 곳도 보였다. 또는 여러 사람이 나누어 일을 하다보니 앞뒤 인물이나 장소의 이름이 서로 다르기도 하고 문체가 바뀐 경우도 있었다. 아니면 너무 의역을 하여 상황에 맞지 않는 대화나 상하관계가 뒤바뀌는 말투가 되기 십상이었다. 시의 경우는 더욱 심해서, 아예 빼버린 역본도 있고, 실었다 하더라도 번역이 틀린 곳이 많거나 오자·탈자가 많고, 시나 문장에 인용된 고사를 자연스럽게 반영하지 못한 것이 대부분이었다.

유럽 체류시절에 그곳 부모들이 아이들에게 고전을 많이 읽히려고 노력하는 것을 보았고, 중학교·고등학교만 가도 라틴어를 가르치고 '그리스·로마사'라든가 플루타르코스의 『영웅전(對比列傳)』 같은 책들을 원문 교재로 쓰는 것도 보았다. 나도 어릴적에 그리고 청년기에도 『플루타크 영웅전』을 읽었다. 이 고전은 이미 15세기에 자끄 아미요(Jacques Amyot)의 불역과 토머스 노스(Thomas North)의 영역이 이루어져서 셰익스피어와 괴테의 작품에도 큰 영향을 주었다. 고전의 번역은 충실하게 원문 그대로 읽는 것이 무엇보다 중요하고, 작가가 자기 나름대로의 해석을 붙이려면 셰익스피어처럼 「씨저와 클레오파트라」를 따로 쓰면 되는 것이다. 그러므로 자신의 어떤 이념대로 평을 한다든가 새로운 해석을 붙이려면 '조조와 제갈량' 식의 새로운 창작을 하면 된다.

기존의 번역본에 불만을 느낀 내가 스스로 원문을 다시 음미하면서 번역을 해보리라 작정한 것은 나름대로 다행스런 일이었다. 한문과 우리말 공부도 다시 할 수 있었고, 글쓰기를 못하게 하던 옥살이의 고독과 답답함을 넘어서서 작가의 필력이며 상상력을 녹슬지 않게 해주었기 때문이다. 나는 세르반떼스가 전쟁에 참전했다가 포로가 되어 터키의 감옥에서 『돈 끼호떼』를 집필했다거나, 단떼가 감옥에서 『신곡』을 썼다든가 하는 일화를 되새기며 번역에 몰두했다.

당대 민중들의 꿈과 소망이 녹아들어 있는 고전 『삼국지』

『삼국지』의 어느 해설에나 나오는 이야기지만 이 책의 원래의 줄거리는 위·촉·오 삼국의 역사를 기록한 진수(陳壽)의 사서에서 출발했다. 이와같은 역사가의 기록에다 여러 시대에 걸친 민중들의 구전설화와 재담, 연희·연극 등의 공연예술, 작가·문인들의 창작이 덧붙여져서 오늘날의 『삼국지』가 이루어진 것이다. 열 중에 일곱이 사실이라면 나머지 셋이 지어낸 이야기라고 한다. 이 나머지 셋이야말로 각 시대를 통해 끈질기게 이어져내려온 민중들의 꿈과 소망이 반영되어 있는 부분이며, 어떤 의미에서는 사실보다 더욱 중요한 역사의식이다.

위(魏)나라를 이어받은 진(晉)나라를 섬긴 진수가 당연히 사서에서 위나라를 정통으로 삼았던 데 비하여, 역사소설 『삼국지〔三國志演義〕』는 촉한(蜀漢)을 정통으로 삼은 점도 의미심장하다. 당대의 관점에서 본다면 환관들과 패권적 제후들의 음모와 민중반란 속에서 기울어져가는 한나라의 정통을 세운다는 것은 역사적으로 분명히 반동이다. 그러나 이것은 당대를 떠나 여러 시대를 거치면서 형성되고 구축된 정통론이라는 것에 우리는 주목해야 한다.

내가 1974년에 대하역사소설 『장길산』을 시작하면서 '역사소설의 의의는 소설에 그려진 시대가 중요한 것이 아니라 작가가 어느 시대에 썼는가 하는 것이 더욱 중요하다. 『임꺽정』이 일제시대에 나왔다면 『장길산』은 분단시대에 나온 것이다'라고 했던 말이 떠오른다. 이는 작가의 글을 읽는 당대 사람들이 무엇을 원하며 어디로 향하고 있는가 중요하다는 뜻이겠다.

오늘날의 원본이 있기까지 『삼국지』는 수없이 개작·첨삭되었겠지만, 크게 보면 대개 두번에 걸쳐서 집대성되었다고 할 수 있다. 처음에 원말·명초의 나관중(羅貫中)에 의해서 집필되어 전해오다가 청대에 와서 모종강(毛宗崗)이 120회로 정리해 김성탄(金聖嘆)의 서문을 붙여 간행했다. 일설에 의하면 나관중은 이민족 원나라에 항거하는 농민봉기에도 가담했으며, 그들 지도자 중의 한 사람인 장사성(張士誠)과도 관련이 있다고 한다. 그리고 명나라를 세운 주원장과 장사성은 정치적으로 알력관계였다고 하며 종종 주원장을 옛적의 조조에 비유했다고 하니 나관중의 촉한정통설의 근원을 짐작할수가 있겠다. 금(金)과 원(元)이 모두 유목민족으로 중원을 차지한 뒤에 한나라 정통성에 대한 의식은 동진·남북조·남송 대로 이어졌다. 특히 원작자인 나관중의 정치적 입장은 당대 민중의 인의론(仁義論)과 한족 정통성에 근거를 둔 것이기도 했다. 다시 모종강의 작업이 이루어졌을 때에도 중원은 만주족이 점령한 청의 통치기였다. 여기서 오히려 천하통일의 기초가 된 위를 세운 조조보다는 유비를 중심으로 줄거리가 서술되고 있는 것은 당연하다

하겠다. 조조는 귀족이었고 손권도 강남 명문제후의 후손이었지만, 촉한의 유비·관우·장비 등은 물론 제갈량까지도 당대 백성들과 거의 같은 몰락한 선비거나 지방 무뢰배에 지나지 않았다.

유비가 극도로 불리한 상황에서도 의리를 지키느라고 여포에게 여러 차례 시달린다든가, 한중 파촉을 대번에 차지할 수 있었는데도 대의명분 때문에 우여곡절을 겪으면서 가까스로 기반을 마련하는 과정을 보면 『삼국지』가 당대 민중들과 더불어 추구하려 했던 가치가 무엇인지를 짐작할 수 있다. 관운장이 온갖 영예를 뿌리치고 조조를 떠나 필마단기(匹馬單騎)로 다섯 관문 장수들의 목을 베면서 유비를 찾아가는 과정이나, 선주 유비와의 약속 때문에 어리석은 유선을 보필하다가 위나라 정벌을 떠나기에 앞서 제갈량이 「출사표(出師表)」를 올리는 대목 등에서 우리는 뜨거운 감동과 함께 눈물에 젖는다. 그러나 인덕과 의리를 추구한 유비 삼형제와 제갈량 등의 촉한은 실패한다.

의(義)를 추구했지만 현실에서 실패하고 좌절한 영웅을 기리는 백성들의 풍조는 동서고금이 다 같은데, 잔 다르크나 엘 시드(El Cid)에 대한 서양의 많은 전설이나 우리나라 무속에서 최영(崔瑩)이나 남이(南怡) 장군을 지방마다 사당을 지어 받들고 있다든가 하는 데서 그 예를 흔히 찾아볼 수 있다.

일본에서는 오히려 조조를 높이 평가하는 경향이 있다. 때로는 그를 중심으로 『삼국지』의 기본 줄거리를 전개하는 작품도 있으며, 우리 번역본 중에도 은근히 그런 시도를 하는 경우가 없지 않은데, 이는 패권과 현실에서의 힘을 추구하는 가치관에서 비롯한 것이라고 본다. 나는 저러한 이른바 '현대적 해석'에 대해서 백성들의 보편적인 염원을 훨씬 중요하게 여기는 축이다. 따라서 나는 원본의 관점과 흐름에 적극 찬동했고, 이것이 유년시절부터 지금까지 나의 『삼국지』에 대한 일관된 애정의 원천이기도 하다.

그렇다고 해서 조조나 손권을 폄하할 필요는 없으리라. 모든 등장인물들이 그럴듯한 성격에 걸맞은 언행을 하고 있지만, 특히 조조의 성격은 그가 악역이라는 점을 염두에 두더라도 대단히 매력적이다. 우리는 적벽대전에서 패배한 조조가 죽을둥 살둥 도망치는 대목에서 신이 나지만, 그가 헛것에 시달리다 죽으면서 시녀들에게 향을 나눠주는 장면에서는 인생의 무상함과 함께 엄숙한 느낌을 갖게 된다.

이 책에서 어떤 이는 정의와 의리를 볼 것이며, 어떤 이는 권모와 술수를, 그리고 어떤 이는 경영과 처세를 읽을 것이다. 번역을 위해 『삼국지』를 찬찬히 다시 보면서 나는 읽을 때마다 자신이 처한 사정과 나이에 따라서 느낌이 달라진다는 것을 알았다. 전에는 유비 삼형제가 모두 죽어버리고 나면 신명도 없어지고 어쩐지 허전해져서 대충 읽어치우게 되었는데, 이제는 후반부로 갈수록 인생에 대한 깊은 성찰이 전해지던 것이다. 역시 『삼국지』를 읽는 맛은 가슴이 썰렁해지도록 밀려오는 사람의 일생이 덧없다는 회한과, 그에 비하면 역사는 자기의 흐름을 갖고 있으며 어떤 식으로든 옳고 그름을 판결하게 된다든가, 조금 주어진 생이지만 사람은 최선을 다해 살아야 한다는 반성 등일 것이다.

젊은이들에게 전해주고 싶은 고전의 정신과 역사의식

정음사판 외에 내가 감옥에서 접한 것 중에는 구한말에서 일제시대까지 조선의 광범위한 민중에게 읽혔던 영창서관(永昌書館) 발행의 『현토 삼국지(懸吐 三國志)』가 있는데, 원문 문장에다 읽기 쉽게 '하나니' '이거늘' 식의 토를 단 판본이었다. 이것들을 보면서 대하소설 『장길산』을 쓰던 시절 이래 오랫동안 한문서적을 보지 않아서 잊고 있던 문장독해의 감이 자연스럽게 되살아났다. 감옥에서 내가 손을 댄 것이 2권까지의 분량이다.

석방된 이후에 다른 소설 창작과 연재로 다시 손을 댈 엄두를 못 내다가 지난 99년 겨울부터는 아예 처음부터 꼼꼼히 원문을 살피면서 번역을 조금씩 진행하게 되었다. 이때에는 1999년에 강소고적(江蘇古籍)출판사에서 펴낸 번체자(繁體字) 『수상삼국연의(繡像三國演義)』를 원본으로 했다. 이 판본은 종래 우리나라에서 나온 모든 『삼국지』 번역본의 원본이 된 대만 삼민서국(三民書局)출판사의 『삼국연의』(三國演義)와는 달리, 모종강본의 오자 · 탈자와 오류를 바로잡은 간체자(簡體字) 텍스트인 중국 인민문학(人民文學)출판사의 『삼국연의』를 근간으로 새롭게 간행한 것이라 무엇보다 믿을 만하다고 생각했기 때문이다.

처음에 손을 대던 때에는 그냥 나 자신을 위하여 시작한 일이었지만 갈수록 고전 그대로의 정신과 역사의식을 후대에게 전해주어야 한다는 책임감이 생겨났다. 내가 수많은 번역본을 보면서 느꼈던 아쉬움을 다른 이들도 공감하고 있으리라 생각했는데, 세상에 나와서 들으니 『삼국지』가 '논술고사 시장'과 만나면서 청소년들이 많이 읽게 되었다는 소문이었다. 앞에서도 밝혔

듯이 고전은 무엇보다도 원문대로 전달이 되어야 한다. 그럼으로써 누구나 그것을 읽고 나름대로의 가치관에 따라 해석하고 비판하고 재창조할 수 있어야 한다. 특히 젊은이들에게는 고전의 정신이야말로 무한한 재생산의 보고이다. 『삼국지』의 형성과정이 그렇듯이, 천년년 동안 여러 시대와 나라를 거치면서 투영된 당대 백성들의 소망이며 꿈은 역사적으로 존중되어야 마땅하다. 또 나는 한편으로 올바르게 고전의 정신을 전달하는 것뿐만 아니라 어느새 사라져버린 동아시아 사람들의 세계관이라든가 인간관을 되새기고 싶다는 생각도 했다. 일방적인 생활방법의 세계화로 자기 문명의 뿌리와 대안을 상실해가고 있는 동아시아에서 오랫동안 문화의 저변에 깔려 있던 가치들을 되돌아볼 필요가 있다고 생각한 것이다. 이러한 교양과 세계관이야말로 근대 이래 우리가 가장 소홀히했던 부분이며, 동양은 이슬람을 포함해서 아직도 도처에서 사회적 실험의 와중에 있지 않은가.

나는 이런 마음가짐으로 서두르지 않고 조금씩이라도 꾸준히 번역을 진행했다. 출판사 측에서도 속으로는 애를 태웠겠지만 '믿어준다'는 태도를 유지하면서 참을성 있게 기다려주었다. 그렇게 7년의 세월이 흘러서야 드디어 책이 나오게 된 것이다.

번역을 해나가면서 나는 『삼국지』의 문체가 간결하고 객관적이며 냉정한 사실적 문체라는 느낌을 받았다. 특히 다큐멘터리를 보는 것 같고 때에 따라서는 광활한 대지의 허공에서 조감하는 것 같은 전투장면의 남성적 사실성은 『삼국지』의 특성이기도 하다. 나는 주요한 전투장면에서는 건조한 원문에다 나름대로의 신명을 얹어서 좀더 박진감있게 표현하려고 덧붙여 묘사하기도 했고, 과거형이 아니라 지금 바로 눈앞에서 진행되고 있는 듯한 느낌을 주려고 현재형 문장으로 다듬기도 했다. 『삼국지』의 또다른 특징으로는 주요한 장면마다 서사시와 고전비극의 코러스나 해설자가 나와서 노래하듯이 주관적인 정서와 감정을 여성적인 시로써 표현하는 것을 들 수 있는데, 이를 내 식대로 말하자면 과연 '문무겸비의 솜씨'라 할 만하다.

무엇보다도 나는 한문실력은 접어두고라도 문장 속에 인용된 고사와 인물들에 대해 너무도 무지하다는 사실을 발견했다. 중국판과 한국판 대자전(大字典)을 붙잡고 씨름하는 사이에 시력이 옥살이할 때보다 더 나빠져서 안경을 두번이나 바꿔야 했다. 애매한 대목에서는 여러 사람들에게 문의하는 메일을 끊임없이 보내기도 했다. 등장인물이 당대보다 옛적의 일을 들어 설명할 때 연원을 몰라서는 문장도 되지 않고 대화가 엉뚱해지게 마련이었다. 그야말로 중국 고전공부를 다시 하게 된 기간이었다.

내가 초고를 넘긴 뒤에 우석대 전홍철(全弘哲) 교수는 인민문학출판사판 『삼국연의』(1953년 초판: 2002년 제3판 9쇄)까지 참조해가며 일일이 대조해 바로 잡아주었다. 소설의 문장에 못지않게 중요한 원문의 시는 자신이 없어 외우 임형택(林熒澤) 교수에게서 교정을 받았고, 어떤 것은 그가 새롭게 번역을 하기도 했다. 여기에 현재 중국 화단의 원로인 왕홍시(王宏喜) 화백이 150여장의 본문 삽화와 인물도를 그렸는데, 그는 『홍루몽』을 비롯한 중국 고전문학작품들의 삽화를 그려서 화풍과 고증에서 당대 으뜸이라는 세평을 이미 받은 바 있다. 또한 창비사 편집진은 거듭 원문 대조를 하면서 세심하게 바로잡아주었다. 이렇듯 여러분들이 작업에 함께 참여했으니 이 책은 그야말로 『삼국지』 본연의 정신대로 집단창작의 방식으로 이루어진 것이라 해도 지나친 말이 아니다. 우리는 세월이 흘러도 오랫동안 읽힐 수 있는 당대의 고전으로 만들어내려고 고지식하고 성실하게 이 작업에 임했다. 여기 잘못이 있다면 그것은 모두 나의 책임이며 받아야 할 질책도 나의 것이다.

이제 이 장강 대하와도 같은 장엄한 인간 드라마에서 티끌처럼 일어났다가 스러져간 크고작은 인간들의 삶과 역사를 보면서, 우주의 섭리로 보아 저들과 거의 찰나처럼 가까이 있는 우리들의 현재를 생각해보게 되리라 믿는다.

2003년 6월 25일

황석영

| 차례 |

● ● ● **제2권**

| 일러두기 |

1. 이 책은 중국 인민문학출판사에서 발간한 간체자(簡體字) 『삼국연의
   (三國演義)』(1953년 초판: 2002년 3판 9쇄)와 강소고적(江蘇古籍)출
   판사의 번체자(繁體字) 『수상삼국연의(繡像三國演義)』(전10권, 1999년
   초판)를 저본으로 했다.

2. 원문에 충실하게 번역하는 것을 원칙으로 하되, 원서의 불필요한 상투
   어들(각 회 끝의 "다음 회의 이야기를 들으시길看下回分解", 본문 중
   의 "이야기는 두 머리로 나뉜다話分兩頭" 등)은 오늘의 독자들에게 맞
   게 현대화했다. 또한 생동감을 살리고 독자들의 이해를 돕기 위해 건조
   한 원문을 대화체로 한 부분이 있고, 주요 전투장면의 박진감을 살리기
   위해 덧붙여 묘사하기도 했다.

3. 본문 중의 옮긴이주는 해당어를 우리말로 풀어옮기고 괄호 안에 그에
   해당하는 한자를 병기한 뒤 이어붙이는 것을 원칙으로 했다.

4. 본문 중의 옮긴이주에서 다 밝히지 못한 전고(典故)는 별권의 고사성어
   에서 자세히 풀었다.

5. 한시의 옮긴이주는 해당 시의 아래에 붙였다.

6. 본문 중의 삽화와 인물도는 원서의 것을 쓰지 않고 현대적 감각에 맞추
   어 왕훙시(王宏喜) 화백에게 의뢰해 새로 그려넣었으며, 삽입 지도는
   원서에 없는 것이지만 주요사건의 이해를 돕기 위해 그려넣었다.

※ 이 책은 나관중 지음, 황석영 옮김의 『삼국지』(전10권, 창비 2003)를 3권으
   로 합본한 책입니다. 본문의 삽화와 지도, 내용은 기존의 책과 동일하나 권두
   화보와 권말부록 등의 자료는 생략했음을 밝힙니다.

81

해를 당한 장비

서둘러 형의 원수를 갚으려다 장비는 해를 당하고
아우의 한을 풀고자 현덕은 군사를 일으키다

선주가 군사를 일으켜서 동오를 치겠다고 하자 조자룡이 나서서 간
한다.

"나라의 역적은 조조이지 강동의 손권이 아닙니다. 지금 조비가 한
을 찬역하여 신과 사람이 모두 노여워하고 있습니다. 폐하께서 하루
빨리 관중(關中)을 도모하셔서 군사를 위수(渭水) 상류에 주둔시키고
흉악한 역적을 치신다면, 관동의 뜻있는 선비들이 앞다투어 군량과
마초를 싣고 달려와 폐하의 군사를 맞이할 것입니다. 그러나 위를 그
냥 두고 오를 치시면 일단 벌어진 싸움을 돌이킬 수도 없을 뿐만 아니

라 형세가 어떻게 돌아갈지도 알 수 없는 일입니다. 바라옵건대 폐하 께서는 깊이 살피소서."

선주가 대답한다.

"손권은 내 아우를 죽였고, 부사인·미방·반장·마충 등은 생각만 해도 이가 갈리는 원수들이오. 그들의 고기를 씹고 삼족을 멸해야 비 로소 가슴 깊이 맺힌 이 원한이 풀릴 듯한데, 경은 어찌하여 막으려고 만 하는가?"

조자룡은 뜻을 굽히지 않는다.

"한나라의 원수를 갚는 일은 공적인 것이지만 형제의 원수를 갚는 것은 사사로운 일입니다. 바라건대 사사로운 일은 잠시 미루시고 천 하를 중히 여기소서."

선주가 말한다.

"짐이 아우의 원수를 갚지 못한다면 천하를 손에 넣은들 무슨 소용 이 있겠는가?"

현덕은 끝내 조자룡의 간언을 물리치고 명을 내렸다.

"즉시 군사를 일으켜 동오를 공격하도록 하라."

또한 사자를 오계(五谿)로 보내 번병(番兵) 5만명을 지원해달라고 청하는 한편, 낭중(閬中)에도 사자를 보내 장비를 거기장군(車騎將軍) 사예교위(司隸校尉) 겸 서향후(西鄕侯) 낭중목(閬中牧)에 봉하고 낭중 땅을 다스리게 했다.

한편 낭중에 있던 장비는 관운장이 손권에게 살해당했다는 소식에 아침저녁으로 통곡을 그치지 않으니, 날마다 옷깃이 피눈물에 젖었 다. 수하장수들이 장비를 진정시키기 위해 술을 권하며 위로했는데, 술에 취한 장비는 더 울화가 치밀어올라 장수나 군졸이나 가리지 않고 조금이라도 군령을 어기는 자가 있으면 사정없이 매질을 해댔다. 그 바람에 맞아죽는 자가 많았다. 날마다 장비는 고리눈을 부릅뜨고 남쪽 하늘을 노려보며 이를 갈면서, 노기에 가득 찬 목소리로 저주하고 대성통곡을 했다. 그러던 중 유현덕이 보낸 사자가 당도했다. 장비가 황급히 나가 사자를 맞아들이자 사자는 조서를 읽었다. 조서와 벼슬을 받은 장비는 북쪽을 향해 절을 올리고 주연을 베풀어 사자를 대접했다. 장비가 묻는다.

"우리 형님이 살해되어 내 원한이 바다보다 깊은데 조정의 신하들은 폐하께 청하여 속히 군사를 일으켜 원수를 갚도록 하지 않고 무얼 하고 있단 말이오?"

사자가 대답한다.

"지금 조정에는 먼저 위를 무찌르고 나서 동오를 치자는 의견이 많습니다."

불같이 화가 난 장비가 소리친다.

"대체 그게 무슨 소리냐? 지난날 우리 세 사람이 도원결의할 때 생사를 함께하기로 맹세했고 이제 둘째형님이 불행히 천명을 다하지 못하고 세상을 떠났는데 내 어찌 홀로 부귀를 누리겠느냐. 내 마땅히 황제를 뵙고 선봉이 되길 청하여 상복을 입고 동오를 칠 것이다. 역적을 사로잡아 형님께 제사올려 지난날의 맹세를 지키리라!"

장비는 당장 사자를 재촉해 성도를 향해 함께 길을 떠났다.

이때 성도에서는 선주가 날마다 교련장에 나와 몸소 군마를 조련하면서 동오를 칠 준비를 서두르고 있었다. 문무관료들이 승상부로 모여들어 공명에게 말한다.

"황제께서 대위에 오르시자마자 친히 군사를 이끌고 정벌길에 오르려 하심은 사직을 소홀히하는 일입니다. 승상께서는 막중한 소임을 맡고도 어찌하여 황제를 만류하지 않으십니까?"

"내 여러 차례 간했으나 도무지 듣지 않으시오. 오늘은 그대들도 나와 함께 교련장으로 가서 다시 한번 간곡히 말씀드려 보십시다."

공명은 백관들을 이끌고 교련장으로 가서 선주께 간청한다.

"폐하께서 보위에 오르셨으니 북쪽의 한나라 역적 조비를 쳐서 천하에 대의를 펴시기 위해 친히 육군(六軍)을 거느리고 가시는 것은 옳은 일입니다. 그러나 동오를 치는 것은 일개 상장(上將)에게 명해도 될 일인데 어찌 몸소 나서려 하십니까?"

공명의 간곡한 말에 선주의 마음이 잠시 움직였다. 그때 낭중에 갔던 사자가 장비와 함께 돌아왔다는 보고가 들어왔다. 급히 불러들이자, 장비는 연무청으로 들어와 바닥에 엎드리더니 선주의 다리를 부여잡으며 통곡한다. 선주도 터져나오는 울음을 참지 못했다. 이윽고 장비가 아뢴다.

"폐하께서는 보위에 오르시더니 지난날 도원의 맹세를 잊으셨소? 왜 둘째형님의 원수를 갚으려 하지 않으시우?"

선주가 침통한 얼굴로 말한다.

"여러 관원들이 간곡히 만류하는 바람에 그동안 경솔히 움직일 수가 없었구나."

장비가 따지듯 말한다.

"그 사람들이 어찌 지난날의 우리 맹세를 알겠습니까? 폐하께서 동오를 치지 않으시면 신이 목숨을 버릴지라도 둘째형님의 원수를 갚겠습니다. 만일 원수를 갚지 못하면 동오의 손에 죽어 돌아가신 형님의 뒤를 따를지라도 다시는 폐하를 뵙지 않겠소이다."

선주가 말한다.

"짐도 경과 함께 가겠네. 경은 그곳 군사들을 이끌고 낭중에서 진군하도록 하게. 짐은 정예병을 거느리고 나갈 테니 강주(江州)에서 만나 함께 동오를 쳐서 이 철천지한을 씻도록 하세!"

장비는 즉시 낭중으로 돌아가려 했다. 선주가 떠나려는 장비를 붙들고 당부한다.

"짐이 경을 잘 아는데, 경은 언제나 술이 지나쳐서 탈이야. 취하면 죄없는 사람들을 때리고 다시 그들을 좌우에 두는데, 이는 스스로 재앙을 부르는 일이네. 이제부터 경은 마음을 너그러이 하고, 다시는 그런 일이 없도록 하게."

장비는 하직인사를 올리고 물러갔다.

이튿날 선주는 군사를 정비하여 떠나려 했다. 이때 학사(學士) 진복이 선주의 앞을 가로막고 간한다.

"폐하께서는 만승(萬乘, 황제)의 몸을 돌보지 않고 작은 의리를 따르려 하시옵니다. 이는 옛사람들도 취하지 않은 일이오니, 바라건대 폐하께서는 깊이 생각하소서."

선주가 답한다.

"운장과 짐은 한몸이나 다를 바 없소. 이는 곧 대의인데 어찌 잊을 수 있겠는가?"

진복은 땅에 엎드린 채 계속 간한다.

"폐하께서 신의 말을 받아들이지 않으시니, 다만 돌이킬 수 없는 실수가 있을까 두려울 뿐이옵니다."

진복의 고집스런 간언에 선주는 급기야 버럭 화를 낸다.

"짐이 군사를 일으키려 하는데 그대는 어찌 이렇듯 불길한 말만 하는가!"

좌우 무사들에게 진복을 당장 끌어내 참하라고 호령한다. 진복이
전혀 동요하지 않고 웃는 얼굴로 말한다.

"신은 지금 죽어도 여한이 없사오나, 혹여 새로운 창업의 기반이
흔들리지나 않을까 그것이 안타까울 뿐입니다."

관원들이 모두 나서서 진복을 용서해달라고 간청하자 선주는 화를
누르며 말한다.

"진복을 잠시 옥에 가두어두도록 하라. 짐이 내 형제의 원수를 갚
고 돌아와 처리할 것이다."

공명은 이 소식을 전해듣고 진복을 구하기 위해 급히 표문을 지어
선주에게 올렸다.

신 제갈량 등이 삼가 아룁니다. 동오가 간특한 계책을 써서 형주
를 손에 넣고 큰 재앙을 일으켜 장성(將星)이 두우(斗牛, 28수宿 가운
데 두성斗星과 우성牛星)에 떨어지고 하늘의 기둥이 초지(楚地, 형주)에
서 꺾였으니, 이 애통한 마음을 어찌 말로 다할 수 있겠습니까? 그
러나 한나라를 무너뜨린 죄는 조조에게서 비롯되었으며 유씨의 대
통을 끊은 것은 손권이 아닙니다. 역적 위를 쳐없애면 동오는 저절
로 항복해올 것이니, 바라옵건대 폐하께서는 부디 진복의 금석 같
은 말을 받아들이십시오. 이후 군사의 힘을 길러 좋은 계책을 도모
하신다면 사직에 더할 나위 없는 복이고 천하를 위해서도 심히 다
행한 일이옵니다.

선주는 표문을 읽더니 땅바닥에 내던진다.

"짐이 이미 뜻을 굳혔으니 누구도 더는 입을 열지 말라."

마침내 승상 제갈량에게 태자를 보위해 양천을 지키도록 명하고 표기장군(驃騎將軍) 마초와 그 아우 마대로 하여금 진북장군(鎭北將軍) 위연을 도와 한중을 지키면서 위군의 침입에 대비하게 했다. 호위장군(虎威將軍) 조자룡을 후군으로 삼고 겸하여 군량과 마초를 담당하게 했고, 또한 황권(黃權)과 정기(程畿)를 참모로 삼고 마량(馬良)과 진진(陳震)에게 문서를 맡아 처리하게 했다. 황충(黃忠)을 선봉으로 삼고 풍습(馮習)과 장남(張南)을 부장으로 삼았으며, 부동(傅彤)과 장익(張翼)을 중군호위(中軍護尉)로 삼고 조융(趙融)과 요순(廖淳)에게 뒤를 맡기니, 서천 장수들만 수백명이었고 오계에서 온 번장들과 그 병력까지 합하면 모두 75만명에 이르렀다. 마침내 장무(章武) 원년 7월 병인일(丙寅日)에 출병하기로 했다.

한편 낭중으로 돌아온 장비는 군중에 명을 내려 사흘 안에 흰 깃발과 흰 갑옷을 준비하게 했다.

"모든 군사들은 한 사람도 빠짐없이 상복을 갖춰입고 동오를 칠 준비를 하라."

다음날 군중의 하급 장수 범강(范疆)과 장달(張達)이 장막으로 들어와 장비에게 고한다.

"한꺼번에 흰 기와 흰 갑옷을 모두 마련하기 어려우니 조금만 더 말미를 주셔야겠습니다."

그 말에 장비는 버럭 화를 낸다.

"나는 우리 형님의 원수를 갚기 위해 내일이라도 당장 역적을 치러 가지 못하는 게 한이다. 그런데 네놈들은 어찌하여 내 명을 거역하려

드는 게냐?"

장비는 즉시 무사에게 호령해 그들 두 사람을 나무에 묶고 채찍으로 등을 50대씩 치게 했다. 매질이 끝나자 장비는 손가락으로 그들을 가리키며 다시 불호령을 내린다.

"내일 안으로 모든 준비를 완전히 마치도록 해라. 만일 내 말을 어기는 날에는 네놈들을 죽여 본보기로 삼겠다!"

두 사람은 입으로 피를 토하도록 매를 맞고 간신히 영채로 돌아와 상의했다. 범강이 먼저 말한다.

"오늘 이렇게 매를 맞았지만 어떻게 내일까지 그걸 다 마련하겠나. 장비의 성미가 워낙 불 같으니 내일까지 마련하지 못하면 꼼짝없이 그 손에 죽게 생겼네."

장달이 말한다.

"그놈이 우리를 죽이기 전에 우리가 먼저 그놈을 죽이는 수밖에."

"무슨 수로 접근한단 말인가?"

"우리가 죽을 팔자라면 그놈이 술을 먹지 않을 테고, 살 팔자라면 술에 취해 있겠지."

이렇게 두 사람은 장비 죽일 계책을 상의했다.

한편 장중에 있던 장비는 마음이 어수선하고 불안하여 진정할 수가 없었다. 곁에 있는 부장에게 묻는다.

"내가 마음이 어수선하고 살이 떨려서 앉으나 누우나 편칠 않으니, 대체 무슨 까닭이겠느냐?"

부장이 대답한다.

"아마도 군후께서 돌아가신 관공을 지나치게 생각하셔서 그런 게 아닌가 싶습니다."

장비는 범강·장달을 매질해 화를 자초하다

장비는 이 말을 듣고 술을 들이라 하여 부장과 더불어 마시기 시작하더니 마침내는 대취하여 장중에 쓰러져 깊은 잠이 들었다. 이 사실을 탐지한 범강과 장달은 초경(밤 8시) 무렵 각각 단도를 품고 조용히 장막으로 갔다.

　"은밀히 아뢰어야 할 중대사가 있어 왔소."

　이렇게 거짓말을 하고 장막 안으로 들어간 두 사람은 장비가 쓰러져 자고 있는 침상 가까이 다가섰다. 장비는 원래 눈을 뜨고 자는 습관이 있었다. 두 사람이 장비를 보니 수염이 곧추서고 두 눈을 부릅뜨고 있어 마치 깨어 있는 사람 같았다. 두 사람이 손을 쓰기는커녕 감히 움직이지도 못하고 선 자리에 굳어 있는데 갑자기 장비의 코고는 소리가 우레소리처럼 요란하게 터져나왔다. 그제야 장비가 깊이 잠들어 있음을 확인한 두 사람은 침상 가까이 다가가서 가지고 온 단도로 장비의 배를 힘껏 찔렀다. 장비가 외마디 비명을 지르며 그대로 숨을 거두니, 이때 그의 나이 55세였다.

　후세 사람이 시를 지어 이 일을 탄식했다.

안희현에서 독우를 매질한 일 진작 들었거니	安喜曾聞鞭督郵
황건적을 소탕하여 한황실 도왔도다	黃巾掃盡佐炎劉
호뢰관에서 명성 먼저 울리더니	虎牢關上聲先震
장판교 흐르는 물도 거슬러 흘렀도다	長坂橋邊水逆流
엄안을 의리로 풀어주어 촉땅을 수습하더니	義釋嚴顏安蜀境
지혜로 장합을 속여 중원을 평정했도다	智欺張郃定中州
오나라를 치다가 원수 갚기도 전에 몸이 먼저 죽으니	伐吳未克身先死
가을 풀 낭중땅에 수심만 남겼도다	秋草長遺閬地愁

장비의 수급을 베어든 범강과 장달은 그날밤으로 부하 수십명을 거느리고 동오로 달아났다. 이튿날 군중이 발칵 뒤집어져서 급히 군사를 일으켜 범강과 장달의 뒤를 쫓았지만 결국 잡지 못했다. 장비의 부장 오반(吳班)은 지난날 형주에서 선주를 뵈러 간 적이 있었는데, 그때 선주가 오반을 아문장(牙門將)으로 삼아 장비를 돕도록 낭중으로 보내서 지금껏 장비 옆에 있었다. 오반은 즉시 황제께 장비의 죽음을 알리는 표문을 지었다. 그런 다음 장비의 맏아들 장포(張苞)로 하여금 관을 짜서 장비의 시신을 모시게 하고 그 아우 장소(張紹)에게 낭중을 지키도록 한 뒤, 장포에게 직접 가서 선주에게 보고하도록 했다. 이무렵 선주는 길일을 택하여 출병했다. 모든 관원들은 공명을 따라 10리 밖까지 나가서 선주를 전송했다. 전송을 마치고 성도로 돌아온 공명은 관원들을 돌아보며 탄식했다.

　　"법효직(法孝直, 법정의 자)이 살아 있었다면 어떻게 해서라도 이번 주상의 동오 정벌을 막았을 터인데……"

　　행군을 시작한 첫날밤, 선주는 갑자기 마음이 뒤숭숭하고 불안해지면서 살이 떨려와 잠을 이룰 수가 없었다. 마침내 잠자리에서 일어나 장막 밖으로 나와서 문득 하늘을 보니, 서북쪽 밤하늘에서 갑자기 됫박만한 별 하나가 땅으로 떨어진다. 마음이 몹시 불안해진 선주는 급히 공명에게 사람을 보내 무슨 징조인지 알아오게 했다. 성도에서 돌아온 사자가 공명의 말을 전한다.

　　"한 사람의 상장을 잃을 징조로, 사흘 안에 반드시 놀라운 소식을 들으실 것이라고 하옵니다."

선주는 더욱 불안하여 군사를 움직이지 못한 채 시간을 보내고 있었다. 문득 측근 신하가 들어와 아뢴다.

"낭중 장장군의 부장 오반이 사람을 보내와 폐하께 표문을 바치려 하옵니다."

순간 선주는 발을 구르며 소리친다.

"아뿔싸! 내 막내아우를 잃었구나!"

급히 표문을 받아보니 과연 장비가 세상을 떠났다는 내용이었다. 선주는 방성통곡하며 그 자리에서 혼절했다가 관원들이 급히 약을 써서 한참만에야 겨우 깨어났다.

이튿날 한떼의 군마가 급히 달려온다는 보고가 들어왔다. 선주가 친히 병영을 나와 지켜섰는데, 흰 전포에 은빛 갑옷을 입은 한 젊은 장수가 말에서 굴러떨어지듯 내려와 땅에 엎드리더니 통곡하기 시작했다. 장비의 맏아들 장포였다.

"범강과 장달이 아버님을 살해하고 그 수급을 잘라 동오로 달아났습니다."

장포가 눈물로 아뢰는 말을 들은 선주는 너무나 애통해하며 먹지도 마시지도 않았다. 주위에서 여러 신하들이 간한다.

"폐하께서 두 아우의 원수를 갚고자 하시면서 어찌 용체(龍體)를 돌보지 않으십니까?"

그제서야 선주는 눈물을 거두고 겨우 음식을 들었다. 그리고 장포에게 묻는다.

"네가 오반과 함께 본부 군사를 이끌고 선봉이 되어 아비의 원수를 갚으러 가겠느냐?"

"나라를 위하고 부친을 위해서라면 이몸은 만번 죽는다 해도 사양치 않겠나이다!"

선주가 마침내 장포를 보내 군사를 일으키려 하는데 이때 또다시 한떼의 군마가 바람을 일으키며 달려오고 있다는 보고가 들어왔다. 즉시 근시를 내보내 알아보게 하니, 잠시 후 역시 흰 전포에 은빛 투구차림의 젊은 장수가 근시를 따라 들어왔다. 선주 앞에 이르러서는 대뜸 땅바닥에 엎드리며 통곡하는데 보니 바로 관흥이었다. 관흥을 본 선주도 관운장 생각이 나서 다시금 대성통곡했다. 여러 관원들이 위로하여 겨우 진정시키니, 선주가 말한다.

"짐은 지난날 포의(布衣, 벼슬이 없는 선비)로 있을 때 관우·장비와 의형제를 맺고 생사를 함께하기로 맹세했다. 이제 짐이 황제가 되어 비로소 두 아우와 부귀를 누리려 했건만, 불행히도 모두 비명에 가버렸구나! 그런데 이렇듯 두 조카를 보니 창자가 끊어질 듯해 견딜 수가 없도다."

선주가 관흥과 장포를 바라보며 또다시 통곡하니 보다 못한 여러 관원들이 관흥과 장포에게 말한다.

"두 젊은 장군께서는 잠시 물러가 계시오. 주상께서는 진정하시고 용체를 쉬시는 게 좋겠소."

관흥과 장포는 절을 올리고 물러났다. 모시는 신하가 다시 현덕에게 아뢴다.

"폐하의 춘추 이미 육순이 넘으셨습니다. 지나치게 애통해하시면 용체에 해롭사옵니다."

선주는 눈물도 닦지 못한 채 말한다.

"두 아우가 다 죽은 마당에 나 혼자 살아서 무엇하리오!"

그러더니 머리를 바닥에 짓찧으며 통곡한다.

관원들은 모여 걱정스럽게 선주의 일을 상의한다.

"황제께서 저토록 번뇌하시는데, 어떻게 슬픔을 누그러뜨리고 진정시켜드릴 수 있겠소?"

마량이 말한다.

"주상께서 친히 대군을 거느리고 동오를 정벌하러 진군하시는 중에 저렇듯 마음을 잡지 못하고 통곡하시면 군사에도 이롭지 않소이다."

진진(陳震)이 말한다.

"듣자니 성도 청성산(靑城山) 서쪽에 은자가 한 분 살고 있다 합니다. 성은 이(李)씨요 이름은 의(意)인데, 세상에 전하는 말로는 나이가 이미 3백세나 되었다 합니다. 그 노인은 능히 사람의 길흉화복과 생사고락을 아는지라 당세의 신선으로 통한다는데, 황제께 아뢰어 그 노인을 불러다가 길흉을 물어보면 어떻겠습니까? 우리가 이러니저러니 말씀드리는 것보다 훨씬 효력이 있지 않을까 하오."

대소 관원들이 이 뜻을 선주께 아뢰었다. 선주는 즉시 진진을 청성산으로 보내 은자를 불러오도록 했다. 진진은 밤을 새워 청성산에 이르렀다. 산 아래 사는 사람의 안내를 받아 산골 깊숙이 들어가자 멀리 그 신선의 집이 보이는데, 주위에 맑은 구름이 은은하게 흐르며 상서로운 기운이 감돌아 범상치 않았다. 진진이 선장을 향해 걸음을 재촉하니, 작은 동자 하나가 절하여 맞으며 묻는다.

"혹시 오시는 분은 진효기(陳孝起, 진진의 자) 어른이 아니십니까?"

진진이 깜짝 놀라 되묻는다.

"동자는 어떻게 내 이름을 아는가?"

"스승님께서 어제 말씀하시기를 오늘 반드시 황제의 부르심이 있을 것이며, 진효기라는 분이 사자로 온다고 하셨습니다."

진진은 감탄해 마지않았다.

"과연 신선이로다. 사람들의 말이 허황한 게 아니었구나."

이윽고 동자와 함께 신선의 집으로 들어간 진진이 이의(李意)에게 절을 하고 황제의 부르심을 전했으나, 이의는 늙었다는 핑계로 산을 내려가려 하지 않았다. 진진은 거듭 간청한다.

"황제께서 급히 선옹(仙翁) 뵙기를 원하십니다. 부디 사양하지 마십시오."

마침내 이의는 그 청을 떨치지 못하고 진진과 함께 산을 내려와 황제의 영채에 이르러 선주를 뵙게 되었다. 선주가 보니 학발(鶴髮) 동안(童顔)에 푸른 눈동자에서는 광채가 나며 몸은 오래된 잣나무처럼 꼿꼿한데, 그 표표한 기상이 누가 보아도 범상치 않은 인물임에 틀림없었다. 선주는 이의를 정중히 맞아들였다. 이의가 묻는다.

"이 늙은이는 험한 산에 사는 촌사람이라 배운 것이 없고 아는 것도 없는데, 폐하께서는 무슨 까닭으로 이렇듯 부르셨는지요?"

선주가 말한다.

"내가 관우, 장비 두 아우와 함께 생사를 같이하기로 약속하고 기쁨과 고초를 함께한 지 30여년인데, 그만 두 아우가 해를 입었소. 그래서 대군을 통솔하여 원한을 갚고자 하는데, 그 길흉이 어떻겠소이까? 선옹께서는 현묘한 이치에 통달하고 만사를 꿰뚫어보신다 하니, 바라건대 가르침을 주시오."

"그것은 하늘이 정한 운수니 이 늙은이가 어찌 알겠습니까?"

선주가 거듭거듭 간절하게 물으니, 이의는 드디어 종이와 붓을 청했다. 이의는 붓을 쥐더니 군사와 군마, 병기 등을 40여장 그리고 나서 그것들을 하나하나 모두 찢어버렸다. 다시 큰 사람 하나가 하늘을 보고 누워 있고, 곁에서 다른 사람이 땅을 파고 이를 묻는 모습을 그리더니 그 위에 크게 흰 백(白)자를 쓴 다음 붓을 내려놓고 일어나 머리를 조아리더니 떠나가버렸다. 선주는 노인의 행동이 무척 못마땅해 여러 신하를 돌아보며 말한다.

"미친 늙은이니 믿을 바가 못 된다!"

즉시 그 그림을 태워버리게 했다. 선주가 군사들을 재촉하여 출정하려는데, 장포가 들어와 아뢴다.

"오반의 군마가 도착했습니다. 폐하, 부디 소신으로 하여금 선봉에 서게 해주십시오."

선주는 장포의 뜻을 장하게 여겨 즉시 장포에게 선봉인(先鋒印)을 내렸다. 장포가 선봉인을 받으려는데, 한 소년장수가 분연히 뛰쳐나오며 외친다.

"그 선봉인을 내게 넘기시오!"

그는 다름아닌 관흥이었다. 장포가 말한다.

"내 이미 폐하의 명을 받았는데 그게 무슨 소리냐?"

"네가 무슨 능력으로 감히 선봉에 서려는 것이냐?"

"내가 어려서부터 무예를 익혀서 화살을 쏘면 표적에서 빗나간 적이 한번도 없었다."

선주는 두 소년장수가 다투는 모습을 지켜보다가 입을 열었다.

"그만들 하라. 짐이 이제 조카들의 무예를 시험해보아 우열을 가리겠다."

장포가 군사에게 명하여 1백보 밖에 깃발을 세우고 붉은 과녁을 그려넣게 했다. 그리고 표적에서 1백 걸음 떨어진 곳에 서더니 활을 당겨 연거푸 세 대의 화살을 쏘았다. 화살 세 대는 하나같이 과녁에 명중했다. 이를 지켜보던 사람들의 입에서는 탄성이 절로 새어나왔다. 이어 관흥이 활을 잡더니 모든 사람들을 향해 소리친다.

"과녁을 뚫는 게 뭐가 그리 대단하단 말이오!"

때마침 관흥의 머리 위로 기러기떼가 날아가고 있었다. 관흥은 손가락으로 그 기러기떼를 가리키며 말한다.

"내가 저기 저 날아가는 기러기떼 중에서 세번째 놈을 맞히겠소. 다들 잘 보시오!"

관흥은 말을 마치기가 무섭게 힘껏 활을 당겼다. 시위를 떠난 화살이 곧장 세번째 기러기를 향해 날아가더니 곧 기러기가 땅바닥으로 곤두박질쳤다. 문무관원들은 일제히 소리지르며 관흥에게 갈채를 보냈다. 장포는 잔뜩 화가 나서 말 위에 뛰어오르더니, 아버지가 쓰던 장팔점강모(丈八點鋼矛, 장팔사모)를 휘두르며 큰소리로 외친다.

"네 감히 나와 끝까지 무예를 견주어볼 테냐?"

관흥도 나는 듯이 말에 올라 집안에 전해오는 대감도(大砍刀)를 휘두르며 맞선다.

"네가 창을 쓸 줄 알면 나라고 칼을 쓰지 못하는 줄 아느냐?"

두 소년장수는 당장이라도 맞서싸울 기세였다. 이를 지켜보던 선주가 꾸짖는다.

"두 조카는 무례하게 굴지 마라!"

선주의 말에 관흥과 장포 두 장수는 황망히 말에서 뛰어내려 각각 무기를 집어던지고 꿇어엎드려 사죄했다. 선주가 말한다.

"짐은 탁군에서 그대들 부친들과 형제의 의를 맺은 뒤로 성은 다르지만 친혈육보다 더 가깝게 지내왔다. 너희 두 사람도 한형제나 다름없으니 마땅히 한마음으로 서로 힘을 합해 부친의 원수를 갚아야 할 터인데, 어찌하여 대의를 저버리고 사사로이 다투느냐? 부친의 상을 치른 지 얼마 되지도 않았는데 이 모양이니, 뒷날에야 오죽하겠느냐?"

관홍과 장포는 거듭 절하고 엎드려 용서를 구했다. 선주가 한동안 그들을 굽어보더니 묻는다.

"너희 두 사람 중에서 누가 나이가 많으냐?"

장포가 아뢴다.

"신이 관홍보다 한살 위입니다."

"그렇다면 관홍은 즉시 일어나 장포에게 절하고 앞으로 형님으로 모셔라."

장포와 관홍은 선주 앞에서 화살을 꺾어 영원히 서로 돕기를 맹세했다. 마침내 선주는 오반을 선봉으로 삼고, 장포와 관홍에게는 황제의 수레를 호위하도록 하여 수륙 양군이 동시에 출진할 것을 명했다. 촉군은 물밀듯한 기세로 동오를 향해 쳐들어갔다.

한편 범강과 장달은 장비의 수급을 가지고 손권에게 투항하여 전후 사정을 상세히 고했다. 손권은 두 사람의 항복을 받아들이고 나서 즉시 문무백관과 함께 대책을 의논한다.

"지금 유현덕이 제위에 올라 친히 정예병 70여만명을 이끌고 쳐들어오고 있소. 그 형세가 자못 크니, 장차 이 일을 어찌하면 좋겠소?"

문무백관들은 놀라 서로의 얼굴을 쳐다볼 뿐 대답을 못했다. 이때 제갈근이 앞으로 나서며 아뢴다.

"제가 군후의 녹을 먹은 지 오래이나 한번도 공을 세우지 못했으니, 이번에 남은 목숨 바칠 각오로 촉주(蜀主, 유현덕)를 찾아가겠습니다. 이해득실을 따져 상황을 설명하고, 두 나라가 서로 화합해 함께 조비의 죄를 치도록 권유하겠습니다."

손권은 크게 기뻐하며 현덕을 설득해 군사를 거두도록 제갈근을 떠나보냈다.

두 나라 서로 다투는 마당에도 사신은 통했으니　　　　　兩國相爭通使命
말 한마디로 어려움 푸는 사신의 힘 기대하더라　　　　　一言解難賴行人

제갈근은 과연 현덕을 설득할 수 있을 것인가?

82

선주의 오나라 정벌

손권은 위에 항복해 아홉가지 하사품을 받고
선주 유비는 동오를 치고 6군에 큰 상을 내리다

장무 원년(221) 8월 선주가 일으킨 대군은 기관(夔關)에 다다라 백제성(白帝城)에 주둔했고, 선봉부대는 이미 천구(川口)를 벗어났다. 측근 신하가 들어와 선주에게 아뢴다.

"동오의 사신 제갈근이 왔습니다."

선주는 제갈근을 그냥 돌려보내라고 명했다. 곁에 있던 황권이 조심스럽게 아뢴다.

"제갈근의 아우가 우리 촉에 승상으로 있습니다. 필시 긴한 일로 찾아온 모양인데, 폐하께서는 어찌하여 만나보시지 않습니까? 일단 불러들여 무슨 말을 하는지 들어보고, 따를 만하면 따르고 그렇지 않으면 손권의 죄가 무엇인지 똑똑히 가르쳐 돌려보내시는 것이 좋을까 하옵니다."

선주는 황권의 말에 따라 제갈근을 안으로 들이게 했다. 제갈근이 들어와 엎드려 절하는데, 선주가 묻는다.

"자유(子瑜, 제갈근의 자)는 먼곳에서 무슨 일로 왔는가?"

제갈근이 말한다.

"신의 아우가 오랫동안 폐하를 섬겨왔기에, 신은 머리에 도끼날이 떨어질 것을 무릅쓰고 형주의 일을 아뢰러 왔나이다. 지난날 관공이 형주에 계실 때 오후께서 여러 차례 사돈을 맺자고 청하셨으나 관공은 끝내 듣지 않으셨고, 후에 관공이 양양을 취하셨을 때도 조조가 여러번 오후께 서신을 보내 형주를 공격하라 했으나 오후는 따르지 않으셨습니다. 그러던 중 평소 관공과 사이가 좋지 않던 여몽이 오후께 아뢰지도 않고 군사를 일으켜 돌이킬 수 없는 큰일을 저질러버릴 줄 누가 알았겠습니까? 오후께서는 너무도 뜻하지 않은 일을 당해 그 일을 막지 못한 것을 몹시 후회하고 계십니다. 이것은 여몽의 죄일지언정 오후의 잘못은 아니며, 더구나 여몽도 이미 죽었으니 원수를 갚은 것이나 다를 바 없습니다. 또한 손부인께서는 오로지 폐하께 돌아가실 생각뿐이라, 오후께서 손부인을 보내드리고자 이렇게 신을 먼저 사신으로 보내신 것입니다. 오후께서는 항복한 장수들을 모두 결박지어 폐하께 돌려보내고 형주 또한 본래대로 반환할 생각이시며, 두 나라가 우호를 맺고 힘을 합쳐 조비를 쳐서 찬역한 죄를 밝히고자 하십니다."

선주는 크게 노하여 꾸짖는다.

"너희 동오가 내 아우를 해쳐놓고는 그따위 교묘한 말로 나를 희롱하려 드느냐?"

제갈근이 다시 아뢴다.

"청컨대 신은 일의 경중과 대소를 따져 말씀드리고자 하옵니다. 폐하께서는 한실의 황숙이십니다. 한제께서 조비에게 찬탈당하셨는데, 나라의 역적을 멸하려 하시지 않고 성이 다른 결의형제를 위해 만승의 귀한 몸을 수고롭게 하시니, 이는 대의를 버리고 소의를 취하심입니다. 중원은 천하의 중심이고 양도(兩都, 낙양·허도)는 모두 한나라가 창업한 땅이거늘, 폐하께서는 그곳을 취하지 않고 형주를 다투시니, 이는 중대한 것을 버리고 사소한 것을 취하심입니다. 천하 사람들은 폐하께서 즉위하시면 반드시 한실이 다시 일어나고 잃었던 산하를 회복하리라 믿었습니다. 그런데 위는 두고 도리어 오를 치려 하시니 폐하의 뜻을 알 수가 없습니다."

제갈근의 말에 선주는 버럭 화를 낸다.

"내 아우를 죽인 원수와는 한하늘 아래 살 수 없다. 짐이 죽기 전에는 군사는 못 거둔다! 당장 네 목부터 치고 싶지만 내 승상의 체면을 보아 그냥 돌려보내니, 가거든 손권에게 목을 씻고 죽을 준비나 하라고 전하라!"

제갈근은 끝내 자신의 말을 받아들이지 않는 선주의 완강함에 길게 탄식하며 강남으로 돌아갔다.

한편 동오에서는 장소가 손권에게 간한다.

"제갈자유가 촉군의 형세가 큰 것을 알고 강화를 맺으러 간다는 핑계로 오를 배반하고 촉에 투항하지 않았나 싶습니다. 분명 돌아오지 않을 테니 두고 보십시오."

손권이 말한다.

"나와 자유는 생사를 함께 하기로 맹세한 바 있으니, 내가 그를 저버리지 않는 한 그가 나를 저버릴 리 없소. 지난날 자유가 시상(柴桑)에 있을 때 공명이 찾아온 적이 있었소. 내가 자유에게 공명을 붙들어 내 사람으로 만들어보라고 권했더니, 자유가 무어라 말했는지 아시오? '아우가 이미 유현덕을 섬기니 두 마음을 가질 리 없습니다. 공명이 동오에 머물지 않으려는 것은 제갈근이 촉으로 가지 않으려는 것과 같습니다' 합디다. 그 말이 신명도 감동시킬 만하니, 오늘날 그가 어찌 촉에 투항하겠소? 나와 자유는 각별한 사이니 공연한 말로 우리 둘 사이를 이간질하지 마시오."

이때 촉에서 제갈근이 돌아왔다는 보고가 들어왔다. 손권이 웃으며 장소에게 말한다.

"내 뭐라 합디까?"

장소는 부끄러워 얼굴을 붉히며 물러갔다. 잠시 후 제갈근이 들어와 손권을 뵙고 선주 유현덕은 화친할 뜻이 없음을 전했다. 손권은 크게 놀란다.

"그렇다면 큰일이구려. 앞으로 강남이 위태롭게 되었으니 이 일을 어찌해야 좋겠소?"

이때 계단 아래서 한 사람이 썩 나서며 아뢴다.

"제게 한 가지 계교가 있으니 근심하지 마십시오."

그는 바로 중대부 조자(趙咨)였다. 손권이 급히 묻는다.

"덕도(德度, 조자의 자)에게 어떤 좋은 계책이 있는가?"

"주공께서 위제(魏帝) 조비에게 표문을 써주시면 제가 사자로 가서 올리고 이해와 득실을 따져 설득해 한중을 습격하게 하겠습니다. 그리 되면 촉군은 저절로 위태로워질 것입니다."

손권이 말한다.

"좋은 계책이오만 경은 위에 가서 우리 동오의 기상을 떨어뜨리지 않도록 조심해야 하오."

조자가 단호하게 말한다.

"이번 길에 조금이라도 실수가 있으면 강물에 몸을 던져 죽을지라도 다시는 강남으로 돌아오지 않겠습니다."

손권은 크게 만족스러워하며 즉시 자신을 낮추어 신하로 칭하여 조비에게 보낼 표문을 짓고 조자에게 주어 사신으로 떠나보냈다. 밤낮으로 말을 달려 허도에 당도한 조자는 먼저 태위(太尉) 가후 등의 대소 관료들을 만났다. 이튿날 아침 조회석상에서 가후가 조비에게 아뢴다.

"동오의 중대부 조자가 표문을 가지고 왔습니다."

조비가 피식 웃으며 말한다.

"촉군을 물리쳐달라고 청하러 온 게지."

좌우에게 명해 사자를 불러들이게 했다. 잠시 후 조자가 들어와 붉은 계단 아래 엎드려 절한 다음 조비에게 손권의 표문을 바쳤다. 말없이 표문을 읽고 난 후 조비가 묻는다.

"오후의 사람됨이 어떠한가?"

조자가 대답한다.

"총명하고 명철인자하고 지혜로우시며, 영웅의 지략까지 두루 갖춘 주인이십니다."

조비는 소리내어 웃는다.

"경의 칭찬이 너무 지나친 것 같구만."

"절대 지나친 칭찬이 아닙니다. 오후께서 평범한 무리들 가운데서 노숙을 알아보고 등용했으니 이는 총명함이요, 여몽을 발탁해 군사를 주어 작전하게 했으니 이는 영명하기 때문입니다. 우금을 잡고도 죽이지 않은 것은 어질기 때문이며, 형주를 취하는 데 칼에 피를 묻히지 않음은 지혜롭기 때문입니다. 삼강(三江)에 의지해 범 같은 눈으로 천하를 살피며 기회를 엿보고 있으니 이는 영웅의 기개이며, 폐하께 몸을 굽혀 신하를 자청하니 이는 곧 지략의 출중함입니다. 이러한데 어찌 총명과 인의와 지혜와 영웅의 기개를 겸비한 주인이라 하지 않을 수 있으리까?"

"오후가 학문을 아는가?"

"저희 주인께서는 1만척의 군선을 강에 띄우고 무장군사 백만을 거느리시며 현명한 인재를 발탁해 일을 맡기시고, 항상 경략(經略)에 뜻을 두고 계십니다. 잠시라도 여가가 나면 경전과 사적(史籍)을 섭렵해 큰 뜻을 터득하시니, 서생들처럼 문장이나 찾고 구절이나 외우는 일 따위는 하지 않습니다."

조비가 비웃듯 묻는다.

"짐이 동오를 정벌하고자 하는데 가능하겠느냐?"

조자는 여유있게 대답한다.

"대국이 군사를 갖추었다면 소국은 언제든 이를 막아낼 방책을 가지고 있게 마련입니다."

조비가 짐짓 목소리를 돋우어 묻는다.

"그렇다면 동오가 위를 두려워하지 않는단 말인가?"

조자는 서슴없이 대답한다.

"백만의 무장군사가 장강과 한수를 연못처럼 알고 있는데 무슨 두려움이 있겠습니까?"

조비가 머리를 끄덕이며 묻는다.

"동오에는 그대와 같은 사람이 얼마나 있는가?"

조자가 겸손하게 대답한다.

"특히 총명하고 뛰어난 인재는 8, 90명 될 것이고 신과 같은 무리는 수레로 실어내고 말[斗]로 되어도 다 헤아릴 수 없을 정도입니다."

조비는 감탄한다.

"'다른 나라에 사신으로 가서 자기 임금을 욕되게 하지 않는다[使於四方 不辱君命,『논어』「자로편」]' 함은 바로 경을 두고 한 말이로다!"

조비는 즉시 태상경(太常卿) 형정(邢貞)에게 명해 손권을 오왕(吳王)으로 책봉하고 구석(九錫, 황제가 공로가 큰 신하에게 하사하는 아홉 가지 상)을 내린다는 조서를 쓰게 했다. 조자는 사례하고 물러났다. 대부 유엽이 조비에게 간한다.

"이번에 손권이 사자를 보낸 것은 촉군의 형세가 두려워서입니다. 신의 어리석은 소견으로는 촉과 오가 싸운다면 이는 하늘이 그들을 멸망시키려 하시는 것입니다. 지금 상장을 시켜 수만군을 거느리고 강을 건너 동오를 공격하게 하십시오. 위는 안에서 치고 촉은 밖에서 치는 형국이니 동오는 열흘도 못 가서 무너지고 말 것입니다. 동오가 망하고 나면 촉은 고립될 터인데, 폐하께서는 어찌하여 속히 도모하지 않으십니까?"

조비가 말한다.

"손권이 이미 예를 갖추어 짐에게 복종했는데 짐이 동오를 친다면 이는 장차 짐에게 항복하려는 천하의 인심을 막는 결과가 될 게 아닌가? 그러니 손권을 받아들이는 게 낫겠소."

유엽이 다시 간한다.

"손권의 재주가 뛰어나다 해도 멸망한 한의 표기장군 남창후에 불과합니다. 관직이 가벼우면 세력도 미약해 중원을 두려워하게 마련이나 손권에게 왕위를 주시면 폐하보다 겨우 한 자리 아래 있을 뿐입니다. 그런데 폐하께서는 손권의 거짓항복을 믿고 그 지위까지 높여 왕으로 봉하시니, 이는 호랑이에게 날개를 달아주는 것과 무엇이 다르겠습니까?"

조비는 단호하게 말한다.

"그렇지 않소. 짐은 동오도 돕지 않고 촉도 돕지 않을 생각이오. 그저 동오와 촉의 싸움을 구경하면서 둘 중에 하나가 망하기를 기다렸다가 남은 하나를 격멸해버린다면 무슨 어려움이 있겠는가? 짐은 이미 생각을 굳혔으니 더 여러 소리 마오."

마침내 조비는 태상경 형정에게 손권을 왕으로 봉한다는 책문과 구석을 받들어 조자와 함께 동오로 가도록 했다.

한편 손권은 백관을 불러모아 촉군을 막을 계책을 강구하고 있었다. 그때 보고가 들어왔다.

"위제께서 주공을 왕으로 봉하니 예로써 나와 영접하라 하십니다."

고옹이 간한다.

"주공께서는 상장군(上將軍)을 자칭하시고 구주백(九州伯) 자리를 지키실 뿐, 위제가 봉하는 벼슬은 받지 마십시오."

손권이 말한다.

"옛날 패공(沛公, 유방)도 항우(項羽)가 주는 벼슬을 받았소이다.(유방이 항우와 함께 진나라를 멸했지만 항우보다 세력이 약해 한왕의 칭호를 수락한 고사)

천하의 모든 일이 형편에 따르는 법이니 굳이 거절할 까닭이야 없지 않겠소?'

손권은 문무백관을 거느리고 성밖으로 나가 위의 사자를 영접했다. 그러나 형정은 손권이 몸소 성밖까지 나왔는데도 자기가 대국의 사신이라는 이유로 수레에서 내리지도 않은 채 그대로 성안으로 들어가려 했다. 장소가 크게 노하여 꾸짖는다.

"예의는 공경하는 것이고 법은 엄숙한 것인데 그대가 감히 교만을 부리다니, 우리 강남에는 칼 한 자루도 없는 줄 아느냐?"

그제서야 형정은 황망히 수레에서 내려 손권과 서로 인사를 나누고 수레를 나란히하여 성안으로 들어갔다. 이때 문득 수레 뒤쪽에서 통곡하며 한탄하는 소리가 들려왔다.

"우리가 목숨 바쳐 위와 촉을 무찌르지 못한 까닭에 오늘날 주공께 남이 내리는 벼슬을 받으시게 하는구나. 이런 치욕이 어디 있단 말인가!"

사람들이 모두 보니 그는 바로 서성(徐盛)이었다. 형정은 서성의 한탄하는 소리를 듣고 속으로 감탄했다.

'강동의 장수와 재상들이 이러하니 손권은 결코 남의 수하에 오래 있을 사람이 아니로구나!'

그날로 손권은 위제 조비가 내리는 왕의 작호를 받고 문무관원들의 하례를 받은 뒤 보옥과 값진 구슬 등을 마련해 사은의 예로 허도에 보냈다. 이때 촉의 정세를 염탐하고 돌아온 정탐꾼이 손권에게 고한다.

"촉주 유현덕은 본국의 대군과 더불어 만왕(蠻王) 사마가(沙摩柯)의 번병 수만명을 이끌고 또한 동계(洞溪)에 은거중이던 한나라 장수 두로(杜路)와 유녕(劉寧)이 거느린 군사들과 합세해 수로와 육로로 동시에 쳐들어오고 있습니다. 그 기세가 하늘을 찌를 듯하옵고, 더구나 촉의 수로군은 벌써 무구(巫口)를 지났으며 육로군은 자귀(秭歸)에 이르렀습니다."

손권은 비록 왕위에 올랐다고는 하나 위왕이 조금도 도와주지 않으니 답답할 뿐이었다. 손권이 문무관원들에게 묻는다.

"촉군의 군세가 자못 크다 하니 장차 이 일을 어찌하면 좋겠소?"

그 물음에 누구 하나 입을 여는 사람이 없었다. 손권이 탄식한다.

"주랑(周郞, 주유)이 죽은 뒤에는 노숙이 있었고 노숙이 간 다음에는 여몽이 있었는데, 이제 여몽마저 죽고 말았으니 과인과 더불어 근심을 나눌 인물이 한 사람도 없구나!"

이때였다. 문득 반열 중에서 한 젊은 장수가 분연히 일어나 손권 앞에 엎드리며 아뢴다.

"신이 비록 나이 어리지만 병서를 익혔으니, 원컨대 군사 수만명을 내주신다면 촉군을 무찌르겠습니다."

손권이 굽어보니 젊은 장수는 다름아닌 손환(孫桓)이었다. 손환의 자는 숙무(叔武)로, 그 아비는 손하(孫河)였다. 본래 성은 유(兪)씨였으나 지난날 손책이 살아 있을 때 유하를 아껴 손씨 성을 내린 까닭에 그후 오왕의 종친이 되었다. 유하, 즉 손하에게는 아들 넷이 있었는데, 손환은 그중 맏아들이었다. 손환은 특히 말타기와 활쏘기에 능했고, 손권이 싸움터에 나갈 때마다 따라나가 여러번 공을 세워 벼슬이 무위도위(武衛都尉)에 이르렀으며, 그때 나이는 25세였다. 손권이 묻는다.

"네게 무슨 계책이 있어 이길 수 있다고 나서느냐?"

손환이 대답한다.

"신에게 두 장수가 있으니 한 사람은 이이(李異)고 또 한 사람은 사정(謝旌)입니다. 둘 다 1만명도 대적할 만큼 용맹스러우니 수만 군사를 내주신다면 유비를 사로잡아 오겠습니다."

손권이 말한다.

"네 비록 영용하다 해도 아직 나이가 어리니 도와줄 사람이 있어야겠다."

그때 호위장군(虎威將軍) 주연(朱然)이 나서며 아뢴다.

"신이 손장군과 함께 가서 유비를 사로잡겠습니다."

손권은 고개를 끄덕이고서 즉시 수군과 육군 5만명을 내주고, 손환을 좌도독으로, 주연을 우도독으로 봉하여 그날로 군사를 일으키도록 했다. 이때 적군을 정탐하러 갔던 척후병이 급히 돌아와 아뢴다.

"촉의 대군은 이미 의도(宜都)에 당도해 영채를 세우고 주둔했습니다."

손환은 즉시 2만 5천 군사를 거느리고 의도 접경지역으로 진군했다. 당도한 즉시 앞뒤로 군마를 나누어 영채를 세 군데 세우고 촉군과 대치했다.

한편 촉장 오반은 선봉이 되어 성도를 떠나온 이래 이르는 곳마다 항복을 받아내 군사들의 칼날에 피 한방울 묻히지 않고 의도에 다다랐다. 동오의 손환이 의도 접경에 진을 쳤다는 보고를 받은 오반은 나는 듯이 달려가 선주에게 이 사실을 고했다. 그때 이미 선주는 자귀에 도착해 진을 치고 있었는데 오반의 보고를 받고는 크게 노하여 소리친다.

"젖비린내 나는 어린놈이 감히 짐과 겨뤄보겠다는 말이냐!"

곁에 있던 관흥이 분연히 나선다.

"손권이 그 어린놈을 장수를 삼았다니 폐하께서도 번거롭게 대장을 골라 보내실 것 없습니다. 신이 가서 그 어린놈을 사로잡아오겠습니다."

선주는 곧 관흥에게 출정을 허락했다.

"짐이 네 장한 기개를 볼 것이다!"

관흥이 절하고 떠나려는데, 장포가 뛰어나와 간곡히 청한다.

"관흥이 나가 도적을 토벌한다 하니 신도 함께 가겠습니다."

선주가 말한다.

"두 조카가 함께 간다니 더욱 좋구나. 다만 모름지기 매사 서두르지 말고 조심하여라."

관흥과 장포는 선주께 절하고 물러나와 선봉부대와 세력을 합쳐 일제히 군사를 이끌고 진군해 진영을 벌여세웠다. 손환도 촉의 대군이 이르렀다는 보고에 세 영채의 군사를 한꺼번에 이끌고 나왔다. 마침내 양쪽 진영이 둥그렇게 진을 벌여 대치한 가운데 손환이 이이와 사정을 거느리고 문기 아래로 나섰다. 촉의 진영에서도 두 대장이 나오는데 모두 은빛 투구에 은빛 갑옷을 입었으며, 백마를 타고 백기를 꽂고 있었다. 오른쪽의 장포는 장팔점강모를 들었고, 왼쪽의 관흥은 대감도를 비껴들었다. 장포가 큰소리로 꾸짖는다.

"애송이 손환아, 죽음이 코앞에 닥쳤는데 네 감히 황제의 군사에 대항하겠다는 것이냐?"

손환도 지지 않고 고함을 지른다.

"네 아비가 이미 대가리 없는 귀신이 되었는데 이제 너까지 죽고 싶어 왔느냐. 참으로 어리석은 놈이로다!"

장포가 격분하여 창을 비껴들고 나는 듯이 손환을 향해 달려들자 손환의 뒤에 있던 사정이 달려나와 장포를 맞는다. 두 장수가 어우러 져 싸운 지 30여합에 사정은 더이상 당해내지 못하고 달아나기 시작 했다. 장포는 승세를 놓치지 않고 급히 뒤를 쫓는다. 이이가 쫓겨오는 사정을 대신해 싸우기 위해 황급히 달려나온다. 잠금부(蘸金斧, 금칠한 도끼)를 휘두르며 장포를 가로막고 싸우는데, 20여합이 지나도록 승부 가 나지 않는다.

그때 동오의 비장(裨將) 담웅(譚雄)이 장포의 영용함을 보고 도저 히 이이가 당해낼 수 없다고 판단하고는, 몰래 화살을 메겨 장포가 탄 말을 겨냥하고 쏘았다. 장포의 말은 정통으로 화살을 맞고 울부짖으 며 본진을 향해 달리기 시작했다. 그러나 문기에도 채 못 미쳐 그만 앞다리를 꺾으며 쓰러지니, 그 바람에 장포도 땅바닥으로 나동그라지 고 만다. 순간 이이가 잽싸게 달려들더니 장포의 머리를 향해 냅다 도 끼를 휘두른다. 이때였다. 한줄기 시뻘건 빛이 번쩍 튀며 장포의 머리 가 박살나는가 싶었는데, 어찌 된 일인지 이이의 머리가 땅에 굴러떨 어진다. 원래 관흥은 장포의 말이 화살을 맞고 돌아오는 것을 보고 뒤 이어 싸우려고 기다리고 있었다. 그런데 갑자기 장포의 말이 고꾸라 지고 그 뒤를 쫓는 이이를 본 순간 벼락같이 호통을 치며 쏜살같이 달 려들어 단칼에 이이의 목을 내려쳤던 것이다. 관흥이 장포를 구하고 합세하여 공격하니, 손환은 크게 패했다. 양쪽 진영은 각기 징을 울려 군사를 거두었다.

다음날 손환은 또다시 군사를 이끌고 진 앞으로 나섰다. 장포와 관 흥 역시 나란히 나와 맞섰다. 관흥이 진 앞에 말을 세우고 손환에게 승부를 가리자고 하며 싸움을 돋우었다. 손환이 대로하여 칼을 휘두 르며 달려나온다. 관흥이 달려나가 맞서싸운 지 30여합에 손환은 힘

관흥은 동오군의 손에서 장포의 목숨을 구하다

이 달려 크게 패하고 본진으로 말머리를 돌렸다. 관흥과 장포 두 장수는 기다렸다는 듯이 뒤를 추격해 동오군의 진지로 짓쳐들어간다. 오반 또한 장남(張南)과 풍습(馮習)을 이끌고 동오군을 엄살해들어간다. 선두에서 용맹을 떨치며 적진을 뚫고 가던 장포는 적장 사정과 마주치자 단칼에 쳐죽였다. 이에 놀란 동오군은 산지사방으로 흩어지며 달아나기 시작했다. 대승을 거둔 촉장들이 군사를 거두어들였다. 그런데 어찌 된 일인지 관흥이 보이지 않는다. 장포가 크게 놀라 소리친다.

"안국(安國, 관흥의 자)을 잃고 내 어찌 홀로 살 수 있으랴!"

장포는 즉시 말에 올라 관흥을 찾으러 나섰다. 얼마 못 가서 장포는 왼손에 칼을 들고 오른손에 한 장수를 붙잡아가지고 오는 관흥을 보았다. 장포가 앞으로 달려들며 묻는다.

"대체 그놈은 누구냐?"

관흥이 웃으며 대답한다.

"한참 싸우던 중에 바로 원수를 만났지 뭐요. 그래서 사로잡아 오는 길이오."

장포가 자세히 보니 바로 어제 자기의 말에 화살을 쏜 담웅이다. 장포는 크게 기뻐하며 관흥과 함께 본영으로 돌아왔다. 즉시 담웅의 목을 베고 그 피를 뿌려 죽은 말을 위해 제사를 지내고 표문을 올려 선주에게 승전보를 전했다. 한편 손환은 이이·사정·담웅 등 많은 장수를 잃고 힘과 형세가 다해 도저히 대적할 수 없음을 깨닫고 즉시 사람을 보내 손권에게 구원을 청했다.

이때 촉장 장남과 풍습이 오반에게 말한다.

"동오군의 형세가 꺾였으니 이때를 놓치지 말고 적의 영채로 쳐들어가 무찌르는 것이 어떻겠소?"

오반이 대답한다.

"손환이 비록 수많은 장수들을 잃었지만, 주연이 수군을 거느리고 강위에 진을 치고 있지 않소? 오늘 우리가 적의 영채를 급습했다가 주연의 수군이 상륙해 돌아갈 길을 끊어버리기라도 하면, 그때 우린 어찌한단 말이오?"

장남이 말한다.

"그것은 걱정 마오. 관흥과 장포 두 장군에게 각각 군사 5천을 이끌고 산골짜기에 매복해 있다가 주연의 수군이 손환을 구하러 오기를 기다려 일제히 협공하게 하면 승산이 있소이다."

오반도 그럴듯하게 여겨 자기의 생각을 말한다.

"그렇다면 군사 몇명을 주연에게 보내 거짓투항시켜 우리가 손환의 영채를 급습할 것이라고 밀고하게 합시다. 그런 다음 우리가 횃불을 올리면 주연이 반드시 구원하러 올 테니, 그때 복병을 써 기습한다면 크게 이길 수 있을 것이오."

풍습 등은 크게 기뻐하며 그 계책을 즉시 실행에 옮겼다.

한편 주연은 손환이 많은 장수들과 군사들을 잃었다는 소식을 듣고 구원하기 위해 출군 준비를 서두르고 있었다. 이때 뭍에 매복해 망을 보던 군사들이 투항해왔다는 촉군 몇명을 데리고 왔다. 주연이 촉의 군사에게 묻는다.

"승리한 진영의 군사들이 무슨 까닭으로 투항하려는 것이냐?"

투항해온 촉의 군사가 아뢴다.

"저희들은 풍습 휘하에 있던 군졸들인데, 풍습은 언제나 상벌이 공평하지 않아 불만을 품어오다가 투항하기로 결심한 것입니다. 마침

알려드릴 기밀도 있고 해서요."

주연이 다그치듯 묻는다.

"그 기밀이란 게 무엇이냐?"

"오늘밤에 풍습이 승세를 몰아 손장군의 영채를 급습할 계획인데, 횃불을 올려 군호로 삼는다 합니다."

주연은 곧 손환의 영채에 이 사실을 알리려 사람을 보냈다. 그러나 주연의 사자는 도중에 대기하고 있던 관흥에게 사로잡혀 죽고 말았다. 주연이 수하 장수들과 상의한 끝에 군사를 이끌고 손환을 구하러 떠나려 하는데 부장 최우(崔禹)가 만류한다.

"투항해온 군졸의 말을 너무 믿었다가 자칫 실수라도 하는 날에는 수륙 양군 모두 끝장입니다. 장군께서는 수채를 지키십시오. 제가 장군을 대신해 가겠습니다."

주연은 그 말에 일리가 있다고 여겨서 최우에게 1만 군사를 내주고 떠나게 했다. 그날밤 풍습·장남·오반은 군사를 세 방면으로 나누어 손환의 영채를 기습했다. 촉군이 함성을 지르며 사방에 불을 지르니, 동오군은 혼란에 빠져 달아나기에 바빴다.

한편 최우는 손환의 영채를 향해 가다가 사방에서 불길이 오르는 것을 보았다. 급히 군사를 독촉해 산골짜기를 돌아나오는데, 갑자기 북소리가 크게 울리면서 좌우에서 관흥과 장포가 뛰어나와 협공해온다. 대경실색한 최우는 말머리를 돌려 달아나려 했으나 어느 틈에 앞을 막아선 장포에게 칼 한번 휘둘러보지 못한 채 사로잡혔다. 주연은 오군의 상황이 위급하다는 소식을 듣고 급히 배를 몰아 5,60리 하류로 물러났다. 한편 패잔병을 이끌고 달아나던 손환은 부장(部將)에게 묻는다.

"앞길에 어느 성이 견고하고 양식이 많은가?"

부장이 대답한다.

"북쪽으로 곧장 가면 이릉성(彝陵城)이 있는데, 충분히 군사를 주둔시킬 만합니다."

손환은 패잔병을 이끌고 급히 이릉성을 향해 도망쳤다. 그러나 손환의 무리가 이릉성에 도착하기가 무섭게 어느새 뒤쫓아온 오반 등의 군사가 성을 겹겹이 에워싸버렸다. 관흥과 장포 등은 최우를 사로잡아 자귀로 돌아갔다. 선주는 크게 기뻐하며 당장 최우의 목을 베라 하고 군사들에게 두루 큰 상을 내렸다. 이렇듯 촉의 위풍이 강남 일대에 진동하니, 동오의 장수들은 하나같이 두려움에 떨었다.

한편 이릉성에 갇힌 손환은 급기야 동오로 사람을 보내 구원을 요청했다. 손권이 깜짝 놀라 즉시 문무관원을 불러들여 의논한다.

"지금 손환은 이릉성에서 곤경에 처해 있고 주연은 강에서 대패했소. 촉군의 형세가 이렇게 크니 이를 어쩌면 좋겠소?"

장소가 아뢴다.

"비록 이번 전투에서 여러 장수를 잃었지만 아직도 10여명의 장수가 남아 있는데 어찌 유비 따위를 근심하십니까? 한당이 있으니 그를 대장에 임명하고 주태를 부장으로 삼으십시오. 또한 반장을 선봉으로 삼고 능통에게 후군을 맡기며 감녕은 지원군을 맡게 하여 10만 대군을 일으키신다면 당장 적을 물리칠 수 있습니다."

손권은 장소의 말에 따라 여러 장수들에게 명을 내려 진용을 갖춰 속히 출정하도록 했다. 이때 감녕은 이질을 앓고 있었으나 병을 무릅쓰고 출정했다.

한편 선주는 무협(巫峽)·건평(建平)에서부터 이릉 경계까지 7백여 리에 걸쳐 영채 40여개를 잇달아 세우니, 그 형세가 자못 대단했다. 선주는 여러번 큰 공을 세운 관흥과 장포를 보고 감탄하여 자랑스럽게 말한다.

"지난날 과인을 따르던 장수들이 이제 늙어 별로 쓰일 데가 없는데, 이렇듯 두 조카가 영웅의 기질을 갖추었으니 짐이 어찌 손권을 걱정하겠는가?"

이때 한당과 주태가 군사를 이끌고 진군해온다는 보고가 들어왔다. 선주는 즉시 장수를 보내 적을 맞으려 했다. 이때 측근 신하가 가까이 다가와 낮은 소리로 아뢴다.

"노장 황충이 대여섯명의 군사를 이끌고 투항하기 위해 동오로 갔다 합니다."

그 말을 듣고도 선주는 조금도 놀라는 기색 없이 웃으며 말한다.

"황한승(黃漢升, 황충의 자)은 절대 배반할 사람이 아니다. 아마 좀전에 짐이 무심코 늙은 장수들을 무용지물이라고 한 데 반발하여 그렇지 않음을 보여주려 싸우러 간 모양이다."

말은 가볍게 하면서도 걱정이 된 선주는 관흥과 장포를 불러 당부한다.

"황한승에게 혹여 실수라도 있을까 두려우니 조카들은 수고를 아끼지 말고 당장 뒤따라가 도와드리도록 하라. 작은 공이라도 세우거든 그 즉시 돌아올 것을 청하여 행여 실수하지 않게 살펴드려라."

두 젊은 장수는 선주께 절하고 물러나와 본부 군사를 거느리고 황충을 도우러 급히 떠났다.

노신은 일심으로 충군의 뜻 맹세하는데 　　　　　老臣素矢忠君志

젊은이도 공 세워 나라에 보답하네 　　　　　　年少能成報國功

앞서간 황충은 과연 어찌 될 것인가?

83

유비가 원수를 갚다

선주 유비는 효정 싸움에서 원수들을 잡고
강어귀를 지키던 서생 육손은 대장으로 임명되다

때는 장무 2년(222) 정월이었다. 무위후장군(武威後將軍) 황충은 선주와 함께 동오를 치기 위해 나섰다가, 선주가 무심결에 노장은 쓸데 없다고 한 말을 듣고는, 즉시 칼을 잡고 말위에 올라 대여섯명의 군사를 거느리고 이릉의 영채를 향해 달려갔다. 오반이 장남과 풍습 등을 거느리고 나와 황충을 맞이한다.

"노장군께서는 무슨 일로 오셨습니까?"

황충이 대답한다.

"내가 장사에서 황제를 모신 이래 오늘날에 이르도록 숱한 싸움을 치렀소. 이제 나이 일흔이 넘었으나 한자리에서 고기 10근을 먹어치울 수 있고 이석궁(二石弓, 강한 활)을 힘껏 잡아당길 만한 팔힘이 있으며 말을 타면 능히 천리를 달릴 수 있으니 어찌 늙었다 하겠소. 그런데 어제 주상께서 우리 늙은 장수들은 이제 쓸모가 없다 하시니, 내 동오와 맞서싸워 적장을 참하여 과연 내가 늙었는지 안 늙었는지를 보여줄 작정이오."

이때 갑자기 동오군의 선발대가 이미 도착해 싸우려 한다는 보고가 날아들었다. 순간 황충은 분연히 일어나더니 즉시 장막에서 나와 말에 올랐다. 풍습 등이 만류한다.

"노장군께서는 가벼이 움직이지 마십시오."

황충은 들은 체도 않고 달려나갔다. 오반은 풍습 등에게 군사를 이끌고 가서 황충을 도우라 일렀다. 황충은 단숨에 오군 진영 앞에 이르더니 적의 선봉장 반장을 발견하고는 지체없이 달려나가 칼을 휘두르며 싸움을 청한다. 반장은 즉시 부장 사적(史迹)을 내보냈다. 사적은 늙은 황충을 얕보고 겁없이 달려들었으나 싸운 지 불과 3합에 황충의 칼날이 번쩍하고 불을 뿜더니 사적의 몸은 두 동강이 나고 말았다. 반장은 격분하여 관운장이 생전에 쓰던 청룡도를 휘두르며 황충에게 달려들었다. 황충과 반장이 어우러져 수합을 싸웠건만 승부가 나지 않는다. 황충이 사력을 다해 덤비니, 반장은 그런 황충을 당해내지 못하고 결국 말머리를 돌려 달아나기 시작한다. 황충은 승세를 몰아 추격하여 적을 무찌르고, 돌아오는 길에 관흥과 장포를 만났다. 장포가 말한다.

"저희들은 성지(聖旨, 황제의 명)를 받들어 노장군을 도우러 왔습니다. 장군께서는 이미 대공을 세우셨으니 저희들과 함께 속히 본영으로 돌아가십시다."

황충은 고개를 저으며 장포와 관흥의 권유를 듣지 않았다.

다음날 반장이 다시 와서 싸움을 걸었다. 황충은 분연히 말에 올랐다. 관흥과 장포가 싸움을 돕겠다고 나섰으나 황충은 단호히 거절했다. 오반도 돕겠다고 나섰으나 황충은 마찬가지로 이를 거절한 다음혼자 5천명의 군사를 이끌고 적과 싸우러 나갔다. 반장은 이번에도불과 몇합을 싸우다가 말머리를 돌려 달아나기 시작했다. 황충이 급히 뒤쫓으며 호통친다.

"적장은 게 섰거라. 내 오늘 관공의 원수를 갚고야 말겠다!"

이렇게 30리쯤 뒤쫓아갔을 때 갑자기 사방에서 함성이 터져오르며일시에 복병이 쏟아져나온다. 오른쪽에서는 주태가, 왼쪽에서는 한당이, 앞에서는 반장이, 뒤에서는 능통이 한꺼번에 달려드니 황충은 완전히 포위되었다. 이때 느닷없이 일진광풍이 일어난다. 황충이 급히물러서려는데, 산 언덕 위에서 마충이 한무리의 군사를 거느리고 나타나 화살을 쏘았다. 화살은 곧장 날아와 황충의 어깨에 명중했다. 황충은 하마터면 말 아래로 고꾸라질 뻔했다. 동오군은 화살에 맞은 황충을 생포하기 위해 기세좋게 달려들었다. 이때 갑자기 뒤쪽에서 큰함성이 일어나며 두 방면에서 군사들이 질풍처럼 덮쳐들어 동오군을흩어버리고 황충을 구해내니, 그들은 다름아닌 관흥과 장포였다. 젊은 두 장수는 황충을 구해 선주의 본영으로 돌아왔다. 황충은 곧 화살을 뽑고 상처를 치료했으나 연로하여 혈기가 쇠한데다 통증이 극심하여 병세는 점점 위중해져갔다. 선주는 친히 병문안을 와서 황충의 등을 어루만지며 위로한다.

"노장군을 이렇게 만든 것은 다 짐의 잘못이오!"

황충이 간신히 눈을 뜨고 선주를 보더니 입을 연다.

"신은 한낱 무장에 지나지 않는데 천행으로 폐하를 만나뵈었고, 나이도 올해로 일흔다섯이니 천수를 누린 셈입니다. 다만 바라옵건대 주상께서는 용체를 보전하시어 부디 중원을 도모하소서!"

이 말을 끝으로 황충은 정신을 잃었다. 그날밤 황충은 선주의 진영에서 끝내 숨을 거두었다.

후세 사람이 시를 지어 황충을 기렸다.

노장 황충으로 말하면	老將說黃忠
서천을 거두는 데 큰 공 세웠도다	收川立大功
다시 금쇄갑옷 떨쳐입고	重披金鎖甲
두 손으로 무쇠활 당겼도다	雙挽鐵胎弓
그 담력 하북을 놀라게 하고	膽氣驚河北
그 위엄 촉땅에 길이 남았네	威名鎭蜀中
죽음에 다달아 머리는 백발이었으되	臨亡頭似雪
영웅의 기개 오히려 더 빛났더라	猶自顯英雄

선주는 황충의 죽음을 몹시 애통해하며 즉시 좋은 관을 마련해 성도로 운구하여 장사지내도록 하고, 깊이 탄식한다.

"오호대장 중에서 벌써 세 장수가 죽었구나. 그런데 짐은 아직도 원수를 갚지 못했으니 참으로 원통하도다!"

원통함 가운데 떨쳐일어난 선주는 어림군을 거느리고 효정(猇亭)에 이르러 모든 장수들을 불러모으고 군사를 여덟 길로 나누어 일제히 진군하게 했다. 수로군은 황권이 맡고, 선주는 친히 대군을 거느리고 육로로 진군하니, 때는 장무 2년 2월 중순이었다.

한편 동오의 한당과 주태는 선주가 친히 정벌하러 왔다는 보고를 받고 군사를 이끌고 나가 맞섰다. 양쪽 진영이 원을 그리고 대치한 가운데 한당과 주태가 말을 타고 나와 촉군 진영을 살폈다. 촉군의 문기가 열리며 선주가 말을 몰고 나오는데, 황라쇄금산(黃羅鎖金傘, 황색비단에 금줄이 달린 일산)을 받친 좌우에는 백모황월(白旄黃鉞, 의장용 무기)이 늘어서고 앞뒤로는 금은정절(金銀旌節, 의장용 깃발)이 호위하고 있었다. 한당이 큰소리로 외친다.

"폐하는 이제 촉의 주인이신데 어찌 이렇듯 경솔히 행차하시오? 만에 하나 일이 잘못되면 후회해도 그땐 이미 늦소이다."

선주가 대로하여 손가락으로 한당을 가리키며 꾸짖는다.

"너희 동오의 개가 나의 수족(手足, 형제를 말함)을 상하게 했으니, 절대 네놈들과는 한하늘 아래서 살 수 없다!"

한당이 여러 장수들을 돌아보며 묻는다.

"누가 나서서 촉군을 물리치겠소?"

그 말에 부장 하순(夏恂)이 창을 들고 말을 몰아 달려나온다. 순간 선주 뒤에 서 있던 장포가 장팔사모를 비껴들고 한소리 크게 외치며 곧장 하순을 향해 달려든다. 하순은 장포의 우레 같은 호통소리에 겁을 집어먹고 달아나려 했다. 주태의 동생 주평(周平)은 하순이 장포를 당해내지 못하자 싸움을 도우려 칼을 휘두르며 달려나온다. 이를 본 관흥이 급히 말에 뛰어올라 주평의 앞을 가로막았다. 그순간 장포는 대갈일성과 함께 장팔사모를 번쩍 들어 하순을 찔러 거꾸러뜨렸다. 주평은 이 광경에 그만 정신이 아찔했다. 관흥은 기회를 놓치지 않고 칼을 높이 치켜들어 바람을 가르며 주평의 목을 베어버렸다. 장포와 관흥이 승세를 몰아 동시에 주태와 한당에게 덮쳐들었다. 동오의 두 장수는 황급히 두 젊은 장수들의 예봉을 피해 자기 진영으로 도망쳐들어갔다. 이를 지켜보던 선주가 찬탄한다.

"과연 호랑이 아비〔虎父〕에 개 같은 자식〔犬子〕은 없는 법이로다!"

마침내 선주가 채찍을 높이 들어 진격명령을 내렸다. 촉의 군사들은 드높이 함성을 지르며 적진으로 돌진했다. 이 한판 싸움에서 동오는 대패했다. 촉군이 파도처럼 밀려들며 이들을 추격하니, 마침내 동오 군사들의 시체가 들판을 메우고 그 피가 흘러 내를 이루었다.

이때 감녕은 배 안에서 병을 치료하고 있었다. 촉군이 몰려온다는 보고를 받고 급히 말에 올라 달아나려던 감녕은 맨발에 산발한 한떼의 만병(蠻兵)들과 마주쳤다. 만병들은 하나같이 손에 궁노·긴 창·당패(搪牌, 방패의 일종)와 칼과 도끼 등을 들고 있었으며, 번왕 사마가가 선두에 서 있었다. 사마가는 나면서부터 얼굴이 피를 바른 듯 붉고, 푸른 눈이 툭 불거져나왔으며, 철질려골타(鐵蒺藜骨朶, 쇠가시 몽둥이로, 고대의 살상용 무기)라는 무기를 썼다. 또한 양쪽 허리춤에는 기다란 활을 차고 있어 그 위풍이 자못 대단했다. 감녕은 떼지어 몰려오는 번병의 기세에 감히 맞서지 못하고 말머리를 돌려 달아나기 시작했다. 순간 사마가가 쏜 화살에 뒤통수를 맞았다. 화살을 뽑을 겨를도 없이 그대로 달리던 감녕은 부지(富池) 어귀에 이르러 큰 나무 아래 앉아 죽었다. 나무 위에 있던 수백 마리의 까마귀떼가 날아들어 감녕의 시신을 둘러싸고 울부짖었다.

동오의 손권은 이 소식을 전해듣고 몹시 애통해하며 예를 갖추어 성대히 장례를 치르도록 했다. 그리고 그곳에 사당을 지어 해마다 제사를 지내도록 명했다.

　후세 사람들은 시를 지어 탄식했다.

오군의 감흥패여	吳郡甘興霸
장강의 금범적이었네	長江錦幔舟
자신을 알아주신 군주의 은혜를 갚고	酬君重知己
우의에 보답하여 원수 갚으려던 마음 풀었네*	報友化仇讎
날쌘 기병 거느리고 적의 영채 급습할 제	劫寨將輕騎
군사를 휘몰며 큰 사발로 술을 마셨네	驅兵飮巨甌
신령스런 까마귀 그의 죽음 알아보니	神鴉能顯聖
사당의 향불 천추에 꺼지지 않으리라	香火永千秋

*감녕이 지난날의 은혜를 갚고자 목숨을 걸고 손권에게 사정해 소비蘇飛를 살려준 일

　선주는 승세를 타고 적들을 쳐죽이며 진군해 마침내 효정땅을 점령했다. 동오군은 촉군의 기세에 밀려 산지사방으로 흩어져 달아나버렸다. 마침내 군사를 거두는데, 관흥이 보이지 않았다. 선주는 황급히 장포를 불러 관흥을 찾아오도록 명했다.

　원래 관흥은 동오군을 무찌르며 적진 깊숙이 쳐들어갔다가 아버지를 죽인 원수 반장을 발견하고 뒤를 쫓았다. 혼비백산한 반장은 산골짜기로 달아났는데 그 종적을 알 수 없어, 관흥은 산속 어딘가에 숨어있으리라 짐작하고 여기저기 찾아다녔다. 산속을 헤매는 동안 날이 저물어 관흥은 길을 잃고 말았다. 달빛 별빛에 의지해 산길을 더듬어가다보니 어느덧 2경이 지났다. 지칠 대로 지친 관흥은 멀리서 희미하게 반짝이는 불빛을 따라 내려오다가 집 한채를 발견했다. 관흥이

그 집 앞에 이르러 문을 두드리니 안에서 한 노인이 나왔다.

"이 밤중에 뉘시오?"

"이몸은 전투중인 장수인데 길을 잃어 이곳까지 왔습니다. 밥 한끼 먹고 갈 수 있겠습니까?"

노인은 말없이 관흥을 집안으로 안내했다. 방에는 촛불이 밝게 켜져 있고 벽 한가운데 그림 한 폭이 걸려 있다. 바로 관공의 신상(神像)이었다. 관흥은 그만 그 앞에서 통곡하며 절을 올렸다. 노인이 의아해하며 묻는다.

"장군은 무슨 연유로 그리 통곡하시오?"

관흥이 울음을 그치고 대답한다.

"이 어른은 바로 제 부친이십니다."

관흥의 말을 듣더니 노인은 얼른 일어나 관흥 앞에 무릎을 꿇고 엎드려 절을 했다. 관흥이 묻는다.

"어르신께서는 어찌하여 제 아버님의 화상을 모시고 이렇게 공양을 올리십니까?"

"이 지방 사람들은 모두 관장군을 신으로 공경하고 있소이다. 살아 계실 때에도 집집마다 모셨는데, 이제 신령이 되셨으니 어찌 모시지 않을 수 있겠소? 이 늙은이는 어서 촉군이 와서 하루빨리 원수 갚기를 바라고 있었는데, 이제 장군께서 오셨으니 이는 바로 우리 백성들의 복입니다."

노인은 정성껏 술과 밥을 내어 관흥을 대접하고, 관흥의 말에게도 꼴을 먹여 쉬게 해주었다. 어느덧 밤이 깊어 3경이 지났다. 문득 밖에서 문을 두드리는 소리가 들려왔다. 노인이 밖으로 나가며 묻는다.

"뉘시오?"

"싸움을 하던 장수인데 길을 잃고 예까지 왔으니 청컨대 하룻밤만 재워주시오."

그는 다름아닌 동오의 장수 반장이었다. 관흥은 반장이 초당 안으로 발을 들여놓는 순간 번개같이 칼을 뽑았다.

"이놈 반장아, 꼼짝 마라!"

반장은 갑작스런 호령소리에 깜짝 놀라 얼른 몸을 돌려 달아나려 했다. 그때 문밖에서 웬 사람이 걸어들어오며 반장의 앞을 턱 막아선다. 녹색 전포에 칼을 잡고 들어서는 그 얼굴은 잘 익은 대추처럼 붉고, 눈은 봉황의 눈이요 짙은 누에눈썹에다 아름다운 수염이 세가닥으로 길게 드리워져 있었다. 바로 관공의 모습이었다. 반장은 신령이 되어 나타난 관공과 맞닥뜨려 새파랗게 질렸다. 외마디 비명을 지르며 몸을 돌리려는 순간, 관흥의 칼이 번쩍 하더니 반장의 목이 떨어져 땅바닥에 굴렀다. 관흥은 반장의 심장을 도려내 관공의 신상 앞에 그 피를 뿌리고 제를 올렸다.

마침내 부친의 원수를 갚은 관흥은 비로소 부친이 생전에 쓰던 청룡언월도를 되찾았다. 관흥은 반장의 수급을 말 목에 매달고 노인에게 작별인사를 하고는 반장의 말을 타고 본영으로 돌아가기 위해 길을 떠났다. 관흥이 떠난 뒤 노인은 머리 없는 반장의 시체를 끌어내 불태워버렸다.

관흥이 몇리쯤 산길을 내려갔을 때, 문득 앞에서 사람들이 웅성거리는 소리와 말울음소리가 들리더니 한떼의 군사들이 나타났다. 선두에 선 장수는 바로 반장의 부장 마충이었다. 마충은 반장의 수급을 말 목에 걸고 청룡언월도를 들고 오는 관흥을 보더니 크게 노하여 달려들었다. 관흥도 마충을 보는 순간 복수심이 치받쳐 온몸에 힘이 솟았다. 마충 역시 부친을 살해한 원수가 아니던가. 관흥은 청룡도를 휘두르며 곧장 마충에게로 덤벼들었다. 마충의 부하 3백여명이 함성을 지르며 달려와 일시에 관흥을 에워쌌다. 그때 갑자기 서북쪽에서 한무리의 군사들이 나타나 위기에 처한 관흥을 구하려 하니, 바로 장포가 거느린 촉군들이었다. 마충은 형세가 불리함을 깨닫고 황급히 말머리를 돌리더니 군사들에게 퇴각명령을 내렸다. 관흥과 장포가 합세하여 마충의 뒤를 추격하는데 저만치 앞에서 미방과 부사인이 군사를 대동하고 마충을 찾아 달려오고 있었다. 양편 군사들 사이에 일대 혼전이 벌어졌다. 관흥과 장포는 군사의 수가 적어 뒤로 밀릴 수밖에 없었다. 급히 후퇴해 효정으로 돌아온 관흥과 장포는 선주를 뵙고 반장의 수급을 바치며 겪은 일을 소상히 아뢰었다. 선주는 놀라는 한편 기이하게 여기고, 크게 잔치를 베풀어 삼군에게 상을 내리고 위로했다.

한편 마충은 돌아가서 한당과 주태에게 반장이 살해당한 일을 고하고 패군을 수습해 각기 구역을 나누어 지키기로 했다. 군사들 가운데는 죽은 자도 많거니와 부상자도 헤아릴 수 없이 많았다. 마충은 부사인과 미방을 거느리고 강변에 주둔했다. 그날밤 3경 무렵이었다. 난데없이 군사들의 울부짖는 소리가 그치지 않았다. 미방이 소리가 나는 곳으로 다가가 가만히 엿들었다. 한떼의 군사들이 모여앉아 서로 이야기를 나누고 있었다.

"우리는 본래 형주의 군사로 여몽의 간특한 속임수에 넘어가 관장군의 목숨을 잃게 했네. 이제 유황숙께서 친히 대군을 거느리고 쳐들어오셨으니 동오는 조만간 망하고 말 걸세. 참으로 원망스러운 것은 미방과 부사인이네. 그러니 우리가 먼저 이 두 도적놈을 죽여 촉 진영에 투항하는 게 어떻겠나?"

또다른 군졸들이 말한다.

"성급하게 서두를 일이 아니네. 먼저 두놈을 안심시킨 다음에 손을 써야 할 걸세."

미방은 다 듣고 나서 너무 놀라 부사인과 함께 의논한다.

"군심이 변했으니 우리 목숨을 부지하기가 어렵게 되었소. 오늘날 촉주가 한을 품은 상대는 마충이니, 우리가 마충을 죽여 그 수급을 바치고, 지난날 부득이해서 동오에 항복했으나 이제 친히 황제께서 오셨기에 죄를 청하러 왔다고 아뢰는 게 어떻겠소?"

부사인이 대답한다.

"그건 안되오. 우리는 가는 즉시 화를 입을 것이오."

미방이 말한다.

"촉주는 관대하고 후덕한 사람이오. 더구나 아두 태자로 말하면 나와는 생질간이니, 친척의 정리를 봐서라도 설마 나를 해치기야 하겠소?"

부사인은 마침내 미방의 의견에 따르기로 했다. 두 사람은 계획을 정하고 우선 말을 준비하고서 3경이 되기를 기다렸다가 장막으로 들어가 마충의 목을 베었다. 그러고는 기병 수십기를 거느리고 효정을 향해 말을 재촉했다. 효정 부근에 다다랐을 때 두 사람은 매복하여 망을 보던 촉군의 눈에 띄어 장남과 풍습에게 붙들려갔다. 두 사람은 투항해오게 된 전후 사정을 자세히 설명했다. 다음날 선주의 영채로 끌려간 두 사람은 꿇어엎드려 마충의 수급을 바치고는 울면서 아뢴다.

"신들은 본래 반역할 마음이 있었던 게 아니옵고 관장군이 돌아가셨다는 여몽의 말에 속아 부득이 성문을 열고 항복했을 뿐입니다. 폐하께서 여기까지 오셨다 하여 원한을 풀어드리고자 마충의 수급을 베어왔사오니, 엎드려 청하옵건대 신들의 죄를 용서하소서."

선주가 듣고 대로한다.

"짐이 성도를 떠난 지 오래인데, 어찌하여 너희들은 그동안 죄를 청하러 오지 않았더냐? 이제 와서 형세가 위급해지자 교묘한 언사로 목숨을 보전하기 위해 나를 찾아온 것이 분명하구나. 짐이 만일 네놈들을 용서한다면 나중에 구천에 가서 무슨 면목으로 관공을 대하겠느냐?"

선주는 관흥으로 하여금 영채 안에 관운장의 신위를 차리게 하더니 친히 마충의 수급을 올려놓고 제를 올렸다. 또한 관흥에게 미방과 부사인을 발가벗겨 영전에 꿇어앉히도록 한 후 친히 칼을 뽑아 목을 쳐서 그 수급 또한 영전에 바치고 크게 제를 올렸다. 그러는 중에 느닷없이 장포가 선주 앞에 엎드리며 통곡한다.

"둘째 백부님의 원수들은 모두 주살했으나 신의 아버님 원수는 언제 갚는단 말입니까!"

선주가 위로한다.

"조카는 근심하지 말아라. 짐이 강남을 무찔러 평정하고 동오의 개들을 소탕할 것이며, 두 원수를 사로잡아 네 손으로 그놈들을 소금에 절여 네 부친께 제사를 올리도록 해주겠다."

선주의 말에 장포는 울며 절하고 물러갔다.

이때부터 선주의 위세는 강남 일대를 진동시켰다. 강남 사람들은 두려움에 떨며 밤낮으로 소리내어 울었다. 한당과 주태가 크게 놀라 급히 오왕을 찾아가 아뢰었다.

"미방과 부사인이 마충의 목을 잘라 촉왕에게 갔으나 두 사람마저 죽임을 당했다 하옵니다."

손권은 두렵고 불안하여 문무관원들을 불러모으고 대책을 상의했다. 보즐이 앞으로 나서며 아뢴다.

"촉주가 원한을 품고 있는 사람은 여몽·반장·마충·미방·부사인 등입니다. 이제 모두 죽고 남은 사람은 범강과 장달 두 사람뿐인데, 그들은 지금 동오에 있습니다. 대왕께서는 어찌하여 그 둘을 잡아 장비의 수급과 함께 돌려보내지 않으십니까? 서둘러 형주를 돌려주고 손부인도 보내드린 뒤 표문을 써서 화해를 청하소서. 이렇게 옛정을 돌이키고 다시 화친하여 함께 위를 도모하자고 청하면 촉군은 그대로 물러갈 것입니다."

손권은 보즐의 말에 따랐다. 침향목으로 상자를 만들어 장비의 수급을 비단으로 싸서 넣고, 범강과 장달을 결박해 함거(죄인을 싣는 수레)에 잡아넣고는 정병(程秉)을 사신으로 삼아 국서를 들고 효정으로 가도록 했다.

한편, 선주는 대군을 이끌고 다시금 진군할 준비를 하고 있었다. 이때 문득 측근 신하가 와서 아뢴다.

"동오에서 장거기(張車騎, 장비)의 수급과 함께 범강과 장달을 결박해서 보내왔습니다."

선주가 두 손으로 이마를 짚으며 말한다.

"이는 하늘의 도우심이며 막내 아우의 혼령이 도움이로다."

선주는 즉시 장포를 불러 제사지낼 준비를 하도록 분부했다. 이윽고 상자를 열었는데 그 속에 담긴 장비의 얼굴이 생전의 모습과 조금도 다름없으니 이를 본 선주는 대성통곡했다. 장포는 시퍼렇게 날이 선 큰 칼을 들고 와서 범강과 장달을 난도질해 죽인 다음 부친의 영전에 제를 올렸다. 선주가 여전히 분이 풀리지 않은 듯 말한다.

"내 반드시 동오를 멸망시키고 말 것이다."

그 말에 옆에 있던 마량이 아뢴다.

"원수를 갚았으니 이제 원한을 푸십시오. 지금 동오의 대부(大夫) 정병이 와서, 형주를 반환하고 손부인을 돌려보낼 터이니 영원히 결맹을 맺어 함께 위를 도모하자고 청하면서 엎드려 성지가 내리기를 기다리고 있습니다."

선주가 대로하여 꾸짖는다.

"짐이 여태껏 이를 갈고 있는 원수는 바로 손권이오. 만일 지금 원수와 화평한다면 지난날 아우들과 맺은 맹세를 저버리는 일이오. 짐은 우선 동오를 쳐없앤 다음 위를 멸하겠소."

선주는 사신으로 온 정병의 목을 베어 동오와 단호히 절연하려 했다. 관원들이 적극 만류해 겨우 목숨을 구한 정병은 머리를 싸안고 동오로 돌아가서 즉시 손권에게 자초지종을 고했다.

"촉주는 화평하자는 우리의 제의를 거절하고 반드시 동오를 멸한 후에 위를 치겠다 했습니다. 좌우 사람들이 아무리 간해도 듣지 않으니, 장차 어찌하면 좋겠습니까?"

손권은 너무 놀라 어찌할 바를 몰랐다. 감택이 나서며 아뢴다.

"우리에겐 당장 하늘이라도 떠받들 만한 기둥이 있는데, 어찌하여 쓰지 않으십니까?"

손권은 귀가 번쩍 띄어 급히 묻는다.

"하늘을 떠받들 만한 인재라니, 그게 대체 누구요?"

감택이 대답한다.

"지난날 동오의 큰일은 주랑이 맡아 처리했고, 그후에는 노자경이 맡아보았으며, 자경이 죽은 후에는 여자명이 모든 일을 결정했습니다. 이제 자명마저 죽었지만 그렇다고 어찌 인물이 없다 하겠습니까?
다행히 형주에는 육백언(陸伯言, 육손의 자)이 있으니, 이 사람이 비록
유생이지만 실로 가슴속에 웅대한 재주와 지략을 품고 있습니다. 신
이 보기에 결코 주랑에 뒤지지 않으니, 지난날 관운장을 물리칠 수 있
었던 것도 백언의 지략에 의한 것이었습니다. 주상께서 이 사람을 등
용하신다면 반드시 촉을 물리칠 수 있을 것입니다. 만일 백언이 실수
를 저지른다면 신도 함께 벌을 받겠습니다."

손권이 기뻐하며 말한다.

"덕윤(德潤, 감택의 자)이 말해주지 않았더라면 내가 큰일을 그르칠
뻔했소이다."

그때 장소가 앞으로 나오며 반대한다.

"육손은 한낱 서생에 지나지 않습니다. 유비의 적수로는 부족하니
등용해서는 안됩니다."

곁에서 고옹도 거든다.

"육손이 아직 나이 어리고 경솔하여 사람들이 복종하지 않을 것이
니, 그렇게 되면 큰 변란이 일어나 반드시 대사를 그르치고 맙니다."

보즐도 같은 의견이었다.

"육손의 재주란 그저 한 고을을 맡아 다스릴 정도입니다. 그에게
대사를 맡기신다니 당치도 않습니다."

듣고 있던 감택이 큰소리로 외친다.

"지금 육백언을 쓰지 않는다면 동오의 앞날은 기약하기 어렵습니
다. 신이 가문을 걸고 보증할 터이니 숙고하소서."

잠자코 듣고만 있던 손권이 드디어 결단을 내린다.

"나 역시 일찍부터 육백언의 기이한 재주를 잘 알고 있었소. 내 뜻

은 이미 정해졌으니 경들은 더이상 여러 말 마오."

그러고는 당장 형주에 가서 육손을 데려오라 명했다.

육손의 본명은 육의(陸議)였는데 나중에 이름을 손(遜)으로 바꾸었다. 자는 백언이고 오군(吳郡) 사람으로, 한나라 성문교위(城門校尉) 육우(陸紆)의 손자이며 구강도위(九江都尉) 육준(陸駿)의 아들이었다. 키가 8척이고 얼굴은 옥같이 아름다웠는데, 이때 진서장군(鎭西將軍)으로 있었다. 부름을 받은 육손이 손권을 뵙고 절을 올렸다. 손권이 말한다.

"지금 촉군이 국경 가까이 쳐들어왔소. 내 특별히 경에게 군마를 총독하는 중책을 맡기려 하니, 반드시 유비를 격파하도록 하오."

육손이 대답한다.

"강동의 문무백관은 하나같이 주상의 오랜 신하들입니다. 신은 아직 어리고 재주도 부족한데 어찌 그들을 이끌 수 있겠습니까?"

"감덕윤이 가문을 걸고 그대를 천거했고 나 역시 경의 재주를 모르는 바 아니다. 이제 그대를 대도독으로 삼으려 하니, 경은 사양하지 말라."

"만일 문무백관들이 신의 말에 복종하지 않는다면 어찌하리까?"

손권은 당장 허리춤에 차고 있던 칼을 뽑아 육손에게 건네주며 단호히 말한다.

"만일 불복하는 자가 있거든 먼저 참하고 후에 고하라."

그제야 육손은 정색하고 답한다.

"이렇게 무겁게 명을 내리시니 어찌 따르지 않을 수 있겠습니까? 다만 대왕께서는 내일 문무백관을 한자리에 모으신 다음에 다시 신에게 명을 내려주소서."

곁에 있던 감택이 말한다.

"예로부터 대장을 임명할 때는 반드시 대를 쌓고 모든 문무관원들을 불러모은 후에 백모황월과 인수병부(印綬兵符, 도장과 명령을 전하는 패)를 내렸으니, 그래야 비로소 위엄이 서고 명령이 엄숙히 행해졌습니다. 대왕께서는 마땅히 이러한 예에 따라 택일하여 대를 쌓고 대도독을 제수하시며 절월(節鉞)을 내리십시오. 그렇게 하면 모든 사람이 복종하지 않을 수 없을 것입니다."

손권은 그 말에 따라 밤을 새워 단을 쌓게 한 후, 문무백관을 한자리에 모았다. 그러고는 육손을 단 위에 오르게 하여 대도독(大都督) 우호군(右護軍) 진서장군(鎭西將軍)으로 삼고, 누후(婁侯)로 봉하는 한편 보검과 인수를 내려 6군 81주 및 형초(荊楚)의 모든 군사들을 다스리게 했다.

"성안[곤내閫內, 곧 재정]은 내가 다스릴 터이니 밖의 일은 모두 장군이 알아서 처리하시오."

육손은 절하여 왕명을 받들고 단에서 내려왔다. 즉시 서성과 정봉을 호위(護衛)로 삼고 그날로 여러 방면의 군마를 정비하여 수륙 양군이 일제히 출정했다.

육손을 대도독에 임명한다는 공문이 효정에 도착하자 한당과 주태는 깜짝 놀랐다.

"주상께서 어찌하여 육손 같은 일개 서생에게 병권을 맡기셨는지 모르겠소."

이윽고 육손이 도착했다. 그러나 사람들은 도무지 복종할 기미를 보이지 않았다. 육손이 앞일을 의논하기 위해 장막으로 장수들을 불러모았으나 모두 마지못해 불려나와 건성으로 앉아 있을 뿐이었다.

서생 육손이 동오의 대도독이 되다

육손이 모든 장수들에게 말한다.

"주상께서는 나를 대장으로 삼고 군을 총지휘해 촉을 격파하라 명하셨소. 군에는 법이 있소. 공들은 이 법을 잘 준수하기 바라오. 법에는 사정(私情)이 없으니 혹시라도 어겼다가 뒤늦게 후회하는 일이 없도록 하시오."

사람들이 잠자코 입을 다물고 있는데, 주태가 말한다.

"안동장군(安東將軍) 손환은 주상의 조카인데 지금 이릉성에 갇혀 온갖 고초를 겪고 있습니다. 성안에는 양초가 바닥났고 밖으로부터는 원군이 없으니 도독께서는 어서 빨리 좋은 계책으로 손환을 구출하여 주상의 근심을 덜어주시오."

육손이 말한다.

"내가 평소에 알기로 안동장군은 깊이 군심을 얻은 터라 반드시 성을 지켜낼 것이오. 그러니 따로 구원할 필요가 없소이다. 내가 촉을 무찌르고 나면 안동장군은 저절로 풀려나오게 되어 있소."

육손의 말에 모든 장수들은 속으로 비웃으며 물러났다. 한당이 주태에게 다가서며 말한다.

"저런 철부지가 대장이 되었으니 이제 동오도 끝장이구려. 그대의 생각은 어떠하오?"

주태가 맞장구를 친다.

"그래서 내가 슬쩍 한마디 떠본 것인데 아무 계책도 없으니 그래서야 어떻게 촉을 격파하겠소?"

이튿날 육손은 각 장수들에게 맡은바 요충지를 굳게 지키되, 경솔히 움직여 적군과 맞서지 말도록 명했다. 장수들은 육손의 명을 비웃으며 하나같이 방비를 태만히했다. 다음날 육손은 장중으로 모든 장수를 불러들였다.

"내 삼가 왕명을 받들어 군영의 일을 총괄하게 되었소. 어제 충분히 알아듣도록 말하고 각자 요충지를 굳게 지키라 했는데, 하나같이 내 명령을 따르지 않으니 어찌 된 일이오?"

한당이 대답한다.

"나는 손장군(손견)을 도와 강남을 평정하기까지 수백번이나 싸움을 치렀소. 다른 장수들도 모두 역도를 토벌하는 손책 장군을 따라 종군하거나 혹은 지금의 대왕을 따라 갑옷 입고 무기 들고서 사선을 넘나들었소이다. 이제 주상께서 공에게 대도독을 제수하고 촉을 물리치라 하셨으니, 공은 당연히 먼저 계책을 세우고 군마를 정비해 출정해야 할 것이오. 그런데 그저 굳게 지키기만 하고 싸우지 말라 하니, 그럼 하늘이 도적을 멸하기를 기다리자는 것이오? 우리는 맹세코 목숨에 연연해 죽음을 두려워하는 사람들이 아닌데, 그대는 어째서 우리의 예기를 꺾으려고 하시오?"

한당의 말에 장하의 모든 장수들이 일제히 소리친다.

"한당 장군의 말이 옳소. 우리들은 목숨을 걸고 결전을 치르길 원하오이다!"

그때 육손이 칼을 번쩍 뽑아들고 소리높이 외쳤다.

"내 비록 한낱 서생에 지나지 않으나 주상께서 중책을 맡기신 것은 내게도 취할 만한 점이 있고 욕된 것을 참아가며 책임을 저버리지 않으리라 믿으셨기 때문이오. 이제 거듭 명하니, 그대들은 요충지를 굳게 지키고 경솔하게 움직이지 마시오. 영을 어기는 자는 누구든 가차없이 목을 베겠소!"

장수들은 겨우 분을 참고 물러갔다.

한편 선주는 효정에서부터 서천 어귀까지 군마를 배치했다. 앞뒤로 7백리에 40여개의 영채가 늘어서니 낮이면 정기가 해를 가리고 밤이면 횃불이 하늘을 밝혔다. 문득 정탐꾼이 달려와 고한다.

"지금 동오는 육손을 대도독으로 삼아 군마를 총지휘하게 했는데, 육손은 모든 장수들에게 각각 요충지를 굳게 지키고 경솔히 움직이지 말라고 명했답니다."

선주가 좌우 사람을 돌아보며 묻는다.

"육손은 어떤 사람인가?"

마량이 아뢴다.

"육손은 동오의 어린 서생입니다. 그러나 재주가 많고 계략이 깊은 인물로, 지난날 형주를 칠 때도 그의 계략에 따랐다 합니다."

형주의 일을 다시 들으니 선주는 새삼 분이 치미는 듯 소리친다.

"그 어린놈의 속임수에 짐이 두 아우를 잃었으니, 내 이제 그놈을 사로잡고야 말겠다."

선주가 즉시 출정을 명하려 하자 마량이 만류한다.

"육손의 재주는 주랑에 비해 조금도 뒤지지 않습니다. 결코 가볍게 대적해서는 안됩니다."

그러나 선주는 어떤 말도 들으려 하지 않는다.

"짐이 용병(用兵)으로 늙은 몸인데 어찌 젖내나는 어린아이만 못하겠느냐!"

드디어 선주는 친히 전군(前軍)을 거느리고 모든 나루와 요충지를 일제히 공격하기 시작했다. 한당이 육손에게 사람을 보내 촉군이 몰려온다고 보고하자 육손은 혹시 한당이 경솔하게 행동할까 걱정되어 급히 달려왔다. 한당은 산위에 올라 멀리 촉군이 산과 들을 덮으며 파도처럼 밀려오는 것을 지켜보고 있었다. 촉군 진영에 누런 비단일산이 유독 눈에 띄었다. 한당이 육손을 맞아 말머리를 나란히하고는 손가락으로 비단 일산을 가리키며 말한다.

"저 군중에 유비가 있는 게 틀림없소. 내가 나가서 무찌르고 싶소이다."

육손이 고개를 젓는다.

"유비는 군사를 일으켜 동쪽으로 내려오면서 십여번의 싸움에서 연달아 이겨서 그 예기가 왕성할 것이오. 우리는 험한 지세를 이용해 굳게 지켜야지 함부로 나가 싸워서는 안되오. 나가면 불리하오. 군사들의 사기를 북돋으며 굳게 방비하고 적의 움직임을 지켜보며 기다려야 하오. 지금 촉군이 평원과 광야를 거침없이 달리며 기세가 등등하지만, 우리가 나가서 맞붙지 않고 굳게 지키면 싸우고 싶어도 싸울 수가 없어 아마 산속으로 군사를 옮길 것이오. 그때 계책을 써서 적을 무찔러야 하오."

한당은 겉으로는 수긍하는 척하면서도 마음속으로는 육손의 말에 복종하지 않았다. 선주는 전대(前隊) 군사들에게 갖은 욕설을 퍼부으며 싸움을 걸게 했다. 육손은 모든 군사들에게 귀를 틀어막게 하고 나가 싸우는 것을 일절 허락하지 않았다. 뿐만 아니라 친히 말을 달려 요충지를 두루 돌아다니며 군사들을 진정시키고 위무하기에 바빴다. 선주는 동오의 군사가 싸움에 응하지 않자 차츰 초조해졌다. 마량이 아뢴다.

"육손에게 깊은 계략이 있을 것입니다. 폐하께서 이번 원정을 시작해 봄을 보내고 여름이 닥쳤습니다. 저들이 지키기만 하고 나오지 않는 것은 우리에게 무슨 변동이 있기를 기다리는 것입니다. 원컨대 폐하께서는 두루 살피소서."

선주가 말한다.

"저들에게 무슨 계책이 있겠소? 그저 겁이 나서 나오지 못하는 게지. 싸울 때마다 패했으니 어찌 쉽게 나와 싸우겠는가?"

이때 선봉장 풍습이 아뢴다.

"날씨가 찌는 듯 무더워 군사들이 불 속에 들어 있는 듯한데다 물이 있는 곳마저 멀어서 매우 불편합니다."

선주는 마침내 각 진영에 명하여 숲이 울창하고 물이 가까운 곳으로 영채를 옮기게 했다. 여름이 지나고 가을이 되면 그때 다시 진군하려는 것이다. 풍습은 선주의 명에 따라 모든 영채를 나무가 우거진 숲속으로 옮기기 시작했다. 이때 마량이 다시 아뢴다.

"우리 군사들이 이렇게 이동중일 때 갑자기 오군이 쳐들어오면 어찌합니까?"

선주가 말한다.

"오반에게 우선 노약한 군사 1만여명을 거느리고 동오 영채 근방의 평지에 주둔해 있게 했고, 짐은 정예병 8천명을 거느리고 산골짜기에 매복해 있을 것이오. 육손이 만일 우리가 영채 옮기는 걸 알고 습격해온다면 오반은 거짓 패한 체하고 달아날 것이고, 육손이 그 뒤를 쫓아오면 짐이 매복해 있던 군사들을 이끌고 그들의 길을 끊어버릴 터이니, 능히 그 젖비린내 나는 놈을 사로잡을 수 있을 것이오."

듣고 있던 문무관원들이 모두 감탄한다.

"폐하의 신기묘산(神機妙算)은 도저히 저희들이 미치지 못하겠습니다."

마량이 다시 아뢴다.

"최근 들으니, 제갈승상은 동천에서 모든 요충지를 시찰하며 위군이 쳐들어올 것에 대비하고 있다 하옵니다. 폐하께서는 각 영채를 옮긴 지형을 도면으로 그려 승상께 보내 의견을 물어보시는 것이 어떻겠습니까?"

"짐도 병법을 알고 있는데 굳이 승상에게 물어볼 게 있겠느냐?"

"예로부터 '여러 말을 들으면 밝고 한쪽 말만 들으면 어둡다(兼聽則明 偏聽則蔽)'했으니 청컨대 폐하께서는 숙고하소서."

"경의 뜻이 정 그렇다면 곧 각 영채로 가서 사지팔도도본(四至八道圖本, 산천과 도로 등을 자세히 그린 지도)을 그려가지고 동천으로 가서 승상의 의견을 들어오라. 잘못된 점이 있다 하면 급히 돌아와 고하도록 하라."

마량은 선주의 영에 따라 도본을 그려 동천으로 떠났다. 선주는 숲이 울창한 곳으로 군사를 옮겨 더위를 피하게 했다. 이러한 촉군의 움직임은 즉시 정탐꾼에 의해 한당과 주태의 귀에 들어갔다. 두 사람은 이 보고를 받고 크게 기뻐하며 육손에게 갔다.

"지금 촉군의 40여개 영채가 산속으로 들어가 냇물 가까운 곳에서 목을 축이며 쉬고 있다 하오. 그러니 도독께서는 때를 놓치지 말고 즉시 적을 섬멸하도록 하시오."

촉주는 꾀가 있어 복병을 숨겨놓았으니 　　　　　蜀主有謀能設伏

동오 군사는 용기만 믿다가 사로잡히고 말리 　　　　吳兵好勇定遭擒

육손은 과연 두 장수의 말을 받아들일 것인가?

84

三
國
志

팔진도

육손은 7백리에 잇닿은 영채를 불사르고
공명은 팔진도를 교묘하게 펼쳐놓다

한당과 주태는 선주의 군사들이 시원한 숲속으로 영채를 옮겼다는 보고를 받고 즉시 육손에게 달려가 알렸다. 육손은 몹시 기뻐하며 친히 군사를 이끌고 동정을 살피러 나갔다. 과연 평지에 주둔해 있는 촉군은 1만여명에 불과했는데, 그나마 대부분 늙고 약한 병사들뿐이었다. 그 가운데 '선봉 오반(先鋒吳班)'이라고 쓴 깃발만 유달리 눈길을 끌었다. 주태가 말한다.

"내 눈에는 저따위 군사들은 아이들 장난일 뿐이오. 내가 한장군과 함께 두 길로 나누어 쳐들어가서 단박에 물리치고야 말겠소. 만일 승리하지 못하면 군령을 달게 받겠소이다."

육손은 주위를 찬찬히 살피더니 말채찍을 들어 한곳을 가리킨다.

"저 앞산 골짜기에 살기가 피어오르는 걸로 보아 복병이 있는 게 틀림없소. 평지에 노약한 병사들을 두고 우리를 유인해보려는 속셈이 분명하니, 장군들은 절대 싸우러 나가서는 안되오."

모든 장수들은 육손의 말을 듣고는 나약한 선비는 어쩔 수 없다고 은근히 비웃었다.

이튿날 오반은 군사를 이끌고 관 앞으로 와서 싸움을 걸었다. 오반의 군사들은 무력을 뽐내며 갖은 욕설을 퍼붓더니, 나중엔 갑옷을 벗어버리고 알몸으로 앉아 있거나 아예 드러누워 잠을 자기까지 했다. 서성과 정봉은 자기들을 깔보는 듯한 촉군의 행태에 잔뜩 화가 나서 장중으로 들어와 육손에게 말한다.

"촉군이 우리를 이만저만 업신여기는 게 아니오. 우리가 당장 나가서 혼쭐을 내주겠소이다."

육손이 웃으며 답한다.

"그대들은 단지 혈기만 믿을 뿐 손오(孫吳, 손자와 오기. 고대의 유명한 전략가)의 교묘한 병법에 대해서는 모르시는 모양이구려. 지금 적들은 유적지계(誘敵之計, 적을 유인하는 계책)를 써서 우리를 자극하려는 것이니, 사흘만 참고 기다려보시오. 그때쯤엔 반드시 그 속내를 드러내게 될 것이오."

서성이 묻는다.

"사흘 뒤에는 적들이 영채를 모두 다른 곳으로 옮겨버릴 텐데 어떻게 저들을 친단 말이오?"

육손이 가볍게 답한다.

"나는 저들이 영채를 다 옮기기를 기다리고 있소."

장수들은 육손을 비웃으며 물러났다. 사흘 뒤 육손은 장수들을 거느리고 관문 위에 올라 적진을 바라보았다. 과연 오반의 군사들은 어디로 갔는지 너른 평지가 텅 비어 있었다. 육손이 손가락으로 가리키며 말한다.

"저기 저 골짜기에 살기가 일고 있소. 저곳에서 틀림없이 유비가 나올 것이오."

육손의 말이 떨어지기가 무섭게 완전무장한 촉군들이 선주를 호위하며 쏟아져나왔다. 동오의 군사들은 그 모습을 보고 간담이 서늘해졌다. 육손이 말한다.

"그대들이 나가 싸우자고 할 때마다 극력 만류한 것은 바로 이 때문이었소. 이제 적의 복병들이 쏟아져나왔으니, 열흘 안에는 반드시 격파할 수 있소!"

장수들이 묻는다.

"처음에 촉의 예기를 꺾었어야 하지 않겠소? 이제 적들이 영채를 5,6백리에 걸쳐 늘어세운 마당에 이대로 7,8개월이 지나 각 요충지를 견고히 방비하게 되면 무슨 수로 무찌른단 말이오?"

"그건 공들이 병법을 몰라서 하는 소리요. 유비는 당대의 영웅호걸이니 지혜와 꾀가 많소. 그 군사들이 처음 모였을 때는 법도가 분명하여 빈틈이 없었으나, 이제 오래 싸우고 지키느라 지친데다가 우리가 응하지 않아 기강이 해이해졌으니, 바로 지금부터가 적을 무찌를 기회요."

장수들은 그제야 비로소 탄복했다.

후세 사람들이 육손을 찬탄한 시가 있다.

장막에 앉아 논하는 말 병법에 통했으니　　　　　　　虎帳談兵按六韜

향기로운 미끼 놓아 큰 고래 낚으련다　　　　　　　安排香餌釣鯨鰲

천하가 셋으로 나뉜 뒤 영웅호걸 많았으나　　　　　三分自是多英俊

이제 강남에선 육손의 이름 드높아라　　　　　　　又顯江南陸遜高

　육손은 비로소 촉을 격파할 계책을 세우고 표문을 써서 손권에게
보냈다. 촉을 무찌를 날을 받아놓았다는 내용이었다. 손권은 표문을
받아 읽고 크게 기뻐한다.

　"강동에 또다시 이렇듯 기이한 인물이 났으니 내 무엇을 근심하겠
는가. 모든 장수들이 상소를 올려 육손을 한낱 겁많은 서생이라 했지
만 내 그 말을 믿지 않았는데, 과연 이제 육손이 나약하고 겁많은 위
인이 아님을 증명해 보이는구나."

　손권은 곧 대군을 일으켜 육손을 후원하게 했다.

　한편 선주는 효정에서 수군을 거느리고 강을 따라 내려오면서, 동
오의 경계 깊숙이 들어가 강가에 수채를 짓고 주둔했다. 황권이 간한
다.

　"수군이 강을 따라 내려가면 전진하기는 쉬워도 물러나기는 어렵
습니다. 신이 앞장서서 나아가고 폐하께서 후진에 머물러 군사를 단
속하소서. 그러면 설사 형세가 불리해진다 해도 큰일을 당하지는 않
을 것입니다."

　선주가 말한다.

　"오적(吳賊)이 이미 크게 겁을 먹고 우리를 두려워하고 있는데, 짐

이 단숨에 쳐들어간들 근심할 게 뭐가 있겠소?"

관원들이 모두 힘껏 간했으나 선주는 듣지 않았다. 군사를 두 길로 나누어 황권에게는 강북의 군사를 지휘해 만에 하나 위가 쳐들어오는 것을 막도록 하고, 선주 자신은 몸소 강남의 전군을 지휘하여 강을 끼고 양쪽으로 영채를 세워 공격할 태세를 갖추었다.

위의 정탐꾼이 이 사실을 탐지하고 밤새 말을 달려 위주 조비에게 보고한다.

"촉군이 동오를 점령하기 위해 종횡으로 7백여리에 걸쳐 영채를 늘여세우고 40여곳에 주둔하고 있는데, 하나같이 산을 의지해 숲속에 영채를 세웠습니다. 그리고 황권에게 강북의 군사를 총지휘하여 날마다 1백여리씩 나와 정탐하고 있는데, 그 저의를 알 수 없습니다."

위주 조비가 호탕하게 웃으며 말한다.

"이제 유비가 대패하겠구나!"

신하들이 그 까닭을 묻자 조비가 대답한다.

"참으로 유현덕은 병법을 모르는구나. 7백여리에 영채를 늘여세우고 어떻게 적을 막겠느냐? 고원이나 습한 땅, 지형이 험한 곳에 군사를 주둔하는 것은 병법에서 크게 꺼리는 바다. 현덕이 동오의 육손에게 패했다는 소식이 열흘 안에 들려올 테니 두고 보아라."

신하들은 모두 그 말을 믿지 못하며 당장 군사를 일으켜 방비할 것을 청했다. 조비가 웃으며 말한다.

"이번에 육손이 이기면 동오군은 반드시 서천을 취하러 진격할 것이다. 그러면 오나라는 텅 비게 된다. 그때 짐이 동오를 돕는다는 명분을 내세워 군사를 일으켜 세 갈래로 나누어 일시에 쳐들어가면, 동오는 손쉽게 우리 손에 들어올 것이다."

그 계책에 모든 신하들은 절을 올리며 탄복했다. 위주는 곧 영을 내려 조인으로 하여금 군사들을 거느리고 유수(濡須)로 나가게 하고, 조휴는 군사들을 이끌고 동구(洞口)로 나가게 했다. 그리고 조진(曹眞)은 군사들을 거느리고 남군(南郡)으로 떠나도록 했다.

"세 방면의 군사는 서로 기일을 정해 일시에 동오를 급습하도록 하라. 짐도 뒤따라 접응할 것이다."

이렇게 위의 군사 배치는 정해졌다.

위군이 동오로 진군한 일은 잠시 접어두겠다.

한편 동천에 도착한 마량은 공명을 만나 영채를 배치한 도본을 올리며 말한다.

"우리 군사들은 지금 영채를 옮겨 장강을 따라 7백여리에 걸쳐 40여개 영채를 세웠는데, 모두 다 숲이 무성한 시냇가에 주둔하고 있습니다. 황상께서 이 도본을 가지고 가서 승상께 보이라는 명을 받들어 이렇게 달려왔습니다."

공명은 급히 도본을 받아보더니 주먹으로 책상을 내려치며 부르짖는다.

"누가 주상께 이런 모양으로 영채를 세우라고 했는가. 당장 그자의 목을 베어야겠구나!"

마량이 놀란다.

"모두 주상께서 하신 일이지 다른 사람의 계책이 아닙니다."

공명이 크게 탄식한다.

"아아, 한나라의 운수가 여기서 끝나는구나……!"

"도대체 무슨 말씀이십니까?"

"원래 고원과 습지와 험한 곳에 영채를 세우는 것은 병법에서 크게 꺼리는 일이오. 적들이 화공을 쓴다면 어떻게 빠져나갈 것이며, 또 영채를 7백리에 늘여세워놓고 어떻게 적을 막을 수 있단 말인가? 참으로 재앙이 코앞에 닥쳤구나. 육손이 꼼짝 않고 나와 싸우지 않은 것은 바로 이 때문이니, 그대는 속히 가서 황제를 뵙고 즉시 영채를 다시 옮기도록 아뢰시오."

"만일 동오군이 쳐들어와 벌써 싸움에 패했다면 어찌하오리까?"

"육손이 감히 우리 군사를 추격하지는 못할 것이니 성도는 걱정할 필요 없소."

"어째서 육손이 우리 군사를 추격하지 않으리라고 보십니까?"

"동오는 위가 뒤를 급습할까 두려워하고 있소. 만일 주상께서 벌써 싸움에 지셨다면 반드시 백제성으로 피하셔야 하오. 내가 서천에 들어오면서 이미 10만 군사를 어복포(魚腹浦)에 매복해두었으니 거기서는 걱정없을 게요."

마량이 깜짝 놀란다.

"그간 여러번 어복포를 왕래했으나 군졸 한 사람 본 적이 없습니다. 승상께서는 어찌 그런 말씀을 하십니까?"

"장차 두고 보면 알게 될 터이니 더 말하지 마시오."

마량은 공명의 표문을 가지고 화급히 선주의 영채를 향해 길을 재촉했다. 공명은 바로 성도로 돌아와 군마를 징발하여 지원할 계책을 세우려 했다.

한편 육손은 촉군이 점점 나태해지고 군기가 느슨해져 아무런 방비도 않는 것을 확인하자 곧 대소 장수들을 장막 안으로 불러모았다.

"내가 중책을 맡은 이래 한번도 싸움에 임하지 않았소. 이제 촉군의 동태를 충분히 알았으니, 먼저 강 남쪽 기슭의 영채를 한채 빼앗을 생각이오. 누가 이 일을 맡겠소?"

육손의 말이 끝나기 무섭게 한당과 주태, 능통이 일제히 나선다.

"우리가 가겠소!"

육손은 그들 모두를 물리치고 섬돌 아래 있는 말장(末將) 순우단(淳于丹)을 불러 말한다.

"내 그대에게 군사 5천명을 내줄 테니, 강의 남쪽 영채 가운데 네번째 영채를 취하도록 하오. 그곳은 촉장 부동(傅彤)이 지키고 있을 텐데 오늘밤 안으로 쳐들어가 꼭 성공해야 하오. 나도 군사를 거느리고 후원하겠소."

순우단은 즉시 군사를 이끌고 떠났다. 육손은 다시 서성과 정봉을 불러 명한다.

"그대들은 각기 3천 군마를 거느리고 가서 적의 영채 5리 밖에 주둔해 있다가 순우단이 패하여 도망쳐오거든 급히 그를 구하시오. 절대로 적군을 추격해서는 안되오."

서성과 정봉도 당장 군사를 거느리고 출발했다. 그날 황혼녘에 군사를 거느리고 출발한 순우단이 촉군의 영채에 당도했을 때는 이미 3경이 지난 뒤였다. 순우단은 전군에 명하여 일제히 함성을 지르고 북을 울리며 쳐들어가게 했다. 촉의 영채에서 부동이 군사를 이끌고 나와서는 즉시 창을 꼬나잡고 순우단을 향해 달려든다. 순우단은 그 기세를 당해내지 못하고 말머리를 돌려 달아나려 했다. 그때 갑자기 함성이 일며 또 한떼의 군사들이 길을 가로막고 달려든다. 선봉에 선 장수는 조융(趙融)이다. 순우단이 결국 군사들을 태반이나 잃고 겨우 길을 찾아 달아나는데, 산 뒤에서 또 한무리의 군사가 뛰어나와 길을 막는다. 이번에는 번장 사마가였다. 순우단은 사력을 다해 싸우다가 가까스로 틈을 노려 포위망을 뚫고 내달리기 시작했다. 순우단의 뒤에서 세 갈래의 군사들이 일제히 추격해왔다. 순우단은 정신없이 달려 본영에서 5리 가량 떨어진 곳에 이르렀는데 동오의 장수 서성과 정봉이 군사를 이끌고 나타나더니 촉군을 물리쳤다.

서성과 정봉은 순우단을 구해 영채로 돌아왔다. 순우단은 온몸이 화살투성이인 채로 육손 앞에 무릎을 꿇고 사죄했다. 그러나 육손은 조금도 노여워하는 기색 없이 말한다.

"그대의 허물이 아니오. 내가 적의 허실을 알아보기 위해 보낸 것이니 이제야 촉을 격파할 계책이 섰소."

서성과 정봉이 말한다.

"촉군의 형세가 생각보다 강하니 쉽게 격파하기 어려울 것이오. 그러다 공연히 군사들이나 잃는 게 아닐까 두렵소이다."

육손이 빙그레 웃으며 말한다.

"나의 계책으로 속이지 못하는 것은 오로지 제갈량뿐인데, 다행히도 그가 이곳에 없으니 반드시 성공할 수 있소."

드디어 육손은 모든 장수들을 한자리에 불러모아 명령한다.

"주연이 먼저 군사를 이끌고 수로로 나가되, 내일 오후에 동남풍이 세게 불거든 배에 마른 갈대와 건초를 싣고 내가 이르는 대로 움직이시오. 한당은 군사들을 거느리고 강북 연안을 공격하시오. 주태는 군사들을 거느리고 강남 연안을 공격하되, 군사들 모두 유황과 염초를 넣은 건초 한다발씩과 불씨를 준비하고 각기 창이나 칼을 들고 강기슭에 상륙하게 하시오. 촉의 영채에 이르면 동남풍을 이용해 불을 지르는데, 40개 영채 중에 한 채씩 건너뛰어 스무 채에만 불을 놓도록 하시오. 또한 각군은 미리 건량(乾糧, 군사용 말린 양식)을 가져가도록 하시오. 조금이라도 물러서면 용서치 않겠소. 밤이고 낮이고 쉬지 않고 추격해 유비를 사로잡을 때까지 절대로 멈추어서는 안되오!"

모든 장수들은 각기 군령을 듣고 계책을 받아 물러났다.

한편 선주는 영채에서 동오를 격파할 계책을 궁리하고 있었다. 그때 갑자기 장막 앞에 서 있던 중군기(中軍旗)가 바람도 없는데 저절로 쓰러졌다. 선주가 옆에 있는 정기(程畿)에게 묻는다.

"이게 무슨 징조인가?"

"오늘밤에 동오군이 기습해온다는 경고가 아닐까 합니다."

"어젯밤에 왔다가 거의 몰살당했는데 어찌 감히 다시 오겠는가?"

"그것은 육손이 우리의 허실을 탐지하기 위해 시험삼아 보낸 것이 아니겠습니까?"

선주와 정기가 말을 나누고 있는데, 밖에서 측근 신하가 들어와 고한다.

"산위에서 보니 동오 군사들이 모두 산기슭을 따라 동쪽을 향해 가고 있다 합니다."

선주가 말한다.

"저들이 우리를 속이려는 것이다. 군사들에게 절대 움직이지 말라고 하여라."

그러고는 즉시 관흥과 장포에게 각각 5백기씩 거느리고 나가 순찰을 다녀오라 명했다. 해질 무렵 순찰 나갔던 관흥이 허둥지둥 돌아와 아뢴다.

"강북 연안에 있는 영채에서 불길이 솟았습니다."

선주는 급히 관흥에게는 강북 연안, 장포에게는 강남 연안으로 가서 정황을 살피게 했다.

"만일 동오군이 오거든 즉시 보고하라."

두 장수는 선주의 명을 받고 급히 다시 떠났다. 초경(밤 8시) 무렵이다. 갑자기 바람의 방향이 바뀌더니 동남풍이 거세게 몰아치면서 선주가 있는 어영 왼쪽에서 불길이 치솟았다. 군사들이 모두 불길을 잡기 위해 그쪽으로 몰려가는데, 이번에는 오른쪽에서 불길이 일어난다. 바람이 점점 거세지면서 불길은 순식간에 풀섶과 수목으로 옮겨 붙었다. 갑자기 사방에서 아우성이 높아지면서 양쪽에 주둔해 있던 군마들이 일제히 도망쳐나와 어영으로 몰려들었다. 어영의 군사들은 어둠속에서 뒤엉켜 서로 밟고 밟히니 이때 죽은 자가 부지기수였다. 그 와중에 또다시 함성이 일면서 어영의 뒤쪽에서 동오의 군사들이 덮쳐든다. 어둠속이라 적의 수효가 얼마나 되는지 짐작조차 할 수 없다.

선주는 급히 말에 올라 풍습의 영채를 향해 달렸다. 그러나 풍습의 영채 역시 화염에 휩싸여 불길이 하늘로 치솟고 있다. 강남·강북 연안 할 것 없이 일대가 온통 순식간에 불바다로 변해 주위는 대낮처럼 밝았다. 풍습이 황망히 말에 올라 수십기만을 이끌고 달아나는데 그때 적장 서성의 군사가 들이닥쳐 혼전이 벌어졌다. 마침 이 광경을 목격한 선주는 말머리를 돌려 서쪽으로 달아난다. 서성은 풍습을 버려두고 군사를 휘몰아 선주를 추격하기 시작했다. 선주는 말고삐를 틀어쥐고 정신없이 내달렸다. 그런데 이번에는 앞에서 한무리의 군사들이 달려오더니 길을 막는다. 동오의 장수 정봉이었다. 양군이 앞뒤에서 협공을 가해온다. 선주는 크게 놀라 어찌할 바를 몰랐다. 사면이

육손은 7백리에 걸친 촉군의 영채를 모두 불태우다

적으로 막혀 빠져나갈 길이 없었다.

이때였다. 문득 함성이 일면서 한무리의 군사들이 포위를 뚫고 들어왔다. 바로 장포였다. 장포가 선주를 구해 어림군을 이끌고 바삐 달아나는데, 또다시 앞에서 한떼의 군사들이 몰려온다. 놀라서 보니 다행히 촉장 부동이다. 장포와 부동은 군사를 한데 합쳐 선주를 호위하며 달아나기 시작했다. 뒤에서는 동오군의 맹렬한 추격이 계속되었다.

한참을 달리다가 선주 일행은 한 산 앞에 이르렀다. 그 산은 마안산(馬鞍山)이었다. 장포와 부동이 선주께 산위로 오를 것을 청해서 선주가 산위로 올라가는데, 산 아래에서 함성이 터지더니 육손이 거느린 대군이 마안산을 겹겹이 에워쌌다. 장포와 부동이 죽을 힘을 다해 싸우며 산어귀를 지키는 동안 선주는 황급히 산위로 올라갔다. 아래를 내려다보니 까마득하게 먼 들판까지 불길이 연이었고, 촉군들의 시체가 쌓여 강을 메울 듯이 떠내려가고 있었다.

이튿날 날이 밝기가 무섭게 동오 군사들은 산을 에워싸고 사방에서 불을 질렀다. 불길이 온산으로 번지자 촉군들은 어지럽게 달아났다. 선주가 놀라고 당황해 어찌할 바를 모르는데, 치솟는 불길을 뚫고 한 장수가 군사 몇기를 거느리고 산위로 올라왔다. 자세히 보니 바로 관흥이다. 선주를 발견한 관흥이 대뜸 다가와 엎드려 청한다.

"사방에서 불길이 번져오고 있으니 오래 머무실 수 없습니다. 폐하, 속히 백제성으로 피하셔서 군마를 수습하소서."

선주가 묻는다.

"누가 적의 추격을 막겠느냐?"

부동이 아뢴다.

"신이 목숨을 걸고 막겠나이다!"

황혼 무렵이었다. 관흥이 앞장서고 장포가 중군이 되어 선주를 호위했으며, 부동이 뒤를 끊었다. 이렇게 선주 일행은 혈로를 뚫고 산을 내려왔다. 동오군이 달아나는 선주를 보고 서로 공을 다투어 각기 대군을 이끌고 서쪽으로 추격해오니, 그 깃발이 하늘을 가리고 군마가 땅을 뒤덮을 듯했다. 선주는 군사들의 전포와 갑옷을 벗게 하여 길에 쌓아놓고 불을 질러 적군의 추격을 끊었다. 이렇게 선주 일행이 숨가쁘게 달아나는데, 갑자기 동오의 장수 주연이 강언덕에서 달려내려와 앞길을 가로막았다. 선주가 부르짖는다.

"짐이 여기서 죽는구나!"

관흥과 장포가 말을 달려나갔으나 비오듯 쏟아지는 동오군의 화살을 피할 길이 없어 부상만 입고 되돌아왔다. 이때 또다시 뒤에서 요란한 함성이 일며 육손의 대군이 산골짜기에서 쏟아져나왔다. 선주는 꼼짝없이 갇히고 말았다. 어느덧 동쪽 하늘이 뿌옇게 밝아오기 시작했다. 이때 앞쪽에서 함성이 터져오르더니 주연의 군사들이 갑자기 바위 구르듯 계곡으로 떨어져내린다. 혼란에 빠진 적진을 뚫고 한떼의 군사들이 돌진해오더니 마침내 선주를 구해냈다. 선주가 크게 기뻐하며 보니, 선봉에 선 장수는 바로 상산 조자룡이다. 조자룡은 본래 서천 강주(江州)에 있다가 동오군과 촉군이 전투를 벌였다는 소식을 듣고 급히 달려오던 중에 문득 동남쪽 일대에 불길이 충천한 것을 보았다. 크게 놀라 사람을 보내 정탐하여 선주가 위기에 몰려 있음을 알게 되자 즉시 용맹을 떨쳐 바람처럼 달려온 것이었다.

육손은 조자룡이 나타났다는 보고를 받고는 동오군에게 즉시 퇴군 명령을 내렸다. 조자룡은 좌충우돌 적을 쳐죽이다가 적장 주연을 만났다. 조자룡이 단창에 주연의 가슴을 꿰뚫어 말 아래로 거꾸러뜨리니 나머지 동오 군사들은 제각기 살길을 찾아 흩어져버렸다. 선주를 구해낸 조자룡은 백제성을 향해 말을 달렸다. 선주가 말한다.

"짐은 비록 위험을 면했으나 남아 있는 다른 장수들은 장차 어찌하겠느냐?"

조자룡이 대답한다.

"적군이 뒤를 바싹 쫓고 있으니 잠시도 지체할 수 없습니다. 폐하께서는 속히 백제성으로 가셔서 쉬십시오. 신이 다시 군사를 거느리고 가서 다른 장수들을 구하겠습니다."

선주가 백제성에 당도했을 때 남은 군사는 겨우 1백여명에 불과했다.

후세 사람들이 육손의 대승을 찬탄한 시가 있다.

팔백리 이은 영채 화공으로 무찌르니	持矛擧火破連營
현덕은 궁지에 몰려 백제성으로 달아나네	玄德窮奔白帝城
하루아침에 그 위명 촉과 위를 놀라게 하니	一旦威名驚蜀魏
동오왕 어찌 서생을 공경하지 않으랴	吳王寧不敬書生

한편 부동은 선주를 추격하는 동오군을 막으며 뒤를 끊다가 적군에게 사면팔방으로 포위되고 말았다. 정봉이 큰소리로 외친다.

"촉군 중에 죽거나 항복한 자가 헤아릴 수 없으며, 네 주인 유비도 이미 사로잡혔다. 너도 이제 힘이 다하고 형세도 고단할 텐데, 어찌하여 항복하지 않고 버티는 게냐?"

부동이 호통친다.

이릉에서 육손은 화공을 써서 유비군을 대파하다

"한나라 장수인 내가 어찌 동오의 개들에게 항복하겠느냐?"

부동은 창을 움켜쥐고 촉군을 이끌고 동오군에게 달려들어 1백여 합을 싸웠으나 끝내 적의 포위망을 뚫지 못하게 되자 길게 탄식했다.

"나는 이제 죽는구나!"

마침내 동오군에게 에워싸인 채 입에서 피를 쏟으며 쓰러지고 말았다.

후세 사람이 시를 지어 부동을 찬탄했다.

이릉땅에서 오와 촉이 크게 싸우는데	彝陵吳蜀大交兵
육손의 계략으로 불에 휩싸였더라	陸遜施謀用火焚
죽음에 당해서도 '동오 개' 꾸짖으니	至死猶然罵吳狗

이때 촉의 좨주(祭酒) 정기는 필마단기로 강기슭으로 달려가 급히 수군을 불렀다.

"속히 상륙하여 적을 물리치도록 하라!"

그러나 뒤이어 동오군이 물밀듯이 몰아쳐오니 촉의 수군들은 싸우기는커녕 겁에 질려 사방으로 흩어져 달아나버렸다. 정기의 부장이 큰소리로 외친다.

"동오군이 옵니다. 정좨주께서는 속히 달아나시오!"

정기가 대로하여 말한다.

"내 주상을 따라 출군한 이래 단 한번도 달아난 적은 없었다!"

그 말이 미처 끝나기도 전에 동오군이 몰려와 정기를 겹겹이 에워쌌다. 적의 포위망에 갇힌 정기는 그 자리에서 차고 있던 칼을 뽑아 자결해버렸다.

후세 사람이 시를 지어 정기를 찬탄했다.

강개하도다, 촉중의 정좨주여　　　　　　慷慨蜀中程祭酒
한자루 칼 몸에 지녀 님에게 보답했네　　　　身留一劍答君王
위기에 처하여 평생의 뜻 바꾸지 않으니　　臨危不改平生志
그 이름 길이 전해 만고에 향기롭도다　　　博得聲名萬古香

이때 오반과 장남은 오랫동안 이릉성을 포위하고 있었다. 풍습이 달려와 촉군이 패한 소식을 전하니 두 사람은 급히 포위를 풀고 군사를 이끌고 선주를 구하기 위해 이릉성을 떠났다. 손환은 비로소 포위에서 풀려났다.

장남과 풍습 두 장수가 급히 달려가는데 앞에서 동오병이 몰려왔다. 뒤에서는 좀 전에 이릉성에서 벗어난 손환이 군사를 이끌고 추격해왔다. 이렇듯 동오군이 앞뒤로 협공해오니, 장남과 풍습은 있는 힘을 다해 싸웠으나 끝내 적진을 뚫지 못한 채 전사하고 말았다.

후세 사람들이 시를 지어 풍습과 장남을 찬탄했다.

풍습의 충성 천하에 다시 없고　　　　　　　　馮習忠無二
장남의 의기 또한 그 짝을 찾기 어렵다　　　　張南義少雙
모래톱에서 싸우다가 기꺼이 죽다니　　　　　沙場甘戰死
청사에 함께 오른 꽃다운 그 이름이여　　　　史册共流芳

오반은 동오군의 포위 속을 뚫고 달리다가 다행히 조자룡을 만나 함께 백제성으로 들어갔다.

이때 만왕 사마가는 군사들을 잃고 필마단기로 달아나다가 동오의 장수 주태와 맞닥뜨려 20여합을 싸웠으나 끝내 죽임을 당했다. 촉장 두로와 유녕은 동오에 항복했다. 촉군의 영채에 쌓여 있던 군량이며 마초, 병기 등은 하나도 남아 있지 않았고, 촉의 장수와 군사들 중에서 동오에 항복한 자는 헤아릴 수도 없이 많았다.

한편 동오에 있던 손부인은 촉군이 효정땅에서 대패하고 선주 역시 군중에서 전사했다는 잘못된 소문을 들었다. 수레를 몰고 강기슭으로 달려간 손부인은 서쪽을 바라보며 애통해하다가 강물에 몸을 던져 목숨을 끊고 말았다. 후세 사람들은 강기슭에 사당을 세우고 효희사(梟姬祠)라 이름 붙였으며, 시를 지어 손부인의 죽음을 애도했다.

선주의 군대는 백제성으로 귀환했거늘 　　　　　先主兵歸白帝城
부인은 헛소문에 홀로 목숨 버렸네 　　　　　　夫人聞難獨捐生
오늘에 이르도록 강변에 비석이 서 있어 　　　　至今江畔遺碑在
열녀의 그 이름 천추에 거룩하여라 　　　　　　猶著千秋烈女名

한편 대승을 거둔 육손은 군사를 거느리고 사기충천하여 촉군의 뒤를 추격하고 있었다. 육손이 기관에서 얼마 멀지 않은 곳에 이르렀을 때였다. 말 위에서 앞을 보고 있는데 문득 산기슭을 끼고 강물이 흐르는 곳에서 무서운 살기가 감돌고 있는 게 느껴졌다. 육손은 말고삐를 움켜쥐고 멈춰서서 장수들을 돌아보며 말한다.

"저곳에 반드시 적이 매복해 있다. 삼군은 경솔히 진격하지 말라."

그러고는 즉시 10여리쯤 물러났다. 지세가 평평한 곳을 찾아 진을 세우고 방어태세를 갖춘 뒤, 정탐병을 보내 적의 동태를 살펴보도록 했다. 얼마 후 정탐병이 와서 고한다.

"샅샅이 살펴보았으나 적군은 한명도 보이지 않습니다."

육손은 그 말을 믿을 수 없었다. 말에서 내려 몸소 높은 곳으로 올라가 다시 한번 살폈다. 여전히 그곳에는 살기가 충천해 있었다. 육손은 다시 정탐병을 보내 그 일대를 정밀하게 살펴보고 오도록 명했다. 이윽고 정탐병이 다시 와서 말한다.

"병사들은커녕 말 한마리 보이지 않습니다."

어느덧 해는 서산으로 지고, 살기는 점점 심하게 뻗쳐올랐다. 육손은 도무지 의심을 누그러뜨릴 수 없어서 이번에는 심복부하 한 사람을 보내 다시 살펴보게 했다. 심복부하가 와서 고한다.

"강기슭에 8,90개의 돌더미가 쌓여 있을 뿐 군마라고는 그림자도 보이지 않습니다."

육손은 의심이 더욱 커져 그곳에 사는 백성을 불러오게 했다. 곧 그곳 백성 몇이 군사들에게 이끌려오자 육손이 묻는다.

"이곳에 돌더미를 쌓아놓은 사람이 누구냐? 그리고 어찌하여 그 돌더미 속에서 살기가 치솟는 것이냐?"

백성이 대답한다.

"여기 지명은 어복포입니다. 지난날 제갈량이 서천으로 들어갈 때 군사들을 이끌고 이곳에 이르러서 모래펄 여울목에다 돌을 모아 진세를 만들어놓았는데, 그후로는 항상 구름 같은 기운이 그 돌더미 속에서 솟아나고 있습니다."

이 말을 듣고 육손은 석진(石陣)을 살펴보기 위해 수십기를 거느리고 산등성이로 올라갔다. 높은 산위에서 석진을 바라보니 사면팔방에 모두 문이 나 있었다. 육손이 웃으며 말한다.

"이것은 사람을 속이려는 수작이로구나. 이게 무슨 소용이 있으랴!"

그러고는 몇기의 군마를 거느리고 산등성이를 내려가 직접 석진으로 들어가 살펴보았다. 곁에 있던 부장이 말한다.

"이미 해도 저물었으니 도독께서는 속히 돌아가시지요."

부장의 말에 따라 육손이 석진 가운데서 막 나오려고 할 때였다. 문득 광풍이 크게 일더니 일시에 모래가 회오리바람처럼 치솟고 돌덩이들이 구르며 하늘과 땅을 구분할 수 없을 만큼 어두워졌다. 그런 중에 돌무더기 괴석들은 삐죽삐죽 날이 서서 마치 창검을 세운 듯하고, 여기저기서 모랫더미가 산처럼 솟아올랐다. 더구나 끓어오르는 강물소리가 흡사 북이 울리고 창칼이 부딪는 소리 같아서 정신을 차릴 수가 없었다.

"내가 제갈량의 계책에 속았구나!"

육손은 크게 놀랐다. 당장 나가려 했으나 사방을 둘러봐도 빠져나갈 곳이 없었다. 육손이 당황하여 쩔쩔매는데, 문득 한 노인이 나타나더니 육손의 말 앞에 서서 웃으며 묻는다.

"장군은 이 진에서 빠져나가려 하시오?"

육손이 간곡히 청한다.

"원컨대 노인장께서 벗어날 방도를 알려주십시오."

이에 노인은 지팡이를 짚고 천천히 걸음을 옮겼다. 육손 일행이 그 노인을 놓칠세라 열심히 뒤를 따르노라니 어느덧 석진을 벗어나 있었다. 산등성이 위로 무사히 올라온 육손이 노인에게 묻는다.

"어르신은 누구십니까?"

노인이 웃으며 답한다.

"이 늙은이는 제갈공명의 장인으로 황승언(黃承彦)이라 하오. 지난날 내 사위가 서천에 들어가면서 그곳에 석진을 벌여놓았으니 이름하여 팔진도라 하오. 휴(休)·생(生)·상(傷)·두(杜)·경(景)·사(死)·경(驚)·개(開)의 팔문(八門)이 매일 매시각 변화무쌍하여 가히 10만 정예병에 비할 만하오. 사위가 떠나면서 내게 부탁하기를 '훗날 동오의 대장이 석진 속에 들어갔다가 빠져나오지 못할 것이니, 그때 그들을 절대로 구해주지 말라' 하였소. 마침 오늘 내가 산에 올랐다가 장군이 사문(死門)으로 들어가는 것을 보고 이 진법을 몰라 틀림없이 곤경에 처하리라 생각했소이다. 내 평생 선한 것을 좋아하며 살기로 마음먹은지라 적진 속에 갇혀 있는 장군을 도저히 볼 수 없어 생문(生門)으로 인도한 것이오."

"노인장께서는 이 진법을 아십니까?"

"워낙 변화무쌍하여 다 배우지 못했소."

육손은 황망히 말에서 내려 황승언에게 사의를 표하고 돌아섰다.

후세에 당나라 두공부(杜工部, 두보杜甫. 공부는 호)가 이 일을 시로 읊었다.

그 공적 삼국을 덮고	功蓋三分國
그 명성 팔진도도 이루었네	名成八陣圖
강물은 흘러도 돌은 구르지 않으니	江流石不轉
동오를 병탄하려던 실책 한으로 남아 있네	遺恨失吞吳

석진에서 벗어난 육손은 영채로 돌아와 탄식한다.

"공명은 참으로 와룡(臥龍)이로다. 도저히 그를 따를 수가 없구나!"

그러고는 드디어 회군하라 명했다. 좌우의 장수들이 눈이 휘둥그레져서 묻는다.

"유비가 대패하여 고작 성 하나를 지키고 있을 뿐이니 이 기세를 몰아 당장 쳐들어갈 만한데, 석진 하나를 보고서 겁을 먹고 돌아간다니 그게 대체 무슨 소립니까?"

육손이 또박또박 답한다.

"석진이 두려워 돌아가는 것이 아니오. 위주 조비는 간특하고 음흉하기가 그 아비와 똑같은지라, 우리가 촉군을 계속 추격하면 반드시 그 빈틈을 노려 동오를 급습할 것이오. 서천으로 깊숙이 들어갔다가는 급히 되돌리기 어려우니, 지금 돌아가야 하오."

육손은 한 장수에게 명해 뒤를 막도록 하고 대군을 거느리고 회군했다. 육손이 군사를 물린 지 이틀이 채 못 되어 세 곳에서 파발꾼이 달려와 급보를 전한다.

"위군이 드디어 군사를 움직였습니다. 조인은 유수에서, 조휴는 동구에서, 조진은 남군에서 출발해 세 방면의 군사 수십만명이 밤낮으로 진군하여 우리 동오의 접경지역에 이르렀다 합니다."

육손은 웃으며 말한다.

"과연 내 생각에서 벗어나지 않는구나. 내 이미 군사들에게 명해 위군을 막도록 했다."

웅대한 포부 서촉을 병탄하렸더니 　　　　　　　雄心方欲吞西蜀
놀라운 지략 이제 위나라를 막으려 하네 　　　　勝算還須禦北朝

육손은 과연 어떻게 위군을 물리칠 것인가?

85

유비의 죽음

유비는 태자를 부탁하는 유서를 남기고
공명은 앉아서 다섯 방면의 적군을 평정하다

장무 2년(222) 6월 동오의 육손(陸遜)은 촉군을 효정 이릉땅에서 크게 무찔렀다. 선주는 백제성으로 몸을 피하고, 조자룡은 군사들과 함께 성을 지키고 있었다. 이때 공명에게 갔던 마량이 돌아와서 대군이 이미 참패한 것을 보고 무척 괴로워하며 공명의 말을 선주에게 아뢰었다. 선주가 탄식해 마지않는다.

"짐이 일찍이 승상의 말을 들었더라면 오늘날 이 지경이 되지는 않았을 것이다. 이제 무슨 면목으로 성도로 돌아가 여러 신하들을 대하겠느냐?"

선주는 마침내 백제성에 머물기로 하고 거처하는 역관(驛館)의 이름을 영안궁(永安宮)이라 고쳤다. 그뒤로도 촉군의 패전 소식은 속속 날아들었다. 풍습(馮習)을 비롯해 장남·부동·정기·사마가 등이 나라를 위해 전사했다는 비보였다. 선주는 슬픔에 잠겨 헤어나지 못했다. 이때 또 근신(近臣, 측근 신하)이 들어와 아뢴다.

"황권이 강북의 군사들을 이끌고 위나라에 투항했다 합니다. 폐하께서는 그의 가족들을 잡아다 처벌하소서."

"동오군이 강북 연안을 막고 길을 끊었으니 황권은 돌아오고자 해도 길이 없어 부득이 위에 투항했을 것이다. 이는 짐이 황권을 저버린 것이지 황권이 짐을 저버린 게 아니니 어찌 그 가족들에게 죄를 묻겠느냐?"

선주는 이렇게 말하고 오히려 황권의 가족들에게 녹미(祿米)를 지급하도록 명했다.

한편 위에 항복한 황권은 여러 장수들에게 이끌려 조비에게로 갔다. 황권에게 조비가 묻는다.

"그대가 이번에 짐에게 투항한 것은 그 옛날 진평(陳平)과 한신(韓信, 둘 다 항우의 부하로 있다가 유방에게 항복해 항우를 치고 한나라의 개국공신이 됨)을 추모하기 위해서인가?"

황권이 울면서 아뢴다.

"신은 촉나라 황제의 두터운 은혜를 입어 강북에서 군사를 통솔하다가 동오의 장수 육손에게 그만 퇴로를 끊겼습니다. 촉으로 돌아갈수가 없는데, 그렇다고 동오에 투항할 수는 없어 폐하께 투항하게 된것으로, 싸움에 진 장수가 죽음이나 면하면 다행이지 어찌 감히 옛사람을 추모한다 하겠습니까?"

조비는 크게 기뻐하며 황권에게 진남장군(鎭南將軍)의 직위를 내렸다. 황권은 사양하고 받지 않았다. 이때 근신이 들어와 조비에게 아뢴다.

"촉에서 온 정탐꾼이 말하기를, 촉주가 황권 장군의 식솔들을 모조리 죽였다고 합니다."

황권이 말한다.

"신과 촉주는 서로 믿음이 깊은 터입니다. 신의 본심을 누구보다 잘 알고 계실 촉주께서 신의 식솔을 죽이지는 않았을 것입니다."

조비는 말없이 머리를 끄덕였다.

후세 사람이 황권을 책망하는 내용의 시가 있다.

오에 항복할 수 없어 위에 항복했다 하네	降吳不可却降曹
충의로 어찌 두 조정을 섬긴단 말인가	忠義安能事兩朝
한번 죽지 못한 황권이 안타깝구나	堪嘆黃權惜一死
자양서법*은 이를 용서하지 않으리	紫陽書法不輕饒

* 자양서법(紫陽書法): 자양은 송대 주희(朱熹)를 가리키고, 서법은 역사서술에서 사건이나 인물에 대한 역사가의 평가를 뜻함. '자양서법'은 의미를 중시해 '춘추필법'이라고도 함.

조비가 가후에게 묻는다.

"짐이 장차 천하를 통일하려면 촉을 먼저 쳐야겠소, 아니면 오를 먼저 쳐야겠소?"

가후가 신중하게 대답한다.

"유비는 영웅인데다 제갈량 같은 신하가 있어 나라를 잘 다스리고 있습니다. 또한 동오의 손권은 능히 허실을 꿰뚫는데다, 육손이 요충지마다 진을 치고 강과 호수를 사이에 두고 지키고 있으니, 둘 다 졸지에 도모하기는 어렵습니다. 신이 보기에 우리 장수들 중에는 손권과 유비의 적수가 없습니다. 폐하께서 하늘 같은 위엄으로 임하신다 하더라도 반드시 이길 것을 기약할 수 없으니 오로지 굳게 방비하며 동오와 촉의 변동을 기다려야 합니다."

조비가 말한다.

"이미 대군을 세 길로 나누어 동오로 쳐들어가게 했는데 어찌 이기지 못한다 하오?"

곁에 있던 상서 유엽(劉曄)이 말한다.

"근래에 동오는 육손이 촉의 70만 대군을 격파한 뒤로 상하가 한마음으로 뭉쳐 있고, 또한 강과 호수가 가로놓여 있어 단번에 제압할 수 없습니다. 더구나 육손은 계략이 출중한 인물이라 필시 방비하고 있을 것입니다."

조비가 묻는다.

"지난번에는 경이 짐에게 오를 치라고 권하더니, 지금은 치지 말라고 간하니 어찌 된 까닭이오?"

유엽이 말한다.

"지금은 그때와 사정이 다릅니다. 지난번에는 동오가 촉에게 수차례나 패하여 사기가 형편없이 떨어져 있었으므로 능히 격파할 수 있었습니다. 그러나 최근에는 크게 승리하여 사기가 백배나 높아져 있으니 지금은 동오를 공격할 때가 아닙니다."

조비는 두 신하의 말을 귀담아들으려 하지 않았다.

"짐의 뜻은 이미 결정되었으니 경들은 더이상 말하지 마오!"

조비는 친히 어림군을 거느리고 떠날 준비를 했다. 동오 공격을 위해 이미 출발한 세 방면의 군사를 후원하려는 것이다. 이때 정탐꾼이 급히 달려와 고한다.

"동오는 이미 만반의 준비를 갖추고 있습니다. 여범이 군사를 거느리고 와서 조휴를 대비하고 있으며, 제갈근은 남군에서 조진을 맞을 태세를 갖추었고, 주환(朱桓)은 유수에서 조인을 기다리고 있습니다."

유엽이 다시 간한다.

"적들이 이미 방비하고 있으니 지금 간다 해도 별 이득이 없을까 두렵습니다."

그러나 조비는 듣지 않고 마침내 군사를 거느리고 떠났다.

한편 동오의 장수 주환은 그때 나이 27세로 담대하고 지략이 있어 손권이 늘 아끼는 인물이었다. 유수에서 군사를 조련하다가 조인이 대군을 거느리고 선계(羨溪)를 취하러 온다는 소식을 들은 주환은 모든 군사를 선계로 보낸 후 불과 5천 기병을 거느리고 유수성을 지키고 있었다. 이때 파발꾼이 주환에게 보고한다.

"조인의 장수 상조(常雕)·제갈건(諸葛虔)·왕쌍(王雙) 등이 정예병 5만명을 거느리고 이곳으로 쳐들어오고 있습니다."

이 말을 들은 군사들은 하나같이 겁에 질렸다. 주환이 칼을 바로잡고 군사들에게 말한다.

"승부는 장수에게 달린 것이지 군사의 많고 적음에 있는 게 아니다. 병법에 이르기를 '쳐들어오는 군사가 지키는 군사의 배일 때는 지키는 군사가 능히 이길 수 있다'고 했다. 이제 조인의 군사는 멀고 먼 천릿길을 달려와 인마가 몹시 지쳐 있다. 우리는 높은 성에서 남쪽으로 큰 강을 끼고 북으로는 험한 산을 등지고 편히 앉아 피로한 적을 기다리는 격이니, 이는 주인이 객을 제압하는 터라, 반드시 백전백승할 형세이다. 설사 조비가 몸소 쳐들어온다 해도 전혀 두려울 것이 없는데, 하물며 조인 따위를 두려워할 게 뭐가 있겠느냐!"

주환은 이렇게 군사들의 사기를 북돋고 즉시 영을 내려 깃발을 감추고 북소리도 못 내게 했다. 성에 지키는 사람이 전혀 없는 것처럼 위장하려는 것이었다.

한편 위의 선봉장 상조는 정예병을 거느리고 유수성을 향해 달리고 있었다. 어느덧 멀리 성이 바라보이는 곳에 이르렀는데, 어찌 된 일인지 성위에 군사가 전혀 보이지 않았다. 상조는 군사를 재촉해 성 가까이 달려갔다. 군사들이 성에 거의 다다랐을 때였다. 갑자기 하늘을 울리는 포성과 함께 일제히 성위에 깃발이 올라 나부끼기 시작했다. 이와 동시에 주환이 칼을 비껴잡고 나는 듯이 말을 달려나와 곧장 상조를 공격했다. 싸운 지 불과 3합 만에 상조의 목은 주환의 칼에 추풍낙엽처럼 떨어져버렸다. 용기백배한 동오군은 승세를 몰아 돌격해 들어갔다. 장수를 잃은 위군은 크게 패해서 이때 쓰러져 죽은 자가 이루 헤아릴 수 없이 많았다. 주환은 대승을 거두고 무수한 깃발과 병기, 군마를 노획했다. 뒤이어 군사를 이끌고 선계에 이른 조인은 동오군이 쏟아져나와 들이치는 바람에 숨돌릴 겨를도 없이 패하여 달아났다. 겨우 도망쳐간 조인이 위왕에게 대패한 사실을 아뢰자 조비는 크게 놀라 장수들을 불러놓고 대책을 의논했다. 이때 갑자기 정탐꾼이 보고한다.

"조진과 하후상이 남군을 포위했으나, 안에서 육손의 복병이 몰려나오고 밖에서는 제갈근의 복병이 공격하여 협공을 당해내지 못하고 패하고 말았습니다."

말을 마치기도 전에 또다른 정탐꾼이 와서 보고한다.

"조휴도 동오의 여범에게 크게 패하였습니다."

조비는 세 방면의 대군이 모두 크게 패했다는 보고를 듣고는 땅이 꺼지게 한숨을 내쉬며 말한다.

"짐이 가후와 유엽의 말을 듣지 않아 결국 패하고 말았구나!"

이 무렵이 무더운 한여름이라 전염병이 크게 돌아 기병과 보병 중에 열에 일곱이 병들어 죽었다. 조비는 할수없이 남은 군사를 이끌고 낙양으로 회군했다. 이 일로 오와 위 사이는 더욱 나빠졌다.

한편, 선주는 백제성 영안궁에서 병이 들어 앓고 있었는데, 병세가 점점 심해질 뿐 낫지 않았다. 장무 3년(223) 4월에 이르자 선주는 스스로 이미 병이 온몸에 퍼진 것을 깨닫게 되었다. 더욱이 관우와 장비 두 아우를 잊지 못해 통곡하다가 병세는 더욱 위중해졌다. 마침내 두 눈조차 잘 보이지 않게 되었고 갈수록 신경이 날카로워져 나중에는 시종까지도 보기 싫다고 꾸짖어 물리치고는 했다. 그날밤에도 선주는 좌우를 물리치고 우울하게 혼자 침상에 누워 있었다. 문득 음습한 바람이 일더니 등불이 펄럭이며 꺼질 듯 잦아들다가 다시 밝아졌다. 그런데 보니 희미한 불빛 아래 두 사람이 서 있었다. 선주가 화를 내며 말한다.

"짐의 마음이 편치 않아 너희에게 물러들 가라 했는데 어째서 다시 왔느냐?"

그래도 그들은 물러가지 않았다. 선주가 몸을 일으켜 자세히 보니 두 사람은 바로 관운장과 장비가 아닌가. 선주가 깜짝 놀라 소리친다.

"아우들이 아직 살아 있었구나!"

운장이 말한다.

"신들은 사람이 아니라 귀신입니다. 상제(上帝, 하느님)께서 우리 두 사람이 평생 신의를 잃지 않고 살았다 하여 칙명을 내려 신령이 되게 하셨지요. 이제 형님과 함께 우리 형제들이 한자리에 모일 날도 머지 않았습니다."

선주가 두 아우를 붙들고 목놓아 통곡하다가 문득 깨어보니, 두 아우는 어느새 사라지고 없었다. 선주는 즉시 시종을 불러들여 묻는다.

"지금 밤이 얼마나 깊었느냐?"

"3경(밤 12시)이옵니다."

선주가 눈물을 흘리며 탄식한다.

"짐이 세상에 머물 날도 얼마 남지 않았구나!"

날이 밝자마자 선주는 사람을 불러 급히 명하였다.

"승상 제갈량과 상서령 이엄 등에게 밤낮을 가리지 말고 영안궁으로 와서 내 유명(遺命)을 들으라 전하여라."

선주의 사자를 맞은 공명은 태자 유선(劉禪)을 성도에 남겨 지키도록 하고, 선주의 둘째아들 노왕(魯王) 유영(劉永), 셋째아들 양왕(梁王) 유리(劉理)와 함께 영안궁으로 향했다.

영안궁에 도착한 공명 일행은 선주의 병세가 매우 위독한 것을 보고 황망히 침상 아래 엎드렸다. 선주는 공명을 가까이 오게 해 등을 어루만지며 말한다.

"짐이 승상을 얻어 다행히 황제가 되었는데, 짐의 지혜와 식견이 짧아 승상의 말을 듣지 않았다가 이렇게 패하고 말았소. 후회와 한이 병이 되어 이제는 죽음이 조석에 달린지라, 태자는 아직 약하기 이를 데 없어 부득이 승상에게 대사를 부탁하지 않을 수 없구려."

말을 마친 선주의 얼굴에는 눈물이 비오듯 흘러내렸다. 공명 또한 흐느껴 울며 아뢴다.

"원컨대 폐하께서는 용체를 보존하시어 천하 사람들의 바람을 이루어주소서."

선주는 힘없이 고개를 젓다가 마량의 동생 마속이 옆에 있는 것을 보고 잠시 물러가 있으라 명한 뒤 공명에게 묻는다.

"승상은 마속을 어찌 보시오?"

공명이 대답한다.

"마속은 당대의 영재입니다."

선주가 고개를 저으며 말한다.

"짐이 보기에 마속은 말이 실제보다 지나치게 앞서니 크게 쓸 인재는 아닌 듯하오. 승상은 깊이 살피시오."

공명에게 분부하고 나서 선주는 모든 신하들을 내전으로 불러들였다. 그러고는 붓을 들어 유조(遺詔)를 써서 공명에게 건네며 탄식하며 말한다.

"비록 짐이 글을 많이 읽지는 못했으나 대략의 뜻은 아오. 성인께서 말씀하시기를 '새는 죽을 때가 이르면 울음소리가 구슬퍼지고, 사람은 죽을 때가 이르면 그 말이 착하다〔鳥之將死 其鳴也哀 人之將死 其言也善〕'하였소. 짐이 본래 경들과 더불어 조적(曹賊)을 멸하고 한실을 함께 일으키고자 했으나 이제 불행히 중도에 이별하게 되었소. 수고롭지만 승상은 이 유조를 태자 선(禪)에게 전하여 깊이 명심하도록 해주시오. 부디 모든 일을 승상이 잘 가르쳐주시기를 거듭 부탁하오."

공명 등이 엎드려 절하며 운다.

"폐하께서는 용체를 보존하소서. 신들이 견마지로를 다하여 폐하의 지우지은(知遇之恩, 자기의 인격이나 학식을 알아주고 후히 대해준 은혜)에 보답하겠습니다."

선주는 시종에게 명해 공명을 부축해 일으키도록 하고, 한 손으로는 흐르는 눈물을 닦고 다른 손으로는 공명의 손을 잡으며 말한다.

"짐은 이제 곧 죽을 것이오. 내 마음속에 하고 싶은 말이 있소."

"무슨 말씀이십니까?"

선주는 흐르는 눈물을 주체하지 못하며 말한다.

"그대의 재주가 조비보다 열 배는 나으니, 반드시 천하를 안정시키고 대사를 이룰 수 있을 것이오. 앞으로 태자를 도울 만하거든 돕되, 태자가 그만한 그릇이 못 되거든 그대 스스로 성도의 주인이 되길 바라오."

공명은 선주의 간곡한 말을 듣는 순간 온몸에 땀이 흐르고 손발이 떨려왔다. 그대로 땅바닥에 엎드려 울며 고한다.

"신이 어찌 고굉지신(股肱之臣)의 힘을 다해 충절을 바치고 죽기로써 대를 이어 애쓰지 않으리까?"

말을 마치고 머리를 땅에 짓찧으니 공명의 이마에서 피가 흘렀다. 선주는 공명에게 자리에 앉도록 청하고 노왕 유영과 양왕 유리를 가까이 불러 분부한다.

"너희는 부디 짐의 말을 명심하라. 내가 세상을 떠나면 너희 세 형제는 모두 승상 대하기를 아버지 섬기듯이 하되, 조금도 태만해서는 안된다."

엄하게 당부한 뒤 두 왕으로 하여금 공명에게 절을 올리게 했다. 공명이 두 왕의 절을 받고 나서 말한다.

유비는 유조를 써서 공명에게 부탁하다

"신이 비록 간뇌도지(肝腦塗地)한다 해도 어찌 폐하께서 베푸신 지우지은에 보답할 수 있겠습니까?"

선주가 모든 신하들을 돌아보며 말한다.

"짐이 이미 태자를 승상에게 부탁하고 자식들로 하여금 승상을 아버지로 섬기게 하였소. 경들 모두 승상 받들기를 태만히해서는 안될 것이니, 부디 짐의 부탁을 저버리지 마오!"

선주는 다시 조자룡에게 당부한다.

"짐과 경은 환란중에 만나 오늘에 이르렀는데, 이렇게 이별할 줄이야 뉘 알았겠소? 경은 짐과의 오랜 교분을 잊지 말고 태자를 잘 돌보아 짐의 뜻을 저버리지 마오."

조자룡이 통곡하며 엎드려 절한다.

"신이 어찌 감히 견마지로를 다하지 않으리까!"

선주는 다시 모든 관원들에게 말한다.

"짐이 경들 모두에게 일일이 부탁하지 못하오만 바라건대 모두 스스로 아끼시오."

말을 마치고 숨을 거두니, 유현덕의 나이 63세였다. 장무 3년(223) 4월 24일의 일이다.

후에 당나라 시인 두공부(杜工部, 두보杜甫)가 시를 지어 유현덕을 찬탄했다.

촉주, 오를 엿보아 삼협으로 향했으니	蜀主窺吳向三峽
돌아가신 그때에도 영안궁에 계셨도다	崩年亦在永安宮
황제의 비취빛 깃발 빈산 밖에서 상상하노니	翠華想像空山外
아름다운 대궐은 간 데 없고 절터가 되었구나	玉殿虛無野寺中

옛 사당 잣나무에는 학이 깃들고   古廟杉松巢水鶴

철따라 명절에는 촌옹들이 찾아오네   歲時伏臘走村翁

무후사 사당이 이웃에 자리하니   武侯祠屋長鄰近

임금과 신하 한몸으로 제사 함께 받는구나 一體君臣祭祀同

 선주가 세상을 떠나니 촉의 문무관원들 중에 슬피 통곡하지 않는 이가 없었다. 공명은 여러 관원들을 거느리고 황제의 관을 받들어모시고 성도로 돌아갔다. 태자 유선이 성밖으로 나와 영구를 맞아들이고 정전(正殿)에 모셨다. 곡을 하며 예를 마치고는 유조를 펴 읽으니 다음과 같다.

 짐이 처음에 병이 들어 설사인 줄로만 알았는데, 점점 잡병이 겹쳐 스스로를 다스릴 수 없게 되었도다. 짐이 듣기로 사람의 나이 쉰이 넘으면 요절이라 할 수 없다 했거늘, 짐은 예순을 넘겼으니 죽은들 무슨 여한이 있겠느냐. 다만 너희 형제를 염려할 뿐이니, 힘쓰고 또 힘써서 악한 일은 작더라도 하지 말며, 선한 일은 작더라도 부지런히 행하여라. 오로지 현명하고 덕이 있어야 사람을 복종시킬 수 있느니라. 너희들 아비는 덕이 부족하여 본받을 바 없으니 내가 죽은 후에는 승상과 더불어 일하되, 승상을 부모와 다름없이 섬기고 이에 조금도 태만하지 말아라. 부탁하고 또 부탁하노니, 너희 형제들은 천하에 이름을 떨치도록 노력하고 애쓰라. 간절히 부탁하노라.

 여러 신하들이 유조를 다 듣고 나자 공명이 말한다.

"나라에 하루라도 임금이 없어서는 안되오. 이제 태자를 세워 한나라의 대통을 이으시게 하겠소."

곧 태자 유선을 황제의 자리에 오르게 했다. 황제가 된 유선은 연호를 고쳐 건흥(建興)이라 하고, 제갈량을 무향후(武鄕侯)에 봉해 익주목(益州牧)으로 삼았다. 또한 선주를 혜릉(惠陵)에 장사지낸 다음 시호를 소열황제(昭烈皇帝)라 하고, 황후 오씨를 황태후(皇太后)로 높였으며, 감부인의 시호를 소열황후(昭烈皇后)로 하고, 미부인 역시 황후로 추시(追諡, 죽은 뒤 시호를 추증함)했다. 더불어 모든 신하들의 벼슬을 높이고 상을 내렸으며, 천하에 대사령을 내려 죄수를 풀어주었다.

위의 정탐꾼이 이러한 사실을 탐지해 중원에 보고했다. 근신이 이 일을 즉시 위주 조비에게 아뢰자 조비가 매우 기뻐하며 말한다.

"유비가 죽었으니 짐은 이제 근심할 게 없구나. 그 나라에 주인이 없으니 어찌 이 틈을 타서 군사를 일으키지 않으랴!"

가후가 간한다.

"유비는 죽었지만 반드시 제갈량에게 태자를 부탁했을 것입니다. 제갈량은 유비가 자신을 알아준 은혜에 감복해 온힘을 기울여 새 주인을 섬길 것이니, 폐하께서는 조급하게 저들을 치려 하지 마십시오."

가후의 말이 끝나기가 바쁘게 반열에서 한 사람이 분연히 나서며 말한다.

"이 기회에 무찌르지 않고 어느 때를 기다린단 말이오?"

사람들이 모두 바라보니 그는 바로 사마의다. 조비가 크게 기뻐하며 묻는다.

"그렇다면 경에게는 어떤 계책이 있는가?"

"중원의 군사들만으로 친다면 이기기 어려우니, 반드시 5로(五路) 대군을 일으켜야 합니다. 이들 대군으로 사방에서 협공하여 제갈량이 수미상응(首尾相應, 머리와 꼬리가 서로 도움)할 수 없도록 해야 도모할 수 있습니다."

"5로 대군이 무엇인가?"

"우선 서신을 한 통 써서 요동의 선비국(鮮卑國)으로 사자를 보내 강왕(羌王) 가비능(軻比能)을 만나게 하십시오. 황금과 비단으로 그 마음을 사서 요서의 강병(羌兵) 10만을 일으켜 육로를 따라 서평관 (西平關)을 치도록 하는 것이 1로(一路)요, 또 한 통의 서신을 써서 사자를 남만으로 보내 만왕 맹획(孟獲)에게 벼슬과 상을 내려 환심을 산 다음 10만 군사를 일으키게 하여 익주(益州)·영창(永昌)·장가 (牂牁)·월준(越嶲) 네 곳을 무찔러 서천 남쪽으로 쳐들어가게 하는 것이 2로(二路)입니다. 그리고 다시 사자를 동오로 보내 화친하고 땅을 떼어준다고 약속한 뒤에 손권으로 하여금 10만 군사를 일으켜 양천의 삼협(三峽) 어귀를 공격케 하여 부성(涪城)을 취하는 것이 3로 (三路)이며, 항복한 장수 맹달에게 사람을 보내 상용에서 10만 대군을 일으켜 서쪽으로 한중을 엄습하게 하는 것이 4로(四路)입니다. 이렇게 한 후에 대장군 조진을 대도독으로 삼아 10만 군사를 거느리고 경조(京兆)를 거쳐 양평관으로 쳐들어가 서천을 취하는 것이 5로(五 路)입니다. 이렇듯 50만 대군이 다섯 길로 나뉘어 일제히 쳐들어간다면, 제아무리 제갈량이 여망(呂望, 강태공)과 같은 재주를 가졌다 한들 어찌 막을 수 있겠습니까?"

조비는 사마의의 말을 듣고 크게 기뻐했다. 곧 말 잘하고 수단 좋은 네 사람을 뽑아 즉시 서신 한 통씩을 주어 은밀히 사자로 보내는 한편, 조진을 대도독으로 삼아 10만 대군을 거느리고 양평관으로 쳐들어가게 했다. 장요와 같은 옛 장수들은 모두 열후(列侯)로 봉하여 이미 기주·서주·청주·합비 등의 요충지를 지키고 있었기 때문에 이번에는 불러들이지 않았다.

한편 촉한의 후주(後主) 유선이 즉위한 이래 옛 신하들 중에서 병으로 세상을 떠난 사람이 많았는데, 그 일을 다 자세히 말할 수는 없다. 이때 조정의 인사(人事)와 법무·재정(財政)·소송 등은 모두 승상 제갈량의 의견을 물어서 처리하였다. 후주에게 아직 황후가 없어서 공명은 신하들과 의논하고 후주께 간했다.

"돌아가신 거기장군 장비의 딸이 매우 어질고 이제 나이 열일곱살이니 정궁황후(正宮皇后)로 맞으시는 게 어떠십니까?"

후주는 즉시 그 말을 받아들여 장비의 딸을 황후로 맞이했다.

건흥 원년(223) 8월이었다. 변방에서 급보가 날아들었는데, 위가 50만 대군을 다섯 길로 나누어 쳐들어온다는 것이었다.

"제1로는 조진이 대도독이 되어 10만군을 일으켜 양평관으로 쳐들어오고 있습니다. 제2로는 반역해 달아난 장수 맹달이 상용의 군사 10만을 거느리고 한중땅으로 쳐들어오고 있고, 제3로는 동오의 손권이 정병 10만을 이끌고 삼협 어귀를 취하여 서천으로 들어오려 하고 있습니다. 제4로는 만왕 맹획이 만병(蠻兵) 10만을 거느리고 익주 등 4군(郡)을 침범하려 하고, 제5로는 번왕(番王) 가비능이 강병 10만으로 서평관을 치기 위해 쳐들어오고 있습니다. 형세가 몹시 위태로워 먼저 승상께 보고드렸는데, 어찌 된 일인지 승상께서는 그뒤로 며칠 동안 조정에 나오시지 않고 있습니다."

후주 유선은 크게 놀라 즉시 공명에게 입궐하라는 명을 전하게 했다. 그러나 반나절 만에 돌아온 근신이 아뢴다.

"승상부 사람이 말하기를 승상께서는 병이 들어 입궐하실 수 없다고 합니다."

후주는 더욱 당황했다. 이튿날 후주는 다시 황문시랑(黃門侍郞) 동윤(董允)과 간의대부(諫議大夫) 두경(杜瓊)에게 명했다.

"승상의 병상을 찾아가 대사를 직접 고하라!"

동윤과 두경이 급히 승상부로 갔으나 문지기가 들여보내주질 않는다. 두경이 투덜거린다.

"선제께서 승상에게 후사를 부탁하셨고, 더구나 주상께서 보위에 오르신 지 얼마 안되는 이때에 조비가 오로군을 일으켜 쳐들어와 사세가 위급하건만, 승상께서는 어찌하여 병만 내세우고 나오시지 않는단 말인가!"

한참만에 문지기가 다시 나와서 승상의 영을 전한다.

"승상께서는 이제 병이 좀 나은 듯하니 내일 아침 일찍 도당(都堂, 의정부 즉 조정)에 나가 일을 의논하시겠답니다."

동윤과 두경은 탄식하며 그대로 발길을 돌렸다. 다음날, 관원들은 아침부터 승상부 앞으로 몰려가 기다렸다. 그러나 해가 저물도록 승상은 끝내 모습을 나타내지 않았다. 대신들이 흩어져 돌아가고 난 뒤 두경은 입궐하여 후주에게 아뢰었다.

"청컨대 폐하께서 친히 어가를 움직이시어 승상에게 직접 계책을 물으소서."

후주는 곧 관원들을 거느리고 내궁으로 들어가 황태후께 모든 사실을 아뢰었다. 황태후가 크게 놀라며 말한다.

"승상이 어찌하여 선제께서 당부하신 일을 저버린단 말인가? 내 직접 가보겠다."

동윤이 곁에서 아뢴다.

"태후께서는 가벼이 움직이지 마소서. 신이 생각건대 승상께 반드시 깊은 뜻이 있을 것입니다. 주상께서 먼저 가보시고 과연 승상이 태만한 태도를 보이거든 그때 태후께서 태묘(太廟, 선주를 모신 사당)로 승상을 불러 그 까닭을 물으셔도 늦지 않을 것입니다."

태후는 동윤의 말에 따르기로 했다.

이튿날, 마침내 후주는 어가를 타고 친히 승상부에 이르렀다. 문지기는 황제의 어가를 보고 황망히 땅에 엎드려 절하며 영접했다. 후주가 묻는다.

"승상께서는 어디 계신가?"

문지기가 엎드려 아뢴다.

"어디 계신지는 모르옵니다. 다만 문무백관이 오더라도 들여보내지 말라는 분부만 받았사옵니다."

후주는 어가에서 내려 홀로 걷기 시작했다. 첫번째, 두번째 문을 지나 세번째 문을 들어서자 공명의 모습이 보였다. 공명은 홀로 죽장(竹杖)에 의지하고 조그만 연못가에 서서 물속에 노니는 물고기떼를 바라보고 있었다. 후주는 한동안 공명의 뒤에 서 있다가 천천히 말을 건넨다.

"승상께서는 평안하시오?"

공명이 고개를 돌려 후주를 보더니 황망히 죽장을 버리고 땅에 엎드려 아뢴다.

"신이 만번 죽어 마땅한 죄를 지었습니다."

후주가 공명을 부축해 일으켜 세운 뒤 묻는다.

"지금 조비가 다섯 길로 군사를 나누어 접경지역을 침범해와 사세가 급박하거늘, 상보(相父, 왕이 부모와 같이 여기는 재상에 대한 존칭)께서는 어찌하여 정사를 돌보지 않으시오?"

공명은 크게 웃더니, 후주를 모시고 내실로 들어가 자리를 정해 앉은 뒤 조용히 아뢴다.

"다섯 길로 나뉘어 대군이 쳐들어오고 있음을 신이 어찌 모르겠습니까? 신은 물고기가 노니는 것을 보고 있었던 게 아니라 생각을 하고 있었습니다."

후주가 걱정스럽게 묻는다.

"장차 이 일을 어찌하면 좋겠소?"

"강왕 가비능, 만왕 맹획, 반역한 장수 맹달, 위장 조진 등 네 길로 쳐들어오는 군사들은 이미 물리칠 방도를 세워놓고 조치를 취했습니다. 다만 손권의 군사를 물리칠 일이 남았는데, 신이 이미 계책을 세웠으니 이제 말 잘하는 사자를 동오로 보내야겠는데, 마땅한 사람이 없어 고심중입니다. 폐하께서는 조금도 근심하지 마십시오."

공명의 말을 듣고 후주의 얼굴에 희색이 감돈다.

"상보께서는 과연 귀신도 헤아릴 길 없는 능력을 가지셨소그려. 바라건대 적병을 물리칠 계책을 들려주시오."

공명이 대답한다.

"선제께서 폐하를 신에게 부탁하셨거늘, 신이 어찌 감히 잠시인들 태만히하겠습니까? 다만 성도의 관원들이 모두 병법의 묘리를 깨우치지 못한 터에 병가의 중대사는 다른 사람들이 눈치챌 수 없게 해야 하는 것인즉, 혹시라도 비밀이 누설될까 하여 조심한 것뿐입니다.

노신(老臣)은 서번국(西番國) 가비능이 군사를 이끌고 서평관으로 쳐들어오는 것을 알고 마초를 기용하였습니다. 마초는 그 조상이 누대에 걸쳐 서천에 살면서 인심을 얻어 강인들이 그를 신위천장군(神威天將軍)이라고 우러러보는 장수입니다. 급히 마초에게 서신을 보내 서평관을 굳게 지키고 네 곳에 기병을 매복해두어 매일 교대로 적을 막게 했으니, 이 방면은 근심할 게 없습니다.

또한 남만의 맹획이 4군을 침범해온다 하여 신은 즉시 위연에게 격문(檄文)을 보내 의병지계(疑兵之計)를 쓰게 했습니다. 이는 군사를 왼쪽에서 나와 오른쪽으로 들어가게 하고, 다시 오른쪽에서 나와 왼쪽으로 들어가게 하여 군사의 수가 매우 많은 것처럼 보이게 하는 병법입니다. 만병들은 비록 용맹스러우나 의심이 많은 까닭에 의병을 보면 감히 쳐들어오지 못할 것이므로, 이 방면도 걱정할 것이 없습니다.

또 맹달이 군사를 거느리고 한중으로 쳐들어오고 있다지만, 이 역시 걱정할 바 못됩니다. 맹달은 본래 이엄과 생사를 함께하기로 한 사이입니다. 신이 성도로 돌아올 때 이엄을 남겨 영안궁을 지키게 한 것은 나중에라도 이런 일이 있을 것에 대한 대비책이었습니다. 신은 이미 이엄의 필체로 서신을 한 통 꾸며 사람을 시켜 맹달에게 보냈습니다. 맹달이 그 서신을 받아보면 틀림없이 병이 났다는 핑계로 군사를 움직이지 않을 것이고, 군심(軍心)도 해이해질 터이니 이곳 또한 걱정할 게 없습니다.

조진이 대도독으로 양평관을 향해 진격해온다 하나 그곳은 워낙 지세가 험준하여 가히 지킬 만합니다. 더구나 신이 이미 조자룡에게 명하여 한무리의 군사를 거느리고 굳게 요충지를 지키기만 할 뿐 함부로 나가 싸우지 말라 했습니다. 그러면 조진은 틀림없이 무슨 계략이 있으리라 여겨 오래지 않아 스스로 물러갈 것입니다.

이처럼 네 방면의 적군은 근심할 것이 없습니다. 그러나 신은 혹시라도 실수가 있을까 두려워, 은밀히 관흥과 장포 두 장수에게 각각 3만명의 군사를 주고 요충지에 주둔하고 있다가 각 방면의 우리 군이 위험에 처할 경우 후원하도록 지시해두었습니다. 모든 장수들에게 출진할 때 성도를 경유하지 말도록 엄명을 내린 터라, 이 일을 아는 사람은 아무도 없습니다."

"그렇다면 동오의 손권은 어찌합니까?"

"동오의 일로군은 아직은 움직이지 않고 사세를 주시하고 있을 것입니다. 네 길의 군사가 우리를 이겨 서천이 위급해지면 그때는 반드시 침공해오겠지만 만일 네 길의 군사가 우리를 이기지 못하면 저들이 어찌 감히 움직이겠습니까? 손권은 지난날 조비가 동오를 침범했던 까닭에 아직도 원한이 남아 있어 위의 뜻대로 움직이지는 않을 것입니다. 사세가 이러하니 우리가 지금 언변이 능한 사자를 동오에 보내 이해득실을 따져 손권을 설득시킨다면, 그까짓 네 길의 군사들쯤이야 걱정할 게 뭐가 있겠습니까? 신은 다만 적당한 사람을 찾지 못해 주저하고 있었던 것인데, 어찌 폐하께서 어가를 움직여 수고롭게 예까지 오실 줄 알았겠습니까?"

공명의 말을 듣고 후주의 근심은 눈녹듯이 사라졌다.

"실은 태후께서 친히 상보를 만나고자 하셨는데, 이제 상보의 말을 들으니 마치 꿈에서 깨어난 듯하오. 그러니 더 무엇을 근심하겠소?"

공명은 후주와 더불어 술을 몇잔 나누고 나서 후주를 배웅하러 나섰다. 승상부 앞에 모여 있던 관원들은 후주의 얼굴에 희색이 가득한데다 공명이 후주를 배웅해 나오자 안도의 숨을 내쉬었다. 후주는 어가에 올라 궁궐로 돌아갔다. 뒤따르는 관원들은 의논이 어떻게 되었는지 전혀 알 수 없어 어리둥절할 뿐이었다. 이때 공명이 보니 여러 관원들 중에서 오직 한 사람이 하늘을 올려다보며 소리없이 웃는데, 그 표정이 밝았다. 그는 바로 의양(義陽) 신야(新野) 사람으로 성은 등(鄧), 이름은 지(芝)이고, 자는 백묘(伯苗)로 그때 호부상서(戶部尚書)로 있었다. 그는 한나라 사마(司馬) 등우(鄧禹)의 후손이었다. 공명은 시종을 불러 은밀히 분부했다.

"호부상서 등지에게 가지 말고 남으라고 전하여라."

관원들이 모두 후주를 모시고 떠난 뒤 공명은 등지를 불러들여 서재에 자리를 잡고 앉았다. 공명이 묻는다.

"지금 위·촉·오가 솥발처럼 삼국으로 나뉘어 있소. 두 나라를 쳐서 천하를 통일하려면 먼저 어느 나라를 쳐야겠소?"

등지가 대답한다.

"제 어리석은 소견으로는, 위가 한나라의 역적이긴 하나 그 세력이 무척 크니 급히 뒤흔들기는 어렵고 천천히 도모해야 할 것입니다. 더구나 주상께서 보위에 오르신 지 얼마 안되어 민심이 안정되지 않았으니 마땅히 동오와 동맹을 맺어 순치지세(脣齒之勢)를 이루고, 지난날 선제의 묵은 원한을 깨끗이 씻어버리는 것이 장래를 위한 계책이라 생각합니다. 승상의 뜻은 어떠십니까?"

공명이 크게 웃으며 말한다.

"나도 그렇게 생각한 지 오래이나 아직 적당한 인물을 찾지 못해 근심했는데, 오늘에야 비로소 사람을 찾았구려!"

등지가 묻는다.

"승상께서는 누구를 얻었다는 말씀이십니까?"

"사람을 동오로 보내 동맹을 맺고자 했는데, 그대가 이미 이 뜻을 알고 있으니 군명(君命)을 욕되게 하지는 않을 게 아니겠소? 동오에 가는 중임은 그대가 아니면 맡을 사람이 없소이다."

"제가 어리석고 지혜가 깊지 못하여 감히 그 일을 감당치 못할까 두렵습니다."

"내가 내일 입궐해 황제께 아뢰고 그대에게 이 일을 맡길 터이니 바라건대 절대 사양하지 마시오."

등지는 고개 숙여 승낙하고 물러갔다. 다음날 공명은 후주에게 주청해 등지를 동오의 사신으로 보내도록 했다. 등지는 후주께 절하여 사례하고 즉시 동오를 향해 길을 떠났다.

오나라에서 바야흐로 전쟁이 그치니	吳人方見干戈息
촉의 사신이 옥백 갖춰 우호 맺으러 오네	蜀使還將玉帛通

등지는 과연 어떤 성과를 거둘 것인가?

86_

촉과 오의 연합작전

진복은 웅변을 토해 장온을 비난하고

서성은 화공을 써서 조비를 격파하다

　한편 동오의 육손이 위군을 물리친 후 오왕 손권은 육손을 보국장군(輔國將軍) 강릉후(江陵侯)로 봉하고 형주목(荊州牧)을 제수했다. 이때부터 동오의 병권은 육손이 장악하게 되었다. 장소와 고옹이 손권에게 연호 바꿀 것을 청하니 손권은 이를 수락하고 연호를 고쳐 황무(黃武) 원년(222)이라 했다. 이때 위에서 사신이 왔다는 보고가 들어왔다. 손권이 맞아들이니, 위의 사자가 아뢴다.

　"지난번에 촉이 사람을 보내 구원을 청했을 때는 위가 사세를 잘못 판단하고 군사를 일으켜 동오를 공격했으니 이제 크게 후회하고 있습니다. 이번에 우리가 네 길로 대군을 일으켜 서천을 취하고자 하니, 동오에서 부디 도와주십시오. 만일 촉나라땅을 얻게 되면 절반을 나 누어드리겠습니다."

손권은 선뜻 결정을 내리지 못하고 장소와 고옹 등을 불러 상의했 다. 먼저 장소가 말한다.

"육백언(陸伯言, 육손의 자)의 식견이 탁월하니 불러 물어보십시오."

손권은 당장 사람을 보내 육손을 불러들였다. 육손이 아뢴다.

"조비가 중원을 차지하고 있어 급히 도모할 수 없는 터에 이번 요 구를 들어주지 않으면 반드시 위와는 원수지간이 될 것입니다. 신의 생각으로 위와 오에는 아직 제갈량과 겨룰 만한 적수가 없으니, 우선 겉으로는 위의 청을 응낙하고 군사를 준비한 후 위의 4로군이 어찌 싸우는지 지켜보는 게 좋을 듯합니다. 만일 4로군이 승리하여 서천이 위급하고 제갈량이 적을 앞뒤로 감당하지 못하게 되면 그때 주상께서 군사를 일으키시되 위보다 먼저 성도로 쳐들어가는 것이 상책입니다. 그러나 만일 4로군이 패하면 그때는 다시 의논하소서."

손권은 육손의 말에 따르기로 하고 위의 사자를 불러들였다.

"아직 여러모로 준비가 여의치 않으니 좋은 날을 골라 군사를 일으 켜 호응하겠소."

사자는 손권에게 절하여 사례하고 돌아갔다. 손권은 사람을 보내 전세를 탐지해오도록 했다. 그랬더니 먼저 서번(西番) 군사들은 서평 관까지 진격했다가 마초를 보고는 더 싸우지 않고 스스로 물러갔다고 했다. 남만의 맹획은 군사를 일으켜 4군을 공격했으나 위연의 의병지 계에 걸려 대패하여 돌아갔고, 상용의 맹달은 군사를 거느리고 가다 가 도중에 병이 나서 더 진군하지 못했다고 하였다. 그리고 조진은 양평관까지 왔으나 조자룡이 험준한 요충지를 막고 있으니, 과연 '한 장수가 관을 지켜도 만명의 군사를 막아낼 수 있다[一將守關 萬夫莫開]'는 말 그대로여서 야곡에 주둔해 있다가 결국 이기지 못하고 물러갔다고 했다. 손권이 이 소식을 듣고는 문무백관들이 모인 자리에서 감탄해 마지않았다.

"육백언은 참으로 귀신 같은 사람이로다. 과인이 만약 경솔하게 움직였다면 또다시 서촉과 원수지간이 될 뻔했구나."

동오의 관원들도 육손의 식견에 탄복했다. 이때 근신이 들어와 서촉에서 등지가 사신으로 왔다고 보고했다. 장소가 손권에게 아뢴다.

"제갈량이 위군을 물리치려고 등지를 세객(說客, 뛰어난 말솜씨로 상대의 마음을 움직여 목적을 이루던 고대의 정객)으로 보낸 것입니다."

손권이 묻는다.

"그렇다면 뭐라고 대답해야 좋겠소?"

"대전 앞뜰에 큰 가마솥을 걸고 기름 수백근(斤)을 부은 다음 불을 피워 펄펄 끓이십시오. 그런 다음에 키 크고 억센 무사 1천명을 골라 궁문에서부터 대전에 이르기까지 양쪽에 칼을 들고 늘여세우고서 등지를 불러들이십시오. 등지가 들어오거든 불문곡직하고 옛날 역이기(酈食其)가 제나라를 달래던 일(역이기는 한나라 유방의 사자로 제齊나라 왕을 설득해 전쟁준비를 그만두게 했다. 이 틈을 타서 한나라 대장이 제를 습격하자 제나라 왕이 자기를 속인 역이기를 가마솥에 삶아죽인 고사를 가리킴)을 들어 '너를 당장 저 기름솥에다 처넣어 삶으리라' 하고 호통을 치신 뒤에 그가 어떻게 대답하는지 들어보소서."

손권은 장소의 말대로 기름솥을 걸어놓고 무사들로 하여금 칼을 차고 좌우에 늘어서게 한 다음 등지를 불러들였다. 등지는 의관을 정제

등지는 끓는 기름가마를 앞에 두고 손권을 설득하다

하고 궁문을 들어서다가 무사들이 칼·도끼·긴창·단검 등을 들고 좌우로 죽 늘어서 있는 것을 보았다. 이내 그 속내를 알아차린 등지는 조금도 두려워하는 기색 없이 침착하게 걸음을 옮겼다. 대전 앞에 다다르니 거기에는 또 펄펄 끓는 기름가마가 있고, 무사들이 좌우에서 위협하듯 등지를 노려보다가 슬쩍 끓는 기름가마 쪽으로 눈길을 보낸다. 등지는 무사들을 보며 소리없이 웃었을 뿐이다. 이윽고 등지는 근신이 안내하는 대로 주렴 앞에 이르렀으나 허리를 구부려 읍할 뿐 손권에게 절을 올리지 않았다. 손권은 주렴을 걷어올리게 하고 큰소리로 꾸짖는다.

"어째서 절을 하지 않느냐?"

등지는 등을 꼿꼿이 세운 채 의연히 대답한다.

"황제의 사신이 어찌 조그만 나라의 주인에게 절을 할 수 있겠소이까?"

손권이 크게 노하여 호통친다.

"네놈이 세치 혓바닥을 놀려 감히 역생(酈生, 역이기)이 제나라를 설득하던 일을 흉내내려는 것이냐? 당장 이놈을 기름솥에 처넣어라!"

등지는 손권의 말이 채 끝나기도 전에 큰소리로 웃음을 터뜨렸다.

"사람들이 말하기를 동오에 유능한 인물이 많다 했는데, 나 같은 일개 선비를 이렇게 두려워할 줄 뉘 알았으랴!"

손권은 화가 머리끝까지 치밀었다.

"과인이 어찌 너 따위 필부를 두려워하겠느냐?"

"이 등지가 두렵지 않다면 세객 하나 때문에 이렇게까지 야단법석할 까닭이 있겠습니까?"

"너는 제갈량의 명에 따라 내게 위나라와 절연하고 촉과 화친하자고 온 것이 아니더냐?"

"나는 서촉의 한낱 유생으로 다만 오나라의 이해(利害)를 말씀드리기 위해 왔거늘, 무사를 늘여세우고 기름솥까지 걸어놓으며 사신을 막으려 하시니, 어찌 이렇듯 도량이 좁단 말씀입니까?"

이 말을 들은 손권은 문득 부끄러운 생각이 들었다. 즉시 무사들에게 물러가라 명하고 등지를 전에 오르게 하여 자리를 권했다. 손권이 묻는다.

"오와 위의 이해가 어떤지 내게 자세히 설명해보시오."

이번에는 등지가 손권에게 묻는다.

"대왕께서는 우리 촉과 강화를 맺을 생각이십니까, 아니면 위와 강화를 맺을 생각이십니까?"

"촉과 강화를 맺고 싶으나, 촉주가 아직 어리고 아는 것이 부족하니 끝까지 약속을 지킬지 염려스러울 뿐이오."

"대왕께서는 당대의 뛰어난 호걸이시며, 제갈량 또한 당대의 준걸이십니다. 게다가 촉의 산천은 험준하고 오는 세 강으로 견고하니, 만일 두 나라가 화합해 순치지세를 이룬다면 나아가 천하를 삼킬 수 있고, 물러나 솥발처럼 각각 자립할 수도 있습니다. 대왕께서 스스로 몸을 굽혀 위의 신하가 되신다면 위는 반드시 대왕의 입조(入朝)를 바랄 것이며, 태자를 데려가 볼모를 삼으려 할 것입니다. 대왕께서 이에 불응하면 즉시 군사를 일으켜 쳐들어올 것이고, 그리 되면 우리 촉도 대세에 따라 오를 칠 수밖에 없으니, 대왕께서는 다시는 강남 땅을 차지하실 수 없습니다. 만일 대왕께서 이 어리석은 사람의 말을 믿지 않으신다면, 이 몸은 당장 대왕 앞에서 목숨을 끊어 다시는 세객이란 말을 듣지 않겠소이다."

등지는 자리에서 일어나 옷을 걷어올리더니 대전 아래 가마솥으로 뛰어들려 했다. 손권은 황급히 좌우에게 명해 등지를 말린 다음 후전(後殿)으로 청해 들이고 상빈으로 대접했다. 술이 몇 순배 돌고 나서 손권이 은근히 말한다.

"내 뜻과 선생의 뜻이 같구려. 촉주와 힘을 합할 생각이니 선생께서 주선해주시겠소?"

등지가 대답한다.

"조금 전까지 소신을 기름솥에 처넣으려던 분도 대왕이시며, 이제 소신을 부리려는 분도 대왕이십니다. 대왕께서 아직도 의심하여 결정을 못하시는데, 소신이 어떻게 대왕을 믿겠습니까?"

손권이 결연히 말한다.

"내 뜻은 이미 결정됐으니, 선생은 더이상 의심하지 마시오."

오왕은 등지를 붙잡아 머물게 하고 관원들을 불러모았다.

"과인이 강남 81주를 장악하고 형초(荊楚)의 땅까지 얻었으나 오히려 저 궁벽한 곳에 있는 서촉만도 못하오. 촉에는 등지 같은 인물이 있어서 그 주인을 욕되게 하지 않건만, 우리 오에는 촉에 들어가 과인의 뜻을 전할 만한 인물이 한 사람도 없단 말이오?"

이때 한 사람이 반열에서 나와 아뢴다.

"원컨대 신이 촉에 다녀오겠습니다."

사람들이 보니, 그는 오군(吳郡) 사람으로 성은 장(張), 이름은 온(溫)이고, 자는 혜서(惠恕)인데, 그때 중랑장(中郞將)으로 있었다. 손권이 장온에게 말한다.

"경이 촉에 가서 제갈량에게 내 뜻을 제대로 전할 수 있을지 그것이 걱정이로다."

장온이 말한다.

"공명도 사람인데 신이 어찌 그를 두려워하겠습니까?"

손권은 크게 기뻐하며 장온에게 많은 상을 내리고 등지와 함께 서촉으로 떠나도록 했다.

한편 등지를 동오에 보내고 공명은 입궁하여 후주에게 아뢴다.

"이번에 등지는 반드시 동오와의 강화를 성사시킬 것입니다. 동오에는 인재들이 많으니 답례로 사람을 보내올 터인데, 폐하께서는 마땅히 예로써 대접하여 동오로 돌려보내 두 나라가 우호관계를 맺도록 하소서. 이번에 오와 우호를 맺고 나면 위는 우리 촉을 공격하지 못할 것입니다. 이렇게 오와 위를 진정시켜놓고, 신은 남만을 정복하여 평정한 다음에 위를 도모하겠습니다. 위를 꺾고 나면 동오도 오래 버티지 못할 터이니, 다시 천하통일의 기업을 이룰 수 있을 것입니다."

공명의 말을 듣고 후주는 고개를 끄덕였다. 이때 근신이 들어와 동오의 장온이 등지와 함께 답례차 왔다고 고했다. 후주는 문무백관을 대궐에 불러모으고 등지와 장온을 들어오게 했다. 장온은 스스로 뜻을 이룬 듯 사뭇 의기양양한 태도로 정전에 올라 후주를 뵙고 절했다. 후주는 장온에게 비단으로 꾸민 둥근 의자를 내주어 대전 왼쪽에 앉게 하고 잔치를 베풀어 정중히 대접했다. 잔치가 끝난 뒤 문무백관들은 장온을 역관까지 전송하였다. 이튿날에는 공명이 장온을 청하여 잔치를 베풀어 대접했다. 공명이 장온에게 말한다.

"선제(先帝)께서는 생전에 오와 화목하지 못했으나 이미 세상을 떠나셨고, 지금 주상께서는 오왕을 깊이 사모하시어 옛 원한을 버리고 영원히 결맹을 맺어 함께 위를 무찌르고자 하시오. 바라건대 대부는 돌아가거든 이 뜻을 오왕께 잘 아뢰어주시오."

장온은 쾌히 응낙했다. 술이 어지간히 취해오르자 장온은 거침없이 웃으며 떠들어대는데 그 얼굴에 오만스런 기색이 역력했다.

다음날 후주는 장온에게 황금과 비단을 하사하고 성 남쪽의 우정(郵亭, 옛날 역참의 객사)에서 잔치를 베풀어 모든 관원들로 하여금 극진히 대접하고 전송하도록 명했다. 공명이 은근히 장온에게 술을 권하자 장온은 사양하지 않고 받아마셨다. 술이 몇 순배 돌았다. 그때 한 사람이 술에 취해 불쑥 들어오더니 좌중을 향해 길게 절하고는 자리에 앉았다. 장온이 괴이한 듯 공명에게 묻는다.

"저 사람은 누굽니까?"

공명이 대답한다.

"성은 진(秦)씨고 이름은 복(宓), 자는 자칙(子勅)이라 하오. 지금 익주(益州) 학사(學士)로 있소이다."

장온이 큰소리로 웃으며 말을 건넨다.

"명색이 학사라고 하시니 배운 것이 많겠소이다."

진복이 정색을 하고 대답한다.

"우리 촉에서는 삼척동자도 다 학문을 하는데 나야 말해 무엇하겠소?"

"그러면 귀공께서는 무슨 공부를 하셨소?"

"위로는 천문(天文)에서 아래로는 지리(地理)에 이르기까지 삼교구류(三敎九流, 여러 사상과 학문의 갈래. 삼교는 유교·불교·도교, 구류는 유가류·도가류·음양가류·법가류·명가류·묵가류·종횡가류·잡가류·농가류)와 제자백가(諸子百家, 춘추전국시대 수많은 학자들의 저서)를 두루 공부했고, 고금의 역사와 성현의 경전에 이르기까지 접하지 않은 것이 없소이다."

장온이 웃으며 묻는다.

"귀공이 큰소리를 쳤으니 청컨대 하늘에 대해 묻겠소. 하늘에도 머리가 있소이까?"

"머리가 있지요."

"어느쪽에 있소?"

묻는 말이 떨어지기가 바쁘게 진복이 대답한다.

"서쪽에 있지요. 『시경』에 이르기를 '내권서고(乃眷西顧)'라, '생각하여 서쪽을 돌아본다' 했으니, 이로써 미루어본다면 하늘의 머리는 서쪽에 있는 것이지요."

장온이 계속 묻는다.

"그럼 하늘에 귀는 있소이까?"

"물론 있소이다. 하늘은 높이 있으면서 낮은 데 소리를 듣습니다. 『시경』에 이르기를 '학명구고(鶴鳴九皐)에 성문어천(聲聞於天)'이라, 즉 '학이 높은 언덕에서 우니 그 소리가 하늘에 들린다' 했으니, 귀가 없으면 어찌 듣겠소이까?"

"그럼 하늘에 발도 있소이까?"

"물론 발도 있소이다. 『시경』에 이르기를 '천보간난(天步艱難)'이라, '하늘의 걸음이 매우 고생스럽다' 했으니, 발이 없다면 어찌 걸을 수 있겠소?"

"하늘에 성(姓)은 있소이까?"

"어찌 성이 없겠소?"

"그럼 하늘의 성은 무엇이오?"

"유(劉)씨외다."

"어째서 유씨라 하오?"

"황제의 성이 유씨인 걸 보고 알지요."

장온이 약간 성급하게 묻는다.

"해는 동쪽에서 나지 않소이까?"

진복이 빙그레 웃으며 답한다.

"해는 비록 동쪽에서 나지만 반드시 서쪽으로 떨어지지요."

진복이 맑은 음성으로 흐르는 물처럼 막힘없이 대답하니, 좌중의 모든 사람들은 놀라 눈이 휘둥그레졌다. 장온은 더이상 할말을 잊은 듯 잠잠해졌다. 그러자 이번에는 진복이 장온에게 묻는다.

"선생은 동오의 명사로 이미 하늘에 대해 물었으니, 아마도 하늘의 깊은 이치를 아실 것이외다. 태곳적 혼돈이 나뉘어 음양으로 갈릴 때에 맑고 가벼운 것은 위로 떠서 하늘이 되고, 무겁고 탁한 것은 아래로 내려앉아 땅이 되었다 합니다. 그런데 공공씨(共工氏)가 싸움에 패하여 머리로 부주산(不周山)을 들이받는 바람에 하늘의 기둥이 꺾이고 땅이 떨어져나가, 하늘은 서북쪽으로 기울고 땅은 동남쪽으로 기울었다 하지 않습니까? 모름지기 가볍고 맑은 것이 떠올라 하늘이 되었다 하는데 어찌 서북으로 기울 수 있겠습니까? 또 그렇다면 하늘은 맑고 가벼운 것 이외에 또다른 무엇이 있는지요? 원컨대 선생께서 한 수 가르쳐주시지요."

장온은 대답을 못하더니 자리를 피해 앉으며 사과한다.

"참으로 촉나라에 이렇듯 인재가 많은 줄 몰랐습니다. 선생의 강론을 듣고 나니 참으로 막혔던 가슴이 확 트이는 듯합니다."

공명은 장온이 지나치게 무안해할까 염려해 좋은 말로 위무한다.

"술자리에서 하는 문답이란 모두 농담에 지나지 않소이다. 공께서는 천하를 다스리고 나라를 평안케 하는 법을 아시면서 그런 농담에 마음쓸 것이 뭐가 있겠소?"

장온은 공명에게 절하여 사례했다. 공명은 등지에게 다시 장온과 함께 오나라에 가서 답례하도록 명하였다. 두 사람은 공명에게 절한 뒤 함께 동오로 떠났다.

한편, 오왕 손권은 장온이 촉으로 간 지 여러 날이 되어도 돌아오지 않자 혹시 무슨 변고라도 생겼나 걱정스러워 문무백관을 모아놓고 의논하고 있었다. 그때 문득 근신이 들어와 아뢴다.

"촉에서 다시 답례차 등지를 보내 장온과 함께 들어와 인사를 올리겠다고 합니다."

손권은 즉시 두 사람을 불러들였다. 장온이 대전 앞에서 절을 올리고 후주와 공명의 덕을 높이 칭송하고는 말한다.

"촉주께서는 우리 오와 결맹을 맺고자 하며 특별히 등지를 보내 답례를 올리도록 하였습니다."

손권은 크게 기뻐하며 곧 잔치를 열어 등지를 대접했다. 손권이 등지에게 말한다.

"오와 촉 두 나라가 힘을 합쳐 위를 멸하고 나서 천하를 둘로 나누어 절반씩 다스린다면 어찌 기쁘지 않겠소?"

등지는 들었던 술잔을 내려놓으며 말한다.

"하늘에 해가 둘이 아니듯 백성들에게 두 주인은 없습니다. 위를 없앤 뒤 천명이 누구에게 돌아갈지 알 수 없습니다만, 다만 임금이 되려는 자는 덕을 닦고, 신하된 자는 충성을 다한다면 자연히 싸움은 없어질 것입니다."

등지의 말에 손권이 크게 웃으며 감탄한다.

"참으로 그대의 성실함은 대단하오!"

손권은 등지에게 후하게 선물을 내려 촉으로 돌려보냈다. 이로부터 오와 촉은 서로 우호관계를 유지했다.

한편 위의 정탐꾼은 오와 촉의 동맹 소식을 탐지해 즉시 중원에 보고했다. 위주 조비는 이 소식에 크게 노했다.

"오와 촉이 동맹을 맺은 것은 중원을 도모하려는 뜻이 분명하니 과인이 먼저 그들을 치리라!"

조비는 문무백관들을 소집하여 군사를 일으켜 동오를 공략할 일을 의논했다. 이때 대사마 조인(曹仁)과 태위 가후(賈詡)는 이미 세상을 떠나고 없었다. 시중 신비(辛毗)가 반열에서 나와 아뢴다.

"중원은 본래 땅은 넓고 백성은 드물어 급히 군사를 일으키면 여러 가지로 이롭지 못한 점이 있습니다. 지금부터 10년 동안은 군사를 기르고 논밭을 일구어 군량을 비축하는 것이 급선무입니다. 충분한 군량과 군사력을 갖춘 뒤에 도모해야만 비로소 오와 촉을 깨뜨릴 수 있습니다."

이 말에 조비는 버럭 화를 낸다.

"그야말로 어리석은 선비의 말이로구나! 지금 오와 촉이 연합해 당장 우리 경계로 쳐들어올 판인데, 어느 세월에 10년을 기다린단 말인가?"

조비는 당장 군사를 일으켜 동오를 공략하라는 영을 내렸다. 그때 사마의가 나서서 아뢴다.

"오에는 물살 거센 장강(長江)이 있어서 배가 아니고는 건널 수 없습니다. 그러니 폐하께서 몸소 출정하시려면, 우선 크고작은 전선을 골라 채하(蔡河)와 영수(潁水)에서 회수(淮水)로 들어가서 수춘(壽春)

을 함락시키십시오. 그런 다음 광릉(廣陵)에 이르러 장강을 건너서 남서(南徐)를 취하는 것이 상책입니다."

조비는 사마의의 말에 따랐다. 그날부터 공사를 시작해 밤낮을 가리지 않고 용주(龍舟, 임금이 타는 배) 10여척을 만들게 했는데, 길이 20여장(丈)에 2천여명을 태울 수 있는 있는 규모였다. 뿐만 아니라 전선 3천여척을 거둬들여, 마침내 위 황초 5년(224) 8월에 대소 장수들을 모아 출정하기에 이르렀다. 조비는 조진에게 전군을 맡기고 장요·장합·문빙·서황 등을 대장으로 삼아 선봉에 서도록 했다. 허저·여건(呂虔)에게 중군 호위를 맡기고 조휴는 후군으로 삼았으며, 유엽(劉曄)·장제(蔣濟)를 참모로 삼으니, 전후의 수륙 군마가 도합 30만에 달했다. 또한 사마의를 상서복야(尙書僕射)에 봉하여 허도에 머물면서 국정의 대사를 모두 결정하게 했다. 위군의 출정에 대해서는 더이상 말하지 않는다.

한편 동오의 정탐꾼은 이러한 위의 동태를 탐지해 즉시 보고했다. 근신이 황망히 들어와 오왕에게 아뢴다.

"지금 위왕 조비가 몸소 용주를 타고 수륙대군 30만을 거느리고 채하와 영수를 거쳐 회수로 나오려 한답니다. 거기서 광릉을 취한 다음 장강을 건너 강남으로 쳐내려올 것이라 하니 사세가 매우 급박합니다."

오왕 손권은 뜻밖의 소식에 크게 놀라 즉시 문무백관을 불러들여 의논했다. 고옹이 나서서 말한다.

"주상께서는 이미 서촉과 동맹을 맺으셨으니, 먼저 제갈공명에게 서신을 보내 한중의 군사를 일으키게 하여 적의 세력을 양분하고, 대장 한 사람을 골라 남서에 보내 위군을 막게 하소서."

손권이 말한다.

"이 일은 육백언이 아니면 감당할 수 없을 게요."

고옹이 다시 아뢴다.

"육백언은 형주를 지키고 있으니 함부로 움직여서는 안됩니다."

"과인도 모르는 바 아니나 당장 이 일을 감당할 사람이 없으니 어쩌면 좋겠소?"

손권의 말이 끝나기가 무섭게 한 사람이 반열에서 나서며 말한다.

"신이 비록 재주는 없으나 원컨대 한무리의 군사를 이끌고 위군과 싸우고자 합니다. 조비가 대강(大江, 장강)을 건너온다면 기필코 사로잡아 전하께 바치겠으며, 만일 강을 건너오지 않더라도 위군의 태반을 섬멸해 그들로 하여금 감히 동오를 넘보지 못하게 하겠습니다."

손권이 바라보니 바로 서성이었다. 손권은 크게 기뻐하며 말한다.

"경이 그처럼 강남 일대를 지켜준다면 과인이 이제 무엇을 더 근심하겠소?"

그러고는 즉시 서성을 안동장군(安東將軍)에 봉하여 건업(建業)과 남서 두곳의 군마를 총지휘하게 했다. 서성은 사례한 뒤 명을 받들고 물러나왔다. 그리고 모든 군사들에게 명령을 내려 무기를 수습하고 정기를 세우는 등 강안을 지킬 계획을 세웠다. 이때 한 사람이 불쑥 나서며 말한다.

"오늘 대왕께서 장군에게 중임을 맡기신 것은 위군을 격파하고 조비를 사로잡으라는 뜻 아니겠습니까? 장군은 어찌하여 빨리 군사를 움직여 강을 건너서 회남땅에서 적을 맞아 싸우려 하지 않으십니까? 이러다 조비의 군사가 들이닥치기라도 하면 때늦은 일이 될까 염려스럽습니다."

서성이 보니 바로 오왕의 조카뻘 되는 손소(孫韶)였다. 자가 공례(公禮)인 그는 양위장군(揚威將軍)으로서 일찍이 광릉을 지킨 일이 있었고, 아직 젊은 탓에 혈기왕성하며 용기와 담력이 출중한 인물이었다. 서성이 조용히 이른다.

"조비의 세력이 막강하고 명장들이 선봉에 나섰으니 우리가 강을 건너 대적하기는 어렵소. 내 이제 저들의 전선이 모조리 강의 북안에 이르기를 기다렸다가 계책을 써서 격파하려 하오."

손소가 청한다.

"수하에 3천 군마가 있고 광릉의 지세와 길을 잘 아니, 내가 강을 건너 조비와 결전하겠습니다. 만일 승리하지 못하면 그땐 군령을 달게 받겠소이다."

서성은 고개를 가로저었다. 그러나 손소는 조금도 뜻을 굽히지 않고 거듭 청한다. 좋은 말로 몇번을 타일렀으나 손소가 끝내 우기니 서성은 대로하여 소리친다.

"그대는 어찌 이렇듯 내 영을 듣지 않는가? 이래서야 내 어찌 여러 장수들을 다스리겠느냐!"

그러고는 좌우의 무사들에게 추상같이 호령한다.

"저놈을 당장 끌어내 목을 베어라!"

서성의 명을 받은 도부수들은 사정없이 손소를 원문 밖으로 끌고 나가더니 조기(皂旗, 검은기)를 세웠다. 손소의 부장 한 사람이 곧바로 손권에게 달려가 이 사실을 알렸다. 손권이 급보를 듣고 황급히 말에 올라 손소를 구하러 달려오니, 마침 도부수들이 막 형을 집행하려던 참이었다. 손권은 도부수들을 꾸짖어 물리쳤다. 겨우 목숨을 구한 손소가 통곡하며 아뢴다.

"신은 전에 광릉에 있어서 누구보다도 그곳 지리에 밝습니다. 그곳에서 조비를 맞아 싸우지 않고 장강을 건너도록 한다면 동오는 머지 않아 망하고 말 것입니다."

손권은 곧장 영내로 들어갔다. 서성이 영접해 모시고는 아뢴다.

"대왕께서는 신을 도독으로 삼고 위군을 쳐부수라 하셨습니다. 이제 양위장군 손소가 군법을 따르지 않고 영을 어기니 마땅히 목을 베어야 하거늘, 대왕께서는 어찌하여 그를 구해주시는 겁니까?"

손권이 미소지으며 답한다.

"손소가 제 혈기만 믿고 군법을 범했나보오만, 바라건대 너그러이 용서하시오."

서성이 단호하게 말한다.

"법은 신이 세운 것도 아니요 또한 대왕께서 세우신 것도 아닙니다. 이는 국가의 전형(典刑, 예로부터 전해내려오는 확고부동한 본보기)입니다. 대왕께서 이렇게 사사로이 죽일 자를 살려주신다면 신이 어떻게 군사를 지휘할 수 있겠습니까?"

손권이 말한다.

"손소가 법을 어겼으니 장군이 처리하는 것은 당연한 일이오. 허나, 이 아이의 본성은 유(兪)씨로 형님께서 생전에 몹시 아끼셔서 손씨 성을 내리셨고 또한 과인을 위한 공적이 없다고도 할 수 없는데, 이제 그를 죽이면 이는 형님과의 의리를 저버리는 일이 되지 않겠소?"

비로소 서성은 태도를 누그러뜨렸다.

"그렇다면 대왕의 체면을 보아 참형을 거두겠습니다."

손권은 즉시 손소를 불러들여 서성에게 절하여 사죄하라고 명했다.

그러나 손소는 젊은커녕 큰소리로 외친다.

"내 판단으로는 군사를 이끌고 가서 조비를 격파하는 길밖에 없소이다. 내 죽을지언정 당신 생각에 복종하지 않겠소!"

서성의 얼굴빛이 대번에 변했다. 손권은 곧 손소를 꾸짖어 내쫓고 나서 서성에게 말한다.

"저런 놈 하나 없다고 해서 무슨 손실이 있겠소? 앞으로는 절대 쓰지 마시오."

손권은 당부하고 돌아갔다. 그날밤 사람이 급히 들어와 서성에게 고한다.

"손소가 정예병 3천을 이끌고 몰래 강을 건넜다고 합니다."

서성은 손소에게 무슨 변고라도 생기면 오왕을 뵙기 불편할 듯하여 정봉을 불렀다.

"군사 3천명을 이끌고 가서 손소를 후원하라."

서성은 정봉에게 은밀히 계책을 일러주어 떠나보냈다.

한편 위주 조비는 용주를 타고 광릉땅에 이르렀다. 전군(前軍)의 조진이 장강 연안에 군사를 벌여세운 채 주공을 기다리고 있었다. 조비가 묻는다.

"강안에 오군이 얼마나 있는가?"

조진이 대답한다.

"저편 언덕을 살펴보니 사람이라고는 그림자도 보이지 않고, 정기며 영채도 전혀 눈에 띄질 않습니다."

조비가 말한다.

"이것은 속임수가 틀림없다. 짐이 직접 가서 허실을 살펴보아야겠다."

조비는 물길을 열어 용주를 띄우게 하고 물살을 헤치고 나아가 강안에 정박했다. 배 위에는 용·봉·해·달 등을 수놓은 오색 깃발이 휘날리는 가운데 의란(儀鸞, 의장용으로 화려하게 꾸민 황제의 수레) 주위를 무리들이 겹겹이 옹위하니, 그 위풍당당함에 눈이 부실 지경이었다. 조비가 배 위에 단정히 앉아 멀리 강남땅을 바라보니, 정말로 사람 그림자 하나 얼씬거리지 않았다. 조비가 유엽과 장제 등을 돌아보며 묻는다.

"강을 건너는 게 좋겠는가?"

유엽이 대답한다.

"병법에 허허실실(虛虛實實)이라 했습니다. 저들이 대군이 오는 것을 보고 어찌 준비를 하지 않았겠습니까? 폐하께서는 서두르지 마시고 며칠 적의 동태를 살핀 후에 선봉대를 보내 정탐하게 하소서."

조비는 고개를 끄덕이며 말한다.

"경의 말이 바로 내 뜻과 같도다."

그날밤 위군이 강가에 머무는데 달이 뜨지 않아도 군사들이 모두 횃불을 밝혀 천지가 대낮처럼 환해졌다. 그러나 멀리 강남 쪽에는 불빛 한점 보이지 않았다. 조비가 좌우를 돌아보며 묻는다.

"이게 어찌 된 일이냐?"

근신이 대답한다.

"폐하의 천병(天兵)이 온다는 소문을 듣고 쥐새끼처럼 모두 달아난 게 아닌가 합니다."

그 말에 조비는 소리없이 웃었다. 어느덧 날이 밝기 시작했다. 사방이 온통 짙은 안개로 뒤덮여 바로 앞에 있는 사람의 얼굴도 분간할 수 없을 지경이더니 갑자기 바람이 불어오며 안개가 걷히고 구름도 흩어지기 시작했다. 강남 일대를 바라보니, 성곽이 연달아 섰고 성루에는 창검이 아침 햇살을 받아 번쩍이며 성채마다 정기가 가득 꽂혀 바람에 나부끼고 있었다. 그와 함께 조비에게 잇따라 보고가 들어오기 시작했다.

"남서 연안 일대에서 석두성(石頭城)에 이르기까지 수백리에 걸쳐 성곽이 줄지어 늘어섰으며, 수레와 배가 끊이지 않고 오가고 있습니다. 이 모든 게 하룻밤 새 이루어진 것입니다."

조비는 깜짝 놀랐다. 이는 사실 서성이 강변에 있는 갈대를 꺾어 사람의 형상을 만든 다음, 푸른 옷을 입히고 정기와 창검을 들려서 역시 가짜로 꾸민 성위에 세워놓은 것이었다. 그런데 그것이 강을 사이에 두고 멀리 떨어져 있는 위군들의 눈에는 무수한 병력이 무장하고 지키고 있는 것처럼 보였으니, 어찌 놀라지 않을 수 있겠는가. 조비가 길게 탄식한다.

"위에 무사가 수없이 많다지만 아무 짝에도 쓸모가 없구나. 강남 사람들이 저러하니 어찌 함부로 도모할 수 있겠느냐!"

이렇게 중얼거리면서 놀라움을 금치 못하고 있는데, 갑자기 광풍이 불어닥치더니 흰 파도가 하늘로 솟구치며 용포를 적셨다. 조비가 타고 있는 커다란 배는 금방이라도 뒤집힐 듯 기우뚱거렸다. 조진은 황급히 문빙에게 명해 작은 배를 가지고 급히 위주를 구하게 했다. 용주에 탄 사람들은 배가 기우뚱거리는 바람에 앉지도 서지도 못한 채 이리저리 흔들리고 있었다. 문빙은 서둘러 용주로 뛰어올라 조비를 들쳐업고 작은 배로 뛰어내리더니 곧장 나루를 향해 노를 저었다. 조비가 겨우 숨을 고르는데 파발꾼이 달려와 아뢴다.

"조자룡이 군사를 이끌고 양평관을 나와 장안으로 쳐들어가고 있습니다."

조비는 대경실색하여 영을 내린다.

"즉시 회군하라!"

퇴군명령을 들은 위의 군사들이 앞을 다투어 달아나는데 뒤에서는 오군이 추격해왔다. 다급해진 조비는 모든 어용지물(御用之物, 임금이 사용하는 물건)도 버리고 급히 후퇴하라 명했다.

용주가 회하(淮河)에 이르렀을 때다. 갑자기 북소리 뿔피릿소리가 일제히 울리더니 함성을 터뜨리며 한떼의 군사들이 덮쳐들었다. 손소가 거느린 3천 군마였다. 위군은 도저히 오군을 대적할 수가 없어 태반이 쓰러졌다. 강물에 빠져죽은 자도 헤아릴 수 없이 많았다. 장수들이 겨우 사력을 다해 위주를 구출했을 뿐이다. 위주를 태운 용주가 겨우 회하를 빠져나와 30리도 채 못 갔을 때였다. 강변 일대의 갈대밭에서 갑자기 불길이 치솟았다. 미리 생선기름을 뿌려두었다가 불을 지른 것이다. 바람을 따라 번지기 시작한 불길은 삽시간에 사방으로 퍼져나가다가 돌풍을 만나 하늘로 치솟더니, 급기야 조비가 타고 있는 용주의 뱃머리까지 덮쳐들었다. 조비는 혼비백산하여 잽싸게 작은 배로 옮겨탔다. 작은 배가 가까스로 불길을 피해 강기슭에 이르렀을 무렵, 용주는 이미 화염에 휩싸여 있었다. 조비가 뒤돌아볼 겨를도 없이 황망히 말에 뛰어올라 막 달아나려는 참에 언덕 위에서 또다시 한 무리의 군사들이 쳐내려왔다. 선봉에 선 장수는 바로 정봉이었다. 장요가 맞서싸우기 위해 급히 달려나가다가, 정봉이 쏜 화살을 허리에 맞고 말 아래로 굴러떨어졌다. 서황이 급히 달려들어 장요를 구하고 함께 위주를 호위하여 달아났다. 이 싸움에서 죽은 위군의 수는 헤아릴 수도 없었다. 손소와 정봉의 군사들은 수많은 말과 수레, 전선, 무기 등을 노획했다. 손권은 위군을 물리치고 대승을 거둔 서성에게 큰 상을 내렸다. 정봉의 화살을 맞고 허도로 돌아온 장요는 그 상처로 인해 끝내 세상을 떠났다. 조비는 장요를 성대히 장사지내주었다.

한편 양평관에서 군사를 이끌고 출발한 조자룡은 장안을 향해 진격하던 중에 승상의 서신을 받았다. 익주의 늙은 장수 옹개(雍闓)가 만왕 맹획과 결탁해 10만 대군을 일으켜 4군을 침범하려 하니, 마초에게 양평관을 지키게 하고 급히 회군하라는 내용으로, 승상이 직접 남만을 정벌할 계획임을 밝히고 있었다.

조자룡이 군사를 거두어 성도로 돌아오니, 공명은 성도에서 군마를 정비하고 남만을 정벌할 채비로 분주했다.

방금 동오가 북의 위와 맞서싸우더니 　　　　　　方見東吳敵北魏
이제 서촉이 남만과 싸움을 보게 되네 　　　　　　又看西蜀戰南蠻

승부는 과연 어찌 될 것인가?

87

남만 정벌

공명은 남만을 정벌하려 크게 군사를 일으키고
만왕 맹획은 황제의 군사에 항거하다 처음 결박당하다

제갈승상이 성도에 있으면서 크고작은 일을 가리지 않고 몸소 결재
하니, 동천과 서천 백성들은 모두 태평성대를 누렸다. 밤에도 문단속
이 필요없고, 길에 버려진 물건도 제것이 아니면 줍는 이가 없었다.
더군다나 다행스럽게도 해마다 대풍이 드니, 늙은이 어린아이 할것없
이 배를 두드리며 노래하고 장정들은 혹시 부역이라도 있으면 앞다투
어 해치웠다. 그러니 군수품과 무기 등 모든 장비들이 완비되었고, 창
고마다 곡식이 가득 쌓였으며, 부고(府庫)에 재물이 넘쳐났다.

건흥 3년(225) 익주에서 급보가 날아들었다.

"만왕 맹획이 10만 대군을 일으켜 경계를 침범해왔습니다. 한조(漢朝) 10방후(什方侯) 옹치(雍齒)의 후손 건녕(建寧) 태수 옹개는 맹획과 결탁해 반역하였습니다. 또 장가(牂牁) 태수 주포(朱褒)와 월준(越嶲) 태수 고정(高定) 두 사람도 역도에게 성을 바쳤습니다. 오로지 영창(永昌) 태수 왕항(王伉)만 항복하지 않고 버티고 있습니다. 옹개·주포·고정 세 사람 수하의 군사들이 맹획의 길잡이가 되어 지금 영창군을 공격하고 있고, 이에 맞서 왕항이 공조(功曹) 여개(呂凱)와 함께 백성을 모아 영창성을 사수하고 있는데, 형세가 매우 다급하다 합니다."

공명은 즉시 조정으로 들어가 후주에게 아뢴다.

"신이 보기에 남만이 불복하여 경계를 범한 것은 국가의 큰 걱정거리입니다. 이제 신이 몸소 대군을 이끌고 가서 그들을 토벌하고자 합니다."

후주가 근심스런 얼굴로 묻는다.

"동쪽에서는 손권이, 북쪽에서는 조비가 기회만 엿보고 있는데, 상보께서 짐을 두고 나가 계시는 동안 만일 오와 위가 쳐들어오면 어찌한단 말이오?"

"동오는 우리와 강화를 맺은 지 얼마 안되니 다른 뜻을 품지 않을 것입니다. 혹시 다른 뜻이 있다 해도 이엄이 백제성에 있으니 능히 육손을 당해낼 것입니다. 그리고 조비는 이번 싸움에서 대패하여 예기가 꺾인지라 멀리 떨어진 이곳을 도모하기는 어렵습니다. 게다가 마초가 한중의 중요한 길목을 지키고 있으니 근심할 일이 아닙니다. 또한 신이 관흥과 장포에게 군사를 나누어주고 상황에 따라 대처하도록 지시해두었으니 폐하를 보호해 모시는 데 조금도 실수가 없을 것입니다. 신은 이번 기회에 만방(蠻方, 남쪽 오랑캐)을 토벌하고 이어 북벌(北伐)하여 중원을 쳐서, 지난날 선제께서 초려에 있는 신을 세번씩이나 찾아주신 은혜와 폐하를 신에게 부탁하신 중임에 보답코자 합니다."

후주가 말한다.

"짐이 아직 나이 어려 세상일에 무지하니 상보께서 모든 일을 잘 처리해주시오."

말이 끝나기도 전에 반열에서 한 사람이 나서며 소리친다.

"그건 절대 안됩니다!"

모두가 보니, 그는 바로 남양(南陽) 사람 왕련(王連)으로 자는 문의 (文儀)였으며, 그때 간의대부(諫議大夫) 일을 맡고 있었다. 왕련은 계속 간한다.

"남방은 불모의 땅으로 무서운 풍토병이 들끓는 곳입니다. 중임을 맡으신 승상께서 몸소 원정을 떠나신다니 이는 적절한 판단이 아닙니다. 더구나 옹개 등은 그저 하찮은 외환(外患)에 지나지 않으니, 승상께서 친히 가실 것 없이 대장 한 사람을 보내 토벌하게 해도 능히 성공할 수 있습니다."

왕련의 말에 공명이 답한다.

"남만지방은 너무 멀리 떨어져 있고 임금의 덕화(德化)를 입지 않은 자가 많아서 복종시키기가 몹시 어렵소. 내가 직접 가서 때로는 강하게 다루고 혹은 부드럽게 달래며 형편을 보아야 하니, 다른 사람에게 맡길 수 있는 일이 아니오."

왕련은 거듭거듭 간하며 공명을 말렸으나 공명의 뜻을 꺾을 수는 없었다.

마침내 공명은 후주께 하직인사를 올렸다. 장완(蔣琬)을 참군으로 삼고, 비의(費禕)를 장사(長史)로 삼았으며, 동궐(董厥)과 번건(樊建)을 연사(掾史)로 삼고, 조자룡과 위연을 대장으로 삼아 군마를 총 지휘하게 했으며, 왕평·장익을 부장으로 삼고 아울러 서천 장수 수십 명과 군사 50만명을 일으켜 익주를 향해 떠났다. 길을 가던 중에 문득 관운장의 셋째아들 관색(關索)이 군중으로 공명을 찾아와서 말한다.

"형주가 함락된 뒤로 포가장(鮑家莊)으로 피하여 병을 치료하고 있었습니다. 언제나 마음은 서천으로 가서 선제를 뵙고 아버님의 원수를 갚고자 했으나, 상처가 아물지 않아 움직이지 못했습니다. 이제야 상처가 아물어 소식을 알아보니, 그동안에 동오의 원수들은 모두 죽었다 하기에 서천으로 황제를 뵈러 가던 중입니다. 마침 남정(南征)하러 가는 군사를 만나 승상께 문안드리러 왔습니다."

공명은 관색을 보니 지난 일들이 떠올라 길게 탄식했다. 곧 사자를 조정으로 보내 후주에게 관색의 일을 아뢰고 그를 전군 선봉으로 삼아 함께 떠났다. 공명과 50만 대군은 대오를 지어 행군했다. 배가 고프면 먹고, 목이 마르면 마시고, 밤이 되면 머물고, 새벽에는 길떠나기를 반복하면서, 어느곳을 지나든지 백성들에게 폐 끼치는 일이 없었다.

한편 옹개는 공명이 몸소 대군을 거느리고 온다는 소식을 듣고 고정·주포 등과 상의하여 군사를 세 길로 나누었다. 고정은 가운데, 옹개는 왼쪽, 주포는 오른쪽을 맡아 각각 5, 6만씩 군사를 거느리고 적을 막을 태세를 갖췄다. 고정은 악환(鄂煥)을 전군의 선봉으로 삼았다. 악환은 9척 장신에 얼굴이 몹시 험상궂게 생겼는데, 방천극 한 자

공명은 유지를 받들어 남만 정벌을 떠나다

루만으로 1만명을 대적할 수 있다는 장수였다. 악환은 촉군을 맞아 싸우러 군사를 거느리고 영채를 나섰다.

드디어 공명의 대군은 익주 경계에 다다랐다. 전군 선봉 위연과 그 부장 장익과 왕평은 익주 경계로 들어서다가 진군해오는 악환의 군사와 맞닥뜨렸다. 양쪽 군사들은 즉시 둥그렇게 진을 벌여세웠다. 위연이 말을 달려나가며 큰소리로 꾸짖는다.

"역적은 속히 나와 항복하라!"

악환이 말을 달려나와 위연과 맞섰다. 두 사람이 맞붙어 싸운 지 몇 합 지나지 않아서, 위연은 거짓으로 패한 체하고 달아나기 시작했다. 악환은 아무 생각 없이 곧장 위연을 추격해왔다. 그런데 얼마 못 가서 갑자기 함성이 일며 장익과 왕평의 군사들이 물밀듯이 쏟아져나와 뒤를 끊었다. 기다렸다는 듯이 달려나던 위연까지 말머리를 돌려 세 장수가 일시에 공격해대니 악환은 곧 세 장수에게 생포되어 공명 앞에 끌려왔다. 공명은 악환의 결박을 풀어주고 술과 음식을 대접하며 묻는다.

"너는 누구의 부장이냐?"

악환이 말한다.

"고정의 부장이올시다."

"내 알기로 고정은 본래 충의로운 인물이었다. 이번에 옹개의 꾐에 빠져 이렇게 된 것을 생각하니 참으로 안타깝기 그지없구나. 내 오늘 그대를 풀어줄 테니, 돌아가서 고정에게 속히 항복하여 큰 환난을 면하라고 일러라."

악환은 공명에게 절을 올려 사례하고 돌아갔다. 진영으로 돌아온 악환은 고정에게 전후 사정을 고하는 한편 공명의 덕을 침이 마르도록 칭송했다. 그 말을 다 듣고 난 고정 또한 감격해 마지않았다. 다음 날 옹개가 고정의 영채로 찾아왔다. 서로 인사를 나눈 뒤 옹개가 묻는다.

"악환이 잡혔다더니 어떻게 돌아올 수 있었소?"

고정이 대답한다.

"제갈량이 의(義)로써 돌려보내주었다고 합디다."

"제갈량이 반간계(反間計)를 쓴 게 틀림없소. 우리 둘 사이를 이간질하려는 수작이 분명하오."

고정이 반신반의하고 있는데 밖에서 군사가 들어와서 고한다.

"촉장이 군사를 이끌고 와서 싸움을 걸고 있습니다."

옹개는 벌떡 일어나 3만 군사를 거느리고 친히 싸우러 나갔다. 그

러나 몇합 버티지 못하고 말머리를 돌려 달아나기 시작했다. 위연이
군사를 몰아 20여리를 추격하고 돌아왔다. 다음날 옹개는 다시 군사
를 일으켜 촉의 영채로 와서 싸움을 걸었다. 하지만 공명은 그로부터
사흘 동안 싸움에 응하지 않았다. 나흘째가 되자 옹개와 고정은 두 길
로 군사를 나누어 촉의 영채를 향해 진격해갔다.

그보다 앞서 위연 등은 공명의 지시에 따라 매복하여 적을 기다리
고 있었다. 과연 옹개와 고정의 군사가 두 길로 쳐들어오는 것을 보고
매복해 있던 촉군들이 불시에 일어나 일제히 덮쳐들었다. 적군은 태
반이 죽었고 사로잡힌 자도 헤아릴 수 없이 많았다. 공명은 사로잡은
적군들을 대채로 끌고 와서 옹개의 군사와 고정의 군사들을 각각 따
로 수용하게 했다. 그러고는 군졸들을 시켜 헛소문을 퍼뜨렸다.

"고정의 군사들은 살려주고, 옹개의 군사들은 모조리 죽여버릴 것
이란다."

이 소문은 입에서 입으로 전해져 삽시간에 포로들 사이에 짜하니
퍼졌다. 얼마 뒤 공명이 나타나 갇혀 있는 옹개의 군사들을 모조리 장
막 앞으로 데려오게 하여 묻는다.

"너희들은 누구의 부하냐?"

옹개의 군사들은 지레 겁을 먹고 거짓으로 둘러댄다.

"저희들은 모두 고정의 부하입니다."

공명은 그들 모두를 살려주고 술과 음식을 배불리 먹인 다음 사람
을 시켜 멀리까지 배웅해 돌려보냈다. 공명은 이번에는 고정의 군사
들을 불러들여 똑같이 물었다. 그들은 하나같이 입을 모아 대답한다.

"저희들이야말로 진짜 고정의 부하입니다!"

공명은 고정의 군사들에게도 술과 음식을 내려 먹이고 나서 짐짓

소리 높여 말한다.

"오늘 옹개가 사람을 보내 투항하겠다는 뜻을 전해왔는데, 너희 주인 고정의 머리와 주포의 머리를 바쳐 공로를 세우겠다고 하더구나. 하지만 내 어찌 차마 그렇게 하도록 할 수 있겠느냐? 너희들 모두 고정의 부하들이라 돌려보내니, 다시는 배반하지 말라. 만일 또다시 잡혀오는 날에는 결단코 용서하지 않겠다."

고정의 부하들은 절을 올려 사례하고 본채로 돌아갔다. 그들은 당장 고정에게 모든 일을 보고 들은 대로 상세히 고했다. 고정은 곧 부하 한 사람을 불러 분부를 내린다.

"너는 비밀리에 옹개의 영채로 가서 동정을 살피고 오너라."

얼마 후 정탐하러 갔던 군사가 돌아와서 고한다.

"사로잡혔다 풀려난 옹개의 군사들은 모두 공명의 덕을 칭송하고 있습니다. 많은 군사들이 우리에게 귀순할 뜻이 있어 보였습니다."

옹개 영채의 분위기를 보고받았으면서도 고정은 불안감을 떨칠 수 없었다. 다시 부하 한 사람을 불러들여 은밀히 명한다.

"너는 공명의 영채로 잠입해 허실을 염탐해오도록 하라."

명을 받고 공명의 영채로 잠입하려던 고정의 군사는 도중에 매복해 있던 촉군에게 사로잡혀 공명 앞으로 끌려왔다. 공명은 짐짓 고정의 군사가 아니라 옹개의 군사로 잘못 안 것처럼 그를 장중으로 불러들여 준엄히 꾸짖는다.

"네 주인은 고정과 주포의 목을 바치겠다 약속해놓고 어째서 이렇게 지체하는 게냐? 게다가 일이 어떻게 돌아가는 줄도 모르는 너 같은 놈을 어찌하여 첩자라고 보냈다더냐?"

고정의 부하는 깜짝 놀랐으나 아무 말도 할 수 없었다. 공명은 그에

게 술과 음식을 후하게 대접한 다음 밀서 한통을 써주며 넌지시 말한
다.

"너는 이 밀서를 옹개에게 전하고, 속히 고정과 주포의 목을 잘라
오되 실수 없도록 하라고 해라."

고정의 부하는 절을 올려 사례하고는 곧장 고정에게 돌아와 공명이
옹개에게 보내는 밀서를 바치고, 공명의 말을 고했다. 고정은 밀서를
읽고 분노로 손이 와들와들 떨렸다.

"지금까지 내 진심으로 저를 대해왔는데 오히려 나를 죽이려 하다
니 도저히 있을 수 없는 일이로다!"

고정은 당장 악환을 불러 앞으로의 일을 의논했다. 악환이 말한다.

"공명은 어진 사람이니 그를 배신하는 것은 옳지 못합니다. 우리가
모반한 것도 따지고 보면 모두 옹개 때문 아니겠습니까? 옹개의 목을
베어 공명에게 투항하는 것이 상책입니다."

고정이 걱정스럽게 묻는다.

"그놈의 목을 베는 게 어디 쉬운 일이겠나?"

악환이 말한다.

"어려울 것도 없습니다. 잔치를 베풀어 옹개를 청하십시오. 만일
다른 뜻이 없다면 응할 것이고, 오지 않는다면 딴생각을 품은 게 틀림
없습니다. 옹개가 딴생각을 품었다면 더 기다릴 것 없이 장군께서 정
면을 공격하십시오. 저는 영채 뒤 소로에 매복해 있다가 돕겠습니다.
그렇게 하면 옹개를 쉽게 사로잡을 수 있을 것입니다."

고정은 악환의 말에 따라 즉시 잔치를 베풀고 사람을 보내 옹개를
청했다. 옹개는 전날 공명에게 잡혔다가 풀려난 군사들에게 들은 말
이 있어서 의심하고 응하지 않았다.

그날밤 고정은 마침내 군사를 이끌고 옹개의 영채로 쳐들어갔다. 고정이 쳐들어오자, 공명에게 붙들렸다 풀려난 옹개의 군사들은 고정 덕택에 자신들이 살아날 수 있었다고 생각하던 터라, 싸우기는커녕 오히려 고정을 도와 옹개를 잡으려 했다. 옹개의 군대는 싸우기도 전에 자중지란에 빠졌다. 옹개는 혼비백산하여 무턱대고 산길로 달아났다. 채 2리도 못 갔을 때였다. 난데없이 요란한 북소리가 울리더니 한 무리의 군사들이 쏟아져나와 앞을 가로막았다. 다름아닌 악환의 군사들이었다. 악환이 옹개를 향해 방천극을 휘두르며 달려나왔다. 옹개는 칼 한번 휘둘러보지 못하고 악환의 방천극에 찔려 말에서 떨어지고 말았다. 악환이 냉큼 말에서 뛰어내려 옹개의 목을 베니, 옹개의 군사들은 일제히 투항했다.

고정은 자신의 군사와 옹개의 군사들을 아울러 거느리고 공명에게 가서 항복하고 장하(帳下)에 옹개의 목을 바쳤다. 공명은 뜻밖에도 장상(帳上)에 높이 올라앉아 좌우 군사들에게 추상같이 호령했다.

"저놈을 밖으로 끌어내 당장 목을 베어라!"

고정은 청천벽력 같은 말에 정신을 잃을 지경이었다.

"제가 승상의 은혜에 감복하여 옹개의 머리를 바치고 항복하러 왔는데 참형을 내리시다니 실로 억울합니다."

공명은 소리높이 웃으며 말한다.

"네가 감히 거짓항복으로 나를 속이려 하는구나!"

고정이 안타까운 얼굴로 묻는다.

"어찌하여 제가 거짓항복을 한다 하십니까?"

공명은 문갑 안에서 한 통의 밀서를 꺼내 고정에게 보여주며 말한다.

"주포가 이미 사람을 시켜 항서(降書)를 보내온 바, 너와 옹개는 생사를 같이하기로 맹세한 사이라는데, 어떻게 네가 하루아침에 그의 목을 베어올 수 있단 말이냐? 그러니 내 어찌 네가 거짓항복한 것이 아니라고 믿을 수 있단 말이냐?"

고정은 너무도 억울하여 큰소리로 부르짖었다.

"주포가 이런 밀서를 올린 것이야말로 반간계를 쓴 것이 아니겠습니까? 승상께서는 절대로 믿으셔서는 안됩니다."

공명이 말한다.

"나 역시 한쪽 말만을 믿기는 어렵다. 만일 네가 주포를 사로잡아 온다면 그때는 네 진심을 믿겠느니라."

"승상께서는 의심하지 마십시오. 소장이 당장 가서 그자를 사로잡아오겠습니다."

"그렇게 한다면야 무얼 더 의심하겠느냐."

고정은 즉시 부장 악환과 군사들을 거느리고 주포의 영채로 향했다. 고정의 군사들이 주포의 영채를 10여리 앞두었을 즈음 문득 산 뒤편에서 한떼의 군사들이 몰려나오는데, 바로 주포가 이끄는 군사들이었다. 주포는 고정의 군사가 오는 것을 보고 황급히 맞이하며 말을 건네려 했다. 그런데 고정이 다짜고짜 크게 꾸짖는다.

"너는 어찌하여 제갈승상에게 밀서를 보내 반간계로 나를 해치려 했느냐?"

주포는 영문을 몰라 눈이 휘둥그레졌다. 이때 악환이 쏜살같이 달려들어 주포를 방천극으로 내려쳤다. 그 일격에 주포는 말에서 굴러떨어져 죽고 말았다. 고정이 큰소리로 외친다.

"누구든 복종하지 않는 자는 모조리 쳐죽일 테다!"

주포의 군사들은 일제히 땅에 엎드려 항복했다. 고정은 주포의 군사들까지 거느리고 의기양양하게 공명에게 돌아와 주포의 머리를 장하에 바쳤다. 공명이 크게 웃으며 말한다.

"그대로 하여금 이 두 도적을 없애게 한 것은 그대의 충성심을 보기 위해서였느니라."

공명은 고정을 익주 태수로 삼아 세 고을을 다스리게 하고, 악환을 아장(牙將)으로 삼았다. 이로써 공명은 옹개 등의 반역을 손쉽게 평정했다.

공명은 대군을 거느리고 영창(永昌)땅에 이르렀다. 영창 태수 왕항이 성밖으로 나와 공명을 영접했다. 성안으로 들어서며 공명이 묻는다.

"공은 누구와 함께 이 성을 지켰소?"

왕항이 대답한다.

"제가 오늘까지 이곳을 무사히 지킬 수 있었던 것은 모두 여개(呂凱) 덕택입니다. 여개는 영창군 불위현(不韋縣) 사람으로, 자는 계평(季平)이라 합니다."

공명은 여개를 불러들이도록 했다. 여개가 와서 공명에게 예를 올리자 공명이 정중히 묻는다.

"내 오래 전부터 공이 영창의 이름높은 선비임을 들어 알고 있었는데, 이번에 영창성을 지킨 것도 모두 귀공의 힘이라 들었소. 내 이제 남만을 평정할 생각으로, 공의 고견을 듣고 싶어서 이렇게 청했소이다."

여개는 지도를 꺼내 공명에게 바치며 말한다.

"제가 벼슬길에 오른 이래 남만인들에게 반역할 뜻이 있음을 안 지 오래라, 은밀히 사람을 남만으로 보내 군사를 주둔할 만한 곳과 싸울 만한 곳을 면밀히 조사하게 하여 지도를 한 장 만들었습니다. '평만지장도(平蠻指掌圖, 남만을 평정하는 지침도)'라 이름붙였는데, 이것을 감히 바치오니, 명공께서는 이를 보시면 남만을 정벌하시는 데 도움이 될 것입니다."

공명은 크게 기뻐하며 여개를 행군교수(行軍敎授)로 삼는 동시에 향도관(嚮導官)을 겸하게 했다. 그러고 나서 공명은 군사를 거느리고 남만의 경계 안으로 깊숙이 진격해 들어갔다.

한창 행군하는 중에 한 장수가 와서 전한다.

"황제께서 보내신 칙사가 당도했습니다."

공명은 행군을 멈추고 칙사를 맞아들였다. 곧 흰 도포에 흰옷을 입은 사람이 군중으로 들어오는데, 공명이 보니 그는 바로 마량의 아우 마속(馬謖)이었다. 마속은 마량이 얼마 전 세상을 떠난 터라 상복을 입고 있었던 것이다. 마속이 고한다.

"주상의 칙명을 받들어 군사들에게 하사하시는 술과 비단을 싣고 왔습니다."

공명은 조서를 받들고 칙명에 따라 군사들에게 하사품을 나누어주고 나서 마속과 함께 장막 안에 앉아서 이야기를 나누었다. 공명이 묻는다.

"내 황제의 명에 따라 남만을 평정하려 하는데, 유상(幼常, 마속의 자)의 식견이 뛰어나다 들었으니 바라건대 가르침을 주오."

마속이 말한다.

"어리석은 소견이나마 한말씀 드릴 테니 승상께서는 헤아려 들으십시오. 남만은 멀리 떨어져 있는데다 산세가 험준한 것을 믿고 복종하지 않은 지가 이미 오래라, 비록 이번에 격파한다 해도 내일이면 또다시 배반할 것입니다. 승상의 대군이 이르면 저들이 틀림없이 복종하겠지만, 승상께서는 돌아가 또 즉시 북쪽으로 조비를 치러 가셔야 합니다. 만병들은 그 틈을 타 재빨리 들고 일어나 반역할 것입니다. 무릇 용병을 하는 데는 마음을 굴복시키는 것이 상책이며, 성을 쳐서 항복받는 것은 하책입니다. 또한 심전(心戰)이 상수요 병전(兵戰)은 하수이니, 바라건대 승상께서는 그들의 마음을 복종시키셔야 할 것입니다."

이 말을 듣고 공명은 감탄한다.

"참으로 유상은 내 폐부를 꿰뚫어보는구나!"

공명은 즉시 마속을 참군으로 삼고 대군을 통솔하고 곧장 진격해나갔다.

한편 만왕 맹획은 공명이 계략을 써서 옹개 등을 꺾었다는 보고를 받고 즉시 3동(三洞)의 원수(元帥)들을 불러 상의했다. 제1동은 금환삼결(金環三結) 원수, 제2동은 동도나(董荼那) 원수, 제3동은 아회남(阿會喃) 원수였다. 3동의 원수들이 모인 뒤 맹획이 말한다.

"지금 제갈승상이 대군을 이끌고 우리 경계를 침범해왔으니 우리는 힘을 합쳐 대적해야 한다. 그대들 세 사람은 군사를 세 길로 나누어 나아가 적을 막으라. 이번 싸움에 이기는 자를 동주(洞主)로 삼으리라."

이에 따라 금환삼결은 가운뎃길로, 동도나는 왼쪽 길로, 아회남은 오른쪽 길로 각각 5만 군사를 거느리고 떠났다. 공명이 영채에서 앞일을 의논하고 있는데, 문득 척후병이 달려와 아뢴다.

"3동의 원수들이 군사를 세 길로 나누어 공격해오고 있습니다."

공명은 즉시 조자룡과 위연을 불러들였다. 그러나 그들에게는 아무런 분부도 내리지 않고 다시 왕평과 마충을 불러들이더니 영을 내린다.

"드디어 남만 군사들이 세 길로 나누어 쳐들어오고 있다 하오. 자룡과 문장(文長, 위연의 자)을 보내고 싶으나 두 사람은 이곳 지리를 모르는 터라 쓸 수 없소이다. 왕평은 왼쪽 길로 가서 적을 맞고, 마충은 오른쪽 길로 가서 대적하도록 하오. 나중에 자룡과 문장을 뒤따르게 하여 도울 것이니, 오늘은 군마를 정비하고 내일 날이 밝는 대로 떠나도록 하시오."

왕평과 마충이 명을 받고 물러났다. 공명은 다시 장의와 장익을 불러 분부를 내린다.

"그대들 두 사람은 함께 군사들을 거느리고 가운뎃길로 가서 적을 맞이하되, 오늘은 군마를 정비하고 내일 왕평·마충과 함께 출발하시오. 내 자룡과 문장을 보내고 싶으나 두 사람 모두 지리에 어두워 쓸 수 없소."

장의와 장익도 분부를 받고 물러났다. 다른 장수들이 영을 받들고 떠나는 것을 보면서 조자룡과 위연은 끓어오르는 화를 억지로 참고 있었다. 비로소 공명이 말한다.

"내 그대들을 쓰기 싫어서가 아니고 다만 중년 나이에 그대들이 험한 곳에 들어갔다가 오랑캐들의 계략에 걸려들어 예기를 잃을까 두려울 뿐이오."

조자룡이 잔뜩 화난 소리로 말한다.

"만일 우리가 지리를 안다면 어쩌시겠습니까?"

공명이 단호하게 말한다.

"두 사람은 그저 조심하면서 섣불리 움직이려 하지 마시오!"

두 장수는 화를 누르며 물러갔다. 조자룡이 위연을 자기 영채로 불러 불평을 쏟아놓는다.

"우리 두 사람이 선봉인데 지리를 모른다는 핑계로 젊은것들만 쓰니, 이보다 부끄러운 일이 또 어디 있겠소?"

위연이 머리를 끄덕이며 대답한다.

"우리가 당장 말을 타고 적진 깊숙이 정탐해들어가서, 이 고장 사람을 붙들어 길잡이로 삼고 만병을 무찌른다면 대사를 이룰 수 있지 않겠소?"

조자룡이 찬성하여 두 사람은 즉시 말에 올라 가운뎃길로 나아갔다. 채 몇 리도 못 갔을 때 맞은편 멀리에서 먼지가 뿌옇게 일어나는 것이 보였다. 두 사람이 즉시 산위로 올라가 살펴보니, 만병 수십기가 말을 몰고 산굽이를 돌아 달려오고 있었다. 조자룡과 위연이 길 양쪽에서 일제히 내달아 쳐들어가니 만병들은 깜짝 놀라 뒤도 돌아보지 않고 달아나기 시작했다. 두 사람은 날듯이 뒤쫓아 만병 두 사람을 사로잡아 본채로 돌아왔다. 조자룡과 위연은 사로잡아온 만병에게 술과 음식을 배불리 먹인 다음 적진의 동정을 자세히 물었다. 곧 죽는 줄만 알았던 만병은 술과 음식을 대접받고 나자 마음이 누그러져서 술술 털어놓았다.

"저 앞산 기슭에는 금환삼결 원수의 대채가 있습니다. 그 영채에서 동서 양쪽으로 오계동(五溪洞)으로 통하는 길이 나 있습니다. 그곳으로 가면 동도나와 아회남 원수의 영채 뒤쪽과 통합니다."

조자룡과 위연은 드디어 정예병 5천명을 거느리고 사로잡은 만병을 앞세워 길을 떠났다. 때는 이미 2경(밤 10시)으로, 달이 밝고 별빛도 환해서 행군하기에는 안성맞춤이었다.

금환삼결의 대채에 이르렀을 때는 어느덧 4경(새벽 2시)이었다. 일찌감치 일어난 만병들은 새벽밥을 지으며 날이 새는 대로 싸우러 나가려고 준비를 서두르고 있었다. 이때 조자룡과 위연은 양쪽에서 불시에 기습해들어갔다. 만병들이 대혼란에 빠져 갈팡질팡하는 가운데 조자룡은 번개처럼 중군으로 달려들어가다가 엉겁결에 뛰어나온 금환삼결과 마주쳤다. 금환삼결은 혼신의 힘을 다해 조자룡에게 달려들었으나 단 1합에 조자룡의 창을 받고 말 아래로 거꾸러져버렸다. 조자룡은 말에서 내릴 것도 없이 그의 머리를 창끝으로 찍어올렸다. 그 모습에 나머지 만병들은 정신을 잃고 일시에 사방으로 흩어져버렸다.

위연은 군사를 절반으로 나누어 동도나의 영채를 향해 동쪽길로 접어들었다. 조자룡 역시 나머지 절반의 군사를 이끌고 아회남의 영채를 향해 서쪽길로 접어들었다. 거의 만병의 영채에 이르렀을 무렵에는 이미 하늘이 환하게 밝아오고 있었다.

먼저 위연이 동도나의 영채를 들이친 일부터 이야기한다.

그때 이미 동도나는 영채 뒤로 촉군이 쳐들어온다는 소식을 듣고 군사를 이끌고 나가 지키고 있었다. 그런데 어찌 된 일인지 영채 앞쪽에서 함성이 일면서 만병이 어지럽게 흩어졌다. 바로 왕평의 군사가 영채 앞으로 쳐들어왔던 것이다. 뒤에는 위연이 버티고 있고, 앞에서는 왕평이 쳐들어와 협공을 퍼부었다. 동도나는 견디지 못하고 몸을 빼 달아나기 시작했다. 위연이 급히 말을 몰아 동도나를 추격했으나 놓치고 말았다.

한편 조자룡이 아회남의 영채 뒤쪽에 당도했을 때 아회남은 영채 앞쪽에서 쳐들어온 마충과 일전을 벌이던 중이었다. 그 와중에 조자룡의 정예병이 뒤쪽에서 나타나 협공을 벌이니, 만병은 대패하고 아회남은 말에 올라 달아나버렸다.

조자룡과 위연은 각각 군사를 거두어 공명이 있는 본채로 돌아왔다. 공명이 묻는다.

"3동 만병 가운데 두 동의 주인이 달아났다면, 금환삼결의 머리는 어디 있느냐?"

이때 조자룡이 금환삼결의 머리를 바쳤다. 모든 장수들이 입을 모아 말한다.

"동도나와 아회남은 모두 말을 버리고 산을 넘어 달아났기 때문에 사로잡지 못했습니다."

공명이 큰소리로 껄껄 웃더니 태연히 말한다.

"내가 그 두놈을 잡아두었소!"

조자룡과 위연을 비롯한 모든 장수들은 공명의 말을 믿을 수가 없었다. 얼마 후 장의가 동도나를 결박해 들어오고 장익 역시 아회남을 끌고 들어왔다. 모든 장수들은 놀라는 한편 의아해하는데 공명이 말한다.

"나는 이미 여개가 준 지도를 보고 만병들이 주둔할 곳을 알고 있었소. 그래서 짐짓 조자룡과 문장을 격동시켜 적진 깊숙이 쳐들어가게 한 것이오. 두 장수가 먼저 금환삼결을 없애고 다시 좌우의 영채를 습격하리라 짐작하여 왕평과 마충을 보내 협공하게 한 것이니, 실로 자룡과 문장이 아니면 누가 이 일을 감당하겠소? 또한 동도나와 아회남은 반드시 산길로 달아날 것이라 장의와 장익에게 매복하여 기다리게 하고, 관색에게 돕도록 하여 두 적장을 사로잡은 것이오."

모든 장수들이 엎드려 절하며 칭송한다.

"승상의 신묘한 전략은 귀신도 측량하기 어렵습니다."

공명은 동도나와 아회남을 데려오게 해서 결박을 풀어준 다음 술과 음식을 내오고 의복을 내려 극진히 대접하며 타이른다.

"너희는 각기 자기 동으로 돌아가되 다시는 악한 자를 돕지 말라!"

동도나와 아회남은 눈물을 흘리며 절을 하고 떠나갔다. 두 적장을 돌려보낸 뒤 공명이 말한다.

"내일은 반드시 맹획이 군사를 이끌고 공격해올 것이오. 이번에는 기필코 맹획을 사로잡아야겠소."

공명은 조자룡과 위연을 불러 계책을 말해주고 각각 5천 군사를 주어 떠나보냈다. 그리고 다시 왕평과 관색을 불러 계책을 일러주고 떠나게 했다. 이렇듯 계략에 따라 일을 나누고 나서 공명은 장상에 높이 앉아 소식을 기다렸다.

한편 만왕 맹획이 장막에 앉아 있는데, 문득 정탐꾼이 들어와 고한다.

"3동의 원수가 모조리 공명에게 잡혀가고 부하 군졸들도 모두 뿔뿔이 흩어져버렸습니다."

맹획은 화가 불같이 일어 즉시 만병을 모조리 거느리고 공명의 영채를 향해 나아갔다. 맹획은 얼마쯤 가다가 왕평의 군마와 마주쳤다. 맹획과 왕평의 군사는 서로 대치하여 둥그렇게 진을 벌여세웠다. 왕평이 말위에 올라 칼을 빼들고 보니, 문기가 열리는 곳에 수백명이나 되는 남만의 장수들이 양쪽으로 늘어서 있었다. 그 사이로 맹획이 말을 타고 나오는데, 머리에는 보석을 박은 자금관[嵌寶紫金冠]을 쓰고 몸에는 술이 달린 붉은색 전포[纓絡紅錦袍]를 입었으며, 허리에는 전

남만의 왕 맹획

옥으로 만든 사자대[碾玉獅子帶]를 두르고, 발에는 매 부리 모양의 녹색 가죽신[鷹嘴抹綠靴]을 신고서 갈기가 곱슬곱슬한 적토마 위에 올라앉아 있었다. 맹획은 소나무 무늬를 새긴 두 자루의 보검[松紋鑲寶劍]을 차고 오만하게 사방을 둘러보더니, 좌우의 만장들에게 말한다.

"사람들이 모두 제갈량이 용병에 능하다더니, 오늘 적진을 보니 그게 아니구나. 정기는 어지럽고 대오는 뒤죽박죽이며 칼과 창 등 무기 또한 우리보다 나은 게 없으니, 이제 지난날의 소문이 다 거짓임을 알겠다. 진작에 이를 알았더라면 내 벌써 반란을 일으켰을 것이다. 누가 나가서 촉장을 사로잡아 우리의 위엄을 떨치겠느냐?"

맹획의 말에 한 장수가 나서는데, 그의 이름은 망아장(忙牙長)이었다. 망아장은 황표마(黃驃馬, 흰 점박이의 누런 말)를 타고 대도를 휘두르며 왕평에게 달려들었다. 두 장수가 어우러져 싸운 지 불과 몇합에 왕평은 말머리를 돌려 달아나기 시작했다. 맹획이 전군을 호령하며 왕평을 뒤쫓게 했다. 그러나 이내 왕평의 모습이 사라지고, 이번에는 관색이 나타나 몇번 대적하더니 역시 말머리를 돌려 달아나기 시작했다. 맹획이 관색의 뒤를 20여리쯤 추격했을 때였다. 갑자기 우레 같은 함성과 함께 왼쪽에서는 장의가, 오른쪽에서는 장익이 한꺼번에 쏟아져나와 맹획의 퇴로를 끊어버렸다. 맹획은 급히 추격을 멈추고 돌아섰다. 그때 어디서 나타났는지 달아났던 왕평과 관색이 군사를 이끌고 와서 장의·장익과 함께 맹획을 공격하기 시작했다.

앞뒤로 협공을 받은 맹획의 만병은 여지없이 무너졌다. 맹획은 부장들과 함께 사력을 다해 싸운 끝에 겨우 탈출하여 금대산(錦帶山)을 향해 달려가는데, 등뒤에서 적군이 세 갈래로 나뉘어 추격해왔다. 맹획이 허둥지둥 달아나는데, 갑자기 코앞에서 함성이 터져나오더니 날쌘 군사들이 쏟아져나와 길을 막았다. 바로 상산 조자룡이었다. 맹획은 크게 놀라 황급히 금대산 샛길로 달아났다. 조자룡이 맹렬히 뒤를 쫓으며 무찌르니, 만병은 크게 패하여 헤아릴 수 없이 많은 자가 사로잡혔다.

맹획은 겨우 수십기를 거느리고 산골짜기로 들어섰다. 그러나 뒤쫓는 촉군들과의 간격은 점점 줄어들고 앞으로는 길이 좁아져 말을 달릴 수가 없었다. 맹획은 말을 버리고 산길을 기어오르기 시작했다. 얼마쯤 올라가다가 숨을 돌리려는데, 문득 산골짜기에서 북소리가 요란하게 일어나며 또 한떼의 날쌘 군사들이 내달아왔다. 위연이 공명의 계책에 따라 보군 5백명을 거느리고 일찌감치 그곳에 와서 기다리고 있었던 것이다. 맹획은 기진맥진하여 결국 위연에게 생포되고 말았다. 그를 따르던 만병들도 모두 항복했다.

위연은 맹획을 사로잡아 영채로 돌아왔다. 공명은 이미 소와 양을 잡아 잔치준비를 해놓고 일곱 겹으로 위자수(圍子手, 위숙군圍宿軍 즉 호위무사)들을 둘러세웠는데, 저마다 들고 있는 칼과 창이 서릿발처럼 번쩍였다. 또한 황제께서 내리신 황금 월부(鉞斧)와 곡병산개(曲柄傘蓋, 일산의 일종)가 장상에 세워지고, 전후에는 우보고취(羽葆鼓吹, 새깃 장식과 군악을 위한 타악기와 취주악기), 좌우에는 어림군을 배치해두었는데, 그 분위기가 실로 엄숙했다.

공명은 장막 가운데 위엄있게 올라앉아서 수많은 만병들이 묶인 채 줄줄이 끌려오는 것을 보고 있다가 그들을 장막 안으로 불러들여 결박을 풀어주게 하고 위로한다.

"너희들은 모두 선량하고 죄없는 백성이건만 불행히도 맹획에게 붙들려 이렇듯 놀라고 곤욕을 치르게 되었구나. 너희의 부모형제와 처자 들은 지금도 문간에 서서 그대들을 기다리고 있을 것이다. 싸움에 크게 패했다는 소식을 들으면 하나같이 가슴이 찢어지고 창자가 끊어질 듯한 슬픔으로 두 눈에 피눈물이 마르지 않을 터인즉, 내 너희들을 모두 돌려보내주려 한다. 이제 모두들 돌아가서 부모형제와 처자들의 마음을 안심시키도록 하라!"

말을 마치고 만병들에게 음식과 술을 배불리 먹이고 나서 곡식까지 주어 떠나게 했다. 모두들 감격한 나머지 눈물을 흘리며 절하여 사례하고 물러갔다.

그때 공명은 맹획을 데려오라 명했다. 무사들이 앞뒤에서 맹획을 잡아끌고 나와 장막 앞에 꿇어앉혔다. 공명이 꾸짖는다.

"선제께서 너를 박대하시지 않았거늘 네 어찌하여 배반했느냐?"

맹획이 대답한다.

"양천땅은 지금껏 다른 사람들이 차지해 살고 있었는데, 너희 주인이 강제로 빼앗고서 스스로 황제라 일컫지 않았느냐? 나는 대대로 이곳에 뿌리박고 살고 있었는데 너희들이 무례하게 내 땅을 침범해놓고 오히려 반역이라니, 그 무슨 가당찮은 소리냐?"

"내 이제 너를 사로잡았는데, 진심으로 복종할 마음은 없느냐?"

"산이 궁벽하고 길이 좁아 까딱 실수로 너희에게 잡혔을 뿐이다. 어찌 마음으로 항복하겠느냐?"

공명이 회유하듯 묻는다.

"네가 복종하지 않겠다 하니, 만일 내가 풀어준다면 어찌할 테냐?"

맹획이 코웃음치듯 말한다.

"나를 놓아보내준다면 다시 군마를 정비해 자웅을 겨뤄볼 테다. 만일 또다시 네게 사로잡힌다면 그때는 항복하겠다."

공명은 즉시 맹획의 결박을 풀어주고 옷을 주어 갈아입게 했다. 그런 다음 술과 음식을 대접하고 말에 태워 사람을 시켜 전송하게 하니, 맹획은 자기 영채로 돌아갔다.

   손안에 든 남만왕 놓아보내지만   寇入掌中還放去
   교화를 입지 못한 사람들 항복받기 쉽지 않네   人居化外未能降

   맹획은 다시 와서 싸울 것인가?

88

맹획, 세번째 사로잡히다

공명은 노수를 건너 두번째로 맹획을 결박하고
거짓항복을 알아채고서 세번째로 맹획을 사로잡다

공명이 맹획을 놓아보내자 지켜보던 여러 장수들이 묻는다.

"맹획은 남만의 괴수입니다. 이제 다행히 사로잡아 남방이 겨우 평정되었는데, 승상께서는 무슨 생각으로 놓아주십니까?"

공명이 웃으며 대답한다.

"내가 맹획을 사로잡는 것은 주머니 속의 물건을 꺼내는 것만큼이나 쉬운 일이오. 그러나 맹획이 진심으로 항복해야만 남만이 평정될 수 있으니 그리 할 수밖에 없소이다."

여러 장수들은 공명의 말을 이해하지 못했다.

그날 맹획은 노수(瀘水)에 이르러 수하에 있던 패잔병들을 만났다. 만병들은 맹획을 보고 놀라는 한편 기뻐하며 반긴다.

"대왕께서는 어떻게 이렇듯 돌아오십니까?"

맹획은 천연스레 거짓말을 늘어놓는다.

"촉인이 나를 감금했으나 그들 10여명을 죽이고 밤중에 빠져나왔다. 오는 도중에 정탐꾼 한놈을 만나 단칼에 쳐죽이고 그놈의 말을 빼앗아타고 겨우 벗어나왔느니라."

무리들은 크게 기뻐하며 맹획을 옹위해 노수를 건너서 새로이 영채를 세웠다. 맹획이 각 동(洞)의 추장(酋長)들을 소집하고 돌아온 만병들을 수습해보니 10여만명 가량 되었다. 이때 동도나와 아회남은 각기 자기 동중에 들어앉아 움직이지 않고 있었다. 맹획이 사람을 보내 부르니, 두 사람은 혹시 무슨 변이라도 당할까 두려워 군사들을 이끌고 나타났다. 맹획이 웃으며 말한다.

"내 이제 제갈량의 계책을 알았다. 그와 더불어 싸워서는 안된다. 싸웠다가는 또다시 속임수에 빠지고 말 것이야. 저들 촉군은 먼길을 와서 지쳐 있고, 날씨마저 무더우니 오래 버티기 어렵다. 우리는 험한 노수가 가로막고 있으니 배와 뗏목을 전부 남쪽 기슭에 매어두고, 그 일대에 토성을 쌓는다. 그리고 호를 깊게 파고 성루를 높여 제갈량이 어찌하는지 두고 보자."

추장들은 맹획의 계책에 따라 배와 뗏목을 강 남안에 붙들어매고 그 일대에 토성을 쌓았다. 또한 산과 절벽에 의지해 높이 성루를 세우고 그 위에 많은 궁노(弓弩, 활과 쇠뇌)와 포석을 설치해 오랫동안 버틸 태세를 갖추었다. 군량과 마초는 각 동에서 조달하기로 했다. 맹획은 이로써 완벽한 대비책을 세웠다고 생각하고 아무 걱정 없이 마음을 놓고 있었다.

한편 공명이 대군을 이끌고 진군하는데, 노수가에 먼저 이른 전군의 척후병이 나는 듯이 달려와 공명에게 아뢴다.

"노수에는 배 한척 뗏목 하나 보이지 않습니다. 물살이 몹시 험한데, 강 건너 언덕 쪽에는 만병들이 토성을 높이 쌓고 지키고 있습니다."

때는 5월이라 더위가 한창인데 특히 남방의 날씨는 찌는 듯하여 군사들은 모두 갑옷도 입지 못하고 있었다. 공명은 몸소 노수가를 둘러보고 본채로 돌아와 모든 장수들을 장중으로 불러모으고 영을 내린다.

"맹획이 지금 노수 남쪽에 주둔하고서 토성을 높게 쌓아올려 요새를 만들고 우리 군사들과 맞서려 하고 있소. 내가 그대들과 더불어 예까지 왔는데 어찌 헛되이 돌아갈 수 있겠소? 그대들은 각각 군사를 이끌고 수목이 무성한 산자락을 골라 군마를 쉬게 하시오."

공명은 곧 여개를 보내 노수에서 1백리쯤 떨어진 곳에 그늘지고 서늘한 자리를 찾아 영채 네 개를 세우도록 했다. 그런 뒤 왕평·장의·장익·관색을 시켜 각각 영채를 하나씩 맡아 지키게 하고, 풀단을 엮어 초막을 만들어 말과 군사들이 더위를 식힐 수 있도록 했다. 이때 참군 장완이 공명에게 와서 아뢴다.

"여개가 세운 영채를 돌아보니 좋지 못합니다. 지난날 선제께서 동오에서 패할 때의 지세와 같으니, 만일 만병들이 몰래 노수를 건너 영채를 공략하고 화공을 쓴다면 어떻게 구하겠습니까?"

공명이 웃으며 대답한다.

"공은 너무 의심하지 마오. 내 이미 절묘한 계책을 세워두었소."

장완 등은 공명의 심중을 알지 못해 자못 불안해했다. 이때 문득 한 군사가 와서 고한다.

"촉에서 마대가 군량미와 더위를 이길 수 있는 약을 가지고 도착했습니다."

공명은 즉시 마대를 안으로 들게 하고 가지고 온 군량미와 약을 나누어 네 영채에 각각 보냈다. 공명이 마대에게 묻는다.

"그대는 이번에 군사를 몇명이나 거느리고 왔는가?"

마대가 대답한다.

"3천명을 데리고 왔습니다."

"여기 군사들은 전투를 여러번 치러 지쳐 있는 터라 그대의 군사를 쓸까 하는데, 기꺼이 앞장서겠는가?"

마대가 흔쾌히 대답한다.

"모두가 조정의 군마인데 내 군사 네 군사가 어디 있겠습니까? 승상께서 쓰신다면 죽는다 해도 사양치 않겠습니다."

"지금 맹획이 노수를 막고 있어서 건널 수 없으니, 내 이제 적들의 보급로를 끊어 적진을 어지럽힐 작정이오."

"어떻게 하면 적의 보급로를 끊을 수 있겠습니까?"

"여기서 150리만 내려가면 노수의 하류인 사구(沙口)가 나오는데, 그곳은 물살이 급하지 않아 뗏목으로도 능히 건널 수 있소. 그대는 3천 군사를 거느리고 강을 건너 곧장 만동(蠻洞)으로 들어가되, 먼저 저들의 군량 보급로를 끊고 나서 동도나와 아회남 두 동주에게 연락하시오. 그러면 그들이 내응할 것이오. 부디 실수 없도록 하오."

마대는 즉시 군사들을 거느리고 떠나서 어느덧 사구에 이르렀다. 보니 물이 별로 깊지 않아 군사들은 대부분 뗏목을 쓰지 않고 옷을 벗고 건너기 시작했다. 그런데 강을 반쯤 건너던 군사들이 갑자기 강물 속으로 고꾸라진다. 모두들 깜짝 놀라 쓰러진 군사들을 급히 언덕 위로 끌어냈으나 하나같이 입과 코로 피를 쏟으며 죽어갔다. 대경실색한 마대는 밤을 새워 달려가 공명에게 이 사실을 고했다. 공명은 즉시 길안내를 맡은 그 고장 토박이를 불러 까닭을 물었다. 그 사람이 아뢴다.

"지금 한창 더위가 심할 때라 독기가 모두 노수로 몰려들고 있습니다. 더구나 요 며칠 동안은 날이 더욱 무더워 독기가 극에 달했는데, 이럴 때 사람이 물을 건너면 중독되고 그 물을 마시면 영락없이 죽습니다. 그러니 한밤중에 물이 서늘해질 때를 기다려 배불리 먹은 뒤에 건너야만 무사할 것입니다."

공명은 그 사람에게 길을 안내하도록 하고, 새로 정예병 5,6백명을 뽑아 마대를 따르게 했다. 마대는 이들과 함께 노수의 사구에 도착한 즉시 영을 내려 나무를 베어 뗏목을 만들게 했다. 밤이 깊어지기를 기다렸다가 뗏목을 타고 강을 건너니 과연 아무 탈이 없었다. 마대는 2천명의 날쌘 군사를 거느리고 그 고장 사람의 안내를 받아 만동의 군량 보급로 길목인 협산욕(夾山峪)을 점령하러 갔다. 협산욕은 양쪽이 산이고 그 사이에 길 하나가 나 있는데, 말 한필 정도가 겨우 지날 만큼 좁았다.

마대는 협산욕을 점거하고 군사를 풀어 영채를 세웠다. 동중의 만병들은 이 사실을 전혀 모른 채 군량을 싣고 오다가 마대에게 걸려들었다. 마대는 앞뒤로 길을 끊고 군량을 실은 적의 수레를 1백여대나 빼앗았다. 겨우 목숨을 구한 만병들은 이 사실을 알리기 위해 맹획의 대채로 달려갔다.

이때 맹획은 대채 안에 머물며 하루종일 술 마시고 노느라 군무도 돌보지 않았다. 맹획이 추장들에게 호언장담한다.

"내가 제갈량과 맞서싸웠더라면 틀림없이 그의 간특한 꾀에 놀아났을 것이다. 지금 험한 노수를 의지해 높이 토성을 쌓고 호를 깊게 파놓았으니, 저들은 혹독한 더위를 견디지 못해 반드시 스스로 물러갈 것이다. 그때 내가 그대들과 합세해 적의 뒤를 치면 반드시 제갈량을 사로잡을 것이다."

맹획이 호탕하게 웃는데 반열에 있던 한 추장이 말한다.

"사구는 물이 얕으니 만일 촉군이 그리로 건너오는 날에는 크게 위태로워집니다. 군사를 보내 지켜야 합니다."

맹획이 가소롭다는 듯이 말한다.

"너는 이곳 토박이면서 어찌 그리도 모른단 말이냐? 나는 촉군들이 강을 건너주기만을 바라고 있다. 그렇게 되면 모조리 물속에서 죽고 말 테니 말이다."

"이곳 사람들 가운데 누군가가 밤을 이용해 강을 건너면 무사하다는 사실을 적들에게 알려준다면 어찌하시렵니까?"

"쓸데없는 걱정일랑 하지 마라. 이 지방에 사는 사람들이 어찌하여 적들을 돕겠느냐?"

이때 밖에서 급한 보고가 올라왔다.

"수가 얼마나 되는지는 모르나, 촉군이 은밀히 노수를 건너와 협산욕의 군량미 보급로를 끊어놓았습니다. 살펴보니 '평북장군 마대'라는 깃발이 높이 걸려 있습니다."

맹획은 코웃음을 치며 말한다.

"그까짓 몇놈 안되는 적들을 무얼 그리 걱정하느냐?"

그러고는 부장 망아장에게 3천 군사를 주어 협산욕의 촉군을 물리치도록 했다.

한편 마대는 망아장이 이끄는 만병들을 맞아 군사 2천명을 이끌고 산기슭에 진을 벌였다. 곧 망아장이 기세좋게 말을 달려와 마대와 맞붙었으나 제대로 싸워보지도 못하고 마대의 단칼에 몸이 두 동강나버렸다. 크게 패한 만병들은 뒤도 돌아보지 않고 도망쳐 돌아가 맹획에게 자세히 보고했다. 맹획은 여러 장수들을 불러놓고 묻는다.

"누가 가서 마대와 대적하겠느냐?"

맹획의 말이 끝나기가 무섭게 동도나가 나섰다.

"제가 가겠습니다."

맹획은 크게 기뻐하며 동도나에게 군사 3천명을 주어 출발하게 했다. 그리고 또다시 촉군들이 노수를 건너올까 두려워 아회남에게도 3천 군사를 내주어 사구를 지키도록 명했다.

동도나가 만병을 거느리고 협산욕에 이르러 진을 치자 마대 역시 군사들을 이끌고 나와 맞섰다. 마대의 군사 한명이 동도나를 알아보고 마대에게 귓속말을 했다. 마대는 고개를 끄덕이며 듣더니, 즉시 달려나가 큰소리로 동도나를 꾸짖는다.

"이 의리도 없고 은혜도 모르는 놈아! 목을 베어 마땅할 너를 우리 승상께서 가엾게 여겨 살려보내주셨거늘, 이렇게 배반하다니 부끄럽지도 않으냐?"

마대의 말에 동도나의 얼굴에는 부끄러운 빛이 역력했다. 결국 동도나는 말 한마디 못한 채 싸우지도 못하고 만병을 이끌고 물러났다. 마대는 그 뒤를 쫓아 한바탕 크게 무찌르고 돌아왔다. 동도나가 돌아와 맹획에게 말한다.

"마대는 당대의 영웅이라 감히 당해낼 수가 없었습니다."

맹획은 대로하여 펄펄 뛴다.

"내 모를 줄 아느냐? 너는 제갈량의 은혜를 입었다고 고의로 싸우지 않고 물러난 것이다! 여봐라, 당장 저놈을 끌어내 목을 쳐라!"

맹획의 불호령에 모여 있던 추장들이 나서서 거듭 간곡하게 만류했다. 그 덕에 동도나는 겨우 참형을 면하는 대신 곤장 1백대를 맞고 자기 영채로 돌아갔다. 여러 추장들이 찾아와 위문하니, 동도나가 말한다.

"우리가 비록 남만땅에 살지만 한번도 중국을 범한 적이 없고, 중국 또한 우리를 침범한 적이 없는데, 이제 맹획의 강압에 못이겨 부득이 반역에 가담했소. 생각하면 과연 공명의 신통한 재주는 측량할 길이 없어 조조와 손권도 두려워했는데, 우리들이야 말해 무엇하겠소? 더구나 우리는 모두 승상에게서 목숨을 구해받았으니, 그 은혜를 만분의 일이라도 갚지 않는다면 어찌 사람이라 하겠소? 내 한목숨 바칠 각오로 맹획을 죽여 공명에게 투항하여 도탄에 빠진 동중(洞中)의 백성들을 구하고자 하오."

동도나가 말을 끊고 좌중을 돌아보더니 묻는다.

"그대들의 의견은 어떠하오?"

그 자리에 모인 추장들 중에는 공명의 은덕으로 죽음을 면하고 돌아온 자가 많았다. 그들은 일제히 입을 모아 말한다.

"우리 모두 그 의견에 따르겠소!"

마침내 동도나는 무쇠칼을 빼들고 1백여명을 거느리고 앞장서 맹획의 대채로 향했다. 그날도 맹획은 장막 안에서 술에 취해 있었다. 동도나가 사람들을 거느리고 맹획의 대채로 가자, 장막 앞에 두명의 장수가 지키고 서 있었다. 동도나가 칼을 들어 두 장수를 가리키며 꾸짖는다.

"너희들도 제갈공명의 은혜를 입어 죽음을 면했으니 마땅히 그 은혜에 보답해야 할 것이다!"

동도나의 꾸짖음에 두 장수가 대답한다.

"장군께서 몸소 손을 쓰실 필요도 없소이다. 우리가 맹획을 사로잡아 승상께 바치겠소."

그들은 일제히 장막 안으로 들어가 맹획을 결박지었다. 그러고는 노수로 끌고 가 배에 태우고는 곧장 북쪽 언덕으로 건너가서 사람을 보내 이 사실을 공명에게 보고하도록 했다.

한편 정탐꾼을 통해 미리 소식을 전해들은 공명은 비밀리에 명을 내려 모든 영채의 장수들에게 무기를 정돈해두도록 했다. 그러고는 우두머리 되는 추장에게 맹획을 데려오게 하고, 나머지 사람들은 모두 돌아가서 명령을 기다리게 했다. 먼저 동도나가 중군으로 들어와 공명에게 정황을 자세히 고했다. 공명은 동도나에게 후한 상을 내려 공로를 치하하고 모든 추장들을 극진히 대접해 돌려보냈다.

이윽고 도부수들이 맹획을 끌고 들어왔다. 공명이 웃으며 묻는다.

"지난번에 말하기를 그대는 다시 잡혀오면 진심으로 항복하겠다고 했는데, 그래 오늘은 어떠한가?"

맹획이 대답한다.

"이는 네 힘으로 잡은 게 아니라 내 부하들이 나를 배신한 것인데, 내가 어떻게 마음으로부터 항복할 수 있겠느냐?"

공명이 다시 묻는다.

"이번에도 너를 놓아준다면 어찌하겠느냐?"

"내가 비록 만인(蠻人)이나 병법을 모르지 않으니, 승상이 나를 다시 돌려보내준다면 당연히 군사를 이끌고 와서 결판을 내겠소. 만일 또다시 승상에게 사로잡힌다면 그때는 마음을 기울이고 오장을 바쳐 항복하고 다시는 거역하지 않겠소."

공명이 다짐한다.

"다음에 사로잡혀서도 네가 진심으로 항복하지 않으면 그때는 결코 용서하지 않겠다!"

공명은 좌우에게 명해 맹획의 결박을 풀어주고, 장상에 앉히고 술과 음식을 대접하며 말한다.

"내가 초려에서 나온 이래 지금까지 싸워서 이기지 못한 적이 없고 쳐서 취하지 못한 적이 없거늘, 네가 만방(蠻方) 사람으로 어찌하여 아직도 항복하려 하지 않느냐?"

맹획은 묵묵히 앉아 있을 뿐 대답이 없다. 술자리를 파한 뒤 공명은 맹획과 나란히 본채를 나와 여러 영채를 돌면서 쌓아놓은 양초와 무기를 보여주었다. 그러고는 다시 입을 열었다.

"네가 항복하지 않는 것은 참으로 어리석은 짓이다. 내게 이렇듯 정예병과 맹장이 버티고 있고 양초와 무기가 풍족한데, 네가 어찌 나를 이길 수 있겠느냐? 만일 일찍 항복한다면 마땅히 황제께 아뢰어 왕위를 자자손손 대대로 이어가며 남만을 다스리게 할 터인즉, 네 생각은 어떠하냐?"

맹획이 말한다.

"내가 비록 항복한다 해도 모든 동중 사람들이 진심으로 복종하지는 않을 것이오. 승상이 한번만 더 나를 놓아보내준다면 군사들을 타일러 마음을 같이하여 귀순하겠소."

공명은 흔쾌한 마음으로 맹획과 함께 대채로 돌아왔다. 그러고는 늦도록 더불어 술을 마시다가 맹획이 하직을 고하자 공명은 친히 노수 기슭까지 맹획을 배웅하여 배에 태워보내고 대채로 돌아왔다.

맹획은 다시 본채로 돌아오자마자 장막 안에 도부수들을 숨겨두고 나서, 동도나와 아회남의 영채로 심복을 보내 제갈승상의 명을 전하러 사자가 와 있다고 속여 그들을 대채로 데려오게 했다. 동도나와 아회남이 대채의 장막에 당도하자 맹획은 매복해둔 도부수들을 시켜 두 사람을 무참히 베어죽인 후 그 주검을 개울가에 던져버렸다. 이어 맹획은 믿을 만한 사람에게 길목을 지키게 하고는 친히 군사를 이끌고 마대와 싸우러 협산욕으로 갔다. 그런데 협산욕에 이르러보니 마대는 커녕 촉군의 그림자 하나 얼씬거리지 않는다. 백성들에게 물으니 지난밤에 촉군들이 양초를 가지고 다시 노수를 건너 돌아갔다는 것이다. 맹획은 다시 대채로 돌아와 친동생 맹우(孟優)를 불러 상의한다.

"내가 이번에 제갈량의 허실을 모두 알아왔으니 너는 가서 내가 시키는 대로만 하여라."

맹우는 형의 계책에 따라 만병 1백여명을 거느리고 배에 금주(金珠)·보패(寶貝)·상아(象牙)·서각(犀角, 무소뿔) 등을 가득 싣고 공명의 대채를 향해 노수를 건넜다. 그런데 그들이 노수를 건너기가 무섭게 느닷없이 북소리 피릿소리가 요란스레 일어나더니 한무리의 군사들이 나타나 앞을 가로막는다. 앞선 장수는 바로 마대였다. 맹우는 소스라치게 놀랐다. 마대는 맹우에게 온 뜻을 묻고서 잠시 붙잡아둔 다음 즉시 사람을 보내 공명에게 이 사실을 알렸다.

이때 공명은 장막에서 마속·여개·장완·비의 등과 함께 남만을 평정할 일을 의논하던 중이었다. 문득 한 사람이 와서 고한다.

"맹획의 동생 맹우가 예물을 바치러 왔다고 합니다."

공명이 마속을 돌아보며 묻는다.

"맹우가 온 까닭을 알겠소?"

마속이 말한다.

"감히 이 자리에서 입을 열어 말씀드릴 수 없으니 종이에 적어 보여드리겠습니다. 승상의 생각과 같은지 보십시오."

공명이 머리를 끄덕였다. 마속이 즉시 몇자 적어 공명에게 건네니 공명이 그것을 훑어보고 이내 손뼉을 치며 웃는다.

"내 이미 맹획을 사로잡을 계책을 다 세워두었는데, 이제 보니 그대의 생각과 같구나."

공명은 드디어 조자룡을 불러 귓속말로 은밀히 계책을 일러주고, 위연에게도 작은 소리로 분부를 내렸다. 또한 왕평·관색·마충 등을 불러 비밀리에 지시를 내리니, 모두들 공명의 밀계를 숙지하고 떠났다. 그제서야 공명은 맹우를 장중으로 들이게 했다. 맹우가 두번 절을 올리고 아뢴다.

"저의 형님 맹획이 승상께 목숨을 살려주신 은혜를 입고 조금이라도 갚고자 하나, 변변히 바칠 만한 것이 없어 금주와 보패를 약간 가지고 왔습니다. 군사들에게 상을 내리는 데 써주십시오. 황제께 진상할 예물은 따로 마련해서 바치겠습니다."

공명이 묻는다.

"네 형은 지금 어디 있느냐?"

맹우가 대답한다.

"승상의 은혜를 갚고자 은갱산(銀坑山)으로 보물을 구하러 갔으니, 머지않아 돌아올 것입니다."

공명이 다시 묻는다.

"너는 몇사람이나 거느리고 왔느냐?"

"감히 많이 데리고 올 수 없어 짐 나르는 데 필요한 자만 1백여명 데려왔습니다."

공명은 그들을 모두 장막 안으로 불러들였다. 그들 대부분은 푸른 눈동자에 얼굴빛이 검고 머리털은 노랬으며, 또한 자줏빛 수염에 귀에는 금고리를 달고 짧은 더벅머리에 맨발이었는데, 하나같이 키가 크고 힘이 센 장사들이었다. 공명은 그들 모두에게 자리를 내주고 장수들을 시켜 은근히 술을 권하게 했다.

한편 맹획은 장중에서 노심초사 아우 맹우로부터 소식이 오기를 기다리고 있었다. 그때 두 사람이 돌아왔다는 보고가 들어왔다. 당장 불러들여 정황을 물으니, 두 사람이 번갈아 보고한다.

"제갈량은 예물을 받고 크게 기뻐하며 수행한 사람들까지 모두 장막 안으로 불러들여 소와 양을 잡고 잔치를 베풀어 대접하고 있습니다. 작은 대왕께서 저희들을 비밀리에 보내 대왕께 전하라 하시면서, 오늘밤 2경에 안팎에서 서로 호응하여 대사를 이루자고 하셨습니다."

맹획은 몹시 기뻐하며 즉시 3만 군사를 일으켜 3대로 나누는 한편, 각 동의 추장을 불러 분부했다.

"모든 군사들은 화구(火具)를 갖추고 진군해 오늘밤 촉의 영채에 이르거든 불을 놓아 신호하라. 내가 직접 중군으로 쳐들어가 기필코 제갈량을 사로잡고야 말리라."

모든 만장(蠻將)들은 맹획의 지시에 따라 황혼이 짙어갈 무렵 노수를 건너 촉의 영채로 향했다. 맹획은 심복장수 1백여명을 거느리고 곧바로 공명의 대채를 엄습할 계획이었다. 3만 군사가 소리 없이 행

군해가는데, 누구 한 사람 앞을 막는 이가 없었다. 곧장 촉군의 영채
에 당도한 맹획은 장수들과 함께 일시에 안으로 쳐들어갔다. 그러나
영채 안은 텅 비어 있었다. 맹획은 그대로 중군을 향해 돌격해들어갔
다. 장막 안에는 등촉이 휘황한데 촉군은 그림자 하나 없고 맹우와 그
일행들만이 술에 취해 쓰러져 있었다. 원래 공명은 마속과 여개 두 사
람을 시켜 맹우에게 거듭 술을 권하게 했다. 악인(樂人)을 불러 잡극
(雜劇)을 보여주면서 은근히 술을 권하니, 맹우와 만병들은 흥에 겨
워 술에 약을 탄 줄도 모르고 연신 받아마시다가 모두 정신을 잃고 쓰
러져버린 것이다. 맹획은 화가 나서 어찌 된 일이냐고 버럭 고함을 질
렀다. 그때 취해 쓰러져 있던 만병들 중 하나가 눈을 떴다. 그러나 말
은 못하고 겨우 손가락으로 입을 가리킬 뿐이었다.

그제서야 맹획은 공명의 계략에 말려들었음을 깨닫고 급히 맹우를
비롯한 나머지 만병들을 구해 돌아가려 했다. 그때 갑자기 앞에서 함
성이 크게 울리며 불길이 일어났다. 만병들이 모두 살길을 찾아 도망
쳐 숨는데, 날쌘 군사들이 바람처럼 내달려왔다. 촉장 왕평이 거느린
군사들이었다. 맹획은 대경실색하여 급히 왼쪽으로 달아났다. 순간
그쪽에서도 불길이 일어나더니 촉장 위연이 한무리의 군사를 이끌고
막아섰다. 맹획은 황망히 오른쪽으로 달아나려 했다. 그쪽에서도 역
시 불길이 치솟으며 한떼의 군사들이 달려드는데, 선봉에 선 장수는
다름아닌 조자룡이었다. 세 방향에서 군사들이 일제히 쳐들어오니 달
아날 길이 없어진 맹획은 마침내 군사들을 버리고 필마단기로 노수를
향해 달아났다. 마침 노수 물 위에는 만병 수십명을 태운 자그마한 배
가 떠 있었다. 맹획은 큰소리로 기슭 가까이 배를 불러 말을 탄 채로
배에 올랐다. 순간 한마디 군호소리와 함께 만병들이 일제히 달려들

맹획은 세번째로 사로잡히다

더니 맹획을 결박지어버렸다. 공명의 계책을 받은 마대가 자기의 군사들을 만병으로 꾸며 배를 띄우고 맹획이 오기를 기다리고 있었던 것이다.

이때 공명이 만병들을 불러놓고 회유하니 항복하는 자가 부지기수였다. 공명은 그들을 일일이 위무하며 조금도 해를 입히지 않고, 그들로 하여금 타다 남은 불길을 잡게 했다. 얼마 후 마대는 맹획을 잡아오고, 조자룡은 맹우를 잡아왔다. 위연·마충·왕평·관색 등은 각 동의 추장들을 끌고 나타났다. 공명이 소리내어 웃으며 맹획에게 말한다.

"네가 아우를 시켜 예물을 바치며 거짓항복하는 것으로 어찌 나를 속일 수 있겠느냐! 이번에도 또 이렇게 잡혔으니, 이제는 네가 항복할 테냐?"

맹획이 말한다.

"이번에는 내 아우가 먹는 데 정신이 팔려 승상의 독주에 걸려들어서 일을 망쳤소. 내가 직접 오고 아우가 밖에서 후원했다면 틀림없이 성공했을 것이오. 이는 하늘이 망친 것이지 내게 능력이 없어서가 아니거늘, 내 어찌 억울하게 항복할 수 있겠소?"

"이미 세번이나 붙잡혔으면서도 항복하지 않겠단 말이냐?"

맹획은 머리를 숙인 채 대답이 없다. 공명이 껄껄 웃으며 말한다.

"내 이번에도 너를 놓아주마."

맹획이 말한다.

"우리 형제를 돌려보내주면 일가친척을 모두 모아 승상과 한번 결전을 벌여보겠소. 그때 사로잡힌다면 맹세코 항복하겠소이다."

"만일 또다시 잡히는 날에는 너를 용서하지 않겠다. 부지런히 육도삼략과 병서를 공부하고 믿을 만한 사람과 좋은 계책을 세워 다시는 후회하는 일이 없도록 해보아라."

공명은 무사들을 시켜 맹획의 결박을 풀어주게 하고 맹획과 맹우, 각 동의 추장들을 모두 놓아주었다. 맹획 등은 깊이 감사하며 절하고 돌아갔다.

이때 이미 촉군은 노수를 건넌 뒤였다. 맹획이 노수를 건너면서 보니, 언덕마다 촉의 장수들과 군사들이 늘어서 있고 깃발이 가득 꽂혀 휘날리고 있었다. 강을 건너 영채 앞에 이르렀는데, 마대가 높이 앉아 칼을 들어 가리키며 소리친다.

"또다시 잡히는 날에는 결코 놓아주지 않을 것이다!"

맹획은 자신의 대채에 이르렀다. 그런데 조자룡이 이미 그곳을 점령하여 군마가 늘어서 있고, 조자룡은 큰 깃발 아래 앉아 있다가 칼을 짚고 일어서며 큰소리로 외친다.

"승상의 은혜를 잊지 말라!"

맹획은 연신 예, 예 하며 그 앞을 지나왔다. 이어 접경지대의 산비탈을 빠져나가려는데, 이번에는 위연이 1천명의 군사를 거느리고 기슭에 진을 치고 있다가 말 위에서 벽력같이 소리친다.

"내 이제 네 소굴 깊이 들어와 험한 요충지를 모두 차지했는데, 아직도 정신을 못 차리고 대군과 겨루려 하느냐? 다시 잡히는 날에는 네 몸뚱이를 가루로 만들어줄 테니 그리 알라!"

맹획 등은 머리를 감싸안고 본동을 향해 달아났다.

후세 사람이 이 일을 두고 시를 지어 읊었다.

무더운 오월에 군사를 끌고 험지로 들어가니　　　　　五月驅兵入不毛

달빛 밝은 노수에는 독한 기운이 오르누나   月明瀘水瘴煙高

삼고초려하신 은혜 갚고자 큰 계략 세웠거늘   誓將雄略酬三顧

어이 남만에서 일곱번 놓아주는 수고를 꺼리랴   豈憚征蠻七縱勞

한편 공명은 노수를 건너 영채를 세운 뒤 삼군에게 크게 상을 내렸다. 그런 다음 모든 장수들을 불러모아놓고 말한다.

"맹획을 두번째 사로잡았을 때 그에게 우리 영채의 허실을 보여준 것은 그의 기습을 유인하기 위해서였소. 또한 우리에게 많은 병마와 양초가 있음을 자랑하는 체하면서 약점을 보여준 것도, 맹획이 제법 병법을 아니 그에게 화공을 쓰도록 하기 위해서였소. 그래서 맹획은 동생을 거짓항복시키고 내응하게 하는 계략을 짠 것이오. 내가 맹획을 세번 잡고도 죽이지 않고 놓아보낸 것은 진실로 그 마음에서 우러난 항복을 받기 위해서이며, 그 종족을 아주 없애버리지 않기 위해서요. 이제 그대들에게 분명히 고하노니, 수고로움을 싫다 말고 모두 힘써 충성을 다하여 나라에 보답하시오."

여러 장수들이 감복한다.

"승상의 지혜와 인덕과 용기는 비록 자아(子牙, 강태공)나 장량(張良, 한나라의 개국공신)이라도 따르지 못할 것입니다."

"내 어찌 감히 옛사람과 견줄 수 있겠소? 모두 그대들의 힘을 믿고 의지하여 함께 대업을 이루려는 것이오."

장하의 장수들은 공명의 말에 하나같이 크게 기뻐했다.

한편 공명에게 세번이나 사로잡혀 분함을 참지 못한 맹획은 급히 은갱동으로 가서 심복들에게 황금과 구슬 등의 보물을 가지고 8번

(番) 93전(甸)과 그밖의 남만 고을을 돌며 방패와 칼을 쓰는 요족(獠族) 장정 수십만명을 모아오게 했다. 이윽고 기약한 날이 되자 이들 인마는 구름일 듯 몰려오고 안개처럼 밀려들어 맹획의 명령만 기다렸다. 이 일은 모두 정탐꾼에 의해 탐지되어 즉시 공명에게 보고되었다. 공명이 웃으며 말한다.

"내가 바라는 바는 모든 만병이 다 나와서 나의 능력을 보는 것이다!"

그러고는 조그만 수레를 타고 나아갔다.

동주의 위세가 용맹하지 않았던들   若非洞主威風猛
제갈공명의 높은 수단 어찌 드러나랴   怎顯軍師手段高

장차 승부는 어찌 될 것인가?

맹획, 다섯번째로 사로잡히다

무향후 공명은 네번째 계책을 쓰고
남만왕은 다섯번째로 사로잡히다

공명은 몸소 작은 수레에 올라 수백기를 거느리고 앞으로 나아갔다. 얼마쯤 가자 앞에 큰 강이 나타나니, 그 강이름은 서이하(西洱河)였다. 물살은 급하지 않았으나 강을 건널 배가 한 척도 없었다. 공명은 즉시 나무를 베어 뗏목을 만들게 했다. 그러나 어찌 된 일인지 뗏목을 만들어 강에 띄우기만 하면 물속으로 가라앉아버리는 것이었다. 공명이 대책을 묻자 여개가 대답한다.

"듣자하니 이 강 상류에 큰 산이 있는데, 그 산에 대나무가 많고 큰 것은 둘레가 몇 아름이나 된다 합니다. 사람을 시켜 그 대나무를 베어

다가 강물 위에 죽교(竹橋)를 놓고 군마를 건너게 하십시오."

공명은 즉시 군사 3만명을 산으로 보내 대나무 수십만 그루를 베어다가 강물에 띄워 떠내려보내게 했다. 그리고 강폭이 좁아지는 곳을 골라 대나무로 부교(浮橋)를 세우니, 그 길이가 10여 길이었다. 대군을 이끌고 죽교를 건넌 공명은 강의 북안에 일자로 영채를 세웠다. 흐르는 강물을 참호로 삼고 죽교로 문을 대신하게 하는 한편 흙을 쌓아 성을 만들었다. 또한 다리를 건너 강 남안에도 다시 일자로 영채 세 곳을 세운 다음 만병들이 쳐들어오기를 기다렸다.

한편 맹획은 수십만 만병을 거느리고 원한과 분노에 차서 진군해왔다. 이윽고 서이하 가까이 이르자, 맹획은 선봉부대인 칼과 방패를 쓰는 요족 군사 1만명을 이끌고 곧장 공명의 영채 앞으로 와서 싸움을 걸었다. 공명은 윤건(綸巾)을 쓰고 학창의(鶴氅衣)를 입고 깃털부채를 들고서, 네 마리 말이 끄는 수레에 올라 좌우로 여러 장수들의 호위를 받으며 나왔다.

공명이 보니, 맹획은 무소가죽 갑옷에 주홍색 투구를 쓰고, 왼손에는 방패를, 오른손에는 칼을 들고 붉은 소를 타고 나오면서 온갖 욕설을 퍼부어댄다. 그 수하의 1만여명 되는 만병들도 저마다 칼과 방패를 들고 춤을 추며 기세등등하게 오락가락한다. 공명은 급히 명을 내려 군사들로 하여금 본채로 돌아가 네 곳의 영문을 굳게 닫고 싸우지 못하게 했다. 만병들은 벌거숭이 알몸으로 영채 앞까지 몰려와 소리소리지르며 갖은 욕을 해댔다. 촉의 장수들이 화를 참다못해 공명에게 아뢴다.

"저희들이 나가서 죽을 각오로 결전을 벌이겠습니다."

공명은 허락하지 않았다. 여러 장수들이 물러가지 않고 거듭 청하자 공명이 말한다.

"남만 사람들이 왕의 덕화를 입지 못해 저렇게 몰려와 발악하니, 저런 자들과 겨룰 수는 없소. 며칠 동안 굳게 지키면서 저들의 기세가 누그러지기를 기다리시오. 내게 이미 저들을 격파할 묘책이 서 있소."

공명의 명에 따라 촉군은 며칠 동안 굳게 방비만 했다. 하루는 공명이 높은 언덕에 올라가 살펴보니 만병의 기세가 다소 누그러진 듯했다. 드디어 그는 모든 장수들을 불러놓고 말한다.

"그대들은 감히 나가서 만병과 대적해보겠는가?"

모든 장수들이 흔쾌히 나가 싸우겠다고 답했다. 공명은 우선 조자룡과 위연을 장막으로 불러들여 귓속말로 은밀하게 분부를 내렸다. 두 장수가 계책을 받고 떠났다. 이어 왕평과 마충을 불러 계책을 일러주어 떠나보내고, 다시 마대를 불러 분부한다.

"내 이제 이곳의 세 영채를 버리고 강 북쪽으로 물러갈 것이오. 그대는 즉시 부교를 뜯어 하류로 옮긴 다음, 조자룡과 위연의 군사들이 그 다리로 강을 건너기를 기다렸다가 돕도록 하시오."

마대가 명을 받고 떠났다. 공명은 잇달아 장익을 불러 분부를 내린다.

"내가 물러간 뒤 그대는 영채 안에 되도록 많은 등불을 밝혀두시오. 우리가 퇴각한 것을 알면 맹획이 필시 공격해올 터이니 기다렸다가 그들의 뒤를 끊도록 하오."

장익도 명을 받고 물러났다. 공명은 관색에게 자기가 탄 수레를 호위하게 했다. 모든 군사들이 물러간 가운데 빈 영채에는 불빛이 휘황하게 밝혀져 있었다. 만병은 멀리서 휘황한 불빛을 보고 감히 쳐들어오지 못했다.

맹획은 이튿날 날이 밝은 뒤에야 만병 대부대를 거느리고 촉군의
영채를 엄습했다. 와서 보니, 세 채의 촉군 영채는 텅 비어 사람은커
녕 말 그림자 하나 찾아볼 수 없었다. 군량과 마초를 실은 수레만 수
백여대 버려져 있을 뿐이다. 맹우가 말한다.

"제갈량이 이렇듯 영채를 버리고 간 것은 필시 무슨 계교가 숨어
있는 게 아니겠습니까?"

맹획이 대답한다.

"내 생각에 제갈량이 치중(輜重, 군수품을 실은 수레)을 버리고 간 것은
틀림없이 본국에 긴급한 일이 생겨서일 것이다. 동오가 쳐들어왔거나
아니면 위가 침범해왔을 테지. 그래서 등불을 밝혀 허장성세로 군사
가 있는 것처럼 꾸며놓고 수레만 버리고 간 것이다. 이러고 있을 게
아니라 속히 그들을 추격해야겠다."

맹획은 친히 선봉부대를 이끌고 서이하 강변으로 나아갔다. 강변에
다다라 건너편 북쪽 언덕을 바라보니, 영채에 아름다운 깃발이 정연
히 꽂혀 나부끼고 있어 마치 비단구름인 듯 찬란하고, 강변 일대에도
깃발이 길게 이어져 마치 아름다운 성이 늘어서 있는 것 같았다. 만병
들은 이 광경을 보고 감히 나아가지 못했다. 맹획이 맹우를 돌아보며
말한다.

"제갈량은 우리의 추격이 두려워 북안에 잠시 머물러 있을 뿐 2, 3
일 내로 반드시 달아날 것이다."

맹획은 만병들을 강기슭에 주둔시켰다. 그러고는 곧 명을 내려 산
위에서 대나무를 베어다 뗏목을 만들게 하는 등 도강 준비를 서두르
는 한편 건장하고 용감한 군사들만 골라 영채 전면에 배치했다. 그러
느라고 그들은 이미 촉군이 자신들의 영역으로 잠입한 것을 전혀 알

지 못했다.

그날 갑자기 광풍이 불기 시작했다. 기다렸다는 듯 사방에서 불이 환하게 밝혀지며 요란한 북소리와 함께 무서운 기세로 촉군들이 쳐들어왔다. 남만 군사들과 요족 군사들은 너무 놀라 저희끼리 치고받으며 제정신이 아니었다. 맹획은 크게 놀라 급히 자기 동의 군사와 장수들을 모아 혈로를 뚫고 예전 영채를 향해 달아났다. 그런데 영채에 거의 다 왔을 무렵 갑자기 안에서 한 장수가 군사들을 이끌고 달려나왔다. 바로 조자룡이었다. 맹획이 너무나 놀라 황망히 서이하 쪽으로 몸을 돌려 좁은 산길로 달아나는데, 또 한무리의 군사들이 달려나왔다. 이번에는 마대였다. 맹획은 겨우 수십명의 패잔병을 거느리고 산골짜기로 달아났다. 그런데 갑자기 남쪽·북쪽·서쪽 세 방면에서 먼지가 일며 불길이 치솟아올랐다. 맹획은 더 나가지 못하고 동쪽으로 말머리를 돌려 달아나기 시작했다. 허둥지둥 산어귀를 돌아나가니, 앞쪽 숲속에서 수십명의 종자가 수레 한 채를 끌고 나오는데, 그 위에 제갈공명이 단정하게 앉아 있는 것이 아닌가? 공명이 큰소리로 웃으며 말한다.

"만왕 맹획아! 하늘이 너를 버려 대패하여 여기까지 왔구나. 네가 올 줄 알고 내 기다리고 있은 지 오래다!"

맹획은 불같이 화가 나서 좌우를 돌아보며 호령한다.

"내 저놈의 속임수에 빠져 세번이나 굴욕을 당했는데, 이제 다행히 여기서 만났구나. 너희는 있는 힘을 다해 저자의 군마와 수레를 모두 박살내버려라!"

맹획의 명령이 떨어지는 순간 몇명의 만병들이 용감하게 뛰쳐나갔다. 맹획도 미친 듯이 소리치며 숲 쪽으로 말을 달려나갔다. 그때 쾅

하는 소리와 함께 땅이 꺼지면서 만병들이 외마디 비명을 내지르며 함정 속으로 굴러떨어졌다. 기다렸다는 듯 숲속에서 위연이 수백명의 군사를 끌고 나와 함정에 빠진 맹획과 군사들을 하나하나 끌어올려 결박했다.

공명은 먼저 영채로 돌아가 잡혀온 만병을 비롯해 여러 지역의 추장과 장정들을 불러들여 위로하며 귀순을 권유했다. 이때 그들의 태반은 이미 각자의 고향으로 돌아가고 없었는데, 죽은 자와 사상자들 외에는 모두 항복했다. 공명이 술과 고기를 내어 그들을 배불리 먹이고 좋은 말로 위로하여 놓아보내니, 모두들 공명의 큰 덕에 감격해 눈물을 흘리며 돌아갔다. 얼마 뒤 장익이 맹우를 사로잡아 돌아왔다. 공명이 훈계한다.

"네 형이 참으로 어리석으니 네가 간하여 깨우쳐주어라. 이제 내게 네번씩이나 사로잡혔거늘, 돌아가서 무슨 면목으로 사람들을 대하겠느냐?"

맹우는 부끄러움으로 얼굴을 붉히며 엎드려 살려달라고 애원했다. 공명이 말한다.

"너를 죽이려 하면 오늘이 아니라도 언제든지 할 수 있다. 내 이번에는 너를 살려줄 테니 너는 네 형을 깨우쳐 마음을 바르게 갖도록 하라!"

무사들에게 분부해 결박을 풀어주니, 맹우는 공명에게 울며 절하고 떠났다. 잠시 후 이번에는 위연이 맹획을 끌고 왔다. 공명이 노하여 소리친다.

"네가 이번에도 또 잡혔는데 그러고도 내게 무슨 할말이 있느냐?"

맹획이 말한다.

"내 이번에도 속임수에 걸려 잡혀왔으니 죽어도 눈을 감지 못하겠소이다."

공명은 추상같이 호령한다.

"냉큼 저놈을 끌어내 목을 베어라!"

맹획은 조금도 두려워하는 기색 없이 공명에게 말한다.

"만일 한번만 더 놓아준다면 네번이나 붙잡힌 이 원한을 반드시 씻고야 말겠소!"

공명은 한바탕 크게 웃고 나서 말한다.

"결박을 풀어주어라!"

공명은 우선 술을 내려 맹획의 놀란 가슴을 위로한 다음, 장막 안으로 불러들여 묻는다.

"내가 너를 네번이나 예로써 대접했거늘, 끝내 항복하지 않는 이유가 무엇이냐?"

맹획이 의연하게 말한다.

"내 비록 임금의 교화 밖에 있는 사람이지만, 항상 속임수만 쓰는 승상과는 다르오. 그러니 내 어찌 항복할 마음이 있겠소?"

"또 너를 놓아준다면 다시 나와 싸울 생각이 있느냐?"

"내가 다시 승상에게 사로잡힌다면, 그때는 진정으로 항복하겠소. 본동(本洞)의 물건을 다 바쳐 촉군을 받들고 다시는 반란을 일으키지 않겠소."

공명이 흔쾌히 웃으며 놓아주니, 맹획은 절을 하여 사례하고 즉시 물러갔다. 맹획은 돌아가는 길에 각 동의 장정을 수천명 모아 거느리고 남쪽으로 걸음을 재촉했다. 한창 길을 가는데 멀리 앞쪽에서 먼지가 일며 한무리의 군사들이 나타났다. 그 아우 맹우가 패잔병을 수습해 형의 원수를 갚으러 오는 참이었다. 두 형제는 서로 얼싸안고 통곡했다. 맹우가 말한다.

"형님, 우리는 싸움마다 지고 촉군은 싸움마다 이기니 이대로 대적하기는 어렵습니다. 그러니 깊은 산속 동중으로 피해 들어가서 나오지 않는다면 촉군들은 더위를 견디지 못해 스스로 물러갈 것입니다."

맹획이 묻는다.

"어느 곳이 적당하겠느냐?"

"여기서 서남쪽으로 가면 독룡동(禿龍洞)이라는 곳이 나옵니다. 그곳 동주 타사대왕(朶思大王)은 저와 매우 가까운 사이이니, 그곳으로 가십시다."

그 말에 따르기로 하고 맹획은 아우 맹우를 먼저 독룡동으로 보내 타사대왕을 만나보게 했다. 맹우를 만나 이야기를 들은 타사는 재빨리 동중의 군사를 이끌고 나와 맹획을 영접했다. 맹획이 독룡동으로 들어가 예를 갖추어 서로 인사를 나누고 나서 촉군에게 당한 일들을 하소연하니 타사가 말한다.

"이제 대왕께서는 마음을 놓으십시오. 촉군이 만일 이곳까지 온다면 한 사람도 살아 돌아가지 못하고 제갈량과 함께 여기서 죽게 될 것입니다."

맹획이 크게 기뻐하며 계책을 묻자 타사가 자신있게 말한다.

"이곳 독룡동으로 오는 길은 두 갈래뿐입니다. 동북쪽으로 뻗은 길은 바로 대왕께서 오신 길로, 지세가 평탄하고 흙이 많으며 물맛이 좋아 인마가 다닐 수 있으나 나무와 돌로 입구를 막아버리면 비록 백만 대군이라도 들어올 수 없습니다. 또 하나 서북쪽으로 뻗은 길은 산이 험하고 고개가 가파른데다 그나마 있는 길은 좁고 독사와 전갈이 들끓어 사람이 지나다닐 수가 없습니다. 또한 황혼 무렵이 되면 독한 기운이 퍼져 사시(巳時, 오전 10시)·오시(午時, 오후 12시)나 되어야 겨우 사라지니, 미시(未時, 오후 2시)·신시(申時, 오후 4시)·유시(酉時, 오후 6시)에나 왕래할 수 있습니다. 뿐만 아니라 물을 마실 수 없어 인마가 다닐 수 없습니다. 근처에 독샘이 네 군데 있는데, 그중 하나인 아천(啞泉)은 물은 좋지만 마셨다 하면 즉시 벙어리가 되어 열흘을 넘기지 못하고 죽게 됩니다. 두번째로 멸천(滅泉)은 마치 끓는 물과 같아서, 사람이 빠졌다 하면 살과 가죽이 모두 벗겨지고 뼈만 남아 죽고 맙니다. 세번째로 흑천(黑泉)은 물이 맑기는 하지만 사람이 몸에 대면 수족이 시커멓게 변해 죽습니다. 마지막으로 유천(柔泉)은 얼음처럼 차가워 그 물을 마셨다 하면 목구멍의 온기가 싸늘하게 식으면서 몸 전체에서 솜처럼 기운이 빠져 죽습니다. 참으로 이곳은 새 한 마리 벌레 한 마리 살지 못하는 곳으로, 옛날에 한나라 복파장군(伏波將軍)이 한번 온 뒤로 단 한 사람도 지나간 적이 없습니다. 이제 동북쪽 대로를 끊고 대왕께서 여기에 숨어 계시면, 촉군은 동쪽 길이 막힌 것을 보고 반드시 서북쪽 소로를 이용할 게 아니겠습니까? 한참동안 물이 없어 고생하다가 이 네 군데 샘물을 보면 마시지 않고는 못 견디겠지요. 그러니 백만대군이 온다 한들 한놈이라도 살아 돌아갈 수 있겠습니까? 번거롭게 싸울 필요가 없지요."

맹획은 너무나 기뻐 손을 이마에 갖다대며 말한다.

"오늘에야 비로소 몸을 피할 곳이 생겼소그려!"

다시 북쪽을 바라보며 말을 잇는다.

"너 제갈량아! 비록 귀신 같은 재주를 가졌대도 이젠 별수 없으렷다! 네 군데 샘물이 그동안의 내 원한을 갚아줄 것이다."

그뒤로 맹획과 맹우는 타사와 더불어 날이면 날마다 잔치를 열고 술이나 마시며 세월을 보냈다.

한편 공명은 여러 날이 지나도록 맹획의 군사가 나타나지 않자 대군에 영을 내려 서이하를 떠나 남쪽으로 진군하도록 했다. 때는 6월 염천이라 불같이 더웠다. 후세 사람들이 남방의 지독한 더위를 시로 읊었다.

산은 불타고 못은 말라	山澤欲焦枯
화광이 천지를 덮는구나	火光覆太虛
알 수 없구나, 이 천지의 밖은	不知天地外
더위가 얼마나 더해졌을까	暑氣更何如

또한 이런 시도 있다.

여름의 신 제 맘대로 권력 휘둘러	赤帝施權柄
비구름도 감히 일어나지 못하네	陰雲不敢生
찌는 구름에 외로운 학 헐떡이고	雲蒸孤鶴喘
바닷물 뜨거워 큰자라도 놀랐으니	海熱巨鰲驚
시냇가에 앉아서 떠날 생각 않고	忍舍溪邊坐
대숲그늘 만나 행군 게을러지네	慵抛竹裏行
어찌하랴 변방으로 출정한 군사들은	如何沙塞客
다시 갑옷 입고 싸움길에 오를밖에	擐甲復長征

공명이 대군을 한창 통솔하고 가는 중에 문득 파발군이 달려와 고한다.

"맹획이 독룡동으로 들어가서는 나오지 않는데, 동쪽으로 들어가는 주요 도로를 막아놓고 파수병들이 지키고 있습니다. 그런데 산이 험하고 고개가 높아서 더이상 전진할 수가 없습니다."

공명이 여개를 불러 방책을 물으니 여개가 답한다.

"전에 독룡동으로 가는 길이 있다는 말은 들었습니다만, 자세히는 모릅니다."

장완이 말한다.

"맹획이 네번이나 생포되어 혼쭐이 났으니 다시 나올 턱이 없습니다. 더구나 날씨가 찌는 듯이 무더워 인마가 모두 지칠 대로 지쳤으니 그들을 정벌하는 것은 무익한 듯합니다. 차라리 군사를 거두어 돌아가는 것이 낫겠습니다."

공명이 고개를 가로저으며 말한다.

"그것이 바로 맹획이 바라는 바요. 우리가 회군하면 그들은 기회를 타 반드시 추격해올 것이오. 이곳까지 와서 어찌 그냥 돌아갈 수 있겠소?"

공명은 왕평에게 수백명의 군사를 주어 선봉으로 삼고 새로 항복한 만병들에게 길안내를 시켜 서북쪽 소로로 접어들었다. 한참 가다 보니 샘물이 하나 나왔다. 모두들 몹시 목이 타던 참이라 앞다투어 물을 마시느라 정신이 없었다. 왕평이 길을 찾았다고 보고하기 위해 공명에게 돌아왔는데, 함께 갔던 군사들이 손으로 입만 가리킬 뿐 말을 하지 못했다. 왕평은 곧 공명에게 이 사실을 알렸다. 깜짝 놀란 공명은 군사들이 무엇엔가 중독되었으리라 짐작하고 수십명을 거느리고 왕평의 군사들이 물을 마신 샘물을 찾아갔다.

공명이 보니 샘물은 바닥이 보이지 않을 정도로 깊은데 푸른 물빛에는 섬뜩한 기운이 감돌았다. 군사들은 두려워 감히 얼씬거리지도 못했다. 공명은 즉시 수레에서 내려 높은 언덕 위로 올라 두루 살펴보았다. 산봉우리가 사면에 빙 둘러 있는데 그 어디에서도 산새 한 마리 찾아볼 수 없고 새소리조차 들리지 않았다.

문득 의심이 들어 멀리 바라보니, 높은 언덕에 오래된 사당이 하나 보였다. 공명은 등나무를 붙잡고 칡덩굴에 매달려가며 사당이 있는 곳으로 올라갔다. 그곳에 돌집이 한 채 있었는데, 문을 열고 들어가보니 단정히 앉아 있는 한 장군의 석상이 있고, 그 옆에 선 석비에는 '한복파장군 마원지묘(漢伏波將軍馬援之廟)'라 씌어 있다. 지난날 마원 장군이 남만을 평정하기 위해 이곳까지 온 적이 있었는데, 그 고장 사람들이 사당을 지어 제를 지내고 있는 것이었다. 공명은 두번 절하고 말한다.

"제갈량이 선제께서 후사를 부탁하신 중임을 맡고, 이제 성지(聖旨)를 받들어 남방을 평정하고자 이곳에 왔습니다. 먼저 남방을 평정한 뒤 위를 치고 오를 무찔러 한나라 황실을 안정시키고자 하는바, 군사들이 이곳 풍토를 알지 못해 독수를 잘못 마셔 벙어리가 되고 말았사오니, 바라건대 신령께서는 한실의 은의(恩義)를 생각하사 영험을 나타내시어 저희 삼군을 도우소서."

공명은 기도를 마치고 사당을 나왔다. 그 고장 사람을 찾아 물어보려 하는데, 마침 맞은편 산에서 한 노인이 지팡이를 짚고 나타났다. 그 노인의 모습이 보통사람과 사뭇 달랐다. 공명은 노인을 청해 함께 사당으로 들어가 서로 인사를 나누고, 돌 위에 마주앉았다. 공명이 묻는다.

"노인장의 성함은 어찌 되십니까?"

"이 늙은이가 대국 승상의 존명을 들은 지 오래인데, 이제야 이렇게 만나뵙게 되어 여간 다행이 아니올시다. 이곳 남만 사람들은 승상께서 목숨을 살려주신 은혜에 모두들 감복하고 있소이다."

공명이 먼저 독샘에 대해 물으니, 노인이 설명한다.

"군사들이 마신 샘물은 아천이라 하지요. 그 물을 마시면 말을 못하고 며칠 후에는 죽게 됩니다. 그 샘물말고도 셋이 더 있으니, 동남쪽에 있는 유천은 몹시 차서 이 물을 마시면 목구멍에서부터 온몸이 싸늘하게 식어 더운 기운이 빠져나가면서 온몸의 기력이 쇠해 죽게 되고, 정남쪽에 있는 흑천은 몸에 닿기만 해도 수족이 시커멓게 변해 죽고, 서남쪽에 있는 멸천은 열탕처럼 뜨거워 사람이 그 물에 빠지면 가죽과 살이 떨어져나가 죽게 됩니다. 여기 있는 네 곳의 샘물은 모두 독기가 서려 있고, 마시고 나면 약으로도 고칠 수 없습니다. 또 독기가 안개처럼 피어나 감도니 미시·신시·유시 때만 지나다닐 수 있고, 그 나머지 시간에는 독기가 퍼져 닿기만 해도 사람이 죽습니다."

공명이 걱정스럽게 말한다.

"그렇다면 만방을 평정할 수가 없겠는데, 만방을 평정하지 못하면 어떻게 오와 위를 쳐서 한나라 황실을 다시 일으키겠습니까? 선제께서 후사를 부탁하신 중임을 저버린다면 차라리 죽느니만 못할 것입니다!"

노인이 말한다.

"승상께서는 근심하지 마시오. 내가 한 군데를 알려드릴 테니, 가히 이 어려움을 풀고 뜻을 이룰 수 있을 것이오."

공명이 반색하며 묻는다.

"어르신께서는 어떤 고견(高見)을 갖고 계신지 바라건대 가르침을 주십시오."

"이곳에서 서쪽으로 얼마쯤 가면 산골짜기가 하나 있소. 그 골짜기로 20리쯤 들어가면 계곡이 하나 나오는데, 만안계(萬安溪)라 하오. 그 계곡에는 선비가 한 분 살고 계신데, 호가 만안은자(萬安隱者)라 하오이다. 그분은 만안계 밖을 나오지 않은 지 수십년 되었다 합니다. 그분께서 사는 초암(草庵) 뒤에는 무엇에건 중독되었을 때 마시면 즉시 낫는다는 안락천(安樂泉)이라는 샘물이 있소. 부스럼이 나거나 독에 감염되었더라도 그곳에서 목욕하고 나면 모두 깨끗해지지요. 또한 초암 앞에는 해엽운향(薤葉芸香)이라는 풀이 나 있는데 그 잎사귀 하나만 물고 있으면 아무리 무서운 독이라도 침범하지 못한다 하니, 승상께서는 속히 가서 그것을 구하십시오."

공명이 절하여 사례하고 묻는다.

"이렇게 살길을 열어주신 은혜에 어찌 감사드려야 할지 모르겠습니다. 원컨대 어르신의 존함을 알려주소서."

노인이 웃으며 대답한다.

"나는 이곳 산신(山神)으로 복파장군의 명을 받들어 특별히 알려드린 것이오."

산신은 말을 마치더니 크게 소리를 질러 사당 뒤 석벽을 열고는 그림자처럼 사라져버렸다. 공명은 놀라움을 금치 못하며 곧 묘신(廟神)에게 재배하고 나서 온 길을 되짚어 군중으로 돌아왔다.

이튿날 공명은 신향(信香, 축원하는 바를 신에게 전한다는 향)과 예물을 갖추어 왕평과 벙어리가 된 병사들을 이끌고 산신이 가르쳐준 곳을 찾아나섰다. 산골짜기 오솔길을 20여리 들어가니, 키 큰 소나무 잣나무에 대나무가 무성하고 온통 기이한 꽃들로 둘러싸인 곳에 두어 칸 되는 모옥(茅屋)이 있고, 은은한 향기가 코끝에 감돌았다. 공명은 크게 기뻐하며 장원 앞에 이르러 문을 두드렸다. 곧 동자가 밖으로 나왔다. 공명이 막 이름을 고하려는데, 대나무관을 쓰고 짚신을 신고 흰 도포에 검은 띠를 두르고, 푸른 눈동자에 머리털이 유독 노란 사람이 나오더니 공명을 반갑게 맞이한다.

"찾아오신 분은 혹시 한나라 승상이 아니십니까?"

공명이 웃으며 묻는다.

"고명하신 선비께서 어찌 저를 아십니까?"

은자가 말한다.

"승상께서 대군을 거느리고 남정길에 오르신 지 오래인데, 어찌 모르겠습니까?"

은자가 공명을 초당으로 맞아들이니, 주객이 서로 예를 갖추고 자리를 나누어 앉았다. 공명이 먼저 입을 연다.

"저는 소열황제(昭烈皇帝)께서 후사를 부탁하신 중임을 받고, 뒤를 이어 등극하신 폐하의 성지를 받들어 남만을 평정하여 왕화(王化)를 입게 하고자 대군을 거느리고 이렇게 왔습니다. 그런데 뜻하지 않게 맹획이 동중으로 숨어들어가는 바람에 우리 군사들이 아천의 물을 마시게 되었소이다. 지난밤 복파장군이 현성하시어, 어르신이 계신 이곳에 약수가 있으니 저들을 치료할 수 있을 것이라 가르쳐주셨습니다. 바라건대 측은히 여기사 신수(神水)를 내려주셔서 죽음에 몰린 군사들의 목숨을 구해주십시오."

은자가 답한다.

"산야의 폐인(廢人)에 지나지 않는 늙은이를 승상께서 친히 찾아주셨는데, 어찌 그 걸음을 헛되이 하겠습니까? 그 샘물은 바로 집 뒤에 있으니, 어서 군사들에게 마시게 하십시오."

동자가 나서서 왕평과 말 못하는 군사들을 샘으로 인도하여 물을 마시게 했다. 샘물을 마신 군사들은 한바탕 악기(惡氣)를 토해내더니 즉시 입을 열어 떠들며 좋아했다. 동자가 다시 군사들을 만안계로 안내하니, 군사들은 모두 뛰어들어 목욕을 했다.

한편 은자는 초암에서 공명에게 잣차와 송화차를 대접하며 말한다.

"이곳 만동(蠻洞)에는 독사와 전갈이 많고, 버들개지가 시냇물에 떨어지면 물을 마실 수 없어 새로 우물을 파서 마셔야 합니다."

공명이 은자에게 해엽운향을 물으니 은자는 군사들에게 마음껏 따서 쓰라고 이른 후 말한다.

"이 해엽운향을 한 잎씩 물고 있으면 어떠한 독기도 침범하지 못합니다."

공명이 사례하며 은자의 성명을 물었다. 은자가 웃으며 대답한다.

"이 사람은 맹획의 형 맹절(孟節)이라 하오."

뜻밖의 대답에 공명은 몹시 놀랐다. 은자가 말을 잇는다.

"승상께서는 아무 의심 말고 제 말을 들어주시오. 우리는 모두 3형제로 맏이는 이 사람 맹절이고, 둘째가 맹획, 막내는 맹우입니다. 부모님께서는 일찍이 세상을 떠나셨고, 두 동생은 성미가 강포하여 왕화를 좇지 않기로, 제가 여러 차례 타일렀으나 끝내 듣지 않았습니다. 그래서 저는 이름과 성을 고치고 이곳에 은거한 것입니다. 이제 아우들 때문에 승상께서 여기까지 와서 고초를 겪으시니, 이 맹절 또한 백번 죽어 마땅합니다. 먼저 승상께 죄를 청합니다."

"옛날 도척(盜跖)과 유하혜(柳下惠, 춘추시대 사람으로 도척과 형제. 형 유하 혜는 현인이고 아우 도척은 도적이었음)와 같은 일이 오늘날에도 있구려."

공명은 이렇게 탄식하고는 말을 이었다.

"내 황제께 아뢰어 귀공을 만왕으로 삼을까 하는데, 어떠신지요?"

"공명(功名)이 싫어서 이곳에 숨어살고 있거늘, 어찌 다시 부귀를 탐내겠소이까?"

공명이 황금과 비단으로 사례하려 했지만 맹절은 끝내 거절했다. 공명은 깊이 탄식하며 초암을 떠나 돌아갔다.

후세 사람이 이 일을 시로 읊었다.

깊은 산중에 숨어사는 고결한 선비 　　　　　　高土幽栖獨閉關

무후가 그의 도움으로 남만을 평정하네 　　　　武侯曾此破諸蠻

지금은 인적이 끊어지고 고목만 남았는데 　　　至今古木無人境

찬 안개는 옛산을 둘러 있구나 　　　　　　　猶有寒烟鎖舊山

대채로 돌아온 공명은 군사들에게 명해 우물을 파게 했다. 그러나 20여길을 파내려갔는데도 물 한방울 나오지 않았다. 이렇게 10여군 데를 파보았으나 물이 나오지 않는 것은 마찬가지였다. 군사들은 실망하여 술렁이기 시작했다. 공명은 그날밤 향을 피우고 하늘에 고하였다.

"신 제갈량이 재주 없는 몸으로 삼가 대한(大漢)의 복을 이어받고 황제의 명을 받들어 남만을 평정하러 왔사온데, 이제 중도에 물이 없어 인마가 모두 목말라 하오니, 하늘이여, 대한을 도우시려거든 감천(甘泉)을 주소서. 만일 운수가 여기서 다했다면 신 제갈량은 여기서 죽기를 바라나이다."

축원을 마치고 다음날이 밝아서 보니 땅을 파놓은 곳마다 맑은 물이 가득 고여 있었다.

후세 사람이 시를 지어 찬탄했다.

나라 위해 남만 평정코자 대군 거느리니　　　　　　爲國平蠻統大兵
마음이 정도에 합하여 신명도 알아주었네　　　　心存正道合神明
옛날에 경공은 우물에 절하자 단물 솟았고　　　　耿恭拜井甘泉出
제갈량의 지극정성에 밤사이 물이 솟았네　　　　諸葛虔誠水夜生

이렇게 해서 감천을 얻은 공명의 군마는 유유히 소로를 지나 독룡동 아래 이르러 영채를 세웠다. 이를 탐지한 만병들은 즉시 맹획에게 고했다. 맹획이 크게 놀라며 말한다.

"촉병이 독기에 감염되지도 않고 목말라 병들지도 않고서 예까지 무사히 오다니, 이게 어찌 된 일인가? 네 곳의 독천도 아무 소용이 없었단 말인가!"

타사대왕은 도무지 이를 믿을 수가 없었다. 즉시 맹획과 함께 높은 산등성이로 올라가 촉군의 영채를 살펴보니, 과연 촉군들은 크고작은 물통으로 물을 길어다 말을 먹이고 유유히 밥을 지어먹고 있는 게 아닌가. 타사는 너무 놀란 나머지 머리털이 곤두서는 듯하여 떨리는 목소리로 맹획에게 말한다.

"저들은 보통사람이 아니라 신병(神兵)이오!"

맹획이 말한다.

"우리 두 형제는 목숨을 걸고 싸울 것이오. 어찌 이대로 앉아 결박

212

당할 수 있겠소?"

타사가 말한다.

"대왕의 군사가 패하면 내 처자식도 모두 끝장이오. 그러니 소와 말을 잡아 동중의 장정들에게 크게 상을 내린 다음 물불 가리지 말고 저들의 영채를 들이치게 합시다. 그러면 이길 수 있을 것이오."

마침내 타사의 말에 따라 만병들에게 크게 상을 내리고 막 출병하려는 참에 독룡동 서쪽에 인접한 은야동(銀冶洞)의 21동주(洞主) 양봉(楊鋒)이 군사 3만명을 이끌고 도우러 온다는 보고가 들어왔다. 맹획이 크게 기뻐하며 말한다.

"이웃의 군사들이 도우러 온다니 내 반드시 이길 것이다!"

맹획은 즉시 타사와 더불어 동을 나와 양봉을 영접했다. 양봉이 군사를 이끌고 와서 말한다.

"내가 데리고 온 3만 정예병은 모두 철갑으로 무장했고 산과 고개를 나는 듯이 뛰어넘으니, 촉군 백만은 너끈히 대적할 수 있소이다. 또한 내 아들 다섯이 모두 출중한 무예로 대왕을 돕고자 하니 무엇을 두려워하겠습니까?"

양봉이 다섯 아들을 불러 맹획과 타사대왕에게 절하게 하는데, 과연 하나같이 범 같은 체구에 위풍이 늠름하다. 맹획은 몹시 기뻐하며 잔치를 베풀어 양봉 부자를 대접했다. 술이 몇 순배 돌고 나서 양봉이 말한다.

"군중에 풍류가 없으니 술맛이 안 나는구려. 우리 진중에 군사들을 따라다니는 춤 잘 추는 여자들이 있는데, 도패(刀牌, 칼과 방패)춤이 여간 볼 만하지 않습니다. 이제 그들을 불러서 취흥을 돋워보겠소."

맹획이 흔쾌히 응낙했다. 얼마 후 수십명의 만족 여자들이 머리를 풀고 맨발인 채로 장막 밖에서 춤을 추며 들어왔다. 모든 만병들은 일제히 손뼉을 치고 노래를 부르며 장단을 맞추었다. 양봉은 두 아들을 시켜 맹획과 맹우에게 술잔을 바치도록 했다. 두 사람이 즐겁게 술잔을 받아 마시려 할 때였다. 양봉이 우레 같은 소리로 호령했다.

"냉큼 저 두놈을 잡아라!"

양봉의 두 아들이 불문곡직하고 맹획과 맹우에게 달려들어 자리에서 끌어내렸다. 슬그머니 몸을 빼려던 타사대왕도 양봉의 손에 붙들리고 말았다. 만족 여자들이 춤을 추며 가로막으니 누가 감히 가까이 갈 수 있으랴. 사로잡힌 맹획이 처량하게 말한다.

"토끼가 죽으면 여우도 슬퍼하니, 같은 무리끼리는 서로 아낀다 했거늘, 나와 그대는 모두 만방의 동주로 여태까지 원수진 일이 없는데 어찌하여 나를 해치려는 것이냐?"

양봉이 대답한다.

"내 형제와 자식과 조카 들이 모두 제갈승상의 은혜로 목숨을 구했건만 갚을 길이 없었다. 그런데 이제 네가 또다시 반역을 도모하니 어찌 너를 사로잡지 않겠느냐!"

양봉의 말에 각 동에서 온 만병들은 슬며시 제 고장으로 돌아가버렸다. 양봉은 맹획과 맹우, 타사를 사로잡아 공명의 영채로 끌고 갔다.

공명이 양봉 일행을 안으로 들게 하니 양봉은 공명에게 절하고 아뢴다.

"제 자식과 조카들이 모두 승상의 은혜로 살아났습니다. 이제 맹획과 맹우 등을 잡아 승상께 바치나이다."

공명은 양봉에게 큰 상을 내리고 나서 맹획을 끌어오도록 했다. 공

맹획은 다섯번째로 사로잡히다

명이 맹획을 내려다보고 크게 웃으며 묻는다.

"이번에는 진정으로 항복하겠느냐?"

맹획이 답한다.

"그대가 능해서가 아니라 우리 동중 사람이 나를 이 지경으로 만든 것이오. 나를 죽이든 살리든 마음대로 하시오. 그러나 절대 항복은 못 하겠소."

공명이 부드럽게 말한다.

"네가 나를 물 없는 땅으로 끌어들이고 아천·멸천·흑천·유천의 독으로 멸하려 했음에도 우리 군사는 아무 탈 없이 이곳까지 왔으니 이야말로 하늘의 뜻이 아니고 무엇이겠느냐? 그런데도 너는 어리석게 끝까지 고집을 부리려느냐?"

맹획이 고집스럽게 말한다.

"우리는 조상 대대로 은갱산에서 살아왔소. 그곳은 험한 삼강(三江)이 있고 견고한 관문들이 연이어 있소. 그대가 만일 그곳에서 나를 사로잡을 수 있다면 마땅히 자자손손 마음을 기울여 복종할 것이오."

공명이 말한다.

"내 이번에도 너를 놓아줄 테니, 다시 군마를 수습해 나와 결전을 치르도록 하라. 만일 그때 또다시 내게 사로잡히는 날에는 9족(九族)을 멸할 것이다."

공명은 좌우에게 명하여 맹획의 결박을 풀어주었다. 맹획은 두번 절하고 떠나갔다. 공명이 이어 맹우와 타사대왕을 불러 결박을 풀어 주고 술을 내려 위로하니 두 사람은 송구스러워 감히 얼굴을 들지 못했다. 공명은 이들 또한 말을 태워 돌려보냈다.

험한 땅에 깊이 들어가기 쉬운 일 아닌데 　　　　深臨險地非容易

더욱이 기이한 꾀 씀이 어찌 우연일까 　　　　更展奇謀豈偶然

과연 맹획과의 승부는 어찌 될 것인가?

칠종칠금

큰 짐승을 몰아내 여섯번째 만병을 격파하고

등갑군을 불살라 일곱번째 맹획을 사로잡다

공명은 맹획과 그 무리를 돌려보낸 뒤 양봉 부자에게 관직과 작위를 주는 한편 그의 군사들에게도 후한 상을 내렸다. 양봉의 무리는 공명에게 감사의 절을 올리고 떠났다.

맹획 등은 밤새 말을 달려 은갱동으로 돌아왔다. 은갱동 밖에는 삼강이 흐르고 있는데, 이것은 노수(瀘水)와 감남수(甘南水), 서성수(西城水) 세 물길이 여기서 한데 합쳐져서 붙은 이름이다.

은갱동 북쪽 땅은 평탄하여 3백여리에 걸쳐 각종 산물이 풍부했다. 서쪽 2백리에는 염정(鹽井)이 있고, 서남쪽으로 2백리는 노수와 감남수에 닿아 있었으며, 남쪽으로 3백리 되는 곳이 양도동(梁都洞)이다. 양도동은 산으로 에워싸여 있었는데, 산속에 은광(銀鑛)이 있어서 그 산을 은갱산(銀坑山)이라 불렸다.

은갱산 속에는 만왕의 소굴인 궁전과 누대가 있었다. 그곳에 '가귀 (家鬼)'라는 사당이 있어 사시사철 소와 말을 잡아 제를 올리곤 했다. '복귀(卜鬼)'라 불리는 이 제사에는 해마다 촉땅 사람과 다른 고장 사람들이 함께 참여했다. 이 고장에서는 사람이 병들면 약을 쓰지 않고 무당을 시켜 굿을 하는데, 이는 '약귀(藥鬼)'라 했다. 또한 형법이 따로 없어 죄를 지으면 즉시 목을 베어 죽였고, 딸이 다 자라면 계곡에 나가 남녀가 뒤섞여 목욕을 하다가 배필을 고르게 했으며 이때 부모가 간섭하지 않았다. 이것을 '학예(學藝)'라 불렀다. 그리고 비가 알맞게 내리는 해에는 벼농사를 짓는데, 만일 벼가 여물지 않으면 뱀을 잡아 국을 끓이거나 코끼리를 삶아 주식으로 먹었다. 이들 만족에게도 계급의 상하가 있어서 큰 고장을 관장하는 동주(洞主)가 우두머리이고 그 아래 추장이 있었다. 매월 초하룻날과 보름날에는 삼강성(三江城)에서 물건과 물건을 맞바꾸며 팔고 사니, 이것이 바로 그들의 풍속이었다.

한편 은갱산으로 돌아온 맹획은 동중의 일족 1천여명을 모아놓고 비장하게 말한다.

"내가 여러 차례 촉군에게 욕을 보았다. 이제 기필코 원수를 갚으려 하는데, 그대들에게 좋은 의견이 있는가?"

말이 끝나기가 무섭게 한 사람이 나선다.

"제가 한 사람을 천거하겠습니다. 그 사람이라면 틀림없이 제갈량을 무찌를 것입니다."

사람들이 보니 그는 바로 맹획의 처남으로, 그때 8번부장(八番部長)으로 있는 대래동주(帶來洞主)였다. 맹획이 크게 기뻐하며 묻는다.

"그 사람이 누구인지 어서 말해보라."

"여기서 서남쪽에 있는 팔납동(八納洞) 동주 목록대왕(木鹿大王)입니다. 그 사람은 나다닐 때면 코끼리를 타고, 술법에 능통해 능히 비와 바람을 일으키며, 호랑이와 표범, 승냥이와 이리, 독사와 전갈 등을 거느린다 합니다. 또한 수하에 몹시 영용한 신병(神兵) 3만을 거느리고 있습니다. 대왕께서 친서를 쓰시고 예물을 갖춰주시면 제가 직접 가서 청해보겠습니다. 목록대왕이 우리 편만 되어준다면 그까짓 촉군 따위는 조금도 두려워할 것 없습니다."

맹획은 기뻐하며 즉시 서신을 쓰고 예물을 갖추어 대래동주에게 주어 떠나보냈다. 그리고 타사대왕을 삼강성으로 보내 전방을 막도록 했다.

한편 공명은 군사를 이끌고 삼강성에 이르렀다. 멀리서 바라보니 성곽의 삼면이 강으로 둘러싸여 있고, 오로지 한곳만 언덕으로 통해 있었다. 공명은 즉시 위연과 조자룡에게 군사를 주어 육로로 하여 성을 공격하게 했다. 촉군이 성밑에 이르자 성위에서 화살이 비오듯 쏟아졌다. 원래 동중 사람들은 활을 잘 쏘고 쇠뇌 다루는 데 능해서 한번 쏘면 열 대의 화살이 쏟아져나왔다. 그런데다 화살촉에 독약을 발라서 맞기만 하면 살이 썩고 오장이 드러나 죽어갔다. 조자룡과 위연은 군사를 물려 돌아와 공명에게 독화살에 대해 보고했다. 공명은 친히 작은 수레를 타고 성밑까지 나가 적의 허실을 살피고 영채로 돌아와서는 군사들에게 영을 내려 몇리쯤 후퇴하도록 했다. 만병들은 촉군들이 물러가는 것을 보고 크게 웃으며 자축했다. 촉군들이 필시 겁을 내어 달아난다고 생각한 것이다. 그래서 그날밤에는 보초도 세우지 않고 편히 잠들었다.

한편 군사를 물린 공명은 영채 문을 굳게 닫은 채 꼼짝도 하지 않았다. 닷새 동안이나 아무런 영도 내리지 않았다. 닷새가 되던 날 황혼 무렵, 미풍이 불기 시작했다. 그제야 공명이 전군에 영을 내린다.

"모든 군사들은 저고리를 하나씩 준비해 초경(밤 8시)에 점검을 받도록 하라. 준비가 안된 자는 즉시 목을 벨 것이다!"

모든 장수들은 그 의중을 알 수 없었지만 명에 따라 군사들에게 준비를 갖추게 했다. 초경에 공명은 다시 영을 내린다.

"모든 군사들은 준비한 저고리에 흙을 가득 싸두도록 하라. 영을 어기는 자는 즉시 목을 베겠다!"

이번에도 군사들은 영문을 모른 채 공명이 시키는 대로 움직였다. 공명은 계속 전령을 내린다.

"모든 군사들은 준비한 흙을 가지고 삼강성 아래로 가라. 먼저 닿는 자는 상을 주고 늦는 자는 벌을 내릴 것이다!"

군사들은 싸둔 흙짐을 가지고 앞다투어 삼강성으로 달려갔다. 공명은 또다시 전군에 명을 내린다.

"각자 가지고 온 흙짐을 쏟아 발판을 쌓도록 하라. 그 흙더미를 밟고 제일 먼저 성에 오르는 자를 일등공신으로 삼겠다."

공명의 명에 따라 촉군 10만여명과 항복해온 군사 1만여명이 날라온 흙은 이내 성밑에 산더미처럼 쌓였다. 한마디 신호소리에 모든 군사들이 일제히 쌓인 흙더미를 밟고 성위로 오르기 시작했다. 뒤늦게 이를 발견한 만병들이 급히 활을 쏘려 했으나 그때는 이미 태반이 성위로 올라온 촉군들에게 사로잡힌 뒤였고, 나머지 만병들은 성을 버

리고 달아났다. 타사대왕은 어지럽게 싸우는 중에 죽고 말았다. 촉의
장수들은 군사를 나누어 달아나는 만병들을 완전히 소탕했다.

삼강성을 함락시킨 공명은 성안에 쌓여 있던 보물들을 거두어 전군
에게 상을 내렸다. 겨우 목숨을 구해 달아난 만병이 맹획에게 고한다.

"타사대왕은 죽고 삼강성 또한 함락되었습니다."

맹획의 얼굴은 사색이 되었다. 이때 또 군사 하나가 들어와 고한다.

"촉군이 강을 건너 이미 본동 앞에 진을 치고 있습니다."

맹획은 당황하여 제정신이 아니었다. 그때 문득 병풍 뒤에서 큰 웃
음소리가 나더니 한 사람이 나타났다.

"사내대장부가 어찌 그리도 지략이 없으시단 말이오? 제 비록 아녀
자이긴 하지만 나가서 촉군과 싸워보겠습니다."

맹획이 보니, 바로 자신의 아내인 축융(祝融)부인이다. 축융부인은
대대로 남만에 살아온 축융(祝融)씨의 후손으로, 비도(飛刀)를 다루
는 솜씨가 능수능란해 던졌다 하면 백발백중이었다. 맹획이 몸을 일
으켜 사례했다. 축융부인은 기꺼이 말에 올라 동족 출신의 맹장 수백
명과 새로 들어와 전혀 지치지 않은 동중의 장정 5만명을 거느리고
촉군과 대적하기 위해 은갱산의 궁궐을 나섰다.

축융부인이 이끄는 만병들이 막 동구를 벗어났을 때였다. 난데없이
한무리의 날쌘 군사들이 나타나 길을 막는데, 바로 촉장 장의가 이끄
는 군사들이었다. 만병들은 즉시 양쪽으로 갈라서며 길을 냈다. 그 길
로 축융부인이 등에 비도 다섯 자루를 꽂고 손에는 장팔장표(丈八長
標, 길이 1장 8척의 긴 창)를 높이 치켜든 채 권모적토마(卷毛赤兎馬, 털이
곱슬곱슬한 적토마)를 타고 나왔다. 장의는 축융부인의 모습에 은근히 감
탄했다. 두 사람은 동시에 말을 몰고 나와 어울려 싸우기 시작했다.

그러나 싸운 지 몇합 안되어 축융부인은 말을 돌려 달아났다. 장의가 재빨리 그 뒤를 추격하는데, 난데없이 비도 한 자루가 허공을 가르며 날아왔다. 장의는 급히 손을 들어 막으려 했으나 왼쪽 팔에 비도를 맞고 그만 몸을 뒤집으며 말에서 굴러떨어지고 말았다. 순간 만병들이 일시에 함성을 올리며 몰려들어 장의를 결박지어버렸다. 장의가 끌려갔다는 보고를 듣고 마충이 급히 구하러 나섰으나 그 역시 만병들에게 포위되고 말았다. 마충이 보니 축융부인이 긴창을 들고 멀찍이서 그를 바라보고 있었다. 마충은 불길처럼 치솟는 화를 참지 못해 쏜살같이 달려들었다. 그러나 타고 있던 말이 만병들이 쳐놓은 줄에 걸려 넘어지는 바람에 꼼짝없이 생포되어 장의와 함께 동중의 맹획 앞으로 끌려갔다. 맹획은 크게 잔치를 열어 승전을 축하했다. 축융부인이 추상같이 호령한다.

"당장 저들을 끌어내 목을 베어라!"

맹획이 만류한다.

"제갈량은 나를 다섯번이나 놓아주었는데, 저 두 장수를 죽이는 것은 의리가 아니오. 우선 동중에 가두어두었다가 제갈량을 사로잡은 뒤에 함께 죽여도 늦지 않소."

축융부인은 맹획의 말에 따르기로 하고 승리를 자축하며 즐겁게 술을 마셨다.

한편 촉의 패잔병들은 급히 돌아와 공명에게 이 사실을 고했다. 공명은 곧 마대·조자룡·위연 세 장수를 불러 각각 계책을 일러준 다음 군사를 주어 떠나보냈다. 그 이튿날, 만병이 급히 동중으로 들어와 고한다.

"촉장 조자룡이 와서 싸움을 걸고 있습니다."

축융부인은 지체하지 않고 말에 올라 달려나갔다. 두 사람이 어우러져 싸우기 시작한 지 불과 몇합에 조자룡이 갑자기 말머리를 돌려 달아났다. 축융부인은 혹시 복병이 있을까 두려워 쫓지 않고 말머리를 돌려 돌아갔다. 이번에는 위연이 군사를 이끌고 와서 싸움을 걸었다. 축융부인이 다시 나가 맞서니, 위연 역시 몇합 싸우다가는 일부러 패한 체하며 달아났다. 축융부인은 이번에도 뒤를 쫓지 않았다.

다음날도 조자룡이 군사들을 거느리고 와서 싸움을 걸었다. 축융부인이 동중의 군사들을 거느리고 달려나와 응하니, 이번에도 불과 수합 만에 조자룡은 패한 체하고 달아났다. 축융부인이 추격하지 않고 동중으로 돌아가려 하는데, 위연이 나타나더니 갖은 욕설을 퍼부으며 화를 돋우었다. 축융부인은 화를 참지 못하고 위연에게 달려들었다. 위연은 잽싸게 말머리를 돌려 달아나기 시작했다. 화가 불같이 치밀어오른 축융부인은 위연의 뒤를 맹렬히 추격했다. 위연은 급하게 말을 휘몰아 산골짜기 샛길로 접어들었다. 바로 그때, 갑자기 등뒤에서 쿵 하는 큰소리가 났다. 위연이 돌아보니, 뒤를 쫓던 축융부인이 안장을 안고 말에서 굴러떨어진다. 미리 그곳에 매복해 있던 촉군이 반마삭(絆馬索)으로 축융부인이 탄 말의 다리를 옭아매어 쓰러뜨린 것이다. 마침내 축융부인은 사로잡혀 결박당한 채 대채로 끌려갔다. 이를 본 만병 장수들이 군사를 이끌고 축융부인을 구출하기 위해 뒤쫓아왔으나 조자룡이 나타나 단숨에 무찔러 흩어버렸다.

장막 안에 단정히 앉아 있던 공명은 마대가 축융부인을 결박해 끌고오자 즉시 무사에게 명하여 축융부인의 결박을 풀어주었다. 그러고는 자리를 옮겨 술과 음식을 대접하며 놀란 마음을 위로해주었다. 또한 공명은 맹획에게 사람을 보내 축융부인을 돌려보낼 테니, 장의와 마충 두 장수와 교환하자고 제의했다. 맹획은 즉시 장의와 마충을 돌려보냈다. 공명 또한 축융부인을 동으로 돌려보냈다. 축융부인이 돌아오자 맹획은 반가운 한편 마음이 괴로웠다. 이때 밖에서 사람이 와서 고한다.

"팔납동주 목록대왕이 오셨습니다!"

맹획이 급히 달려나가 영접하니, 목록대왕은 여느때와 다름없이 흰 코끼리를 타고 서 있었다. 온몸에 금은보석의 장신구를 달고 양 허리에는 큰 칼을 차고 있었으며, 좌우에는 호랑이와 표범, 승냥이와 이리 등을 거느린 군사들이 호위하고 있었다. 맹획이 두번 절하고 그간의 일을 하소연하자 목록대왕은 고개를 끄덕이며 원수를 갚아주겠노라 약속했다. 맹획은 크게 기뻐하며 잔치를 열어 목록대왕을 대접했다.

이튿날, 목록대왕은 군사들과 맹수를 거느리고 촉군과 싸우기 위해 나섰다. 만병들이 온다는 보고를 받자마자 조자룡과 위연은 군마를 정비해 진을 벌인 후 말머리를 나란히하여 적진을 살펴보았다. 그런데 적 진영의 정기와 만병들이 들고 있는 병기들 모두 전에 보지 못하던 것들뿐이었다. 더욱이 만병들은 하나같이 옷도 갑옷도 걸치지 않은 알몸뚱이였으며, 그 생김새가 참으로 기괴했다. 그들은 모두 몸에 띠를 둘러 네 자루의 날카로운 칼을 차고 있었고, 군중에서는 고각(鼓角, 군중에서 쓰는 북과 뿔피리)이 아니라 사금(篩金, 징의 일종인 타악기)으로 군호를 삼았다.

드디어 목록대왕이 큰 깃발 사이로 모습을 드러냈다. 흰 코끼리 위에 높이 올라앉아 허리에 두 자루 보검을 차고 손에는 솔발(鐸鈸, 군령 등에 쓰는 자루가 달린 작은 종)을 들고 있었다. 조자룡이 위연을 돌아보며 말한다.

"싸움터에서 평생을 보냈지만, 저런 인물은 처음 보네!"

두 사람이 그대로 서서 물끄러미 만병을 바라보고 있을 때였다. 목록대왕이 문득 입속말로 알아듣지 못할 주문을 외우면서 손으로 솔발을 흔들었다. 그러자 갑자기 광풍이 일어나며 모래와 돌들이 바람에 날리는데 마치 소나기가 쏟아지듯 했다. 이어 화각(畵角, 뿔피리)소리가 울리더니 난데없이 호랑이·표범·승냥이·이리 따위의 맹수와 독사들이 입을 벌리고 발톱을 세우며 달려들었다. 촉군이 어떻게 이를 감당해내겠는가. 마침내 군사를 물려 달아나니, 만병은 무서운 기세로 뒤를 쫓아오다가 삼강성 경계에 이르러서야 비로소 돌아갔다. 조자룡과 위연은 패잔병을 수습해 돌아와 공명에게 죄를 청하고 사실대로 고했다. 공명이 웃으며 말한다.

"이번 싸움에서 진 것은 두 사람의 잘못이 아니오. 내 초려에서 나오기 전부터 이미 남만땅에 호랑이와 표범을 싸움에 부리는 법이 있다는 것을 알고 있었소. 촉에 있을 때 이 진법을 깨부술 만한 물건을 마련해 스무 대의 수레에 싣고 왔으니, 오늘은 절반만 쓰고 절반은 남겨두었다가 나중에 쓰도록 합시다."

그러고 나서 공명은 좌우에게 명한다.

"지금 곧 가서 붉은 기름을 먹인 궤짝을 실은 수레 열 대를 가져오되, 검은 기름을 먹인 궤짝을 실은 수레는 남겨두도록 하라."

모두들 영문을 몰라 지켜보고만 있었다. 공명이 장수들에게 옮겨온 궤짝을 열게 하자 그 속에는 나무를 깎아 만들어 채색한 큰 짐승들이 들어 있는데, 그 털은 하나같이 오색의 고운 모직실로 만들어붙였고, 이빨과 발톱은 강철로 되어 있었다. 한 마리에 열 사람이 족히 탈 만한 크기였다. 공명은 정예병 1천여명을 골라 목각짐승 1백 마리를 내어주고, 짐승의 뱃속에 연기와 불꽃을 피워낼 물건을 가득 채우게 했다.

다음날 공명은 대군을 이끌고 나가 진을 벌였다. 만병이 이를 탐지해 동중의 만왕에게 고했다.

"나를 대적할 자는 없소이다."

곁에 있던 목록대왕이 큰소리를 치더니 즉시 맹획과 함께 동중의 군사들을 거느리고 나왔다. 공명은 윤건에 깃털부채를 들고 도포 차림으로 수레 위에 단정히 앉아 있었다. 맹획이 손을 들어 가리키며 말한다.

"저기 수레에 앉아 있는 자가 바로 제갈량이오. 저자만 사로잡으면 대사를 이룰 수 있소."

목록대왕은 기다렸다는 듯이 입속으로 주문을 외며 손에 든 솔발을 흔들어대기 시작했다. 갑자기 일진광풍이 일더니 맹수가 뛰어나온다. 이에 맞서 공명은 깃털부채를 한번 흔들었다. 순간 바람이 방향을 바꾸어 만병 쪽으로 불기 시작하면서 촉군 쪽에서 목각짐승들이 일시에 뛰어나왔다. 이 가짜 짐승들은 입으로 불을 토하고 코로는 검은 연기를 뿜어내며 움직일 때마다 요란한 방울소리를 냈다. 이들 목각짐승이 이빨을 드러내고 발톱을 곤두세워 일시에 덤벼드니, 목록대왕의 진짜 맹수들은 감히 달려들지 못하고 되돌아서서 본동으로 달아나며 오히려 만병들을 들이받는다. 삽시간에 그 발에 채여 쓰러진 자만도 부지기수였다. 공명은 때를 놓치지 않고 일제히 북과 뿔피리를 울리며 대군을 휘몰아 적을 추격했다. 목록대왕은 난전중에 죽고, 맹획 등은 궁궐을 버리고 산을 넘어 달아났다. 이 싸움으로 공명의 대군은 마침내 은갱동을 점령했다.

다음날 공명이 맹획을 사로잡기 위해 군사를 나누어 보내려는데 한 사람이 들어와 아뢴다.

"맹획의 처남인 대래동주가 맹획에게 수차례나 항복할 것을 권해도 듣지 않아서 맹획과 축융부인, 그 일족 수백명을 잡아가지고 승상께 바치러 왔다 하옵니다."

공명은 곧 장의와 마충을 불러 앞으로 행할 계책을 지시했다. 두 장수는 공명의 지시에 따라 곧 정예병 2천여명을 거느리고 회랑 양쪽에 매복했다. 마침내 공명은 수문장에게 대래동주 일행을 들이라 분부했다. 대래동주가 도부수들을 대동하고 맹획의 무리 수백여명을 이끌고 들어와 전각 아래에서 공명에게 절을 올렸다. 공명이 대뜸 소리친다.

"저놈들을 모조리 결박하라!"

명령 한마디에 회랑 양쪽에 매복해 있던 군사들이 우르르 쏟아져나와 순식간에 두 사람이 한놈씩 결박해버렸다. 그제서야 공명이 크게 웃으며 말한다.

"그따위 잔꾀로 감히 나를 속이려 했더냐? 네가 두번이나 동중 사람들에게 잡혀왔어도 죽이지 않았더니, 내가 또 믿을 줄 알고 이제 나를 해치기 위해 거짓항복한 것 아니냐?"

공명은 무사들을 시켜 그들의 몸을 수색하게 했다. 과연 그들은 저마다 품속에 날카로운 칼을 품고 있었다. 공명이 맹획을 꾸짖는다.

"네 입으로 또다시 사로잡힌다면 그때는 진심으로 항복하겠다고 했는데, 이제 어찌하겠느냐?"

맹획이 말한다.

"이번에는 우리가 제 발로 죽을 길을 찾아들어온 셈이니, 어찌 그대 힘으로 붙잡았다고 할 수 있겠소? 그러니 내 진심으로 복종할 수는 없소."

"내가 너를 여섯번이나 사로잡았는데도 항복하지 않으니, 대체 언제쯤에나 항복할 셈이냐?"

"내가 일곱번째 잡히는 날에는 마음을 다해 복종하고, 맹세코 다시 반역하지 않겠소."

공명이 웃으며 말한다.

"이제 네 소굴까지 모두 격파한 마당에 내 무얼 근심하랴."

공명은 즉시 무사들에게 맹획과 그 무리들의 결박을 풀어주게 하고는 큰소리로 꾸짖는다.

"또다시 사로잡힌 후에 딴소리를 하면 그땐 절대로 용서치 않을 것이니 명심하라!"

맹획과 그 졸개들은 머리를 감싸안고 쥐가 쥐구멍을 찾듯 부리나케 달아났다.

한편 싸움에 패하여 태반이 부상당한 채 달아났던 만병 1천여명은 갈곳을 몰라 헤매다가 돌아오는 맹획 등과 마주쳤다. 맹획은 이들을 수습하고 나자 조금은 여유가 생겨 대래동주와 앞일을 의논한다.

"이제 우리 동부(洞府)까지 촉군에게 점령당하고 말았으니 어디로 가서 거처해야 할지 모르겠구나."

대래동주가 말한다.

"촉을 쳐부술 수 있는 나라는 하나밖에 없습니다."

맹획이 기뻐하며 묻는다.

"거기가 대체 어디인가?"

"여기서 동남쪽으로 7백리를 가면 오과국(烏戈國)이 있습니다. 오과국의 주인 올돌골(兀突骨)은 키가 12척이나 되는데, 오곡을 먹지 않고 오로지 산 뱀과 사나운 짐승만 먹으며 몸에 비늘이 돋아 있어 칼이나 화살이 뚫고 들어가지 못한다 합니다. 또한 수하군사들은 모두 등갑(藤甲, 등나무로 만든 갑옷)을 입었는데, 그것은 깊은 계곡의 바위벽에 자라는 등나무를 채취해 반년 동안이나 기름에 담가두었다가 꺼내어 햇볕에 말리고, 다시 기름에 담그기를 10여 차례 반복해서 만든 투구와 갑옷입니다. 그것을 걸치면 물속에 들어가도 가라앉거나 젖지 않으며, 칼과 화살이 뚫지도 못한답니다. 그들을 등갑군(藤甲軍)이라 하는데, 그들과 손잡기만 하면 칼로 대나무를 쪼개듯 간단히 제갈량을 잡을 수 있을 것입니다."

맹획은 반색을 하며 그 길로 당장 올돌골을 만나러 오과국으로 달려갔다. 오과국에는 집이라고는 한 채도 없고, 사람들은 모두 토굴에서 생활하고 있었다. 맹획은 올돌골을 찾아가 두번 절하고 처량하게 지난 일을 호소했다. 올돌골이 말한다.

"내 군사를 일으켜 그대의 원수를 갚아주겠소."

맹획은 기뻐하며 절하여 사례했다. 이에 올돌골이 즉시 군사를 거느릴 두 부장(俘長, 대장)을 부르니, 한 사람의 이름은 토안(土安)이고 다른 한 사람은 해니(奚泥)였다. 이들은 3만명의 등갑군을 일으켜 동북쪽을 향해 떠났다.

길을 떠난 지 얼마 후 이들은 도화수(桃花水)라고 부르는 강에 이르렀다. 이 강의 양쪽 기슭에는 복숭아나무가 빽빽이 늘어서서 해마다 복숭아잎이 떨어져 물속에 가라앉았는데, 무슨 까닭인지 다른 나라 사람들이 이 강물을 마시면 그 자리에서 죽었고, 오과국 사람이 마시면 오히려 정신이 갑절이나 맑아지는 이상한 강이었다. 올돌골과 그의 군사들은 도화수에 이르러 영채를 세우고 촉군이 오기를 기다렸다.

한편 공명은 투항해온 만병을 시켜 맹획의 소식을 탐지하게 했다. 얼마 후 만병이 돌아와 아뢴다.

"맹획의 부탁을 받고 오과국의 주인 올돌골이 3만명의 등갑군을 거느리고 와서 도화수가에 주둔하고 있습니다. 맹획은 따로 만병을 모아 힘을 합해 싸울 준비를 하고 있습니다."

공명은 곧 대군을 거느리고 도화수가에 이르렀다. 강 건너편을 바라보니, 오과국의 군사들은 그 모습이 도무지 사람 같지 않고 몹시 기괴했다. 게다가 그 고장 사람들에게 물으니 복숭아잎이 떨어지는 때라 물을 마실 수 없다고 하여, 공명은 우선 5리쯤 물러나 영채를 세우고 위연을 시켜 그곳을 지키게 했다.

다음날이었다. 갑자기 천지를 뒤흔드는 듯한 징소리와 북소리를 내며 오과국의 주인 올돌골이 몸소 한무리의 등갑군을 이끌고 도화수를 건너왔다. 위연이 군사를 이끌고 나가 맞섰다. 만병들은 까맣게 땅을 뒤덮으며 몰려왔다. 촉군은 적들을 향해 일제히 화살을 쏘았다. 그러나 모조리 등갑을 뚫지 못하고 튕겨나와 땅에 떨어지고 말았다. 칼로 치고 창으로 찔러도 역시 뚫을 수 없었다. 더구나 만병들은 하나같이 날카로운 칼과 강차(鋼叉, 끝이 갈라진 강철창)를 귀신같이 휘둘러대니 촉군이 어떻게 당해낼 수 있겠는가? 결국 촉군은 패하여 달아나기 시작했다. 만병들은 뒤를 쫓지 않고 그냥 돌아가버렸다. 말을 돌려 그들을 뒤쫓던 위연은 도화나루에 다다르자 걸음을 멈추고 제 눈을 의심하지 않을 수 없었다. 만병들이 등갑을 입은 채 강물을 건너고 있었는데, 그중에서 몇몇 지친 자들은 갑옷을 벗어 물에 띄우고 그 위에 편안히 앉아서 건너는 것이 아닌가. 위연은 급히 대채로 돌아와 공명에게 자세히 아뢰었다. 공명이 여개와 그 고장 사람들을 불러 물으니 여개가 말한다.

"제가 일찍이 남만에 오과국이라는 인륜이 없는 족속의 나라가 있다고 들었습니다. 그들은 모두 등갑으로 몸을 보호하고 있어 병기로 쳐도 상하지 않고, 또한 도화수라는 이상한 강이 있어서 오과국 사람들이 마시면 정신이 갑절로 또렷해지는데, 다른 나라 사람들이 마시면 그 자리에서 죽는다 합니다. 이러한 만방과 싸워 이겨 평정한다 한들 실로 무슨 이득이 있겠습니까? 군사를 물려 본국으로 돌아가는 것이 좋겠습니다."

공명이 웃으며 말한다.

"내 여기까지 오기가 결코 쉬운 일이 아니었는데 어떻게 이대로 돌아가겠소? 내일이면 만족을 평정할 계책을 세울 테니 너무 걱정하지 마시오."

공명은 조자룡에게 위연을 도와 영채를 지키도록 하되 함부로 싸우지 말라고 당부했다.

다음날 공명은 그 고장 사람을 길잡이로 삼아 작은 수레를 타고 도화수 나루에 이르렀다. 몸소 강 북쪽 기슭에 이어진 산골짜기로 들어가 두루 지세를 살펴보니 산이 험하고 고개가 높아 수레가 다닐 수 없었다. 공명은 수레를 두고 걷기 시작하여 이윽고 한 산밑에 다다랐다. 문득 뱀처럼 긴 산골짜기가 눈에 띄었는데, 그 골짜기는 날카로운 석벽에 깎아지른 듯한 벼랑으로 둘러싸여 나무 한 그루 보이지 않고, 중간에 큰 길이 뚫려 있었다. 공명이 그 고장 사람에게 묻는다.

"이 골짜기의 이름이 무엇이냐?"

"반사곡(盤蛇谷)이라 합니다. 이 골짜기를 나가면 바로 삼강성 대로로 이어지고, 골짜기 앞은 탑랑전(塔郎甸)이라 합니다."

공명의 얼굴에 미소가 번졌다.

"하늘이 나를 성공하도록 도와주시는구나!"

공명은 산을 내려와 다시 수레를 타고 대채로 돌아오자마자 마대를 불러 분부를 내린다.

"장군에게 검은 기름을 먹인 궤짝을 실은 수레 10대를 주겠소. 대나무장대 1천개를 만들어 궤짝 안의 물건을 가지고 이러이러하게 하시오. 군사를 거느리고 가서 반사곡 양쪽에 진을 치고 있다가 일러준 대로 행하도록 하오. 그대에게 앞으로 보름의 기한을 줄 터이니, 그안에 모든 준비를 완벽하게 갖추어 약정한 날에 시킨 대로 시행하도록 하오. 이 일이 조금이라도 누설되면 군법에 따라 다스리겠소."

마대가 떠난 뒤 공명은 조자룡을 불렀다.

"장군은 반사곡 뒤쪽 삼강 대로로 가서 내가 시키는 대로 하되, 필요한 물건을 기일 내에 완비하여 한치의 실수도 없어야 하오."

조자룡이 계책을 받고 물러가니, 이번에는 위연을 불렀다.

"장군은 군사를 거느리고 도화수 나루 근처에 주둔하고 있다가, 만병이 물을 건너 쳐들어오거든 싸우지 말고 영채를 버리고 백기가 꽂혀 있는 곳을 향해 달아나시오. 보름 동안 열다섯번의 싸움에 패하고 일곱 영채를 적에게 내주어야 하오. 만일 열네번만 패하고 단 한번이라도 이기는 날에는 나를 다시 볼 생각은 하지 마시오!"

위연은 무조건 패하기만 하라는 말에 시무룩한 얼굴로 떠나갔다. 공명은 다시 장익을 불러 한무리의 군사들을 거느리고 지시한 곳에 가서 영채를 세우고 굳게 지키라 했고, 장의와 마충에게도 항복한 만병 1천명을 거느리고 해야 할 일을 지시했다. 모든 사람들은 공명의 계획에 따라 각자 맡은 일을 하기 위해 출발했다.

한편 맹획은 오과국 주인 올돌골에게 당부하고 있었다.

"제갈량이 계교가 많다지만, 기껏해야 매복을 잘 쓸 뿐이오. 전군에 분부해 다음부터 교전할 때는 산골짜기 수목이 울창한 곳에는 함부로 들어가지 말라 이르시오."

올돌골이 말한다.

"대왕의 말이 옳소이다. 나도 중국사람이 꾀가 많다는 것은 익히 알고 있던 터요. 앞으로 대왕의 말을 명심하겠소. 이제 내가 앞서 나가거든 대왕께서는 뒤에서 나를 도우시오."

올돌골과 맹획이 대책을 이야기하고 있는데, 급보가 들어왔다. 촉군이 도화수 북쪽 기슭에 영채를 세웠다는 것이다. 올돌골은 즉시 두 부장에게 등갑군을 이끌고 강을 건너 촉군과 맞서게 했다. 양군이 맞붙어 싸운 지 불과 몇합 만에 위연은 패하여 달아나기 시작했다. 만병들은 혹시 복병이 있을까 두려운 나머지 추격하지 못하고 그냥 돌아갔다.

다음날 위연은 다시 도화수 북쪽 기슭에 영채를 세웠다. 이를 탐지한 만병들은 다시 강을 건너와 싸움을 벌였다. 위연은 이번에도 몇합 싸우지 않고 패한 척 달아났다. 만병들은 10여리 가량 추격하다가 복병이 있는 것 같지 않자 그대로 밀고 들어가 아예 촉군의 영채를 점령하고 눌러앉았다. 이튿날, 두 부장은 올돌골을 촉군의 영채로 청하여 전황을 보고했다. 이에 올돌골은 즉시 대군을 휘몰고 나가더니 위연을 추격하며 한바탕 싸움을 벌였다. 올돌골의 공격에 위연의 촉군은 갑옷을 벗어던지고 창칼마저 내던진 채 달아났다. 문득 앞쪽에 백기가 꽂혀 있는 것이 보였다. 위연이 패잔병들을 거느리고 달려가보니 그곳에는 이미 영채가 세워져 있었다. 위연의 군사들은 즉시 영채 안으로 들어갔다. 그러나 그것도 잠시, 올돌골이 군사를 휘몰아 계속 추격해오는 탓에 위연은 또다시 영채를 버리고 숨가쁘게 달아나야 했다. 이번에도 만병은 촉의 영채를 점령했다.

다음날에도 만병의 추격은 계속되었다. 위연은 군사를 돌려 몇합 싸워보다가 이내 돌아서서 흰 깃발이 나부끼는 곳을 향해 달아났다. 위연의 군사가 깃발이 꽂힌 곳에 도착하니, 그곳에도 역시 영채가 하나 세워져 있었다. 다음날 또다시 만병들이 몰려왔고, 위연은 싸우는 척하다가 다시 달아났다. 만병들은 촉의 영채를 또 하나 점령했다.

이렇게 되풀이되는 동안 위연은 열다섯번 싸움에 패하고, 연달아 일곱개의 영채를 빼앗겼다. 올돌골의 만병들은 승승장구했다. 올돌골은 승세를 타고 몸소 앞장서서 촉군의 뒤를 계속 추격했다. 그러면서도 산림이 무성한 곳만 나타나면 더 나아가지 않고 사람을 시켜 탐지하게 하니, 과연 그런 곳마다 촉군의 정기가 무수히 나부끼고 있었다. 올돌골이 맹획에게 말한다.

"과연 대왕께서 말씀하신 대로구려!"

맹획도 한바탕 크게 웃으며 말한다.

"제갈량이 계략이 많다 해도 이번만은 아무 소용 없을 것이오. 대왕께서 연일 연승하여 열다섯번이나 적을 무찌르고 영채를 일곱 채나 점령하지 않았소이까? 이제 촉군은 우리 소문만 들어도 줄행랑을 놓고 있소. 제갈량의 계략도 쓸모없게 되었으니, 이런 때 한번만 더 싸우면 가히 대사가 결정될 것이오."

올돌골은 크게 기뻐하며 마침내 촉군쯤은 전혀 대수롭지 않게 여기게 되었다.

싸운 지 열엿새째 되는 날이었다. 위연이 패잔병을 거느리고 와서 등갑군과 다시 맞섰다. 올돌골은 흰 코끼리를 타고 선두에 서 있었다. 해와 달을 장식한 낭수모(狼鬚帽)를 쓰고, 몸에는 황금과 구슬 장신구로 치장하고서 양쪽 갈빗대 아래로 생비늘 갑옷을 드러낸 채 가늘게 뜬 두 눈을 번쩍이고 있었다. 올돌골이 손가락으로 위연을 가리키며 욕설을 퍼부어댔다. 위연이 감히 나가 싸우지 못하고 말고삐를 돌려 달아나자 만병들이 일시에 뒤를 쫓기 시작했다. 위연은 군사들을 이끌고 반사곡 골짜기로 접어들어 백기를 바라고 달아났다. 올돌골이 군사를 이끌고 맹렬하게 추격하면서 위연이 달아난 골짜기를 보니 풀 한포기 나무 한그루 없는 곳이었다. 복병이 숨어 있을 만한 곳이 못 된다고 여긴 올돌골은 마음놓고 골짜기 속으로 추격해들어갔다. 그런 데 들어가보니 적병은 보이지 않고, 검은 궤짝이 실린 수레 수십대가 턱하니 길을 막고 있었다. 만병 하나가 올돌골에게 아뢴다.

"여기는 촉군들의 군량 운송로인데, 대왕께서 오시는 걸 보고 모두 버리고 달아난 것이 분명합니다."

올돌골은 크게 기뻐서 큰소리로 호령하며 계속 촉군의 뒤를 쫓았다. 거의 반사곡을 벗어날 무렵까지도 촉군은 단 한명도 보이지 않았다. 그런데 골짜기 어귀를 막 벗어날 즈음 난데없는 나무토막과 큰 돌이 굴러떨어지며 앞길을 막아버렸다. 올돌골의 군사들이 겨우 길을 열어 빠져나가려는 순간이었다. 갑자기 앞에 있던 크고작은 수레에 실린 풀더미와 마른 나무에 불이 붙기 시작했다. 당황한 올돌골이 급히 후퇴하려 하는데 뒤쪽에서 고함소리가 터지며 보고가 잇따라 들어온다. 골짜기 입구가 나무토막으로 완전히 막혔고, 버려진 수레에 실린 검은 궤짝들은 원래 모두 화약으로 삽시간에 불이 붙어 터지면서 사방으로 번지고 있다는 것이었다. 올돌골은 그나마 주위에 나무와 풀이 없는지라 크게 당황하지는 않았다. 길을 찾아 달리라고 군사들에게 명하는데, 그때 양쪽 산꼭대기에서 무수한 불덩이들이 떨어져내리기 시작했다. 땅에 떨어진 불덩이들이 땅속에 묻혀 있던 약선(藥線, 도화선)으로 옮겨붙으면서 철포가 폭발하니, 골짜기는 삽시간에 불길에 휩싸이며 아수라장으로 변했다. 불길은 이내 만병들의 등갑에 옮겨붙었다. 올돌골과 3만 군사들은 서로 얼싸안고 발버둥치다 모조리 타죽고 말았다.

이때 공명은 산위에서 불길에 휩싸인 산골짜기를 내려다보고 있었다. 만병들은 불에 타서 다리를 뻗은 채 쓰러져 있고, 태반이 철포에 맞아 머리가 터져서 그 지독한 냄새가 코를 찔러 숨쉬기도 어려웠다. 공명이 소리없이 눈물을 흘리며 탄식한다.

"내 비록 나라에는 공을 세웠으나 이런 끔찍한 짓을 했으니 내 명대로 살지는 못하겠구나!"

좌우의 장수들도 숙연해져서 탄식해 마지않았다.

이때 맹획은 영채에 남아 올돌골로부터 좋은 소식이 오기를 기다리고 있었다. 그런데 문득 1천여명의 만병이 영채 앞으로 몰려오더니 절을 하고 웃으며 말한다.

"오과국 군사들이 촉군과 싸워 제갈량을 반사곡에 가둬놓고 포위했으니 대왕께서는 속히 도우십시오. 저희는 모두 본동 사람으로 부득이 촉군에게 항복했으나 다시 대왕께서 일어나신 것을 알고 이렇게 돕고자 왔습니다."

맹획은 크게 기뻐하며 즉시 일족들과 번인(番人, 이민족)들을 이끌고 반사곡으로 향했다. 만병들의 인도를 받아 반사곡에 당도해보니 불길이 치솟는 가운데 송장 타는 냄새가 코를 찌른다. 맹획은 계략에 빠진 것을 깨달았다. 황급히 군사를 물리려 하는데, 왼쪽에서 장의가, 오른쪽에서는 마충이 군사를 이끌고 달려나왔다. 맹획이 두 장수를 맞아 대적하려는 참에 뒤에서 함성이 터져나왔다. 지금까지 아군으로만 알았던 만병들 대부분이 촉군이었던 것이다. 그들은 일제히 달려들어 맹획의 일족을 비롯해 모여 있던 번인들을 삽시간에 결박해버렸다.

맹획은 필마단기로 포위를 뚫고 살길을 찾아 달아났다. 한참 달리다보니 산기슭에 한무리의 인마가 작은 수레를 호위하며 나타났다. 수레에는 윤건을 쓰고 손에 깃털부채를 든 한 선비가 도포를 입고 단정히 앉아 있으니, 바로 공명이었다. 공명이 소리쳐 맹획을 꾸짖는다.

"반적(反賊) 맹획아, 이번에는 어찌하겠느냐?"

맹획은 급히 말머리를 돌려 달아나려 했다. 그때 옆에서 한 장수가 나는 듯이 달려나와 길을 막았다. 그는 마대였다. 마대는 손쓸 틈도 주지 않고 번개같이 맹획을 사로잡아버렸다. 이때 왕평과 장익은 한무리의 군사를 이끌고 맹획의 영채에서 축융부인을 비롯해 일가족 모두를 사로잡아 왔다.

대채로 돌아온 공명이 장막에 올라앉아 여러 장수들에게 말한다.

"이번에 반사곡에서 내 부득이 그런 계책을 썼으나 음덕(陰德)을 크게 잃었소이다. 적들이 숲이 우거진 곳에 복병이 있으리라 생각할 것을 미루어 짐작하고, 텅 빈 영채에 거짓으로 정기만 세워두어 적들로 하여금 더욱 의심하게 만들었소. 위문장(魏文長, 위연의 자)에게 연달아 열다섯번을 패하게 한 것은 만병들의 자신감을 부추기기 위함이었소. 또한 미리 살펴본바, 반사곡은 길이 하나인데다 양쪽 모두 석벽이고 수목이 전혀 없으며 땅은 온통 모래흙이었소. 내 마대에게 기름 바른 검은 궤짝이 실린 수레를 산골짜기에 두게 했는데, 사실 그 궤짝들에는 미리 만들어둔 화포(火炮)가 들어 있었으니, 이름하여 지뢰요. 지뢰 하나마다 철포가 아홉개씩 들어 있는데, 이것을 30보마다 하나씩 파묻고 대나무통을 써서 약선을 연결해두었소. 그러니 하나만 건드려도 연이어 폭발하여 산을 무너뜨리고 돌이 터져나갈 정도임은 말할 것도 없소이다. 조자룡으로 하여금 미리 수레에다 건초를 실어 골짜기 입구에 두고 산위에 나무토막과 돌덩이를 준비하게 했던 것은, 위문장이 거짓 패하여 올돌골과 등갑군을 반사곡으로 유인하고 나서 빠져나오자마자 즉시 그 입구를 틀어막고 불을 붙이기 위해서였소. 내가 들은 바로 '물에 이로운 것은 불에 불리(利於水者 必不利於火)'한 법이라, 등갑은 본래 기름을 먹여 만든 것이어서 칼이나 화살이 뚫지 못하나, 불길은 닿기만 해도 타게 되어 있소. 그렇듯 두꺼운 만병의 등갑을 불로 공격하지 않고 어찌 이길 수 있었겠소? 그러나 오과국 사람들을 씨도 남기지 않고 없앤 것은 나의 큰 죄라 하지 않을 수 없소!"

여러 장수들은 일제히 감탄하여 엎드려 절했다.

"승상의 천기(天機)는 귀신도 헤아릴 수 없습니다."

이윽고 공명은 맹획을 끌어오게 했다. 맹획이 끌려나와 바닥에 꿇어앉자 공명은 좌우에게 명해 맹획의 결박을 풀어주고는 다른 장막으로 옮겨 술과 음식을 대접하여 놀란 가슴을 진정하도록 했다. 그리고 술과 음식을 담당하는 사람을 불러 조용히 몇가지 일을 지시했다.

한편 맹획은 축융부인 · 대래동주 · 맹우 등과 더불어 술을 마시고 있었다. 문득 한 사람이 장막으로 들어와 맹획에게 말한다.

"승상께서는 서로 대면하기 낯부끄러우니 대왕 보기를 원치 않으신다 하십니다. 특히 저에게 대왕을 풀어주라 하시며, 대왕께서는 다시 인마를 거두어 승부를 가리라고 하셨습니다. 그러니 대왕은 속히 돌아가십시오."

맹획은 눈물을 흘리며 말한다.

"일곱번 사로잡아 일곱번 놓아주는 일〔七擒七縱〕은 자고로 없었을 것이니, 내 비록 왕의 은덕을 받지 못한 몸이나 예의는 조금 아오. 어찌 그토록 염치 없이 하겠소?"

맹획은 마침내 형제, 처자와 그 일족들을 거느리고 공명의 장막 앞에 엎드려 육단사죄(肉袒謝罪, 매를 때려달라고 웃통을 벗고 사죄함)하며 고한다.

"하늘 같은 승상의 위엄에 우리 남방 사람들은 다시는 반역하지 않겠습니다!"

공명이 묻는다.

"이제 참으로 그대가 항복을 하겠느냐?"

맹획이 울며 말한다.

"자자손손 살려주신 승상의 은혜를 잊지 않을 것입니다. 어찌 진심으로 복종하지 않겠습니까?"

공명은 몸소 내려가 맹획의 손을 잡고 장막의 높은 자리로 올라갔다. 그리고 즉시 잔치를 베풀어 경축하며 말한다.

"영원히 그대를 동주로 삼고 빼앗은 땅을 모두 돌려줄 터이니 잘 다스리시오."

공명의 처사에 맹획의 일족과 만병들은 크게 감격하여 모두 기뻐 날뛰며 돌아갔다.

七擒孟獲
辛未歲小寒
寶善□□

맹획은 마침내 공명 앞에 항복하다

후세 사람이 시를 지어 공명을 칭송했다.

깃털부채에 윤건 쓰고 수레에 앉아   羽扇綸巾擁碧幢
일곱번 사로잡은 묘한 계책 맹획이 항복했네   七擒妙策制蠻王
지금까지 남만 땅 곳곳에선 그 위덕 기려서   至今溪洞傳威德
높은 언덕에 사당 지어 제사 지내네   爲選高原立廟堂

장사 비의가 공명을 찾아와 간한다.

"승상께서 친히 군사를 이끌고 이 불모의 땅에 깊이 들어와 남방을 평정하여 드디어 만왕이 항복했는데, 어찌하여 따로 관리를 두어 맹획과 함께 지키도록 하지 않으십니까?"

공명이 대답한다.

"그렇게 하기에는 세 가지 어려움이 있소. 우리 관원을 머물게 하려면 마땅히 군사들도 주둔시켜야 하니, 그들이 먹을 식량을 마련하는 것이 그 어려움의 하나요. 또 이번에 우리가 많은 만인을 상하게 하고 그 아비와 형제들을 죽였는데, 만일 관원만 두고 군사를 두지 않으면 반드시 화가 생길 것이니, 이것이 두번째 어려움이오. 마지막으로, 만인들은 누차에 걸쳐 자신들의 왕을 폐하고 죽여버렸는데, 이렇듯 서로 시기하고 의심이 많은 터라 외지인을 끝내 믿지 못할 것이니, 이것이 세번째 어려움이오. 지금 내가 이곳에 관리를 두지 않고 양식을 운반하지 않으면 서로 무사히 지낼 수 있을 것이오."

듣고 있던 사람들 모두 깊이 탄복했다.

그후로 남만 사람들은 공명의 은덕을 기리기 위해 생사당(生祠堂, 살아 있는 사람을 받들어 모시는 사당)을 지어 사시사철 제사를 지내고 공명을 '자부(慈父)'라 불렀다. 그리고 각기 진주와 금은보화, 붉은 옻칠 염료와 약재, 소와 말을 보내 군용에 쓰게 하고, 다시는 반역하지 않겠노라 굳게 맹세하였다. 이로써 남방은 완전히 평정되었다.

공명은 잔치를 열어 군사들을 배불리 먹인 후 철수하여 촉으로 돌아가기로 하고 위연을 선봉으로 삼아 본부군을 거느리게 했다. 그들이 노수가에 이르렀을 때였다. 홀연히 사방에서 검은 구름이 모여들고 물위에 일진광풍이 일더니, 모래와 돌이 날아와 군사들이 한걸음도 전진할 수 없었다. 위연이 군사를 물려 공명에게 아뢰자 공명은 맹획을 불러 그 원인을 물었다.

변경의 만인들 겨우 항복받았거늘	塞外蠻人方帖服
물가에서 원귀들이 또 미쳐날뛰누나	水邊鬼卒又猖狂

맹획은 과연 무어라 대답할 것인가?

91

출사표

승상은 노수에 제를 올린 후 회군하고
중원을 정벌하고자 출사표를 올리다

공명이 군사를 거두어 본국으로 돌아가려 하자 맹획은 크고작은 고
을의 동주와 추장들, 그 고장사람들을 거느리고 나와 절하며 전송했
다.

선봉이 된 위연의 군사들이 노수에 이르렀다. 때는 9월 가을이었는
데 갑자기 검은 구름이 몰려오면서 광풍이 휘몰아쳐 군사들이 강을
건널 수 없었다. 위연은 돌아가 공명에게 이 사실을 고했다. 공명이
그 까닭을 묻자 맹획이 대답한다.

"본래 노수에는 미친 귀신이 있어서 재앙을 일으키니, 그곳을 건너

려면 반드시 제사를 지내야 합니다."

공명이 묻는다.

"무엇으로 제사를 지내야 하오?"

맹획이 설명한다.

"옛날에 미친 신이 재앙을 일으킬 때 칠칠(七七) 하여 49개의 사람 머리와 검은소, 흰양을 잡아 제사를 지냈습니다. 그랬더니 자연히 바람이 잦아들고 물결이 고요해졌으며, 나아가 해마다 풍년이 들었습니다."

공명이 탄식한다.

"내 이제 대사를 마쳤는데 어찌 다시 귀중한 목숨을 하나라도 없앨 수 있겠소?"

공명은 몸소 노수 강변으로 가보았다. 과연 음산한 바람이 세차게 불고 물결이 거칠게 일어 인마가 모두 놀라고 있었다. 공명이 의아한 마음에 그 고장사람을 불러 물으니 그곳 사람이 대답한다.

"지난번에 승상께서 이곳을 건너신 뒤로 밤마다 강가에서 귀신들이 울부짖는데, 황혼 무렵부터 동이 틀 때까지 울음소리가 끊이질 않습니다. 또 짙게 낀 안개 속에서 무수한 음귀(陰鬼)들이 해코지를 하여 그후로 아무도 이 강을 건너지 못했습니다."

공명이 말한다.

"이 모든 것이 나의 죄로다! 지난번에 마대가 거느린 촉군 1천여명이 이 물을 건너다 죽었고, 그후 남만 사람들을 죽여 이곳에 버렸으니 미친 혼령과 원귀가 한을 풀지 못하였을 것이다. 내 오늘밤 물가에서 이들을 위해 제를 올리리라."

그곳 사람이 다시 말한다.

"옛법에 따라 사람머리 49개를 바쳐 제사를 지내면 원귀들이 스스로 물러갈 것입니다."

"사람이 죽어서 원귀가 되었는데 어떻게 또 사람을 죽일 수 있겠는가? 내게 좋은 방도가 있도다."

공명은 즉시 음식을 맡아보는 군사를 불러 명한다.

"소와 양을 잡고 밀가루를 반죽해 사람머리 모양을 만들되 그 속에 쇠고기와 양고기를 채워넣도록 하라."

그리고 이것을 이름하여 만두(饅頭)라고 했다.

그날밤 노수 기슭에 향안(香案)을 차려놓고 제물을 올린 다음 49개의 등불을 밝히고 깃발을 세워 혼을 부르며 만두를 땅에다 늘어놓았다. 3경(밤 12시)이 되었다. 공명은 금관을 쓰고 학창의(鶴氅衣)를 입은 뒤 몸소 제를 올리기 시작했다. 동궐(董闕)을 시켜 제문을 읽으니, 그 내용은 다음과 같다.

대한(大漢) 건흥(建興) 3년 9월 1일 무향후 익주목(武鄕侯 益州牧) 승상 제갈량은 삼가 제의를 갖추어, 지난날 왕사(王事)를 위해 죽은 촉의 군사와 남쪽 사람들의 어두운 혼령들에게 고하노라.

우리 대한 황제께서는 위엄이 오패(五霸, 춘추시대의 이름 높은 다섯 제후 제환공 齊桓公·송양왕宋襄王·진문공晉文公·진목공秦穆公·초장왕楚莊王)보다 높으시고, 그 밝음은 삼왕(三王, 하우왕夏禹王·은탕왕殷湯王·주문왕周文王)을 이으셨거늘, 지난날 원방(遠方)이 경계를 침범하고 풍속이 다른 사람들이 군사를 일으켜 독수를 뻗쳐 요사한 짓을 일삼으며, 방자하게도 못된 마음을 드러내어 난을 일으키니, 내 왕명을 받들어 멀고 거친 남만땅에 와서 그 죄를 물었노라. 대군을 일으켜 개미

떼 같은 무리를 깨끗이 멸하고자 용감한 군사들이 구름처럼 모이니, 미친 무리들이 얼음 녹듯 사라지고 우리 대군의 파죽지세에 원숭이 같은 무리가 풍비박산나고 말았노라. 군사들은 모두 9주의 호걸들이요, 관료와 장교들은 모두 사해의 영웅으로 무예를 익혀 전장에 나왔도다. 공명정대함으로 주상을 섬겨 한결같이 지성을 다해 일곱번 만왕을 사로잡아 다같이 나라를 받드는 정성을 굳게 지켰고 임금께 충성하고자 했도다.

뜻하지 않게 그대들에게 전운(戰運)이 없어 적의 간계에 빠졌으니 난데없이 날아온 화살에 맞아 저승길을 떠나거나 칼과 창에 찔려 불귀의 객이 되었구나. 살아서는 용맹스러웠고 죽어서는 이름을 남겼도다. 이제 개가를 부르면서 돌아가 종묘에서 포로를 바쳐 승전 보고를 올릴 것이로다.

그대들 영령이 있다면 이 간절한 기도를 들으라. 바라건대 나의 깃발을 따르고 대오를 좇아 본국 고향으로 돌아가 골육지간이 모시는 제사를 받도록 하라. 타향 귀신이 되지 말며 부질없이 이역을 떠도는 외로운 넋이 되지 말지어다. 내 마땅히 황제께 고하여 그대들의 집집마다 나라의 은혜가 미치도록 하고, 해마다 옷과 양식을 보내며 달마다 녹봉을 내려 그대들의 충정에 사례하고 그대들의 마음을 위로할 것이다.

이 지방 토신과 남방 혼령에게는 혈식(血食, 신에게 바치는 제물. 고대에 이를 날것으로 쓴 데서 유래한 말)이 항상 있을 것이며, 머지않아 의지할 곳이 생기도록 할 것이다. 산 자들도 이미 황제의 위엄에 복종했으니 죽은 자들도 왕화(王化)에 귀의하라. 이제 원한을 거두고 다시는 울부짖지 말라. 여기에 보잘것없으나 지극한 정성으로 삼가 제사를 올리니, 아 슬프고 애달파라〔嗚呼哀哉〕, 엎드려 흠향하기를 바라노라〔伏惟尙饗〕.

제문을 다 읽고 나자 공명은 목놓아 통곡하며 애통해했다. 군사들도 모두 감동하여 눈물을 흘리지 않는 자가 없었고, 맹획을 비롯한 남만 사람들도 모두 통곡했다. 그러자 음산한 구름과 원한이 서린 안개 속에서 수천 혼령들이 바람결에 흩어져갔다. 공명이 좌우에게 명하여 노수에 제물을 뿌렸다.

이튿날 공명은 대군을 거느리고 노수 남안에 이르렀다. 구름이 흩어지고 안개는 걷혔으며, 바람은 자고 물결도 잔잔하여 촉군들은 마음놓고 강을 건널 수 있었다.

| 말채찍 날리고 금등자 울리며 | 鞭敲金鐙響 |
| 사람들 개선가를 부르며 돌아간다 | 人唱凱歌還 |

촉의 대군은 영창(永昌)에 당도했다. 공명은 왕항과 여개로 하여금 그곳에 남아 4군을 지키도록 하고, 그곳까지 사람들을 이끌고 전송하러 온 맹획과 작별하면서 당부했다.

"정사에 힘써 아랫사람을 잘 돌보고, 부디 백성들을 보살펴 농사지을 시기를 놓치지 마오."

맹획 등은 공명에게 울면서 절하고 떠나갔다.

공명은 대군을 거느리고 성도로 돌아왔다. 후주가 난가를 타고 성밖 30리까지 나와 기다리고 있었다. 공명은 황망히 수레에서 내려 길에 엎드려 아뢴다.

"남방을 평정하는 데 너무 오래 시일을 끌어 주상께 근심을 끼쳤으니, 이는 신의 죄이옵니다."

후주는 몸소 공명을 부축해 일으키고 함께 수레를 타고 돌아와, 태평연회를 성대히 벌이고 전군에게 큰 상을 내렸다. 이때부터 먼 변방의 나라에서까지 조공을 바쳐왔는데, 그 수가 무려 2백여 곳에 이르렀다. 공명은 후주에게 아뢰고, 남방 평정에서 목숨을 잃은 군사들의 집을 일일이 찾아가 보살펴주었다. 이에 많은 사람들이 기뻐하고 조정과 백성이 모두 평안하였다.

한편 위왕 조비가 제위에 오른 지 7년이 되었다. 촉한으로는 건흥 4년(226)이다. 조비가 처음으로 맞이한 부인 견(甄)씨는 원래 원소(袁紹)의 둘째 아들 원희(袁熙)의 아내였는데, 지난날 업성을 점령했을 때 빼앗아 자기 아내로 삼았던 것이다. 뒤에 아들 하나를 낳으니, 이름은 예(睿)요 자는 원중(元仲)으로, 어렸을 때부터 총기가 뛰어나 조비가 매우 사랑했다. 그후 조비는 안평(安平) 광종(廣宗) 사람인 곽영(郭永)의 딸을 거두어 귀비(貴妃)를 삼았다. 곽귀비는 그 용모가 매우 아름다워서 그의 아비는 일찍이 딸을 자랑하여 말하곤 했다.

"내 딸은 여자 중에서 왕이니라."

이때부터 사람들은 곽영의 딸을 '여왕'이라 불렀다. 그뒤로 견씨 부인은 조비의 총애를 잃었다. 곽귀비는 조비의 총애를 차지한 것만으로는 성이 차질 않아서 황후가 되고자 조비의 심복인 장도(張韜)와 함께 은밀히 일을 꾸미기에 이르렀다. 이무렵 조비는 병을 앓고 있었다. 하루는 장도가 오동나무 인형을 바치며 거짓으로 아뢴다.

"견부인이 거처하는 궁전 뜰에서 파냈는데 폐하의 생년월일과 태어난 시가 적혀 있는 것으로 보아 폐하를 주살하려는 음모로 보입니다."

조비는 격노하여 즉시 견부인을 죽이고 곽귀비를 황후로 세웠다. 아들이 없는 곽귀비는 조예를 매우 사랑했으나, 세자로 책봉하려 하지는 않았다. 조예가 15세가 되어서는 활쏘기와 말타기에도 능했다. 그해 봄 2월에 조비는 아들을 데리고 사냥을 나갔다. 두 사람이 골짜기를 지나는데, 마침 어미사슴과 새끼사슴 두 마리가 나타났다. 조비가 날렵하게 화살 한 대로 어미사슴을 넘어뜨리고 돌아보니, 새끼사슴이 조예의 말 앞으로 달려가고 있었다. 조비가 소리 높여 외쳤다.

"어서 쏘지 않고 뭣하느냐?"

조예는 끝내 활을 당기지 않았다. 조비가 큰소리로 꾸짖었다.

"사슴이 가까이 있는데 왜 쏘지 않았느냐?"

조예는 말 위에서 울며 고했다.

"폐하께서 이미 어미를 잡으셨는데, 어떻게 차마 그 새끼마저 죽이겠사옵니까?"

조비는 이 말을 듣고 활을 땅에 던지며 말했다.

"내 아들은 참으로 어질고 덕이 있는 임금이 되겠구나!"

그뒤 조비는 아들 예를 평원왕(平原王)에 봉했다.

그해 5월 조비는 한질(寒疾, 감기)에 걸렸는데 백약을 써도 낫지 않았다. 조비는 드디어 중군대장군(中軍大將軍) 조진(曹眞), 진군대장군(鎭軍大將軍) 진군(陳群), 무군대장군(撫軍大將軍) 사마의(司馬懿) 세 사람을 침궁(寢宮)으로 불러들였다. 그리고 아들 조예를 가까이 오게 하여 조진 등 세 사람에게 부탁한다.

"이제 짐은 병이 위중하여 다시 일어나기 어렵게 되었소. 아직 이 아이가 어리니, 경들 세 사람은 잘 보좌하여 짐의 마음을 저버리지 않도록 하오."

세 사람이 깜짝 놀라 한입으로 아뢴다.

"폐하께서는 어찌하여 그런 말씀을 하십니까? 신 등은 오로지 천추만세(千秋萬歲)에 이르도록 폐하를 섬기고자 하옵니다."

조비가 말한다.

"금년 들어 허도의 성문이 까닭없이 무너지니 이는 불길한 조짐이오. 짐은 스스로 더 살지 못할 것을 잘 알고 있소."

이때 내시가 침궁으로 들어와 아뢴다.

"정동대장 조휴가 입궁하여 문안을 드리고자 하옵니다."

조비는 조휴를 들라 이르고 그에게도 부탁한다.

"경들은 모두 이 나라의 기둥이며 주춧돌 같은 신하들이오. 그대들이 힘을 다해 이 아이를 도와준다면 짐은 죽어서도 편히 눈을 감을 수 있겠소."

조비는 말을 마치고 눈물을 흘리며 숨을 거두었다. 이때 조비의 나이 40세, 재위 7년 만의 일이었다.

조진·진군·사마의·조휴 등 중신들은 국상(國喪)을 알리는 한편 조예를 옹립해 대위(大魏) 황제로 삼았다. 조예는 부친 조비에게 문황제(文皇帝)라는 시호를, 모친 견씨에게는 문소황후(文昭皇后)라는 시호를 바쳤다. 그리고 종요(鍾繇)를 태부로 삼고, 조진을 대장군으로 삼았으며, 조휴를 대사마로 삼고, 화흠을 태위로 삼았다. 왕랑을 사도로 삼고, 진군을 사공(司空)으로 삼았으며, 사마의를 표기대장군으로 삼았다. 나머지 문무관료들도 각각 벼슬을 높이고, 천하에 대사면령을 내렸다. 이때 옹주(雍州)와 양주(涼州) 두 고을을 지키는 관원이 비어 있었다. 사마의가 표문을 올려 서량 일대를 지키겠노라 자원하자 조예는 그 뜻을 받아들여 사마의를 제독(提督)으로 봉하고 그곳의 병마를 거느리게 했다. 사마의는 칙명을 받고 곧 임지로 떠나갔다.

이 소식은 곧 정탐꾼에 의해 서천에 있는 공명의 귀에 들어갔다. 공명이 몹시 놀라며 말한다.

"조비가 죽고 어린 아들 조예가 즉위했다니 달리 염려할 것은 없으나 다만 지모가 뛰어난 사마의가 옹주와 양주 두 고을의 제독이 되었으니 그게 걱정이오. 사마의가 군사들을 훈련시키면 반드시 우리 촉의 큰 우환이 될 터, 우리가 선수를 쳐서 군사를 일으키고 위를 공격하는 편이 낫겠소."

참군 마속이 말한다.

"승상께서는 남방을 평정하고 돌아오신 지 얼마 되지도 않으셨으며 군마가 모두 피로하여 잘 쉬고 힘을 길러야 하거늘, 어찌 다시 원정길에 오르려 하십니까. 제게 한 가지 계책이 있으니, 사마의로 하여금 조예의 손에 죽게 하겠습니다. 허락해주시겠습니까?"

"그 계책이란 무엇이오?"

"사마의는 비록 위의 대신이지만 조예가 본래부터 의심하여 꺼리는 인물입니다. 이제 멀리 낙양이나 업군 등지로 사람을 보내 사마의가 모반을 꾀한다고 헛소문을 퍼뜨리고, 그가 천하에 알리는 것처럼 방문을 만들어 곳곳에 갖다붙인다면 반드시 조예의 마음에 의심이 생겨 그를 죽일 것입니다."

공명은 마속의 말에 따랐다. 곧 은밀하게 사람을 여러 곳으로 보내 계책대로 행하게 했다.

드디어 어느날 업군 성문 위에는 난데없는 방문이 나붙었다. 문지기가 이를 발견하고 즉시 떼어다가 조예에게 바쳤다. 조예가 보니 그 내용은 다음과 같았다.

옹주와 양주 등의 병마를 총괄하는 표기대장군 사마의는 삼가 신의로써 천하에 포고하노라. 지난날 태조(太祖) 무황제(武皇帝, 조조)께서 나라를 세우시고, 진사왕(陳思王) 자건(子建, 조식)을 세워 사직의 주인으로 삼고자 하셨으나, 불행히 간사한 신하들이 모략하여 오래도록 잠룡(潛龍, 제위에 오르기 전의 황제)의 처지가 되었도다. 황손 조예는 본래 덕행도 없으면서 망령되게 스스로 높은 자리에 올라 태조의 유의(遺意)를 저버렸도다.

내 이제 하늘의 뜻에 따르고 사람의 마음에 순종하여 군사를 일으켜 만백성이 바라는 바를 이루려 하노니, 이 방문을 보는 즉시 모두 새 임금의 명을 받들도록 하라. 만약 순종하지 않는 자는 9족을 멸할 것이다. 먼저 이를 알리나니 삼가 명심하라.

방문을 읽은 조예는 대경실색하여 급히 모든 신하들을 불러들여 의논했다. 태위 화흠이 아뢴다.

"사마의가 표문을 올려 옹주와 양주를 지키겠다 자원한 것은 바로 이런 뜻을 품고 있었기 때문입니다. 전에 태조 무황제께서 신에게 이르시기를 '사마의는 매처럼 노려보고 이리처럼 돌아다보니 병권(兵權)을 주어서는 안된다. 그가 만일 병권을 쥐는 날에는 반드시 나라에 큰 화가 미칠 것이다'라고 하셨습니다. 이제 그가 모반의 뜻을 품었으니 당장 없애야 합니다."

옆에 있던 왕랑이 거든다.

"사마의는 육도삼략(병법)에 밝으며 군사를 부리는 수완이 뛰어나 본래부터 큰뜻을 품고 있었습니다. 일찍이 없애지 않으면 나중에 반드시 큰 화를 입을 것입니다."

마침내 조예는 군사를 일으켜 친히 사마의를 치러 가려고 했다. 이때 반열에서 대장군 조진이 나오며 아뢴다.

"안됩니다. 문황제께서 신을 비롯한 몇사람에게 후사를 부탁하신 것은 사마중달(司馬仲達, 중달은 사마의의 자)에게 두 마음이 없음을 믿으셨기 때문입니다. 지금 그 진위 여부도 가리지 않고서 그를 치기 위해 군사를 일으킨다면 오히려 그의 반역을 재촉하는 일이 될 것입니다. 이는 어쩌면 오나 촉의 간사한 첩자들이 반간계(反間計)로 우리 군신(君臣)을 어지럽히고, 그 틈을 타서 쳐들어오기 위해 꾸민 일인지 알 수 없습니다. 폐하께서는 깊이 살피십시오."

조예가 묻는다.

"사마의가 정말 모반했다면 어찌하겠소?"

"폐하께서 그리 의심이 나시거든 한고조가 거짓으로 운몽(雲夢)에 놀러 가셨던 것처럼(초나라왕 한신韓信의 모반을 의심한 한고조 유방이 거짓으로 놀러 나간 체하고 영접나온 한신을 사로잡은 고사) 안읍(安邑)으로 행차하소서. 사마의가 반드시 나와 영접할 것이니, 그때 잘 살피시다가 수레 앞에서 그를 사로잡으면 되지 않겠습니까?"

조예는 대장군 조진의 말에 따라 그에게 나랏일을 감찰하게 한 다음, 친히 10만 어림군을 이끌고 안읍으로 향했다. 아무것도 모르는 사마의는 다만 황제께 그동안 훈련시킨 군사들의 위세를 보여주고 싶은 마음에 군마를 정비해 갑옷 입은 군사 수만명을 거느리고 어가를 맞으러 나왔다. 측근 신하가 이를 보고 조예에게 아뢴다.

"사마의가 군사 10만여 명을 이끌고 나왔습니다. 진정 모반의 뜻을 품은 듯하옵니다."

조예는 황급히 조휴에게 군사를 이끌고 앞서 나아가 대처하도록 명했다. 한편 사마의는 한 무리의 군마가 달려오는 것을 보고 임금의 어가가 친히 오는 줄 알고 급히 말에서 내려 길가에 엎드려 맞이했다. 그런데 조휴가 와서 큰소리로 외친다.

"중달은 어찌하여 선제께서 부탁하신 중임을 저버리고 감히 모반을 꾀하는가?"

사마의는 아연실색하여 온몸에 땀을 흘리며 반문한다.

"모반이라니 무슨 말씀이오?"

조휴가 지금까지의 일을 말하니 사마의는 펄쩍 뛴다.

"이는 필시 동오와 촉의 간사한 반간계가 틀림없소. 정탐꾼을 이용해 우리 군신을 이간하고 그 틈을 노려 공격하려는 것이니, 마땅히 제가 황제를 뵙고 아뢰겠소이다."

사마의는 군마를 물리고 어가 앞에 엎드려 울며 아뢴다.

"신은 선제께서 맡기신 중임을 받들었으니 어찌 감히 딴마음을 품겠사옵니까? 이는 필시 오와 촉의 간계이니, 청컨대 얼마간의 군사들을 이끌고 먼저 촉을 격파한 후에 오를 무찔러 선제와 폐하께 보답함으로써 신의 마음을 밝히 해주소서."

조예는 의심이 풀리지 않아 선뜻 마음을 정하지 못했다. 곁에서 지켜보던 화흠이 아뢴다.

"사마의에게 병권을 주시면 안 됩니다. 즉시 파직한 뒤 고향으로 돌려보내소서."

그 말에 따라 조예는 사마의의 관직을 삭탈하고 고향으로 돌려보낸 다음 조휴에게 옹주·양주의 병마를 총독하도록 하고 낙양으로 돌아갔다.

한편 이 소식은 곧 정탐꾼에 의해 공명에게 전해졌다. 공명이 크게 기뻐하며 말한다.

"내 위를 치려 한 지 오래였으나 사마의가 옹주·양주의 군사를 총독하는 탓에 거사하기 어려웠다. 이제 우리의 계교로 사마의가 쫓겨났으니 더 무엇을 근심하겠느냐?"

다음날 모든 관료들이 모인 가운데 후주가 조회를 하는 중에 문득 공명이 반열에서 나와 출사표(出師表)를 올렸다.

신 제갈량은 아뢰옵니다. 선제께서 창업하신 뜻의 절반도 이루지 못한 채 중도에 붕어하시고, 이제 천하는 셋으로 나뉘어 익주(서촉)가 매우 피폐하니, 참으로 나라의 존망이 위급한 때입니다. 하오나 폐하를 모시는 신하들이 안에서 게으르지 않고 충성스런 무사들이 밖에서 목숨을 아끼지 않음은 선제께서 특별히 대우해주시던 은혜를 잊지 않고 오로지 폐하께 보답하고자 하는 마음 때문입니다. 폐하께서는 마땅히 충언에 귀를 크게 열어 선제의 유덕(遺德)을 빛내시며, 지사(志士)들의 의기를 드넓게 일으켜주소서. 스스로 덕이 박하고 재주가 부족하다고 여기서서 그릇된 비유를 들어 대의를 잃으셔서는 안되며, 충성스럽게 간하는 길을 막지 마소서. 또한 궁중(宮中, 황제)과 부중(府中, 신하들)이 다 함께 한뜻이 되어 잘한 일을 상주고 잘못한 일을 벌하는 데 다름이 있어서는 안될 것이옵니다.

출사표를 올리는 공명

만일 간악한 짓을 범하여 죄 지은 자와 충성스럽고 착한 자가 있거든 마땅히 각 부서에 맡겨 형벌과 상을 의논하시어 폐하의 공평함과 명명백백한 다스림을 더욱 빛나게 하시고, 사사로움에 치우쳐 안팎으로 법을 달리하는 일이 없게 하소서.

시중(侍中) 곽유지(郭攸之)와 비의(費禕), 시랑(侍郎) 동윤(董允) 등은 모두 선량하고 진실하며 뜻과 생각이 고르고 순박하여 선제께서 발탁해 폐하께 남기셨으니, 어리석은 신이 생각건대 궁중의 크고작은 일을 모두 그들에게 물어보신 후에 시행하시면 반드시 허술한 곳을 보완하는 데 널리 이로울 것입니다. 장군 향총(嚮寵)은 성품과 행실이 맑고 치우침이 없으며 군사(軍事)에 밝은지라 지난날 선제께서 그를 시험삼아 쓰신 뒤에 능력이 있다 말씀하셨습니다. 그리하여 여러 사람의 뜻을 모아 그를 도독으로 천거했으니, 어리석은 신의 생각으로는 군중(軍中)의 크고작은 일은 그에게 물어 결정하시면 반드시 군사들간에 화목할 것이며, 뛰어난 자와 부족한 자가 모두 적재적소에서 맡은바 임무를 다할 것입니다.

전한(前漢)이 흥한 것은 현명한 신하를 가까이하고 소인배를 멀리했기 때문이며, 후한(後漢)이 무너진 것은 소인배들을 가까이하고 현명한 신하를 멀리한 때문이니, 선제께서는 생전에 신들과 이런 이야기를 나누시면서 일찍이 환제(桓帝)와 영제(靈帝) 때의 일에 대해 통탄을 금치 못하셨습니다. 시중과 상서, 장사와 참군 등은 모두 곧고 밝은 사람들로서 죽기로써 절개를 지킬 신하들이니, 원컨대 폐하께서는 이들을 가까이 두시고 믿으소서. 그리하시면 머지 않아 한실은 융성할 것입니다.

신은 본래 하찮은 포의(布衣, 벼슬하지 않은 사람)로 남양땅에서 논밭을 갈면서 난세에 목숨을 보존하고자 했을 뿐, 제후를 찾아 영달을 구할 생각은 없었습니다. 하오나 선제께서는 신을 비천하게 여기지 않으시고 세번씩이나 몸을 낮추어 몸소 초려를 찾아오시어 신에게 당세의 일을 자문하시니, 신은 이에 감격하여 마침내 선제를 위해 몸을 아끼지 않으리라 결심하고 응하였습니다. 그후 국운이 기울어 싸움에 패하는 어려움 가운데 소임을 맡아 동분서주해온 지 어언 스무해 하고도 한해가 지났습니다.

선제께서는 신이 삼가고 신중한 것을 아시고 돌아가실 때 대사를 맡기셨나이다. 신은 선제의 명을 받은 이래 조석으로 근심하며 혹시나 그 부탁하신 바를 이루지 못하여 선제의 밝으신 뜻을 손상하지 않을까 두려워하던 끝에, 지난 5월에 노수를 건너 불모의 땅으로 깊이 들어갔습니다. 이제 남방은 평정되고 병기와 갑옷도 넉넉하니, 마땅히 삼군을 거느리고 북쪽으로 나아가 중원을 평정해야 할 것입니다. 노둔하나마 있는 힘을 다해 간흉한 무리를 제거하고 한실(漢室)을 다시 일으켜 옛 도읍으로 돌아가는 것만이 바로 선제께 보답하고 폐하께 충성하는 신의 직분입니다. 손익(損益)을 헤아려 폐하께 충언 드릴 일은 이제 곽유지·비의·동윤 등의 소임이옵니다.

원컨대 폐하께서는 신에게 역적을 토벌하고 한실을 부흥시킬 일을 명하시고, 만일 이루지 못하거든 신의 죄를 다스리시어 선제의 영전에 고하소서. 또한 한실을 다시 일으키는 데 충언이 올라오지 않거든 곽유지·비의·동윤의 허물을 책망하시어 그 태만함을 세상에 드러내소서. 폐하께서도 마땅히 스스로 헤아리시어 옳은 방도를 취하시고, 신하들의 바른말을 잘 살펴 들으시어 선제께서 남기신 뜻을 좇으소서.

신이 받은 은혜에 감격을 이기지 못하옵나이다! 이제 멀리 떠나는 자리에서 표문을 올리며 눈물이 앞을 가려 무슨 말씀을 아뢰어야 할지 모르겠나이다.

후주가 표문을 읽어보더니 말한다.

"상보께서는 멀고 먼 남방 정벌에 온갖 어려움을 겪으시다 방금 도읍에 돌아와 아직 편안히 쉬지도 못하셨소. 그런데 이제 또다시 북벌을 떠나려 하시니, 너무 노심초사하시는 게 아닌가 하여 걱정입니다."

공명이 대답한다.

"신은 선제께서 당부하신 중임을 맡은 이래 한시도 게을리한 적이 없었습니다. 이제 남방이 평정되고 안으로 다른 근심이 없사오니, 이때 역적을 토벌하여 중원을 회복하지 않는다면 다시 어느 때를 기다리겠습니까?"

이때 갑자기 반열 중에서 태사(太史) 초주(譙周)가 앞으로 나서며 아뢴다.

"신이 밤에 천문을 보니 북방의 정기가 왕성하며 별들이 더욱 밝게 빛나고 있었사옵니다. 지금은 때가 아닌 듯하옵니다."

이어 공명을 향해 말한다.

"누구보다도 천문에 밝으신 승상께서 어찌하여 무리하게 일을 도모하려 하십니까?"

공명이 말한다.

"천도(天道)란 원래 덧없이 변하는 것이니 어찌 그에 얽매이겠는가? 내 한중(漢中)에 군마를 주둔해두고 저들의 움직임을 보아가며 행할 것이니 너무 염려하지 마시오."

공명은 애써 간하는 초주의 만류를 끝내 물리쳤다. 공명은 곽유지·동윤·비의 등을 시중으로 삼아 남아서 대궐의 일을 총괄하도록 하고 또한 향총을 대장으로 삼아 어림군을 총독하게 했다. 또 장완(蔣琬)을 참군으로 삼고 장예(張裔)를 장사(長史)로 삼아 승상부의 일을 맡아보게 했다. 두경(杜瓊)을 간의대부(諫議大夫)로, 두미(杜微)와 양홍(楊洪)을 상서(尙書)로, 맹광(孟光)과 내민(來敏)을 좨주(祭酒)로, 윤묵(尹默)과 이선(李譔)을 박사(博士)로, 극정(郤正)과 비시(費詩)를 비서(秘書)로, 초주(譙周)를 태사로 삼는 등, 내외 문무관료 1백여명이 함께 촉의 정사를 맡아서 처리하게 했다.

조서를 받들고 승상부로 돌아온 공명은 다시 여러 장수를 불러모아 영을 내렸다. 전독부(前督部)는 진북장군(鎭北將軍) 승상사마(丞相司馬) 양주자사(涼州刺史) 도정후(都亭侯) 위연이 맡게 하고, 전군도독(前軍都督)은 부풍태수(扶風太守) 장익이, 아문장(牙門將)은 비장군(裨將軍) 왕평이 맡게 했다. 후군영병사(後軍領兵使)는 안한장군(安漢將軍) 건녕태수(建寧太守) 이회(李恢)에게 맡기고, 부장(副將)에는 정원장군(定遠將軍) 한중태수(漢中太守) 여의(呂義)를 임명했다. 관운량(管運糧) 및 좌군영병사(左軍領兵使)는 평북장군(平北將軍) 진창후(陳倉侯) 마대에게 맡겼으며, 그 부장으로는 비위장군(飛衛將軍) 요화(寥化)를 임명했다. 우군영병사(右軍領兵使)는 분위장군(奮威將軍) 박양정후(博陽亭侯) 마충과 무융장군(撫戎將軍) 관내후(關內侯) 장의(張嶷)가 맡았다. 행중군사(行中軍師)는 거기대장군(車騎大將軍) 도향후(都鄕侯) 유염(劉琰)이, 중감군(中監軍)은 양무장군(揚武將軍) 등지가, 중참군(中參軍)은 안원장군(安遠將軍) 마속이 맡았다. 또한 전장군(前將軍)으로 도정후(都亭侯) 원침(袁綝)을 임명하고, 좌장군(左將軍)은 고양후(高陽侯) 오의(吳懿)를, 우장군(右將軍)은 현도후(玄都侯) 고상(高翔)을, 후장군(後將軍)은 안락후(安樂侯) 오반(吳班)을 임명했다. 영장사(領長史)는 수군장군(綏軍將軍) 양의(楊儀)가 맡았고, 전장군으로는 정남장군(征南將軍) 유파(劉巴)를 임명했으며, 전호군(前護軍)은 편장군(偏將軍) 한성정후(漢城亭侯) 허윤(許允)이 맡았고, 좌호군(左護軍)은 독신중랑장(篤信中郎將) 정함(丁咸)이 맡았으며, 우호군(右護軍)은 편장군 유민(劉敏)이, 후호군(後護軍)은 전군중랑장(典軍中郎將) 관옹(官雝)이, 행참군(行參軍)은 소무중랑장(昭武中郎將) 호제(胡濟)와 간의장군(諫議將軍) 염안(閻晏), 편장군 찬습(爨習), 비장군(裨將軍) 두의(杜義), 무략중랑장(武略中郎將) 두기(杜祺), 수융도위(綏戎都尉) 성발(盛教) 등이 맡았다. 종사(從事)는 무략중랑장 번기(樊岐)로, 전군서기(典軍書記)는 번건(樊建)으로, 승상영사(丞相令史)는 동궐(董厥)로, 장전좌호위사(帳前左護衛使)는 용양장군(龍驤將軍) 관흥으로, 우호위사(右護衛使)는 호익장군(虎翼將軍) 장포로 각각 임명하였다. 이상의 관원들이 모두 평북대도독(平北大都督) 승상(丞相) 무향후(武鄕侯) 익주목(益州牧) 지내외사(知內外事) 제갈량을 따라 출정하게 되었다. 이렇게 중원정벌을 위한 각자의 소임을 정한 뒤 공명은 이엄 등에게 격문을 보내 천구(川口)를 굳게 지켜 동오를 막도록 지시했다.

마침내 건흥 5년(227) 춘삼월 병인일(丙寅日)을 택해 위를 치기 위해 출정하기로 했다. 이때 문득 장하에서 한 노장이 소리를 버럭 지르며 나온다.

"내 비록 늙었다 하나 오히려 염파(廉頗, 전국시대 조나라의 명장) 같은 용맹이 있고, 마원(馬援, 한무제 때의 맹장) 같은 영웅의 기개가 있소이다. 이들 옛사람도 모두 늙어서까지 싸웠거늘, 어찌하여 나를 쓰지 않는 거요?"

모든 사람들이 보니 바로 조자룡이었다. 공명이 부드러운 어조로 말한다.

"내 남방을 평정하고 돌아온 이래 마맹기(馬孟起, 마초의 자)가 병으로 죽어서 마치 한쪽 팔이 떨어져나간 듯 애석하오. 장군은 연세가 많으시니 만일 무슨 일이라도 생기면 일세의 영용한 이름이 하루아침에 흔들릴 것이며, 나아가 촉중의 사기가 꺾이지 않겠소?"

조자룡은 더욱 언성을 높인다.

"나는 선제를 따른 이래로 싸움에서 단 한번도 물러선 적이 없으며, 적을 만나 선봉에 서지 않은 적이 없었소. 대장부가 싸움터에서 죽으면 그만이지 무슨 한이 있겠소이까. 원컨대 승상께서는 나를 선봉으로 삼아주소서!"

공명이 거듭 간곡하게 만류했으나 조자룡은 끝내 듣지 않았다.

"승상께서 나를 선봉으로 삼지 않겠다면 이 자리에서 섬돌에다 머리를 박고 죽고 말겠소."

공명이 말한다.

"장군께서 굳이 선봉에 서시겠다면 다른 한 장수와 함께 가도록 하시오."

이때 한 사람이 나선다.

"제가 비록 재주는 없으나, 노장군을 도와 먼저 군사를 거느리고 가서 적을 무찌르겠습니다."

공명이 바라보니 바로 등지(鄧芝)였다. 공명은 크게 기뻐하며 즉시 정예병 5천명과 부장 10명을 내주고 조자룡과 등지를 따르게 했다. 드디어 공명은 출정길에 올랐다. 후주는 문무백관을 거느리고 북문 밖 10리까지 나와 전송했다. 공명은 후주께 하직하고, 깃발이 들판을 뒤덮고 창날 칼날이 숲을 이룬 가운데 군사를 거느리고 한중을 향해 진군했다.

한편 변방에 있던 위의 정탐꾼들은 이 소식을 탐지해 즉시 낙양에 보고했다. 그때 조예는 조회를 열고 있었는데 근신이 나서며 아뢴다.

"변방으로부터 보고가 들어왔사옵니다. 제갈량이 30만 대군을 거느리고 한중에 주둔하고, 조자룡과 등지를 선봉으로 삼아 국경으로 쳐들어오고 있다 합니다."

조예는 깜짝 놀라 신하들을 향해 묻는다.

"누가 나가서 촉군을 물리치겠는가?"

이때 한 사람이 썩 나서며 말한다.

"신의 아비가 한중땅에서 세상을 떠났건만 아직 원한을 갚지 못해 이를 갈고 있던 터이옵니다. 이제 촉군이 경계를 범했다 하니, 폐하께서 관서의 군사들을 내리신다면 신이 본부 맹장과 더불어 군사들을 거느리고 나가 촉군을 격파하겠사옵니다. 그리하여 위로는 나라에 충성하고 아래로는 부친의 원수를 갚을 수만 있다면 신은 만번 죽어도 여한이 없겠사옵니다."

사람들이 일제히 바라보니, 그는 바로 하후연의 아들 하후무(夏侯楙)였다. 하후무의 자는 자휴(子休)로 성질이 매우 급하고 몹시 인색했다. 어렸을 때 하후연의 양자로 들어갔는데, 하후연이 황충에게 칼을 맞고 죽자 조조가 불쌍히 여겨 자신의 딸 청하공주(清河公主)와 맺어주어 부마로 삼았다. 이로부터 조정에서는 그를 공경했다.

하후무는 비록 병권을 잡고 있었으나 아직까지 싸움터에 나간 적은 한번도 없었다. 그런 그가 출정하겠다고 자청하니, 조예는 이를 허락하여 대도독으로 삼고, 관서 여러 곳의 군마를 거느리고 가서 적군을 물리치라는 칙명을 내렸다. 사도 왕랑(王朗)이 나서며 간곡히 만류한다.

"부마 하후무는 일찍이 전투를 해본 경험이 없는데 갑자기 큰 임무를 맡기면 안됩니다. 게다가 제갈량으로 말하자면 지모가 도저하고 육도삼략에도 능통하니 경솔히 대적할 수 없습니다."

이 말을 들은 하후무가 대로하여 소리친다.

"혹시 사도는 제갈량이란 놈과 결탁하여 내응하려는 게 아니오? 나는 어려서부터 부친에게 육도삼략을 배워 병법에 통달했거늘, 그대는 어찌하여 나를 어린애 취급하며 업신여기는 게요? 제갈량을 생포하지 못한다면 내 맹세코 황제를 뵈러 돌아오지 않을 것이오."

그 말에 왕랑을 비롯해 아무도 감히 입을 열지 못했다. 하후무는 위주에게 하직인사를 올리고 밤낮을 쉬지 않고 장안으로 달려갔다. 그곳에서 관서 일대의 군마 20만명을 뽑아서 공명과 대적하려는 것이었다.

흰 대장기 잡고 장병을 거느리는데   欲秉白旄麾將士
어찌하여 어린애에게 병권을 맡기는가   却教黃吻掌兵權

이들의 승부는 과연 어떻게 날 것인가?

92

三
國
志

조자룡의 노익장

조자룡은 전력을 다해 다섯 장수를 베고

제갈량은 계략을 써서 세 성을 빼앗다

　한편 공명은 군사를 거느리고 면양(沔陽)에 이르러 그곳에 있는 마
초의 무덤을 지나게 되자, 그의 아우 마대에게 상복을 입게 하여 친히
제사를 지내고 영채로 돌아왔다. 앞으로 진병할 일을 의논하는데, 문
득 파발꾼이 보고한다.

　"위주 조예가 부마 하후무를 보내서 관서 일대의 군마를 이끌고 우
리와 대적하기 위해 지금 이곳으로 달려오고 있습니다."

　위연이 장막 가운데 올라와 계책을 올린다.

　"하후무는 귀한 집 자제로 유약하고 무능합니다. 원컨대 제게 정예

병 5천을 내주십시오. 포중(褒中)으로 가서 진령(秦嶺)을 따라 동쪽으로 가다가 자오곡(子午谷)으로 하여 북쪽으로 올라가면 열흘 안에 장안에 당도할 수 있습니다. 하후무는 제가 군사를 몰고 갑자기 나타났다는 소식을 들으면 필시 성을 버리고 저각(邸閣) 횡문(橫門)으로 달아날 것입니다. 이때 제가 동쪽에서 쳐들어가고 승상께서 대군을 몰아 야곡(斜谷)에서 진군해오시면 함양(咸陽)의 서쪽 지방은 단숨에 평정할 수 있습니다."

공명이 웃으며 말한다.

"그것은 완전한 계책이 아니오. 그대는 중원에 인물이 없다고 여기는 모양인데, 누군가 계책을 내어 산속 외진 곳에 매복해 길을 끊고 친다면 군사 5천명이 상할 뿐만 아니라 전군의 사기도 크게 꺾일 터이오. 그러니 그 계책은 결코 쓸 수 없소."

위연은 굽히지 않고 다시 말한다.

"승상께서 큰 길을 따라 진군하시면 적들은 반드시 관중의 군사를 모두 일으켜 길을 막고 대적할 것입니다. 그러면 싸움이 길어질 터인즉, 어느 세월에 중원을 평정하겠습니까?"

공명은 웃으며 말한다.

"내가 농우(隴右)로부터 평탄대로를 따라 병법에 의거해 나아간다면 어찌 이기지 못하겠소?"

공명은 끝내 위연의 계책을 받아들이지 않았다. 위연은 심기가 편치 않았다. 공명은 조자룡에게 사람을 보내 즉시 진군하도록 명했다.

한편 하후무는 장안에서 각 방면의 군사를 모으고 있었다. 그때 서량땅의 대장 한덕(韓德)이 서강(西羌) 군사 8만을 거느리고 하후무를 찾아왔다. 한덕은 큰도끼 개산대부(開山大斧)를 잘 쓰기로 유명하고, 장정 1만명 정도는 혼자서 거뜬히 당해낼 수 있을 만큼 용맹스러웠다. 하후무는 한덕에게 큰 상을 내리고 그를 선봉장으로 삼았다. 한덕에게는 네명의 아들이 있었는데, 하나같이 무예가 뛰어났으며 활쏘기와 말타기에 능했다. 맏아들은 한영(韓瑛)이요, 둘째는 한요(韓瑤)이고, 셋째는 한경(韓瓊)이며, 넷째는 한기(韓琪)였다. 한덕은 이들 네명의 아들과 함께 서강병 8만을 거느리고 봉명산에 도착했다. 한덕의 군사는 봉명산에서 촉군과 만나 양군이 진을 벌여세우고 대치했다. 한덕이 네 아들을 좌우에 거느리고 나와 큰소리로 꾸짖는다.

"나라를 배반한 역적아, 어찌 감히 우리 경계를 범하는 게냐!"

조자룡은 대로하여 창을 휘두르며 달려나가 한덕에게 싸움을 걸었다. 한덕의 곁에 있던 맏아들 한영이 마주 달려나온다. 조자룡이 휘두른 창을 한영이 장창으로 한번 막아내면서 찌르고 들어오는 것을 조자룡은 가볍게 걷어낸다. 서로 엇갈렸다가 다시 달려들며 창봉과 창날이 부딪친 지 겨우 세번째다. 조자룡이 한영의 옆을 스치고 지나는 순간 창날이 한번 번뜩였다. 조자룡이 창을 거두면서 말머리를 돌리자, 목줄기를 꿰뚫린 한영은 빈 자루처럼 스르르 말 위에서 무너져내린다. 말은 진을 향해 달아나는데 박차에 발이 걸린 한영의 시체는 먼지를 일으키며 질질 끌려가버렸다.

둘째아들 한요가 이것을 보고 칼을 휘두르며 말을 달려나왔다. 조자룡이 지난날의 범 같은 위엄을 되살려 대번에 창봉으로 휘돌려 막고 찌르는데 한요는 두어 차례나 아슬아슬하게 피하고는 칼을 허공에 휘두를 뿐 다가서지 못한다. 셋째아들 한경이 방천극을 거머쥐고 나는 듯이 달려나와 협공한다. 조자룡은 전혀 흔들림없이 한경의 방천

칠순의 조자룡은 적장을 다섯이나 베다

극을 받아치는 한편으로 한요의 칼을 쳐내면서 찔러들어가는데 창 쓰는 법에 한점 흐트러짐이 없다. 한요는 어느결에 어깨를 창에 찔렸고 한경은 갑옷이 찢겨나갔다.

두 형이 조자룡에게 쩔쩔매는 꼴을 지켜보던 넷째아들 한기마저 일월도 쌍검을 휘두르며 달려들었다. 조자룡은 한기의 쌍검을 창봉으로 휘둘러 막아내면서 한경의 방천극은 몸을 숙여 위로 흘러가게 하고, 한요의 칼을 창끝으로 퉁겨낸다. 세명의 장수에게 둘러싸여 싸움을 계속하는 조자룡의 말과 몸은 바람개비처럼 휘돌아가는 창봉과 창날에 가려져 보이지 않고 먼지 속에서 쳉경대는 쇳소리만 들릴 뿐이다. 한기가 쌍검을 번쩍 치켜들고 달려드는 순간을 놓치지 않고 조자룡의 창끝은 먹이를 쪼는 매의 부리처럼 날카롭게 한기의 겨드랑이로 파고든다. 조자룡의 창끝이 한번 쑤시고 순식간에 빠져나가자 한기는 피를 뿜으며 말 아래로 굴러떨어졌다.

한덕의 진영에서 편장(偏將) 하나가 한기를 구하기 위해 급히 달려나왔다. 조자룡은 이때를 틈타 진영으로 돌아가기 위해 얼른 말머리를 돌렸다. 이를 본 한경이 재빨리 방천극을 안장에 끼우고 뒤를 쫓으며 활을 잡아 연거푸 화살 세대를 날렸으나, 조자룡은 시윗소리를 듣자마자 상반신을 돌리면서 창대를 휘둘러 화살 세대를 모두 가볍게 창으로 쳐내버린다. 화가 치밀어오른 한경은 방천극을 치켜들고 조자룡을 맹렬히 추격했다. 조자룡은 뒤를 힐끔 보고는 반원을 그리며 비스듬히 말을 몰아나가면서 재빨리 살을 메긴 활을 한요에게 겨누어 그대로 몸만 뒤로 돌린 채 시위를 놓았다. 한경은 얼굴에 정통으로 화살을 맞고 말에서 떨어져 죽었다.

순간 한요가 보검을 휘두르며 잽싸게 조자룡에게 덤벼들었다. 조자룡은 창을 땅에 내던지더니 한요의 측면으로 파고든다. 한요가 휘두르는 칼끝을 번개같이 피한 조자룡은 몸을 숙여 한요의 옆구리를 껴안아 사로잡아버렸다. 본진으로 달려가 한요를 내려놓은 조자룡은 순식간에 다시 창을 주위들고 말을 달려 적진을 향해 뛰어들었다. 한덕은 네 아들이 모두 조자룡에게 당하는 것을 보고는 간담이 서늘해져 뒤도 돌아보지 않고 진중으로 달아나버렸다. 조자룡의 명성을 익히 알고 있던데다 그 영용함을 직접 목격한 서량 군사들은 누구도 감히 맞서려는 자가 없었다. 조자룡이 이르는 곳마다 뿔뿔이 흩어져 달아나기에 바빴다. 조자룡은 필마단창으로 적진을 휩쓸어 무인지경 드나들 듯했으니, 후세 사람이 시를 지어 찬탄했다.

그리움구나, 그 옛날 상산의 조자룡	憶昔常山趙子龍
일흔 나이에 뛰어난 공훈 세웠네	年登七十建奇功
혼자 네 장수 베고 적진을 휩쓰니	獨誅四將來沖陣
바로 당양에서 주인 구하던 그 영웅일세	猶似當陽救主雄

등지는 조자룡이 크게 이기는 모습을 지켜보다가 촉군을 휘몰아 적진으로 마구 엄살해들어갔다. 크게 패한 서량 군사들은 정신없이 달아났고, 하마터면 조자룡에게 사로잡힐 뻔했던 한덕은 가까스로 위기에서 벗어나 갑옷을 벗어던지고 걸어서 달아났다. 조자룡은 등지와 함께 군사를 거두어 영채로 돌아왔다. 등지가 치하한다.

"장군의 연세가 벌써 칠순이신데 영용하기가 예나 다름없습니다. 오늘 싸움에서 장군께서 혼자 힘으로 네명의 장수를 베었으니, 참으로 세상에 흔치 않은 일입니다."

조운이 말한다.

"승상께서 나를 나이 들었다고 쓰시려 하지 않아 내 전력을 다해 실력을 보였을 뿐이오."

이어 조자룡은 공명에게 사로잡은 한요를 압송하게 하고 승전보도 함께 올렸다.

한편 패잔병을 이끌고 본진으로 돌아간 한덕이 하후무에게 울면서 보고하자 하후무는 몸소 군사를 이끌고 조자룡과 싸우기 위해 나섰다. 정탐꾼이 나는 듯이 촉군의 영채로 달려가 이 사실을 고했다. 조자룡은 즉시 창을 들고 말에 올라 군사 1천여명을 이끌고 봉명산 앞에 진을 벌였다. 촉군과 맞닥뜨린 하후무는 황금 투구를 쓰고 손에는 대감도(大砍刀)를 들고서 백마 위에 올라 문기 앞에 버티고 섰다. 촉진 앞에서 조자룡이 말을 타고 창을 잡고 왔다갔다 하는 모습을 발견하고는 당장 나가 싸우려 했다. 이때 한덕이 나서며 말한다.

"내 아들을 넷이나 죽인 놈이니 내가 나가 원수를 갚겠소!"

말을 끝내기가 바쁘게 개산대부를 바퀴처럼 휘두르며 말을 달려 곧장 조자룡에게 덤벼들었다. 크게 노한 조자룡이 창을 거머쥐고 맞서니 두 사람이 싸운 지 불과 3합에 한덕은 조자룡의 창에 찔려 말 아래로 떨어져 죽고 말았다. 조자룡은 급히 말머리를 돌려 하후무에게로 달려들었다. 하후무는 혼비백산하여 황망히 본진으로 돌아가버렸다. 이에 등지가 군사를 휘몰아 마구 엄살하며 무찌르니, 위군은 또한번 크게 패해 10여리를 물러나 진을 쳤다. 그날밤 하후무는 여러 장수들과 더불어 밤새도록 상의했다.

"내 조자룡의 이름은 익히 들었으나 한번도 본 적은 없었소. 오늘 보니 비록 늙었다고는 하지만 그 영용함은 그대로라 과연 지난날 당양 장판교에서의 일을 믿을 만합디다. 그를 대적할 사람이 없으니, 장차 어찌하면 좋겠소?"

이때 정욱의 아들 참군 정무(程武)가 나서며 간한다.

"조자룡은 용맹스럽기는 하나 꾀가 없으니 과히 걱정하실 것 없습니다. 도독께서는 내일 다시 나가 싸움에 임하시되 먼저 좌우에 군사들을 매복해두십시오. 도독께서 나가 싸우시다가 짐짓 패퇴하는 척하며 조자룡을 복병이 있는 곳으로 유인하고는 산으로 올라가 사면의 군사를 지휘해 포위해버리면 능히 조자룡을 사로잡을 수 있습니다."

하후무는 정무의 계책에 따르기로 했다. 곧 군사 3만을 동희(董禧)에게 주어 왼쪽에 매복해 있으라 명하고 설칙(薛則)에게도 3만 군사를 내주어 오른쪽에 매복해 있으라 지시하니, 두 사람은 즉시 움직였다.

다음날 하후무는 징과 북을 울리며 기치를 가지런히하여 군사를 이끌고 나왔다. 촉군 진영에서는 조자룡과 등지가 나와서 하후무의 위군과 맞섰다. 등지가 조자룡에게 말한다.

"어젯밤 대패하고 달아난 위군들이 이렇게 다시 온 것을 보면 무슨 계책이 있는 것이 분명합니다. 노장군께서는 조심하십시오."

조자룡은 대수롭지 않게 들어넘긴다.

"저따위 젖내나는 어린놈을 근심할 게 있겠는가? 내 꼭 사로잡고 말 터이니 두고 보시게."

그러고는 쏜살같이 말을 몰고 나갔다. 위장 반수(潘邃)가 달려나와 맞섰으나 겨우 3합이 못 되어 말을 돌려 달아나기 시작했다. 조자룡이 맹렬히 뒤쫓는데, 위군 진영에서 여덟 장수가 달려나와 막아서더니 먼저 하후무를 도망치게 하고, 자신들도 뒤따라 달아났다.

조자룡이 승세를 타고 마구 짓쳐죽이며 뒤쫓아가니, 등지도 군사를 몰고 그 뒤를 따랐다. 어느덧 조자룡과 등지는 적진 깊숙이까지 들어오게 되었다. 그때 난데없이 사방에서 함성이 터져나왔다. 등지는 깜짝 놀라 황급히 군사를 거두려 하는데 왼쪽에서는 동희가, 오른쪽에서는 설칙이 거느린 군사들이 일제히 쏟아져나왔다. 조자룡은 적들에게 완전히 포위되고 말았다. 뒤따르던 등지는 수하군사들이 너무 적어 포위된 조자룡을 구할 수 없었다. 순식간에 적의 포위망 한가운데로 몰린 조자룡은 포위를 뚫기 위해 동쪽을 치고 서쪽을 뚫으며 안간힘을 썼으나, 겹겹이 에워싼 위군의 수는 점점 늘어만 갔다. 게다가 조자룡이 거느린 군사라야 1천여명에 불과했다.

조자룡은 막아서는 위군을 베고 또 베며 산기슭으로 향했다. 그러나 산위에는 이미 하후무가 버티고 서서 조자룡이 동쪽으로 가면 동쪽을 가리키고, 서쪽으로 향하면 서쪽을 가리키면서 군사를 지휘하고 있었다. 조자룡은 군사를 이끌고 산위로 오르려 했으나 산허리에서 돌과 거대한 통나무들이 쏟아져내려오니 올라갈 수가 없었다. 진시(辰時, 오전 8시)부터 유시(酉時, 오후 6시)까지 힘껏 싸웠음에도 도무지 위군의 포위를 벗어날 길이 없었다. 달이 뜨고 나서 싸울 요량으로 조자룡은 말에서 내려 갑옷을 벗고 잠시 숨을 돌렸다.

곧 달이 훤하게 떠올랐다. 그때 갑자기 사방에서 불길이 치솟으며 북소리가 요란하게 울리고 화살이 빗발치듯 날아왔다. 동시에 위군들이 고함을 지르며 몰려온다.

"조자룡은 빨리 항복하라!"

조자룡은 급히 말에 올라 적군을 맞았다. 사방에서 적군이 새까맣게 몰려들어 포위망을 좁혀오며 팔방에서 화살을 쏘아댄다. 사람이나 말이나 모두 한치도 나아갈 수가 없었다. 조자룡은 하늘을 우러러 길게 탄식했다.

"내 늙지 않았다고 버티다가 여기서 죽는구나!"

바로 이때였다. 홀연히 동북쪽에서 함성이 크게 일며 위군들이 사방으로 흩어져 달아나기 시작했다. 한떼의 날쌘 군사들이 쳐들어오는데, 대장은 장팔점강모(丈八點鋼矛)를 높이 들고 말머리에 사람 목을 매달고 있었다. 조자룡이 보니 바로 장포였다. 장포는 곧장 조자룡에게로 달려왔다.

"승상께서 혹시라도 노장군께 실수가 있을까 하여 제게 군사 5천명을 내주며 후원하라 하셔서 달려온 길입니다. 오던 길에 노장군께서 몹시 위급한 상황에 처하셨다는 소식을 듣고 포위망을 뚫고 오다가 적장 설칙을 만나 이렇게 목을 베어가지고 왔습니다."

조자룡은 크게 기뻐했다. 곧 장포와 더불어 서북쪽으로 길을 뚫고 나가기 시작하다가 문득 보니, 위군들이 창과 칼을 버리고 사방으로 달아나는데 바로 그 뒤를 한무리의 군사들이 밖에서부터 공격하고 있었다. 앞선 장수는 청룡언월도를 휘두르며 손에 사람 목을 들고 있는데, 조자룡이 보니 바로 관흥이었다. 관흥이 말한다.

"승상의 분부를 받들고 혹시 노장군께 실수나 있지 않을까 하여 5천 군사를 이끌고 도우러 오는 길에 위장 동희를 만나 단칼에 목을 베어왔습니다. 승상께서도 곧 뒤따라오실 겁니다."

조자룡이 말한다.

"두 장군이 이미 놀라운 공을 세웠는데, 어찌 이 길로 하후무를 사로잡아 대사를 정하려 하지 않는가!"

조자룡의 말에 장포가 즉시 군사를 몰고 하후무의 뒤를 쫓기 시작했다. 관흥도 앞으로 나서며 말한다.

"저도 공을 세우러 가겠습니다."

조자룡은 두 장수를 먼저 떠나보내고 나서 좌우를 돌아보며 말한다.

"저 두 사람이 모두 내 조카뻘이고 자식뻘이건만 앞다투어 공을 세우러 떠나는데, 나는 국가의 상장(上將)이요 조정의 옛 신하로서 어린 장수들만 못해서야 되겠는가? 내 마땅히 늙은 목숨을 버려 선제의 은혜에 보답하리라."

조자룡도 마침내 군사를 이끌고 하후무를 잡으러 달려갔다.

그날밤 촉의 군사들은 세 길로 협공하여 위군을 크게 격파했다. 등지까지 군사를 거느리고 와서 도우니, 들판은 온통 위군의 시체로 뒤덮이고 피는 흘러 냇물을 이루었다. 지모가 모자란데다 나이도 어리고 전투경험마저 없는 하후무는 혼란에 빠진 군사들을 수습할 엄두도 내지 못한 채 부하 장수 1백여명만을 거느리고 남안군(南安郡)을 향해 달아나기 바빴다. 주인을 잃은 위군들은 뿔뿔이 흩어져 달아나버렸다.

하후무가 남안성으로 달아났다는 소식을 들은 관흥과 장포 두 장수는 말을 재촉하여 밤새도록 추격했다. 그러나 하후무는 성으로 들어가더니 성문을 굳게 닫고 철통같이 지키기만 할 뿐 움직이려 하지 않았다. 관흥과 장포 두 장수는 남안성을 포위했다. 뒤를 이어 조자룡의 군사들이 도착하자 이들 촉군은 삼면으로 맹공격을 시작했다. 얼마 후 등지도 군사를 끌고 와 합세했다. 이렇게 남안성을 에워싸고 열흘이 넘도록 공략했지만 촉군은 성을 함락시키지 못했다. 이때 갑자기 보고가 들어왔다. 공명이 후군을 면양에 머물게 하고 좌군은 양평에,

우군은 석성에 주둔시킨 다음 몸소 중군만을 거느리고 이곳으로 왔다는 것이다. 조자룡을 비롯해 등지·관흥·장포 등은 나아가 절하며 공명을 맞이하고 수일간 공격을 계속했음에도 성을 함락시키지 못했다고 보고했다. 공명은 작은 수레를 타고 몸소 성 주위를 한바퀴 둘러본 다음 영채로 돌아와 장막에 올라앉았다. 여러 장수들은 그 주위에 둘러서서 영을 기다렸다. 공명이 말한다.

"남안군은 참호가 깊고 성이 견고하여 공격하기가 어렵소. 우리의 목표는 이 성 하나가 아닌데, 그대들이 오랫동안 이곳에 매달려 있다가 혹시라도 위군이 군사를 나누어 한중을 취한다면 우리는 위태로운 상황에 빠지고 말 것이오."

등지가 말한다.

"하후무는 위나라의 부마이니, 이 사람을 사로잡는 것은 적장 1백명을 베는 것보다 낫습니다. 더군다나 이곳에 갇혀 급박한 처지에 몰려 있는데 어떻게 그를 그냥 두고 이곳을 떠나겠습니까?"

공명이 말한다.

"내게 계책이 있소. 남안성은 서쪽으로는 천수군(天水郡)에 접해 있고 북쪽으로는 안정군(安定郡)에 닿아 있는데, 그 두곳의 태수가 누군지 아오?"

정탐꾼이 답한다.

"천수 태수는 마준(馬遵)이고, 안정 태수는 최량(崔諒)입니다."

이를 들은 공명은 크게 기뻐했다. 곧 위연을 불러들여 계책을 일러주고, 다시 관흥과 장포를 따로 불러 계책을 지시했다. 그리고 심복군사 두 사람에게도 별도의 지시를 내리니, 그들은 각기 공명의 명에 따라 군사들을 이끌고 떠났다.

공명은 남안성 밖에 머물면서 군사들을 시켜 나무와 건초를 성밑에 높이 쌓아올리게 하고 남안성을 불살라버리겠노라고 큰소리로 떠들게 했다. 성위의 위군들은 이를 듣고 소리내어 웃어댈 뿐 조금도 두려워하지 않았다.

한편 안정 태수 최량은 촉군이 남안성을 포위하고 있고, 하후무가 그 성에 갇혀 있다는 소식을 듣고 몹시 당황하여 즉시 군마 4천명을 골라 안정성을 철저히 지키도록 명했다. 그러던 중에 홀연히 한 사람이 남쪽에서부터 급히 달려와 은밀히 보고할 일이 있다고 아뢰었다.

"나는 하후 도독의 심복장수인 배서(裵緖)라는 사람이오. 도독의 장령을 받들고 특히 천수와 안정 두 고을에 구원을 요청하고자 이렇게 왔소이다. 남안성의 처지가 워낙 급박하여 날마다 성위에서 불을 올려 신호하며 두 고을에서 구원군이 오기만을 기다리고 있는데, 어디에서도 구원군이 오는 기미가 없어 내가 이렇게 포위를 뚫고 달려와 고하는 바이니, 당장 군사를 일으켜 도와주시기 바라오. 두 고을의 원군이 당도하면 도독께서도 즉시 성문을 열어 도우실 것이오."

최량이 묻는다.

"도독의 친서를 가지고 오셨소?"

배서는 품속에서 땀에 젖어 후줄근해진 서신을 꺼내 슬쩍 한번 보여주더니 급히 수하군사에게 영을 내려 말을 바꾸어타고 성을 빠져나가 천수로 향했다. 이틀이 안되어 다시 파발꾼이 와서 고하기를 천수군 태수는 이미 군사를 일으켜 남안을 구하러 떠났으니, 안정에서도 속히 군사를 보내 도우라는 것이었다. 최량이 관원들을 불러 대책을 상의하자 모든 관원들이 입을 모아 말한다.

"만일 구원하러 가지 않았다가 남안군을 잃고 부마 하후무까지 적군에게 붙잡혀간다면 안정군과 우리 군은 죄를 면할 수 없을 것입니다. 즉시 구원병을 보내십시오."

마침내 최량은 급히 군마를 점검해 남안성을 향해 떠났다. 성에는 오직 문관들만 남아 있었다. 최량은 군사를 거느리고 큰길을 따라 남안을 향해 달려갔다. 멀리서 치솟아오르는 불길이 하늘을 찌르는 듯했다. 최량은 더더욱 군사를 재촉해 밤길을 달렸다. 정신없이 말을 달려 남안성으로부터 50여리쯤 떨어진 곳에 이르렀을 때였다. 갑자기 앞뒤에서 큰 함성이 터져올랐다. 곧 정탐꾼이 와서 아린다.

"앞에서는 촉의 장수 관흥이 길을 막고, 뒤에서는 장포가 쳐들어오고 있습니다."

안정군의 군사들은 깜짝 놀라 넋을 잃고 사방으로 달아나기 시작했다. 최량 역시 크게 놀라 1백여명만을 거느리고 죽기로써 싸워 가까스로 적의 포위를 벗어났다. 샛길로 하여 겨우 안정군으로 돌아와 성 밑에 다다랐을 때였다. 갑자기 성위에서 화살이 빗발치듯 쏟아져내리는 가운데 촉장 위연이 모습을 드러내며 소리친다.

"내 이미 성을 빼앗았으니 냉큼 항복하지 않고 뭘 꾸물대느냐?"

원래 위연은 촉군을 안정군의 군사로 꾸며 한밤중에 성문을 열게 하고는 일시에 점령해버린 터였다. 최량은 황망히 말을 돌려 천수군을 향해 달리기 시작했다. 그러나 한마장도 못 가서 한떼의 군사들이 나타나 길을 막았다. 말을 멈추고 보니, 큰 깃발 앞에 한 사람이 윤건에 깃털부채를 들고 학창의를 입은 채 수레 위에 단정히 앉아 있었다. 최량이 공명을 알아보고는 급히 말머리를 돌려 달아나려 했다. 이때 관흥과 장포가 양쪽에서 쫓아오며 소리친다.

"속히 항복하라!"

촉군에 의해 완전히 포위된 최량은 하는 수 없이 항복하여 촉군의 영채로 끌려갔다. 공명은 끌려온 최량을 상빈으로 대접하며 묻는다.

"그대는 남안 태수와 평소 가깝게 지내시는 사이요?"

최량이 대답한다.

"남안 태수는 양부(楊阜)의 집안 아우 되는 양릉(楊陵)입니다. 고을이 접해 있어서 서로 교분이 매우 두텁습니다."

"수고스럽지만 그대가 성으로 들어가 하후무를 사로잡자고 양릉을 설득할 수 있겠소?"

"승상께서 저를 보내실 작정이면 잠시 군마를 물려주십시오. 그러면 제가 성으로 들어가 설득해보겠습니다."

공명은 그 말에 따라 모든 군사들에게 즉시 영채를 20리씩 물려 세우라고 명했다. 이렇게 조처한 뒤 최량은 혼자서 말을 달려 남안성 밑에 이르렀다. 소리쳐 성문을 열게 하여 부중으로 들어가서 양릉과 인사를 나눈 다음, 자기가 온 까닭을 상세히 설명했다. 최량의 말을 듣더니 양릉이 말한다.

"우리들이 위주의 큰 은덕을 입었는데 어찌 그리할 수 있겠소? 오히려 장계취계(將計就計)하여 제갈량의 계책을 역이용하는 편이 낫겠소이다."

양릉은 하후무에게 최량을 데리고 가서 자초지종을 설명했다. 양릉의 말을 듣고 나서 하후무가 묻는다.

"그대는 무슨 계책을 쓰려는 것이오?"

양릉이 말한다.

"성을 바치겠다고 속여서 일단 촉군을 끌어들인 다음 성안에서 모두 처없애도록 합시다!"

최량은 그 계략대로 하기로 하고, 곧장 공명에게로 돌아가 미리 꾸민 대로 보고했다.

"양릉은 승상께 성을 바치기로 하고 승상께서 대군을 이끌고 들어가 하후무를 사로잡을 수 있도록 성문을 열어주겠다고 했습니다. 자기 손으로 하후무를 사로잡고 싶어도 수하군사가 많지 않아 경솔히 움직일 수가 없다고 하더이다."

공명이 반갑게 말한다.

"그것은 어려운 일이 아니오. 그대가 거느리던 항병(降兵) 1백여명들 속에 촉장을 몰래 숨겨 안정군 군사처럼 성으로 들여보낸 다음 하후무의 부중에 매복해두고, 양릉과 비밀리에 약속했다가 한밤중에 성을 열고 안팎에서 호응하면 될 것이오."

최량은 멈칫하여 급히 생각을 가다듬는다.

'만일 촉장을 데려갈 수 없다고 하면 공명이 의심할 터이니 우선 촉장을 성으로 데려가 죽이고 나서 불을 올려 신호해야겠구나. 공명이 속아 성으로 들어오면 그때 죽이면 되겠지.'

생각 끝에 최량은 응낙했다. 공명이 당부한다.

"내가 믿는 두 장수 관흥과 장포를 그대와 함께 가게 하겠소. 그대는 구원병이 왔다고 하고 성안으로 들어가 먼저 하후무의 마음을 안심시키도록 하시오. 그리고 나서 불을 들어 신호를 보내면, 내 친히 군사를 이끌고 성으로 들어가 하후무를 사로잡을 것이오."

황혼녘이 되었다. 공명의 밀계를 받고 갑옷과 투구를 쓰고 말에 오른 관흥과 장포는 안정군 군사들 속에 섞여 최량을 따라 남안성 아래 이르렀다. 양릉이 성위에 현공판(懸空板, 성루에 세워진 긴 판자로, 버팀목으

로 들어올려 바깥을 살핌)의 버팀목을 들어올리고 호심란(護心欄, 적의 화살
로부터 보호할 수 있게 성루에 세운 난간)에 의지해 성 아래를 내려다보며 큰
소리로 묻는다.

"어디서 온 군마들인가?"

최량이 소리쳐 답한다.

"안정군에서 온 구원병이오."

그러고는 먼저 신호의 화살을 성위로 쏘니, 화살은 양릉이 기대고
있는 호심란에 날아가 꽂혔다. 양릉이 화살을 뽑으니 밀서가 묶여 있
었다.

지금 제갈량이 두 장수를 먼저 보내 성안에 매복시켜두었다가 안
팎으로 호응하려 하니, 부디 경솔히 움직이지 말라. 계책이 누설될
까 두려우니, 내가 부중에 들기를 기다렸다가 일을 도모하라.

밀서를 보고 나서 양릉은 즉시 하후무와 의논했다. 하후무가 말한
다.

"제갈량이 이미 우리의 계책에 말려들었으니 이제는 근심하지 마
시오. 우선 도부수 1백여명을 부중에 매복시켜두고, 두 장수가 최량
태수를 따라들어와 말에서 내리는 즉시 성문을 닫아걸고 그 두 놈부
터 처없앱시다. 그런 다음 불을 올려 제갈량을 성으로 끌어들여서 매
복해둔 도부수들로 하여금 일을 처리하게 하면 쉽게 사로잡을 수 있
을 것이오."

양릉은 하후무의 말대로 준비를 마친 다음 성위로 올라가 아래를
내려다보며 말했다.

"안정군 군사라니 성문을 열어주겠다. 성안으로 들어오도록 하라."

입성하는데, 관흥은 최량을 따라 먼저 가고 장포는 그 뒤를 따랐다. 양릉이 성위에서 내려와 일행을 영접했다. 갑자기 최량 옆에 있던 관흥이 큰 칼을 번쩍 들어 내려치니 양릉의 목은 그대로 말 아래로 굴러 떨어졌다. 깜짝 놀란 최량이 급히 말을 돌려 조교(弔橋) 쪽으로 달아났다. 장포가 기다리고 있다가 막아서며 큰소리로 꾸짖는다.

"도적아, 게 섰거라! 네놈들의 계략에 승상께서 속아넘어갈 줄 알았더냐?"

말이 떨어지기가 무섭게 장포의 창날이 허공에서 번쩍 빛나는가 싶더니 최량이 창에 찔려 말 아래로 고꾸라졌다. 관흥이 성위로 올라가 불을 올렸다. 이를 신호삼아 사방에서 촉군들이 함성을 올리며 쏟아져들어왔다. 하후무는 미처 손 써볼 엄두도 내지 못하고 남쪽 성문을 열고 죽을 힘을 다해 달아났다. 그러나 얼마 못 가 한무리의 군사들이 앞을 가로막으니, 앞장선 장수는 바로 왕평이었다. 왕평은 말위에서 단번에 하후무를 사로잡았다. 이 싸움에서 하후무의 군사들은 떼죽음을 당했다.

공명은 곧 성으로 들어가 백성들을 위무하고 추호라도 민폐를 끼치는 일이 없도록 군사들에게 엄명을 내렸다. 또한 모든 장수들로부터 각기 세운 공로를 보고받고 하후무를 수레 속에 가두어두게 하였다. 등지가 묻는다.

"승상께서는 어떻게 최량이 속임수를 쓰리라는 걸 아셨습니까?"

공명이 말한다.

"나는 최량에게 항복할 마음이 전혀 없는 것을 알고 있었소. 그래서 일부러 성안으로 들여보내 하후무에게 모든 것을 고하게 한 것이오. 그러면 그들이 반드시 내 계략을 역이용하려 들 것이라, 관흥과 장포 두 장수를 따라가게 하여 저들을 안심시켰소. 최량이 진심으로 항복할 마음이었다면 이를 거절했을 터인데 흔쾌히 함께 간 것은 혹시 내가 저를 의심할까 두려웠기 때문이오. 일단 두 장수를 데려가 성에서 죽이더라도 늦지 않고, 또 그래야만 우리 군사들이 안심하고 들어오리라 판단했던 것이오. 내가 은밀히 두 장수에게 성으로 들어가는 즉시 최량과 양릉을 해치우라 명했으니, 적들이 성안에서 무슨 준비를 할 수 있었겠소? 그때 우리가 불시에 들이닥쳤으니, 이는 저들이 생각지도 못한 일이었을 게요."

모든 장수들은 감복하여 일제히 절을 올렸다. 공명이 말을 잇는다.

"최량을 속일 수 있었던 것은 심복 한 사람이 배서(裵緖)라는 이름의 위군 장수로 변장하고 안정군에 잠입해들어갔기 때문이오. 그를 다시 천수군으로 보냈는데 아직도 돌아오지 않으니 그 까닭을 모르겠소이다. 이러고 있을 것이 아니라 승세를 몰아 이제 천수군을 취해야 하오."

공명은 오의(吳懿)에게 남안을 지키게 하고, 유염(劉琰)에게는 안정을 지키게 한 다음 위연에게 군마를 이끌고 가서 천수군을 공격하라고 명했다.

한편 천수 태수 마준은 하후무가 남안성에서 포위되어 위태로운 처지에 있다는 소식을 듣고 즉시 문무관원들을 모아 대책을 의논했다. 공조(功曹) 양서(梁緖)와 주부(主簿) 윤상(尹賞), 주기(主記) 양건(梁虔) 등이 말한다.

"하후 부마로 말하면 황실의 금지옥엽이십니다. 만일 무슨 변이라도 있는 날에는 앉아서 구경만 한 죄를 면하기 어려울 것입니다. 태수께서는 어서 군사를 이끌고 나가 도우셔야 합니다."

마준은 쉽게 결단을 내리지 못하고 망설이고 있었다. 그때 갑자기 사람이 와서 고한다.

"하후 부마께서 심복장수 배서를 보내왔습니다."

배서는 부중으로 들어와 마준에게 공문을 바치며 말한다.

"도독께서 안정과 천수 양군의 군사들은 밤새 달려와서 도우라고 하셨습니다."

그러고는 급히 말을 몰아 돌아가버렸다. 이튿날 다시 파발꾼이 달려와서 고한다.

"안정군의 군사들은 이미 떠났습니다. 태수께서도 급히 합류하라 하십니다!"

마준은 더이상 지체할 수 없어 군사를 일으키려 했다. 그때 한 사람이 밖에서 들어오며 말한다.

"태수께서는 제갈량의 계략에 말려들지 마십시오."

사람들이 보니 그는 천수군 기(冀)땅 사람으로 성명은 강유(姜維)요 자는 백약(伯約)이었다. 강유의 부친은 강숙(姜驌)이란 사람으로 지난날 천수군 공조를 지내다 강인(羌人)들이 난을 일으켰을 때 평정하다가 전사했다. 강유는 어려서부터 온갖 서적을 두루 읽고 병법과 무예에 능했으며, 어머니를 지극정성으로 섬겨 고을사람들이 모두 그를 공경했다. 그때 벼슬은 중랑장으로 본부의 군무를 맡아보고 있었다. 강유가 마준에게 말한다.

"들리는 말에 의하면 제갈량이 남안성 안에 갇힌 하후무를 포위한 채 물샐틈 없이 공격하고 있다 합니다. 그러니 하후무가 무슨 수로 포위를 뚫고 나올 수 있겠습니까? 또한 배서라는 사람도 이름을 들어본 적이 없는 장수이고, 안정에서 왔다던 파발꾼 또한 공문 한장 없이 다녀갔습니다. 이로 미루어보건대 이는 필시 촉장을 위장으로 꾸며 태수를 성밖으로 나오게 하려는 속임수입니다. 촉군이 인근에 매복해 있다가 성안에 방비가 없는 틈을 타서 일시에 쳐들어와 천수성을 빼앗으려는 계책임에 틀림없습니다."

마준이 크게 깨닫고 무릎을 치며 말한다.

"백약이 말해주지 않았더라면 내가 적의 간특한 계략에 빠질 뻔했소그려!"

강유가 웃으며 말한다.

"태수는 마음을 놓으십시오. 제게 한 가지 계교가 있으니 가히 제갈량을 사로잡아 남안의 위태로움을 구할 것입니다."

계책을 쓰다가 또 강한 적수 만나고   運籌又遇强中手
지혜를 다투는데 뜻밖의 사람 만나네   鬪智還逢意外人

강유의 계책이란 무엇일까?

93

三
國
志

공명이 강유를 얻다

강유는 공명에게 투항하고
제갈량은 왕랑을 꾸짖어 죽이다

강유가 마준에게 계책을 설명한다.

"제갈량은 반드시 우리 고을 뒤에 군사를 매복해두고 속임수를 써서 우리로 하여금 성을 비우게 한 다음 그 틈을 노려 공격할 것입니다. 제게 정예병 3천만 주시면 요처에 군사를 매복시키겠습니다. 태수께서는 뒤따라 출병하시되 멀리 가지 말고 한 30리쯤 갔다가 되돌아와, 불이 오르는 것을 신호삼아 앞뒤로 협공한다면 대승을 거둘 수 있습니다. 제갈량이 몸소 오는 날이면 반드시 그를 사로잡고야 말겠습니다."

마준은 그 계책대로 강유에게 정예병 3천명을 주어 먼저 떠나보냈
다. 그리고 양건과 함께 군사를 거느리고 성밖으로 나서면서 양서와
윤상에게 성을 지키도록 했다. 강유의 짐작대로 원래 공명은 조자룡
에게 한무리의 군사들을 거느리고 나가 산골에 매복하고 기다리다가
적의 군사들이 성밖으로 나온 틈을 타서 성을 공격하도록 지시해두었
다. 이때 정탐꾼이 급히 달려와 조자룡에게 소식을 전한다.

"천수 태수가 군사를 일으켜 성밖으로 나왔고, 문관들만 남아서 성
을 지키고 있습니다."

조자룡은 크게 기뻐하며 곧 장익과 고상에게 사람을 보내 길목을
지키고 있다가 마준이 오거든 즉시 죽여버리도록 영을 내렸다. 그 두
사람 역시 공명이 미리 내보내 매복시켜두었던 것이다.

조자룡은 5천 군사를 이끌고 천수성 아래 이르러 소리 높여 외쳤
다.

"상산 조자룡이 여기 있다! 너희는 우리 계교에 빠졌으니 속히 성
을 바치고 죽음을 면하라!"

그 말에 성위에서 양서가 크게 웃는다.

"네놈이 오히려 우리 강백약(姜伯約, 강유의 자)의 계교에 빠진 줄을
모르는구나!"

조자룡은 성을 공격하기 시작했다. 그때 난데없이 함성이 크게 일
면서 사방에 불길이 치솟으며 한 젊은 장수가 창을 비껴들고 말을 달
려나오며 외친다.

"네 눈에는 천수의 강백약이 보이지 않느냐?"

조자룡이 창을 고쳐잡고 강유를 맞이해 싸움이 수합에 이르렀다.
싸울수록 강유의 창 다루는 솜씨는 점점 날카로워졌다. 조자룡은 내

심 놀랐다.

'내 여기서 이런 인물을 만날 줄은 몰랐구나······'

이렇게 한창 싸우고 있는데 마준과 양건이 군사를 이끌고 나타나 들이치며 협공해왔다. 앞뒤를 동시에 막아내기가 버거워진 조자룡은 겨우 길을 열어 군사를 이끌고 달아났다. 강유가 그 뒤를 바싹 추격하는데, 때마침 장익과 고상이 나타나 조자룡을 구해 영채로 돌아갔다.

조자룡은 돌아와 공명에게 이쪽에서 오히려 적의 계교에 말려든 정황을 상세히 고했다. 공명이 크게 놀란다.

"대체 누가 나의 계책을 알아챘단 말인가?"

마침 곁에 있던 남안 사람이 말한다.

"강유일 것입니다. 그는 자가 백약이고 천수군 기땅 사람으로 모친에 대한 효성이 지극할 뿐만 아니라, 문무를 겸비하고 지혜와 용기가 뛰어난 당세의 영걸(英傑)입니다."

조자룡이 한마디 덧붙인다.

"강유의 창법이 보통사람과 달리 아주 뛰어나더이다."

공명이 길게 탄식한다.

"내가 이제 천수를 취하려는 참에 이런 인물이 있을 줄은 미처 몰랐구나!"

그러고는 대군을 일으켜 앞으로 나아갔다.

한편 강유는 성으로 돌아와 마준에게 말한다.

"조자룡이 패하고 갔으니, 반드시 공명이 몸소 올 것입니다. 공명은 필시 아군이 성안에만 있는 줄 알 것이니, 우리는 군사를 네 갈래로 나누고 제가 한무리의 군사를 거느리고 성 동쪽에 매복했다가 촉군이 오면 무찌르겠습니다. 태수께서는 양건·윤상과 함께 각각 한무리의 군사를 거느리고 성밖에 매복하시고, 양서는 백성들을 거느리고 성위에서 지키도록 하십시오."

마준은 강유의 말에 따라 군사를 배치했다.

한편 공명은 강유의 비범함에 마음이 쓰여 몸소 선봉이 되어 천수군을 향해 출발했다. 성 가까이 이르러 공명이 영을 내린다.

"무릇 성을 취하려면 도착한 바로 그날 전군을 독려해 북을 치며 맹렬히 공격하는 것이 상책이다. 시간을 끌면 군사들의 예기가 꺾여 적을 무찌르기 어려워질 뿐이다."

공명의 영에 따라 대군은 성 아래까지 곧장 진격했다. 막상 와서 보니 성위의 깃발들이 자못 엄정한 것이 경솔하게 공격하기 어려울 듯해 밤이 되기를 기다렸다. 이윽고 밤이 이슥해져 사위가 고요한데, 갑자기 사방에서 불길이 하늘로 치솟으며 함성이 땅을 울렸다. 적군이 어느 쪽에서 쳐들어오는지도 가늠하기 어려운데, 성위에서도 북소리와 함성이 울리며 호응했다. 촉군은 제대로 싸워보지도 못하고 어지럽게 흩어지며 달아나기 시작했다. 공명은 황급히 말에 뛰어올랐다. 관흥과 장포 두 장수가 공명을 호위해 겹겹이 에워싼 적군을 가까스로 뚫고 나왔다. 문득 고개를 돌려보니, 바로 동쪽에 한떼의 군마가 주둔해 있는데, 불빛을 안고 늘어선 것이 긴 뱀과 같았다. 공명은 관흥에게 누구의 군사인지 알아오게 했다. 관흥이 돌아와서 아뢴다.

"바로 강유의 군사입니다."

공명이 탄식한다.

"군사가 많다 해서 능사가 아니니 사람이 쓰기에 달린 것, 과연 이 사람은 훌륭한 인재로다!"

공명은 군사를 거두어 영채로 돌아와서 한동안 골똘히 생각에 잠겨 있었다. 얼마 뒤 안정 사람을 불러 묻는다.

"강유의 모친은 지금 어디에 있느냐?"

안정 사람이 대답한다.

"아직 기현에 살고 있습니다."

공명은 즉시 위연을 불러 분부한다.

"그대는 한무리의 군사를 이끌고 허장성세로 기현을 취하려는 것처럼 하시오. 그리고 강유가 오거든 그냥 입성하도록 내버려두오."

공명은 다시 안정 사람에게 물었다.

"이 근방에서 가장 요충지가 어딘가?"

안정 사람이 대답한다.

"천수의 돈과 식량이 모두 상규(上邽)에 있습니다. 상규를 치면 천수의 양도(糧道, 군량 운송로)가 저절로 끊어질 것입니다."

이를 들은 공명은 크게 기뻐했다. 즉시 조자룡에게 한무리의 군사를 거느리고 상규를 치게 하고 자신은 천수성에서 30리쯤 떨어진 곳에 영채를 세웠다. 이 일은 정탐꾼에 의해 즉시 천수군에 보고되었다.

"촉군이 셋으로 나뉘어 한무리의 군사는 그대로 천수성을 지키고, 다른 한무리의 군사는 상규를 치고, 나머지 군사는 기현으로 달려갔다 합니다."

이 소식을 들고 강유는 울면서 마준에게 청한다.

"제 어미가 지금 기성에 있는데 촉군이 그곳을 친다면 제 노모께서 어찌 무사하시겠습니까? 제게 한무리의 군사를 주신다면 기성도 구하고 더불어 노모도 구하겠습니다."

마준은 강유에게 3천 군사를 주고 기성으로 가도록 허락했다. 그리고 양건에게도 3천 군사를 내주어 상규를 지키게 했다.

강유는 군사를 재촉해 기현 가까이 이르렀다. 문득 앞쪽에서 한떼의 군사들이 나타나 길을 막는데, 바로 촉의 장수 위연이었다. 위연은 급히 당도한 강유를 맞아 몇합 싸웠으나 점차 칼쓰는 솜씨가 무뎌지더니 문득 말머리를 돌려 달아나기 시작했다. 강유는 위연을 추격하지 않았다. 군사를 몰아 곧장 성으로 들어가더니 성문을 굳게 닫아걸고는 어머니부터 찾아뵈었다. 그뒤로 강유는 성을 굳게 지킬 뿐 나와 싸우려 하지 않았다. 그무렵 조자룡 역시 군사를 이끌고 온 양건에게 길을 내주어 상규성으로 들어가게 했다. 이때 공명은 남안군으로 사람을 보내 감금해두었던 하후무를 데려오게 했다. 공명이 하후무에게 말한다.

"너는 죽는 것이 두려우냐?"

하후무는 황망히 땅에 엎드리더니 목숨을 구걸했다. 공명이 말을 잇는다.

"지금 천수의 강유가 기현을 지키고 있다. 사람을 시켜 편지를 보내왔는데 오로지 부마만 살려준다면 투항하겠다는구나. 내 너를 살려보낼까 하는데, 네가 강유를 설득해 데려올 수 있겠느냐?"

하후무는 기뻐 어쩔 줄 모르며 대답한다.

"반드시 설득해 데려오겠소이다."

공명은 하후무에게 새옷 한벌과 말안장을 내주었다. 그리고 아무도 함께 가지 못하게 하고 혼자 가도록 놓아주었다.

하후무는 촉의 영채를 나왔다. 그대로 달아나고 싶었지만 길을 몰라서 도리없이 앞만 보고 달리는데, 바쁘게 마주 달려오는 몇몇 사람들을 만났다. 하후무가 묻는다.

"어디로 가는 사람들이냐?"

그중 한 사람이 대답한다.

"저희는 기현 백성들입니다. 강유가 제갈량에게 성을 바쳐 항복한 뒤로 촉장 위연이 성으로 들어와 함부로 불을 지르고 노략질을 일삼아서 집을 버리고 상규땅으로 달아나는 길입니다."

하후무가 다시 묻는다.

"천수군은 누가 지키고 있느냐?"

그 고장사람이 대답한다.

"마태수가 지키고 있습니다."

하후무는 말을 몰고 천수성을 향해 달려갔다. 그런데 도중에 사내아이는 걸리고 계집아이는 품에 안고 몰려오는 백성들을 만나 다시 물으니, 그들 역시 앞서간 사람들과 똑같은 대답을 했다. 천수성에 다다른 하후무가 성문을 두드리며 소리치자 성위에 있던 사람이 그를 알아보고 재빨리 문을 열고 영접했다. 마준은 하후무를 보더니 몹시 놀라 절하며 그간의 안부를 물었다. 하후무는 강유에 관한 일과 오던 중에 백성들에게서 들은 말을 그대로 전했다. 마준이 크게 한숨을 내쉬며 한탄한다.

"강유가 제갈량에게 항복할 줄은 몰랐구나!"

양서가 말한다.

"아마도 도독을 살려내기 위해 거짓항복을 했을 겁니다."

하후무가 반박한다.

"강유가 이미 항복을 했다는데 그대는 무얼 보고 거짓투항이라는 겐가?"

이들이 결론을 내리지 못한 채 이야기를 나누고 있는 동안에 어느덧 초경(밤 8시)이 지났다. 그때였다. 갑자기 성밖에서 촉군들이 몰려오는데 저마다 손에 횃불을 들고 있었다. 불빛에 보니, 강유가 성 아래서 창을 든 채 말을 세우고는 큰소리로 외치고 있었다.

"하후 도독은 어디 계신가!"

하후무는 마준 등과 함께 성위로 올라갔다. 강유가 결기를 세워 소리친다.

"나는 도독을 위해 항복했거늘, 어찌하여 도독께서는 먼저 약속을 어기시오?"

기가 막힌 듯 하후무가 대답한다.

"네 위의 은혜를 태산같이 입었으면서 어찌하여 촉에 항복했느냐? 그리고 약속을 하다니 그게 무슨 소리냐?"

강유가 맞받아쳐 말한다.

"도독이 내게 항복하라는 서신을 보내놓고 지금 무슨 말을 하시는 게요? 그래 제 한몸 벗어나기 위해 남을 모함할 수가 있소? 그러나 나는 이미 항복해 촉의 상장이 되었으니, 어찌 위로 돌아갈 수 있겠소?"

강유는 말을 마치더니 군사를 휘몰아 밤새도록 성을 공격하다가 새벽녘에야 돌아갔다. 사실 그는 진짜 강유가 아니라 공명의 계교에 따라 강유처럼 변장한 촉군이었다. 공명은 군사들 중에서 강유와 비슷하게 생긴 자를 내세워 일부러 밤중에 성을 공격하게 하여 불빛 때문에 눈이 부셔서 그가 진짜 강유인지 아닌지 아무도 분간하지 못하도록 한 것이었다.

한편 공명은 군사를 이끌고 기성을 공격하고 있었다. 성안에는 양식이 넉넉지 않아 군사들이 제대로 끼니를 잇기 어려웠다. 강유가 성위에서 보니, 촉군들이 크고작은 수레 가득히 군량과 마초를 싣고 위연의 영채로 나르고 있었다. 급히 군사 3천명을 이끌고 성을 나선 강유는 촉의 군량을 빼앗기 위해 싸움을 벌였다. 촉군은 견디지 못하고 군량을 버리고 달아났다. 강유가 군량을 빼앗아 성으로 돌아오는데, 난데없이 한무리의 날쌘 군사들이 앞을 가로막았다. 바로 촉장 장익이 거느린 군사들이었다. 강유와 장익이 맞서싸운 지 몇합 안되어 왕평이 또 한무리의 군사를 거느리고 와 협공하기 시작했다. 강유는 버티지 못하고 겨우 길을 뚫고 성을 향해 달아났다. 그런데 강유가 성으로 돌아와보니, 어느덧 성위에는 촉의 깃발이 꽂혀 바람에 나부끼고 있었다. 촉군의 군량을 빼앗으러 성을 비운 사이에 위연이 손쉽게 점령해버렸던 것이다.

할수없이 강유는 혈로를 뚫고 천수성을 향해 달아났다. 수하에는 겨우 10여기만이 뒤따르고 있었는데, 도중에 또다시 장포를 만나 한판 싸움을 벌인 탓에 이제 그를 따르는 군사는 한명도 없었다. 강유는 필마단창(匹馬單槍)으로 천수성 아래 이르러 큰소리로 문을 열라고 외쳤다. 성위의 군사들이 강유를 알아보고 마준에게 아뢰니, 마준이 말한다.

"저자가 나를 속여 성문을 열게 하려는 것이다."

마준은 영을 내려 사정없이 화살을 쏘도록 했다. 당황한 강유의 뒤로는 촉군들이 쫓아오고 있었다. 강유는 급히 말머리를 돌려 상규성을 향해 달리기 시작했다. 그러나 강유가 상규성 아래 다다르자 또 양건이 성위에서 내려다보며 욕설을 퍼부었다.

"나라를 배반한 역적놈이 여기는 웬일이냐? 감히 나를 속여 우리 성을 빼앗으려고 온 모양인데, 나는 이미 네놈이 촉에 항복한 사실을 알고 있다!"

양건은 군사들에게 명을 내려 강유에게 마구 화살을 날렸다. 강유
는 무어라 변명도 못하고 하늘을 우러러 길게 탄식하고는 눈물을 흘
리며 말머리를 돌렸다.

강유는 장안을 향해 말을 달렸다. 몇리 못 가서 수풀이 우거진 큰숲
에 다다랐는데, 그 속에서 함성이 터져오르더니 수천명의 군사들이
달려나오며 길을 막는다. 촉장 관흥이었다. 강유는 이미 지칠 대로 지
쳤고 말까지 피곤한 터라 싸울 엄두도 내지 못했다. 다시 말머리를 돌
려 달아나려는데, 갑자기 작은 수레 한대가 산모퉁이에서 나타났다.
수레 위에는 윤건에 학창의를 입고 손에는 깃털부채를 든 진인(眞人,
참된 도를 깨친 사람)이 앉아 있었다. 바로 공명이었다. 공명이 강유를 향
해 말한다.

"백약은 어찌하여 아직도 항복하지 않는가?"

강유는 곰곰이 생각했다. 앞에는 공명이요 뒤에는 관흥이 버티고
있어 도저히 빠져나갈 길이 없었다. 마침내 말에서 내리더니 땅에 엎
드려 항복했다. 공명이 황급히 수레에서 내려 손수 강유를 일으키며
말한다.

"내가 초려를 나온 이래 현자를 구해 평생의 배운 바를 전하려 했
으나 지금껏 사람을 얻지 못해 자못 초초(悄悄, 근심으로 시름겨움)하던
터에, 이제 백약을 만났으니 내 소원을 이룬 것이나 마찬가지로다."

강유는 감격하여 그 자리에 엎드려 절하며 사례했다.

공명은 강유와 함께 영채로 돌아와 천수군과 상규군을 취할 계책을
의논했다. 강유가 말한다.

"천수성에 있는 양서와 윤상은 저와 친분이 두터운 사이입니다. 밀

서 두 통을 써서 화살에 매어 성안으로 쏘아보내면 필시 성안에서는 내분이 일어날 터이니 앉아서도 성을 얻을 수 있을 것입니다."

공명은 강유의 계책을 받아들였다. 강유는 두 통의 밀서를 작성해 화살 끝에 매고는 말을 달려 성 아래 이르자 화살을 성안으로 쏘아보냈다. 성안의 군사가 강유의 밀서를 주워 즉시 마준에게 바쳤다. 마준은 불현듯 의심스런 생각이 들어 급히 하후무와 더불어 의논했다.

"아무래도 양서와 윤상이 강유와 내통한 듯합니다. 어찌해야 좋을지 도독께서 결정해주십시오."

하후무가 잘라 말한다.

"그렇다면 둘 다 죽여버립시다."

이 사실을 알게 된 윤상은 곧장 양서를 찾아갔다.

"이렇게 하후무에게 죽느니, 차라리 촉에 성을 바치고 항복하여 크게 쓰이는 것이 낫지 않겠소?"

그날밤 하후무는 여러 차례 사람을 보내 두 사람을 불렀다. 두 사람은 사태가 급박함을 깨닫고 즉시 갑옷과 투구를 갖추어입고 각기 무기를 들고서 말에 올랐다. 그러고는 군사를 이끌고 성문을 활짝 열어젖혔다. 열린 성문으로 촉군들이 물밀듯이 밀려들어갔다. 혼비백산한 하후무와 마준은 수하에 수백명의 군사를 거느리고 서문으로 나가 성을 버리고 강인들의 성채를 향해 달아났다. 양서와 윤상이 공명을 영접해 성으로 들어왔다. 공명은 먼저 성안 백성들을 위무하고 나서 두 사람에게 묻는다.

"그대들에게 상규를 취할 계책이 있는가?"

양서가 말한다.

"상규는 바로 저의 친동생 양건이 지키고 있으니, 가서 항복하도록 타이르겠습니다."

공명은 크게 기뻐했다. 그날로 양서를 상규에 보내니, 양서는 양건을 설득해 성문을 열게 하고 공명을 맞이했다. 공명은 양서 등의 공로에 후한 상을 내린 다음 양서를 천수 태수로 삼고, 윤상을 기성 현령으로, 양건을 상규 현령으로 삼았다. 그러고 나서 공명은 다시 군마를 정비해 떠나려 했다. 이때 여러 장수들이 한결같이 묻는다.

"승상께서는 어찌하여 하후무를 사로잡으러 가지 않으십니까?"

공명이 웃으며 답한다.

"하후무 한 사람을 놓아준 것은 오리 한 마리 놓아보낸 것에 지나지 않소. 그러나 이제 백약을 얻었으니 이는 바로 한 마리 봉황을 얻은 격이오."

이로써 공명이 천수·기성·상규 세 성을 얻으니 그 위엄과 명성은 더욱 높아져서 멀고 가까운 주군(州郡)들이 풍문만 듣고도 귀순해왔다. 공명은 한중의 군사를 정비해 거느리고 기산(祁山)을 거쳐 위수(渭水) 서쪽에 다다랐다. 이 소식은 위의 정탐꾼에 의해 빠르게 낙양에 전해졌다.

위 태화 원년(227), 위주 조예는 대전에 나와 조회를 열고 있었다. 근신이 황망히 들어와 급박한 사태를 아뢴다.

"부마 하후무가 이미 세 곳의 성을 잃고 강인들에게로 달아났다 하오며, 촉군은 기산을 지나 위수 부근에 이르렀다 하옵니다. 속히 군사를 보내 적을 무찌르시옵소서."

조예가 크게 놀라 여러 신하들을 돌아보며 묻는다.

"누가 짐을 위해 촉군을 물리치겠느냐?"

사도(司徒) 왕랑이 반열에서 나와 아뢴다.

"신이 알기로 선제께서는 항상 대장군 조진을 쓰셨으니 그는 가는 곳마다 반드시 이기셨습니다. 폐하께서는 어찌하여 그를 대도독으로 삼아 촉군을 물리치지 않으십니까?"

조예는 왕랑의 말을 듣고 조진을 불러 말한다.

"선제께서 경에게 모든 일을 부탁하셨거늘, 이제 촉군이 중원을 침범했는데 경은 어찌하여 앉아 구경만 하시는 게요?"

조진이 아뢴다.

"신은 재주가 적고 지혜도 부족한데 어찌 그런 중임을 맡을 수 있겠습니까?"

왕랑이 곁에서 말한다.

"장군께서는 사직지신(社稷之臣, 나라의 안위를 책임진 중신)이오. 사양해서는 아니 되십니다. 노신이 비록 늙었으나 원컨대 장군을 따라 앞장서리다."

조진이 다시 말한다.

"신은 큰 은혜를 입었으니 어찌 감히 사양하겠습니까? 다만 부장한 사람이 있었으면 합니다."

조예가 말한다.

"경이 천거해보시오."

조진이 즉시 한 사람을 천거하니 그는 태원(太原) 양곡(陽曲) 사람으로 성명은 곽회(郭淮), 자는 백제(伯濟)였고, 그때 벼슬은 사정후(射亭侯) 옹주(雍州) 자사였다. 조예는 이를 받아들여 마침내 조진을 대도독으로 삼아 절월(節鉞)을 내리고, 곽회를 부도독으로 삼았다. 그리고 왕랑을 군사로 삼으니, 이때 왕랑의 나이 76세였다. 조예는 동서(東西) 2경(二京, 낙양과 장안)에서 선발한 군사 20만명을 조진에게 내주었다. 조진은 종제(宗弟) 조준(曹遵)을 선봉으로 삼고, 탕구장군(蕩寇將軍) 주찬(朱贊)을 부선봉으로 삼아 그해 11월에 출정했다. 조예는 서문 밖까지 나와 군사들을 전송했다.

조진은 대군을 이끌고 장안에 이르러 위수 서쪽에 진을 쳤다. 그러고는 왕랑과 곽회를 불러 적을 물리칠 계책을 상의했다. 왕랑이 말한다.

"내일 우리 군사의 대오를 정비해 깃발을 벌여세운 다음 내가 직접 담판을 짓겠소이다. 제갈량이 두 손 모아 항복하게 할 것이며, 촉군이 싸우지 않고 저절로 물러나도록 하겠소이다."

조진은 크게 기뻐하며 그날밤으로 전령을 내렸다.

"내일은 4경(새벽 2시)에 밥을 지어먹고 날이 밝으면 대오를 정비해 군마는 위의를 갖추고, 깃발과 북과 뿔피리를 질서있고 위엄있게 배치한 다음 군령을 기다리라."

그러고는 사람을 시켜 촉 진영에 전서(戰書)를 보냈다.

다음날, 촉군과 위군은 기산 앞에 대치하여 포진했다. 촉군이 보니 위군의 기세가 어찌나 웅장한지 하후무 따위와는 비할 바가 아니었다. 군의 위세를 돋우는 북소리·뿔피릿소리가 멎더니 사도 왕랑이 말을 타고 나왔다. 위쪽은 도독 조진이고 아래쪽은 부도독 곽회, 두 선봉이 진 모퉁이에 버티고 섰고, 전령이 앞으로 나서며 큰소리로 외친다.

"청컨대 적장은 나와서 대화를 나누라."

순간 촉군의 문기가 열렸다. 관흥과 장포가 좌우로 나뉘어 말을 달려나오고, 그 뒤로 일대의 용맹한 장수들이 따라나오며 양쪽으로 벌여섰다. 뒤를 이어 문기의 그림자를 가르며 중앙에 한 채의 사륜거가 나타났다. 그 위에는 공명이 윤건을 쓰고 깃털부채를 든 채 흰 도포에 검은 띠를 두르고 표연히 앉아 있었다. 공명이 적진을 바라보니 앞에 세 개의 산개(傘蓋)가 늘어서 있고, 산개에 딸린 기(旗)에는 장수들의 이름이 커다란 글씨로 적혀 있는데 그중 한가운데에 수염이 하얀 노장군이 유난히 눈에 띄었다. 바로 사도 왕랑이었다. 공명은 왕랑을 보며 생각한다.

'왕랑은 필시 말솜씨로 나를 설복하려 들 터이니, 내 임기응변으로 대응하리라.'

곧장 수레를 몰아 앞으로 나가며 호위하는 군졸을 통해 말을 전하게 했다.

"한나라 승상께서 사도 왕랑과 대화를 나누겠다고 하신다."

왕랑이 말을 몰고 앞으로 나섰다. 공명이 수레 위에서 손을 맞잡아 예를 갖추자 왕랑도 말 위에서 몸을 굽혀 답례한 후 입을 열었다.

"공의 크신 이름을 들은 지 오래나 만나뵙지 못하다가 뒤늦게나마 이렇듯 뵙게 되니 참으로 다행입니다. 공께서는 이미 하늘의 뜻을 알고 시무(時務)에 밝으신 몸이거늘, 어찌하여 명분 없이 군사를 일으키셨소이까?"

공명이 대답한다.

"황제의 조서를 받들어 역적을 치려 하는데 어찌하여 명분이 없다 하시오?"

"천수(天數)는 변하는 것이고 제위(帝位) 또한 바뀌는 것, 덕있는 사람에게 돌아감이 자연의 이치일 것이오. 지난날 환제·영제 이래로 황건적이 난을 일으켜 천하가 어지러워지니, 초평·건안 때에 이르러서는 동탁이 반역하고, 이각과 곽사가 포악하게 굴었으며, 원술이 수춘땅에서 황제를 자칭하기에 이르렀소. 또한 원소는 업땅에서 스스로를 영웅이라 하며, 유표가 형주를 점령하고, 여포가 서주를 집어삼키는 등 그야말로 도적들이 벌떼처럼 일어나고 간웅들이 활개치는 바람에 사직이 누란의 위기에 처하고 백성들이 도탄에 빠졌소이다. 그때 우리 태조 무황제(武皇帝, 조조)께서는 천하의 간사한 무리들을 깨끗이 없애고 사해를 석권하시어, 만백성들이 공경하고 천하 사람들이 그 덕을 우러렀으니, 이는 권세로써 취함이 아니라 그야말로 하늘의 뜻에 따름이오. 세조 문제(文帝, 조비)께서는 신문성무(神文聖武, 문무에 통달함. 임금의 덕을 칭송하는 관용구)하시어 대통을 이어받았소. 이는 하늘의 뜻에 따르고 사람의 마음에 합당한지라, 요임금이 순임금에게 제

위를 물려준 옛법을 본받아 중원에 자리잡고 만방을 다스리니, 이야 말로 천심에 응함이며 인의에 따름이 아니고 무엇이겠소이까? 지금 귀공께서는 큰 재주와 큰 뜻을 품고 스스로를 관중(管仲)과 악의(樂毅)에 비하면서, 어찌하여 천리(天理)를 거역하고 인정을 배반하는 일을 행하신단 말이오? 공께서는 '하늘에 순종하는 자는 창성하고 하늘을 거역하는 자는 망한다(順天者昌 逆天者亡)'는 옛말도 들어보지 못하셨소이까? 지금 우리 대위(大魏)는 갑옷 입은 군사가 1백만이요 훌륭한 장수가 1천명에 달하오. 그런데 어찌 썩은 풀더미 속의 한낱 반딧불로 하늘의 밝은 달빛과 견주려 하시오? 귀공이 지금이라도 창을 거꾸로 잡고 갑옷을 벗고 항복한다면 봉후(封侯)의 지위를 잃지 않을 것이며, 더구나 나라와 백성이 안락하리니 이보다 아름다운 일이 어디 있겠소이까?"

다 듣고 나서 공명이 한바탕 크게 웃고는 입을 연다.

"그대는 한나라의 원로 대신이라 무슨 고견이라도 있을 줄 알았더니, 말씀이 참으로 비루하기 짝이 없구려. 이제 내가 말할 게 있으니, 모든 군사들은 조용히 들으라. 지난날 환제·영제 때에 한나라 법통이 흐려지니 환관의 무리가 재앙을 일으켜 나라가 어지럽고 해마다 흉년이 들어 천하가 소란하였다. 또한 황건적이 난을 일으켜 동탁과 이각, 곽사 등이 연이어 일어나 황제를 핍박하고 백성들에게 잔악하게 굴었다. 이는 조정에 썩은 나무 같은 관리들만 있고, 조정에서는 금수(禽獸) 같은 자들이 녹을 받아먹으며, 이리 같은 심사와 개 같은 행실을 하는 무리들이 뒤를 이어 정사를 좌우하고, 아첨하는 무리들이 정권을 잡은 탓에 사직은 폐허가 되고 창생이 도탄에 빠지게 된 것이다. 내 너의 소행을 진작부터 알고 있다. 대대로 동해 가까이 살다

공명은 매서운 말로 왕랑을 꾸짖어 죽이다

가 효렴(孝廉)으로 벼슬길에 들었으면 마땅히 임금을 받들고 나랏일을 도와 한나라를 평안케 하고 유씨를 일으켜야 마땅했거늘, 그대는 오히려 역적을 도와 찬위를 도모했을 뿐이로다. 그 죄 깊고 무거워 천지가 용납하지 않으며, 천하 사람들이 네 고기 씹어먹기를 원한다. 다행히 하늘의 밝은 뜻으로 한실이 끊기지 않았으니, 소열황제(昭烈皇帝, 유비)께서는 서천에서 한나라 대통을 이으셨다. 내 이제 사군(嗣君, 뒤를 이은 왕. 곧 후주 유선)의 뜻을 받들어 군사를 일으켜 도적을 치려 하니, 너는 아첨하는 신하가 되었으면 그저 몸을 숨기고 머리를 숙여 구차히 목숨이나 이어갈 일이지 어찌 감히 황제의 군사 앞에 나타나 망령되이 천수를 논하느냐? 이 머리 센 필부야, 수염 푸른 늙은 도적아! 네 머지않아 황천에 갈 터인데 무슨 얼굴로 스물네 분 역대 황제를 뵈려 한단 말이냐? 네 늙은 도적은 속히 물러가고, 즉시 역적의 무리를 내보내 나와 승부를 겨루게 하라!"

공명의 말을 듣고 있던 왕랑은 그만 기가 치솟고 숨이 턱 막혀 외마디 비명을 지르고는 말에서 떨어져 죽고 말았다.

후세 사람이 시를 지어 공명을 찬탄했다.

군마 거느려 서진으로 나가니	兵馬出西秦
걸출한 재주 만인을 대적하네	雄才敵萬人
세치 혀 가볍게 움직여	輕搖三寸舌
늙은 간신 꾸짖어 죽게 하네	罵死老奸臣

공명은 깃털부채를 들어 조진을 가리키며 말한다.

"내 지금은 너를 공격하지 않을 것이니, 너는 군마를 정돈해 내일 다시 나와 결전하라!"

말을 마치고는 수레를 돌려 영채로 돌아갔다. 양쪽에 진을 치고 있던 군사들도 모두 물러났다. 조진은 좋은 관을 마련해 왕랑의 시체를 거두어 장안으로 운구해 보냈다. 이때 부도독 곽회가 나서며 계책을 말한다.

"공명은 우리가 왕랑의 초상을 치를 줄 알고 반드시 오늘밤 우리 영채를 습격할 것입니다. 군사를 네 방면으로 나누어 먼저 두 방면의 군사는 산골짜기 소로로 해서 비어 있을 촉의 영채를 급습하고, 나머지 두 방면의 군사는 본채 밖에 매복해 있다가 좌우에서 협공하는 것이 어떻겠습니까?"

조진이 크게 기뻐하며 말한다.

"그 계책이 바로 내 생각과 같소."

조진은 곧 조준과 주찬 두 선봉장군을 불러 영을 내린다.

"너희 두 사람은 각각 군사 1만명을 이끌고 기산 뒤로 가서 매복해 있다가, 촉군이 우리 영채를 향해 오거든 군사를 몰아 촉의 영채를 공격하라. 만일 촉군의 움직임이 눈에 띄지 않으면 경솔히 군사를 움직이지 말고 회군하라!"

조준과 주찬 두 장수는 조진의 계교를 받고 물러갔다. 조진이 곽회에게 말한다.

"우리 두 사람은 각기 군사들을 이끌고 영채 밖에 매복해 있고, 영채 안에는 장작과 마른풀을 쌓아두고 몇사람만 남겨두었다가 촉군이 쳐들어오거든 불을 놓아 신호하도록 합시다."

여러 장수들은 좌우로 나뉘어 각자 준비를 하러 흩어졌다.

한편 공명은 장막으로 돌아와 조자룡과 위연을 불러 명한다.

"두 장군께서는 각기 군사를 이끌고 위의 영채를 공격하시오."

위연이 진언한다.

"조진은 병법에 밝은 자입니다. 우리가 그들이 초상을 치르는 틈에 기습하러 올 줄 미리 알고 방비해두지 않았겠습니까?"

공명이 가볍게 웃으며 답한다.

"조진에게 우리가 기습하러 간다는 걸 보여주어야 하오. 저들은 필시 기산 뒤에 매복해 있다가 우리 군사들이 나가면 곧 영채를 덮칠 것이오. 그러니 두 분 장군은 군사를 이끌고 영채를 나서서 위군을 유인하고는 산 뒤 멀리 떨어진 곳에 진을 치시오. 위군이 공격해오고 불길이 오르거든 그것을 신호삼아 군사를 두 방면으로 나누되, 먼저 문장(文長, 위연의 자)은 산 입구를 막고, 자룡은 군사를 이끌고 돌아오시오. 오는 길에 위군을 만날 터이니 일단 달아날 길을 열어주었다가 승세를 타고 추격하면 적들은 저희끼리 죽고 죽일 것이니 승리는 반드시 우리에게 돌아올 것이오."

두 장수는 계교를 받고 군사를 이끌고 떠났다. 공명은 이어 관흥과 장포를 불렀다.

"그대 두 사람은 각각 군사들을 이끌고 기산의 요로에 매복해 있다가 위군이 우리를 치러 나오거든 그대로 놓아보내고 위군이 온 길로 해서 위의 영채를 습격하라."

관흥과 장포도 계교를 받고 물러갔다. 이번에는 마대와 왕평, 장익과 장의 네 장수를 불러 영채 밖 사방에 매복해 있다가 위군이 오거든 나가 싸우라고 지시했다. 군사 배치를 끝낸 뒤 공명은 빈 영채를 세우고 그 안에 장작과 마른 풀을 가득 쌓아올려 불을 질러 신호를 보낼 수 있도록 준비했다. 그러고 나서 여러 장수를 거느리고 영채 뒤쪽으로 물러나 적군이 오기를 기다렸다.

한편 위의 선봉장 조준과 주찬은 황혼 무렵 영채를 떠나 촉의 진지를 향해 유유히 전진하기 시작했다. 2경 무렵이 되어 멀리 바라보니, 산앞에 촉군이 움직이는 모습이 어슴푸레하게 눈에 들어왔다. 조준은 속으로 감탄한다.

'곽도독은 과연 신기묘산(神機妙算)이로다!'

그러고는 군사를 재촉해 서둘러 전진했다. 조준의 위군이 촉의 영채에 이르렀을 때는 어느덧 3경이 다 되어 있었다. 조준은 앞장서서 촉의 영채로 쳐들어갔다. 그런데 영채 안은 텅 비어 있고 사람이라고는 그림자도 찾아볼 수가 없었다. 조준이 그제서야 적의 계교에 빠졌음을 깨닫고 급히 군사를 물리려 하는데 그때 영채 안에서 불길이 치솟으면서 주찬의 군사가 들이닥쳤다. 어둠 속에서 서로를 알아보지 못한 위군은 저희들끼리 서로 죽고 죽이니, 그야말로 아수라장이었다. 조준은 주찬과 더불어 싸우다가 한참만에야 비로소 아군끼리 싸우고 있음을 알았다. 조준과 주찬이 급히 군사를 한데 모아 수습하는데, 갑자기 사방에서 함성이 일며 왕평·마대·장익·장의 등 네 촉장들이 일시에 쳐들어왔다. 조준과 주찬 두 장수는 겨우 심복 1백여기만을 이끌고 대로를 향해 달아났다. 이번에는 갑자기 북소리 뿔피릿 소리가 터져오르더니, 한떼의 군사들이 쏟아져나오며 길을 막았다. 보니 대장은 상산 조자룡이었다. 조자룡이 큰소리로 외친다.

"적장은 어디로 가느냐, 빨리빨리 죽음을 받아라!"

조준과 주찬 두 장수는 혈로를 뚫고 사력을 다해 달아났다. 또다시 함성이 일면서 위연이 한무리의 날쌘 군사를 이끌고 쇄도해왔다. 조준과 주찬 두 장수는 대패하여 겨우 길을 뚫고 본채로 돌아갔다. 이때 본채를 지키고 있던 위의 군사들은 한무리의 군사들이 내달려오는 소리를 듣고는 드디어 촉군이 공격해오는 것이라 생각해 급히 불을 놓아 신호를 올렸다. 순간 왼쪽에서는 조진이, 오른쪽에서는 곽회가 쳐들어오니, 또 한바탕 아군끼리 처절한 싸움이 벌어졌다.

이렇게 위군들이 저희끼리 난장판을 벌이고 있을 때 촉군이 세 방면으로 나뉘어 짓쳐들어왔다. 중앙에는 위연이요, 왼쪽에는 관흥, 오른쪽에는 장포였다. 이 한바탕 싸움으로 위군은 크게 패하여 10리 밖으로 달아났고 위의 장수들도 무척 많이 죽었다. 마침내 공명은 크게 승리하고 군사를 거두었다. 조진과 곽회는 패군을 수습해 영채로 돌아와 앞일을 상의했다. 조진이 길게 탄식한다.

"우리 군사의 형세는 외롭고 촉군의 세력은 크니, 장차 무슨 수로 적을 물리친단 말인가!"

곽회가 말한다.

"이기고 지는 것은 병가상사(兵家常事)니 크게 근심할 일은 아니오. 내게 한 가지 계책이 있는데, 촉군이 수미상응(首尾相應)하지 못하게 한다면 그들 스스로 물러가게 될 것이오."

| 불쌍타 위나라 장수, 성사하기 어려움에 | 可憐魏將難成事 |
| 겨우 서쪽에 대고 구원병을 청하누나 | 欲嚮西方素救兵 |

과연 곽회의 계책이란 무엇일까?

94

돌아온 사마중달

제갈량은 눈을 이용해 강병을 격파하고
사마의는 기한을 당겨서 맹달을 사로잡다

곽회가 조진에게 말한다.

"서강(西羌) 사람들은 태조(太祖, 조조) 때부터 조공을 바쳤고, 문황
제(文皇帝, 조비)께서도 또한 그들에게 은혜를 베푸셨소이다. 그러니
우리가 험준한 지세를 의지해 그대로 싸움을 계속하는 한편으로 소로
를 통해 사람을 서강에 보내 구원을 청하고 화친을 허락한다면, 서강
사람들은 반드시 군사를 일으켜 촉군의 배후를 공격할 것이오. 그때
우리가 대군을 일으켜 앞뒤로 촉군을 협공한다면 어찌 승리하지 않겠
소이까?"

조진은 곽회의 계책에 따르기로 하고 당장 글을 써서 사신에게 주어 밤을 새워 서강으로 가게 했다.

한편 서강 국왕 철리길(徹里吉)은 조조 때부터 해마다 조공을 바쳐 왔다. 그 수하에는 문관 한 사람과 무관 한 사람이 있었는데, 문관은 곧 아단(雅丹) 승상이고, 무관은 월길(越吉) 원수였다. 위의 사자는 금은보화와 조진의 서신을 가지고 서강에 당도하여, 먼저 승상 아단에게 예물을 바치고 구원 요청의 뜻을 전했다. 아단이 사신을 국왕에게 안내하고 그가 가져온 서신과 예물을 바치자 국왕 철리길은 서신을 받아 읽고 나서 즉시 여러 사람과 함께 상의했다. 아단이 말한다.

"우리와 위는 예로부터 서로 왕래가 있던 처지로, 지금 조도독이 구원을 요청하며 화친을 허락한다 하니 윤허하심이 마땅할 줄로 아옵니다."

철리길은 그 말에 따라 즉시 아단과 월길에게 명해 강병 15만을 일으켰다. 이들은 대부분 쇠뇌와 창·칼·질려(蒺藜, 마름쇠 모양의 무기)·비추(飛鎚) 등의 병기를 능숙하게 다루었다. 또 서강에는 특별한 무기가 있었으니, 바로 전차(戰車)의 일종인 철거(鐵車)였다. 철거는 철판조각에 못을 박아 만든 수레로, 그 안에 양식을 비롯해 무기와 군대에 필요한 물품들을 싣고 다니는데 낙타나 노새를 시켜 끌었다. 이들을 철거병(鐵車兵)이라고 했다.

아단과 월길은 국왕에게 하직하고 군사를 일으켜 서평관을 향해 진격했다. 관을 지키고 있던 촉장 한정(韓禎)은 급히 사람을 보내 공명에게 이 사실을 보고했다. 공명이 보고를 듣고 장수들에게 말한다.

"누가 가서 강병을 물리치겠는가?"

장포와 관흥이 기다렸다는 듯이 나선다.

"저희들이 가겠습니다."

공명이 말한다.

"그대들이 가는 것은 좋으나, 길을 잘 모르는 게 문제로구나."

곧 마대를 부르더니 분부한다.

"그대는 일찍이 강인들의 성질을 잘 알고 또 그곳에 오래 있었으니, 함께 가서 길을 안내하도록 하오."

공명은 즉시 정예병 5만명을 관흥과 장포에게 내주었다. 관흥과 장포는 군사를 이끌고 출발한 지 며칠 만에 드디어 월길이 이끄는 강병을 만났다. 관흥이 먼저 기병 1백여명을 이끌고 산위로 올라가 살펴보았다. 강병들은 철거를 길게 연결해 그 안에 영채를 세우고, 철거 위에 무기를 두루 배치해놓았는데 그 모양이 마치 단단한 성곽 같았다. 관흥은 한참을 지켜보았으나 적을 물리칠 마땅한 계책이 떠오르지 않자 영채로 돌아와 장포·마대와 더불어 의논했다. 마대가 말한다.

"내일 대진하여 적진을 살펴보고 그 허실을 찾아낸 후에 계책을 정하는 것이 좋겠소."

다음날 촉 진영은 군사를 셋으로 나누어 가운데는 관흥이, 왼쪽에는 장포가, 오른쪽에는 마대가 버티고 서서 일제히 진격했다. 이에 맞서 강병의 진영에서는 원수 월길이 허리에 보조궁(寶雕弓, 보석 박은 활)을 차고 손에 철추를 든 채 용감하게 말을 몰고 나왔다. 관흥이 호령하며 앞장서니, 촉군은 일제히 적의 영채를 향해 진군했다. 그런데 갑자기 강병이 양쪽으로 갈라지더니 그 가운데서 철거가 파도처럼 몰려나오면서 동시에 화살이 빗발치듯 날아오기 시작했다. 관흥이 이끄는 촉군은 제대로 싸워보지도 못하고 크게 패하였다. 뒤따르던 마대와 장포의 군사들은 먼저 후퇴했으나 앞장섰던 관흥의 군사들은 강병들에게 포위당한 채 서북쪽으로 밀려나 곤경에 빠지고 말았다.

관흥은 좌충우돌 힘을 다해 적을 쳐부수며 포위를 벗어나려 했으나 쉽게 뚫을 수가 없다. 철거가 물샐 틈 없이 포위하니, 그 견고함이 마치 성과 같아서 촉군은 피차간에 다른 사람을 돌볼 여력이 없었다. 관흥은 간신히 포위망을 뚫고 길을 찾아 산골짜기로 달아났다. 얼마 못 가서 해가 기울자 관흥의 마음은 더욱 다급해졌다. 이때 검은 깃발과 함께 강병들이 벌떼같이 밀려들면서 그중의 한 장수가 손에 쥔 철추를 휘두르며 큰소리로 외친다.

"젊은 장수는 꼼짝마라! 내가 바로 원수 월길이다!"

관흥은 말을 힘껏 채찍질하여 죽어라 하고 달아났다. 그러나 곧 길이 끊어지고 발밑은 깊은 낭떠러지였다. 이제 말머리를 돌려 월길 원수와 맞서싸울 수밖에 없었다. 그러나 관흥은 이미 기가 질린 터라 월길과 맞서싸우기보다 계곡을 뛰어넘어 달아나는 쪽을 택했다. 어느새 뒤쫓아온 월길의 철추가 관흥의 머리를 향해 날아들었다. 관흥은 날쌔게 피했으나 그만 말의 넓적다리가 철퇴에 맞고 말았다. 말이 펄쩍 뛰어 낭떠러지 아래 계곡으로 처박히는 바람에 관흥도 그대로 물속으로 곤두박질치고 말았다.

그때 문득 외마디 비명에 이어 관흥을 뒤쫓던 월길 또한 말과 함께 물속으로 곤두박질쳤다. 관흥이 물속에서 몸을 일으켜 보니, 언덕 위에서 한 장수가 강병들을 종횡무진으로 쳐죽이고 있었다. 기운을 얻은 관흥은 곧 칼을 들어 월길을 내려쳤다. 그러나 월길은 잽싸게 몸을 피하더니 물에서 뛰쳐나가 달아났다. 그제서야 관흥은 월길의 말을 이끌고 계곡 위로 올라갔다. 안장과 고삐를 바로한 다음 말에 올라 좌우를 살펴보니 그 장수는 그때까지도 강병을 뒤쫓으며 시살하고 있었다. 관흥이 생각한다.

'저 장수가 내 생명을 구해주었으니 마땅히 가서 인사를 올리고 사례하리라.'

관흥이 말을 몰고 강병들이 어지럽게 흩어지고 있는 싸움판 가까이 다가가니 구름과 안개 속에서 한 장수의 모습이 어렴풋이 드러났다. 얼굴은 무르익은 대춫빛이요, 누에눈썹에 녹색 전포, 황금갑옷을 입고는 청룡도를 든 채 적토마를 탄 그 장수가 한 손으로 아름다운 수염을 쓰다듬는데 관흥은 그만 깜짝 놀라고 말았다. 그 장수는 분명 자신의 부친 관운장이 아닌가. 관운장이 손으로 동남쪽을 가리키며 말한다.

"내 아들아, 어서 이 길로 가거라. 내 너를 보호해 영채로 돌아갈 수 있게 해주마!"

이 말을 남기고 관운장의 모습은 어디론가 사라졌다. 그때부터 관흥은 오직 동남쪽만을 바라고 급히 말을 달려갔다. 한밤중이 다 되어갈 무렵 한무리의 군사들과 마주쳤다. 바로 장포의 군사였다. 장포가 급히 묻는다.

"너 혹시 둘째백부님을 뵙지 못했느냐?"

관흥이 되묻는다.

"형님은 그 일을 어찌 아시오?"

장포가 이야기한다.

"내가 적의 철거에 쫓기고 있는데, 백부님께서 홀연히 공중에서 내려오시더니 강병들을 순식간에 물리치시고는 이 길을 가리키며, '너는 이 길로 가서 내 아들을 구하라' 하시질 않겠느냐. 그래 이렇게 달려 오는 길이다."

관흥도 자신이 겪은 일을 이야기하니 두 장수는 그 기이함에 감탄하며 함께 영채로 돌아왔다. 마음을 조이며 기다리던 마대가 두 사람을 반갑게 맞이해 장막으로 들어갔다. 마대가 말한다.

"아무래도 우리 힘으로는 강병을 당해낼 수 없을 것 같소. 내가 남아서 영채를 지킬 터이니 두 장수는 본채로 돌아가 승상을 뵙고 계책을 세워 돌아오시오."

장포와 관흥 두 사람은 밤새 말을 달려 본채로 가서 공명에게 자세히 고했다.

보고를 들은 공명은 조자룡과 위연을 불러 각각 군사들을 거느리고 가서 매복하라 이른 다음, 군사 3만명을 이끌고 강유·장익·관흥·장포를 거느리고 친히 마대가 지키고 있는 영채에 당도했다. 이튿날 공명은 높은 언덕에 올라 적진을 살폈다. 철거가 빈틈없이 이어져 있고 군마가 모두 기운차게 오가는 것을 보다가 한참 만에 공명이 말한다.

"격파하기 과히 어렵지 않도다."

공명은 즉시 마대와 장익을 불러 이러저러한 계책을 일러주고, 강유를 불러 묻는다.

"백약은 적을 깨칠 진법을 알겠는가?"

강유가 말한다.

"강인들은 힘만 믿고 날뛰는 자들인데 어찌 승상의 묘한 계책을 알겠습니까?"

공명이 웃으며 말한다.

"그대가 내 마음을 꿰뚫어보는구나. 바야흐로 검붉은 구름이 빽빽하게 밀려오고 삭풍이 세차게 부니 곧 눈이 내릴 터, 가히 내 계책을 쓸 만할 것이다."

공명은 관흥과 장포 두 사람에게 군사를 이끌고 가서 매복하라 일
렀다. 그리고 강유에게 나가 싸우라 이르면서 당부한다.

"만일 철거병이 공격해오거든 퇴각하고, 영채 어귀에는 거짓으로
정기만 꽂아두고 군마는 두지 말게나."

이렇게 해서 준비는 다 끝났다.

바야흐로 때는 12월 하순, 공명이 예상한 대로 하늘이 흐려지더니
큰눈이 내리기 시작했다. 강유가 군사를 거느리고 나가자 월길은 기
다렸다는 듯이 철거병을 이끌고 나왔다. 강유는 철거병을 보자마자
즉시 군사를 돌려 달아났다. 강병은 그 뒤를 쫓아 촉군의 영채 앞까지
추격해왔다. 강유는 영채마저 버리고 뒤쪽으로 내쳐 달아나버렸다.
강병들이 영채 안을 살펴보니 텅 비어 있었다. 그때 갑자기 난데없는
북소리 거문고소리가 은은히 들려오는데, 주위에는 정기들만 무수히
나부낀다. 강병들은 의심스런 생각이 들어 급히 돌아가 월길에게 보
고했다. 월길 역시 의심이 들어 함부로 움직이지 못했다. 이때 아단
승상이 한마디 한다.

"장군께서는 뭘 두려워하시오? 이 모두 제갈량의 계략 아니겠소?
거짓으로 정기를 세워 군사들이 있는 것처럼 눈속임했을 뿐이니 당장
공격하시오."

아단의 말에 따라 월길은 군사를 이끌고 촉의 영채로 쳐들어갔다.
문득 보니 공명이 거문고를 안은 채 수레에 올라 몇명의 기병을 거느
리고 영채 뒤로 도망치고 있었다. 강병들은 곧장 영채를 지나쳐 뒷산
어귀까지 공명을 뒤쫓았다. 공명을 태운 자그마한 수레는 어느새 멀
리 숲속으로 가물가물 사라지고 있었다. 아단이 월길에게 말한다.

"비록 촉군이 매복해 있다 한들 무엇이 두렵겠소?"

한껏 고무된 월길은 강병들을 이끌고 거침없이 공명의 뒤를 쫓아갔다. 한참 뒤쫓다 보니, 앞쪽에서는 강유의 군사들이 눈보라 속을 분주히 달아나고 있었다. 월길은 벼락치듯 소리를 지르며 철거병들을 휘몰아 촉군을 추격했다. 그동안 쉬지 않고 내린 눈이 쌓여 산길은 멀리까지 평탄하게 뻗어 있었다. 월길이 한참을 달리는데 산 뒤쪽에서 촉군이 나타났다는 보고가 들어왔다. 아단이 가볍게 말한다.

"그까짓 복병쯤이야 무엇이 두렵겠느냐?"

월길은 군사를 재촉해 눈보라를 헤치며 계속 추격해갔다. 그때 갑자기 산이 무너지고 땅이 꺼지는 듯한 소리와 함께 맹렬한 기세로 추격하던 강병들은 한꺼번에 함정 속으로 빠지고 말았다. 뒤따르던 철거들도 갑자기 멈출 수가 없어 함정 속으로 떨어지며 돌진하여 저희 군사들을 깔아뭉개니 주위는 순식간에 아수라장이 되어버렸다.

급히 퇴각하는 월길의 후군을 노리고 왼쪽에서는 관흥이, 오른쪽에서는 장포가 한떼의 군사들을 이끌고 비오듯 화살을 쏘아대며 쳐들어왔다. 또한 뒤에서는 장익·강유·마대의 세 부대가 덮쳐오니 철거병들은 속수무책으로 무너지며 일대 혼란에 빠져버렸다. 월길은 뒤쪽 산골짜기로 달아나다가 관흥과 마주쳤다. 관흥이 우레처럼 소리치며 칼을 휘두른다.

"이놈 월길아, 내 칼을 받아라!"

월길은 관흥의 칼을 막아내지 못하고 단 1합에 말 아래로 떨어져 죽어버렸다. 아단은 이미 마대에게 생포되어 결박당한 채 대채로 끌려갔다. 대장들이 이러하니, 강병들은 사방으로 흩어져 달아나고 숨기에 바빴다.

공명이 장막의 윗자리에 앉자, 마대가 아단을 끌고 나왔다. 공명은 아단을 보더니 당장 무사들에게 호령해 결박을 풀어주게 했다. 그러고는 술을 내려 놀란 가슴을 진정시키게 하고 좋은 말로 위로하자 아단은 공명의 처사에 깊이 감동했다. 공명이 말한다.

"나의 주인은 대한(大漢)의 황제이시다. 나는 황제의 명을 받들어 역적을 토벌하려 하는데 너는 어찌하여 도리어 역적을 돕는단 말이냐? 내 이제 너를 놓아보내줄 터이니, 네 주인에게 너희는 우리와 이웃해 있으니 서로 길이 우호관계를 맺고 이제 반적의 말을 듣지 말라고 전하여라."

공명은 생포한 강병들을 비롯해 수레와 말, 병기 등을 모두 내주고 아단을 본국으로 돌려보내주었다. 그들은 모두 절하여 사례하고 돌아갔다. 공명은 전군을 거느리고 밤을 새워 기산 영채를 향해 출발했다. 관흥과 장포에게 군사를 주어 먼저 떠나보내고, 한편으로는 사람을 시켜 성도로 표문을 올려 황제에게 승전보를 전했다.

한편 조진은 서강의 소식을 초조하게 기다리고 있었다. 하루는 복로군(伏路軍, 길목에 매복한 군사)이 달려와 고한다.

"촉군들이 영채를 거두어 떠나고 있습니다."

곽회가 매우 기뻐하며 말한다.

"강병의 공격을 견디지 못하고 퇴각하는 게 틀림없소."

위군은 즉시 군사를 두 길로 나누어 퇴각하는 촉군을 추격해갔다. 보니 과연 앞에서 촉군들이 어지럽게 달아나고 있었다. 선봉장 조준이 앞장서서 촉군의 덜미를 잡기 위해 한창 뒤를 쫓는데, 갑자기 큰 함성과 함께 한떼의 군사들이 쏟아져나왔다. 선봉에 선 장수는 위연이었다. 위연이 큰소리로 호령한다.

"이 역적놈아, 게 섰거라!"

깜짝 놀란 조준은 그대로 말을 몰고 달려나와 위연을 맞아 싸웠으나 불과 3합도 되기 전에 위연의 칼에 맞아죽었다. 부선봉 주찬도 군사를 이끌고 뒤쫓다가 홀연히 내달려오는 한무리의 군사들과 마주쳤다. 앞선 대장은 조자룡이었다. 주찬은 손 한번 놀려보지 못하고 조자룡의 창에 찔려 그 자리에서 죽고 말았다.

두 선봉장이 어이없이 당하자 조진과 곽회는 놀라 군사를 수습해 퇴각하려 했다. 그때 등뒤에서 함성이 일며 북소리 뿔피릿소리가 요란하게 울리더니 두 길로 나뉜 관흥과 장포의 군사들이 덮쳐와 곽회와 조진을 포위하며 맹공격을 퍼부었다. 곽회와 조진은 패잔병을 이끌고 겨우 길을 뚫고 달아났다. 촉군은 완승을 거두고, 내쳐 위수까지 쳐들어가 위의 영채를 점령해버렸다. 조진은 일시에 두명의 선봉장을 잃고 슬퍼하며 조정에 표문을 올려 원병을 청했다.

한편 위주 조예가 조회를 하는 중에 근신이 아뢴다.

"대도독 조진이 촉군에게 수차례 패한데다 두 선봉장까지 잃고 강병 또한 무참히 패하여 그 형세가 매우 급박하게 되었습니다. 원병을 요청하는 표문을 보내왔으니, 폐하께서는 결단을 내리소서."

조예는 크게 놀라 여러 관료들에게 촉군을 물리칠 계책을 물었다. 화흠이 말한다.

"이번에는 폐하께서 몸소 정벌에 나서시고 제후들을 크게 모으십시오. 그래야만 모두들 목숨을 걸고 싸워 적을 물리칠 것입니다. 그렇게 하지 않으면 장안을 잃는 것은 물론 관중도 위태롭습니다."

태부 종요가 아뢴다.

"무릇 장수는 지혜가 남보다 앞서야 능히 상대를 제어할 수 있습니다. 손자(孫子)도 이르기를 '남을 알고 나를 알면 백전백승(知彼知己百戰百勝)'이라 했습니다. 신의 생각으로는 조진이 비록 용병한 지 오래 되었다 하나 제갈량의 적수는 못 됩니다. 이제 신이 제 식구의 목숨을 걸고서라도 한 사람을 천거해 촉군을 물리치고자 하는데, 다만 폐하께서 윤허하실지 그것이 걱정입니다."

조예가 대답한다.

"경은 원로대신이 아닌가? 그렇듯 현명한 사람이 있어 촉군을 물리칠 수 있다면, 속히 불러들여 짐의 근심을 덜게 하오."

종요가 말한다.

"지난번에 제갈량이 군사를 일으켜 우리 경계를 범하려다가 이 사람을 두려워하여, 곧 유언비어를 퍼뜨려 폐하께서 그를 의심하여 쫓아버리게 만들었습니다. 그러고는 이렇듯 군사를 일으켜 쳐들어왔으니 이제 폐하께서 그를 다시 불러 쓰신다면 제갈량은 스스로 물러가지 않을 수 없을 것입니다."

조예가 다급히 묻는다.

"누구를 두고 말함인가?"

종요가 대답한다.

"바로 표기대장군 사마의입니다."

조예는 길게 탄식하며 말한다.

"그 일은 짐 또한 후회하는 바이오. 그래 중달(仲達, 사마의의 자)은 지금 어디 있소?"

종요가 말한다.

"신이 근래에 들으니, 중달은 완성(宛城)에서 한가로운 세월을 보내고 있다 하더이다."

조예는 즉시 조칙을 내려 사자에게 절월을 주어보내 사마의를 복직시키고 더하여 평서도독(平西都督)으로 임명했다. 그러고는 사마의에게 남양 여러 곳의 군마를 동원해 장안으로 진군해오도록 명했다.

"짐도 친히 정벌에 나설 것이니 중달에게 속히 출발해 정한 날짜에 도착하도록 하라."

명을 받은 사자는 완성을 향해 밤낮으로 달렸다.

한편 공명은 출사한 이래 여러 차례 대승을 거두어 내심 매우 흡족해하고 있었다. 하루는 기산 영채에서 여러 사람을 모아놓고 앞일을 의논하는데, 사람이 와서 고한다.

"영안궁을 지키고 있는 이엄이 아들 이풍을 보내왔습니다."

동오가 경계를 침범했다고 생각한 공명은 심히 놀라는 한편 의심이 나서 곧 이풍을 불러들였다. 이풍이 엎드려 절하며 말한다.

"이번에는 특별히 기쁜 소식을 전하러 왔습니다."

공명이 놀라 묻는다.

"기쁜 소식이라니, 어떤 소식인가?"

이풍이 말한다.

"지난날 맹달이 위에 항복한 것은 부득이한 일이었는데, 그때 조비는 맹달의 재주를 아껴 준마와 온갖 보배를 내리고, 함께 수레를 타고 드나들 정도로 총애하였습니다. 조비는 맹달을 산기상시(散騎常侍)에 봉하고 신성(新城) 태수로 삼아, 상용(上庸)과 금성(金城) 등 서남 일대를 지키도록 했습니다. 조비가 죽고 조예가 즉위한 이래로 조정 신하들이 모두 시기하는지라 한시도 마음 편할 날이 없던 맹달은 걸핏하면 여러 장수들에게 '나는 본래 촉의 장수였으나 형세가 잘못되어

이 지경이 되었다'고 탄식하곤 했답니다. 맹달이 근래 심복부하를 시켜 제 부친에게 서신을 보내왔는데 내용인즉 승상께 자신의 뜻을 아뢰어달라는 것입니다. 전에 위군이 다섯 길로 나뉘어 서천을 침범했을 때도 자신의 뜻은 지금과 같았다고 하며, 맹달은 지금 신성에 있는데, 승상께서 위를 친다는 소식을 듣고, 자신이 금성·신성·상용 세 곳의 군사를 일으켜 낙양을 공략할 터이니, 승상께서 장안만 손에 넣으시면 위의 양경(兩京)은 쉽게 평정되리라는 것입니다. 그래서 승상께 맹달이 보낸 심복부하를 데려왔습니다. 그리고 맹달이 그동안 수차에 걸쳐 보내온 서신들을 바칩니다."

공명은 크게 기뻐하며 곧 이풍 등에게 후하게 상을 내렸다. 이때 갑자기 정탐꾼이 들어와 고한다.

"위주 조예가 몸소 군사를 이끌고 장안으로 오고 있다 합니다. 그리고 사마의를 복직시켜 평서도독으로 삼고 군사를 일으켜 장안에서 합류하기로 했답니다."

공명이 크게 놀랐다. 이에 참군 마속이 묻는다.

"승상께서는 그까짓 조예를 두고 무얼 두려워하십니까? 조예가 장안에 온다면 우리가 쳐들어가 사로잡아버리면 될 일 아닙니까?"

공명이 답한다.

"내 어찌 조예를 두려워하겠는가? 내가 근심하는 자는 오직 한 사람 사마의뿐이라. 지금 맹달이 큰일을 도모하려 하는데, 사마의를 만나면 반드시 패할 것이오. 맹달은 적수가 못 되니 필시 사마의에게 사로잡히고 말 텐데, 만일 맹달을 잃으면 중원을 얻기는 쉽지 않을 것이오."

"그렇다면 승상께서는 급히 맹달에게 글을 보내 그러한 사태를 막

으시면 되지 않습니까?"

공명은 급히 글을 적어 맹달에게서 온 사람에게 주어 밤낮을 가리지 말고 가서 전하도록 했다.

신성에서 심복부하가 돌아오기만 기다리고 있던 맹달은 드디어 승상의 답신을 받고 급히 펼쳐 보았다. 그 내용은 다음과 같았다.

근래에 서신을 받아보고, 공의 충성과 의리가 높아 옛벗을 잊지 않고 있음을 알게 되어 참으로 기쁘고 위로가 되었소. 만일 대사를 이룬다면 공은 한조(漢朝)를 중흥한 일등공신이 될 것이오. 각별히 조심하여 은밀히 움직여야 하오. 쉽게 사람을 믿지 말고, 더욱 경계를 늦추어서는 아니 되오. 근자에 들으니, 조예가 사마의를 복직시켜 완성과 낙양의 군사를 일으킨다 하니, 공이 거사하려는 것을 알면 반드시 먼저 들이닥칠 것인즉, 모름지기 만반의 준비를 갖추고 절대로 가볍게 생각해서는 안될 것이오.

맹달이 다 읽고 나서 한바탕 웃으며 말한다.

"사람들이 공명을 일러 지나치게 마음쓰는 일이 많다고들 하더니, 과연 이 글을 보니 알겠구나."

맹달은 즉시 회신을 써서 심복에게 주어 공명에게 보냈다. 공명은 맹달의 사자를 장막으로 불러들이고 이어 맹달의 사자가 바치는 서신을 뜯어보니 그 내용은 다음과 같다.

마침 가르치심을 받았으니 어찌 잠시라도 태만히할 수 있겠습니까? 사마의의 일은 두려워할 것이 없나이다. 완성은 낙양에서 8백리요, 신성까지는 1천2백리라. 만일 사마의가 이몸의 거사에 대해 듣는다 해도 위주에게 표문을 올려 고하려면 왕복 한달은 걸릴 것입니다. 그동안 성지를 튼튼히 하고 여러 장수와 군사들과 함께 지세가 험한 요충지를 지킬 것이니, 사마의가 온다 한들 무엇이 두렵겠습니까? 승상은 마음을 놓으시고 오직 승전보만을 기다리소서.

공명은 맹달의 편지를 땅에 내던지고 발을 구르며 한탄한다.

"맹달이 필시 사마의의 손에 죽고 말겠구나!"

마속이 묻는다.

"승상은 어째서 그리 말씀하십니까?"

"병법에 이르기를 '준비 없는 곳을 치고 뜻하지 않은 곳으로 나간다(攻其不備 出其不意)' 했으니 사마의가 어찌 한달의 기한을 기약하겠는가? 조예가 이미 적을 만나면 물리치라 명한 터에 사마의가 무엇하러 일일이 조예에게 표문을 올리겠으며, 만일 맹달이 배반했다는 소식을 들으면 사마의는 불과 열흘이 못 되어 당도할 것이니 어느 틈에 손을 쓸 수 있겠는가!"

여러 장수들이 공명의 말에 모두 탄복했다. 공명은 즉시 글을 써서 사자에게 내주며 맹달에게 이르도록 했다.

"아직 거사하지 않았다면 뜻을 같이할 사람이라 할지라도 절대로 이 일을 알려서는 안된다고 전하라. 이 일이 누설되면 반드시 패하고 말 것이다."

사자는 절을 올려 사례하고 신성으로 돌아갔다.

한편 사마의는 완성에서 하는 일 없이 세월만 보내던 중에 하루는 위군이 촉군에게 여러 차례 패했다는 소식을 듣고 하늘을 우러러 깊이 탄식했다. 사마의에게는 두 아들이 있었다. 맏아들 사마사(司馬師)의 자는 자원(子元)이요, 둘째아들 사마소(司馬昭)의 자는 자상(子尙)으로, 두 아들 모두 어려서부터 큰뜻을 품고 있었으며 병서를 익혀 통달했다. 마침 두 아들이 아버지 곁에 있다가 묻는다.

"아버님께서는 어찌하여 그리 탄식하십니까?"

사마의가 대답한다.

"너희들이 어찌 대사를 알겠느냐?"

사마사가 묻는다.

"혹시 위주께서 다시 써주지 않음을 탄식하시는 것입니까?"

둘째아들 사마소가 웃으면서 한마디 한다.

사마의와 두 아들

"아버님께서는 과히 심려 마소서. 조만간 반드시 사람을 보내 아버님을 부르실 것입니다."

사마소의 말이 채 끝나기도 전에 칙사가 절(節)을 가지고 왔다는 보고가 들어왔다. 사마의는 조칙을 받은 즉시 완성 일대의 군마를 불러모으고 정비했다. 바로 그러한 때 금성 태수 신의(申儀)가 집안사람을 보내왔다. 특별히 전할 기밀사항이 있다는 것이다. 사마의가 급히 밀실로 불러들여 물으니 신의의 집안사람은 맹달이 모반하려고 하며, 맹달의 심복 이보(李輔)와 처남 등현(鄧賢)이 이 사실을 고하는 문서를 가지고 왔음을 전했다. 사마의는 듣고 나서 이마에 손을 얹고 말한다.

"이는 황제 폐하의 크나크신 복이로다! 바야흐로 제갈량이 기산에 주둔해 있고 여러 차례 우리 군사를 무찔러 사람들의 간담이 서늘해져 있는 터라 황제께서 부득이 장안으로 움직이셨는데, 이때 나를 쓰지 않으셨다면 맹달은 일거에 양경을 격파하고 말았을 것 아닌가! 맹달은 필시 제갈량과 내통했을 터이니, 내가 먼저 저를 사로잡아버리면 제갈량은 겁을 먹고 스스로 물러갈 것이다."

맏아들 사마사가 아뢴다.

"아버님께서는 어서 표문을 써서 황제께 올리소서."

사마의는 손을 내저으며 말한다.

"황제께 표문을 올려 허락을 얻자면 최소한 왕복 한달은 걸릴 터인데, 그리하다가는 큰 낭패를 볼 것이다."

사마의는 말을 마치기가 무섭게 영을 내린다.

"모든 군마는 길 떠날 차비를 하라. 하루에 이틀길을 달리도록 하고, 만일 늦는 자가 있으면 그 자리에서 목을 베겠다!"

또한 참군 양기(梁畿)에게 격문을 주어 밤낮으로 말을 달려 신성으로 가도록 했다. 맹달에게 기병할 준비를 갖추라 하여 의심을 사지 않도록 하려는 것이었다.

양기를 떠나보낸 뒤 사마의는 드디어 군사를 일으켰다. 행군을 시작한 지 이틀째 되는 날이었다. 사마의는 산 언덕 아래에서 한무리의 군사를 만났다. 우장군 서황이었다. 서황은 말에서 내려 사마의에게 묻는다.

"황제께서 촉군을 맞아 싸우기 위해 친히 장안으로 나아가셨는데, 지금 도독께서는 어딜 가십니까?"

사마의는 목소리를 낮추어 서황에게 말한다.

"맹달이 모반하여 그를 사로잡으러 가는 길이오."

서황이 말한다.

"그렇다면 내가 선봉을 맡겠소이다."

사마의는 크게 기뻐하며 군사를 합쳐 곧 서황을 전군으로 삼고, 자신이 중군을 맡았으며, 두 아들에게는 후군을 맡겨 계속 진군했다. 또다시 이틀이 지났다. 전군의 척후병이 맹달의 심복부하를 사로잡아 사마의에게로 데려왔다. 품속에서 맹달에게 보내는 공명의 답신이 나왔다. 사마의가 문초한다.

"너를 죽이지 않을 테니, 숨기지 말고 모든 걸 자백하라."

맹달의 심복은 그동안 맹달과 공명이 서로 서신을 주고받은 사실을 세세히 고했다. 사마의는 공명의 답신을 뜯어보고는 몹시 놀랐다.

"세상에서 뛰어난 자는 생각하는 바가 모두 같아, 공명이 이미 내 능력을 간파하고 있었구나. 그러나 내가 도리어 모든 내막을 알게 되었으니, 황제께서는 복이 많으신 분이다. 맹달은 이제 내게 꼼짝없이 당하게 되었다."

사마의는 군사를 재촉해 밤낮을 가리지 않고 전진했다.

한편 맹달은 신성에서 금성 태수 신의, 상용 태수 신탐(申耽)과 함께 거사하기로 맹약하고 그날이 오기를 기다리고 있었다. 신의와 신탐 두 사람은 이에 거짓으로 응해놓고, 날마다 군마를 조련하며 위군이 당도하면 지원할 준비를 갖추느라 바빴다. 그러면서 맹달에게는 군기와 양초를 아직 갖추지 못해 약속한 날에 거사하기는 어려울 것 같다고 딴소리를 했다. 맹달은 조금도 의심하지 않았다. 그러한 때 신성의 맹달에게 참군 양기가 찾아왔다. 맹달이 성안으로 맞아들이니, 양기가 사마의의 명을 전한다.

"사마 도독께서 황제의 조칙을 받들고 여러 지방의 군마를 일으켜 촉을 물리치시려 하오. 태수는 군사를 조련하며 명을 기다렸다가 떠날 태세를 갖추라 하셨소."

맹달이 초조하게 묻는다.

"도독은 언제쯤 군사를 일으켜 진군하시오?"

양기가 능청맞게 답한다.

"아마 지금쯤은 완성을 떠나 장안을 향하고 계실 것이오."

맹달은 안심하며 기뻐했다.

'드디어 대사를 이루게 되었구나!'

맹달은 잔치를 베풀어 양기를 후하게 대접하고 성밖까지 나가서 전송했다. 그러고 나서 즉시 신의와 신탐에게 사람을 보내 통보했다.

"내일 거사할 것이니, 깃발을 대한(大漢)의 기로 바꾸어달고 군마를 출정시켜 낙양을 취하라."

그때 수하군사가 와서 보고한다.

"성밖에 흙먼지가 자욱한데 어느 편 군사인지는 모르겠습니다."

맹달이 의아해하며 성에 올라가 바라보니, 과연 한무리의 군사들이 나는 듯이 몰려오는데 깃발에 '우장군 서황'이라는 이름이 뚜렷이 적혀 휘날린다. 대경실색한 맹달은 급히 조교를 끌어올렸다. 서황은 말을 멈추지 않고 곧장 성 주변 해자 앞까지 와서 큰소리로 외친다.

"반역자 맹달은 속히 항복하라!"

맹달은 크게 노하여 재빨리 활을 들어 서황을 겨누어 쏘았다. 서황은 이마에 화살을 맞고 그 자리에 쓰러졌다. 곁에 있던 장수들이 서황을 구해 물러나는데 성위에서는 화살을 비오듯이 쏘아댔다. 위군은 결국 더 싸우지 못하고 물러났다. 맹달은 즉시 성문을 열고 위군을 추격하려 했다. 그때였다. 하늘을 뒤덮을 듯 정기를 휘날리며 사마의의 군사가 몰려오고 있는 게 아닌가? 맹달은 하늘을 우러러 길게 탄식했다.

"과연 공명의 생각이 맞았구나!"

맹달은 나가 싸우려던 생각을 접고 성문을 굳게 닫아걸고 지키기만 했다.

한편 맹달의 화살을 맞은 서황은 영채로 옮겨져 화살을 뽑고 의원을 불러 치료를 받았으나 그날밤으로 죽고 말았다. 이때 그의 나이 59세였다. 사마의는 서황의 영구를 낙양으로 보내 장례를 치르도록 했다.

다음날, 맹달은 성위에 올라 사방을 두루 살펴보았다. 위군은 철통같이 성을 포위하고 있었다. 맹달은 앉으나 서나 불안하고 놀라워 어쩔 줄을 모르는데, 성밖에서 두 길로 나뉘어 군사들이 몰려오고 있었다. 자세히 보니 깃발에 '신탐' '신의' 두 이름이 크게 적혀 있었다. 맹달은 구원병이 온 줄 알고 그제야 안도의 한숨을 내쉬며 성문을 열어 맞으라고 호령했다. 그러고는 군사를 거느리고 황급히 성을 나서는데, 신탐과 신의 두 장수가 목소리를 가다듬어 큰소리로 맹달을 꾸짖는다.

"반역자 맹달은 속히 나와 죽음을 맞으라!"

맹달은 사태가 뒤바뀐 것을 알고 말머리를 돌려 성을 향해 달렸다. 그러나 어찌 된 일인지 성위에서 화살이 빗발치듯 쏟아지며, 이보와 등현 두 사람이 아래를 내려다보며 크게 꾸짖는 게 아닌가.

"이 역적놈아, 네 감히 어디로 들어오려 하느냐? 우리는 도독께 성을 바친 지 오래다!"

맹달은 다시 말머리를 돌려 달아나기 시작했다. 신탐이 그 뒤를 놓칠세라 바싹 추격해왔다. 맹달은 말을 재촉해 어떻게든 위기에서 벗어나려 했으나 사람과 말이 모두 지친 터라 결국 손 한번 제대로 써보지 못한 채 신탐의 창에 맞아 말 아래로 굴러떨어지고 말았다. 마침내 신탐이 맹달의 머리를 베어들었다. 그와 함께 맹달의 군사들은 모두 항복하고 말았다.

이보와 등현은 성문을 활짝 열고 사마의를 영접해 성안으로 모셨다. 사마의는 먼저 백성들을 위로하고 군사들에게 상을 내리는 한편, 위주 조예에게 승리의 소식을 전했다. 조예는 크게 기뻐하며 맹달의 머리를 낙양성으로 가져와 모든 백성들이 볼 수 있도록 저잣거리에 내걸게 했다. 그리고 신탐과 신의의 벼슬을 높여 사마의를 따라 촉군을 토벌하게 하고, 이보와 등현에게는 신성과 상용을 지키도록 명했다.

드디어 사마의는 장안성 밖에 이르러 영채를 세운 뒤에 성안으로 들어가 위주를 뵈었다. 위주는 몹시 기뻐하며 말한다.

"짐이 지난날 아둔하여 반간계에 빠졌던 일은 참으로 후회스럽소. 이번에 맹달이 반역한 일만 해도, 경의 힘이 아니었다면 무슨 수로 양경을 지킬 수 있었겠소?"

사마의가 아뢴다.

"신의의 밀고로 맹달이 모반하려 함을 처음 알았을 때 표문을 올려 폐하께 아뢰고 싶은 마음이 간절했으나 그러지 못했습니다. 오가며 시간을 지체했다가 혹시 일을 그르칠까 두려워 성지(聖旨)를 기다리지 않고 밤낮없이 신성으로 달려간 것이니, 만일 성지를 기다렸다면 필시 제갈량의 계책에 빠졌을 것입니다."

사마의가 공명이 맹달에게 보낸 은밀한 답신을 조예에게 바치자 조예가 읽어보고는 크게 기뻐한다.

"경의 전략은 손오(孫吳, 고대의 유명한 병법가 손무와 오기)를 능가하는도다. 이제 경에게 황금 부월(斧鉞) 한쌍을 내릴 터이니, 앞으로 급박하고 중대한 일을 만나거든 언제나 짐의 뜻을 기다릴 것 없이 알아서 행하시오."

그러고는 사마의에게 다시 출정해 촉을 격파하라고 영을 내렸다. 사마의가 아뢴다.

"신이 대장을 한 사람 천거해 선봉으로 삼고자 하옵니다."

"경은 누구를 천거하려오?"

"우장군 장합(張郃)이 가히 소임을 맡을 만하옵니다."

조예가 웃으며 말한다.

"짐도 그 사람을 쓰려던 참이었노라."

조예는 마침내 장합을 전군 선봉으로 삼고 사마의와 함께 장안성을 떠나 촉군을 무찌르도록 명했다.

이미 모신이 있어 능히 계략을 쓰는데 　　　　　　既有謀臣能用智
또 맹장을 구해 위엄을 더하는구나 　　　　　　又求猛將助施威

과연 위와 촉의 승부는 어찌 날 것인가?

95

거문고를 타는 제갈공명

마속은 간언을 듣지 않다가 가정땅을 잃고
공명은 거문고를 타서 중달을 물리치다

위주 조예는 장합을 선봉장으로 삼아 사마의와 함께 진병하도록 했다. 또한 신비(辛毗)와 손례(孫禮) 두 사람에게 군사 5만을 내주고 조진을 도우라 명하니, 두 사람도 조칙을 받들고 떠나갔다.

한편 사마의는 군사 20만을 이끌고 관을 나와 영채를 세웠다. 그리고 선봉장 장합을 장막으로 불러놓고 말한다.

"제갈량은 평생 매사를 조심하여 한번도 일을 소홀히 처리한 적이 없었소. 내가 이번에 촉의 군사를 썼다면 먼저 자오곡으로 해서 곧바로 장안을 취했을 것이니, 그렇게 했다면 장안성은 이미 함락되었을 것이오. 제갈량이 그리 하지 않은 것은 몰라서가 아니오. 다만 실수를 두려워하여 모험하지 않으려 했을 뿐이오. 이번에 제갈량은 반드시 야곡에서 출군해 미성(郿城)을 칠 것이고, 미성을 취하고 나면 다시 군사를 두 길로 나누어 한쪽 군사는 기곡을 취할 것이외다. 내 이미 조진에게 격문을 보내 미성을 굳게 지킬 뿐 절대로 나가 싸우지 말라 영을 내렸고, 손례와 신비로 하여금 기곡으로 가는 길목에 매복해 있다가 촉군이 당도하는 즉시 군사를 일으켜 기습공격을 하라고 일러두었소."

장합이 묻는다.

"그렇다면 장군께서는 어디로 진군하시렵니까?"

사마의가 말한다.

"진령(秦嶺) 서쪽에 한 가닥 길이 있는데, 그곳으로 가면 가정(街亭)이라는 곳에 닿고, 또한 가정 옆에는 열류성(列柳城)이 있는데, 이 두 곳 모두 한중을 안전하게 지킬 수 있는 요충지요. 제갈량은 틀림없이 자단(子丹, 조진의 자)이 아무 방비도 하지 않았으리라 여기고 이쪽으로 쳐들어올 것이오. 이제 그대와 더불어 가정을 먼저 취한다면 양평관도 멀지 않을뿐더러, 내가 가정의 중요한 길목을 끊어 저들의 군량 보급로를 차단한 것을 제갈량이 알게 되면 농서 일대가 위험에 처하는지라 즉시 밤을 새워 한중으로 돌아갈 것이오. 제갈량이 군사를 돌려 움직일 때를 기다렸다가 내가 군사를 이끌고 소로에서 맞아 싸운다면 완전히 승리할 수 있소. 또한 설사 제갈량이 군사를 돌리지 않는다 해도 각 요충지마다 군사를 배치해 보급로를 차단하고 한달만 시일을 끈다면 촉군은 양식이 없어 모두 굶어죽을 테니, 제갈량도 반드시 내 손에 사로잡히고야 말 게요."

촉의 한중에서 진령산맥을 넘어 위의 관중으로 들어갈 수 있는 다섯 갈래의 길

장합은 사마의의 계책을 듣고 탄복하여 땅에 엎드려 절을 올리며 말한다.

"도독의 계책은 참으로 절묘합니다."

사마의가 다시 입을 연다.

"그러나 내 뜻대로 된다 하더라도 제갈량은 맹달 따위와는 비교도 할 수 없는 인물이니, 장군은 선봉장으로서 경솔히 움직여서는 안되오. 여러 장수들과 긴밀히 연락을 취하면서 산 서쪽으로 나아가되 반드시 먼저 정탐하여 복병이 있는지 확인한 후 진군하도록 하오. 잠시라도 방심했다가는 반드시 제갈량의 계책에 빠지고 말 것이오."

장합은 사마의의 말을 가슴 깊이 새기고 군사를 이끌고 떠나갔다.

한편 공명은 기산 영채에 있었다. 신성의 정세를 살피러 갔던 정탐

꾼이 돌아왔다는 보고가 들어왔다. 공명이 급히 불러들여 물으니, 정탐꾼이 고한다.

"사마의가 길을 재촉하여 이틀길을 하루에 움직여 여드레 만에 신성에 도착한지라 맹달은 미처 손쓸 겨를이 없었습니다. 뿐만 아니라 신탐·신의·이보·등현 등이 적과 내통하는 바람에 맹달은 그만 난전 중에 죽고 말았습니다. 사마의는 군사를 거두어 장안성으로 가서 위주를 만나고, 다시 장합과 더불어 관을 나와 우리 촉군을 막기 위해 쳐들어오고 있습니다."

공명은 크게 놀라 말한다.

"맹달이 일을 치밀하게 하지 못했으니 그 죽음은 당연한 일이로다. 이제 사마의가 관을 나섰다 하니 반드시 가정을 취해 우리의 목구멍과 같은 요충지를 끊을 터인데, 누가 군사를 이끌고 가서 가정을 지키겠는가?"

공명의 말이 떨어지기 무섭게 참군 마속이 앞으로 나선다.

"제가 가겠습니다."

공명이 말한다.

"가정은 비록 작지만 우리에게 매우 중요한 곳이니 그곳을 잃는 날에는 우리 대군은 끝장이라 할 수 있소. 그대가 작전에 능하다고는 하나 그곳에는 성곽도 없고 의지할 천험(天險)의 요새도 없으니 지키기가 매우 어렵소."

마속이 말한다.

"제가 어려서부터 병서를 읽어 자못 병법을 아는데 어찌 가정 하나 제대로 지키지 못하겠습니까?"

그래도 공명은 마음을 놓지 못한다.

"사마의는 예사 인물이 아니며 장합 또한 위의 명장이오. 그대가 능히 대적하지 못할까 참으로 두렵도다!"

마속이 단호하게 말한다.

"사마의나 장합 무리가 뭐 그리 대단하다 하십니까? 비록 조예가 온다 해도 놀랄 제가 아닙니다. 만에 하나 제게 실수가 있다면 승상께 서는 저의 온가족을 참하십시오."

공명이 꾸짖는다.

"군중(軍中)에서는 농담이란 있을 수 없느니라."

마속의 태도는 더욱 단호했다.

"그렇다면 군령장을 쓰겠습니다."

공명은 머리를 끄덕였다. 마속이 군령장을 써서 바치자 공명이 입을 연다.

"그대에게 2만 5천의 정예병을 주고 또 한 사람의 상장을 딸려보내 그대를 돕도록 하겠소."

그러고는 곧 왕평을 불러 분부한다.

"내 그대가 평소 신중한 것을 아는 터라 이번에 특별히 중임을 맡 기고자 하오. 그대는 먼저 가정에 당도하면 조심스럽게 영채를 세우 되, 중요한 길목을 장악하여 적들이 절대로 지나가지 못하도록 해야 하오. 영채를 세운 뒤에는 사면팔방의 지형을 자세히 그려 내게 보내 시오. 매사를 두 사람이 상의해서 행하되 절대로 경솔히 움직여서는 안되오. 그곳을 굳게 지켜낸다면 그대는 장안을 취하는 데 일등공신 이 될 터이니 부디 조심하고 또 조심하오."

마속과 왕평 두 사람은 공명에게 절을 올리고 가정을 향해 군사를 이끌고 떠났다. 공명은 두 사람에게 혹시라도 실수가 있지 않을까 하여 안심이 되지 않았다. 생각끝에 다시 고상(高翔)을 불러 분부한다.

"가정 동북쪽에 성이 하나 있는데, 바로 열류성이오. 이 성은 궁벽한 산골짜기에 있어 길이 좁으니 가히 군사를 주둔하고 영채를 세울 만한 곳이오. 그대에게 군사 1만명을 줄 터이니, 그곳에 주둔해 있다가 만일 가정이 위태로워지면 가서 구원하도록 하오."

공명의 명을 받고 고상도 즉시 군사를 이끌고 떠났다. 고상을 보내고 나서도 공명은 좀체로 불안감을 떨쳐버릴 수가 없었다.

'아무래도 고상은 장합의 적수가 못 된다. 대장을 한 사람 더 보내 가정 오른쪽에 주둔시켜야만 적군을 막아낼 수 있으리라.'

공명은 마침내 위연을 불러 본부군사를 거느리고 가정땅 뒤쪽으로 가서 주둔하게 했다. 위연이 묻는다.

"제가 전군 선봉으로서 마땅히 앞장서 적을 격파해야 할 것인데, 어째서 그런 한가한 곳에 보내십니까?"

공명이 대답한다.

"선봉장이 되어 적을 공격하는 것은 편장(偏將)이나 비장(裨將) 정도도 능히 감당할 일이오. 지금 그대에게 가정땅을 후원하게 하는 것은 양평관으로 가는 길목을 막아 한중을 안전하게 할 요충지를 지키고자 함이니 이보다 더 막중한 책임이 어디 있다고 이 일을 한가하다 하시오? 조금이라도 등한히하여 대사를 그르치지 말고, 부디 조심하고 또 조심하시오."

그제야 위연은 얼굴이 밝아지며 군사를 이끌고 길을 떠났다. 공명은 비로소 조금 마음이 놓이는 듯했다. 그제서야 조자룡과 등지를 불러 영을 내린다.

"지금 사마의가 출병하여 상황이 지난날과는 전혀 다르오. 두 분

장군께서는 각각 군사들을 거느리고 기곡땅으로 가시오. 그곳에서 군사가 많은 것처럼 꾸며 적을 속이되, 위군을 만나거든 때로 싸우기도 하고 물러서기도 하면서 그들을 혼란스럽게 만드시오. 그러는 동안 나는 대군을 이끌고 야곡을 지나 미성을 취하겠소. 만일 미성을 얻게 되면 장안은 쉽게 손에 넣을 수 있을 것이오."

조자룡과 등지 두 사람이 영을 받고 떠났다. 이어 공명도 강유를 선봉으로 삼아 군사를 이끌고 야곡으로 진군했다.

한편 마속과 왕평 두 사람은 가정땅에 이르렀다. 지세를 둘러본 마속이 웃으며 말한다.

"승상께서는 참으로 걱정이 지나치시구려. 이렇게 궁벽한 산골짜기에 어찌 감히 위군이 쳐들어온단 말이오?"

왕평이 대답한다.

"설령 위군이 오지 않는다 해도 이곳에 이르는 다섯 길목에 영채를 세우고 군사들에게 나무를 베어다 목책을 둘러놓게 하여 오래 버틸 수 있을 만한 대비책을 세워두어야 할 것이오."

마속이 말한다.

"어찌 길목에다 영채를 세우려 하시오? 저쪽 산은 사면이 모두 막혀 있는데다 숲이 무성하니, 이는 바로 하늘이 우리에게 내리신 요새라 할 것이오. 그러니 저 산위에 군사를 주둔합시다."

왕평이 힘주어 말한다.

"그건 참군이 잘못 생각하시는 게요. 우리가 이 길목에 영채를 세우고 울타리를 쌓아 지킨다면 적군 10만명이 쳐들어온다 해도 통과하지 못할 것이오. 만일 이 요충지를 버리고 산위에 주둔했다가 위군이 쳐들어와 사면을 포위한다면 장차 어찌하시겠소?"

마속이 크게 웃으며 말한다.

"참으로 아녀자와 같은 소견이시오. 병법에 이르기를 '높은 곳에 의지해 아래를 보면 그 형세가 마치 대나무를 쪼개는 것과 같다(憑高視下 勢如劈竹)'했소이다. 만일 위군이 온다면 내 한놈도 목숨을 부지해 돌아갈 수 없게 만들 터이니 염려 마시오."

왕평은 끈질기게 마속을 설득하려 한다.

"나는 수차례나 승상을 모시고 싸움에 임하면서 승상께서 진을 벌이시는 것을 보아왔소. 이르는 곳마다 승상께서는 지성으로 가르쳐주셨소. 지금 이 산의 형세를 살펴보니 워낙 외떨어진 곳이라, 만일 위군이 와서 우리가 물을 길어먹을 길을 끊어버린다면 군사들은 변변히 싸움도 못해보고 자중지란에 빠지게 될 게요."

마속은 버럭 역정을 낸다.

"그대는 군심을 어지럽히지 마시오! 손자가 말하기를 '죽을 땅에 들어간 뒤에야 살 수 있다(置之死地而後生)'하였소. 그대 말대로 만일 위군이 우리의 물길을 끊는다면 우리 군사들은 죽기로써 싸워 일당백(一當百)을 해치울 수 있을 게요. 내 일찍부터 병서를 읽은 터라 승상께서도 모든 일을 오히려 내게 물으셨거늘, 어찌 그대가 감히 내 뜻을 꺾으려는 게요?"

왕평이 마지막으로 말한다.

"참군이 기어코 산위에 영채를 세우겠다면 내게 군사를 나누어주시오. 나는 산 서쪽에 조그맣게 영채를 세워 서로 기각지세(掎角之勢)를 이루었다가 만일 위군이 오거든 호응하도록 합시다."

마속은 왕평의 말을 끝내 듣지 않았다. 그때 갑자기 산속에 살고 있던 백성들이 떼지어 달려오더니 위군이 벌써 가까이 왔다고 전했다.

왕평은 작별을 고하고 떠나려 했다. 그제서야 마속이 말한다.

"내 명령을 따르지 않겠다면 군사 5천을 내줄 테니, 가서 그대 마음
대로 하시오. 그러나 내가 위군을 물리치고 승상께 돌아가는 날에는
절대로 공훈을 나누지 않을 것이니 그리 아오."

왕평은 군사 5천명을 이끌고 산에서 10리쯤 떨어진 곳에 영채를 세
운 다음 우선 지형도부터 자세히 그렸다. 수하군사에게 이를 주어 밤
을 낮 삼아 달려가 승상께 전하도록 명하고, 또한 마속이 산위에 영채
를 세웠다는 말도 전하라고 일렀다.

한편 사마의는 성안에 있으면서 둘째아들 사마소를 불러 할 일을
분부한다.

"너는 나가서 앞길을 탐색하되, 만일 가정에 촉의 군사가 지키고
있거든 더 나아가지 말고 멈추어라."

사마소가 나는 듯이 한바퀴 둘러보고 와서 사마의에게 아뢴다.

"수많은 군사들이 가정을 지키고 있었습니다."

사마의가 탄식한다.

"제갈량은 과연 신인이로다. 내가 어찌 그를 당해낼 수 있으랴?"

사마소가 웃으며 말한다.

"아버님께서는 어찌하여 스스로 기운을 꺾으려 하십니까? 제 생각
에는 가정을 취하는 일이 그리 어려울 것 같지 않습니다."

사마의가 아들을 나무란다.

"네가 뭘 안다고 큰소리를 치는 게냐?"

사마소가 대답한다.

"제가 살펴본 바로는 길목에는 전혀 영채를 세우지 않았고 군사들

은 모두 산위에 주둔해 있었습니다. 그래서 쉽게 무찌를 수 있다고 생각했습니다."

뜻밖의 말에 사마의는 몹시 기뻐한다.

"만일 촉군이 산위에 주둔해 있다면 이는 하늘이 나로 하여금 대사를 이룰 수 있도록 도우시는 것이다!"

사마의는 마침내 갑옷을 갖춰입고 기병 1백여명을 거느리고 몸소 정찰에 나섰다. 그날 따라 밤하늘은 유난히 맑고 달빛도 밝았다. 사마의는 산밑에 이르러 그 주위를 천천히 살펴보고 돌아갔다. 산위에서 이 광경을 지켜보던 마속은 큰소리로 웃으며 말한다.

"제놈들 명이 길다면 결코 이 산을 포위하지는 않을 테지!"

그러고는 여러 장수들에게 전령을 내린다.

"만일 적병이 오면 산위에서 붉은 깃발을 흔들어 보일 것이니, 그것을 신호삼아 즉시 산 아래로 달려내려가 적을 치도록 하라."

한편 영채로 돌아온 사마의는 수하군사에게 명한다.

"어떤 장수가 가정을 지키고 있는지 알아오라!"

얼마 뒤 정탐하러 나갔던 군사가 와서 고한다.

"마량의 아우 마속이 지키고 있습니다."

사마의가 껄껄 웃으며 말한다.

"마속은 그저 허명만 높은 용렬한 장수에 불과하다. 공명이 이 정도의 인물을 쓰니, 어찌 일을 그르치지 않겠느냐?"

웃음을 그치고 사마의가 다시 묻는다.

"가정의 좌우에 다른 군사는 없더냐?"

"산에서 10리쯤 떨어진 곳에 왕평이 영채를 세워 지키고 있습니다."

사마의는 즉시 장합에게 명해 한무리의 군사를 이끌고 가서 왕평을 막도록 했다. 또한 신탐과 신의에게 두 길로 나뉘어 진군해가서 마속이 포진하고 있는 산을 포위하되, 먼저 수로를 차단한 뒤 촉군이 저절로 혼란스러워지는 틈을 타서 공격하도록 명했다. 위군은 그날밤 이에 대한 만반의 준비를 마쳤다.

다음날 날이 밝기가 무섭게 먼저 장합이 군사를 이끌고 뒤쪽 길로 떠나갔다. 사마의는 무서운 기세로 대군을 이끌고 진격해가서 사면에서 산을 포위해버렸다. 마속이 산위에서 내려다보니 위군들이 산과 들을 온통 뒤덮었는데 정기며 대오가 정연하기 이를 데 없었다. 촉군은 사면을 포위한 위군을 내려다보며 겁을 집어먹고 감히 내려가 싸울 엄두를 내지 못했다. 마속이 아무리 붉은 깃발을 흔들어도 장수고 군졸이고 간에 서로 미루기만 할 뿐 누구 하나 움직이려 하지 않았다. 화가 치밀어오른 마속은 칼을 뽑아 두 장수의 목을 베어버렸다. 그제서야 군사들은 겁에 질린 채 산 아래로 공격해내려갔다. 그러나 위군은 끄떡도 하지 않았다. 촉군은 후퇴하여 다시 산위로 올라왔다. 비로소 사태가 불리한 것을 깨달은 마속은 즉시 군사들에게 명하여 영채문을 굳게 닫고 지키라고 하고 구원병이 오기만을 기다리고 있었다.

한편 왕평은 위군이 쳐들어오자 군사를 몰고 달려나가 장합과 정면으로 맞붙었다. 장합과 어울려 싸운 지 수십여합에 왕평은 힘이 달리고 군사도 모자라 그만 물러서고 말았다.

이때 위군들은 마속이 주둔해 있는 산을 에워싼 채 진시(辰時, 오전 8시)에서 술시(戌時, 오후 8시)에 이르도록 꼼짝도 않고 지키고 있었다. 산위에서는 밥을 지어먹기는커녕 마실 물조차 없었다. 촉군의 진영은 혼란스러워졌다. 밤이 깊어지자 산의 남쪽에 있던 촉군들은 영채문을 활짝 열고 산을 내려가 위군에 투항하기에 이르렀다. 마속으로서는 이를 알면서도 막을 수가 없었다. 이에 더해 사마의는 군사들에게 명해 산기슭에 불을 놓게 했다. 산위의 촉군들은 점점 더 혼란에 빠져들었다. 더이상 버티기가 어려워진 마속은 마침내 남은 군사들을 수습해 산 서쪽으로 달아나기 시작했다.

사마의는 길을 열어 달아나는 마속을 지나가게 한 다음, 장합을 시켜 군사를 몰고 추격하도록 했다. 마속이 장합에게 쫓겨 숨가쁘게 30여리쯤 달아났을 때였다. 갑자기 앞에서 북소리와 뿔피릿소리가 요란하게 울리더니, 한무리의 군사들이 나타나 마속을 지나가게 하고 장합을 막아섰다. 장합이 놀라서 보니 바로 촉장 위연이었다. 위연이 칼을 춤추듯 휘두르며 달려들자 장합은 당해내지 못하고 달아났다. 위연은 장합의 뒤를 바싹 쫓아 가정을 탈환하고 나서 다시 50여리쯤 추격해갔다. 그때 문득 함성이 일더니 양쪽에서 복병이 몰려나왔다. 왼쪽은 사마의요 오른쪽은 사마소였다.

사마의와 사마소가 위연의 배후로 돌아 에워싸자 달아나던 장합까지 말머리를 돌려 가세했다. 위연은 세 방면의 군사들에게 둘러싸인 채 좌충우돌 죽기로써 싸웠으나 끝내 적의 포위를 벗어나지 못하여 마침내는 군사를 태반이나 잃고 위급한 처지가 되었다.

바로 그때 갑자기 한무리의 군사들이 위군의 포위망을 깨뜨리며 쳐들어왔다. 왕평이 군사를 이끌고 나타난 것이다. 위연이 기뻐하며 크게 외쳤다.

"이제야 살았구나!"

위연과 왕평이 군사를 합쳐 닥치는 대로 위군을 베기 시작하니 그제서야 위군은 물러갔다. 두 장수는 급히 말을 달려 영채로 돌아갔다.

그런데 영채는 온통 위군의 깃발로 뒤덮여 있었고, 더구나 그 안에서 신탐과 신의가 기세좋게 달려나와 맞섰다. 왕평과 위연은 고상이 지키고 있는 열류성을 향해 말머리를 돌려 달아났다.

그때 열류성을 지키고 있던 고상은 가정이 함락되었다는 소식을 듣고 군사를 일으켜 도우러 나오다가 위연과 왕평을 만났다. 두 장수에게서 그간의 정황을 자세히 듣고 나서 고상이 말한다.

"오늘밤 위군의 영채를 급습해 가정을 되찾도록 합시다!"

세 장수는 산 아래에서 뜻을 정하고 날이 저물기를 기다려서 군사를 세 길로 나누어 진군했다. 위연이 앞서서 가정에 당도해보니 사람이라고는 그림자조차 찾아볼 수 없었다. 위연은 크게 의심이 들어 더 나가지 못하고 길목에 군사를 매복하고는 동정을 살폈다. 뒤이어 고상이 군사를 몰고 나타났다. 두 사람은 위군이 보이지 않자 불안해하며 의문에 사로잡혔다. 어찌 된 일인지 왕평의 군사도 도착하지 않는다. 그때였다. 갑자기 포성이 울리고 불길이 치솟는 것과 동시에 북소리가 천지를 뒤흔들며 울려퍼지더니, 위군이 일제히 내달려와 위연과 고상을 에워쌌다.

위연과 고상 두 장수는 좌충우돌하며 포위에서 벗어나려 했으나 도무지 길을 열 수 없었다. 두 사람이 어쩔 줄 몰라하는데, 갑자기 산기슭에서 우레 같은 함성이 일어나더니 한무리 군사들이 나타났다. 바로 왕평의 군사였다. 왕평은 위연과 고상을 구해내서 함께 열류성을 향해 달렸다. 거의 성 부근에 이르렀는데 또다시 난데없는 군사들이 함성을 지르며 쇄도해왔다. 얼른 보니 깃발에 '위도독 곽회'라 씌어 있었다. 원래 곽회는 조진과 상의하고 혹시 사마의가 전공을 모두 차지할까 염려되어 가정을 취하러 왔다가 이미 사마의와 장합이 가정성

346

을 점령했다는 소식을 듣고 급히 군사를 몰아 열류성으로 달려오던 참이었다. 열류성 아래서 세 명의 촉장과 맞닥뜨린 곽회는 군사를 휘몰아 한판 크게 싸움을 치렀다. 여기서도 촉군은 크게 패하여 죽고 상한 자가 부지기수였다. 위연은 양평관마저 잃게 될까 두려워 곧 왕평·고상과 함께 급히 양평관을 향해 달려갔다.

한편 곽회는 군마를 정비하고 나서 좌우를 돌아보며 말한다.

"비록 이번 길에 가정을 얻지는 못했으나 열류성을 얻었으니 이 또한 큰 공이로다!"

곽회는 흡족해하며 군사를 이끌고 성 아래로 가서 성문을 열라고 소리쳤다. 이때였다. 성위에서 포소리가 요란하게 울리며 깃발이 정연히 일어서는데, 그 깃발에 '평서도독 사마의'라고 씌어 있는 게 아닌가. 사마의가 회심의 미소를 지으며 현공판을 쳐들고는 난간에 기대서서 곽회를 내려다보며 크게 웃는다.

"곽백제(郭伯濟, 백제는 곽회의 자)께서는 왜 이리 늦으셨소?"

곽회는 크게 놀라 중얼거렸다.

"중달의 신이한 지모는 내가 도저히 따를 길이 없구나!"

의기소침해진 곽회가 성안으로 들어가 인사를 나누는데 사마의가 말한다.

"제갈량이 이제 가정을 잃었으니 반드시 달아날 것이오. 공은 자단(子丹, 조진의 자)과 더불어 밤새 달려가 그를 추격하시오."

곽회는 그 말에 따라 그대로 군사를 휘몰아 열류성을 떠났다. 사마의가 장합을 불러 말한다.

"자단과 백제는 내가 전공을 독차지할까 두려워 열류성을 취하러 온 것이오. 그러나 이번 일은 요행일 뿐, 내 공이라고 할 게 없소. 내 생각에 위연·왕평·마속·고상 등은 틀림없이 양평관으로 가서 그곳을 지킬 게요. 만일 내가 양평관을 취하러 간다면 반드시 제갈량이 우리 뒤를 습격할 것이고, 그리 되면 제갈량의 계략에 빠지기 십상이오. 병법에서도 말하기를 '돌아가는 군사는 엄습하지 말고, 궁한 도둑은 쫓지 말라(歸師勿掩 窮寇莫追)'했으니 그대는 소로로 기곡땅으로 가서 물러가는 촉군을 위협하도록 하오. 나는 군사를 이끌고 야곡의 군사를 막을 것이니, 그들이 패하여 달아나더라도 절대 막으려 하지 마시오. 절반쯤 달아나게 두었다가 엄습하면, 촉군의 군수품을 모두 얻을 수 있을 것이오."

장합은 사마의의 계책에 따라 군사 절반을 나누어 거느리고 기곡을 향해 떠났다. 사마의가 다시 영을 내린다.

"우리는 서성(西城)을 경유해 야곡을 취하러 간다. 서성은 비록 궁벽한 작은 고을이지만 촉군의 식량을 저장해둔 곳이며, 또한 남안(南安)·천수(天水)·안정(安定) 세 군으로 통하는 길목이니, 서성을 취하고 나면 세 고을도 모두 탈환할 수 있다."

사마의는 신탐과 신의에게 열류성을 맡기고 몸소 대군을 이끌고 야곡을 향해 출발했다.

한편 공명은 가정을 지키라고 마속 등을 보내고 나서 계속 불안해하고 있었다. 그때 문득 보고가 올라왔다.

"왕평이 사람을 시켜 지형도를 보내왔다 합니다."

공명이 불러들이게 하니, 좌우 사람이 지도를 받아 바쳤다. 서둘러 지형도를 펼쳐본 공명은 책상을 치며 놀란다.

"마속이 무지하게도 우리 군사를 함정 속에 몰아넣었구나!"

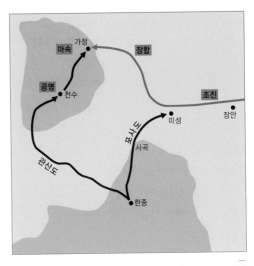

공명·마속의 군사는 장합·조진의 군사와 가정에서 맞붙다

좌우 사람이 놀라 까닭을 묻는다.

"승상께서는 어찌 그리 놀라십니까?"

"이 지형도를 보니 중요한 길목은 모두 버려두고 산위에 영채를 세웠소! 만일 적들이 사방에서 포위하고 물길을 끊는다면 이틀도 못 가 군사들이 저절로 혼란에 빠질 것이오. 가정을 잃게 되면 대체 우리는 어디로 간단 말인가?"

장사 양의가 나서며 말한다.

"비록 재주는 없으나 제가 가서 영채를 보존하겠습니다."

공명이 어느 곳에 영채를 세워야 할지 일일이 양의에게 분부를 내려 떠나보내려는 참에 또 사람이 들어와 고한다.

"가정과 열류성을 모두 잃었다고 합니다."

공명이 발을 구르며 탄식한다.

"대사를 다 그르치고 말았구나! 이 모두 나의 잘못이로다!"

공명은 급히 관흥과 장포를 불렀다.

"그대 두 사람은 각각 정예병 3천씩을 이끌고 무공산(武功山) 소로를 타고 가라. 가다가 위군을 만나더라도 큰 싸움을 벌이지 말고, 북소리 크게 울리고 함성을 내질러 수가 많은 척하여 적을 놀라게 하면 필시 적들은 스스로 물러날 것이니, 절대로 추격해서는 안된다. 모두 놓아보내고 나서 곧장 양평관으로 가라."

공명은 이어서 장익에게 분부한다.

"그대는 군사를 이끌고 검각(劍閣)으로 가서 길을 정비하여 돌아갈 길을 다지라."

그러고는 비밀리에 전군에 영을 내려 행장을 수습하고 길 떠날 준비를 하게 했다. 또한 마대와 강유에게 후미에서 적의 추격을 끊도록 하면서, 먼저 산골짜기에 매복해 있다가 적군이 모두 사라지거든 군사를 거두게 했다. 뿐만 아니라 심복들을 각각 천수·남안·안정으로 보내 그곳에 주둔하고 있는 군사들과 관리·백성 들을 모두 한중으로 옮기도록 하고 기현으로 사람을 보내 강유의 노모를 한중으로 모셔오게 했다.

이렇듯 조처한 뒤 마침내 공명은 몸소 군사 5천명을 거느리고 서성으로 가서 양초를 운반하기 시작했다. 이때 정탐꾼이 10여 차례나 달려와 고했다.

"사마의가 15만 대군을 거느리고 성을 향해 물밀듯이 밀려오고 있습니다."

이때 공명의 주위에는 이렇다 할 장수 한 사람 없었다. 남아 있는 사람이라고는 일반 문관들뿐이었으며, 이끌고 온 군사 5천 명 중에서 절반 정도는 벌써 양초를 싣고 떠난 뒤였으니, 성에 남은 군사라고는 나머지 절반인 2천5백 명에 불과했다. 모든 관원들은 이 소식에 얼굴빛이 변했다. 공명이 성 위에 올라 멀리 바라보니, 과연 흙먼지가 하늘을 뒤덮을 듯이 일어나는 가운데 위군들이 두 길로 나뉘어 서성을 향해 무서운 기세로 짓쳐들어오고 있었다. 이윽고 공명은 영을 내렸다.

"성 위에 세운 정기를 일제히 내리도록 하라! 모든 군사들은 성안의 길목을 지키고 함부로 드나들거나 큰소리로 떠들지 않도록 하라. 명을 어기는 자는 그 자리에서 목을 벨 것이다. 성문을 모두 열되, 각 성문마다 군사 20명씩을 백성으로 꾸며 물을 뿌리며 거리를 쓸도록 하라. 내게 묘책이 있으니 위군이 오더라도 동요하지 말고 모두들 침착하게 행동하라!"

당부하고 나서 공명은 학창의에 윤건을 쓰고 두 동자에게 거문고를 들려 적진이 내려다보이는 성루에 올라갔다. 그러고는 난간에 의지하고 앉아 향을 사르며 거문고를 뜯기 시작했다.

한편 성밑에 이른 사마의 전군은 이 광경을 목격하고, 감히 나가 싸우지 못하고 급히 사마의에게 이 사실을 보고했다. 사마의가 처음에는 믿지 못하고 웃기만 하더니, 삼군의 전진을 일단 중지시키고 몸소 말을 달려 행렬 앞으로 나가보았다. 과연 공명이 성루 위에 앉아 향을 피워놓고 웃는 얼굴로 거문고를 뜯고 있었다. 공명의 좌우에는 동자가 두 명 시립해 있었는데, 왼쪽에 선 동자는 보검을 들고 있고 오른쪽에 선 동자는 손에 주미(麈尾, 사슴꼬리로 만든 먼지떨이)를 들고 서 있었다. 다시 고개를 돌려 성문 쪽을 보니, 성문 안팎으로 20여 명의 백성들이 윗몸을 구부리고 물을 뿌리며 청소를 할 뿐이었다. 15만 대군

공명은 유유자적 거문고를 타서 사마의의 15만 대군을 물리치다

이 이르렀는데도 전혀 개의치 않는 무심한 그 태도는 방자하기까지 했다. 사마의의 마음에 불쑥 의구심이 일었다. 일단 말머리를 돌려 물러나더니 후군을 전군으로 삼고, 전군을 후군으로 삼아 북쪽 산길로 향하도록 명했다. 둘째아들 사마소가 말한다.

"제갈량이 군사가 없어서 일부러 꾸민 짓인데, 아버님께서는 어찌하여 군사를 물리십니까?"

사마의가 아들을 꾸짖는다.

"제갈량은 매사 신중하여 평생에 위험한 일을 하는 법이 없었다. 이제 저렇게 성문을 활짝 열어놓은 것으로 보아 반드시 매복이 있을 터이니 이럴 때 우리가 쳐들어간다면 그의 계책에 말려들 뿐이다. 너희들이 어찌 알겠느냐? 속히 퇴군하라."

사마의의 위군은 소리없이 물러갔다. 이를 지켜보던 공명이 마침내 손뼉을 치며 웃었다. 여러 관원들이 모두 어리둥절하여 공명에게 묻는다.

"위의 명장 사마의가 정예병 15만을 이끌고 여기까지 왔다가 승상을 보고 저렇듯 서둘러 물러가니 무슨 까닭인지 모르겠습니다?"

공명이 웃으며 대답한다.

"사마의는 내가 평소 조심성이 많아 위험한 일을 하지 않음을 아는지라, 우리의 태도를 보고 복병이 있다고 의심하여 물러간 것이오. 내 오늘 일 같은 모험은 행하지 않는 바지만, 이제 형세가 급박하니 부득이 이러한 계책을 썼소이다. 이제 사마의는 필시 군사를 이끌고 샛길로 하여 북산으로 갈 것이오. 내 그럴 줄 알고 미리 관흥과 장포 두 사람을 그곳에 매복시켜 지키고 있다가 공격하라 일러두었소."

공명의 말을 듣고 모든 관원들은 깊이 탄복했다.

"승상의 현묘한 계책은 귀신도 헤아릴 수 없습니다. 저희들 같았으면 벌써 성을 버리고 달아났을 것입니다."

공명이 말한다.

"우리 군사는 겨우 2천5백명뿐이오. 달아난다 해도 얼마 못 가서 사마의에게 사로잡히지 않았겠소?"

후세 사람이 이 일을 두고 시를 지어 찬탄했다.

석자 길이 거문고가 대군보다 낫구나	瑤琴三尺勝雄師
제갈량이 서성에서 적을 물리칠 때	諸葛西城退敵時
15만 군사들이 말머리 돌리던 곳	十五萬人回馬處
이 고장 사람들 지금도 그 자리 가리키며 의아해하네	土人指點到今疑

공명은 박장대소하며 한마디 덧붙인다.

"내가 만일 사마의였다면 절대 물러가지 않았을 것이오."

그러고는 영을 내렸다.

"사마의가 반드시 돌아올 터이니 서성의 백성들을 속히 한중으로 떠나게 하시오."

마침내 공명은 인마를 수습하고 서성을 떠나 한중으로 향했다. 천수·안정·남안 세 고을의 군사들과 백성들도 피난짐을 이고 지고 줄을 지어 그 뒤를 따랐다.

한편 사마의는 무공산 소로를 향해 달리고 있었다. 그런데 갑자기 산 뒤쪽에서 함성이 일며 북소리가 천지를 뒤흔들듯 요란하게 울렸다. 사마의가 두 아들을 돌아보며 말한다.

"보아라. 우리가 물러나지 않았더라면 반드시 제갈량의 계략에 빠졌을 것이다."

이때 한무리의 군사들이 앞으로 쇄도해오는데 그 깃발에는 '우호위사 호익장군 장포(右護衛使 虎翼將軍 張苞)'라고 적혀 있었다. 위군들은 크게 두려워하며 갑옷을 벗어던지고 병기를 내팽개친 채 도망치기 시작했다. 그러나 불과 한마장도 못 가서 또다시 산골짜기에서 떠들썩한 함성과 더불어 북소리 뿔피릿소리가 하늘을 찢을 듯이 울리며 큰 깃발이 나타났다. 깃발에는 '좌호위사 용양장군 관흥(左護衛使 龍驤將軍 關興)'이라고 적혀 있었다. 골짜기 안에 끝없이 메아리쳐 울리는 함성에 도무지 촉군의 수를 짐작할 수 없는 위군들은 감히 맞서볼 엄두도 내지 못한 채 군수품을 전부 내버리고 달아나기에 바빴다. 관흥과 장포는 공명의 지시대로 함부로 추격하지 않고 위군들이 버리고 간 병기와 양초만 거두어 돌아갔다. 사마의는 산골짜기마다 촉군으로 가득 차 있는 데 놀라 감히 대로로 나오지 못하고 소로를 취해 가정으로 돌아갔다.

이때 조진은 공명이 물러갔다는 소식을 듣고 급히 군사를 이끌고 뒤를 추격하기 시작했다. 한참 달리는데 등뒤에서 포소리가 한번 크게 울리더니, 촉군이 산과 들을 뒤덮으며 몰려왔다. 앞선 대장은 바로 강유와 마대였다. 조진이 크게 놀라 급히 군사를 물리는데, 선봉 진조(陳造)가 어느새 마대의 칼에 맞아 말 아래로 굴러떨어졌다. 조진은 친히 군사를 호령하며 쫓긴 쥐가 쥐구멍 찾듯 살길을 찾아 정신없이 도망쳤다. 촉군은 더이상 위군을 뒤쫓지 않고 말머리를 돌려 밤을 새워가며 한중땅을 향해 치달렸다.

한편 기곡 산중에 군사를 매복해두고 기다리던 조자룡과 등지는 공명의 전령을 받고 회군하기 시작했다. 조자룡이 등지를 보고 말한다.

"위군이 우리가 퇴군하는 줄 알면 반드시 뒤를 추격할 것이오. 내가 한무리의 군사를 이끌고 뒤에 매복해 있을 터이니, 공은 내 기호(旗號)를 앞세우고 군사를 이끌고 천천히 물러가오. 나도 천천히 뒤따르며 호송하겠소."

한편 곽회는 군사를 이끌고 다시 기곡으로 돌아오면서 선봉 소옹(蘇顒)을 불러 분부한다.

"촉장 조자룡으로 말할 것 같으면 참으로 영용한 인물이니 그대는 부디 조심하오. 적들이 후퇴한다 해도 반드시 계교가 있을 게요."

소옹이 큰소리를 친다.

"도독께서 뒤에서 도와주신다면 내 이참에 마땅히 조자룡을 사로잡고야 말겠소이다."

소옹은 서둘러 전군(前軍) 3천을 거느리고 기곡으로 달려가 촉군의 뒤를 추격했다. 문득 보니 산뒤에 홍기가 펄럭이는데, 커다랗게 '조운(趙雲)'이라고 씌어 있었다. 간담이 서늘해진 소옹은 급히 군사를 거두어 물러났다. 얼마 가지 않아 또다시 함성이 요란하게 터져오르더니 한무리의 날쌘 군사들이 들이닥쳤다. 앞선 대장이 창을 휘두르며 말을 달려나와 큰소리로 꾸짖는다.

"네가 조자룡을 모르느냐?"

소옹은 깜짝 놀란다.

"어찌하여 여기에 또 조자룡이 있단 말인가!"

소옹은 손 한번 놀릴 틈도 없이 조자룡의 창에 찔려 말 아래로 굴러떨어져 죽었다. 남은 군사들은 뿔뿔이 흩어지고 말았다. 조자룡이 앞으로 달려가는데, 한떼의 군사가 추격해왔다. 선봉에 선 장수는 곽회의 부장 만정(萬政)이었다. 조자룡은 위군이 급하게 추격해오자 아예 길 어귀에 말을 세우고 창을 든 채 적이 다가오기를 기다렸다. 그동안 촉군은 벌써 30여리나 퇴각하고 있었다. 만정은 가까이 와서 버티고 서 있는 조자룡을 보더니, 감히 앞으로 나와 싸울 엄두를 내지 못했다. 조자룡은 날이 저물 때까지 그렇게 버티고 서 있다가 천천히 말머리를 돌려 물러갔다. 곽회가 군사를 이끌고 당도하자 만정이 고한다.

"조자룡의 영용함이 옛날과 조금도 다름없는지라 감히 대적할 수 없었습니다."

곽회는 화를 내며 당장 촉군을 추격하라 명하였다. 만정은 다시 기병 수백명을 거느리고 달리기 시작했다. 문득 큰 숲에 이르렀는데 갑자기 등뒤에서 벼락치는 듯한 소리가 울렸다.

"조자룡이 여기 있다!"

조자룡의 호통소리에 위군들은 대경실색했다. 이때 말에서 떨어진 자가 1백여명에 달했고, 나머지는 무기를 버리고 산을 넘어 달아나버렸다. 만정은 군졸들과 함께 달아날 수도 없어 감히 맞서싸워보려 했으나 그순간 조자룡의 화살이 투구끈을 맞히는 바람에 너무 놀라 계곡 속으로 빠지고 말았다. 조자룡이 계곡 속에 빠져 허덕이는 만정을 창끝으로 가리키며 꾸짖는다.

"내가 너의 목숨만은 살려줄 테니 돌아가서 곽회에게 속히 오라고 전하라."

간신히 죽음에서 벗어난 만정은 뒤도 돌아보지 않고 달아났다.

이렇게 하여 조자룡은 수레와 인마를 호송해 한중으로 향하는 도중에 잃은 것 하나 없었다. 조진과 곽회는 천수·남안·안정 세 고을을 되찾은 것을 자신들의 공로로 삼았다.

한편 사마의는 군사를 나누어 다시 싸우러 나섰다. 이때는 촉군이 모두 한중으로 돌아가고 난 뒤였다. 사마의는 한무리의 군사들을 거느리고 다시 서성으로 가서 그곳에 남아 있던 백성들과 산속에 숨어 사는 은자들을 불러 그간의 사정을 물었다. 그들은 입을 모아 말한다.

"당시 성안에는 촉군들이 불과 2천5백명밖에 없었습니다. 공명의 수하에 무장이란 한 사람도 없었고, 문관 몇명이 있었을 뿐입니다. 복병도 전혀 없었습니다."

또 무공산에 사는 백성들도 말한다.

"관흥과 장포는 그저 3천 군사를 거느리고 이 산 저 산 옮겨다니며 함성을 지르고 북소리를 요란하게 울렸을 뿐 따로 군사가 없었습니다. 그래서 감히 위군을 추격하지 못했다 합니다."

사마의는 하늘을 우러르며 탄식한다.

"내 정녕 공명보다 못하구나!"

사마의는 여러 곳의 관원과 백성들을 위무하고 나서 군사를 거느리고 장안으로 돌아가 위왕을 알현했다. 위왕 조예가 사마의의 공로를 치하한다.

"오늘날 농서의 여러 고을을 되찾은 것은 모두 경의 공이로다!"

사마의가 아뢴다.

"촉군이 한중에 있어 모두 섬멸하지 못했으니, 바라옵건대 신에게 대군을 주시면 양천(兩川, 동천과 서천)을 거두어 폐하께 보답하겠사옵니다."

조예가 크게 기뻐하며 사마의에게 대군을 주려 하는데, 반열에서 한 사람이 불쑥 나서며 아뢴다.

"신에게 한 계책이 있사옵니다. 촉을 평정하고 오의 항복을 받아낼 수 있는 계책이옵니다!"

서촉의 군사들이 바야흐로 돌아가자　　　　　　蜀中將相方歸國

위나라 임금과 신하 다시 계교 꾸미누나　　　　魏地君臣又逞謀

계책이 있다고 나선 사람은 과연 누구일까?

96

읍참마속

공명은 눈물을 흘리며 마속의 목을 베고
주방은 머리털을 잘라 조휴를 속이다

조예에게 계책이 있다고 한 사람은 바로 상서(尙書) 손자(孫資)였
다. 조예가 묻는다.

"경에게 무슨 묘계가 있는가?"

손자가 아뢴다.

"지난날 태조 무황제께서 장로(張魯)를 거두실 때 위태로움을 겪으
신 뒤에 평정할 수 있었으니, 그때 여러 신하들에게 말씀하시기를 '남
정땅은 하늘의 감옥과 같은 곳(南鄭之地 眞爲天獄)'이라 하셨습니다.
야곡에 이르는 5백리 길은 바위에 뚫린 동굴과 같아서 군사를 쓸 만

한 곳이 못 됩니다. 이제 우리가 천하의 군사를 전부 일으켜 촉을 친다면 동오가 그 틈을 타고 침입해올 것이니, 우선은 지금 있는 군사들을 몇몇 장수들에게 나누어주어 요충지를 지키게 하고, 안으로는 더욱 힘을 기르고 사기를 북돋워야 합니다. 그러면 몇년 안에 우리 중원은 강성해질 것이고, 그동안 동오와 촉 두 나라는 서로 싸우느라 지칠 터이니, 이때를 틈타 도모한다면 반드시 승산이 있습니다. 바라건대 폐하께서는 이를 헤아려주시옵소서."

조예가 사마의를 돌아보며 묻는다.

"경의 생각은 어떠하오?"

사마의가 아뢴다.

"손상서의 말이 지극히 온당합니다."

조예는 마침내 손자의 의견에 따라 사마의에게 명하여 여러 장수들을 요충지로 보내 굳게 지키게 하고, 곽회와 장합은 장안을 지키게 하였다. 그리고 삼군에 큰 상을 내린 뒤, 어가를 타고 낙양으로 돌아갔다.

한편 공명은 한중으로 돌아와 군사들을 점고했다. 그런데 조자룡과 등지가 보이지 않았다. 몹시 걱정스러워진 공명은 즉시 관흥과 장포에게 군사를 거느리고 나아가 돕도록 했다. 두 장수가 막 떠나려고 하는데 조자룡과 등지가 당도했다는 보고가 들어왔다. 군사 한명 말 한 필 다치지 않고 병기와 군량미도 전혀 잃은 것 없이 돌아왔다는 것이었다. 공명이 크게 기뻐하며 친히 여러 장수들을 거느리고 나와 맞이하자 조자룡이 황급히 말에서 내리더니 땅에 엎드려 아뢴다.

"패한 장수가 어찌 승상의 영접을 받겠소이까?"

공명이 조자룡의 손을 붙잡아 일으키며 말한다.

"이번 일은 내가 현명함과 우매함을 모르고 사람을 쓴 탓이오. 각처의 군사가 모두 패하여 손실을 보았거늘 오직 자룡만이 사람 한명, 말 한마리도 잃지 않았으니 어찌 된 일이오?"

등지가 아뢴다.

"제가 군사를 거느리고 먼저 떠나오고, 조장군께서 혼자 남아 뒤를 끊으며 적장을 베고 공을 세웠습니다. 적군들이 놀라고 두려운 나머지 감히 맞서지 못하여 저희들은 군량미 한 톨 무기 하나도 잃지 않았습니다."

공명이 감탄한다.

"진실로 장군이로다!"

공명은 곧 상으로 황금 50근을 조자룡에게 내리고, 수하군사들 몫으로 비단 1만필을 하사했다. 조자룡은 사양한다.

"삼군이 이번 싸움에서 공을 세운 것이 없고 오히려 죄를 지었거늘, 이렇게 상을 받는다면 이는 승상께서 상벌이 분명치 않으신 것이 됩니다. 청컨대 창고에 넣어두었다가 올 겨울에 군사들에게 나눠주어도 늦지 않을 것입니다."

공명이 거듭 탄복한다.

"선제께서 살아 계실 때 항상 자룡의 덕을 칭찬하시더니, 괜한 말씀이 아니었구려!"

이로부터 공명은 조자룡을 더욱 공경했다.

이때 마속·왕평·위연·고상 등이 도착했다는 보고가 들어왔다. 공명은 먼저 왕평을 장막 안으로 불러들여 꾸짖는다.

"내가 네게 마속과 더불어 가정을 지키라 했거늘, 어찌하여 간하지 않고 일이 이지경에 이르도록 했단 말이냐!"

왕평이 고개를 숙이고 답한다.

"중요한 길목에 토성을 쌓고 영채를 세워 지키자고 여러 번 권했으나 참군이 도무지 화만 내며 듣지 않았습니다. 그래서 끝내 저 혼자서 5천 군사를 거느리고 산에서 10리 떨어진 곳에 영채를 세웠더니, 위군이 쳐들어와 사방에서 산을 포위했습니다. 군사를 몰아 10여 차례나 쳐들어갔으나 포위를 뚫을 길이 없었고, 이튿날엔 산위 군사들이 토붕와해(土崩瓦解, 땅이 무너지고 기와가 깨지듯 걷잡을 수 없이 무너짐)되어 투항하는 자가 부지기수였습니다. 홀로 버티기 어려워 위문장(魏文長, 문장은 위연의 자)에게 구원을 청했는데, 산골짜기에서 또다시 위군에게 포위당하고 말았습니다. 사력을 다해 포위를 뚫고 겨우 본채로 돌아가보니 이미 위군에게 점령당한 뒤였습니다. 다시 열류성을 향해 달리다가 도중에 고상을 만나 위문장·고상과 함께 군사를 셋으로 나누어 위군의 영채를 급습하고 가정을 탈환하기 위해 갔습니다. 하오나 가정에 가보니, 한 사람의 복병도 보이지 않아 의심스러운 생각이 들어 높은 곳에 올라가 살펴보니 위문장과 고상이 위군에게 포위당해 위급한 상황에 처해 있기에 곧장 포위를 뚫고 두 장수를 구출한 후 참군의 군사와 다시 합류했습니다. 그러고는 양평관을 잃게 될까 두려워 급히 달려가 지켰습니다. 가정을 잃은 것은 제가 간하지 않아서가 아니니, 승상께서 믿지 못하시겠거든 각 부의 장교를 불러 물어보십시오."

공명은 왕평을 꾸짖어 물리치고, 마속을 장막으로 불러들였다. 마속은 이미 스스로 굵은 밧줄로 온몸을 결박하고 들어와 무릎을 꿇고 앉았다. 공명은 얼굴빛이 변하여 꾸짖는다.

"너는 어려서부터 병서를 많이 읽어 전법에 밝은 사람이 아니더냐? 내가 여러 차례 네게 이르기를 가정은 우리의 가장 근본이 되는 곳이라고 주의를 주었더니, 너는 집안 가속의 목숨을 걸고 중임을 맡지 않았느냐. 네가 만일 왕평의 말을 들었다면 이런 화는 입지 않았을 터, 이번에 군사들이 패하고 장수가 꺾이고 땅을 빼앗기고 성이 함락된 것은 모두 너의 잘못이다. 내 지금 군율을 제대로 밝히지 않는다면 어찌 여러 군사들을 복종시킬 수 있겠는가? 네가 법을 어겼으니 나를 원망하지 말라. 네가 죽은 뒤에는 내가 너의 가속을 거두어 다달이 녹미를 줄 것이니, 너는 조금도 근심하지 말라."

공명은 말을 마치기 무섭게 좌우에게 큰소리로 호령한다.

"당장 끌어내 목을 베어라!"

마속이 울면서 말한다.

"승상께서는 저를 자식처럼 대하셨고 저 또한 승상을 아비처럼 섬겼습니다. 저의 죄 실로 죽음을 면키 어렵습니다만, 바라옵건대 승상께서는 순임금이 곤(鯀)을 죽이고 우(禹, 곤의 아들)를 쓴 의를 헤아리시어 제 자식들을 대해주신다면 저는 비록 죽어 구천에 가더라도 여한이 없겠습니다."

공명 또한 눈물을 닦으며 말한다.

"내 지금껏 너와 더불어 형제 같은 의리로 지냈으니, 네 아들은 곧 내 아들이나 다름없다. 그러니 남은 가족들에 대해서는 더이상 말하지 말라."

좌우에서 마속을 끌고 원문 밖으로 나가 막 목을 베려 할 때였다. 성도로부터 참군 장완(蔣琬)이 당도해 그 광경을 보고 크게 놀라 외친다.

"잠시 멈추어라!"

장완은 황망히 달려가 공명에게 간한다.

"옛날 초나라에서 충신 득신(得臣, 초의 장수로 진晉과의 전투에서 패해 돌아와 핍박받아 죽음)을 죽였을 때 진문공(晉文公)이 기뻐했던 것처럼 아직 천하가 평정되기도 전에 지모가 뛰어난 신하를 죽인다면 이 어찌 아까운 일이 아닙니까?"

공명이 눈물을 흘리며 말한다.

"옛날에 손무(孫武, 손자)가 능히 천하를 손에 넣은 것은 법을 밝게 썼기 때문이오. 바야흐로 사방이 나뉘어 서로 다투며 전쟁이 시작되었는데, 만일 법을 폐한다면 어찌 역도들을 토벌할 수 있겠소. 마속은 처형해야 마땅하오!"

얼마 후 군사들이 마속의 머리를 섬돌 아래 바치니 공명은 목놓아 울며 그칠 줄을 몰랐다. 장완이 묻는다.

"이제 유상(幼常, 마속의 자)이 죄를 지어 이미 군법으로 바로잡았거늘 어찌하여 그리 우십니까?"

공명이 말한다.

"내가 우는 것은 마속 때문이 아니오. 지난날 선제께서 백제성에서 숨을 거두실 때 내게 말씀하시기를 '마속은 말이 실제를 넘어서니 크게 쓰지 말라'고 당부하신 일이 생각나서요. 오늘에야 선제의 영명하신 선견지명을 깨닫고 나의 어리석음이 원망스러워서 이렇듯 애통해하는 것이오."

공명의 말에 모든 장수들은 하나같이 눈물을 흘렸다. 이때 마속의 나이 39세였고, 때는 건흥 6년(228) 5월이었다.

후세 사람들이 이 일을 시를 지어 읊었다.

공명은 울면서 마속의 목을 베다

가정을 잃은 죄 결코 가볍지 않으니　　　　失守街亭罪不輕
한심타 마속은 가벼이 병법 논하였네　　　堪嗟馬謖枉談兵
원문에서 머리 베어 군법을 엄하게 하고　　轅門斬首嚴軍法
눈물 뿌려 다시금 선제의 밝음 생각하네　　拭淚猶思先帝明

　공명은 마속의 머리를 각 영채로 돌려 군사들에게 널리 보였다. 그
러고는 다시 시신에 봉합하여 장사를 지내는데 친히 제문(祭文)을 써
서 제를 올렸다. 마속의 가족에게는 충심으로 위로하고 다달이 녹미
를 주어 편안히 살게 했다. 이어서 공명은 표문을 지어 장완에게 주어
후주께 올렸다. 스스로 승상의 자리를 사직하는 내용이었다. 성도에
도착한 장완은 후주께 공명의 표문을 올렸다.

　신은 용렬한 재주로 외람되이 병권을 잡고 삼군을 통솔해왔으나
군사들을 제대로 가르치지 못하고 군법을 바로 세우지 못했으며,
일에 임해서는 세심하지 못하여 마침내 가정에서 명령을 어기는 잘
못을 범하게 하고 기곡에서는 경계를 소홀히하는 실수를 하게 하였
나이다. 이는 모두 신이 몽매하여 사람을 제대로 알아보지 못하고
일을 분별함에 너무도 어두운 탓이니, 춘추(春秋)의 법에 비추어볼
때 신이 지은 죄를 어찌 벗어날 수 있사오리까. 바라옵건대 신이 스
스로 벼슬을 세 등급 내려서 허물을 책하고자 하오니, 이로써 신의
허물을 꾸짖어주소서. 부끄러움을 이기지 못하여 엎드려 명을 기다
리나이다.

후주가 공명의 표문을 읽고 나서 말한다.

"이기고 지는 것은 병가지상사인데 승상이 어찌하여 이런 말을 하시는가?"

시중 비의가 아뢴다.

"신이 듣건대, 나라를 다스리는 자는 반드시 법을 중히 받들어야 한다 하였습니다. 법이 제대로 행해지지 않는다면 무엇으로 사람을 복종시키겠습니까? 승상이 싸움에 패하여 스스로 벼슬을 깎는 것은 마땅한 일인 줄로 아뢰옵니다."

후주는 그 말에 따라 공명의 벼슬을 내려 우장군을 삼되, 승상의 일을 그대로 맡아보며 전과 같이 군마를 총독하라는 내용의 조서를 써서 한중으로 보냈다. 비의는 조서를 가지고 가서 공명에게 전하며 혹시 공명이 벼슬 강등된 것을 부끄러워할까 염려하여 몇마디 치하의 말을 보탠다.

"촉의 백성들이 승상께서 처음에 네 고을 빼앗은 것을 알고 매우 기뻐했습니다."

공명이 안색이 변하며 말한다.

"대체 그게 무슨 말이오? 얻었다가 다시 잃은 것은 얻지 못함과 진배없거늘, 공이 이것으로 나를 치하하니 참으로 부끄러워 얼굴을 들지 못하겠소."

비의가 다시 말한다.

"황제께서는 승상이 강유를 얻었다는 소식을 듣고 매우 기뻐하셨습니다."

이 말에 공명은 오히려 화를 낸다.

"군사가 패하여 돌아오고 한치의 땅도 빼앗지 못한 것은 나의 대죄이오. 우리가 강유 한 장수를 얻었다고 한들 그것이 위나라에 무슨 손실이 되겠소?"

비의가 묻는다.

"승상께서는 지금 용맹한 군사 10만을 통솔하고 계시니, 다시 위를 치실 수도 있지 않겠습니까?"

공명이 말한다.

"지난날 대군이 기산과 기곡에 주둔했을 때 우리 군사가 적보다 많았건만 능히 적을 물리치지 못하고 오히려 패하였소. 승패란 군사의 많고 적음에 있지 않고 오로지 대장에게 달린 것이오. 이제 나는 군사와 장수를 줄이고, 징벌을 밝히고 과오를 되짚어 생각하여 앞으로는 어떤 상황에도 대처할 수 있는 길을 찾아내려 하오. 그렇게 하지 않는다면 아무리 군사가 많은들 무슨 소용이 있겠소. 이제부터는 누구든 진실로 나라의 장래를 염려한다면 나의 잘못을 지적하고, 나의 부족함을 꾸짖어주길 바라오. 그렇게 해야만 일이 바로잡히고 적을 멸할 수 있으며, 공을 이루게 될 날을 족히 기다릴 수 있을 것이오."

비의를 비롯한 모든 장수들은 깊이 감복했다. 비의가 다시 성도로 돌아간 이래 공명은 한중에 머물면서 백성을 사랑하고 군사를 아끼며 무예를 가르치고 군사 조련에 힘썼다. 또한 성을 공략하는 데 필요한 무기며 강을 건널 기구를 만들고, 군량미와 마초를 비축하면서 앞으로 수행할 정벌을 위해 만반의 준비를 갖추어나갔다. 위의 정탐꾼은 이러한 촉의 정황을 탐지하여 낙양에 전했다.

위주 조예는 이를 보고받은 즉시 사마의를 불러 촉을 격파할 계책을 상의했다. 사마의가 말한다.

"아직은 촉을 공격할 때가 아닙니다. 요즈음 날씨가 몹시 더우니 촉군도 출군하지 않을 것입니다. 우리 쪽에서 적진 깊숙이 진격해들 어간다 해도 저들이 요충지를 굳게 지킨다면 우리로선 쉽게 깨뜨릴 수 없습니다."

조예가 묻는다.

"만일 촉군이 다시 쳐들어오면 어찌할 테요?"

사마의가 대답한다.

"신은 이미 계책을 세워두었습니다. 이번에 제갈량은 한신(韓信)이 몰래 진창(陳倉)을 건너던 계교(한의 장군 한신이 항우를 칠 때 잔도棧道를 수리 하는 체하며 속여서 진창을 지난 고사)를 쓸 것입니다. 신이 한 사람을 천거하 려 하니 그로 하여금 진창에 이르는 입구에 성을 쌓고 지키게 한다면 절대 실수가 없을 것입니다. 이 사람은 키가 9척이요 원숭이처럼 긴 팔로 활을 잘 쏘고 지모가 깊으니 만일 제갈량이 쳐들어온다 해도 넉 넉히 당해낼 수 있습니다."

조예가 크게 기뻐하며 묻는다.

"그 사람이 누구인가?"

사마의가 아뢴다.

"태원(太原) 출신의 학소(郝昭)라는 사람으로, 자는 백도(伯道)이 며, 지금 잡호장군(雜號將軍)으로 하서지방을 지키고 있습니다."

조예는 사마의의 천거를 받아들여 학소를 진서장군(鎭西將軍)으로 봉하고 진창 어귀를 지키라는 명을 내렸다. 사자는 조칙을 받들고 곧 장 학소에게 달려갔다. 이때 갑자기 양주 사마(司馬) 대도독(大都督) 조휴(曹休)로부터 표문이 올라왔다. 내용인즉 동오의 파양(鄱陽) 태 수 주방(周魴)이 은밀히 사람을 보내 자기 고을을 바치고 투항할 뜻을 밝혀왔는데, 일곱 가지 계책을 말하면서 가히 동오를 격파할 수 있다고 하니, 속히 군사를 일으켜 동오를 치자는 것이었다. 조예가 조휴의 표문을 사마의에게 주어 읽게 하니 사마의가 보고 나서 말한다.

"이 말은 참으로 일리가 있습니다. 동오를 능히 격파할 만하오니, 신이 군사를 거느리고 가서 조휴를 돕겠습니다."

이때 누군가가 나서며 아뢴다.

"동오 사람들은 워낙 말이 한결같지 않으니 그대로 믿어서는 안됩니다. 더구나 주방은 지혜가 많고 모략에 능하여 쉽게 항복할 인물이 아닙니다. 아무래도 우리 군사를 유인하려는 계책인 듯합니다."

모두 쳐다보니 그는 건위장군(建威將軍) 가규(賈逵)였다. 사마의가 말한다.

"그 말도 일리는 있지만, 이런 기회 또한 놓칠 수 없습니다."

드디어 위주 조예가 결단을 내린다.

"중달은 가규와 함께 가서 조휴를 도우시오."

마침내 사마의와 가규 두 사람은 군사를 이끌고 떠났다. 조휴는 군사를 거느리고 환성(皖城)을 치러 가고, 가규는 전장군 만총(滿寵)·동완(東莞) 태수 호질(胡質)과 함께 양성(陽城)을 취하러 동관(東關)으로 향했다. 사마의는 본부군을 거느리고 강릉(江陵)을 취하기로 했다.

한편 오주 손권은 무창(武昌) 동관에서 문무관원들을 모아놓고 의논중이었다.

"이번에 파양 태수 주방이 은밀히 표문을 올려 알리기를 위의 양주 도독 조휴에게 침범하려는 뜻이 있어, 주방이 속임수로 일곱 계책을 말해주어 위군을 우리 땅 깊숙이 유인한 뒤에 복병을 매복해두었다가 사로잡으려 한다는 것이오. 이미 위군이 세 길로 나뉘어 쳐들어오고 있다니, 경들에게 좋은 의견이 있는가?"

고옹이 나와서 아뢴다.

"이렇게 큰 일은 육백언(陸伯言, 육손)이 아니면 능히 감당할 수 없습니다."

손권은 크게 기뻐하며 당장 육손을 불러 보국대장군(輔國大將軍) 평북도원수(平北都元帥)로 봉하고, 어림대군을 통솔하여 왕의 일을 대신 행하도록 했다. 또한 백모(白旄, 대장 깃발)와 황월(黃鉞, 황금도끼)을 내려 문무백관으로 하여금 모두 그의 명령에 따르도록 하고, 친히 육손의 손에 채찍을 쥐어주었다. 육손은 명을 받고 사례했다. 그러고는 두 사람을 천거해 좌우 도독으로 삼고 군사를 세 길로 나누어 나아갈 뜻을 밝혔다. 손권이 묻는다.

"그대는 좌우 도독으로 누구를 생각하고 있는가?"

육손이 답한다.

"분위장군(奮威將軍) 주환(朱桓)과 수남장군(綏南將軍) 전종(全琮) 두 사람이 적임자인 줄로 아룁니다."

손권은 육손의 말에 따라 즉시 주환을 좌도독에, 전종을 우도독에 봉했다. 마침내 육손은 강남 81주와 형호(荊湖)의 군사 70여만명을 이끌고, 주환에게는 좌군을 맡기고, 전종에게는 우군을, 그리고 육손 자신은 중군을 맡아 세 길로 나누어 진군했다. 주환이 계책을 말한다.

"위장 조휴는 왕실친족으로 중임을 맡았을 뿐 지혜와 용맹이 부족한 평범한 장수입니다. 그러한 그가 주방의 꾐에 빠져 위험한 곳까지 깊숙이 들어왔으니, 원수께서 군사를 내어 치시면 반드시 패할 것입니다. 패한 뒤에는 반드시 두 길로 나뉘어 달아날 터인데, 왼쪽은 협석(夾石)으로 통하고, 오른쪽은 괘거(挂車)로 통하는 길인즉, 둘 다 좁고 험준한 산길입니다. 제가 전자황(子璜, 전종)과 함께 각각 군사를 거느리고 산골짜기 험한 곳에 매복해 있다가 먼저 나무와 큰돌로 길을 끊는다면 조휴를 가히 사로잡을 수 있습니다. 조휴만 사로잡으면 여세를 몰아 진격하여 손쉽게 수춘(壽春)을 얻을 수 있고 허도와 낙양도 엿볼 수 있으니, 이는 만년에 한번 있을까 말까 한 기회입니다."

육손이 대답한다.

"그다지 좋은 계책이라 하기는 어렵소. 내게 묘책이 있으니 그대는 과히 염려하지 마시오."

주환은 육손이 자신의 계책을 받아들이지 않자 불만을 품고 물러갔다. 육손은 제갈근 등에게 강릉땅을 지켜 사마의를 대적하게 했다. 그리고 각처 군마를 징발해 출전채비를 갖추었다.

한편 조휴의 군사가 환성에 당도하자 주방이 마중하러 조휴의 장막으로 왔다. 조휴가 묻는다.

"지난번 그대가 보내온 밀서를 보니 일곱 계책이 가히 이치에 맞는지라 황제께 아뢰고 대군을 세 길로 나누어 이렇듯 진군해왔소. 만일 내가 강동땅을 얻게 된다면 그대의 공이 실로 크다 할 것이오. 다른 사람들은 그대가 꾀 많은 사람이라 그 말을 믿기 어렵다고 염려했으나, 나는 결코 그대가 나를 속이지 않으리라 믿고 있소."

주방은 갑자기 목놓아 통곡하며 데리고 온 종자가 차고 있던 칼을 뽑아들더니 제 목을 찌르려 했다. 조휴가 깜짝 놀라 급히 말리니 주방이 칼을 짚고 말한다.

"내 비록 일곱 계책은 말씀드렸으나 속마음까지 드러낼 수 없어 한스럽소이다. 그러한 의심을 산 것은 필시 동오 사람들이 반간계를 썼기 때문이오. 장군께서 그 말을 믿으신다면 나는 죽은 목숨이나 다름없소이다. 내 충심은 오직 하늘만이 아실 것이오."

애절하게 호소하더니 다시 칼을 들어 자결하려 했다. 조휴가 황급히 붙들며 말한다.

"내가 농담을 해본 것뿐인데 어쩌자고 자꾸 이러시오?"

주방은 들고 있던 칼로 자신의 머리털을 싹둑 잘라 땅에 내던지며 말한다.

"나는 충심으로 귀공을 대했거늘 공은 어찌하여 나를 희롱하시는 겁니까? 내 이렇듯 부모에게 받은 머리털을 잘라서라도 진심을 보이고 싶소이다."

이로써 조휴는 주방을 확실히 믿게 되었고, 곧 잔치를 베풀어 주방을 대접했다. 술자리가 파하여 주방이 하직하고 물러간 후, 건위장군 가규가 불쑥 찾아왔다. 조휴가 가규를 장중으로 불러들여 묻는다.

"그대는 무슨 일로 왔는가?"

가규가 말한다.

"제 생각에는 동오의 군사들이 모두 이곳 환성에 주둔하고 있는 것 같습니다. 도독께서는 함부로 군사를 움직이지 마시고 제가 군사를 나누어 협공하기를 기다렸다가 공격하시면 가히 적군을 격파할 수 있을 것입니다."

순간 조휴가 버럭 화를 낸다.

"네가 나의 공을 빼앗을 작정이로구나!"

가규가 굽히지 않고 간한다.

"주방이 머리털을 잘라 맹세했다는 말을 들었습니다만, 이 역시 속임수에 지나지 않습니다. 옛날에 요리(要離)가 제 팔뚝을 잘라 보임으로써 경기(慶忌)를 믿게 해놓고 결국 그를 찔러죽인 일(오나라 사람 요리가 공자 광光의 명에 따라 오왕의 아들 경기를 죽이러 가서 경기의 신임을 얻으려 제 손으로 제 팔을 자르고 마침내 경기를 찔러죽인 고사)에 비추어보아도, 원래 그런 행동은 깊이 믿을 바가 못됩니다."

조휴의 노여움은 더욱 커졌다.

"내가 곧 군사를 일으키려는 마당에 너는 어찌하여 그따위 말로 군심을 어지럽히려 드느냐?"

조휴가 좌우에게 호통쳐 당장 가규를 끌어내 참하라고 명했다. 여러 장수들이 나서며 만류하여 말한다.

"아직 진군도 하기 전에 대장을 처형하는 것은 군사에 이롭지 못합니다. 부디 도독께서는 다시 생각하소서!"

조휴는 주위 사람들의 간청에 따라 가규와 그의 군사들을 영채에 남겨두었다. 그러고는 몸소 군사를 거느리고 동관을 취하러 떠났다. 그때 주방은 가규가 병권을 박탈당했다는 소식을 듣고 내심 기뻐하며 말한다.

"조휴가 만일 가규의 말을 따랐더라면 우리 동오는 패하고 말았을 터인데, 이는 하늘이 나를 도우심이로다!"

주방은 곧 비밀리에 사람을 보내 이 사실을 환성에 있는 육손에게 알렸다. 육손은 즉시 여러 장수들을 불러모아 영을 내린다.

"앞에 있는 석정(石亭)은 비록 산길이지만 매복할 만하다. 먼저 석정의 넓은 곳을 점령해 진을 치고 위군이 오기를 기다려라!"

그러고는 서성(徐盛)을 선봉으로 삼아 군사를 몰고 진군했다.

한편 조휴는 주방을 선봉장으로 삼아 군사를 재촉해 진군하고 있었다. 문득 조휴가 묻는다.

"저 앞은 어디인가?"

주방이 답한다.

"석정이라 하는데, 군사를 주둔하기에 적당한 곳입니다."

조휴는 주방의 말에 따라 대군을 거느리고 석정에 주둔하고, 수레와 병장기도 모두 옮겼다. 다음날 정탐꾼이 와서 보고한다.

"저 앞 산어귀에 오군이 진을 치고 있는데 그 수가 얼마나 되는지는 모르겠습니다."

조휴가 크게 놀라 소리친다.

"주방의 말로는 군사가 없다더니, 이게 대체 어찌 된 일이냐?"

조휴는 즉시 좌우에게 명해 주방을 찾아오게 했다. 잠시 후 군사가 와서 고한다.

"주방이 수십명을 거느리고 어디로 갔는지 보이지 않습니다."

조휴가 크게 후회한다.

"아, 내가 적의 계책에 빠졌구나! 그러나 그렇다 해도 두려울 건 없다."

그러고는 마침내 대장 장보(張普)를 선봉으로 삼아 군사 수천명을 거느리고 나아갔다. 위군과 동오군은 둥글게 진을 벌이고 대치했다. 장보가 말을 달려나가 적의 진영을 향해 큰소리로 꾸짖는다.

"적장은 어서 항복하라!"

동오 진영에서는 서성이 말을 몰고 나와 장보와 맞섰다. 그러나 싸운 지 몇합 만에 장보는 서성을 당해내지 못하고 군사를 거두어 영채로 돌아왔다. 장보가 조휴에게 고한다.

"저로서는 도저히 서성의 용맹을 당해낼 재간이 없습니다."

조휴가 말한다.

"내가 기습병을 써서 적을 물리치리라."

조휴는 장보에게 군사 2만명을 거느리고 석정 남쪽에 매복하게 하고, 설교(薛喬)에게는 군사 2만명을 거느리고 석정 북쪽에 매복하게 하고 나서 말을 이었다.

"내일 내가 몸소 1천명의 군사들을 이끌고 나가 싸움을 걸다가 거짓 패한 체하며 적을 북쪽 산으로 유인할 것이오. 그 다음에 포를 쏘아 신호를 보낼 테니, 기다렸다가 세 방면에서 공격하면 반드시 대승을 거둘 수 있소."

장보와 설교는 조휴의 계책에 따라 날이 어두워지기를 기다렸다가 각각 2만군을 거느리고 나가 매복했다.

한편 육손은 주환과 전종을 불러 분부한다.

"그대들 두 사람은 각기 군사 3만을 거느리고 석정 산길을 따라 가서 조휴의 영채 뒤쪽에서 불을 질러 신호하라. 내 친히 대군을 이끌고 진격하겠다. 그러면 틀림없이 조휴를 사로잡을 수 있을 것이다."

그날 저물녘에 주환과 전종 두 장수는 육손의 명에 따라 각기 군사를 거느리고 나아갔다. 2경 무렵, 주환은 군사를 거느리고 위군의 영채 뒤에 이르러 장보의 복병들과 마주쳤다. 장보는 그들이 오군인 줄도 모르고 어디서 왔느냐고 묻다가 번개처럼 내려친 주환의 칼을 맞고 말 아래로 떨어져 죽고 말았다. 위군들은 싸울 생각도 못하고 사방으로 흩어져 달아나버렸다. 주환은 즉시 후군을 시켜 불을 지르게 했다.

한편 전종 역시 한무리의 군사들을 거느리고 위군의 영채 뒤에 이르니, 그곳은 곧 위장 설교의 진지였다. 전종이 군사들을 휘몰아 한바 탕 기습공격을 감행하니 위장 설교는 전종에게 크게 패하여 본채를 향해 달아나기 시작했다. 주환과 전종의 군사들이 위군의 뒤를 계속 쫓으며 공격하니, 조휴의 진지는 일순간에 혼란에 빠져 저희들끼리 서로 밟고 밟히며 죽어갔다. 조휴는 황망히 말에 올라 협석을 향해 달 아났다. 그때 서성이 한 부대의 군사를 거느리고 큰길에서 쳐들어와 닥치는 대로 주살하니 그 바람에 죽은 위군의 수는 헤아릴 수 없었고, 그나마 살아 남은 자들은 모조리 갑옷과 병기를 버린 채 달아나기에 바빴다. 크게 놀란 조휴는 협석을 향해 죽을 힘을 다해 말을 달렸다. 그때 다시 한떼의 군사들이 소로에서 뛰쳐나오며 앞을 막아섰다. 앞 장선 장수는 바로 가규였다. 조휴가 비로소 놀란 가슴을 진정하며 부 끄러운 생각이 들어 말한다.

"내가 그대의 말을 듣지 않았다가 이렇게 참패를 당하고 말았구 려."

가규가 말한다.

"도독께서는 어서 이 길을 빠져나가십시오. 동오군이 나무와 돌을 이용해 길을 끊으면 우리 모두 위태로워집니다."

이리하여 조휴는 급히 말을 몰아 도망가고, 가규가 뒤를 끊으면서 조휴를 따랐다. 가규는 달아나면서 수풀이 무성한 곳과 험준한 샛길 에 무수한 정기를 꽂아 많은 군사들이 매복한 것처럼 꾸몄다. 그런 줄 도 모르고 조휴를 추격하던 서성은 산기슭마다 깃발이 나부끼는 것을 보고 복병이라도 있을까 염려하여 더이상 쫓지 못하고 군사를 거두어 돌아갔다. 이렇게 해서 조휴는 겨우 목숨을 구할 수 있었다. 사마의는 조휴가 패했다는 소식을 듣고 중도에 군사를 거두어 돌아갔다.

한편 육손은 싸움에 이겼다는 보고를 기다리고 있었는데, 얼마 지나지 않아 서성·주환·전종 등 모두들 돌아왔다. 그들은 모두 헤아릴 수 없이 많은 수레와 소와 말과 나귀와 군수품, 병장기 등을 노획해왔고, 항복한 위군도 수만명이나 되었다. 육손은 크게 기뻐하며, 태수 주방과 여러 장수들과 함께 군사를 거두어 동오로 돌아갔다. 오주 손권은 몸소 문무관료를 거느리고 무창성(武昌城) 밖까지 마중나와 육손을 어가에 태워 성으로 돌아와서는 장수들마다 벼슬을 높여주고 후한 상을 내렸다. 손권이 주방의 잘린 머리를 보고 위로한다.

"경이 머리칼을 자르면서까지 이번 대사를 이루었으니 그 공명(功名)은 마땅히 죽백(竹帛, 역사를 기록한 책)에 남으리라."

그러고는 즉시 주방을 관내후에 봉하고, 크게 잔치를 베풀어 군사들을 위로했다. 육손이 손권에게 아뢴다.

"이번에 조휴가 크게 패하여 위의 간담이 서늘해졌을 터이니, 곧 국서(國書)를 써서 사자를 서천으로 보내 제갈량으로 하여금 군사를 일으켜 위를 치게 하십시오."

손권은 육손의 말대로 국서를 써서 서천으로 보냈다.

동오의 육손이 계책을 잘 쓰더니　　　　　祇因東國能施計

서천으로 하여금 또 군사를 움직이게 하네　　致令西川又動兵

공명이 다시 위를 치러 가서 승부는 어떻게 날 것인가.

97

三
國
志

후출사표

위를 정벌하고자 공명은 다시 출사표를 올리고

강유는 조진의 군사를 격파하려 거짓항서를 바치다

촉한 건흥(建興) 6년(228) 9월, 위 도독 조휴는 석정(石亭) 싸움에서 동오의 육손에게 크게 패하여 수레와 말과 군수품과 병기 등을 모두 잃었다. 조휴는 너무도 놀라고 분한 마음이 마침내 병이 되더니, 낙양에 돌아와서 등창으로 죽고 말았다. 위주 조예는 칙령을 내려 조휴를 성대하게 장사지내주도록 했다. 사마의가 군사를 이끌고 돌아오자 모든 장수들이 나와 영접하면서 묻는다.

"조도독이 패했으니 원수께서 책임지고 막으셔야 하거늘 어찌하여 이리 급하게 돌아오십니까?"

사마의가 말한다.

"내 생각에 제갈량은 우리가 패한 것을 알면 반드시 그 틈을 노려 장안을 취하려 할 것이오. 만일 농서(隴西) 일대가 긴급한 상황에 놓인다면 누가 가서 구하겠소? 그래서 급히 돌아온 것이오."

여러 장수들은 사마의가 필시 두렵고 겁이 나서 군사를 물린 것이라 생각하고는 속으로 비웃으며 물러났다.

한편 동오에서는 사신에게 밀서를 주어 촉으로 보냈다. 곧 군사를 일켜 위를 치기를 청하고, 조휴와의 싸움에서 대승한 사실을 알려서 첫째로는 자신들의 위풍을 자랑하고, 둘째로는 촉과 화친할 뜻을 전하고자 해서였다. 후주(後主, 유선)는 크게 기뻐하며 그 서신을 즉시 한중의 공명에게 전하도록 했다.

이때 공명은 군마를 조련하여 사람과 말이 모두 강성해졌고 군량과 마초도 풍족하고 군수품 일체가 완비된 상태라 출정할 날만 기다리고 있었다. 때마침 동오에서 온 서신을 받아본 공명은 크게 기뻐하며 즉시 잔치를 베풀어 여러 장수를 모아놓고 출정할 일을 의논했다. 바로 그때 갑자기 동북쪽에서 큰 바람이 불어와 뜰에 서 있던 소나무를 쓰러뜨렸다. 사람들은 크게 놀라며 술렁거렸다. 공명이 조용히 점괘를 뽑아보더니 말한다.

"이 바람은 대장 한 사람을 잃을 조짐이로다!"

여러 장수들은 그 말을 선뜻 믿지 못했다. 계속해 술을 마시고 있는데, 문득 진남장군 조자룡의 맏아들 조통(趙統)과 둘째아들 조광(趙廣)이 승상을 뵈러 왔다는 전갈이 들어왔다. 공명이 크게 놀라 술잔을 땅에 내던지며 한탄한다.

"아, 자룡이 죽었구나!"

이윽고 조자룡의 두 아들이 들어오더니 공명께 절하고 울면서 아뢴다.

"부친께서 어젯밤 3경(밤 12시)에 병세가 위중해지더니 마침내 돌아가셨습니다."

공명이 발을 구르며 통곡한다.

"자룡이 죽은 것은 곧 국가의 대들보 하나를 잃음이요, 나로서는 팔 하나를 잃음과 같도다!"

모든 장수들 가운데 울지 않는 자가 없었다. 공명은 조자룡의 두 아들에게 직접 성도로 가서 후주를 뵙고 상사(喪事)를 아뢰게 했다. 후주가 자룡의 부음을 듣고 목놓아 울면서 말한다.

"짐은 자룡이 아니었다면 어렸을 때 전쟁터에서 죽었을 것이다."

후주는 곧 조서를 내려 조자룡을 대장군(大將軍)으로 추증(追贈)하고 순평후(順平侯)라는 시호를 내렸다. 그리고 성도 금병산(錦屛山) 동쪽에 성대히 장사지낸 후 그 옆에 묘당(廟堂)을 세워 사시사철 제를 올리게 하였다.

후세 사람이 지은 시가 있다.

상산땅에 범 같은 장수 있어	常山有虎將
지혜와 용맹이 관우 장비에 필적하였네	智勇匹關張
그의 공훈 한수가에 남아 있고	漢水功勳在
당양 장판파에서 그 이름 드날렸네	當陽姓字彰
두번 어린 주인 구해내어	兩番扶幼主
한마음으로 선제께 보답했네	一念答先皇

충성을 다한 그 사실 청사에 기록되리니 青史書忠烈
응당 백세토록 꽃다운 이름 전하리 應流百世芳

후주는 지난날 조자룡의 공을 생각해 성대하게 장사지내고 제를 올리도록 했다. 그리고 그의 아들 조통을 호분중랑(虎賁中郞)에, 조광을 아문장(牙門將)에 봉하여 아비의 무덤을 지키게 했다. 두 사람은 후주에게 절하여 사례하고 물러갔다.

문득 한 신하가 후주에게 아뢴다.

"제갈 승상이 군사를 일으켜 위를 치기 위해 떠나려 하옵니다."

이에 후주가 조정의 여러 신하에게 물으니 이구동성으로 말한다.

"아직은 군사를 가벼이 움직일 때가 아닙니다."

후주는 머뭇거리며 결단을 내리지 못했다. 이때 한 신하가 또다시 아뢴다.

"제갈 승상이 양의(楊儀)를 시켜 출사표를 보내왔사옵니다."

후주가 양의를 불러 표문을 책상에 펼쳐놓고 보니 그 내용은 이러하다.

선제(先帝, 유비)께서 한나라와 역적(위)은 양립할 수 없으며, 왕업은 천하의 한 지역에만 안주할 수 없다고 생각하시어 신에게 적의 토벌을 부탁하셨습니다. 선제께서 그 밝으심으로 신의 재주를 헤아리시니, 역적을 징벌함에 신의 재주가 얕고 역적은 강함을 아셨습니다. 그러나 그렇다고 역적을 치지 않는다면 왕업 또한 망할 것이니, 앉아서 망할 때를 기다리기보다 그를 쳐야 하지 않겠사옵니까? 이 때문에 신에게 모든 것을 맡기고 의심하지 않으신 것입니

공명은 다시금 출사표를 올리다

다. 신은 선제의 명을 받은 이래 잠을 자도 자리가 편하지 않았으며, 음식을 먹어도 맛을 몰랐사옵니다. 북쪽 정벌을 생각하니 우선 남방부터 평정하지 않을 수 없기에 지난 5월 노수(瀘水)를 건너 불모의 땅 깊이 들어가서 하루 양식으로 이틀을 먹는 고생을 했사옵니다. 그렇게 한 것은 신이 몸을 아끼지 않음이 아니라, 왕업을 생각하니 서촉에서 편안히 지내서는 천하를 통일할 수 없는지라 위험과 고난을 무릅쓰고 선제의 유지를 받든 것이옵니다. 그런데 의논을 일삼는 무리들은 이것이 올바른 계책이 아니라고 하나이다. 이제 역적들은 마침내 서쪽이 고달파지고(제갈량의 기산 공격때 위의 세 군郡이 촉을 따른 것을 말함), 다시 동쪽에서 오군과 싸워 지쳐 있사옵니다. 병법에 이르기를 적의 고달픈 때를 타서 공격하라 했으니, 지금이 바로 과감하게 나아갈 때라 하겠나이다. 이에 신은 삼가 몇가지 아뢰옵니다.

옛날 고제(高帝, 한고조 유방)께서는 그 밝으심이 해와 달과 같았고 모사들의 재주가 연못처럼 깊었으나, 험난한 일을 당하고 상처를 입으며(영양에서 항우와 싸우다 가슴에 화살 맞은 일을 말함) 위태로움을 겪으신 뒤에야 편안해지셨습니다. 이제 폐하께서는 고제에 미치지 못하시고 모사들 또한 장량(張良, 자는 자방. 한 고조 유방의 중요한 모사)이나 진평(陳平, 한 초기의 유명한 재상) 같은 자가 없는데도, 힘 들이지 않고 좋은 계책만으로 승리하여 가만히 앉아서 천하를 얻으려 하시니, 이는 신이 이해할 수 없는 첫번째 일입니다.

또한 유요(劉繇)와 왕랑(王朗)은 각각 주군(州郡)에 웅거하면서 안위와 계책을 말함에 입만 열면 성인을 끌어다대고, 뱃속에는 의심이 가득하며, 여러 어려움 앞에서는 겁내고 두려워할 뿐입니다.

그래서 올해도 싸우지 않고 내년에도 싸우지 아니하여 마침내 손권으로 하여금 앉아서 강동을 다 차지하게 했으니, 이는 신이 이해할 수 없는 두번째 일입니다.

조조는 지모와 계교가 남달리 뛰어나고 그 용병술은 손자(孫子) · 오자(吳子, 둘다 춘추전국시대의 유명한 병법가)를 방불했음에도, 남양(南陽)에서 어려움을 당하고, 오소(烏巢)에서 험한 일을 겪고, 기련(祁連)에서 위태로움에 처했으며, 여양(黎陽)에서 핍박을 당하고, 북산(北山)에서 거의 패할 뻔하고, 동관(潼關)에서 하마터면 죽을 뻔한 뒤에야 비로소 한때나마 거짓으로 천하를 평정했사옵니다. 하물며 신처럼 재주가 미약한 사람이 어찌 위태로움을 겪지 않고 천하를 평정할 수 있겠습니까. 이것이 신이 이해 못할 세번째 일입니다.

조조는 다섯번이나 창패(昌覇)를 치고도 항복받지 못했고, 네번이나 소호(巢湖)를 건너 손권을 쳤으나 성공하지 못했으며, 이복(李服)을 등용했으나 오히려 그에게 배반당했고, 하후연(夏侯淵)에게 위임했으나 하후연이 패망하였사옵니다. 선제께서 항상 뛰어난 인물이라고 칭찬하신 조조도 이렇듯 실패하곤 했는데 하물며 신 같은 노둔한 위인이 어찌 쉽게 이기기만 바라겠습니까. 이것이 신이 이해 못하는 네번째 일입니다.

신이 한중에 온 지 이제 1년 남짓 되었을 뿐이나, 그동안 조자룡 · 양군(陽群) · 마옥(馬玉) · 염지(閻芝) · 정립(丁立) · 백수(白壽) · 유합(劉郃) · 등동(鄧銅) 등 70여명의 곡장(曲長, 부대장)과 둔장(屯將, 주둔군의 장수)을 잃어 선봉장으로 앞장설 인물이 없고, 종수(賨叟, 남만 장수) · 청강(青羌, 서강 장수) · 산기(散騎, 산기성散騎省의 관리)·무기(武騎, 용맹한 기병) 등 1천여명을 잃었으니, 이는 모두 수십년 동안 사방에서 모은 정예들로 익주 한 고을에 있던 사람들이 아니옵니다. 만일 또다시 몇해를 보내고 나면 3분의 2를 잃게 될 것이니 그때는 무엇으로 적을 도모한단 말입니까. 이것이 신이 이해 못할 다섯번째 일입니다.

바야흐로 백성은 궁하고 군사들은 지쳐 있으나 대사를 그만둘 수는 없습니다. 그만둘 수 없다면 지키고 있으나 나아가 싸우나 드는 노고와 비용이 같은데도. 속히 도모하지 않고 오직 한 주의 땅에 머물러 적과 더불어 오랫동안 대치하고 있으니 이것이 신이 이해 못할 여섯번째 일입니다.

무릇 단정하기 어려운 것이 천하의 일이라, 옛날에 선제께서 초 땅에서 패하셨을 때 조조는 손뼉을 치며 천하를 평정했다고 좋아했사옵니다. 그러나 나중에 선제께서는 동으로 오월(吳越)과 손을 잡고, 서로 파촉(巴蜀)을 취하고 군사를 일으켜 북쪽을 쳐서 하후연의 목을 베셨사옵니다. 이는 바로 조조의 실수로, 이로써 한나라 대업이 이루어질 듯했사오나, 동오가 맹약을 어겨 관우를 꺾고, 선제께서 자귀(秭歸)에서 패하시니, 조비가 황제를 참칭했사옵니다. 대개의 일은 이처럼 예측하기 어렵사옵니다. 이제 신은 몸을 바치고 정성을 다해 오로지 나라를 위해 죽을 때까지 일할 뿐이니, 일의 성패와 이해(利害)는 신의 소견으로는 능히 예견할 수 없는 일이로소이다.

후주는 공명의 출사표를 읽고 매우 기뻐하며 즉시 칙령을 내려 공명의 출사를 허락했다. 공명은 명을 받들어 30만 대군을 일으키고 위연을 전군 선봉으로 삼아 진창(陳倉) 어귀를 향해 출발했다.

이 소식은 정탐꾼에 의해 곧바로 낙양에 전해졌다. 사마의가 위주 조예에게 이 사실을 아뢰자 조예는 즉시 문무백관을 모아 의논했다. 대장군 조진(曹眞)이 반열에서 나와 아뢴다.

"신이 지난번에 농서를 지키고 있을 때 공을 세우지 못하고 죄만 크게 지어 황공한 마음 금할 길이 없사옵니다. 청컨대 신에게 대군을 주신다면 나아가 제갈량을 사로잡아 오겠나이다. 신이 최근에 한 장수를 새로 얻었는데, 60근이나 되는 큰 칼을 쓰며, 천리정완마(千里征 駃馬)를 타고, 무게가 2섬이나 되는 철태궁(鐵胎弓)을 마음대로 다룹니다. 또한 3개의 유성추(流星錘)를 몸에 숨기고 다니는데, 그것을 던지기만 하면 백발백중이라 혼자서 능히 1만명을 당해낼 만한 용장입니다. 그 장수는 농서 적도(狄道) 사람으로 성명은 왕쌍(王雙)이고 자는 자전(子全)이라 하는데, 신은 이 사람을 천거하여 선봉으로 세우고자 합니다."

조예는 크게 기뻐하며 당장 왕쌍을 불러들였다. 보니, 키가 9척이요 얼굴은 검고 눈동자는 노란데, 곰의 허리에 호랑이의 등을 가졌다. 위주는 만면에 웃음을 띠며 말한다.

"짐이 이런 대장을 얻었으니 장차 무엇을 근심하리오!"

그러고는 즉시 왕쌍에게 비단 전포와 황금 갑옷을 내리는 한편 호위장군(虎威將軍)에 봉해 전군 선봉으로 삼고, 조진을 대도독에 봉하였다. 조진은 위주에게 절을 올려 사례하고 물러나온 즉시 정예병 15만을 정비하고 나서 곽회·장합의 군사들과 합쳐 각기 요충지를 지키기 위해 길을 나누었다.

한편 촉군의 정탐병은 먼저 진창에 당도해 적진을 살피고 돌아와 공명에게 고했다.

"진창 어귀에는 적장 학소(郝昭)가 이미 성을 쌓고 해자를 깊이 파고 보루를 높게 쌓았으며 성 둘레에 녹각(鹿角, 사슴뿔 모양의 방어용 울타리)을 세워 엄히 지키고 있습니다. 이 성은 그냥 두고 태백령(太白嶺)을 넘어 샛길로 해서 기산으로 나아가는 게 좋을 듯합니다."

"진창의 북쪽이 바로 가정인데 이 성을 얻지 않고 어찌 군사가 나아갈 수 있단 말이냐?"

공명은 단호하게 말하고 곧바로 위연에게 성을 치도록 명했다. 위연은 공명의 명을 받들어 성 아래까지 진격해 사면으로 공격을 가했다. 그러나 며칠이 지나도록 성을 함락시킬 수 없었다. 위연은 할 수 없이 회군하여 공명에게 말한다.

"도무지 성을 함락시킬 수 없습니다."

공명은 대로하여 당장 위연을 죽이려 했다. 이때 장하에서 한 사람이 앞으로 나서며 소리친다.

"제가 승상을 따른 지 벌써 몇년이 되었건만 아직 이렇다 할 공을 세우지 못했습니다. 제가 비록 재주는 없으나 진창성에 가서 화살 한 대 쏘지 않고 학소를 달래 항복을 받아오겠습니다."

모두가 보니 그는 바로 부곡(部曲, 부대의 하부 단위)의 근상(靳祥)이었다. 공명이 묻는다.

"그대가 무슨 수로 학소를 달래려 하는가?"

근상이 대답한다.

"학소는 저와 한고향인 농서 사람으로 어려서부터 친하게 지냈습니다. 그러니 이번에 제가 가서 이해득실을 따져 설득하면 학소는 반드시 항복해올 것입니다."

공명은 곧 이를 허락했다. 근상은 급히 말을 몰아 진창성 아래 이르러 큰소리로 외친다.

"학백도(郝伯道, 백도는 학소의 자), 옛 친구 근상이 만나러 왔네!"

성위의 군사들이 학소에게 이 일을 전했다. 학소는 성문을 열게 하여 근상을 맞아들이고 나서 묻는다.

"그대는 무슨 일로 나를 찾아왔는가?"

근상이 말한다.

"나는 서촉의 공명 휘하에서 군기(軍機, 군사상의 기밀)에 관계하면서 상빈 대접을 받고 있네. 내가 이렇게 찾아온 것은 자네에게 특별히 할 말이 있어서일세."

근상의 말에 학소의 낯빛이 변했다.

"제갈량으로 말하면 우리나라의 원수며 적이 아닌가. 나는 지금 위를 섬기고 그대는 촉을 섬겨 각각 주인이 다르니 자네와 내가 지난날 형제처럼 지냈다 해도 지금은 서로 원수이고 적일세. 여러 말 말고 당장 성에서 나가주게."

근상이 다시 말을 이으려 하는데, 학소는 벌떡 자리에서 일어나더니 성루로 올라가버렸다. 곁에 있던 위군이 근상을 말에 오르도록 재촉해 성밖으로 몰아내다시피 했다. 쫓겨나온 근상이 성밖에서 고개를 돌려 바라보니, 학소가 화살을 방어하는 나무난간에 기대서서 내려다보고 있었다. 근상은 말을 세우더니 채찍을 들어 학소를 가리키며 말한다.

"백도는 어찌 이리 박정하신가?"

학소가 말한다.

"위의 법도는 형도 잘 아시지 않는가? 내가 나라의 은혜를 입었으니 오직 나라를 위해 죽을 뿐일세. 형은 이제 내게 더 말할 것 없네. 제갈량에게 돌아가 어서 성을 공격하라 전하시게. 나는 조금도 두려울 것 없네."

근상이 돌아가 공명에게 고한다.

"학소가 입을 열지도 못하게 가로막는 바람에 아무 말도 못하고 왔습니다."

공명이 말한다.

"그대는 다시 가서 이해로써 학소를 설복해보오."

근상은 다시 진창성 아래 이르러 한번 더 학소를 만나기를 청했다. 곧 학소가 성루 위에 모습을 드러냈다. 근상은 고삐를 당겨 말을 세우고 학소에게 소리친다.

"백도는 나의 충언을 들으시게! 자네가 한낱 외로운 성에 의지해 무슨 수로 수십만 대군을 막아내겠다는 겐가? 지금 서둘러 항복하지 않으면 나중에 후회해도 바로잡지 못하네. 더구나 이는 대한(大漢)을 따르지 않고 간사한 위나라를 섬김이니 그대는 어찌 그리도 천명(天命)을 모르고, 맑고 흐림을 분별치 못하는가? 바라건대 백도는 깊이 생각해보시게."

학소가 크게 노하여 활을 들어 근상을 겨누며 호되게 꾸짖는다.

"내 이미 할말을 다 했으니 너는 두 말 말고 당장 물러가라. 돌아가면 내 너를 쏘지는 않겠다!"

근상이 돌아와 공명에게 들은 대로 낱낱이 고하자 공명은 크게 역정을 낸다.

"보잘것없는 놈이 참으로 무례하기 짝이 없구나. 내 어찌 성을 공격할 기구 하나 준비해두지 않았겠느냐?"

그러고는 그 지방 사람을 불러 묻는다.

"진창성 안에 군마가 얼마나 되는가?"

그 사람이 잠시 생각하더니 말한다.

"확실하게는 알 수 없습니다만 아마 3천명 가량 될 것입니다."

공명이 웃으며 말한다.

"그따위 작은 성으로 어찌 감히 나를 막으려 한단 말이냐. 적의 구원병이 오기 전에 속히 공격하라."

공명은 곧 운제(雲梯, 높은 곳에 걸쳐 오르도록 만든 공성용攻城用 사다리) 1백대를 출동시키도록 했다. 한 대의 운제에는 10여명의 군사가 탈 수 있고, 그 둘레에는 방어를 위한 목판이 빙 둘러쳐져 있었다. 촉군들은 각기 짧은 사다리와 줄사다리를 지니고 북을 울리며 사방에서 성을 기어오르기 시작했다. 한편 성루에서 촉군들이 운제를 움직여 사방에서 쳐들어오는 것을 본 학소는 즉시 군사 3천명에게 불화살을 준비하고 사면에 늘어서 있다가, 적의 운제가 성 가까이 다가오면 일제히 쏘도록 했다.

성안에 아무런 방비가 없으리라 생각한 공명은 운제를 벌여세우고 나서 삼군으로 하여금 북을 울리고 함성을 크게 지르며 공격하게 했다. 그런데 뜻밖에도 갑자기 성안에서 불화살이 쏟아지니 운제는 모조리 불길에 휩싸였으며, 거기 타고 있던 많은 군사들이 불에 타죽고 말았다. 불화살에 이어 성위에서 돌과 화살이 빗발치듯 날아오니 촉군은 더 싸우지 못하고 모두 퇴각했다.

"네놈들이 운제를 불태웠으니, 내 이번에는 충거(沖車, 겉에 철판을 씌운 전투용 수레)를 쓰리라."

공명은 크게 노해 소리치며 그날밤으로 충거를 배치했다. 이튿날 촉군은 다시 사면에서 북을 울리고 함성을 지르며 성으로 진격해갔다. 학소는 급히 명해 큰 돌들을 날라다가 구멍을 뚫은 뒤 칡으로 꼰 밧줄에 꿰어 충거를 향해 날리게 했다. 공명의 충거는 모두 돌덩이에 맞아 박살이 나버렸다.

공명은 다시 군사들에게 명해 흙을 운반하여 성 주위의 해자를 메우게 했다. 그런 다음 요화로 하여금 군사 3천명을 이끌고 밤중에 은밀히 괭이와 삽으로 땅굴을 파서 성안으로 통하는 길을 뚫도록 명했다. 그러나 학소는 이번에도 재빨리 성안에 방어용 해자를 파게 하여 뚫고 들어오는 땅굴을 막아버렸다.

이렇듯 밤낮으로 20여일 동안이나 공방전을 벌였으나 공명은 진창성을 함락시키지 못했다. 공명이 근심에 싸여 있는 중에 급한 보고가 들어왔다. 동쪽에서 위의 구원병이 오고 있는데 깃발에 큼직하게 '위선봉대장 왕쌍(魏先鋒大將王雙)'이라고 씌어 있다는 것이다. 공명이 좌중을 둘러보며 묻는다.

"누가 나가서 왕쌍과 맞서겠는가?"

위연이 나선다.

"제가 가겠습니다."

공명이 머리를 저었다.

"그대는 선봉대장이니 경솔히 나가서는 안되오. 누구 다른 사람 없는가?"

이번에는 비장(裨將) 사웅(謝雄)이 나선다.

"제가 가겠습니다."

공명은 즉시 사웅에게 3천 군사를 주어 떠나게 하고 다시 묻는다.

공명은 다시 북벌에 나서서 진창을 공략하다

"누가 또 가겠는가?"

비장 공기(龔起)가 나섰다. 공명은 그에게도 3천 군사를 주어 떠나게 했다. 그리고 나서 공명은 학소가 성밖으로 공격해나올 것에 대비해 군사를 거느리고 20리 밖으로 물러나 영채를 세웠다.

한편 사웅은 군사를 이끌고 진군하다가 곧 왕쌍을 만났으나 왕쌍의 칼을 막아내지 못하고 불과 3합에 패해 죽었다. 이에 촉군들은 모두 뿔뿔이 흩어지며 달아나버렸다. 왕쌍은 달아나는 촉군을 추격하다가 뒤따라 진군해온 공기의 군사와 맞부딪쳤다. 그러나 공기 역시 단 3합 만에 왕쌍의 칼에 맞아 죽었다. 패한 촉군들은 다투듯 도망쳐와 공명에게 이 사실을 고했다. 크게 놀란 공명은 즉시 요화 · 왕평 · 장의 세 사람을 불러 왕쌍과 맞서싸우도록 명했다.

드디어 양군은 맞닥뜨려 둥그렇게 진을 벌였다. 장의가 먼저 말을 몰아 달려나가고 왕평과 요화는 그 좌우에 버티고 섰다. 왕쌍이 말을 달려와 장의와 어울려 싸우는데, 몇합을 겨뤄도 승부가 나지 않았다. 그때 왕쌍이 짐짓 패한 체하고 달아나니 장의가 재빨리 뒤를 쫓기 시작했다. 이를 지켜보던 왕평은 혹시 장의가 왕쌍의 계략에 빠질까 두려워 크게 소리쳤다.

"적을 추격하지 마오!"

장의가 그 소리에 급히 말머리를 돌리려는 순간, 갑자기 왕쌍이 던진 유성추가 날아들어 등에 꽂혔다. 장의는 말안장에 엎어진 채 달아났다. 왕쌍이 놓칠세라 뒤를 쫓는데, 왕평과 요화가 날쌔게 달려나가 앞을 막고 장의를 구해 진지로 돌아왔다. 왕쌍이 군사를 몰아 싸움판을 휩쓰니 수많은 촉군이 죽거나 부상당했다.

한편 왕쌍의 유성추에 맞아 몇차례나 피를 토하며 돌아온 장의가 공명에게 고한다.

"왕쌍은 아무도 당해낼 수 없을 만큼 용맹한 장수입니다. 지금 왕쌍은 군사 2만을 거느리고 진창성 밖에 영채를 세우고 있는데, 사방에 방어용 목책을 둘러치고 겹으로 성을 쌓는 한편 해자를 깊게 파서 그 방비가 철통 같습니다."

공명은 이미 사웅과 공기 두 장수를 잃은데다 장의마저 중상을 입고 돌아오자 즉시 강유를 불러 대책을 의논했다.

"진창 길어귀로는 더이상 뚫고 나가기 어려울 것 같소. 그대에게 좋은 방책이 있으면 말해보오."

강유가 아뢴다.

"진창성은 매우 견고한데다 학소가 엄중히 지키고 왕쌍이 밖에서 돕고 있으니 취하기 어렵습니다. 그러니 한 대장에게 산을 의지하고 물가에 영채를 세운 뒤 굳게 지키도록 명하고, 다시 뛰어난 장수로 하여금 요긴한 길목을 지켜서 가정 쪽에서 쳐들어오는 적의 공격을 막도록 하십시오. 그런 뒤에 대군을 거느리고 기산을 습격하되, 제가 말씀드리는 대로 계책을 쓰시면 능히 조진을 사로잡을 수 있을 것입니다."

공명은 강유의 말에 따르기로 했다. 곧 왕평과 이회에게 각기 한떼의 군사를 거느리고 가정으로 통하는 소로를 지키게 하고, 다시 위연에게 한무리 군사들을 이끌고 가서 진창 어귀를 지키게 하였다. 그러고 나서 공명은 마대를 선봉으로 삼고 관흥과 장포에게 앞뒤에서 돕도록 하여 샛길로 해서 야곡(斜谷)으로 빠져나가 기산을 향해 진군했다.

한편 조진은 지난번 싸움에서 사마의에게 공을 빼앗긴 일을 마음에서 떨치지 못하고 있었다. 그래서 낙양 어귀에 이르자 곽회와 손례로 하여금 각각 동쪽과 서쪽을 굳게 지키도록 명하고 또한 진창이 위태롭다는 말을 듣고는 왕쌍을 보내 구원하게 한 것이다. 그런데 왕쌍이 두명의 적장을 베고 큰 공을 세웠다는 전갈을 받으니 조진은 크게 기뻐했다. 곧 중호군(中護軍) 대장 비요(費耀)로 하여금 임시로 선봉부대를 지휘하게 하고, 여러 장수들에게는 각자 요충지를 굳게 지키도록 했다. 이때 갑자기 산골짜기에서 적의 정탐꾼 한명을 붙잡았다는 보고가 들어왔다. 조진이 끌어오게 하니, 정탐꾼은 장막 앞에 꿇어엎드리며 고한다.

"소인은 본래 정탐꾼이 아니옵니다. 다만 도독께 전할 기밀이 있어왔다가 복병에게 잡혔으니, 청컨대 좌우를 물려주십시오."

조진은 결박을 풀어주게 하고 좌우에게 잠시 물러가 있으라 명했다. 붙잡혀온 사람이 조심스럽게 말한다.

"소인은 강백약(姜伯約, 강유의 자)의 심복으로 도독께 바칠 밀서를 가지고 왔습니다."

조진이 말한다.

"밀서는 어디에 있느냐?"

그 사람은 옷을 벗더니 몸에 품고 있던 서신 한통을 꺼내 조진에게 바쳤다. 조진은 급히 서신을 뜯어보았다.

죄 많은 장수 강유는 삼가 1백배를 올리며 대도독께 글을 올리나이다. 저는 대대로 위나라의 녹을 먹고 변방의 성을 지키는 중책을 맡았으니, 이렇듯 두터운 은혜를 입고도 보답할 길이 없던 터에, 지난날 제갈량의 계책에 걸려드는 바람에 깊은 함정에 빠져 헤어날 길이 없었습니다. 하오나 어찌 고국을 생각하는 마음을 하루라도 잊은 적이 있었겠습니까? 지금 다행히 촉군이 서쪽으로 진군하고 있고 제갈량도 이제는 이몸을 그다지 의심하지 않게 되었사옵니다. 바라옵건대 도독께서 몸소 대군을 거느리고 오시다가 적을 만나시거든 거짓으로 패한 체하십시오. 제가 뒤에 있다가 불을 올려 신호하고 촉군의 양초를 불태운 다음 대군을 이끌고 촉군의 뒤를 엄습한다면 쉽게 제갈량을 사로잡을 수 있을 것입니다. 이 모두 감히 제가 공을 세워 나라에 보답하려는 것이 아니라 지난날의 잘못을 속죄하려 함이니, 부디 살피시어 속히 명을 내려주시기 바라나이다.

조진이 크게 기뻐하며 말한다.

"하늘이 나로 하여금 공을 이루도록 돕는구나!"

곧 서신을 가지고 온 사람에게 후한 상을 내리고, 날짜를 정해 실행하기로 약속하는 답신을 써주었다. 조진이 비요를 불러 의논한다.

"강유가 내게 몰래 밀서를 보내왔는데, 나더러 이러저러하게 하라는구려."

조진의 설명에 비요가 말한다.

"제갈량은 꾀가 많은 사람이고 강유 또한 지략이 뛰어난 인물입니다. 이번 일이 혹시라도 제갈량이 시킨 것이 아닌지, 자칫 그의 계책에 빠질까 두렵습니다."

조진이 대수롭지 않게 말한다.

"본래 강유는 위나라 사람이고 부득이한 사정으로 촉에 항복한 것이니, 무엇을 의심하겠는가?"

비요는 거듭 말한다.

"그 모든 게 사실이라 하더라도 도독께서는 경솔히 나가지 마십시오. 제가 군사들을 거느리고 나가 강유와 접응할 테니, 도독께서는 본채를 굳게 지키고 계십시오. 이 일이 성공하면 모든 공을 도독께 돌릴 것이며, 만일 간계에 빠진다면 제가 감당하겠습니다."

조진은 매우 기뻐하며 비요에게 군사 5만을 내주고 야곡으로 보냈다.

군사를 거느리고 출발한 비요는 두어 마장 진군하다가 주둔하고 사람을 보내 전방을 정탐하게 했다. 그날 신시(申時, 오후 4시)쯤 정탐꾼이 돌아와 보고한다.

"야곡 방면으로 촉군이 쳐들어오고 있습니다."

비요가 급히 군사를 휘몰고 나아가자 촉군은 싸울 생각도 못하고 물러가버렸다. 비요는 군사를 이끌고 뒤를 추격해갔다. 촉군이 다시 나와 싸울 듯더니 또 물러가버렸다. 이러기를 세 차례나 되풀이하는 동안에 어느덧 이튿날 신시가 되었다. 하루낮 하룻밤 동안을 위군은 촉군이 쳐들어올까 염려되어 잠시도 쉬지 못하다가 겨우 틈을 얻어 군사를 주둔하고 밥을 지어먹으려 했다.

바로 그때였다. 난데없이 사면에서 함성이 일고 북소리와 뿔피릿소리가 천지가 떠나갈 듯 울리는 가운데 산과 들판은 온통 밀려오는 촉군으로 가득했다. 이어 촉진의 문기(門旗)가 활짝 열리며 한대의 사륜거가 나타나는데, 그 위에는 공명이 단정히 앉아 있었다. 공명은 사람을 시켜 위군의 주장(主將)과 대화하기를 청했다.

비요는 말을 몰고 나오면서 흡족한 마음으로 공명을 바라보다가 좌우를 향해 지시한다.

"촉군이 쳐들어오거든 즉시 후퇴하라. 후퇴하는 중에 산 뒤쪽에서 불길이 일어날 터이니, 그것을 신호삼아 곧장 말머리를 돌려 촉군을 쳐라. 그러면 한무리의 군사가 우리를 도울 것이다."

이르고 나서 마침내 비요는 말을 몰고 나가며 외친다.

"전날의 패장이 어찌 감히 또 나타났느냐?"

공명이 대꾸한다.

"너와는 할 얘기가 없다. 조진을 불러오너라!"

비요가 크게 꾸짖는다.

"조도독으로 말할 것 같으면 금지옥엽(金枝玉葉)이신데 어찌 너 따위 반적과 만나겠느냐?"

공명이 크게 노하여 깃털부채를 들어올렸다. 순간 왼쪽에서는 마대

가, 오른쪽에서는 장의가 거느린 군사들이 일제히 달려나왔다. 위군
들은 즉시 뒤로 물러나기 시작했다. 30리 가량 물러났을 때였다. 촉
군의 배후에서 불길이 일며 끝없는 함성이 들려왔다. 비요는 강유가
약속한 신호라고 믿고 즉시 군사를 돌려 적진을 향해 짓쳐들어갔다.
촉군은 일제히 물러났다.

비요는 앞장서서 칼을 휘두르며 달아나는 촉군을 뒤쫓아 함성이 이
는 곳을 향해 말을 달렸다. 불길이 치솟는 곳에 거의 다다랐을 때였
다. 홀연히 산속에서 북과 뿔피릿소리가 하늘을 찌를 듯 울리며 함성
이 땅을 진동했다. 그와 함께 양쪽에서 촉군이 내달아나오는데 왼쪽
은 관흥이요, 오른쪽은 장포였다. 산위에서는 화살이 비오듯 날아왔
다. 위군의 대오는 순식간에 무너졌다. 비요는 그제서야 적의 계책에
걸려들었음을 깨닫고 급히 군사를 물렸다. 산골짜기를 향해 달아나기
시작했으나, 얼마 못 가서 사람과 말 모두 지쳐버렸다. 그때 뒤에서
관흥이 새로운 군사들을 이끌고 나는 듯이 쫓아왔다. 위군은 적을 맞
아 싸우기는커녕 앞다투어 달아나기 바빠 서로 밟고 밟히며 아수라장
을 이루니, 낭떠러지에서 떨어져죽은 자만 해도 그 수를 헤아릴 수 없
었다.

비요는 겨우 목숨을 구해 달아나다가 산기슭에서 한무리의 군사와
마주쳤다. 앞장선 장수는 다름아닌 강유였다. 비요가 큰소리로 꾸짖
는다.

"반역한 도적놈은 본래 신의가 없는 것을, 내 불행히도 네놈의 간
계에 빠지고 말았구나!"

강유가 소리내어 웃는다.

"내 조진을 사로잡으려 했더니 잘못되어 너 같은 졸개가 걸려들었

구나. 냉큼 말에서 내려 항복하라!"

그때 비요는 갑자기 말에 박차를 가하더니 산골짜기를 향해 냅다 달아났다. 한창 달리는데 이번에는 골짜기 안에서 불길이 치솟으며 뒤에서는 촉군이 물밀듯이 추격해왔다. 진퇴양난에 빠진 비요는 스스로 칼을 뽑아 자결해버렸다. 뒤따르던 위군들은 모두 항복했다.

공명은 밤을 틈타 군사를 휘몰아 곧바로 기산 앞에 이르렀다. 서둘러 영채를 세우고 군마를 주둔시켜 쉬게 하는 한편 강유에게 큰 상을 내렸다. 강유가 말한다.

"조진을 죽이지 못한 것이 한입니다."

공명도 고개를 끄덕인다.

"큰 계교를 하찮게 써서 참으로 애석하도다."

한편 조진은 비요가 강유의 꾐에 빠져 스스로 목숨을 끊었다는 보고를 받고 땅을 치며 후회했고, 곽회와 의논한 끝에 군사를 물리기로 결정했다. 그래서 손례와 신비는 밤새도록 말을 달려 위주 조예에게 표문을 올리고 아뢰었다.

"촉군이 지금 기산까지 나왔으며, 조진은 장수를 잃고 대패하여 형세가 사뭇 위태롭습니다."

위주는 크게 놀라 즉시 사마의를 불러 의논한다.

"조자단(曹子丹, 조진)이 대패하여 장수를 잃고, 촉군은 다시 기산까지 나왔다 하오. 장차 어떻게 이를 막아내야 할지 중달(仲達, 사마의의 자) 그대가 계책을 말해보오."

사마의는 자신있게 답한다.

"신에게 이미 제갈량을 물리칠 계책이 있습니다. 우리 군사를 움직이지 않고도 촉군이 스스로 물러나게 할 것이니 염려 마십시오."

조자단에게는 이길 재간이 없음을 이미 알고   已見子丹無勝術

중달의 훌륭한 계책에 오로지 의지하네   全憑仲達有良謀

사마의의 계교는 과연 어떤 것일까?

98

또다시 기산으로 나아가다

왕쌍은 촉군을 추격하다 죽음을 맞고

공명은 진창을 습격해 승리하다

사마의가 아뢴다.

"신은 일찍이 공명이 반드시 진창으로 처들어올 것이라 짐작해 폐하께 아뢰어 학소로 하여금 지키게 한 것인데, 과연 짐작이 틀리지 않았습니다. 저들이 진창을 거쳐 침입해온다면 군량을 운반하기가 매우 쉬울 터이나 다행히 지금 학소와 왕쌍이 굳게 지키고 있어 그 길로 군량을 운반하기란 불가능하고, 다른 길이 있다 해도 워낙 좁은지라 운반하는 데 어려움이 많습니다. 신의 생각으로 촉군의 양식으로는 한 달을 견디기 어려울 것이옵니다. 그러니 촉으로서는 급히 싸우는 것이 유리하고, 우리는 그저 지키기만 하면서 싸움을 오래 끄는 것이 상책입니다. 바라건대 폐하께서는 조서를 내리시어 조진으로 하여금 모든 크고작은 요충지를 굳게 지키되 절대로 나아가 싸우지 말도록 하십시오. 그리하면 촉군은 한달도 못 되어 스스로 물러갈 것이니, 그때 적의 허점을 노려 공격한다면 가히 제갈량을 사로잡을 수 있을 것입니다."

조예가 매우 기뻐한다.

"경에게 그렇듯 선견지명이 있는데 어찌하여 몸소 군사를 이끌고 나가 촉군을 무찌르지 않는가?"

사마의가 말한다.

"신이 목숨을 중히 여겨 몸을 아끼려 함이 아니옵고, 이곳에 군사를 주둔시켜 동오의 육손(陸遜)을 막고자 함입니다. 손권은 머지않아 스스로 황제라 칭하고, 폐하께서 정벌하실까 두려워 반드시 먼저 쳐들어올 것입니다. 신은 이곳에서 군사를 거느리고 그때를 대비하고 있는 것입니다."

이때 급한 보고가 들어왔다.

"조도독이 상황을 보고하고자 사람을 보내왔습니다."

사마의가 말한다.

"폐하께서는 즉시 사람을 보내 조진에게 촉군을 쫓되 반드시 그 허실을 살피도록 하고, 적진 깊숙이 들어가 제갈량의 계략에 휘말리는 일이 없도록 하라고 영을 내리소서."

조예는 곧 조서를 써서 태상경(太常卿) 한기(韓曁)에게 주고 절(節, 병권을 맡은 관리가 지니는 신표)을 내려 조진을 경계하도록 분부했다.

"조도독에게 절대로 싸우지 말고 오로지 굳게 지키고만 있다가 촉군이 물러날 때를 기다려 공격하라고 전하라."

사마의는 성밖까지 따라나와 한기를 전송하며 당부한다.

"내 이번 공은 모두 자단에게 돌릴 생각이오. 그러니 그대는 자단에게 이 모든 일이 내 뜻이라 말하지 말고 다만 황제께서 친히 조서를 내리시기를, 무조건 잘 지키는 것이 상책이며 적을 뒤쫓을 때는 꼼꼼히 전후를 살피되, 성급히 행동하는 자를 보내서는 결코 안된다고 전하시오."

한기는 사마의와 작별하고 길을 떠났다.

조진이 마침 장막에 앉아 앞일을 의논하고 있는데, 황제께서 태상경 한기를 보내왔다는 보고가 들어왔다. 조진은 친히 영채 밖으로 나가 한기를 맞아들여 조서를 보고 나서 곽회·손례와 더불어 계책을 의논했다. 곽회가 웃으며 말한다.

"이것은 사마중달의 소견입니다."

조진이 말한다.

"공이 보기엔 이 의견이 어떻소?"

곽회가 말한다.

"제갈량의 용병법을 깊이 알고 세운 의견입니다. 훗날 촉군을 막아낼 사람은 중달밖에 없습니다."

조진이 마땅찮은 듯 말한다.

"그러나 촉군이 물러가지 않으면 어찌하오?"

곽회가 말한다.

"비밀리에 사람을 보내 왕쌍으로 하여금 군사를 이끌고 소로를 순찰하게 하면 촉군이 감히 군량을 운반하지 못할 것입니다. 우리는 적의 양식이 떨어져 물러날 때를 기다렸다가 기세를 몰아 치면 반드시 크게 승리할 것입니다."

손례가 말한다.

"제가 기산으로 가서 군량을 운반하는 양 꾸미면 어떻겠습니까? 수레에 건초와 마른 장작을 가득 싣고 유황과 염초를 뿌린 다음 농서에서 군량미가 당도한 것처럼 소문을 퍼뜨리면 촉군은 양식이 급한 터라 반드시 탈취하려 할 것입니다. 우리는 그들이 오기를 기다려 수레에 불을 지르고, 군사를 매복해두었다가 일시에 공격한다면 대승을 거둘 수 있을 것입니다."

조진은 무릎을 치며 기뻐했다.

"참으로 훌륭한 계책이로다!"

그러고는 곧 손례에게 군사를 이끌고 가서 계책대로 실행하도록 하고, 왕쌍에게 사람을 보내 소로를 두루 순찰하도록 지시했다. 곽회에게는 군사를 거느리고 가서 기곡과 가정에 이르는 여러 길의 요충지들을 철저히 지키게 했다. 그리고 장요(張遼)의 아들 장호(張虎)를 선봉으로 삼고 악진(樂進)의 아들 악침(樂綝)을 부선봉으로 삼아, 최전방 영채를 지키되 절대로 나가서 싸워서는 안된다고 거듭 당부했다.

한편 기산에 영채를 세운 공명은 날마다 싸움을 걸었으나 위군은 꼼짝 않고 지키기만 할 뿐 좀처럼 응전하려 하지 않았다. 공명이 강유 등을 불러 상의한다.

"위군이 싸움에 응하지 않고 오로지 방비만 하고 있음은 우리 군중에 양식이 떨어져가는 것을 알고 있기 때문이오. 진창으로 통하는 길은 이미 막혀버렸고, 다른 소로는 험준하여 군량을 운반하기가 어려운 형편이오. 지금 우리에게 남은 양식으로는 한달을 버티기 어려우니 어찌하면 좋겠소?"

이렇듯 의논하고 있는데 갑작스런 보고가 들어왔다.

"농서의 위군이 수천대의 수레에다 군량을 가득 싣고 기산 서쪽으로 운반중인데, 책임자는 손례라고 합니다."

공명이 묻는다.

"손례는 어떤 인물인가?"

항복해온 위나라 사람이 고한다.

"손례가 일찍이 위주를 따라 대석산(大石山)으로 사냥을 나간 일이 있었는데, 갑자기 호랑이 한 마리가 위주에게 달려드는 것을 보고 말에서 뛰어내려 단칼에 호랑이를 쳐죽였습니다. 그 공로로 장군이 되었으며, 조진의 심복입니다."

설명을 듣더니 공명이 웃으며 말한다.

"이는 저들이 우리의 군량이 부족함을 알고 꾸며낸 계교임에 틀림없다. 수레에 실은 것은 필시 마른풀과 인화물일 것이다. 내 평생 화공(火功)에 익숙하거늘 그까짓 계교로 어찌 나를 유인하려 한단 말인가. 우리가 양식 실은 수레를 빼앗으려 하면 그 틈에 저들은 반드시 우리 영채를 급습할 것이니, 내 이제 장계취계(將計就計, 적의 계책을 역으로 이용하는 계책)하리라."

공명은 즉시 마대를 불러 분부한다.

"그대는 3천 군사를 인솔하고 위군이 군량과 마초를 저장해둔 곳으로 가서, 영채 안으로 쳐들어가지는 말고 바람 부는 쪽에서 불을 지르도록 하라. 수레에 불이 붙으면 위군은 반드시 우리 영채로 몰려와 포위할 것이다."

공명은 또 마충과 장의에게 명한다.

"그대 두 사람은 각각 5천 군사를 거느리고 나아가 대기하고 있다가 마대를 도와 안팎으로 협공하도록 하라."

세 사람은 계책을 받고 떠나갔다. 공명은 이어 관흥과 장포를 불러들여 분부한다.

"위군의 맨 앞쪽 영채는 길이 사방으로 뚫려 있는데, 오늘밤 산 서쪽에서 불길이 일면 적들은 반드시 우리 영채를 습격해올 것이다. 그대들은 위군의 영채 좌우에 매복해 있다가 적들이 영채를 나오거든 즉시 습격하도록 하라."

다음으로 오반(吳班)과 오의(吳懿)를 불러 분부를 내렸다.

"그대들은 각각 한무리의 군사들을 거느리고 영채 밖에 매복해 있다가 위군이 들이닥치거든 그들의 퇴로를 끊어라."

이렇듯 여러 장수들에게 분부를 마치고 나서, 공명은 기산의 높은 곳으로 올라가 자리잡고 앉았다.

한편 위군은 촉군이 군량을 뺏으러 온다는 사실을 탐지하고 급히 손례에게 알렸다. 손례가 즉시 조진에게 사람을 보내 이 사실을 보고하자 조진은 사람을 시켜 앞쪽 영채에 있는 장호와 악침에게 명을 내렸다.

"오늘밤 산 서쪽에서 불길이 오르면 반드시 촉군이 서로를 도우러 올 것이니, 그때 군사를 내어 내가 시키는 대로 행하라."

조진의 지시를 받은 장호와 악침은 사람을 시켜 높은 망루에 올라 불길이 오르는지 살피게 했다.

한편 손례는 산 서쪽에 군사를 매복해두고 오직 촉군이 오기만을 기다리고 있었다. 그날밤 2경(밤 10시) 무렵 마대가 3천 군마를 이끌고 나아가는데, 군사들은 모두 함매(銜枚, 군사들이 떠들지 못하게 입에 물리던 나무막대기)를 하게 하고 말들에게는 재갈을 물려두었다. 마대가 군사를 이끌고 소리없이 행군해 산 서쪽에 이르러 보니, 과연 수많은 수레들이 겹겹이 둘러싸여 영채를 이루었고, 수레마다 허장성세로 꽂힌 정기가 바람에 나부끼고 있었다. 때마침 서남풍이 불어왔다. 마대는 군사들에게 명해 영채 남쪽으로 가서 불을 지르게 했다. 불길은 삽시간에 늘어선 수레들에 옮겨붙어 화광이 하늘을 찌를 듯 치솟았다.

손례는 촉군이 왔다는 신호로 위군이 영채에서 불을 올린 것으로만 알고 급히 군사를 몰아 엄살해들어가기 시작했다. 그런데 그때 배후에서 난데없는 북소리 뿔피릿소리가 울리더니 좌우 양쪽에서 군사들이 들이닥치는 게 아닌가. 바로 마충과 장의가 거느린 군사들이었다. 촉군은 위군을 완전히 포위해버렸다. 손례가 크게 놀라 어찌할 바를 몰라하는데 이때 또다시 함성이 일면서 한떼의 군마가 불빛 속에서 달려나왔다. 앞장선 장수는 마대였다.

위군은 촉군에게 안팎으로 협공을 당해 크게 패했다. 불길은 맹렬하고 바람은 거셌다. 위군들은 정신없이 달아나느라 사람과 말이 밟고 밟히며 수도 없이 죽어갔다. 손례는 부상당한 군사 몇몇을 거느리고 자욱한 연기와 불길을 뚫고 겨우 살길을 찾아 달아났다.

한편 전방 영채에 있던 장호는 산 서쪽에서 솟아오르는 불길을 보고 악침과 함께 군사를 이끌고 물밀듯이 촉의 영채로 쳐들어갔다. 그런데 영채 안이 텅 비어 있는 게 아닌가. 급히 군사를 거두어 돌아서려는데 촉장 오반과 오의의 군사가 양쪽에서 짓쳐들어오며 돌아갈 길을 끊어버렸다. 장호와 악침 두 장수는 급히 돌진해 가까스로 포위망을 뚫고 본채로 돌아왔다. 그런데 어찌 된 일인지 토성 위에서 화살이 빗발치듯 날아든다. 위군이 영채를 비운 사이에 관흥과 장포가 이미 그곳을 점령해버렸던 것이다. 크게 패한 장호와 악침의 군사들은 조진의 영채를 바라고 달리기 시작했다. 그들이 겨우 조진의 영채에 다다랐을 때였다. 또다른 한떼의 패잔병이 몰려오는데, 바로 손례가 거느린 군사들이었다. 그들은 함께 영채로 들어가 조진에게 제갈량의 계책에 빠져 패하게 된 경위를 보고했다. 조진은 두려운 마음에 감히 나가서 싸우려 하지 않고 굳게 지키기만 했다.

한편 대승을 거둔 촉군은 돌아가 공명에게 보고했다. 공명은 즉시 위연에게 밀서를 보내는 한편, 영채를 거두어 회군할 준비를 서둘렀다. 그때 양의가 묻는다.

"이제 크게 이겨 위군의 예기를 꺾은 마당에 승상께서는 어찌하여 군사를 거두려 하십니까?"

공명이 말한다.

"우리는 군량이 부족하니 급히 싸우는 게 이로운데, 저들이 굳게 지키기만 할 뿐 싸우려 하지 않으니 우리에게는 참으로 불리하오. 게다가 지금 저들이 패했다고는 하나 반드시 중원에서 원군이 올 것이니, 만일 저들이 날쌘 기병으로 우리의 군량 보급로를 친다면 그때는 돌아가고 싶어도 가기 어렵게 되오. 그런 까닭에 지금 위군이 패하여 감히 공격할 엄두를 못 내고 있을 때 허를 찔러 퇴군하려는 것이오. 다만 걱정은 위연의 군사가 지금 진창 어귀에서 왕쌍과 대치하고 있어 쉽게 몸을 뺄 수 없는 것인데, 내 이제 위연에게 사람을 보내 은밀히 계책을 주어 왕쌍을 죽이도록 조처했으니, 위군은 감히 추격해오지 못할 것이오. 이제 후군이 전군이 되어 먼저 퇴각해야 하오."

그날밤 공명은 금고수(金鼓守)만 영채에 남겨두어 제 시각에 징과 북을 울리게 하고 전군을 모두 물리니, 영채는 텅 비었다.

한편 조진은 대채 안에서 근심에 잠겨 있었는데, 갑자기 좌우 사람이 고하기를 좌장군 장합이 군사를 거느리고 당도했다고 한다. 장합이 말에서 내려 장막 안으로 들어와 조진에게 말한다.

"성지(聖旨, 황제의 뜻)를 받들어 전황을 파악하러 왔습니다."

조진이 묻는다.

"올 때 혹시 중달을 만나지 않았소?"

장합이 대답한다.

"중달이 말씀하기를, 우리가 이기면 촉군은 퇴각하지 않겠지만 만일 우리가 지면 반드시 퇴각할 것이라 했습니다. 장군께서는 우리가 패하고 난 뒤 사람을 보내 촉군의 동정을 살펴보셨는지요?"

조진은 낭패한 빛을 띠었다.

"미처 그 생각을 못했소."

그제야 서둘러 사람을 보내 촉군의 정황을 탐지하게 했다. 과연 영채는 텅 비어 있고 수십개의 정기만 바람에 펄럭일 뿐, 촉군은 이미 이틀 전에 모두 물러갔다는 것이었다. 조진은 크게 후회했으나 이미 어쩔 도리가 없었다.

한편 공명의 밀계를 받은 위연은 그날밤 2경에 급히 영채를 버리고 한중으로 돌아갈 준비를 했다. 위의 정탐꾼이 이를 탐지해 즉시 왕쌍에게 보고했다. 왕쌍은 급히 대군을 이끌고 위연의 뒤를 쫓기 시작했다. 20여리 가량 추격해가자 전방에 나부끼는 위연의 깃발이 보였다. 왕쌍이 큰소리로 외쳤다.

"위연은 게 섰거라!"

그러나 촉군은 뒤도 돌아보지 않고 급하게 달아날 뿐이다. 왕쌍은 말을 재촉하며 급히 뒤쫓아갔다. 그때 갑자기 뒤쪽에서 군사들이 소리친다.

"성밖 우리 영채에서 불길이 치솟고 있습니다. 적의 간계에 빠진 듯합니다!"

왕쌍이 돌아보니 과연 불길이 하늘을 찌를 듯 치솟고 있었다. 왕쌍이 군사들에게 급히 회군할 것을 명하고 말머리를 돌려 왼쪽 산기슭으로 막 돌아서는 순간, 난데없이 말 탄 장수 한명이 숲속에서 뛰쳐나오며 소리친다.

"위연이 여기 있다!"

왕쌍은 놀란 나머지 미처 손 한번 써보지 못하고 위연의 칼에 맞아 말 아래로 굴러떨어졌다. 갑작스러운 사태에 위군들은 주위에 복병이라도 있지 않을까 두려워 뿔뿔이 달아나버렸다. 이때 위연은 수하에 겨우 기병 30명을 거느리고 있을 뿐이었다. 이후 위연은 한중땅을 향해 유유히 회군했다.

후세 사람이 시를 지어 칭송했다.

공명의 묘한 계책 손빈, 방연보다 나으니　　　　　孔明妙算勝孫龐

혜성처럼 밝게 촉한을 비추네　　　　　　　　　耿若長星照一方

나가고 물러가는 용병술 귀신도 헤아리지 못하니　　進退行兵神莫測

진창길 어귀에서 왕쌍을 베었구나　　　　　　　陳倉道口斬王雙

원래 위연은 공명의 밀계에 따라 기병 30명을 거느리고 왕쌍의 영채 가까이에 매복해 있다가, 왕쌍이 촉군을 추격하기 위해 군사를 이끌고 영채를 빠져나가기가 무섭게 불을 질러 되돌아오게 만든 다음 불시에 뛰쳐나가 왕쌍을 쳐죽인 것이다. 위연이 군사를 이끌고 한중으로 돌아가 군마를 인계하자 공명은 크게 기뻐하며 잔치를 베풀고 군사들을 위로했다.

한편 장합은 촉군을 쫓다가 포기하고 영채로 돌아왔다. 홀연 진창성의 학소가 사람을 보내 왕쌍이 죽었다는 소식을 알려왔다. 이를 들은 조진은 상심한 나머지 병을 얻어, 곽회·손례·장합에게 장안으로 통하는 모든 길목을 단단히 지키도록 명한 뒤 자신은 낙양으로 돌아갔다.

한편 오왕 손권이 조회를 열고 있는데 정탐꾼이 와서 고한다.

"촉의 승상 제갈량이 두차례에 걸쳐 출정했는데, 위의 도독 조진이 많은 군사와 장수들을 잃었다고 하옵니다."

이에 모여 있던 신하들은 한결같이 오왕에게 군사를 일으켜 위를 치고 중원을 도모해야 한다고 권했다. 손권이 마음을 정하지 못하고 주저하는데, 장소가 아뢴다.

"요즈음 들자하니 무창(武昌)땅 동산(東山)에 봉황이 날아들고, 대강(大江, 장강)에 황룡이 자주 나타난다 합니다. 이는 바로 주공의 덕이 당우(唐虞, 요임금과 순임금)에 견줄 만하고, 주공의 밝으심이 문무(文武, 문제와 무제 즉 조비와 조조)와 같기 때문입니다. 하오니 주공께서는 먼저 황제의 자리에 오르신 뒤에 군사를 일으키소서."

모든 문무관원들도 일제히 호응한다.

"자포(子布, 장소의 자)의 말이 옳습니다."

마침내 손권은 이해 4월 병인일(丙寅日)에 무창 남쪽 교외에 단을 쌓고, 여러 신하들의 호위를 받으며 단에 올라 황제의 자리에 올랐다. 이에 황무(黃武) 8년을 황룡(黃龍) 원년(229)으로 고치고, 죽은 부친

손견에게는 무열황제(武烈皇帝)의 시호를 올리고, 모친 오씨에게는 무열황후(武烈皇后)라는 시호를 올렸다. 또한 형 손책을 장사환왕(長沙桓王)에 봉하고, 아들 손등(孫登)을 황태자로 삼았다. 그리고 제갈근의 맏아들 제갈각(諸葛恪)을 태자좌보(太子左輔)로 삼고, 장소의 둘째아들 장휴(張休)를 태자우필(太子右弼)로 삼았다.

제갈각의 자는 원손(元遜)으로 키가 7척인데, 지극히 총명하고 언변이 능하여 손권이 매우 총애했다. 제갈각이 여섯살 때 아버지를 따라 오왕이 베푼 잔치에 참석한 적이 있었다. 손권은 제갈근의 긴 얼굴을 보고 사람을 시켜 나귀 한 마리를 끌어오게 하여 그 얼굴에다 분필로 '제갈자유(諸葛子瑜, 자유는 제갈근의 자)'라고 썼다. 사람들이 큰소리로 웃음을 터뜨렸다. 그때 제갈각이 앞으로 달려나가 분필을 쥐더니 손권이 쓴 글자 아래에 '지로(之驢)'라는 두 글자를 덧붙이니, '제갈자유지로', 즉 '제갈자유의 나귀'가 되어버렸다. 이것을 본 사람들은 하나같이 놀라서 입을 다물지 못했고, 손권은 크게 기뻐하며 그 나귀를 제갈각에게 상으로 주었다.

또 이런 일도 있었다. 어느날 손권은 관료들을 모아 크게 잔치를 베푸는 자리에서 제갈각에게 술잔을 돌리도록 했다. 술잔이 돌아 장소 앞에 이르렀는데, 장소가 잔을 거절하며 말했다.

"이는 늙은이를 대접하는 예가 아니다."

이때 손권이 제갈각에게 말했다.

"네가 억지로라도 자포에게 술을 먹일 수 있겠느냐?"

손권의 말에 제갈각은 즉시 응낙하고 장소에게 말했다.

"옛날에 강상보(姜尙父, 강태공)는 나이 아흔에도 모월(旄鉞, 대장을 상징하는 깃발과 도끼)을 잡고 삼군을 거느리면서 한번도 늙었다는 말을 하

어린 원손은 뛰어난 재능으로 손권의 총애를 받다

지 않았다고 합니다. 하오나 오늘날 출전할 때는 선생을 뒤에 모시고 술을 마실 때는 맨 앞자리에 모시는데, 어째서 노인을 대접하는 도리가 아니라 하십니까?"

장소는 무어라 대꾸할 말이 없어 하는 수 없이 술을 받아마셨다. 손권은 이때부터 더욱 제갈각을 총애하여 이번에 태자를 보필하게 한 것이고, 장소는 오왕을 보필하면서 그 지위가 삼공의 윗자리에 있었기 때문에 그 아들 장휴를 태자우필로 삼은 것이다. 또한 손권은 고옹 (顧雍)을 승상으로 삼고, 육손을 상장군으로 삼아 태자를 보필하면서 무창을 지키도록 명했다. 그런 다음 자신은 다시 건업으로 돌아와 여러 신하들과 함께 위를 공략할 일을 의논했다. 장소가 아뢴다.

"폐하께서는 이제 막 보위에 오르셨으니 군사를 움직이지 마십시오. 우선 무(武)를 쉬고 학교를 증설해 문(文)을 새로이 닦아 민심을 안정시키는 데 힘쓰셔야 하옵니다. 서천으로 사신을 보내 촉과 더불어 동맹을 맺고 함께 천하를 나눈 뒤 서서히 대사를 도모하소서."

손권은 그 말에 따라 서천으로 사신을 보냈다. 사신은 밤낮으로 말을 달려 서천에 이르러 후주를 알현하고 상세히 아뢰었다. 후주가 다 듣고 나서 신하들을 모아놓고 의논하니 신하들은 하나같이 반대한다.

"손권이 외람되이 제위에 올라 동맹을 맺자고 하니 어찌 동오와 손을 잡겠습니까?"

장완이 말한다.

"이럴 게 아니라 사람을 보내 제갈 승상의 의견을 물어 처리하소서."

후주는 즉시 한중으로 사신을 보내 승상의 뜻을 묻게 했다. 공명이 대답하여 아뢴다.

"사람을 시켜 예물을 가지고 동오로 가서 하례한 다음 육손으로 하여금 위를 치도록 청하십시오. 육손이 군사를 일으키면 위에서는 사마의를 시켜 막도록 할 것입니다. 사마의가 동오를 막느라 여념이 없는 틈을 타서 신이 다시 기산으로 나아간다면 가히 장안을 도모할 수 있을 것입니다."

후주는 공명의 말대로 즉시 태위 진진(陳震)에게 명마와 옥대(玉帶), 금은보화 등을 가지고 동오로 가서 하례하도록 했다. 동오에 도착한 진진이 손권을 뵙고 국서를 올리자 손권은 크게 기뻐하며 잔치를 베풀어 대접한 뒤에 그를 다시 촉으로 돌려보냈다. 그리고 나서 손권은 육손을 불러서 군사를 일으켜 위를 치기로 서촉과 약속했음을 알렸다. 육손이 말한다.

"이는 공명이 사마의를 두려워하는 까닭에 생각해낸 계책인데, 이미 동맹하기로 약속한 터이니 따르지 않을 수 없습니다. 일단 군사를 일으켜 서촉을 돕는 체하며, 공명이 위를 공격해 위의 형세가 다급해지기를 기다렸다가 그 틈을 노린다면 가히 중원을 취할 수 있습니다."

손권은 즉시 영을 내려 형주와 양양 각처에서 군사를 훈련하는 한편, 날을 잡아 군사를 일으키기로 했다.

한편 한중으로 돌아온 진진은 공명에게 경과를 보고했다. 그러나 공명은 섣불리 군사를 움직여 진창을 공격하는 것은 위험하다고 여기고, 사람을 보내 적정을 탐지해오게 했다. 얼마 후 정탐꾼이 돌아와 고한다.

"진창성을 지키는 학소가 병이 위중하여 누워 지낸다고 합니다."

공명이 기뻐하며 말한다.

"드디어 대사를 이룰 수 있겠구나!"

그러고는 곧 강유와 위연을 불러들였다.

"그대 두 사람은 5천 군사를 거느리고 밤을 새워 진창성으로 가서 성안에서 불이 오르거든 즉시 성을 공격하도록 하오."

두 장수는 미심쩍은 듯 묻는다.

"언제 떠나는 것이 좋겠습니까?"

공명이 말한다.

"지금부터 사흘 안에 모든 준비를 마치고, 내게 하직인사도 할 것 없이 바로 떠나도록 하시오."

두 사람이 계책을 받고 물러갔다. 이어 공명은 관흥과 장포 두 장수를 불러 은밀히 분부를 내렸다. 두 장수도 각각 계책을 받고 물러갔다.

한편 곽회는 학소의 병이 위중하다는 보고를 받고 즉시 장합과 의논했다.

"지금 학소의 병이 위중하다 하니 그대가 급히 진창으로 가서 임무를 교대하시오. 나는 표문을 올려 조정에 알리고 따로 허락을 받도록 하겠소."

장합은 즉시 3천 군사를 거느리고 진창성으로 향했다. 이때 학소는 병석에 누워 밤새 신음하고 있었는데, 난데없이 촉군이 성 아래로 밀어닥치고 있다는 보고가 들어왔다. 학소는 급히 군사들을 성위로 올려보내 지키도록 했다. 그런데 갑자기 각 성문에서 불길이 치솟으니 성안은 삽시간에 혼란에 빠지고 말았다. 학소는 이 소식을 듣고 놀란 나머지 그 자리에서 숨을 거두었다. 촉군들은 기다렸다는 듯 성안으로 밀려들었다.

한편 위연과 강유는 군사를 거느리고 진창성 아래에 당도했다. 살펴보니 성위에는 깃발 하나 보이지 않고, 북을 쳐 시각을 알리는 사람도 없었다. 의심스런 생각이 든 두 사람은 감히 성을 공격하지 못하고 있었다. 그때 갑자기 성안에서 포성이 울리며 사방에서 일제히 깃발이 올랐다. 동시에 학창의 차림에 윤건을 쓴 사람이 깃털부채를 들고 나타나더니 큰소리로 말한다.

"그대 두 사람은 좀 늦었구나!"

두 사람이 깜짝 놀라 바라보니 그는 바로 공명이었다. 위연과 강유는 황망히 말에서 내려 엎드려 절하며 말한다.

"승상의 계책은 참으로 귀신 같습니다."

공명이 성문을 열어 군사들을 들어오게 하고는 말한다.

"학소의 병이 위중한 것을 알고 그대들에게 사흘 안으로 군사를 거느리고 성을 공격하라 한 것은 군사들의 마음을 안정시키고자 함이었소. 그러는 한편 관흥과 장포에게 계책을 주어 아무도 모르게 한중을 빠져나가게 하고, 나 역시 그들 틈에 섞여 밤을 새워 이곳으로 달려온 것은 적들이 우리의 움직임을 알아채고 준비하지 못하게 하려는 것이었소. 내가 미리 성안으로 정탐꾼을 들여보내 불을 놓고 함성을 지르게 하니 위군은 당황했고, 또한 군사란 장수가 없으면 저절로 무너지게 마련인지라, 이렇듯 성을 손바닥 뒤집듯 쉽게 점령할 수 있었던 것이오. 병법에 이르기를 '불시에 적을 치고 준비가 없을 때 공격하라〔出其不意 攻其無備〕' 한 것은 바로 이런 경우를 두고 한 말이 아니겠는가."

위연과 강유는 공명의 말에 더욱 감탄해 마지않으며 다시 땅에 엎드려 절하였다. 진창성을 거두고 나서 공명은 학소의 죽음을 가엾게 여겨 그의 처자식으로 하여금 영구를 가지고 위로 돌아가 그의 충성을 밝게 드러내도록 했다.

공명은 다시 위연과 강유에게 분부한다.

"그대들 두 사람은 갑옷을 벗지 말고 즉시 군사를 이끌고 가서 산관(散關)을 급습하시오. 산관을 지키는 자들은 우리 군사들을 보면 반드시 놀라서 달아날 것이오. 그러나 조금이라도 늦으면 그들의 구원병이 먼저 도착해 공략하기 어려워질 터이니 서둘러야 하오."

위연과 강유는 공명의 명을 받고 곧장 산관으로 쳐들어갔다. 과연 관을 지키던 자들은 촉군을 보자마자 겁을 먹고 달아나기에 바빴다. 두 사람이 관 위에 올라 갑옷과 투구를 벗으려는데, 먼곳에 흙먼지가 피어오르는 게 보였다. 위군 한무리가 관을 향해 달려오고 있었다. 위연과 강유는 마주보고 감탄한다.

"승상의 신산(神算)은 과연 헤아릴 길이 없소이다그려."

위연과 강유가 급히 성루 위로 올라가 자세히 살펴보니 군사들을 이끌고 달려오는 적장은 바로 장합이었다. 두 사람은 즉시 군사를 나누어 험한 길목을 지켰다. 장합은 요충지마다 버티고 선 촉군의 기세에 할 수 없이 퇴각하기 시작했다. 위연은 물러가는 위군을 뒤쫓아 덮쳐 맹렬히 공격했다. 장합은 수없이 많은 군사를 잃고 크게 패하여 물러갔다. 산관으로 돌아온 위연은 곧 공명에게 승전보를 전했다.

공명은 몸소 군사를 거느리고 진창에서 출발해 야곡으로 진군해가더니 건위(建威)땅을 빼앗았다. 그뒤로도 촉군은 진격을 계속했고, 후주는 대장 진식(陳式)을 보내 공명을 돕도록 했다. 드디어 공명은 대군을 거느리고 다시 기산에 이르러 영채를 세웠다. 그러고는 여러 장수들에게 말한다.

"내 이전에 두번이나 기산에 왔었지만 한번도 이득을 얻지 못했는데, 오늘 다시 이곳에 오게 되었소. 내 생각에 위군은 틀림없이 지난번 싸웠던 곳에서 다시 나와 맞서려 할 테고, 더구나 이번에는 내가 옹성(雍城)·미성(郿城) 두 곳을 치리라 생각하고, 그곳에 군사를 배치해 굳게 지킬 것이오. 하지만 무도(武都)와 음평(陰平) 두 고을이 우리 땅과 접해 있으니, 이 두 곳을 얻는다면 위군의 세력을 흩어놓을 수 있소. 누가 가서 이곳을 취하겠는가?"

강유가 나선다.

"제가 가겠습니다."

왕평도 나선다.

"저 역시 가기를 원합니다."

공명은 크게 기뻐하며 강유에게 1만 군사를 거느리고 가서 무도를 치게 하고 왕평에게도 1만 군사를 내주어 음평을 치게 했다. 두 장수는 영을 받고 떠나갔다.

한편 장합은 장안으로 돌아가서 곽회와 손례에게 말한다.

"진창성은 이미 함락되었고, 학소는 병으로 죽었소. 산관 역시 적의 수중에 들어갔소이다. 공명은 다시 기산에 이르러서 길을 나누어 진군해오고 있소."

곽회가 크게 놀라 소리친다.

"그렇다면 반드시 옹성과 미성을 취하려 할 것이오."

곽회는 곧 장합에게 장안을 지키도록 하고, 손례에게는 군사를 거느리고 나아가 옹성을 지키게 했다. 또한 곽회 자신은 미성을 지키기 위해 밤새 행군하는 한편 표문을 올려 낙양에 위급한 정황을 고했다.

한편 위주 조예는 문무백관들이 모인 가운데 조회를 열고 있었다. 이때 측근 신하가 들어와 아뢴다.

"진창성을 이미 잃고 학소가 병으로 죽었으며, 제갈량이 또 기산으로 나오고, 산관 역시 촉군에게 빼앗겼다고 하옵니다."

조예는 크게 놀랐다. 이때 또 만총 등이 올린 표문이 들어왔음을 아뢴다.

"동오의 손권이 스스로 황제라 칭하며 촉과 동맹을 맺고, 육손을 무창으로 보내 군사를 조련하며 출정명령을 기다리게 했다 하옵니다. 머지않아 쳐들어올 것이 분명하옵니다."

조예는 두 곳 모두 위급하다는 보고에 몹시 당황해 안절부절못했다. 조진이 아직 병상에 누워 있는지라 대신 사마의를 불러 상의했다. 사마의가 아뢴다.

"신의 어리석은 소견으로는 동오는 필시 군사를 일으키지 않을 것이옵니다."

조예가 황급히 되묻는다.

"경이 그것을 어찌 아는가?"

사마의가 대답한다.

"공명은 지난날 효정(猇亭)의 원수를 갚기 위해 동오를 치고 싶은 마음이 간절하나, 그 틈에 우리 중원이 촉을 칠까 두려워 잠시 동오와 동맹을 맺었을 뿐입니다. 또한 육손은 공명의 속내를 잘 알기 때문에, 짐짓 군사를 일으키는 체하면서 사실은 앉아서 승패를 지켜보자는 입장입니다. 하오니 동오는 근심하지 마시고 오로지 촉을 막는 데만 힘을 기울이십시오."

조예가 감탄한다.

"참으로 경의 고견은 놀랄 만하오!"

조예는 마침내 사마의를 대도독에 봉하고 농서의 여러 군마를 총지휘하게 했다. 그러고는 조진에게 측근 신하를 보내 군사 총지휘권의 장인(將印)을 찾아오도록 분부했다. 사마의가 아뢴다.

"사람을 보내실 것 없습니다. 신이 직접 가서 받겠나이다."

사마의는 위주에게 하직하고 나와 곧장 조진의 부중으로 갔다. 먼저 사람을 시켜 자신이 찾아왔음을 알리고 나서 뒤따라 들어가 문병하고는 묻는다.

"동오와 서촉이 동맹을 맺고 군사를 일으켜 쳐들어오려 하고, 공명이 다시 기산에 와서 주둔해 있는 사실을 아시는지요?"

조진이 깜짝 놀라며 말한다.

"내 병이 위중하다고 집안 사람들이 일부러 알리지 않았나보오. 그나저나 나라가 이렇게 위급한 때에 폐하께서는 어찌 중달을 도독으로 삼아 촉군을 물리치려 하지 않으시는 게요?"

사마의가 말한다.

"이몸은 재주가 부족하고 지혜가 얕아서 그런 중임을 감당하기는 어렵소이다."

조진이 말한다.

"내 인부(印符)를 중달에게 드릴 터이니 받으시오."

사마의가 사양한다.

"도독께서는 심려 마십시오. 나는 오직 장군의 한팔이 되어 힘을 보탤 생각뿐, 감히 이 인부만은 받지 못하겠소이다."

조진이 병상에서 벌떡 일어나며 말한다.

"중달이 이 일을 맡지 않는다면 장차 중원은 위태로워질 것이오. 내 아직 몸이 성치 않으나 황제를 뵙고 직접 중달을 천거하리다."

사마의가 말한다.

"실은 황제께서는 이미 영을 내리셨으나, 다만 내가 감히 받을 수 없었습니다."

조진이 크게 기뻐하며 장인을 내민다.

"중달은 당장 중임을 맡아 촉군을 물리치도록 하시오!"

사마의는 몇번씩이나 사양하다가 마침내 인부를 받았다. 다시 궁으로 돌아와 위주에게 하직하고 마침내 공명과 결전을 벌이기 위해 군사를 이끌고 장안으로 떠났다.

옛 도독의 인부를 새 도독이 차지하고　　　　　舊帥印爲新帥取
양쪽 군사가 기산 한 곳으로 나오누나　　　　　兩路兵惟一路來

과연 이들의 승부는 어떻게 날 것인가?

99

공명과 중달

제갈량은 위군을 대파하고
사마의는 서촉으로 침범해 들어오다

촉한 건흥 7년(229) 4월, 공명은 기산에서 영채를 셋으로 나누어 군
사를 주둔시키고 위군이 진격해오기를 기다리고 있었다.

한편 사마의가 이끄는 군사가 장안에 도착하자 장합이 사마의를 맞
아 그동안 겪은 일들을 상세히 보고했다. 사마의는 장합을 선봉으로
삼고, 대릉(戴陵)을 부장으로 삼았다. 그리고 10만 대군을 이끌고 마
침내 기산에 이르러 위수 남쪽에 영채를 세웠다. 곽회와 손례가 사마
의를 만나기 위해 영채로 왔다. 사마의가 묻는다.

"그대들은 촉군과 싸워본 일이 있는가?"

두 사람이 대답한다.

"아직 싸운 적이 없습니다."

사마의가 묻는다.

"천리 먼길을 달려온 촉군으로서는 빨리 싸우는 것이 유리한데, 싸움을 걸지 않는 것은 저들에게 필시 뭔가 계책이 있는 모양이오. 농서 지방 여러 곳에서는 아직 아무런 소식이 없소?"

곽회가 대답한다.

"정탐꾼을 보내 알아보니, 각 군(郡)들은 십분 조심하여 밤낮으로 경계를 늦추지 않고 있으며, 그밖에 다른 일은 없다고 합니다. 다만 무도와 음평 두 곳에서는 아직 아무런 회보가 없습니다."

사마의가 말한다.

"내가 사람을 보내 공명과 싸울 테니, 그대들은 급히 샛길로 가서 무도와 음평 두 곳을 구하시오. 촉군의 뒤를 덮치면 저들은 스스로 혼란에 빠질 것이오."

곽회와 손례는 계책을 받고 물러나와 배후에서 촉군을 기습하기 위해 5천 군사를 이끌고 농서 샛길로 하여 무도와 음평으로 갔다. 도중에 곽회가 손례에게 묻는다.

"중달과 공명을 견주면 누가 낫겠는가?"

손례가 대답한다.

"그야 물론 공명이 훨씬 낫소."

곽회가 말한다.

"비록 공명이 낫다 해도 이번 계교만은 중달이 앞서질 않았소? 촉군이 두 고을을 치는데 우리가 그 뒤를 덮친다면 반드시 촉군은 자중지란에 빠질 게요."

두 사람이 이렇게 이야기를 나누는데, 정찰 보냈던 척후병이 달려와 고한다.

"음평은 이미 왕평에 의해 무너졌고, 무도 역시 강유에게 함락당했습니다. 촉군은 앞쪽 멀지 않은 곳에 있습니다."

손례가 말한다.

"적들이 이미 성을 점령했다면 밖으로 나와 있을 까닭이 없지 않은가. 계략이 있는 듯하니 물러나는 것이 좋겠소."

곽회가 그 말에 따라 막 퇴군령을 내리려는 참이었다. 갑자기 포성이 울리며 산 뒤쪽에서 한무리 군사가 내달려오는데, 큰 글씨로 '한승상 제갈량(漢丞相 諸葛亮)'이라고 쓴 깃발이 눈에 띄었다. 무리의 중심에서 사륜거가 나오는데, 공명이 그 위에 단정히 앉아 있고 왼쪽에는 관흥이, 오른쪽에는 장포가 호위하고 있었다. 손례와 곽회는 크게 놀랐다. 공명이 큰소리로 웃으며 말한다.

"곽회와 손례는 꼼짝마라! 내가 사마의의 계략에 속을 줄 알았더냐? 사마의가 날마다 사람을 보내 앞으로는 싸움을 걸고, 한편으로는 너희들을 시켜 우리 군사의 뒤를 치도록 했으나 음평과 무도는 이미 함락되었다. 그런데도 너희들은 항복하지 않고 그까짓 군사로 나와 끝까지 겨뤄볼 작정이냐?"

곽회와 손례는 당황하여 어찌할 바를 몰랐다. 그때 또다시 함성이 하늘을 울리더니 등뒤에서 왕평과 강유가 군사를 몰고 짓쳐나오고 앞에서는 관흥과 장포 두 장수가 군사를 이끌고 무서운 기세로 휘몰아쳐왔다. 이 싸움에서 위군은 여지없이 패하고 말았다. 다급해진 곽회와 손례는 말을 버리고 산으로 기어올라 달아났다. 장포가 급히 말을 달려 달아나는 두 사람의 뒤를 쫓았다. 그러나 너무 서두르는 바람에 뜻밖의 실수로 사람과 말이 한덩어리가 되어 계곡으로 곤두박질치고 말았다. 뒤따르던 군사들이 황급히 구해냈으나, 장포는 머리가 깨져 위급한 처지였다. 공명은 당장 장포를 성도로 보내 상처를 다스리게 했다.

가까스로 목숨을 부지해 달아난 손례와 곽회는 즉시 사마의에게 보고했다.

"무도와 음평은 이미 함락되었고, 공명이 중요한 길목에 매복해 있다가 앞뒤에서 협공하는 바람에 크게 패했습니다. 저희들은 말도 버리고 걸어서 간신히 도망쳐나왔습니다."

사마의가 말한다.

"이를 어찌 그대들 죄라 하겠소? 이는 모두 공명의 지혜가 나보다 앞선 탓이오. 그러니 두 사람은 지금 당장 미성과 옹성으로 가서 굳게 지키기만 하고 절대 나와서 싸우지 마시오. 내게 따로 적을 물리칠 계책이 있소."

곽회와 손례는 사마의에게 절을 하고 물러나왔다. 사마의는 이어 장합과 대릉을 불러 분부한다.

"필시 공명은 무도와 음평을 얻고 나서 민심을 안정시키느라 영채에 머물러 있지 않을 것이오. 그대들은 각기 정예병 1만을 거느리고 오늘밤 일제히 촉군의 뒤를 치시오. 나는 군사를 이끌고 앞쪽에 포진해 있다가 촉군이 어지러워지기를 기다려 쳐들어가겠소. 이렇게 앞뒤로 협공한다면 가히 촉군의 영채를 얻을 수 있을 테니, 산세와 지세가 험한 그곳만 얻고 나면 적을 격파하는 데 무슨 어려움이 있겠소?"

두 사람은 사마의의 계책을 받고 군사를 이끌고 출발했다. 대릉은 왼쪽, 장합은 오른쪽 소로를 따라 촉군의 배후로 깊숙이 진군해들어갔다. 3경 무렵, 대릉과 장합의 군사는 큰길에 이르러 합세하여 촉군의 뒤를 덮칠 예정이었다. 그런데 30여리쯤 진군해갔는데 갑자기 전군(前軍)이 멈춰서더니 꼼짝을 하지 않았다. 장합과 대릉이 앞으로 달려나가 사정을 알아보니 건초를 실은 수백대의 수레가 길을 막고 있었다. 장합이 말한다.

"이는 필시 적이 대비책을 마련한 것이오. 급히 군사를 돌려야겠소!"

장합은 즉시 퇴각명령을 내렸다. 그때 온 산에 일제히 불길이 일며 북소리와 뿔피릿소리가 천지를 뒤흔드는 가운데 복병들이 사방에서 뛰쳐나와 두 장수를 포위했다. 뒤이어 기산 위에서 소리치는 공명의 목소리가 들려왔다.

"장합과 대릉은 듣거라! 사마의는 내가 무도와 음평으로 백성을 위무하러 나간 줄 알고 너희를 시켜 우리 영채를 덮치라 했겠지만 오히려 내 계책에 걸려들고 말았구나. 그러나 내 이름없는 장수에 불과한 너희를 죽이지는 않을 것이니, 썩 말에서 내려 항복하라."

장합이 크게 노하여 공명에게 삿대질을 하며 꾸짖는다.

"이 산야(山野)의 촌놈아, 감히 우리 대국의 경계를 침범한 주제에 어찌 감히 그따위 소리를 지껄이느냐! 내 너를 잡으면 갈가리 찢어죽이고 말겠다!"

장합은 말을 마치자마자 창을 치켜들더니 산위로 말을 몰아 짓쳐오르려 했다. 그러나 화살과 돌이 빗발치듯 날아드니 도저히 올라갈 수가 없어 미친 듯이 창을 휘두르며 말을 채찍질해 겹겹이 둘러싼 포위를 뚫고 달리기 시작했다. 그 기세가 어찌나 사나운지 어느 누구도 감히 그와 맞설 엄두를 내지 못했다. 이때 촉군은 대릉을 둘러싼 채 포위망을 좁히고 있었다. 포위를 뚫고 나온 장합은 대릉이 보이지 않자 다시 몸을 돌려 창을 춤추듯 휘두르며 포위망을 뚫고 들어가더니 대릉을 구해냈다. 공명은 산위에서 장합이 단신으로 1만 군사들 속에서 좌충우돌하며 더욱더 용맹하게 싸우는 것을 내려다보다가 좌우에게 말한다.

"일찍이 장익덕(張翼德, 장비)이 장합과 크게 싸울 때 사람들이 보고 놀랐다는 말을 들었는데, 오늘 보니 과연 그 용맹함을 알겠도다. 저런 자를 그대로 두었다가는 반드시 촉의 근심거리가 될 것이다. 내 마땅히 저자를 없애리라."

그러고는 즉시 군사를 거두어 영채로 돌아왔다.

한편 사마의는 군사를 거느리고 진을 벌여 공격할 태세를 갖추고서 촉군이 혼란스러워지기만을 기다리고 있었다. 그런데 뜻밖에도 장합과 대릉이 크게 패하고 돌아와 고한다.

"공명이 미리 알고 방비하는 바람에 대패하고 말았습니다."

사마의는 크게 놀라 탄식한다.

"공명은 참으로 신인(神人)이로구나! 일찌감치 물러가는 게 좋겠다."

사마의는 영을 내려 대군을 물리더니 영채로 돌아갔다. 그러고는 굳게 방비만 할 뿐 나오지 않았다.

한편 싸움에서 크게 이기고 이루 헤아릴 수 없이 많은 무기와 말들을 거두어들인 공명은 즉시 군사를 거느리고 영채로 돌아왔다. 그러고는 날마다 위연을 시켜 싸움을 걸었으나 위군은 좀처럼 움직이려 하지 않았다. 그렇게 보름이 흘러갔다. 공명이 초조하게 날을 보내고

있는 중에, 갑자기 시중 비의(費禕)가 황제의 조서를 가져왔다는 보고
가 들어왔다. 공명은 비의를 영채 안으로 맞아들여 향을 피우고 예를
올린 뒤 조서를 읽어내려갔다.

지난번 가정 싸움에서 패한 것은 그 허물이 마속에게 있었건만
그대가 책임을 지고 스스로 벼슬을 낮추었으니, 짐은 그대의 뜻을
어기지 못하고 그대로 따랐도다.
그대는 지난해에 촉군의 위엄을 빛내어 왕쌍을 죽이고, 올해 또
정벌에 나서 곽회를 물리치고, 저(氐)와 강(羌)의 무리를 항복시키
고, 두 고을을 되찾아 흉포한 적들에게 위세를 떨치니 참으로 그 공
훈이 찬란하도다. 바야흐로 천하가 소란하나 아직 원흉을 없애지
못하였거늘, 그대가 나라의 기둥으로서 크나큰 임무를 맡고서 오랫
동안 스스로 낮은 자리에 있는 것은 큰 공을 빛내는 일이 아니다.
이제 다시 그대를 승상으로 봉하려 하노니 부디 사양치 말라.

공명은 조서를 다 읽고 나서 비의에게 말한다.
"내 아직 나라의 대사를 이루지 못했거늘, 어찌 승상의 직을 다시
받을 수 있겠소?"
그러고는 한사코 사양하자 비의가 말한다.
"승상께서 만일 직위를 받지 않으신다면 그것은 바로 황제의 뜻을
거스르는 일이며, 또한 장수와 군사들의 마음을 서운케 하는 처사입
니다. 우선 받으셔야 마땅합니다."
공명이 마침내 절하고 승상의 직을 다시 받으니 비의는 비로소 하
직하고 돌아갔다.

공명은 사마의가 계속 싸움에 응하지 않자 드디어 한가지 계책을 세우고, 곧 전군에 영을 내려 영채를 거두어 물러나도록 했다. 이 일은 당연히 위의 정탐꾼에게 탐지되어 사마의에게 전해졌다. 사마의는 군중을 단속한다.

"이는 틀림없이 공명이 큰 계책을 쓰는 것이다. 누구도 경솔히 움직이지 말라."

그러나 장합의 의견은 달랐다.

"저들이 필시 군량이 부족해 물러나는 것일 터인데, 도독께서는 어째서 뒤쫓지 않으십니까?"

사마의가 말한다.

"공명은 지난해에 풍년이 들어 풍족하게 수확을 거둔데다 이제 보리가 무르익었으니 군량은 풍부하오. 비록 운반하기 어렵다고는 하지만 반년은 견디고도 남을 터인데 어찌 쉽게 물러가려 하겠소? 이는 우리가 계속 싸우러 나가지 않으니 계책을 써서 유인해내려는 속셈임에 틀림없소. 사람을 멀리까지 보내 적정을 탐지해오도록 합시다."

사마의는 사람을 보내 촉진을 염탐해오게 했다. 얼마 후 정탐꾼이 돌아와 보고한다.

"공명의 군사는 이곳에서 30리를 물러나 영채를 세웠습니다."

사마의가 말한다.

"과연 공명은 내 생각대로 멀리 가지 않았소. 영채를 굳게 지키며 함부로 나가서는 안되오."

그렇게 꼼짝도 하지 않은 채 열흘이 지났다. 그동안 촉군 쪽에서는 별다른 움직임도 없었고, 싸움을 걸어오는 적장도 없었다. 사마의는 다시 정탐꾼을 보내 적의 동향을 알아오게 했다. 정탐꾼이 돌아와 고한다.

"촉군들이 영채를 거두어 어디론가 가버리고 없습니다."

사마의는 믿을 수가 없었다. 곧 옷을 갈아입고 몸소 군사들 틈에 섞여 나가보았다. 촉군은 그곳에서 다시 30리 밖으로 물러나 영채를 세우고 있었다. 영채로 돌아온 사마의가 장합에게 말한다.

"이는 바로 공명의 계책이니 뒤를 쫓아서는 안되오."

굳게 지키며 다시 열흘을 보냈다. 사마의는 다시 정탐꾼을 보내 염탐해오도록 했다. 정탐꾼이 돌아와 고한다.

"촉군이 다시 30리를 물러나 영채를 세웠습니다."

장합이 참다 못해 말한다.

"공명은 완병지계(緩兵之計, 지연작전)를 써서 점차 한중으로 물러나려는 것입니다. 도독께서는 어찌하여 의심만 하고 한시바삐 그들을 추격하지 않으십니까? 바라건대 소장이 가서 한바탕 겨루어보겠습니다."

사마의가 만류한다.

"공명은 속임수가 대단히 많은 사람이오. 만일 실수가 있으면 아군의 예기가 꺾일 것이니 경솔히 움직여서는 안되오."

장합이 뜻을 굽히지 않고 말한다.

"소장이 나가서 패하면 군령을 달게 받겠나이다."

사마의는 마침내 허락하지 않을 수 없었다.

"굳이 가겠다면 그대는 군사를 나누어 반만 거느리고 나아가 사력을 다해 싸우도록 하오. 내 뒤따라 후원하여 복병을 막겠소. 내일 먼저 출발하되 반쯤 가다가 머물러 쉬도록 하여 다음날 싸울 때 군사들이 지치지 않게 하시오."

그러고는 즉시 군사를 반으로 나누었다. 이튿날 장합과 대릉은 부장 수십명과 정예병 3만을 거느리고 먼저 출발해 중간쯤에서 영채를 세웠다. 사마의는 많은 군사들을 남겨 영채를 지키도록 명한 후, 몸소 정예병 5천명을 거느리고 뒤따라 출발했다.

　한편 정탐꾼을 미리 보내 위군이 중도에 영채를 세운 것을 보고받은 공명은 이날밤 여러 장수들을 모아놓고 상의한다.

　"이제 위군이 들이닥치면 그들은 틀림없이 사력을 다해 싸울 것이오. 그러니 그대들은 한 사람이 열 명을 감당해야 하오. 나는 복병을 써서 적군의 뒤를 끊으려 하는데 지모가 뛰어난 용장이 아니면 이 소임을 맡을 수 없을 것이오."

　공명은 말을 마치고 위연에게 눈길을 주었다. 위연은 고개를 숙이며 외면했다. 그때 왕평이 앞으로 나서며 말한다.

　"제가 맡겠습니다!"

　공명이 다짐하듯 묻는다.

　"만약에 실수가 있을 때는 어찌하겠는가?"

　왕평은 단호하게 말한다.

　"군령에 따라 어떠한 처벌이라도 달게 받겠습니다."

　공명이 탄식한다.

　"왕평이 목숨을 걸고 돌과 화살을 무릅쓰며 싸우겠다 하니 진정 충신이로다! 그러나 위군은 두 길로 나뉘어 앞뒤에서 우리 복병을 덮칠 것이니 아무리 뛰어난 장수라 해도 어떻게 몸을 나누어 앞뒤를 모두 당해내겠는가? 장수 한명이 더 나서야 할 터인데, 목숨을 걸고 이 일을 감당할 만한 사람이 없으니 참으로 안타깝구나!"

　공명의 말이 떨어지기가 무섭게 한 장수가 큰소리로 외치며 앞으로 나선다.

"제가 가겠습니다."

바로 장익이었다. 공명이 말한다.

"장합은 위의 명장으로 만부부당지용(萬夫不當之勇, 1만명으로도 당해내지 못할 용맹)의 장수이니 그대의 적수가 아니오."

장익이 결의에 찬 소리로 말한다.

"만약 일을 그르치는 날에는 제 목을 바치겠습니다."

마침내 공명이 승낙하고 분부를 내린다.

"그대의 뜻이 그러하다면, 왕평과 함께 각기 정예병 1만명을 거느리고 나아가 산골짜기에 매복해 있도록 하라. 위군이 오거든 그냥 지나쳐보내고 나서 그 뒤쪽을 공격하라. 사마의가 뒤따라오거든 그때는 지체없이 군사를 나누어 장익은 뒤쪽의 적과 맞서싸우고, 왕평은 앞쪽의 적을 맡아서 죽기로써 싸워라. 내 따로 계책을 세워두었으니 반드시 그대들을 도울 것이다."

왕평과 장익은 분부를 받고 군사를 이끌고 떠났다. 공명은 다시 강유와 요화에게 분부한다.

"그대 두 사람에게 비단주머니 하나를 주겠소. 그대들은 군사 3천을 이끌고 나가되 깃발을 낮게 눕히고 북소리도 죽여서 감쪽같이 앞산에 매복하고 기다리도록 하오. 위군이 왕평과 장익을 포위해 형세가 매우 위급해지더라도 나가서 구하려 하지 말고 먼저 비단주머니를 열어보시오. 그 안에 계책이 있을 것이오."

강유와 요화도 공명의 계책을 받고 군사를 이끌고 떠났다. 공명은 또한 오반·오의·마충·장익 네 장수를 불러서 그들 귀에 대고 은밀히 분부를 내린다.

"내일 위군이 당도하면 필시 기세가 날카로울 것이다. 그대들은 처음부터 맞서려 하지 말고 싸우며 달아나며 하다가 관흥이 군사를 이끌고 나오기를 기다려 갑자기 말머리를 돌려 역습하라. 내 군사를 거느리고 나가 도울 것이다."

네 장수가 계책을 받고 떠나갔다. 공명은 이어 관흥을 부른다.

"그대는 5천 군사를 거느리고 산골짜기에 매복했다가 산위에서 붉은기를 흔들거든 군사를 휘몰고 쳐들어가라."

계책을 받고 관흥도 군사를 이끌고 떠났다.

한편, 장합과 대릉은 군사를 이끌고 비바람이 몰아치듯 거센 기세로 진격해왔다. 먼저 마충·장의·오의·오반 네 장수가 이들과 맞닥뜨렸다. 네 장수는 연이어 달려나가 어울려 싸웠다. 크게 노한 장합은 군사를 휘몰아 마구 공격해왔다. 촉군은 이를 맞아 싸우다가 달아나고 달아나다가 싸우기를 되풀이했다. 위군은 달아나는 촉군을 내쳐 20여리쯤 추격했다. 때는 마침 6월이라 날씨가 찌는 듯이 무더워 사람과 말이 모두 비오듯 땀을 흘렸다. 이렇게 50리 가량 추격을 계속하자 위군들은 온몸이 땀에 흠씬 젖었고 턱밑까지 숨이 차올랐다.

이때 산위에서 공명이 붉은기를 흔들었다. 때를 기다리던 관흥이 군사를 휘몰고 나는 듯이 달려가 위군을 공격해들어갔다. 쫓겨 달아나던 마충 등 네명의 장수도 일제히 말머리를 돌리더니 무서운 기세로 협공해왔다. 장합과 대릉은 협공을 당하면서도 목숨을 걸고 맞서며 좀처럼 물러설 기미를 보이지 않았다. 양군이 한창 맞붙어 싸우고 있는데 또다시 난데없는 함성이 울리며 두 길의 군사들이 쇄도해왔다. 바로 왕평과 장익이 거느린 군사들이었다. 왕평과 장익의 군사들은 각기 분발하여 위군을 뒤쫓으며 퇴로를 끊었다. 장합이 목청을 높여 수하장수들을 독려한다.

"드디어 때가 왔다! 지금 죽음을 무릅쓰고 싸우지 않고 다시 어느 때를 기다리겠는가!"

장합의 말에 힘을 얻은 위군들은 사력을 다해 싸웠다. 그러나 촉군의 포위를 뚫을 수는 없었다. 그런데 그때 갑자기 등뒤에서 하늘을 뒤흔드는 북소리와 뿔피릿소리가 울리더니 사마의가 몸소 정예병을 거느리고 나타나 촉군을 치기 시작했다. 사마의는 수하장수들을 지휘해 순식간에 왕평과 장익의 군사들을 에워싸고 밀어붙이기 시작했다. 장익이 큰소리로 외친다.

"승상께서는 과연 신인이로구나! 이 모두를 이미 예상하셨으니 반드시 좋은 계책이 있을 것이다. 우리는 마땅히 목숨을 걸고 싸울 뿐이다!"

즉시 군사를 나누어 왕평은 장합과 대릉의 군사들과 맞서고, 장익은 사마의의 군사들과 맞서 사력을 다해 혈전을 벌였다. 양쪽 군사들이 서로 어울려 창칼을 휘두르며 고함치는 소리가 하늘에 닿고 땅을 뒤흔들었다.

이때 강유와 요화는 산위에서 전세를 관망하고 있었다. 그런데 위군의 세력에 촉군이 점점 밀리며 위태로워지는 게 아닌가. 강유가 요화에게 말한다.

"사태가 위급하니 지금 비단주머니를 열어보는 게 어떻겠소?"

두 사람이 급히 비단주머니를 열어보니, 그 속에서 다음과 같은 글이 나왔다.

만일 사마의가 군사를 이끌고 나타나 왕평과 장익을 포위해 형세가 위태로워지거든, 그대들은 군사를 나누어 사마의의 영채를 급습하라. 사마의가 반드시 급히 물러갈 터이니, 적군이 혼란한 틈을 타서 공략하면 비록 영채를 얻지는 못할지라도 대승을 거둘 것이다.

두 사람은 크게 기뻐하며 즉시 군사를 두 길로 나누어 사마의의 영채를 습격하기 위해 기세당당하게 출발했다.

한편 사마의는 혹시 공명의 계책에 빠질까 염려되어 미리 길목마다 전령을 두어 쉬지 않고 급보를 전하도록 조처해두었다. 사마의가 한창 싸우고 있는데, 갑자기 전령이 나는 듯이 달려와 고한다.

"촉군이 두 길로 나뉘어 우리 대채를 습격하러 갔습니다."

사마의가 크게 놀라 얼굴빛이 변하며 주위 장수들을 꾸짖는다.

"필시 공명에게 계책이 있을 거라고 그렇게 만류했건만, 그대들이 내 말을 듣지 않아 촉군의 뒤를 쫓다가 결국 대사를 그르치고 말았구나!"

그러고는 급히 군사를 돌렸다. 위군은 크게 흔들려 앞다투어 달아나기 시작했다. 장익이 때를 놓치지 않고 위군의 뒤를 거세게 공격해 크게 무찔렀다. 형세가 고단해진 장합과 대릉은 산골짜기 소로를 타고 달아나기 시작했다. 이때 뒤에서 관흥이 군사를 이끌고 와서 여기저기를 협공하여 마침내 촉군은 대승을 거두었다.

사마의가 한바탕 싸움에서 패하고 영채로 돌아오니, 촉군은 이미 물러간 뒤였다. 사마의는 군사를 수습한 뒤 여러 장수들을 모아놓고 크게 꾸짖는다.

"그대들이 병법도 모르면서 한낱 혈기만 믿고 만용을 부려 싸우다가 이 꼴이 되고 말았다. 이후 경솔히 움직이는 자는 절대 용납하지 않겠다. 명령을 따르지 않는 자는 군법에 따라 엄히 다스릴 것이다."

모든 장수들은 부끄러워 고개도 들지 못하고 물러갔다. 이 싸움에서 위군은 수많은 사상자를 냈고, 잃어버린 병기와 말은 헤아릴 수도 없었다.

한편 승리한 군사들을 거두어 영채로 돌아온 공명은 다시 군사를 일으켜 출정하려 했다. 바로 그때 성도에서 사람이 와서 장포의 죽음을 알렸다. 공명은 대성통곡하다가 피를 토하더니 그만 혼절해버렸다. 곁에 있던 사람들이 급히 보살펴 깨어나기는 했으나, 공명은 이로부터 병석에 누워 쉽사리 일어나지 못했다. 공명이 그토록 부하의 죽음을 애통해하는 것을 보고 장수들은 감격해 마지않았다.

후세 사람이 시를 지어 탄식했다.

군세고 용감한 장포 공을 세우려 했건만　　　　悍勇張苞欲建功
슬프구나 하늘은 영웅을 돕지 않네　　　　　　可憐天不助英雄
무후의 눈물 가을바람에 흩뿌려지니　　　　　　武侯淚饗西風灑
다시는 도울 사람 없음을 슬퍼함일세　　　　　　爲念無人佐鞠躬

열흘이 지난 뒤, 공명은 동궐(董厥)과 번건(樊建)을 장막으로 불러들여 분부한다.

"내 정신이 혼미하여 제대로 일을 처리할 수 없으니 한중으로 돌아가 병을 다스린 뒤에 다시 좋은 계획을 세워야겠소. 그대들은 이 사실을 일절 누설해서는 안되오. 사마의가 알게 되면 반드시 공격해올 것이오."

공명은 은밀히 영을 내려 그날밤 안으로 영채를 모두 거두어 한중으로 돌아갔다. 사마의가 이 일을 안 것은 공명이 떠난 지 닷새나 지나서였다. 사마의는 길게 탄식한다.

"공명의 계책은 정말로 신출귀몰(神出鬼沒)하구나. 내 도저히 그에 미치지 못하겠도다!"

사마의는 장수들을 영채에 남겨두고 군사를 나누어 각 요충지를 지키게 한 뒤 자신은 철수하여 낙양으로 돌아갔다.

한편 공명은 대군을 한중에 주둔하고 병을 치료하기 위해 성도로 돌아갔다. 문무관원들이 모두 성에서 나와 공명을 영접해 승상부로 모셨다. 후주는 몸소 어가를 타고 나와 문병하고서 어의(御醫)에게 명하여 치료하게 했다. 공명의 병세는 조금씩 차도를 보이기 시작했다.

건흥 8년(230) 7월이었다. 위의 도독 조진은 오랜 병석에서 털고 일어나 위주 조예에게 표문을 올렸다.

촉군이 여러 차례 접경을 넘어 중원을 침범했으니, 지금 그들을 제거하지 않으면 반드시 후환이 있을 것입니다. 마침 가을이 되어 날이 서늘하고 군마 또한 편히 쉬어 사기가 드높으니 정벌에 나서기 적당한 때입니다. 바라옵건대 신은 사마의와 더불어 대군을 이끌고 한중으로 들어가 간특한 무리들을 섬멸하여 변경의 우환을 없애고자 하옵니다.

위주는 크게 기뻐하며, 시중 유엽(劉曄)에게 묻는다.

"자단이 짐에게 촉을 정벌하라 권하는데, 경의 생각은 어떠한가?"

유엽이 아뢴다.

"대장군 말이 옳습니다. 지금 섬멸하지 않으면 뒷날 반드시 큰 우환이 될 것이니, 폐하께서는 지체하지 마시고 행하소서."

조예는 유엽의 말에 고개를 끄덕였다. 그날 유엽이 궁전을 나와 집으로 돌아오자 여러 대신들이 찾아와 유엽에게 묻는다.

"듣건대 황제께서 공과 더불어 촉을 칠 일을 의논하셨다 하는데, 그 말이 사실이오?"

유엽이 말한다.

"그런 일은 없었소. 촉땅은 산천이 험하여 쉽사리 도모할 수도 없소이다. 군사를 움직여봐야 공연히 군마만 수고로울 뿐, 나라에 무슨 이득이 있겠소?"

대신들은 아무 말 않고 모두들 돌아갔다. 양기(楊曁)가 대궐로 들어가 위주께 아뢴다.

"어제 유엽이 폐하께 촉을 칠 것을 권했다고 들었습니다. 그런데 오늘 다른 신하들과 의논하는 자리에서는 그 일이 불가하다고 하니, 이는 폐하를 기망하는 것입니다. 어찌하여 불러서 묻지 않으십니까?"

조예는 의심이 나서 즉시 유엽을 불러들여 묻는다.

"경이 과인에게 촉을 치라 권하고서 오늘은 다시 불가하다고 말했다는데, 대체 무슨 까닭인가?"

유엽이 대답한다.

"신이 곰곰이 따져 생각해보니 아무래도 촉을 치기는 어려울 듯하옵니다."

조예는 어이가 없어 크게 웃어버렸다. 잠시 후 양기가 물러갔다. 그제야 유엽이 다시 아뢴다.

"신이 어제 폐하께 권한바 촉을 치는 일은 국가의 대사인데 어찌 사람들에게 함부로 누설할 수 있겠습니까? 무릇 군사(軍事)는 속임수를 쓰는 것이니, 일을 시작하기 전에는 반드시 비밀에 부쳐야 합니다."

이에 조예는 크게 깨닫는 바가 있었다.

"경의 말이 옳도다!"

그로부터 조예는 유엽을 더욱 공경하고 중히 여겼다.

열흘이 지나서 사마의가 입궐하자 위주는 조진이 표문을 올린 일을 상세히 말했다. 다 듣고 나서 사마의가 아뢴다.

"신의 생각으로 동오는 감히 군사를 일으키지 못할 것이옵니다. 우리는 이 기회에 촉을 치는 것이 마땅합니다."

조예는 즉시 조진을 대사마(大司馬) 정서대도독(征西大都督)에 봉하고, 사마의를 대장군(大將軍) 정서부도독(征西副都督)으로 삼고, 유엽을 군사(軍師)로 삼았다. 세 사람은 위주에게 절하여 사례하고 40만 대군을 이끌고 장안에 이르렀다. 그들은 곧장 검각으로 치달려가 한중을 취하기로 했다. 때를 같이하여 곽회와 손례 역시 각기 군사를 거느리고 한중을 향해 나아갔다.

한중에서는 곧바로 이 소식을 성도에 알렸다. 이무렵 공명은 병이 나은 지 오래였고, 매일 군사를 조련하며 팔진법(八陣法)을 가르쳐 모두 익숙해진 터라 장차 중원을 치려던 참이었다. 공명은 위군이 쳐들어온다는 보고를 듣더니, 왕평과 장의를 불러 분부한다.

"그대들은 먼저 1천 군사를 거느리고 진창의 옛길을 지키며 위군을 막도록 하오. 나는 대군을 거느리고 뒤따라가겠소."

두 사람이 묻는다.

사마의는 서촉을 치기 위해 출정하다

"들리는 말로 위군은 실은 40만인데 80만이라고 소문을 내며 허장성세(虛張聲勢)가 대단한 모양입니다. 군사 1천명으로 어찌 요충지를 지키라 하십니까? 만일 적의 대군이 일시에 들이닥치는 날에는 어떻게 그들을 막아내겠습니까?"

공명이 말한다.

"군사를 많이 내주고 싶지만, 군사들에게 괜한 고생을 시키게 될까 두려워 그리 할 수 없는 것이오."

두 사람은 서로의 얼굴만 바라보며 선뜻 떠나지 못했다. 공명이 다시 말한다.

"만일 실수가 있더라도 그대들을 탓하지는 않을 것이니 여러 말 말고 어서 떠나도록 하오."

두 사람이 울면서 고한다.

"승상께서 저희를 죽이려는 생각이시라면 차라리 이 자리에서 죽여주십시오. 도저히 이대로는 떠날 수 없습니다."

공명이 웃으며 말한다.

"어찌 그리 어리석은가? 내 그대들을 보내는 데는 그만한 생각이 있어서요. 어젯밤 천문을 보니, 필성(畢星, 28수宿 별자리 중 하나)이 태음(太陰, 달) 영역에 걸려 있었소. 이달 안에 반드시 큰비가 쉬지 않고 내릴 것이니, 그까짓 위군 40만이 온다 한들 무슨 수로 험한 산속까지 쳐들어올 수 있겠소? 그러니 많은 군사도 필요없고, 큰 피해도 물론 입지 않을 것이오. 나는 한중에서 한달 동안 편히 있다가 위군이 물러나기를 기다려 대군을 거느리고 엄습할 것이오. 이는 '편안히 앉아서 적이 지치기를 기다려 치는 것(以逸待勞)'이니, 이대로 하면 우리 군사 10만으로도 능히 적군 40만을 이길 수 있소."

그제서야 두 장수는 얼굴이 밝아져 절을 올리고 떠났다. 그후 공명은 대군을 거느리고 한중으로 나가면서 각 요충지마다 전령을 보내마른나무와 마초, 군량 등을 한달분씩 준비하게 했다. 이렇게 하여 가을장마를 대비한 뒤 군사들에게도 한달을 버틸 만한 의복과 곡식을미리 나누어주고 출정할 날만 기다리게 하였다.

한편 조진과 사마의는 더불어 대군을 거느리고 진창성에 이르렀다. 그런데 어찌 된 일인지 성안에는 집이 한 채도 눈에 띄지 않았다. 그곳 백성들을 불러다가 까닭을 묻자 하나같이 대답한다.

"공명이 돌아가는 길에 군사들을 풀어 다 태워버렸습니다."

조진은 진창의 길을 따라 계속 진군하려 했다. 사마의가 만류한다.

"경솔히 진군해서는 안되오. 어젯밤 천문을 보니 필성이 태음에 얽혀 이달 안에 큰비가 내릴 조짐이었소. 이대로 위험한 곳에 깊이 들어갔다가 이긴다면 모를까, 만에 하나 실수라도 있으면 군마가 물러나는 데 큰 어려움을 겪게 될 것이오. 그러니 성안에 움막이라도 지어놓고 머물면서 큰비가 그치기를 기다리는 게 좋겠소."

조진은 사마의의 말에 따랐다. 과연 보름도 되기 전에 비가 쏟아지기 시작하더니 좀처럼 그칠 기미를 보이지 않았다. 진창성 밖 평지에물이 석자나 고이니, 병기는 모두 젖고 군사들은 뜬눈으로 밤을 지새며 불안에 떨었다. 큰비는 30일 동안이나 계속되었다. 말 먹일 풀이없어 죽어나가는 말들이 헤아릴 수도 없었으며, 군사들의 원성도 끊이질 않았다. 이 소식은 결국 낙양에까지 전해졌다. 위주가 단을 쌓고비가 그치기를 기원했지만 아무 효험도 없었다. 이때 황문시랑(黄門侍郎) 왕숙(王肅)이 상소문을 올렸다.

전지(前志, 사서史書)에 의하면 '천리 밖까지 양식을 대주자면 군사들 얼굴에 주린 빛이 완연하고, 나무 하고 풀 베어다 밥을 지어먹으면 군사는 잠도 못 자고 배도 부르지 못하다'고 했사온데, 이는 평지를 행군할 때의 말입니다. 하물며 험악한 곳에 들어가서 길을 만들어가며 진군하자면 그 수고로움은 백배나 더할 것입니다. 뿐만 아니라 지금 장마가 계속되어 산길이 미끄러우니 대군이 한꺼번에 나아가기 힘들고 길이 멀어 군량을 조달하기도 어려우니, 이는 실로 행군하는 데 크게 피해야 할 일이옵니다. 듣자니 조진의 군사가 떠난 지 벌써 한달이 넘었사온데, 아직 반도 못 가서 길을 닦느라 모든 군사들이 동원되어 큰 힘을 쏟고 있다 하옵니다. 이는 바로 적에게 편안히 앉아서 우리가 지치기를 기다리게 하는 것이니, 이 또한 병가(兵家)에서 크게 꺼리는 일이옵니다.

옛날 무왕이 주(紂)를 칠 때에도 관(關)에 나갔다가 다시 돌아온 일이 있고, 또 가까운 일로는 무제(武帝, 조조)와 문제(文帝, 조비)께서도 손권을 치러 장강(長江)에 이르러서도 건너지 않으셨으니, 이는 하늘에 순응하고 때를 알아서 임기응변에 능통한 일이 아니겠습니까? 바라옵건대 폐하께서는 장마 속에 군사들이 고생하는 것을 생각하시어 이들을 편히 쉬게 하셨다가 후일 변동이 있을 때를 기다려 진군하소서. 이것이 이른바 '기쁜 마음으로 어려움을 무릅쓰고, 백성들이 죽음을 불사하는'[悅以犯難 民忘其死] 것이옵니다.

위주는 상소문을 읽고도 망설였다. 이때 양부와 화흠이 잇따라 상소하여 간하니 위주는 즉시 조서를 내려 조진과 사마의로 하여금 회군하도록 명했다.

한편 조진은 사마의와 의논하여 말한다.

"이렇게 한달 내내 비가 내려 군사들이 싸울 마음을 잃고 그저 돌아가기만을 바라고 있소. 이 일을 어쩌면 좋겠소?"

사마의가 말한다.

"돌아가는 것이 나을 듯하오."

조진이 묻는다.

"그러다가 공명이 뒤쫓으면 어떻게 물리치겠소?"

사마의가 대답한다.

"먼저 양쪽으로 군대를 매복시켜 뒤를 끊은 뒤에 물러가면 가히 염려 없을 것이오."

두 사람이 이렇게 의논하고 있는데, 낙양에서 사자가 당도하여 즉시 회군하라는 위주 조예의 칙명을 전했다. 마침내 조진과 사마의는 전군을 후군으로 삼고, 후군을 전군으로 삼아 서서히 물러가기 시작했다.

한편 공명은 한달이나 계속된 가을장마가 좀체로 개지 않자 몸소 한무리의 군사들을 거느리고 성밖에 주둔했다. 그러고는 대군을 적파(赤坡)에 모이게 한 다음 장상에 올라 여러 장수들에게 말한다.

"내 생각에 위군은 틀림없이 물러갈 것이고, 위주 또한 조진과 사마의에게 회군하라는 칙명을 내렸을 것이오. 그러나 당장 뒤쫓으면 그들에게도 방비가 있을 것이니 그냥 돌아가도록 내버려두었다가 다시 계책을 세우는 것이 좋겠소."

그때 왕평이 사람을 보내 위군이 퇴각하고 있다고 보고해왔다. 공명은 파발꾼에게 즉시 돌아가 왕평에게 전하도록 했다.

"절대 추격하지 말라! 내게 위군을 깨뜨릴 계책이 있도다!"

위군이 제아무리 매복에 능하다 해도   魏兵縱使能埋伏
공명은 애초에 이를 쫓으려고도 않았네   漢相原來不肯追

공명은 어떤 계책으로 위군을 격파할 것인가?

100

기회를 놓친 퇴군

촉군은 조진의 영채를 급습해 격파하고

공명은 진법으로 다투어 사마의를 욕보이다

회군하는 위군을 추격하지 말라는 공명의 분부를 받고, 여러 장수
들이 장막으로 들어와 묻는다.

"위군이 결국 장마를 견디지 못하고 물러나는데, 이는 추격하기에
는 아주 좋은 기회입니다. 승상께서는 어찌하여 추격하지 않으십니
까?"

공명이 대답한다.

"사마의는 용병에 능하니, 군사를 물리면서 반드시 복병을 두었을
것이오. 지금 그들을 뒤쫓으면 사마의의 계책에 빠지게 될 것이니 멀

리 달아나도록 내버려두었다가, 군사를 나누어 야곡으로 나아가 기산을 취하면 위군은 감히 막아낼 수 없을 것이오."

장수들이 다시 묻는다.

"장안을 취하려면 여러 길이 있는데, 승상은 어찌하여 기산만 취하려 하십니까?"

공명이 말한다.

"기산은 장안의 머리와 같은 곳이오. 농서 여러 고을에서 군사들이 오려면 반드시 그곳을 지나야 하오. 또한 앞에는 위수가 가로지르고 뒤로는 야곡에 기대어 있으니, 오른쪽으로 들어가 왼쪽으로 나갈 수 있는 터라 군사를 매복하기에 좋은 곳이오. 나는 이런 지형의 이점 때문에 먼저 기산을 취하려 하는 것이오."

모든 장수들은 비로소 깨닫고 엎드려 절하였다.

마침내 공명은 위연·장의·두경·진식에게 명하여 기곡으로 나아가게 하고, 마대·왕평·장익·마충을 야곡으로 보내 다같이 기산에 모이도록 명했다. 그리고 자신은 몸소 대군을 거느리고 관흥·요화를 선봉으로 삼아 뒤따라 떠났다.

그무렵 조진과 사마의는 뒤에 남아 군마를 감독하는 한편, 진창으로 가는 옛길로 군사들을 보내 촉군의 동태를 살펴오게 했다. 군사들이 돌아와 고한다.

"촉군은 우리를 뒤쫓지 않습니다."

다시 열흘 가량을 더 행군하는데, 후방에 매복해 있던 장수들이 모두 돌아와 고한다.

"도무지 촉군들은 나타나질 않습니다."

조진이 말한다.

"계속 내린 가을비에 잔도(棧道, 군사 이동용으로 절벽에 나무를 엮어 연결한 길)가 끊어졌으니, 촉군인들 무슨 수로 우리가 퇴각하는 줄 알겠소?"

사마의가 머리를 흔들며 말한다.

"머잖아 촉군들은 나타납니다."

"어찌하여 그렇게 생각하시오?"

"요즈음 연이어 날이 개었는데도 촉군이 나타나지 않은 것은 우리가 군사를 매복했으리라 짐작했기 때문이오. 필시 우리를 멀리 가게 내버려둔 뒤 불시에 나서서 기산을 빼앗으려 할 것이오."

조진은 미심쩍어했다. 사마의가 말한다.

"자단은 어째서 내 말을 못 믿으시오? 내 짐작에 공명은 반드시 기곡과 야곡으로 진군해올 것이오. 우리 두 사람이 각각 한 곳씩 맡아 지키도록 합시다. 열흘 안에 촉군이 나타나지 않는다면, 나는 얼굴에다 분 바르고 연지 찍고 치마저고리 차림으로 군영 뜰에서 죄를 달게 받겠소이다."

그제야 조진도 말한다.

"만일 촉군이 온다면 나는 황제께서 내리신 옥대와 말을 그대에게 드리겠소."

두 사람은 즉시 군사를 두 길로 나누어 조진은 기산 서쪽의 야곡 어귀에 나가 주둔하고, 사마의는 기산 동쪽에 있는 기곡 어귀에 영채를 세웠다. 사마의는 먼저 한무리의 군사를 산골짜기에 매복시키고 나머지 군사들은 각각 요충지에 배치해 지키게 했다. 그리고 자신도 군사들과 같은 옷으로 바꿔입고서 무리에 끼여 여러 영채를 두루 돌아보았다. 한 영채에 이르렀을 때였다. 편장(偏將) 하나가 하늘을 올려다보며 원망하고 있었다.

"장마가 그렇게 오래 계속되어도 돌아갈 생각도 않더니 이제 이런 곳에 진을 치고 내기나 하자 하니, 군사들만 고생하는 게 아닌가!"

사마의는 당장 대채로 돌아와 여러 장수들을 불러들였다. 곧 장수들이 장막으로 모여들자 사마의는 그 편장을 가리키며 호되게 꾸짖는다.

"조정에서 1천일(日)을 두고 군사를 기르는 것은 한때 유용하게 쓰고자 함이다. 네놈이 어찌 함부로 원망하며 군심을 어지럽힌단 말이냐?"

편장은 잡아뗐다.

"소장은 그런 적이 없습니다."

사마의는 당시 곁에 있던 사람을 불러들여 대면시켰다. 그제서야 편장은 입을 다물고 머리를 수그렸다. 사마의가 꾸짖는다.

"나는 지금 내기를 하는 것이 아니다. 촉군을 무찌르고 너희들과 더불어 공을 세워 조정으로 돌아가고자 할 뿐이다. 그런데 네놈은 함부로 원망을 늘어놓아 스스로 화를 자초하고 말았다. 당장 저놈을 끌어내 목을 베어라!"

잠시 후 무사들이 편장의 목을 베어 그 머리를 바쳤다. 지켜보던 장수들은 모두 등골이 오싹해졌다. 사마의가 다시 말한다.

"모든 장수들은 사력을 다해 촉군을 막되, 우리 중군(中軍)에서 포성이 울리거든 지체 말고 사면으로 일제히 진격하라."

모든 장수들이 머리를 조아려 명을 받고 물러갔다.

한편 위연을 비롯해 장의 · 진식 · 두경 네 장수는 2만 군사를 거느리고 기곡을 향해 진군하고 있었다. 그때 갑자기 참모 등지가 황급히 달

려왔다. 네 장수가 무슨 일로 왔는지 묻자 등지가 가쁜 숨을 몰아쉬며
대답한다.

"승상의 명을 받고 오는 길이오. 승상께서 기곡에는 반드시 위군들
이 매복해 있을 것이니 경솔하게 진군하지 말라 하셨소."

진식이 말한다.

"승상께서는 용병하시는 데 무슨 의심이 그리 많으신가? 위군들이
큰비를 만나 옷과 갑옷을 모두 망쳐버려 필시 돌아가기에 급급했을
터인데, 매복할 경황이나 있었겠소? 우리가 좀더 서둘러 이틀길을 하
루에 간다면 필시 대승을 거둘 수 있을 텐데, 어찌하여 나아가지 말라
시는지 모르겠소."

등지가 대꾸한다.

"일찍이 승상께서 계책을 세워 어긋난 적이 없고 이루지 못한 적이
없거늘, 그대는 어찌하여 감히 영을 어기려 하오?"

진식이 웃으며 말한다.

"승상의 계책이 그렇게 잘 들어맞았다면 가정을 잃지는 않았을 게
아니오?"

옆에서 듣고 있던 위연이 지난번에 공명이 자신의 계책에 따라주지
않던 일을 생각하고 역시 웃으며 한마디 거든다.

"지난번에 승상께서 내 말대로 자오곡으로 빠져나가시기만 했더라
도 지금쯤 장안은 물론이고 낙양까지 손에 넣었을 거외다. 이제 기어
이 기산으로 나아가서 무슨 이득을 보겠다는 것이며, 이미 영을 내려
군사를 나아가라 해놓고 절대로 추격하지 말라니, 무슨 명령이 이렇
듯 분명치 않단 말이오?"

위연의 말에 더욱 힘을 얻은 진식이 말한다.

"이제부터 나는 5천 군사를 거느리고 기곡을 거쳐 기산으로 먼저 가서 진을 치겠소. 그런 다음 승상께서 부끄러워하시는지 어떤지 두고 볼 참이오."

등지가 몇번이고 거듭 만류했으나 진식은 고집을 꺾지 않고 기어이 5천 군사를 이끌고 기곡을 향해 떠났다. 등지는 이 소식을 공명에게 알리기 위해 급히 돌아갔다.

그런데 진식이 군사를 이끌고 기곡을 향해 진군하여 몇리도 채 못 갔는데, 난데없이 포성이 울리더니 사방에서 복병이 아우성치며 몰려나왔다. 진식이 놀라 급히 군사를 물리려 했을 때는 이미 산골짜기를 가득 메우고 있는 위군에 의해 겹겹이 포위된 후였다. 진식은 사력을 다해 좌충우돌하며 애를 썼으나 도저히 위군의 포위를 벗어날 길이 없었다. 사뭇 위태로운 지경에 빠져 있는데, 또다시 함성이 들리더니 한떼의 군사가 나는 듯이 쳐들어온다. 바로 위연의 군사였다. 위연은 가까스로 진식을 구해 산골짜기를 빠져나왔다. 그러나 5천 군사들 가운데 남은 자라고는 겨우 4,5백명으로, 그마저도 거의가 부상을 당한 상태였다. 그러한 중에도 위군들은 숨돌릴 틈도 주지 않고 계속해서 뒤를 추격해왔다. 다행히 두경과 장의가 군사를 이끌고 달려와 지원하니, 위군은 그제서야 물러났다. 진식과 위연은 비로소 귀신 같은 공명의 선견지명에 탄복했다. 그러나 뒤늦게 후회한들 무슨 소용이 있으랴.

한편 등지는 돌아가 공명에게 위연과 진식의 무례함을 고했다. 공명이 웃으며 말한다.

"내 진작부터 위연이 반역할 상(相)임을 알았고, 또 늘 불평불만이 많음도 알고 있었소. 그러면서도 버리지 못하는 것은 그의 용기가 아까워서이나, 훗날 반드시 촉한에 큰 해를 끼칠 인물임에는 틀림없소."

이렇게 말하는데 문득 파발꾼이 이르러 아뢴다.

"진식이 군사 4천여명을 잃고 간신히 부상병 4, 5백을 거느린 채 지금 골짜기 안에 머물러 있습니다."

공명은 등지를 돌아보고 웃으며 분부한다.

"그대는 다시 기곡으로 가서 좋은 말로 진식을 위로하고 더이상 변란이 생기지 않도록 하시오."

공명은 다시 마대와 왕평을 불러 영을 내린다.

"만약 야곡에 위군이 지키고 있으면 그대들은 군사를 거느리고 산마루를 넘되, 밤에 행군하고 낮에는 몸을 숨겨 기산 왼쪽으로 가서 불을 올려 신호하라."

이번에는 마충과 장익을 불렀다.

"그대들은 산기슭 소로로 나가되, 낮에는 숨고 밤에만 행군하여 기산 오른쪽으로 가서 불을 올려 신호하고, 마대·왕평과 합세하여 조진의 영채를 무찌르라. 나는 야곡에서 쳐들어갈 것이니 이렇게 삼면에서 치면 가히 위군을 깨뜨릴 수 있을 것이다."

네 장수는 모두 영을 받고 물러나 각각 군사를 거느리고 떠났다.

공명은 다시 관흥과 요화를 불러 은밀히 계책을 내리니, 밀계를 받은 그들 역시 군사를 거느리고 떠났다. 뒤이어 공명도 정예병을 거느리고 이틀길을 하루에 걸으며 진군해갔다. 얼마쯤 가다가 공명은 다시 오반과 오의를 불러 밀계를 내리더니 그들로 하여금 군사를 거느리고 앞장서게 했다.

한편 촉군이 나타나지 않으리라 믿은 조진은 마음을 놓고 군사들을 편히 쉬게 하면서 앞으로 열흘만 무사히 지나면 사마의를 부끄럽게 하리라 벼르고 있었다. 7일째 되는 날, 갑자기 군사 하나가 달려와 고한다.

"산골짜기에 촉군이 나타났습니다."

조진은 부장 진량(秦良)을 불러 명을 내린다.

"군사 5천명을 거느리고 나아가 동태를 파악하고, 촉군이 우리 진영 가까이 오지 못하도록 하라."

진량이 즉시 군사들을 이끌고 골짜기 어귀로 가보니 촉군은 퇴군하고 있었다. 그런데 급히 군사를 휘몰아 5,60리쯤 추격해가자 갑자기 촉군이 보이지 않는다. 진량은 의심스런 생각이 들었지만 군사들에게 말에서 내려 잠시 쉬게 했다. 그때 정탐꾼이 돌아와 보고한다.

"앞쪽에 촉군이 매복해 있습니다."

진량이 급히 말에 올라 바라보니 과연 산속에서 먼지가 자욱이 일고 있었다.

"적이다! 굳게 방비하라!"

바로 그때 사방에서 불시에 함성이 터져올랐다. 앞쪽에서는 오반과 오의가 군사를 이끌고 짓쳐들어오고, 뒤에서는 관흥과 요화가 덮쳐들었다. 좌우를 돌아보니 모두 산이라 달아날 길도 없는데 산위에서 촉군들이 큰소리로 외친다.

"말에서 내려 항복하는 자는 살려주겠다!"

이때 위군들의 태반은 말에서 내려 항복했다. 진량은 사력을 다해 싸우다가 요화의 단칼에 맞아 말 아래로 나뒹굴고 말았다. 공명은 항복한 위군을 모두 후군으로 넘겨 묶어두게 하고, 위군의 옷과 갑옷을 벗겨 촉군 5천명에게 입혔다. 그러고는 관흥·요화·오반·오의 네 장수로 하여금 위군으로 가장한 촉군을 거느리고 조진의 영채를 기습하게 했다. 이에 앞서 공명은 가짜 전령에게 조진의 영채로 달려가 고하게 했다.

"촉군 몇놈이 있어 모두 쫓아버렸습니다."

조진은 전혀 의심하지 않고 기뻐했다. 때마침 사마의의 심복부하가 왔다는 보고가 들어와 조진이 불러들여 온 까닭을 물었다. 사마의의 심복이 말한다.

"이번에 위군이 매복계를 써서 촉군을 4천여명 죽였습니다. 사마도독께서 말씀하시기를, 장군께서 공연히 내기 같은 건 염두에 두지 마시고 오로지 촉군을 막는 데 전념하시라 하였습니다."

조진은 호령하여 사마의의 심복부하를 돌려보냈다.

"여기는 촉군이 단 한명도 없거늘 대체 무슨 소리를 하느냐?"

이때 밖에서 또다시 보고가 들어왔다.

"진량 장군이 군사를 거느리고 돌아왔습니다."

조진이 몸소 진량을 맞이하기 위해 장막을 나서는데, 군졸들이 달려와 아뢴다.

"영채 뒤 두 곳에서 불이 났습니다."

조진이 황급히 영채 뒤로 돌아가보니, 난데없이 관흥·요화·오반·오의 네 장수가 촉군을 지휘해 영채 앞으로 나는 듯이 달려들었다. 마대와 왕평은 뒤쪽에서 쳐들어오고 마충과 장익 역시 군사를 휘몰고 짓쳐들어왔다. 졸지에 날벼락을 맞은 위군은 손 한번 써보지 못하고 각자 살길을 찾아 달아났다. 장수들은 조진을 호위해 동쪽을 향해 달아나기에 급급했다. 그 뒤를 촉군이 바싹 추격한다. 조진은 혼비백산하여 앞만 보고 내닫는데 또다시 함성이 울리며 한무리의 군사들이 달려왔다. 간담이 서늘해 쳐다보니 다행히도 사마의였다. 사마의가 추격하는 촉군과 맞서 한바탕 크게 싸워 물리쳤다. 가까스로 위기에서 벗어난 조진은 부끄러운 생각에 차마 머리를 들 수가 없었다. 사마의가 말한다.

"제갈량이 기산 일대의 험한 산지(山地)를 점령한 터이니, 이곳에 오래 머물 형편이 못 됩니다. 즉시 위수가로 가서 다시 영채를 세우고 후일을 도모하는 것이 좋겠소이다."

조진이 묻는다.

"중달은 어떻게 내가 패할 줄을 알고 있었소?"

사마의가 말한다.

"얼마 전에 보냈던 심복부하가 돌아와 자단께서 촉군은 한놈도 없다고 하셨다기에, 공명이 몰래 습격하러 오리라 짐작하고 달려와보니 과연 그리 되셨더이다. 이제 내기했던 것은 모두 잊고 마음을 합쳐 나라의 은혜에 보답하도록 힘씁시다."

이런 일이 있은 후 조진은 그만 부끄러운 마음이 병이 되어 자리에 눕고 말았다. 사마의는 위수가에 주둔하면서 군심이 어지러워질까 두려워 조진에게 군사를 물리자고 하지도 못했다.

한편 공명은 군사를 이끌고 다시 기산으로 나왔다. 수고한 군사들을 위로하고 나자 장막 안으로 위연을 비롯해 진식·두경·장의 등 네 장수가 들어와 땅에 엎드려 죄를 청했다. 공명이 정색하고 묻는다.

"이 가운데 누구의 잘못으로 군사를 잃었느냐?"

위연이 대답한다.

"진식이 감히 승상의 지엄하신 분부를 거역하고 제 맘대로 산골짜기로 들어갔다가 대패한 것입니다."

진식이 발끈하여 변명한다.

"아닙니다. 이번 일은 위연이 시켜서 한 것입니다."

진식의 변명을 들은 공명이 호되게 꾸짖는다.

"그가 너를 위기에서 구해냈거늘 어찌하여 그를 걸고 넘어지느냐? 네 이미 장령(將令, 명령)을 어겼으니 변명할 것 없다. 여봐라, 이자를 끌어내 참하여라!"

도부수들이 즉시 진식을 끌고 나가 목을 베자 공명은 그 머리를 장막 앞에 높이 걸어놓고 모든 장수들에게 보도록 했다. 이때 공명이 위연을 죽이지 않은 것은 살려두었다가 훗날에 쓰고자 해서였다. 공명이 진식을 참하고 나서 바로 진군할 계책을 의논하고 있는데, 문득 정탐꾼이 와서 고한다.

"조진이 병으로 자리에 누워 지금 영채에서 치료중이라 합니다."

공명이 크게 기뻐하며 여러 장수들에게 말한다.

"조진의 병세가 가볍다면 장안으로 돌아갔을 터인데, 지금까지 위 군들이 물러가지 않은 걸 보면 병세가 위중한 게 틀림없소. 그래서 군 중에 머물며 군심을 안정시키려는 것이오. 이제 내가 서신을 한통 써 서 항복한 진량의 군사를 시켜 전할 것인즉, 조진은 내 서신을 읽으면 반드시 죽게 될 것이오."

이윽고 공명은 항복한 위군들을 장막 앞에 모아놓고 말한다.

"너희는 본래 위의 군사로 부모와 처자식이 모두 중원에 있으니 촉 국에 오래 머물 수는 없다. 그래서 이번에 모두 돌려보내려 하는데, 너희들 생각은 어떠한가?"

공명의 말에 항복한 위군들은 감격하여 눈물을 흘리며 땅에 엎드려 절을 올렸다. 공명이 말을 잇는다.

"나는 조자단과 약속한 바가 있다. 내 서신 한통을 써서 너희에게 줄 테니 잘 간직하고 가서 자단에게 전하라. 반드시 후한 상을 내릴 것이다."

위군들은 공명에게서 편지를 받고 나는 듯이 달려 위군의 영채로 돌아갔다. 공명의 편지를 받은 조진은 병석에서 겨우 몸을 일으켜 겉봉을 뜯어보았다. 그 내용은 다음과 같다.

한나라 승상 무향후(武鄕侯) 제갈량은 대사마(大司馬) 조자단에게 글을 보내노라. 무릇 장수된 자는 버리고 취하는 데 능하고, 부드럽고 굳센 데 능하며, 나아가고 물러서는 데 능하고, 약하고 강한 것에 능하도다. 굳건하기가 산악과 같고, 알기 어렵기는 음양의 이치와도 같으며, 끝이 없음은 천지와 같고, 가득하기는 큰 창고와 같으며, 넓기는 사해와도 같고, 밝게 빛나기는 해와 달과 별과 같다. 그래서 천문(天文)을 보고 가뭄과 장마를 미리 알아야 하고, 지리에 밝아 무엇이 유리한지 알며, 진세(陣勢)를 파악해 싸움의 때를 살피고, 적의 장단점을 꿰뚫어볼 줄 알아야 한다. 슬프도다, 그대같이 배운 것 없는 후배가 감히 위로는 하늘을 거슬러 나라를 찬탈한 반적을 도와 낙양에서 황제라 일컫게 하더니 야곡에서 대패하여 도주하고, 진창에서는 장마를 만나지 않았더냐. 수륙으로 곤경에 처하여, 인마가 미친 듯 갑옷과 칼과 창을 들에 가득 버렸도다. 도독(사마의)은 마음이 무너지고 쓸개가 터졌으며, 장군(조진)은 쥐구멍 찾듯 달아나기에 바빴도다! 이제 관중의 부로(父老, 나이가 많은 어른을 높여 일컫는 말)를 무슨 낯으로 대하며, 무슨 염치로 승상부의 청당(廳

堂, 대궐 등의 정사를 의논하는 곳)에 오를 것인가! 사관들은 붓을 들어 이 모든 일을 역사에 기록할 것이고, 백성들은 입을 모아 이 일을 전해 널리 퍼뜨릴 것이니, 중달은 싸움에 나가면 두려워 떨고, 자단은 바람소리만 들려도 황망히 달아났다 할 것이다. 이제 우리 촉의 군사는 강하고, 말은 날쌔며, 대장은 범처럼 용감하고 용처럼 날래니 진천(秦川)을 휩쓸어 평지를 만들고, 위국을 소탕하여 폐허로 만들 것이니라.

공명의 서신을 읽고 난 조진은 병세가 중하던데다 울화까지 치밀어 올라 그날밤 군중에서 죽고 말았다. 사마의는 조진의 관을 수레에 실어 낙양으로 보내 장사지내도록 했다. 조진이 세상을 떠났다는 보고를 받은 위주 조예는 즉시 조서를 내려 사마의로 하여금 속히 출진하여 적을 치도록 명했다. 사마의는 대군을 거느리고 진군해서 전투 전날 공명에게 싸움을 청하는 전서(戰書)를 보냈다.

전서를 받은 공명이 장수들을 돌아보며 말한다.

"조진이 죽은 게 틀림없다."

그러고는 즉시 내일 싸우자는 내용의 답서를 주어 사마의의 사자를 돌려보냈다. 그날밤 공명은 강유를 불러 은밀하게 계교를 지시했다. 그리고 다시 관흥을 불러 역시 밀계를 내렸다.

다음날, 공명은 기산에 있는 군사들을 모두 거느리고 위수로 나아갔다. 그곳은 한쪽으로는 강물이 흐르고, 다른 한쪽으로는 산이 이어져 있으며, 가운데는 아득히 평야가 펼쳐져 있어 싸움터로 알맞았다.

이윽고 맞선 양군은 화살을 쏘아 거리를 측정하고 나서 진을 세웠다. 이어 북소리가 세번 울리고 위군의 문기가 활짝 열리더니 사마의가 말을 타고 여러 장수들을 거느리고 나타났다. 맞은편에서는 공명이 사륜거 위에 단정히 앉아 깃털부채를 들고 있었다. 공명을 발견한 사마의가 입을 열어 큰소리로 말한다.

"우리 주상께서는 지난날 요순(堯舜)의 일을 본받아 선위(禪位)받으신 뒤 이미 2대에 걸쳐 중원을 다스리고 계시다. 그럼에도 너희 촉과 오를 용납하시는 것은 주상께서 너그럽고 인자하신 마음에 차마 백성들이 다칠까 염려하시기 때문이다. 남양에서 밭이나 갈던 너 같은 촌놈이 감히 천수(天數)를 모르고 침략을 일삼고 있으니, 내 마땅히 너를 죽이고야 말겠다! 그러나 만일 네가 지금까지의 잘못을 깨닫고 즉시 군사를 물려 각기 국경을 지키며 삼국이 정족지세(鼎足之勢, 솥발처럼 셋으로 나뉘어 대립한 형세)를 이룬다면, 무고한 백성들도 도탄에 빠지지 않을뿐더러, 너희들도 모두 목숨을 보존할 수 있을 것이니라!"

공명이 크게 웃으며 답한다.

"내 일찍이 선제(先帝, 유비)로부터 탁고(託孤, 임금이 죽기 전에 어린 태자를 부탁하고 국정을 맡기는 일)의 중임을 맡았거늘, 어찌 마음을 기울이고 힘을 다해 도적을 멸하지 않겠느냐? 두고 봐라! 너희들 조씨는 머지않아 우리 한나라에 멸망당하고 말 것이니라. 더구나 너희 조상은 모두 한나라 신하로 한의 국록을 먹어왔거늘, 그 은혜에 보답할 생각은 않고 오히려 역적을 돕고 있으니, 네 그러고도 부끄럽지 않더란 말이냐?"

사마의는 공명의 말에 부끄러움을 느낀 듯 얼굴을 붉히며 말한다.

"내 너와 더불어 자웅을 결하리라! 만일 네가 나를 이긴다면 이후로 나는 맹세코 대장 노릇을 하지 않겠다. 반대로 네가 패한다면 너는 일찌감치 고향으로 돌아가도록 하라. 그렇게 하면 내 너를 해치지 않을 것이다."

"나와 겨루겠다고 하는데, 장수로 싸우겠느냐, 군사로 싸우겠느냐, 진법으로 싸우겠느냐?"

"우선 진법으로 겨루자!"

공명이 선뜻 말한다.

"그렇다면 먼저 진을 벌여보아라!"

사마의는 중군 장막으로 들어가더니 손에 황색 기를 들고 좌우 군사를 움직여 진 하나를 늘여세운 다음, 다시 말에 올라 공명에게 묻는다.

"이 진법을 알겠느냐?"

공명이 웃는다.

"그따위 진법은 우리 군중에서는 말장(末將, 맨 아래의 이름 없는 장수)도 쓸 줄 아느니라. 바로 혼원일기진(混元一氣陣) 아니냐?"

사마의가 큰소리로 말한다.

"그럼 이번에는 네가 진을 펼쳐보아라!"

공명은 진으로 들어가 깃털부채를 한번 흔들어 진 하나를 벌이더니, 진 앞으로 나와 묻는다.

"내 진법을 알겠느냐?"

사마의가 코웃음을 치며 말한다.

"그따위 팔괘진(八卦陣)을 누가 모르겠느냐?"

공명이 다시 웃으며 묻는다.

"그렇다면 내 진을 공격해 깨뜨릴 수도 있겠느냐?"

사마의가 공명의 물음을 가볍게 받아친다.

"이미 알고 있는데 어찌 깨뜨리지 못할까?"

공명은 여전히 웃으며 말한다.

"그렇다면 한번 깨뜨려보아라!"

사마의는 본진으로 돌아가 대릉·장호·악침 세 장수를 부르더니 분부한다.

"지금 공명이 펴놓은 진 안에는 휴(休)·생(生)·상(傷)·두(杜)·경(景)·사(死)·경(驚)·개(開) 팔문(八門)이 있다. 그대들은 동쪽의 생문(生門)으로 쳐들어가 서남쪽 휴문(休門)으로 뚫고 나왔다가, 다시 북쪽 개문(開門)으로 쳐들어가라. 그러면 쉽게 진을 깰 수 있을 것이다. 그대들은 잊지 말고 각별히 조심하라."

이에 대릉은 중앙에 서고, 장호는 앞을 맡고, 악침은 뒤를 맡아 각각 기병 30명씩을 거느리고 생문으로 쳐들어갔다. 양쪽 군사들은 일제히 함성을 지르며 자기 편의 사기를 북돋웠다.

세 장수가 막상 공명의 촉진으로 쳐들어가 보니, 진 안쪽은 사면이 모두 성벽으로 이어진 듯 꽉 막혀 있어 아무리 공격해도 빠져나갈 도리가 없었다. 세 장수는 당황하여 군사들을 휘몰아 진각(陣脚)으로 돌며 서남쪽으로 나가려 했다. 그러자 기다렸다는 듯 촉군들이 일제히 화살을 퍼부으니 더이상 나아가지 못했다. 더구나 중중첩첩(重重疊疊)으로 각 진마다 온통 문투성이라 마침내는 동서남북을 분간할 수조차 없었다. 세 장수는 서로를 돌볼 겨를도 없이 이리 들이치고 저리 부딪쳐보았다. 그러나 보이는 것은 오직 스산하게 드리운 구름과 자욱한 안개뿐이었다. 그러다가 어디선가 함성이 일어나고, 그때마다 위군은 한명씩 촉군에게 사로잡혀 끌려가고 말았다.

공명이 장막 안에 높이 앉아 있는 가운데, 장호·대릉·악침 세 장

제갈공명은 진법대결에서 사마의를 꺾다

수를 비롯한 90여명의 위군들이 차례로 끌려들어왔다. 공명이 웃으며 말한다.

"너희를 모두 사로잡기는 했으나 그걸 무슨 대단한 일이라 하겠느냐? 이제 돌려보내줄 터이니 사마의에게 가서 전하라. 병서를 다시 읽고 전술을 거듭 익힌 뒤에 자웅을 겨뤄도 늦지 않으리라고 말이다. 목숨은 살려주겠지만 병기와 말은 모두 두고 가거라."

위군들은 즉시 무장해제되어 얼굴에는 먹칠을 당한 채 걸어서 자기 진영으로 돌아갔다. 사마의는 이들을 보고 크게 노했다. 곧 장수들을 돌아보며 말한다.

"이렇듯 예기가 꺾이고서야 장차 무슨 면목으로 중원으로 돌아가 대신들을 대하겠느냐?"

사마의는 즉시 삼군을 지휘해 죽기로써 촉진을 공격하고자 몸소 칼을 뽑아들고 용감한 장수 1백여명을 이끌고 재촉하며 짓쳐나갔다. 위군과 촉군이 드디어 맞부딪쳐 싸움을 시작하려고 할 때였다. 갑자기 진 뒤쪽에서 북소리와 뿔피릿소리가 요란히 일어나면서 함성이 터지더니 한무리의 군사가 서남쪽에서 쳐들어왔다. 다름아닌 관흥이 이끄는 군사들이었다.

사마의가 즉시 군사를 나누어 후군에게 관흥과 맞서싸우게 하고 자신은 다시 군사를 재촉해 앞으로 나아가는데, 또다시 군중이 어지러워졌다. 매복해 있던 강유가 한무리의 군사를 휘몰아 짓쳐들어온 것이다. 촉군은 세 방면에서 협공해왔다. 사마의는 크게 놀라고 당황하여 급히 군사를 물리려 했다. 그러나 촉군은 전혀 빈틈을 보이지 않고 순식간에 주위를 에워싸며 짓쳐들어왔다. 사마의는 삼군을 이끌고 죽을 힘을 다해 길을 뚫어가며 남쪽으로 달아났다. 이 싸움에서 위군들열에 예닐곱명은 부상을 당했다. 가까스로 군사를 물려 돌아온 사마의는 위수 남쪽 기슭에 영채를 세우고는 굳게 지킬 뿐 다시 싸우려 하지 않았다.

대승을 거둔 공명은 군사를 거두어 기산으로 돌아왔다. 그때 영안성(永安城)에 있는 이엄(李嚴)이 도위(都尉) 구안(苟安)을 시켜 군량을 보내와 군사들에게 나누어주었다. 그런데 실은 구안이 워낙 술을 좋아해 도중에 술타령을 하느라 열흘이나 늦게 도착한 것이다. 공명이 크게 노해 꾸짖는다.

"우리 군사에게는 무엇보다도 귀중한 것이 군량이다. 사흘만 늦어도 목을 벨 판국에 하물며 열흘이나 어겼으니 무슨 변명의 여지가 있겠는가?"

즉시 무사들을 불러 구안을 끌어내 목을 베라고 명했다. 장사 양의가 아뢴다.

"구안은 이엄이 쓰는 사람입니다. 전량(錢糧)이 서천에서 많이 나오는데, 만일 지금 이 사람을 죽이고 나면 나중에 누가 군량을 운송하겠다고 나서겠습니까?"

공명은 양의의 말을 받아들여 벌로 곤장 80대를 치는 것으로 대신하고 무사들에게 구안을 풀어주게 했다. 곤장 80대를 맞은 구안은 공명에 대한 원한이 마음속 깊이 사무쳐 기병 5,6명을 이끌고 위군의 영채로 달려가 항복했다.

사마의가 구안을 불러들이자 구안은 절하고 나서 항복해온 까닭을 설명했다. 사마의가 말한다.

"비록 그렇다 해도 공명이 워낙 꾀가 많은 인물이라 그대로 믿기는 어렵구나. 네가 만일 우리를 위해 큰공을 세운다면 그때는 너를 황제께 아뢰어 상장(上將)으로 삼겠다."

구안이 말한다.

"무슨 일이든 힘껏 하겠습니다."

"그렇다면 너는 당장 성도로 가서, 공명이 원한을 품고 있어 머지 않아 황제의 자리를 빼앗으려 한다고 유언비어를 퍼뜨리도록 해라. 그렇게 하여 너희 임금이 공명을 성도로 불러들이게만 한다면, 이것을 너의 큰 공로로 삼겠다."

구안은 응낙하고 즉시 성도를 향해 길을 떠났다. 성도에 도착한 구안은 환관들을 만나, 공명이 큰 공을 세운 것을 기화로 조만간 나라를 빼앗고 황제의 자리에 오르려 한다고 유언비어를 퍼뜨리기 시작했다. 환관들은 깜짝 놀라 황급히 궁중으로 들어가 이 사실을 황제께 상세히 아뢰었다. 후주가 놀라면서도 믿기지 않는 듯 묻는다.

"이 일을 장차 어찌하면 좋겠느냐?"

환관들이 아뢴다.

"속히 조서를 내려 승상을 성도로 소환하고, 병권(兵權)을 박탈하시어 반역할 수 없게 하소서."

후주는 마침내 공명에게 군사를 물려 돌아오라는 조서를 내렸다. 뜻밖의 하명에 장완이 반열에서 나와 후주께 아뢴다.

"승상께서 출병하신 이래 줄곧 큰 공을 세웠건만 무슨 연유로 소환하시옵니까?"

후주가 말한다.

"승상과 은밀히 의논할 일이 있느니라."

그러고는 즉시 사신에게 조서를 주어 기산으로 향하도록 했다. 사신은 밤새 말을 달려 기산 대채에 당도했다. 사신을 맞아들여 조서를 받들어 본 공명은 하늘을 우러러 길게 탄식한다.

"주상께서 아직 나이 어리신데 좌우에 간신들이 날뛰는 모양이구나. 내 이제 겨우 공을 세우려 하는데 어찌하여 돌아오라 하시는가? 만일 돌아가지 않으면 주상을 거역하는 것이 되고, 주상의 명대로 물러난다면 나중에 무슨 수로 또다시 이런 기회를 얻을 수 있으랴!"

옆에 있던 강유가 근심스럽게 말한다.

"만일 우리 대군이 한꺼번에 물러나면 사마의가 틀림없이 뒤를 엄습할 것인데, 어찌하면 좋겠습니까?"

공명이 말한다.

"우선 군사를 다섯 길로 나누어 후퇴해야 하오. 오늘은 우선 본채부터 물리되, 영채 안의 군사가 1천명이라면 밥짓는 아궁이를 2천개 파야 하고, 다음날에는 아궁이를 3천개 파고, 또 그 다음날에는 아궁이 4천개를 파면서 후퇴할 때마다 아궁이 수를 늘려야 하오."

양의가 묻는다.

"옛날에 손빈(孫臏)이 방연(龐涓)을 잡을 때에는 군사는 늘리고 아궁이를 줄이는 계책을 썼다 하는데, 승상께서는 후퇴하면서 오히려 아궁이 수를 늘리시겠다니 그 까닭이 무엇입니까?"

공명이 대답한다.

"사마의는 용병에 능하기 때문에 우리가 물러가는 줄 알면 반드시 뒤를 쫓을 것이오. 그러면서도 혹시 우리가 복병을 두었는지 의심하여 날마다 밥 지은 아궁이를 헤아려볼 터인즉, 아궁이 수를 늘리면 우리가 군사를 물렸는지 아닌지 갈피를 잡을 수 없어 마음놓고 뒤따르지 못할 것이오. 이렇게 하고서 우리가 천천히 후퇴하면 군사를 잃을 염려가 없소."

공명은 즉시 영을 내려 퇴각하기 시작했다.

한편 사마의는 구안에게 일러준 계책이 적중하리라 믿었다. 그래서 공명이 군사를 물리는 날에는 지체없이 뒤를 엄습하리라 마음먹고 그 때만 기다리고 있었다. 아니나다를까 과연 파발꾼이 달려와 보고하기를, 촉군의 영채가 텅 비었으며 군마가 모두 물러가고 없다는 것이다. 사마의는 워낙 공명이 지략이 많은 것을 아는지라 선뜻 추격하지 못하고 친히 기병 1백여기를 이끌고 촉의 영채를 살피러 나가 군사들에게 밥짓던 아궁이 수를 헤아려보게 하고는 그대로 돌아왔다. 그 다음날도 사마의는 군사를 보내 전날 촉군이 머물렀던 곳에 가서 아궁이 수를 헤아리게 했다. 나갔던 군사들이 돌아와 보고한다.

"어찌 된 영문인지 어제보다 아궁이 수가 배나 더 늘어나 있습니다."

사마의가 여러 장수를 돌아보며 말한다.

"공명이 지략이 뛰어난 사람이라 했더니 과연 내 생각이 옳았소이다. 공명이 물러나는 척했지만 실은 군사들의 수가 늘었으니, 만일 우리가 추격했더라면 필시 그의 계략에 휘말릴 뻔했소. 일단 후퇴했다가 저쪽의 형세를 보아가며 다시 계책을 세우는 것이 좋겠소."

이렇게 하여 공명은 단 한명의 군사도 잃지 않고 무사히 성도로 돌아갈 수 있었다. 나중에 서천 어귀에 사는 사람들에게서 공명이 퇴군하면서 군사는 늘리지 않고 아궁이 수만 늘렸다는 말을 듣고, 사마의는 하늘을 우러르며 길게 탄식하지 않을 수 없었다.

"공명이 우후(虞詡, 동한때 무도武都 태수. 서강인과의 전투에서 아궁이 수를 늘리는 계책으로 적을 물리침)의 법을 본받아 나를 속였구나. 내 공명의 지략에 도저히 미치지 못하겠도다!"

사마의는 마침내 대군을 거느리고 낙양으로 돌아가고 말았다.

바둑에 적수를 만나면 이기기 어렵나니   棋逢敵手難相勝
장수 뛰어난 상대를 만나 감히 교만을 부리랴   將遇良才不敢驕

성도로 돌아간 공명은 과연 어찌 될 것인가?

101_

두번째 퇴군

공명은 농서로 나가 천신을 가장하고

장합은 검각으로 쫓아가다 계책에 걸려들다

공명이 군사를 줄이고 아궁이 수를 늘리면서 퇴각하여 한중으로 돌아가는데, 사마의는 복병이 있을까 두려워 촉군을 추격하지 못하고 결국 장안으로 돌아갔다. 이렇게 하여 촉군은 단 한명도 다치지 않고 무사히 회군했다. 공명은 삼군에 후한 상을 내리고 성도에 이르러 후주를 알현했다.

"노신이 기산으로 나가 장차 장안을 취하려 하는 때 갑자기 폐하께서 조서를 내려 부르셨으니, 무슨 큰일이 있는지요?"

후주는 아무 말도 못하다가 한참만에야 입을 연다.

"짐이 오랫동안 승상을 보지 못하여 사모하는 마음이 깊어진 탓에 특별히 조서를 내려 부른 것이지 별다른 일은 없소."

"이는 폐하의 본심에서 하신 일이 아니옵니다. 필시 간신들이 참언 (讒言)하여 신이 딴뜻을 품었다고 모함했을 것이옵니다."

공명의 말에 후주는 할말을 잃은 듯 잠자코 입을 다물었다. 공명이 다시 말한다.

"노신은 일찍이 선제의 두터운 은혜를 입어 죽음으로 그에 보답할 것을 맹세했사옵니다. 하오나 이제 궐 안에 간신들이 있다면 신이 어찌 안심하고 도적을 칠 수 있겠습니까?"

후주가 겨우 입을 열어 말한다.

"짐이 경솔하게 환관들 말만 믿고 승상을 불렀소. 이제 가려졌던 눈과 귀가 트여 모든 것을 깨닫고 보니 후회막급이오."

공명이 환관들을 불러 엄중히 문책하자 마침내 구안의 소행임이 드러났다. 공명은 사람을 보내 구안을 잡아들이라 명했다. 그러나 구안은 이미 위나라로 달아난 뒤였다. 공명은 망령되게 구안의 혀끝에 놀아난 환관들을 모조리 잡아 처형하고, 그 나머지는 모두 궐 밖으로 쫓아냈다. 그리고 장완과 비의를 불러 맡은 바 소임을 다하지 못한 것을 책망했다.

"간특한 무리들을 가려내어 황제께 바른말로 간하는 것이 그대들 임무가 아닌가!"

두 사람은 머리를 조아려 깊이 사죄했다.

공명은 후주께 하직인사를 올리고 다시 한중으로 돌아갔다. 가는 길에 격문을 띄워 이엄에게 군량과 마초를 부탁하고, 다시 장수들을 불러 출정할 일을 의논했다. 양의가 말한다.

"그동안 여러 차례 전투를 치르느라 피로가 쌓여 군사들이 모두 지친데다 군량도 부족합니다. 이번에는 군사를 두 반(班)으로 나누어 군사가 20만이면 10만명만 기산으로 보내 지키게 하고, 석달 기한이 되면 다른 10만명을 보내 교대하도록 하는 게 어떨는지요? 그렇게 하면 병력도 부족하지 않고, 군사들이 지치지도 않을 것입니다. 이렇게 하고 천천히 나아간다면 가히 중원을 도모할 수 있을 것입니다."

공명이 고개를 끄덕이며 기뻐한다.

"그대의 말이 내 뜻과 같도다. 중원을 정벌하려는 것은 하루아침에 성사될 일이 아니니, 마땅히 시일이 오래 걸리더라도 확실한 계책을 써야 할 것이오."

공명은 즉시 전군에 영을 내렸다.

"군사를 두 반으로 나누어 1백일을 기한으로 서로 교대하도록 하라. 기한을 어기는 자는 군법으로 다스리겠다."

때는 건흥 9년(231) 2월 봄이었다. 공명은 다시 출사하여 위 정벌의 장도에 올랐다. 이때는 또한 위 태화(太和) 5년이었다. 위주 조예가 공명이 다시 중원을 치러 온다는 보고를 받고 급히 사마의를 불러 상의하니, 사마의가 아뢴다.

"이제 자단이 세상을 떠났으니, 신이 혼자서라도 있는 힘을 다해 역적을 무찌르고 폐하의 은혜에 보답하겠습니다."

위주는 기뻐하며 크게 잔치를 베풀어 사마의를 극진히 대접했다. 다음날, 촉군이 쳐들어오고 있다는 급보가 들어왔다. 조예는 즉시 사마의에게 군사를 일으켜 촉군을 막으라 명하고 친히 어가를 타고 성문 밖까지 전송나가 사마의를 격려했다. 사마의는 위주에게 하직하고 즉시 장안으로 달려갔다. 여러 방면에서 몰려온 군사들을 모두 모아놓고 촉을 물리칠 계책을 의논했다. 장합이 먼저 말한다.

"제가 군사들을 거느리고 가서 옹성과 미성을 지키면서 촉군을 막겠습니다."

사마의가 말한다.

"우리 전군(前軍)만으로는 공명의 촉군을 당해내기 어려울 것이고, 또한 군사를 전후로 나눈다 하더라도 승리를 장담할 수는 없소. 차라리 일부 군사를 남겨 상규(上邽)땅에 머무르며 지키게 하고 나머지는 모두 기산으로 움직이는 편이 좋을 듯한데, 그대가 선봉에 서줄 수 있겠는가?"

장합이 크게 기뻐하며 말한다.

"충의를 품고 나라에 보답코자 하는 제 마음은 한결같았으나, 이제껏 그 뜻을 알아주는 사람을 만나지 못했습니다. 바야흐로 도독께서 제게 이렇듯 중임을 맡기시니 비록 만번 죽는다 해도 사양하지 않겠습니다."

사마의는 즉시 장합을 선봉으로 삼아 대군을 통솔하게 했다. 또한 곽회로 하여금 농서의 여러 고을을 지키도록 하고, 나머지 장수들은 각기 길을 나누어 전진하게 했다. 얼마쯤 진군해가는데 전군의 정탐병이 달려와 보고한다.

"공명이 대군을 거느리고 기산을 향해 진격해오고 있습니다. 선봉 왕평과 장의는 곧장 진창으로 나와 검각을 지나더니 산관을 거쳐 다시 야곡을 향해 달려오고 있습니다."

사마의가 장합에게 분부한다.

"지금 공명이 대군을 몰고 오는 것은 농서 지방의 밀을 베어 군량으로 삼으려는 것이니, 그대는 기산에 영채를 세우고 지키도록 하오.

나는 곽회와 더불어 천수 여러 군을 돌아보며 촉군이 밀을 베지 못하도록 막겠소."

마침내 장합은 군사 4만을 거느리고 기산을 지키기로 하고, 사마의는 대군을 이끌고 농서 지방을 향해 길을 떠났다.

한편 공명은 기산에 이르러 영채를 세우고 멀리 위수 쪽을 바라보니 어느새 위군들이 만반의 방비태세를 갖추고 있었다. 공명이 여러 장수들에게 말한다.

"저것은 사마의의 군사들임에 틀림없소. 지금 우리는 군량이 부족해 여러 차례 이엄에게 사람을 보내 쌀을 보내라고 재촉했으나 아직까지 도착하지 않았소. 지금쯤 농서 일대의 밀이 무르익었을 것이니 몰래 군사를 이끌고 나가 베어와야겠소."

공명은 왕평·장의·오반·오의 네 장수에게 기산의 영채를 지키도록 맡기고, 몸소 강유·위연 등의 장수들과 함께 노성(鹵城)으로 향했다. 노성 태수는 평소에 공명의 명성을 익히 들어 잘 알고 있던 터라 황망히 성문을 열고 나와 항복했다. 공명이 성안 백성들을 위무한 뒤 조용히 묻는다.

"요즘 어느 곳의 밀이 잘 익었는가?"

노성 태수가 말한다.

"농상(隴上)땅의 밀이 가장 잘 익었습니다."

공명은 곧 장익과 마충에게 노성을 지키게 하고, 자신은 여러 장수들과 삼군을 거느리고 농상으로 향했다. 행군하는 중에 전군의 척후병이 와서 고한다.

"사마의가 벌써 군사를 이끌고 그곳에 와 있습니다."

공명이 크게 놀라 말한다.

"내가 밀을 베러 올 것을 미리 알고 있었구나!"

공명은 즉시 목욕하고 옷을 갈아입더니 사륜거 세 대를 끌어오게 했다. 세 대의 사륜거는 그 모양과 장식이 공명이 늘 타던 것과 같았으니, 공명이 촉에 있을 때 미리 만들어둔 것이었다. 이어 공명은 강유에게 군사 1천명을 거느리고 사륜거를 호위하게 하고, 5백명은 북을 치되 상규땅 뒤쪽에 매복해 있도록 지시했다. 그리고 마대는 왼쪽에, 위연은 오른쪽에 매복하되, 역시 각각 군사 1천명씩을 거느리고 사륜거 한 대씩을 호위하며 군사 5백명을 시켜 북을 치게 했다. 또한 사륜거마다 군사 24명씩을 배치해 모두 검은옷을 입고 맨발에 머리를 풀고 칼을 찬 채 검은 칠성기(七星旗, 북두칠성을 수놓은 기)를 들고 좌우에서 사륜거를 밀도록 했다. 세 장수는 각기 계책을 받고 사륜거를 밀며 떠났다.

공명은 다시 3만 대군 모두에게 영을 내려 밀을 벨 수 있게 낫과 새끼줄을 준비하도록 하는 한편, 힘 좋은 장정 24명에게 검은옷을 입혀 머리를 산발하고 맨발에 칼을 잡고 일제히 자신이 탈 사륜거를 밀도록 했다. 또한 관흥을 천봉(天蓬, 전설에 나오는 천신天神)처럼 꾸미고 손에는 검은 칠성기를 들게 하여 수레 앞에서 걷도록 했다. 이렇듯 만반의 준비를 마친 뒤, 드디어 공명은 사륜거 위에 단정히 앉아 위군 영채로 향했다.

위의 척후병은 이를 보고 너무나 놀라 공명 일행이 귀신인지 사람인지도 분간을 못하고 사마의에게 급히 달려가 보고했다. 사마의가 영채를 나와 보니, 과연 공명이 관을 쓰고 학창의 차림으로 손에 깃털 부채를 들고 단정하게 사륜거 위에 앉아 있었다. 좌우로 24명이 산발하고 칼을 든 채 호위하고, 그 앞에 한 사람이 검은 칠성기를 휘날리

공명은 천신으로 가장해 사마의를 물리치다

며 나오는데 바로 전설로만 들었던 천신 그대로였다. 사마의가 좌우를 돌아보며 말한다.

"또다시 공명이 괴이한 짓을 하는구나."

그러고는 2천 군마를 내어 분부한다.

"너희는 즉시 달려가서 사람이고 수레고 가릴것 없이 저들을 모조리 잡아들여라!"

사마의의 명에 따라 위군들은 일제히 내달리기 시작했다. 이를 본 공명은 곧 사륜거를 돌려세우더니 촉군 영채를 향해 천천히 움직이기 시작했다. 위군들은 맹렬히 말을 몰아 촉군의 뒤를 쫓았다. 그때 갑자기 음산한 바람이 불더니 주위가 온통 차가운 안개에 휩싸여버렸다. 위군들은 한마장 가량 줄곧 뒤쫓았으나 제자리 걸음을 하듯 좀처럼 공명 일행과의 거리를 좁힐 수 없었다. 위군들이 크게 놀라 쫓기를 멈추고 서로 돌아보며 말한다.

"이런 괴이한 일이 있나? 우리가 족히 30리는 부지런히 달렸는데, 바로 눈앞에 있는 것 같은 저들을 잡을 수 없으니 도대체 무슨 영문인지 모르겠구먼."

공명은 위군이 더이상 뒤를 쫓지 않자 슬그머니 수레를 돌려세웠다. 순간 위군이 다시 말을 몰아 촉군을 향해 달려들었다. 공명은 이내 또 사륜거를 돌려세우더니 유유히 달아난다. 위군이 다시 20여리를 뒤따라 달렸으나, 사륜거는 여전히 눈앞에서 손에 잡힐 듯 잡힐 듯 하면서 잡히지 않았다. 위군들은 모두 얼이 빠져 말을 세우고 멍해 있었다. 공명이 또다시 사륜거를 돌려 밀고 나왔다. 그러더니 위군을 마주친 순간 곧 수레를 뒤로 밀며 물러갔다. 위군들이 다시금 추격하려는데 뒤에서 사마의가 한무리의 군사들을 거느리고 쫓아오며 영을 내렸다. 전령이 앞서 달려오며 소리친다.

"뒤쫓지 말고 멈추어라!"

사마의는 위군들 가까이 이르러 말한다.

"공명은 팔문둔갑법(八門遁甲法)에 밝아 능히 육정육갑(六丁六甲, 둔갑법을 쓸 때 부르는 신장神將의 이름)의 신을 부리는데, 이것은 바로 육갑천서(六甲天書)에 있는 축지법(縮地法)이니라. 너희들이 아무리 기를 쓰고 쫓아도 소용이 없다."

사마의의 말에 위군들이 말머리를 돌리려는 참이었다. 갑자기 왼쪽에서 북소리가 요란하게 울리더니 한무리의 군사들이 쏟아져나왔다. 사마의는 급히 군사를 지휘해 적을 막으려 했다. 그때였다. 촉군 가운데에서 검은옷을 입고 머리를 풀어헤친 24명의 장정이 칼을 들고 사륜거를 호위해나오는데, 그 위에는 관을 쓴 공명이 학창의 차림으로 단정히 앉아서 깃털부채를 부치고 있는 게 아닌가. 깜짝 놀란 사마의가 저도 모르게 중얼거렸다.

"아니, 방금 저 수레 위에 앉아 있던 공명을 50리나 쫓아가서도 잡지 못했는데, 어떻게 여기에 다시 나타났단 말인가. 참으로 괴이하구나 괴이해!"

말이 끝나기도 전에 오른쪽에서 또다시 북소리가 울리며 한무리의 날쌘 군사들이 쳐들어오는데, 역시 한가운데 사륜거 위에는 공명이 앉아 있고, 좌우에 똑같은 차림새의 장정 24명이 사륜거를 호위하고 있었다. 너무나 놀라고 어리둥절해진 심신이 어지러워진 사마의가 좌우 장수들을 돌아보며 말한다.

"이는 신병(神兵)임에 틀림없다!"

위군들은 감히 싸울 엄두도 내지 못하고 겁에 질려 달아나기 시작했다. 이때 또다시 북소리가 울리며 한떼의 군사들이 나타나는데, 그 한가운데 사륜거가 있고 그 위에는 공명이 단정히 앉아 있었으며, 사륜거를 호위하는 24명의 장정들도 앞에 본 것과 조금도 다르지 않은 행색이었다.

이제 위군들은 벌벌 떨며 어찌할 바를 몰랐다. 사마의 역시 그들이 사람인지 귀신인지 분간을 못하겠고, 촉군의 수가 많은지 적은지도 알 수 없을 만큼 놀라고 겁에 질려 급히 군사를 물리더니 상규땅으로 달아나 성문을 굳게 닫고는 다시 나오지 않았다. 그 틈을 타서 공명은 3만 군사를 동원해 농상 일대의 밀을 모조리 거두었고, 노성으로 운반해 타작을 하며 말렸다.

사마의는 사흘 동안이나 상규성 안에 틀어박힌 채 감히 나오지 못하다가 촉군이 모두 물러간 뒤에야 비로소 군사를 내보내 정황을 탐지하게 했다. 정탐 나갔던 군사가 촉군 한명을 사로잡아 돌아왔다. 사마의가 문초하자 촉군이 답한다.

"저는 밀을 베던 군사인데, 말을 잃고 헤매다 붙잡혀왔습니다."

"저번에 나타난 신병은 어찌 된 것이냐?"

"세 방면의 복병은 모두 공명이 아니었고, 강유·마대·위연이 각각 1천 군사를 이끌고 사륜거를 호위하고 군사 5백명이 북을 치도록 한 것입니다. 그중에서 처음 장군의 영채로 와서 유인한 사륜거만이 진짜 공명이 타고 있던 수레였습니다."

사마의는 하늘을 우러르며 길게 탄식했다.

"공명의 계략이 참으로 신출귀몰하구나!"

이때 부도독 곽회가 도착했다는 보고가 들어왔다. 사마의가 맞아들이니, 예를 마친 다음 곽회가 말한다.

"지금 노성에서 많지 않은 촉군들이 밀타작을 하고 있다 들었는데, 이 기회에 공격하는 것이 어떻겠습니까?"

사마의가 머리를 내저으며 그간 겪은 일을 상세하게 전했다. 곽회가 한바탕 크게 웃으며 말한다.

"저들이 한때 우리를 속였으나 이제 우리가 다 알았는데 두번이야 속겠습니까? 내가 군사를 이끌고 나가 적의 뒤를 공격할 테니, 공은 앞쪽에서 치십시오. 그렇게 하면 노성을 빼앗고 공명도 사로잡을 수 있을 것입니다."

사마의는 그 말에 따라 군사를 두 대로 나누어 노성으로 향했다.

이때 공명은 노성에서 밀타작을 하고 있었는데, 타작을 격려하다 말고 갑자기 장수들을 불러놓고 영을 내린다.

"오늘밤 반드시 적이 나타나 성을 칠 것이다. 노성 동쪽과 서쪽 밀밭에 복병을 둘 생각인데, 누가 나가겠느냐?"

강유·위연·마충·마대 네 장수가 일제히 나서며 아뢴다.

"저희들이 가겠습니다!"

공명은 크게 기뻐하며 네 장수에게 분부한다.

"강유와 위연은 각각 2천 군사를 거느리고 동남쪽과 서북쪽에, 그리고 마대와 마충은 각각 2천 군사를 거느리고 서남쪽과 동북쪽에 매복해 있다가 포소리가 들리면 사방에서 일제히 일어나 적을 공격하라!"

네 장수 모두 계책을 받고 떠났다. 공명은 화포(火炮, 폭죽)를 지닌 군사 1백여명을 몸소 이끌고 성을 나와 밀밭 속에 숨어 때를 기다렸다.

한편 사마의는 군마를 이끌고 노성 아래 당도했다. 해는 이미 서산으로 기울고 사위가 어두워졌다. 사마의가 여러 장수들에게 말한다.

"밝은 대낮에 공격하면 반드시 적의 방비가 있을 것이니 밤을 타서 공격하는 게 좋겠다. 이곳은 성이 낮고 성 주위에 파놓은 해자도 얕으니 공격하기가 쉬울 것이다."

사마의의 군사들이 성밖에 머물러 있는데 초경(밤 8시) 무렵 곽회 역시 군사를 거느리고 당도했다. 마침내 두 군사는 합세하여 북소리를 크게 울리며 노성을 사방에서 철통같이 에워쌌다. 순간 성위에서는 기다렸다는 듯이 수많은 쇠뇌를 일시에 쏘아대니 화살과 돌이 빗발치듯 날아왔다. 위군은 감히 진격하지 못하였다. 그때 또 갑자기 어디선가 화포가 연달아 터진다. 위군은 크게 놀란데다 어느 곳에서 적들이 쳐들어오는지 알지 못해 안절부절못했다.

곽회가 군사들을 시켜 밀밭을 수색하게 했다. 그런데 이번에는 사방에서 불길이 치솟더니 천지를 뒤흔드는 함성과 함께 네 방면에서 촉군들이 일제히 쇄도해왔다. 동시에 노성의 동서남북 네 문이 일시에 열리더니 촉군들이 쏟아져나오며 안팎으로 호응하여 위군을 무찔렀다. 위군들 중에는 순식간에 죽거나 다친 자가 속출했다. 사마의는 패잔병을 수습해 죽기로써 적의 포위를 뚫고 산꼭대기로 올라갔다. 곽회 역시 패잔병을 이끌고 산 뒤쪽으로 달아나 몸을 숨겼다. 공명은 즉시 성으로 들어가 네명의 장수에게 성 네 귀퉁이에 영채를 세워 지키게 했다. 그때 곽회는 사마의를 만나 앞일을 의논한다.

"우리가 촉군과 맞서싸운 지 오래건만 지금껏 적을 물리칠 계책이 없습니다. 더구나 이번 싸움에서 크게 패해 죽거나 다친 우리 군사가 3천여명이나 되니 만일 서둘러 싸우지 않는다면 나중에는 더더욱 물리치기 어려울 것입니다."

사마의가 묻는다.

"그대에게 좋은 계책이 있소?"

곽회가 말한다.

"내 생각으로는 옹주와 양주 두 고을에 격문을 띄워 그곳 군사의 힘을 빌린다면 서로 힘을 합쳐 적을 소탕할 수 있지 않을까 합니다. 나는 검각으로 가서 적을 습격해 돌아갈 길을 끊고, 그들의 양초 운반로를 막겠습니다. 그러면 필시 적은 혼란에 빠질 것이니, 그때를 기다렸다가 습격하면 적을 섬멸할 수 있을 것입니다."

사마의는 곽회의 말을 받아들여 즉시 격문을 띄워 옹주와 양주의 군마를 청하니, 하루가 지나지 않아 대장 손례가 두 곳의 군사를 거느리고 당도했다. 사마의는 손례에게 명하여 곽회를 도와 검각을 치도록 했다.

한편 공명은 노성에 있으면서 위군이 진격해오기를 기다렸다. 그러나 여러 날이 되어도 위군이 나타나지 않자 마침내 마대와 강유를 성안으로 불러 분부를 내린다.

"지금 위군이 험한 산을 의지한 채 싸우러 나오지 않는 이유는 두 가지요. 하나는 우리의 양식이 부족해질 때를 기다리는 것이고, 또 하나는 군사를 먼저 검각으로 보내 우리의 군량보급로를 끊기 위함이요. 그대들은 각각 1만 군사를 거느리고 먼저 검각으로 가서 험한 길목을 차지하고 있도록 하오. 우리가 대비하고 있음을 알면 위군은 저절로 물러갈 것이오."

두 장수는 명을 받고 떠났다. 그때 장사 양의가 장막으로 들어와 고한다.

"승상께서 말씀하신 대로 대군을 두 반으로 나누어 1백일 기한으로 교대하기로 한 까닭에 한중의 군사들이 이미 서천 어귀를 떠났다는 공문이 왔습니다. 우선 지금 있는 8만명 중에서 4만명을 교대시킬까 합니다."

공명이 말한다.

"이미 영을 내렸으니 속히 교대시키도록 하라."

모든 군사들이 이 소식을 듣고 돌아갈 준비를 하느라 부산했다. 그때 위장 손례가 옹주와 양주 군사 20만을 이끌고 검각을 치러 떠났고, 사마의는 노성을 공격하러 오고 있다는 급보가 들어왔다. 촉군들은 모두 놀라고 당황했다. 양의가 급히 공명을 찾아와 고한다.

"위군이 막강한 기세로 진격해오고 있으니, 승상께서는 지금 있는 군사를 남겨 적군을 물리친 뒤에 새로 오는 군사와 교대시키시는 것이 어떻겠습니까?"

공명은 단호하게 말한다.

"안될 소리요. 내 군사를 부리고 장수들에게 영을 내리는 데 오로지 신의를 근본으로 삼아온 터에 이미 내린 명령을 어찌 어길 수 있겠는가? 돌아가야 할 자들은 속히 준비해 떠나보내도록 하오. 그들의 부모와 처자식들이 사립문에 기대어 서서 기다리고 있을 터인데, 내 아무리 큰 어려움에 처했다 할지라도 그들을 붙잡아둘 수는 없소."

그러고는 즉시 영을 전해 떠나야 할 군사는 오늘 바로 떠나도록 했다. 모든 군사들이 공명의 명령을 전해듣고 하나같이 소리쳤다.

"승상께서 저희들에게 이렇게 큰 은혜를 베푸시니, 저희들은 이대로 돌아갈 수 없습니다. 저희 모두 목숨을 내놓고 위군을 무찔러 승상의 은혜에 보답하고자 합니다."

공명이 군사들에게 말한다.

"너희들은 당연히 집으로 돌아가게 되어 있거늘, 어찌하여 여기 머물겠다는 게냐?"

공명이 다시 물어도 군사들은 모두 집으로 돌아가지 않고 남아서 적과 싸우고자 했다. 공명이 말한다.

"너희가 나와 더불어 싸우기를 원한다면 지금 곧 성밖으로 나가 영채를 세우되, 적이 오거든 숨돌릴 틈도 주지 말고 공격하라. 이것이 바로 '편안히 앉아 멀리서 오는 피로한 적을 치는 법'이니라."

군사들은 즉시 손에 병기를 들고 기쁜 마음으로 성밖으로 나가서 진을 치고 적군이 오기만을 기다렸다.

한편 촉군을 치러 오는 서량의 군마는 이틀길을 하루에 달려오느라 모두가 말할 수 없이 지쳐 있었다. 마침내 노성에 다다른 이들은 우선 영채를 세우고 한숨 돌리려 했다. 그때였다. 갑자기 촉군들이 아우성을 치며 용맹무쌍한 기세로 달려나와 위군을 덮쳤다. 그 무서운 기세에 옹주와 양주의 군사들은 당해내지 못하고 뒤돌아서 달아나기 시작했다. 촉군이 더욱 분발하여 뒤쫓으며 닥치는 대로 시살하니, 금세 들에는 위군의 시체가 가득하고, 흐르는 피가 내를 이루었다. 공명은 성을 나가 승리한 군사들을 수습해 후하게 상을 내리고 군사들의 노고를 높이 치하했다. 그때 갑자기 영안(永安)의 이엄으로부터 급한 서신이 왔다는 보고가 들어왔다. 공명이 크게 놀라 서신을 펴보니, 그 내용은 다음과 같았다.

근자에 듣자니, 동오에서 낙양으로 사신을 보내 위와 화친을 맺었다 합니다. 위가 동오에게 촉을 치라 명했는데, 다행히 동오는 아직 군사를 일으키지 않았다고 합니다. 이제 제가 탐지한 소식을 전해드리오니, 바라건대 승상께서는 한시바삐 좋은 계책을 세우소서.

공명은 서신을 읽고 몹시 놀라고 의아해했다. 즉시 장수들을 불러 모으고 말한다.

"만일 동오가 군사를 일으켜 촉으로 쳐들어온다면 우리는 한시도 지체할 수 없소. 신속히 돌아가야 하오."

그러고는 즉시 명을 내렸다.

"기산 대채의 군사들에게 전령을 보내 서천으로 물러나도록 하라. 내가 이곳에 주둔해 있는 줄 알면 사마의가 그 뒤를 추격하지는 못할 것이다."

마침내 왕평·장의·오반·오의는 두 길로 나뉘어 서서히 서천으로 퇴군하기 시작했다. 장합은 촉군이 물러가는 것을 지켜보면서도 혹시 무슨 계책이 있을까 두려워 감히 추격하지 못했다. 그대신 군사를 이끌고 사마의에게 가서 고한다.

"지금 촉군들이 물러가고 있는데, 무슨 까닭인지 모르겠습니다."

사마의가 말한다.

"공명은 지모가 뛰어나고 속임수가 많은 위인이니 경솔히 움직여서는 안되오. 굳게 지키면서 양식이 떨어져 저들이 저절로 물러가기를 기다리는 것이 낫겠소."

대장 위평이 답답한 듯 말한다.

"촉군이 기산 영채를 거두어 물러나고 있으니 추격해야 합니다. 도독께서는 군사를 움직이지 않고 촉군을 호랑이라도 되는 양 두려워하시니, 장차 천하 사람들의 비웃음을 어찌 면하려 하십니까?"

그래도 사마의는 고집스레 움직이지 않았다.

한편 공명은 기산에 주둔해 있던 군사들이 무사히 퇴각했다는 보고를 받자 마충과 양의를 장막으로 불러 밀계를 내린다.

"그대들은 궁노수 1만명을 거느리고 검각의 목문(木門) 길 양쪽에 매복해 있으라. 위군이 추격해오면 내가 포를 울릴 테니, 그 소리를 신호삼아 나무와 돌을 굴려 저들의 길을 끊고, 양쪽에서 일제히 활을 쏘도록 하라!"

두 사람은 군사를 이끌고 떠났다. 공명은 다시 위연과 관흥을 불러서 뒤를 끊도록 명했다. 그리고 군사들에게 성위 사방에 정기를 꽂고, 성안 여기저기에 건초를 쌓아 사람이 많은 양 불을 지피고 연기를 내도록 지시했다. 그런 뒤 대군을 거느리고 목문 길을 향해 떠났다.

위의 정탐꾼이 이를 탐지해 사마의에게 고한다.

"촉의 대군이 지금 막 성을 나와 떠났습니다. 성안에 남아 있는 자들이 얼마나 되는지는 알 수 없습니다."

사마의는 직접 말을 타고 나가 살펴보았다. 과연 성위에는 정기가 펄럭이고 성안에서는 연기가 피어오르고 있었다. 사마의가 웃으며 말한다.

"성이 비어 있는 게 틀림없구나."

군사를 보내 성을 살피게 하니, 과연 성안은 텅 비어 있었다. 사마의가 크게 기뻐하며 말한다.

"공명이 물러가고 있는데, 누가 그 뒤를 추격하겠느냐?"

선봉장 장합이 나선다.

"제가 추격하겠습니다."

사마의가 머리를 내젓는다.

"그대는 성미가 급하니 보낼 수 없다."

장합이 볼멘소리를 한다.

"도독께서 관을 나설 때 저를 선봉으로 삼으시고서 이제 공을 세울 때가 되었는데 써주지 않으시니 대체 무슨 까닭입니까?"

"촉군이 물러가면서 필시 험한 곳에 복병을 두었을 것이니, 추격하려면 그만큼 신중해야 하오."

"이미 짐작하고 있는 일이니 염려 마십시오."

사마의가 다짐하듯 말한다.

"그대가 그렇게 가고자 했으니, 훗날 절대로 후회하는 일은 없어야 하오."

장합이 단호하게 말한다.

"대장부로서 나라를 위해 목숨을 바쳐 싸운다면 만번 죽어도 여한이 없습니다."

사마의가 마침내 허락한다.

"그대 생각이 정 그렇다면 군사 5천을 이끌고 먼저 출발하되, 위평으로 하여금 보군 2만을 이끌고 뒤따르며 적의 복병을 막도록 하오. 나도 3천 군사를 거느리고 돕도록 하겠소."

장합은 명을 받들고 군사를 재촉하여 촉군을 추격해갔다. 30여리쯤 뒤쫓았을 때였다. 갑자기 배후에서 함성이 일더니 수풀 속에서 한무리의 날쌘 군사들이 달려나왔다. 앞선 대장이 칼을 치켜들고 큰소리로 꾸짖는다.

"적장은 졸개를 이끌고 어디로 가느냐?"

장합이 고개를 돌려 보니 바로 촉장 위연이었다. 장합은 대뜸 화를 내며 말을 돌려세워 맞섰다. 두 사람이 맞서싸운 지 10여합 가량 되었을 때, 위연이 패한 체하며 달아나기 시작했다. 장합이 뒤를 쫓았다. 30여리쯤 뒤쫓다가 혹시 복병이라도 있을까 하여 장합은 주위를 살펴보았다. 다행히 복병은 보이지 않자 장합은 내처 말을 휘몰아 위연의 뒤를 쫓았다. 산모퉁이를 막 돌아서려는데, 또다시 함성이 크게 일면서 한무리의 군사들이 쏟아져나왔다. 선봉에 선 장수는 관흥이었다. 관흥이 큰칼을 비껴들고 말을 멈추면서 큰소리로 외친다.

"장합은 꼼짝마라! 내 이곳에서 너를 기다리고 있었다!"

장합이 말을 몰아붙이며 맞서니, 싸움을 시작한 지 불과 몇합 만에 관흥도 말을 돌려 달아났다. 정신없이 관흥의 뒤를 추격하던 장합은 나무가 빼곡이 들어찬 숲에 다다르자 문득 의심이 들었다. 군사들을 시켜 주위를 살피게 했더니 이번에도 복병은 보이지 않았다. 장합은 마음놓고 계속해서 관흥을 추격했다. 얼마 못 가서 뜻밖에도 위연이 불쑥 나타나 길을 가로막는다. 장합이 다시 위연과 맞서 10여합에 이르렀는데, 위연은 또다시 말머리를 돌려 달아나기 시작했다. 장합이 화가 치밀어 위연을 쫓는데 이번에는 관흥이 나타나 앞을 가로막았다. 장합은 더더욱 분기탱천해 말에 박차를 가하더니 미친 듯이 덤벼들었다. 그렇게 10여합을 싸우는 동안 촉군들은 갑옷이며 병기들을 버리고 달아나 그것들이 길바닥에 가득 널렸다. 위군들은 싸우다 말고 모두 말에서 내려 촉군이 버리고 간 물건들을 줍느라 정신이 없었다.

그러는 동안에도 위연과 관흥은 번갈아 달려나와 장합과 싸우다 달아나고 또 싸우다 달아나기를 반복했다. 장합은 더욱 용맹을 떨치며 그 뒤를 쫓았다. 어느덧 날은 어두워지고 그들은 목문 길목에 이르렀다. 이때 위연이 갑자기 말머리를 돌리더니 장합을 향해 큰소리로 꾸짖는다.

"역적 장합아, 너와 싸울 생각이 없었으나 네가 한사코 따라오니 내 이제 너와 사생결단을 해야겠다!"

장합은 화가 머리끝까지 치밀어 창을 꼬나들고 말을 휘몰아 달려들며 위연을 공격했다. 위연도 장합을 맞이해 칼을 휘둘렀다. 그러나 맞서싸운 지 10여합 만에 위연은 크게 패하여 갑옷과 투구를 모두 버리고 필마로 패잔병을 이끌고 목문 길 안쪽으로 도망쳤다. 기세가 등등해진 장합은 나는 듯이 그 뒤를 쫓았다.

그러는 동안 이미 날이 저물어 주위는 캄캄했다. 그때였다. 갑자기 포소리가 울리더니 산위에서 화염이 번뜩이며 큰돌과 나무토막이 굴러떨어져 길을 막아버렸다. 장합은 그제서야 크게 놀라 적의 속임수에 걸려들었음을 깨달았다.

"아뿔싸, 내가 적의 계교에 빠져들었구나!"

장합은 급히 말머리를 돌리려 했다. 그러나 이미 나무토막과 돌덩이가 굴러떨어져 퇴로도 막혀 있었다. 그 중간에 좁은 공터가 있었으나 양쪽 모두 깎아세운 듯한 절벽이었다. 진퇴양난에 빠진 장합이 오도가도 못하고 있는데 갑자기 방자(梆子, 딱딱이)소리가 요란하게 울렸다. 그와 동시에 양쪽에서 화살이 빗발치듯 날아와 장합과 1백여명의 부장들은 모두 목문 길에서 떼죽음을 당하고 말았다.

후세 사람들이 이 일을 시로 읊었다.

감춰놓은 쇠뇌화살이 살별처럼 쏟아져서	伏弩齊飛萬點星
목문 길 위의 수많은 병사들 거꾸러지네	木門道上射雄兵
지금도 검각을 지나가는 사람들은	至今劍閣行人過

한편 장합이 이미 죽었는데도 알아차리지 못하고 뒤따라 추격해온 위군들은 길이 막힌 것을 보고서야 대장이 계략에 빠졌음을 알았다. 위군들이 급히 물러가려 하는데, 갑자기 산위에서 우렁차게 외치는 소리가 들린다.

"제갈승상이 여기 있다."

위군들이 올려다보니 공명이 불빛 속에 서서 그들을 가리키며 말한다.

"내 오늘 사냥에서 말(사마의司馬懿. 그 성에 있는 말馬자를 빗댐)을 쏘려 했더니 잘못하여 노루(장합. 그 성이 노루 장獐과 음이 같아 빗댐)를 쏘았느니라. 너희들은 안심하고 돌아가 중달에게 전하여라. 조만간 내 손에 사로잡히게 될 것이라고!"

위군들은 돌아가 사마의에게 이 모든 일들을 상세히 고했다. 사마의는 눈물을 흘리며 탄식한다.

"아, 내가 장준예(張雋乂, 장합)를 죽게 했구나!"

사마의는 전의를 잃고 군사를 거두어 낙양으로 돌아갔다. 위주는 장합이 죽었다는 소식을 듣고 슬퍼하며 그의 시신을 거두어 성대하게 장례를 치르게 했다.

한편 공명은 한중으로 돌아왔다. 공명이 후주를 뵙기 위해 성도로 가려 하자 도호 이엄이 그보다 먼저 후주에게 가서 거짓으로 아뢰었다.

"신이 군량을 준비해 보내려던 참이온데, 승상께서 무슨 이유로 갑자기 회군했는지 모르겠나이다."

후주는 즉시 상서 비의로 하여금 한중에 있는 공명을 찾아가 회군한 까닭을 물어오게 했다. 비의가 한중에 이르러 후주의 뜻을 전했다. 공명이 크게 놀라며 말한다.

"이엄에게서 동오가 장차 군사를 일으켜 서천을 범하려 한다는 급보를 받고 황급히 돌아온 것이오."

비의가 말한다.

"이엄이 '이미 군량을 준비해 보내려 했건만 승상이 무슨 까닭으로 회군하였는지 모르겠다'고 아뢰어서 황제께서 제게 연유를 알아오라고 하셨습니다."

공명이 크게 노하여 사람을 시켜 진상을 알아보니, 실상은 이엄이 군량을 기한 내에 마련하지 못하고 혹시 승상에게 벌을 받을까 두려워하다가 급서를 보내 회군하도록 하고, 한편으로는 황제께 거짓으로 고해 제 허물을 숨기려 한 것이었다.

"그놈이 제 한몸을 위해 국가 대사를 망쳤구나!"

공명은 크게 노해 당장 이엄을 잡아다 목을 베려 했다. 옆에 있던 비의가 간한다.

"이엄은 선제께서 탁고하신 신하이니 승상께서는 분을 가라앉히시고 너그러이 용서하소서."

공명은 그 말에 따랐다. 비의가 즉시 표문을 써서 이 사실을 후주에게 아뢰자 표문을 본 후주는 대로하여 무사에게 이엄의 목을 베라 명하였다. 이때 참군 장완이 반열에서 나와 아뢴다.

"이엄은 선제께서 탁고하신 신하이옵니다. 널리 살피시어 은혜를 베푸소서."

후주는 그 말을 좇아 즉시 이엄의 관직을 박탈하고, 평민의 신분으로 내쳐 재동(梓潼)으로 귀양보냈다. 공명은 성도로 돌아와 이엄의 아들 이풍(李豊)을 장사(長史)로 삼고, 마초와 군량을 마련하는 한편 진법과 무예를 강론했다. 또한 병기를 빠짐없이 갖추고 장수와 군사들을 두루 보살피며 3년 후 다시 출정할 것을 선포하니, 양천(兩川, 동천과 서천)의 백성과 군사 들은 모두 공명의 은덕을 칭송했다.

흐르는 세월은 덧없어 어느덧 3년이 지나고, 건흥 12년(234) 2월이었다. 공명이 조정에 들어가 아뢴다.

"군사를 보살핀 지 벌써 3년이 지나 군량과 마초가 풍족하고, 무기도 완비되었으며, 군마가 웅장하니, 이만하면 능히 위를 정벌할 만합니다. 이번에 간사한 역적을 멸하고 중원을 회복하지 못한다면 맹세코 폐하를 다시 뵙지 않겠습니다."

후주가 말한다.

"천하가 바야흐로 정족지세를 이루어 동오와 위도 전혀 서로 침범하지 않거늘, 상보(相父)는 어찌하여 편안히 태평을 누리시려 하지 않습니까?"

공명이 말한다.

"선제께서 베푸신 지우지은(知遇之恩, 자신의 인격과 학식을 알아주고 후히 대우해준 은혜)을 입었으니 신은 꿈에서조차 위를 토벌할 일을 한시도 잊은 적이 없습니다. 충성을 다하고 있는 힘을 다 바쳐 폐하를 위해 중원을 회복하고 한실을 중흥하는 것이 신의 소원이옵니다."

공명이 말을 마치기가 무섭게 반열에서 한 사람이 나선다.

"승상께서는 군사를 일으켜서는 안됩니다!"

사람들이 보니 그는 바로 초주(譙周)였다.

무후가 진력함은 오직 나라 위한 근심인데　武侯盡瘁惟憂國

태사가 천기를 알아 또 천문을 논하네　太史知機又論天

초주가 막고 나선 까닭은 무엇일까?

102_

三
國
志
一

목우와 유마를 만드는 공명

사마의는 북쪽 벌판과 위수 부교를 점거하고
제갈공명은 목우와 유마를 만들다

이때 태사(太史)로 있던 초주는 천문에 밝았다. 공명이 다시 출사
하려는 것을 보고 후주께 아뢴다.

"신은 사천대(司天臺)를 관장하는 사람으로서 폐하께 길흉화복을
아뢰지 않을 수 없사옵니다. 근자에 수만 마리의 새가 남쪽에서 날아
와 한수(漢水)에 떨어져 죽었으니, 이는 상서롭지 못한 징조입니다.
더구나 신이 천상을 보니 규성(奎星)이 태백(太白)의 경계를 범하여
왕성한 기운이 북쪽에 있는지라 위를 치는 것은 불리하옵니다. 또한
성도 백성들이 밤마다 잣나무 우는 소리를 들었다 하옵니다. 이와같

이 재앙과 변괴가 여러 차례 있었으니 승상께서는 삼가 지킬 뿐 함부로 움직여서는 아니 되옵니다."

공명이 말한다.

"나는 선제로부터 탁고의 중임을 받았으니 마땅히 있는 힘을 다해 도적을 멸해야 하거늘, 어찌 그런 허망한 요기(妖氣)로 국가 대사를 망칠 수 있겠소?"

공명은 곧 유사(有司)에게 명해 소열황제(昭烈皇帝, 유비) 사당에 태뢰제(太牢祭, 소·양·돼지의 희생물을 갖춘 나라 제사)를 올리게 했다. 공명이 엎드려 절하고 눈물로써 고한다.

"신 제갈량은 다섯번이나 기산으로 나아갔으나 아직 한치의 땅도 얻지 못하였으니, 어찌 그 죄 가볍다 하오리까. 이제 다시 군사를 거느리고 기산으로 나아가려 하옵니다. 맹세코 한의 역적을 멸하고 중원을 회복할 때까지 몸과 마음을 바쳐 이바지하여 죽은 뒤에나 그만두겠나이다."

공명은 제사를 마치고 후주에게 하직인사를 올린 다음 밤낮없이 말을 달려 한중으로 돌아가 장수들을 불러모으고 출병할 일을 의논했다. 그때 홀연히 급보가 들어왔다. 병석에 누워 있던 관흥이 죽었다는 소식이었다. 공명은 목놓아 슬피 울다 혼절해 쓰러져서 한참 뒤에야 깨어났다. 여러 장수들이 거듭 위로하니 공명이 길게 탄식한다.

"애달프도다, 하늘이 충의로운 인물에게 긴 수명을 주지 않는구나! 내 출정하려는 마당에 또 한명의 뛰어난 대장을 잃었도다!"

후세 사람이 시를 지어 탄식했다.

태어나고 죽음은 인생의 이치 아니던가　　　　　生死人常理

하루살이 한 모양으로 공허하구나　　　　　蜉蝣一樣空

오직 남는 것은 충효의 절개뿐이니　　　　　但存忠孝節

어찌 큰 소나무와 같은 수명이 필요하리　　　何必壽喬松

공명은 34만 대군을 이끌고 다섯 길로 나뉘어 출정길에 올랐다. 먼저 강유와 위연을 선봉으로 삼아 기산으로 나아가 주둔하게 하고, 이회에게는 야곡길 어귀에 군량을 운반해놓고 기다리도록 했다.

한편 위에서는 지난해에 마파정(摩坡井)에서 청룡 한 마리가 나타나 하늘로 오른 일이 있다 하여 이때부터 연호를 청룡(靑龍)이라 고쳤다. 이때는 곧 청룡 2년(234) 2월이었다. 측근 신하가 위주에게 아뢴다.

"변방 관아에서 급보가 날아왔습니다. 촉의 30만 대군이 다섯 길로 나뉘어 기산으로 나왔다고 하옵니다."

위주 조예는 크게 놀라 급히 사마의를 불러들여 묻는다.

"지난 3년 동안 촉이 잠잠하더니 또다시 제갈량이 기산에 나타났다고 하오. 이 일을 어찌하면 좋겠소?"

사마의가 아뢴다.

"신이 밤에 천문을 보니 중원에 왕성한 기운이 가득하고 규성이 태백을 범했으니 이는 서천에 불리한 조짐입니다. 그런데도 공명이 제 재주와 꾀만 믿고 하늘을 거슬러 움직였으니 이는 스스로 패망의 길에 들어선 격입니다. 신이 폐하의 큰 복에 힘입어 나아가 물리치고자 하오니, 다만 네 사람을 함께 데려가게 허락해주십시오."

"경이 추천하는 네 사람은 누구를 말하는가?"

"하후연(夏侯淵)에게는 아들이 넷 있으니 맏아들은 이름이 패(覇)

요 자는 중권(仲權)이고, 둘째아들은 이름이 위(威)요 자는 계권(季
權)입니다. 셋째아들은 이름이 혜(惠)요 자는 치권(稚權)이고, 넷째아
들은 이름이 화(和)요 자는 의권(義權)이라 하옵니다. 하후패와 하후
위는 활쏘고 말타는 솜씨가 뛰어나고, 하후혜와 하후화는 병법에 조
예가 깊습니다. 이들 4형제는 모두 아비의 원수 갚기를 소원하오니,
이제 신이 하후패와 하후위를 좌우 선봉으로 삼고, 하후혜와 하후화
를 행군사마(行軍司馬)로 삼아 함께 군사전략을 도모하여 촉군을 물
리치고자 하나이다.”

조예가 묻는다.

“지난날 부마 하후무는 군사전략을 잘못 써서 허다한 군마를 잃고
면목이 없어 이제껏 돌아오지도 못하고 있는데, 그 네 사람도 하후무
와 같은 자들이 아니오?”

사마의가 강하게 말한다.

“4형제 모두 하후무와는 비할 바가 아닙니다.”

조예는 사마의의 청을 받아들였다. 사마의를 대도독으로 삼고, 모
든 장수들의 재주를 헤아려 재량껏 등용하고 각처의 군사를 징발할
수 있는 권한을 주었다. 사마의가 명을 받들어 하직하고 출정하는 날
조예는 손수 조서를 써서 사마의에게 내렸다.

경이 위수가에 이르거든 보루를 튼튼히 쌓아 굳게 지키고 함부로
싸우지 말라. 촉군은 우리가 그들의 뜻대로 움직이지 않으면 거짓
으로 퇴군하는 척 유인할 것이니, 그대는 부디 신중히 생각하여 쫓
지 말고 그들의 양식이 떨어질 때를 기다렸다가, 마침내 그들이 물
러갈 때 그 틈을 타서 공격한다면 승리를 얻기 그리 어렵지 않으리

라. 이렇게 하면 또한 군마도 피로하지 않을 터이니, 이보다 좋은 계책이 어디 있겠는가.

사마의는 머리를 조아려 조서를 받고 그날로 길을 떠나 장안에 도착해 각처의 군사를 불러모으니 40만이었다. 사마의는 이들을 이끌고 위수에 당도하여 영채를 세우는 한편, 군사 5만을 동원해 위수 위에 9개의 부교(浮橋)를 설치하게 했다. 그런 뒤 선봉장 하후패와 하후위에게 위수를 건너 영채를 세우게 하고, 다시 대채 뒤 동쪽 벌판에 성을 쌓아올려 만일의 사태에 대비하도록 했다. 사마의가 여러 장수들과 의논하고 있는데 곽회와 손례가 도착했다는 보고가 들어왔다. 두 사람을 맞아들여 서로 절하여 예를 올리고 나자 곽회가 말한다.

"지금 촉군은 기산에 주둔해 있는데, 만일 위수를 건너서 북원(北原)으로 올라와 북산의 군사와 연합해 농서로 통하는 길을 끊는다면 참으로 큰일입니다."

사마의가 말한다.

"참으로 옳은 말이오. 그대 두 사람은 농서의 군사를 거느리고 북원에 영채를 세우도록 하시오. 해자를 깊이 파고 보루를 높게 쌓아 적들이 쳐들어와도 움직이지 말고 있다가 저들의 양식이 끊길 때를 기다려 공격하도록 하오."

사마의의 명령을 받은 곽회와 손례는 군사를 거느리고 영채를 세우러 떠났다.

한편 공명은 다시 기산에 이르러 다섯 채의 영채를 세웠다. 한 채는 한복판에 세우고 그 전후좌우에 에워싸듯 네 채를 세웠다. 그리고 다시 야곡에서 검각에 이르기까지 연이어 열네 채의 영채를 구축해 군마를 나누어 주둔하고 장기전에 대비하는 한편, 날마다 군사를 시켜 순찰하게 했다. 어느날 정탐꾼이 와서 고한다.

"곽회와 손례가 농서의 군사를 이끌고 진군해와서 북원에 영채를 세웠습니다."

공명이 장수들을 불러모은 뒤 계책을 말한다.

"위군이 북원에 영채를 세운 것은 우리가 그 길을 취하여 농서로 가는 길목을 끊을까 두려워서이다. 나는 이제 북원을 치는 체하며 슬그머니 위수를 취할 것이니, 먼저 군사들에게 뗏목 1백여척을 만들게 하라. 뗏목 위에 건초를 가득 싣고 물에 익숙한 군사 5천명을 뽑아 태우고 기다리라. 내가 한밤중에 북원을 공격하면 반드시 사마의가 군사를 이끌고 구하러 나올 터이니, 저들이 조금이라도 물러나는 기미가 보이면 후군으로 하여금 먼저 강을 건너게 하라. 전군은 뗏목에 타고 있다가 육지에는 오르지 말고 물길을 따라 내려가며 부교를 만나거든 불살라버리고 적의 배후를 치도록 하라. 나는 한무리의 군사들을 거느리고 가서 적의 영채 앞문을 취할 터이니, 만일 우리가 이번걸음에 위수 남쪽을 얻고 나면 앞으로 진군하는 데 어려움이 없을 것이다."

모든 장수들은 공명의 분부에 따라 일사불란하게 움직였다.

일찌감치 위군의 정탐꾼이 이 소식을 사마의에게 전했다. 사마의는 여러 장수들을 불러놓고 말한다.

"공명의 움직임에는 필시 뭔가 다른 계책이 숨어 있다. 아마 북원을 칠 것처럼 한 다음, 물길을 타고 내려와 부교를 태워버림으로써 우리의 후방을 어지럽히는 동시에 전방을 치려는 게 틀림없다."

즉시 하후패와 하후위에게 분부한다.

"두 사람은 북원에서 함성이 터져오르거든, 즉시 군사를 거느리고 위수 남쪽 산속으로 가서 촉군이 오기를 기다렸다가 공격하라."

이어 장호와 악침에게 명한다.

"그대들은 궁노수 2천명을 거느리고 위수의 부교 북쪽에 매복했다가, 만일 촉군이 뗏목을 타고 나타나거든 일제히 화살을 쏘아 감히 다리 가까이 접근하지 못하도록 하라."

그러고는 곽회와 손례에게 전령을 보내 일렀다.

"공명이 북원으로 온다면 필시 위수를 건널 터인즉, 그대들은 새로 영채를 세운 터라 군마가 많지 않으니 길 중간쯤에 매복해 있도록 하라. 촉군이 오후에 물을 건너 황혼 무렵에나 공격을 감행할 것이니, 짐짓 패한 체 달아나다가 촉군이 추격해올 때를 기다려 일제히 활을 쏘도록 하라. 나는 수륙 양로로 진격할 것이니, 만일 촉군이 몰려오거든 그때는 나의 지휘에 따라 공격하도록 하라."

사마의는 각각 명령을 내린 다음 두 아들 사마사(司馬師)와 사마소(司馬昭)로 하여금 군사를 거느리고 영채 앞을 지키게 했다. 그리고 자신은 한무리의 군사들을 이끌고 북원을 구원하러 떠났다.

이때 공명은 위연과 마대에게 군사를 거느리고 위수를 건너 북원을 치도록 명하고, 오반과 오의에게는 뗏목을 타고 내려가 부교를 불태울 것을 지시했다. 왕평과 장의를 전군으로 삼고, 강유와 마충을 중군으로, 요화와 장익을 후군으로 삼아 군사를 세 길로 나누어 위수 근방의 영채를 치게 했다.

그날 오시(午時, 오후 12시)를 기해 대채를 떠난 촉군은 무사히 위수를 건넌 후, 진을 벌이며 천천히 앞으로 나아가고 있었다. 위연과 마대가 북원 가까이 이르렀을 때는 이미 황혼 무렵이었다. 위의 손례는 촉군을 보자 싸울 생각도 않고 그대로 영채를 버리고 달아나기 시작했다. 위연은 적에게 계략이 있음을 눈치채고 급히 군사를 물리려 했다. 그때 갑자기 사방에서 하늘을 찌를 듯한 함성이 터져나오더니 왼쪽에서 사마의가, 오른쪽에서는 곽회가 나타나 양쪽에서 협공해들어왔다. 위연과 마대가 분발하여 위군을 무찌르며 길을 뚫고 나왔으나 촉군은 태반이 물에 빠져죽고, 남은 군사는 도망갈 길을 찾지 못해 우왕좌왕했다. 천만다행으로 이때 오의가 군사를 몰고 달려와 패잔병을 구해내고 강을 건너가 적을 막았다.

한편 오반은 군사를 절반으로 갈라 뗏목을 타고 부교를 불태우러 내려오다가 강기슭에 매복해 있던 장호와 악침의 군사들을 만났다. 오반을 비롯한 수많은 촉군이 언덕 위에서 비오듯 쏘아대는 화살에 맞아 강물에 떨어져 죽고 나머지 군사들은 물속으로 뛰어들어 도망쳤다. 뗏목은 모조리 위군 손에 들어가고 말았다. 이때 왕평과 장의는 북원에서 아군이 패한 줄도 모르고 위의 영채를 향해 달려갔다. 때는 이미 2경인데 갑자기 사방에서 함성이 터져나온다. 왕평이 장의를 돌아보며 말한다.

"마대와 위연의 군사가 북원으로 갔는데 그 승패를 모르겠고, 위수 남쪽의 위군 영채가 바로 눈앞에 있는데 어째서 위군이 한명도 보이지 않는지 이상하오. 사마의가 이미 알고 대비한 듯하니, 부교에 불길이 일어나는 것을 확인한 뒤에 행동합시다."

왕평과 장의가 잠시 군사를 멈추는데, 등뒤에서 전령이 달려오며 소리친다.

"군사를 급히 돌리라는 승상의 명이시오! 북원으로 간 군사들과 뗏목을 타고 내려간 군사들 모두 참패를 당했다고 합니다."

왕평과 장의는 크게 놀라 급히 군사를 돌리려 했다. 그때 갑자기 포소리가 울리더니 위군들이 뒤쪽에서 일제히 덤벼들어 뒤를 끊으며 짓쳐들어온다. 화광이 충천한 가운데 촉군은 적을 맞아 한바탕 혼전을 치렀다. 왕평과 장의는 죽을 힘을 다해 혈로를 뚫고 포위를 벗어났으나, 이 싸움에서 촉군의 반 이상이 죽거나 부상을 당했다.

공명은 기산의 대채로 돌아와 군사를 수습했다. 이번 싸움에서 잃은 군사가 거의 1만여명이나 되었다. 공명은 몹시 괴로워하며 잠을 이루지 못했다. 하루는 성도로부터 비의가 공명을 찾아왔다는 보고가 들어왔다. 공명이 비의를 안으로 청해들여 예를 마치고 말한다.

"내 동오로 서신을 한통 보내고 싶은데, 그대가 전해줄 수 있겠소?"

비의가 대답한다.

"승상의 명을 어찌 마다하겠습니까?"

공명은 즉시 글을 써서 비의에게 주어 동오로 보냈다. 비의는 건업에 이르러 오주 손권을 뵙고 공명의 서신을 전했다. 손권이 편지를 뜯어보니 다음과 같았다.

한실이 불행하여 나라의 기강을 잃으니 조적(曹賊)이 찬역하여 오늘에 이르렀나이다. 제갈량이 소열황제로부터 무거운 부탁을 받았으니 어찌 힘을 다하고 충성을 다하지 않겠습니까. 이제 대군이 기산에 모이고 미친 도적을 위수에서 무찌르고자 하오니, 엎드려 바라옵건대 폐하께서는 촉과 맺은 동맹의 의를 생각하시어 장수들에게 북정(北征)을 명하소서. 그리하여 함께 중원을 취하고 함께 천하를 나누소서. 글로 말을 다할 수 없으니 굽어살피시기를 바라나이다.

손권은 공명의 서신을 읽고 매우 기뻐하며 비의에게 말한다.

"짐이 오래 전부터 군사를 일으키고 싶었으나 공명과 회합할 기회를 얻지 못하였소. 이렇듯 편지를 받았으니 짐은 곧 군사를 일으켜 거소(居巢)로 들어가 위의 신성(新城)을 취하겠소. 육손(陸遜)과 제갈근(諸葛瑾) 등으로 강하(江夏)와 면구(沔口)에 주둔케 하여 양양을 취하도록 하고, 손소(孫韶)와 장승(張承) 등에게 광릉(廣陵)으로 출군하여 회양(淮陽) 등을 취하게 하겠소. 이렇듯 세 곳으로 군사 30만을 일제히 움직이도록 하리다."

비의는 일어나 절하고 사의를 표했다.

"진실로 그리 해주신다면 오래지 않아 중원은 저절로 무너질 것입니다."

손권은 잔치를 베풀어 비의를 대접했다. 술을 마시다가 손권이 비의에게 묻는다.

"승상은 누구를 선봉장으로 쓰시오?"

비의가 대답한다.

"위연입니다."

손권이 웃으며 말한다.

"위연은 용력은 있으나 마음이 바르지 못하오. 공명만 없으면 하루아침에 화근이 될 터인데, 공명은 어찌하여 이를 모르시는가?"

비의가 말한다.

"지당하신 말씀이십니다. 신이 돌아가 폐하의 말씀을 승상께 고하겠습니다."

비의는 손권에게 절하여 하직하고 기산으로 돌아와서 공명에게 지금까지의 일을 고한다.

"동오의 손권이 30만 대군을 일으켜 세 길로 나누어 몸소 진군하겠다고 했습니다."

공명이 반가워하며 묻는다.

"오주가 그밖에 다른 말은 하지 않았소?"

비의가 위연에 대한 손권의 말을 그대로 전하자 공명이 탄식하여 말한다.

"손권은 참으로 총명한 주인이로다! 나 역시 위연의 사람됨을 모르지 않으나 다만 그 용력이 아까워 쓰고 있소."

비의가 조심스럽게 말한다.

"승상께서는 속히 조처하십시오."

"내게도 생각이 있소."

비의는 공명에게 하직하고 성도로 돌아갔다. 공명이 수하장수들과 더불어 진군할 일을 의논하고 있는데 갑자기 적장 한명이 투항해왔다는 보고가 들어왔다. 공명은 당장 투항한 장수를 불러들여 그 이유를 물었다. 투항한 장수가 대답한다.

"저는 위의 편장군 정문(鄭文)입니다. 근자에 저는 진랑(秦朗)과 더불어 군사를 거느리고 사마의의 휘하에 있었는데, 사마의가 사사로운 정에 치우쳐 진랑만 전장군으로 삼고 저를 한낱 초개처럼 여기는지라 불만을 품고 투항했습니다. 아무쪼록 승상께서는 돌아갈 길 없는 이 몸을 거두어주소서."

이때 사람이 들어와 고한다.

"진랑이 군사를 거느리고 영채 밖에 와서 정문을 잡겠다고 싸움을 청하고 있습니다."

공명이 정문에게 묻는다.

"진랑의 무예가 그대와 비교하면 어떠한가?"

정문이 선뜻 말한다.

"당장 달려가 그놈의 목을 베어오겠습니다."

공명이 말한다.

"네가 진랑의 목을 가져온다면 그땐 너를 의심하지 않으리라."

정문은 진랑과 싸우기 위해 흔쾌히 말을 타고 영채를 나섰다. 공명은 직접 영채를 나와 그들이 싸우는 모습을 지켜보았다. 진랑이 창을 치켜들고 큰소리로 정문을 꾸짖는다.

"반역한 도적놈이 내 말을 훔쳐탔구나. 당장 내놓아라!"

진랑이 말을 맺기가 무섭게 정문에게 달려드니, 정문도 말을 휘몰아 달려나왔다. 그러나 정문의 칼이 한번 번뜩이자 진랑의 목이 땅에 떨어지고 말았다. 위군은 겁을 집어먹고 제각기 줄행랑을 쳤다. 정문은 의기양양하게 진랑의 머리를 들고 돌아왔다. 이미 장막에 돌아와 좌정하고 있던 공명이 정문을 불러들였다. 정문이 들어오자 공명은 느닷없이 버럭 화를 내며 좌우 무사에게 호령한다.

"저놈을 당장 끌어내 목을 베어라!"

정문이 깜짝 놀라 말한다.

"소장은 죄가 없습니다."

공명이 날카롭게 추궁한다.

"내가 알기로 방금 네가 벤 자는 진랑이 아니다. 여기가 어딘 줄 알고 함부로 나를 속이려 드느냐?"

정문이 마침내 더 버티지 못하고 절하며 아뢴다.

"사실 그자는 진랑의 아우 진명(秦明)이옵니다."

공명이 웃으며 말한다.

"사마의가 네게 거짓항복하게 하여 일을 꾸미려 했던 모양이나 어찌 나를 속일 수 있겠느냐. 당장 사실대로 말하지 않으면 죽음을 면치 못하리라."

정문은 그제서야 거짓항복해왔음을 실토하며 울면서 목숨을 구걸했다. 공명이 말한다.

"네 목숨을 구하고 싶으면 지금 곧 편지를 써서 사마의로 하여금 우리 영채를 공격해오게 하여라. 그러면 네 목숨을 살려주겠다. 만일 사마의를 사로잡게 되면 그 또한 너의 공로이니 내 마땅히 너를 중용하리라."

정문이 사마의에게 보내는 서신 한통을 써서 바치자 공명은 그를 옥에 가두어두게 했다. 곁에 있던 번건(樊建)이 묻는다.

"승상께서는 거짓투항한 줄을 어찌 아셨습니까?"

공명이 대답한다.

"사마의는 절대 사람을 가볍게 쓰지 않소. 정문의 말대로 진랑을 전장군으로 삼았다면 반드시 무예가 출중할 터인데 정문의 단칼에 죽었으니, 어찌 그를 진랑이라 볼 수 있겠는가? 그래서 정문이 거짓으로 항복한 줄 안 것이오."

그 말에 그 자리에 있던 사람들은 모두 감탄하여 절했다. 공명은 좌우에서 사람들을 물린 다음 말솜씨 좋은 군사를 뽑아 귓속말로 계책을 일러주고는 정문의 편지를 주어 사마의의 영채로 보냈다. 공명의 명을 받은 군사가 위의 영채에 이르러 사마의에게 편지를 전했다. 사마의가 편지를 읽고 나서 묻는다.

"너는 누구냐?"

군사가 대답한다.

"저는 원래 중원 사람으로 어찌하다 촉나라로 흘러들어가 살고 있습니다. 정문 장군은 저와 동향 사람으로, 이번에 공명이 정문 장군의 공을 인정해 선봉으로 삼았는데, 정장군께서 특별히 저를 불러 편지를 전해달라 부탁하여 이곳에 왔습니다. 정장군이 말하기를, 내일밤 횃불을 올려 신호를 보낼 터이니 도독께서 친히 대군을 이끌고 와서 촉군 영채를 습격하시면 안에서 호응하겠다고 합니다."

사마의는 한참을 더 꼬치꼬치 캐묻고 다시 한번 자세히 편지를 살펴보았다. 그러나 거짓된 점을 찾을 수는 없었다. 즉시 그 군사에게 술과 음식을 내려 대접하고는 분부한다.

"내 오늘밤 2경을 기해 촉군 영채를 공격하겠다. 만일 대사를 이룬다면 내 너를 중히 쓰리라."

군사는 사마의에게 절을 올려 작별하고 촉의 영채로 돌아와서 즉시 공명에게 상세히 보고했다. 공명은 칼을 들고 북두성 별자리를 밟듯 걸으며(보강步罡. 북두칠성에 기원하는 동작) 축원을 마친 뒤 왕평과 장의를 불러 앞으로의 계책을 은밀히 지시했다. 마충과 마대에게도 명을 내리고, 마지막으로 위연을 불러 분부를 내렸다. 공명 자신은 군사 수십 명을 거느리고 산위에 자리잡고 앉아서 전군을 지휘하기로 했다.

한편 사마의는 정문의 서신을 보고 나서 두 아들과 함께 대군을 이끌고 촉군의 영채를 공격하러 떠났다. 맏아들 사마사가 간한다.

"아버님께서는 어찌하여 그까짓 종이쪽지를 믿고 위험한 곳으로 몸소 들어가려 하십니까? 만일에 무슨 일이라도 생기면 그때는 어찌시렵니까? 그러니 다른 장수를 먼저 보낸 뒤에 아버님께서 뒤따라가

시는 게 좋겠습니다."

사마의는 그 말에 따라 진랑에게 군사 1만을 거느리고 촉군 영채를 급습하라 명하고, 자신은 뒤따라 떠났다. 그날밤 초경 무렵에는 달이 밝고 바람이 잔잔하더니 2경쯤 되자 난데없는 검은 구름이 사방에서 일어나며 하늘이 온통 어두운 기운으로 가득 찼다. 코앞에 있는 사람의 얼굴도 알아보기 어려울 지경이었다. 사마의가 기뻐한다.

"하늘이 나를 도우시는구나!"

마침내 위군은 모두 함매하고 말에 재갈을 물려 전진하기 시작했다. 진랑의 1만 대군이 먼저 촉군의 영채에 도착해 바람을 일으키며 쳐들어갔다. 그러나 영채 안은 텅 비어 있었다. 계책에 빠졌음을 깨달은 진랑은 크게 소리쳐 군사를 물리려 했다. 그때 사방에서 횃불이 오르며 함성이 온땅을 뒤흔들더니 왼쪽에서는 왕평과 장의가, 오른쪽에서는 마대와 마충이 군사를 휘몰아 덮쳐왔다. 진랑은 죽기로 싸웠으나 적의 포위를 뚫지 못하고 급박한 위기에 몰리고 말았다.

뒤따라오던 사마의는 촉군의 영채에서 불길이 치솟고 함성이 터져 나오자 어느 쪽이 이기고 있는지 분별할 수 없었으나 돕기 위해 무조건 불빛을 쫓아 말을 달렸다. 얼마 못 가 또다른 함성이 터져올랐다. 북소리 피릿소리가 하늘을 찢을 듯 요란하고 화포가 땅을 갈라놓을 듯한 가운데 왼쪽에서는 매복해 있던 위연이, 오른쪽에서는 강유가 뛰어나와 협공하며 위군을 닥치는 대로 쳐죽였다. 이 싸움에서 위군은 대패하여 열에 여덟, 아홉은 죽거나 상하고 남은 자들은 사방으로 목숨을 구해 달아났다. 촉군의 포위 속에 갇혀 있던 진랑 역시 메뚜기떼처럼 날아드는 화살을 맞고 목숨을 잃었다. 사마의는 패잔병을 이끌고 달아났다.

어느덧 3경이 되었다. 앞을 분간할 수 없던 어둠이 걷히며 하늘이 개더니 달빛이 밝게 빛났다. 공명은 산꼭대기에서 징을 쳐서 군사를 수습했다. 본래 2경 무렵 하늘을 뒤덮었던 어두운 구름은 공명이 둔갑법을 썼기 때문이고, 군사를 거두고 나서 다시 하늘이 맑아진 것은 육정육갑을 부려 구름을 흩어버렸기 때문이다.

승리를 거둔 공명은 영채로 돌아와 정문을 끌어내 목을 베었다. 그리고 다시 위수 남쪽을 칠 일을 의논했다. 공명은 날마다 군사를 내보내 위군 영채 앞에서 싸움을 걸었으나, 위군은 굳게 지키기만 하고 나오지 않았다. 공명은 몸소 작은 수레를 타고 기산 앞으로 나가 위수의 동서쪽 지형을 살피다가 골짜기 하나를 발견했다. 그 골짜기의 형상은 마치 호리병 같아서 안쪽은 군사 1천명이 들어갈 만큼 넓었고 또 양쪽의 산이 모여 골짜기를 이루고 있어 4,5백명쯤은 족히 들어갈 만해 보였다. 뒤쪽으로는 두 산이 길게 끼고 둘러 있어 한 사람이 말을 타고 겨우 통과할 수 있을 정도였다. 공명은 이를 보고 마음속으로 기뻐하며 길을 안내하는 사람에게 물었다.

"이곳 지명은 어떻게 되는가?"

"상방곡(上方谷)인데 호로곡(葫蘆谷)이라고도 합니다."

공명은 장막으로 돌아와 비장(裨將) 두예(杜睿)와 호충(胡忠)을 불러 은밀히 분부를 내린 다음, 군중에 있는 목공 1천여명을 뽑아 호로곡으로 보내 그곳에서 '목우(木牛)'와 '유마(流馬)'를 만들게 했다. 마대에게는 군사 5백명을 거느리고 호로곡 어귀를 지키게 했다. 공명이 마대에게 특별히 당부한다.

"절대로 목공들을 호로곡 밖으로 나가지 못하게 하고, 또 외부인이 안으로 들어가지도 못하게 하라. 내가 불시에 점검할 것이다. 사마의를 잡을 계교가 오로지 이번 일에 달렸으니, 절대 이 사실이 밖으로 새나가서는 안된다."

마대가 명령을 받고 떠났다. 두예와 호충은 목공들을 재촉하여 분주히 목우와 유마를 만들기 시작했다. 공명은 날마다 그곳에 들러 몸소 살펴보고 지시하기를 게을리하지 않았다. 하루는 장사 양의가 들어와 묻는다.

"지금 모든 군량이 검각에 있는데, 인부와 소달구지로는 운반하기가 불편하니 어찌하면 좋겠습니까?"

공명은 웃으며 말한다.

"내 이미 오래 전에 다 생각해두었소. 지난번에 실어온 목재와 서천에서 구해온 큰 나무로 목공들을 시켜 '목우'와 '유마'를 만들고 있으니 군량 운반은 염려 마시오. 이 나무로 만든 소와 말은 먹지도 마시지도 않은 채 밤낮을 가리지 않고 군량을 운반할 것이오."

여러 장수들이 모두 놀란다.

"예로부터 '목우' '유마'라는 말을 들어본 적이 없는데, 승상께서는 무슨 묘법으로 그런 기이한 물건을 만드십니까?"

공명이 말한다.

"아직 만들고 있는 중이고 완성하지는 못했으나, 이제 '목우'와 '유마' 제조법에 대해 자세히 그 척(尺), 촌(寸)과 둥글고 모난 것이며, 길고 짧고 좁고 너른 것을 적을 테니 다들 보도록 하라."

공명은 그 자리에서 종이 위에 목우와 유마 제작법을 적어가며 설명하기 시작했다. 모든 장수들이 빙 둘러서서 이를 지켜보았다. 공명의 목우 제작법은 다음과 같다.

네모난 배에 머리는 둥글고, 배에 다리가 넷이며, 머리는 목 안으로 들어갈 수 있고, 혓바닥은 배에 붙어 있다. 많이 실으면 걸음이 느리나 혼자 갈 때는 수십리, 떼지어 갈 때는 20리를 족히 갈 수 있다. 굽은 것은 소의 머리가 되고, 쌍이 되는 것은 소의 발이 되며, 옆으로 가로지른 것은 소의 목덜미가 되고, 돌아가는 것은 소의 다리가 되며, 덮인 것은 소의 잔등, 네모난 것은 소의 배, 아래로 드리워진 것은 소의 혓바닥, 굽은 것은 소의 늑골, 파서 새긴 것은 소의 이빨, 선 것은 쇠뿔, 가느다란 것은 소의 굴레, 잡아맨 것은 소의 꼬리끈이다. 소는 수레채 둘을 끄는데, 사람이 여섯 자를 가면 소는 네 걸음을 간다. 소 한 마리가 열 사람의 한달치 양식을 싣는데, 사람은 크게 수고롭지 않으며 소는 마시지도 먹지도 않는다.

유마 제조법은 또 다음과 같다.

갈빗대의 길이는 3척 5촌, 너비는 3촌, 두께는 2촌 2푼으로 좌우가 같다. 앞바퀴의 굴대구멍은 먹줄을 치니 머리에서 4촌 되는 곳에 있고, 지름은 2촌이다. 앞다리의 구멍은 먹줄을 치니 2촌으로, 앞바퀴 굴대구멍까지 4촌 5푼, 너비는 1촌이다. 앞가름대 구멍은 앞다리의 구멍까지 먹줄을 쳐 2촌 7푼 되는 곳에 내며, 구멍의 길이는 2촌이요, 너비는 1촌이 된다.

뒷바퀴 굴대구멍은 앞가름대에서 먹줄을 치니 1척 5촌 떨어져 있는데, 크기는 앞바퀴 굴대구멍과 같다. 뒷다리의 구멍은 먹줄을 쳐 뒷바퀴 굴대구멍에서 3촌 5푼 떨어진 곳에 내는데, 크기는 앞다

공명은 호로곡에서 목우와 유마를 만들다

리의 구멍과 같다. 뒷가름대 구멍은 뒷다리 구멍에서 먹줄을 쳐 2촌 7푼 떨어진 곳에 내며, 뒤의 적재함은 뒷가름대의 구멍에서 먹줄을 치니 4촌 5푼 떨어져 있다. 앞가름대의 길이는 1척 8촌, 너비는 2촌, 두께는 1촌 5푼이다. 뒷가름대도 이와 같다. 널판지로 만든 상자가 두 개인데 두께는 8푼, 길이는 2척 7촌, 높이는 1척 6촌 5푼에 너비는 1척 6촌, 한 상자마다 쌀 두 섬 세 말이 들어간다. 그 위에 걸치는 가름대의 구멍은 갈빗대 아래로 7촌 되는 곳에 내니 앞뒤가 똑같다.

위의 가름대 구멍은 아래 가름대 구멍에서 먹줄을 쳐 1척 3촌 떨어진 곳에 내며, 구멍의 길이는 1촌 5푼, 너비가 7푼으로 여덟 구멍이 모두 같다. 앞뒤 네 다리는 너비가 2촌, 두께가 1촌 5푼이다. 모양은 코끼리와 비슷한데 마른 가죽의 길이는 4촌, 지름은 4촌 3푼이다. 구멍지름 안에 세 다리의 가름대를 걸치니, 길이는 2척 1촌이요, 너비는 1촌 5푼, 두께는 1촌 4푼으로 가름대와 같다.

지켜보던 여러 장수들은 일제히 엎드려 절하며 한입으로 말한다.
"승상은 과연 신인이십니다."
며칠 뒤 목우와 유마가 모두 완성되었는데 과연 산 짐승과 다를 바 없었다. 산을 오르고 고개를 내려오는데 그 편리함은 말로 다할 수 없었다. 보고 있던 군사들 모두 기뻐해 마지않았다. 공명은 우장군 고상(高翔)에게 군사 1천명을 주어 목우와 유마를 몰고 검각과 기산 영채를 오가며 군량과 마초를 운반해 촉군에 공급하게 했다.
후세 사람이 공명을 칭송하는 시를 지었다.

검각의 험준한 고개로 유마가 치닫고　　　　劍關險峻驅流馬

야곡의 가파른 길을 목우가 가네　　　　　　斜谷崎嶇駕木牛

후세에 만약 이같은 법을 쓴다면　　　　　　後世若能行此法

수송하는 데에 어찌 사람의 근심 있을까　　　輸將安得使人愁

한편 사마의는 근심에 빠져 있었다. 하루는 정탐하러 갔던 척후병
이 달려와 아뢴다.

"지금 촉군은 나무로 만든 목우와 유마를 써서 군량과 마초를 나르
고 있습니다. 사람은 전혀 힘이 들지 않고, 먹이도 줄 필요가 없다고
합니다."

사마의가 크게 놀라 말한다.

"내가 이렇게 싸우지 않고 지키고만 있는 것은 오로지 촉진에 군량
과 마초가 떨어지기를 바라서인데, 저들이 그런 방법을 강구해냈다면
쉽게 물러가지 않겠구나. 장차 이 일을 어찌해야 좋은가!"

사마의는 급히 장호와 악침 두 장수를 불러 분부한다.

"그대들은 각기 군사 5백명을 거느리고 야곡 소로로 나가라. 촉군
들이 목우와 유마로 양식을 운반하거든, 그들이 지나기를 기다렸다가
일제히 덮쳐들어 목우와 유마를 많이는 말고 네댓 마리만 빼앗아오도
록 하라."

두 장수는 명을 받고 각기 군사 5백명씩을 촉군으로 변장시켜 거느
리고 야음을 타서 소로로 침투해 골짜기 안에 매복하고 기다렸다. 과
연 촉장 고상이 목우와 유마를 이끌고 나타났다. 이들이 거의 다 지나
가기를 기다렸다가 길 양쪽에 매복해 있던 위군은 동시에 북을 울리
며 뛰쳐나갔다. 갑작스런 위군의 기습에 미처 손을 쓰지 못한 촉군은

목우와 유마 몇마리를 버려둔 채 그대로 달아났다. 장호와 악침은 기뻐하며 목우와 유마를 몰고 돌아왔다. 사마의가 목우와 유마를 자세히 살펴보니 참으로 정교하여 자유자재로 앞으로 나가고 뒤로 물러서는 모양이 마치 산 짐승과도 같았다. 사마의가 기뻐하며 말한다.

"너희만 이것들을 쓰고 나라고 만들어 쓰지 말란 법이 있겠느냐?"

사마의는 즉시 솜씨 좋은 목공 1백여명을 불러들였다. 그리고 촉군에게서 빼앗아온 목우와 유마를 뜯어보고 똑같은 너비와 길이와 두께로 나무를 깎아 만들도록 분부했다. 목공들은 불과 반달이 못 되어 2천여 마리나 만들어냈는데 그 성능 또한 공명이 만든 것에 결코 뒤지지 않았다. 사마의는 진원장군(鎭遠將軍) 잠위(岑威)에게 즉시 군사 1천명을 거느리고 완성된 목우와 유마를 이용해 농서의 양초를 운반해오도록 했다. 잠위의 군사들에 의해 양식을 실은 목우와 유마의 행렬이 끊임없이 오가니, 위군들은 모두 신기해하며 기뻐했다.

한편 고상은 목우와 유마를 몇마리 위군에게 빼앗긴 채 돌아와 공명에게 죄를 청한다.

"양식을 싣고 돌아오는 길에 위군의 습격을 받아 목우와 유마를 몇마리 빼앗겼습니다."

공명은 꾸짖기는커녕 오히려 껄껄 웃으며 말한다.

"나는 사마의가 목우와 유마를 빼앗아가기를 기다리고 있었느니라. 이번에 몇마리 잃었지만 그대신 우리는 머지않아 수많은 물자를 얻게 될 것이다."

옆에 있던 장수들이 공명에게 묻는다.

"승상께서는 어찌하여 그리 생각하십니까?"

공명이 대답한다.

"사마의는 반드시 우리가 만든 그대로 목우와 유마를 만들어 쓸 것이오. 그때 내게 좋은 계책이 있소."

며칠 후 과연 위군들이 수많은 목우와 유마를 만들어 농서의 양곡을 나르고 있다는 소식이 들려왔다. 공명이 크게 기뻐하며 말한다.

"과연 내 생각에서 벗어나지 못하는구나!"

곧 왕평을 불러 분부한다.

"그대는 군사 1천명을 위군으로 꾸며 한밤중에 몰래 북원을 지나가되, 순량군(巡糧軍, 군량 호송을 위한 순찰병)이라 둘러대고 위의 수송부대에 섞여들어 호송중인 군사를 모조리 죽이고, 목우와 유마를 빼앗아 북원을 거쳐 돌아오라. 그러면 위군이 반드시 추격해올 것인즉 그때 목우와 유마의 입안에 있는 혓바닥을 들어 모조리 거꾸로 돌려놓은 다음 달아나도록 하라. 그러면 목우와 유마는 꼼짝도 않을 것이니, 위군이 와서 끌고 가려 해도 소용이 없다. 그때에 맞춰 내가 다시 군사를 보내면, 그대는 기다렸다가 목우와 유마를 빼앗아 혓바닥을 제대로 돌려놓고 끌고 오도록 하라. 위군들이 보고 크게 놀라고 기이하게 생각할 것이다."

계책을 받은 왕평이 군사를 이끌고 떠났다. 공명은 또 장의를 불러 분부를 내린다.

"그대는 군사 5백명을 육정육갑신병(六丁六甲神兵)으로 꾸미되, 귀신 머리에 짐승 몸뚱이를 만들어 오색 물감과 색실로 괴상하게 꾸미도록 하라. 또 군사들 모두 한손에는 수놓은 기를, 다른 손에는 보검을 들고 몸에는 호리병을 달도록 하되, 호리병 속에는 인화물질을 넣어두어야 한다. 밤중을 틈타 산기슭에 매복해 있다가 위군들이 목우와 유마를 몰고 오면 일제히 뛰쳐나가 연기를 피우며 빼앗도록 하라.

위군들은 귀신이 나타난 줄 알고 감히 뒤쫓거나 대적하지 못할 것이다."

계책을 받고 장의도 군사를 거느리고 떠났다. 공명은 다시 강유와 위연을 불러 분부를 내린다.

"그대들은 1만 군사를 거느리고 북원으로 가서 목우와 유마를 빼앗아오는 군사를 도우라."

이어 요화와 장익을 불러 명한다.

"그대들은 군사 5천을 거느리고 사마의가 오는 길을 끊도록 하라."

또한 마충과 마대를 불러 분부한다.

"그대들은 2천 군사를 거느리고 위수 남쪽으로 가서 싸움을 걸도록 하라."

이렇게 여섯 장수들은 저마다 계책을 받고 각기 떠났다.

한편 위의 장수 잠위는 목우와 유마 가득히 군량과 마초를 싣고 농서에서 돌아오고 있었다. 문득 앞쪽에서 난데없이 순량군 1천여명이 나타났다는 보고가 들어왔다. 사람을 시켜 알아보니 아군이라 하여 마음놓고 전진해서 두 군사가 한곳에서 맞닥뜨렸다. 그때였다. 갑자기 함성이 일어나더니 촉군이 짓쳐들어오며 크게 외친다.

"촉의 대장 왕평이 여기 있다!"

위군은 너무나 갑작스런 기습이라 당해내지 못하고 순식간에 태반이 쓰러졌다. 잠위는 군사들을 독려해 싸우다가 왕평의 단칼에 목이 달아났고, 나머지 군사들은 뿔뿔이 흩어져 달아나버렸다. 왕평은 군사들과 함께 위군이 버리고 간 목우와 유마를 거두어 돌아왔다. 위의 패잔병들이 북원에 있는 영채로 달려가 이 소식을 전했다. 촉군의 기습으로 군량을 모두 빼앗겼다는 보고에 곽회는 군사를 휘몰아 왕평을 추격해왔다. 왕평은 군사들을 시켜 끌고 가던 목우와 유마의 혀를 돌려놓은 뒤 길바닥에 버려둔 채 적당히 싸우는 시늉을 하다가 달아나버렸다.

곽회는 더이상 적을 추격하지 않고 되찾은 목우와 유마를 이끌고 위수 남쪽 영채로 돌아가려 했다. 그러나 이게 어찌 된 일인가. 군사들이 목우와 유마를 몰고 가려 했으나 아무리 애를 써도 꼼짝도 하지 않는다. 곽회가 당황해 어찌할 바를 모르는데, 갑자기 산 뒤쪽에서 북소리와 뿔피릿소리가 요란하게 울리더니 양쪽에서 촉군이 마구 짓쳐 들어왔다. 촉장 위연과 강유였다. 뿐만 아니라 달아나던 왕평까지 군사를 이끌고 다시 나타나 맹공격을 퍼부어대니 곽회는 세 방면에서 협공을 받고는 대패하여 달아났다. 위연과 강유가 싸우는 동안 왕평은 목우와 유마의 혀를 다시 원래대로 돌려놓고 유유히 목우와 유마를 몰고 갔다.

멀리서 이 광경을 지켜보던 곽회가 군사를 휘몰아 다시 촉군을 추격하려 했다. 그때 산뒤에서 연기가 구름처럼 피어오르며 한무리의 군사들이 나타나는데, 머리는 귀신의 형상이요 몸은 짐승 같았다. 그들은 한손에는 깃발을, 다른 한손에는 보검을 들고 있었는데 틀림없는 신병(神兵)이었다. 그들은 왕평이 몰고 가는 목우와 유마를 호위해 바람처럼 사라져버렸다. 곽회는 너무 놀라 멍청히 서서 중얼거린다.

"이는 필시 귀신이 저들을 돕는 것이로다!"

위군들도 놀라고 두려워 보기만 할 뿐 감히 뒤쫓을 생각을 하지 못했다.

한편 사마의는 북원의 군사들이 패했다는 소식에 크게 놀라 급히 군사를 이끌고 도우러 떠났다. 도중에 갑자기 포소리가 일어나며 험준한 곳에서 쏟아져나온 군사들이 두 길로 기습해온다. 함성이 울리는 곳에 큰 깃발이 보이는데 '한장 장익(漢將張翼)' '한장 요화(漢將廖化)'라고 씌어 있었다. 사마의는 소스라치게 놀라고, 위의 군사들도 놀라 모두들 쥐구멍을 찾듯 달아나기 바빴다.

길에서 신장 만나 군량 모두 빼앗기고   路逢神將糧遭劫
뜻밖에 적군을 조우하니 목숨 다시 위태롭구나   身遇奇兵命又危

사마의는 과연 어떻게 대적할 것인가?

103

오장원

사마의는 상방곡에서 곤경을 당하고
제갈량은 오장원에서 별에 기도하다

사마의는 장익과 요화에게 크게 패하여 필마단창(匹馬單槍)으로 무
성한 숲을 향해 달아났다. 장익은 후군을 거두었고, 요화가 앞장서서
사마의의 뒤를 쫓았다. 쫓고 쫓기며 한참 숲속을 치닫다가 요화의 말
이 어느덧 사마의의 등뒤 가까이 다가섰다. 다급해진 사마의는 큰 나
무를 끼고 돌며 피하려 했다. 요화가 바싹 다가들며 냅다 칼을 내려친
순간, 칼은 빗나가 사마의 대신 나무를 찍었다. 요화가 칼을 뽑아들었
을 때 사마의는 어느새 달아나버린 뒤였다.

요화는 달아난 사마의를 찾아 추격을 계속했다. 사마의의 모습은

보이지 않고 숲 동쪽에 황금투구 하나가 떨어져 있었다. 요화는 투구를 주워 말안장에 매달고는 곧장 동쪽으로 내달렸다. 원래 사마의는 제 황금투구를 숲 동쪽에 버려두고 자신은 서쪽을 향해 달아나고 있었다. 요화는 숲속을 헤집고 다녔지만 끝내 사마의를 찾지 못했다. 산골짜기를 빠져나오다가 강유를 만난 요화는 함께 영채로 돌아와 공명을 뵈었다. 그때는 이미 장의가 빼앗은 목우와 유마를 몰고 당도해 군사들에게 나누어준 뒤였는데, 그것에 실려 있는 곡식은 무려 1만여석이나 되었다. 요화는 황금투구를 공명에게 바치고 이번 싸움의 일등공신으로 기록되었다. 옆에서 지켜보던 위연이 불만을 품고 투덜거렸으나 공명은 들은 척도 하지 않았다.

한편 사마의는 간신히 목숨을 부지해 영채로 돌아왔으나 마음이 편치 않았다. 이때 사자가 위주의 조서를 가지고 왔다.

동오의 군사가 세 길로 나뉘어 침입해와 조정에서는 장수들로 하여금 이를 막아내게 하려 하고 있도다. 부디 그대는 진지를 굳게 지키며 나가 싸우지 말라.

위주의 명을 받은 사마의는 호를 깊이 파고 보루를 높이 쌓은 후 진지를 굳게 지킬 뿐 꼼짝도 하지 않았다.

위주 조예는 손권이 군사를 세 길로 나누어 쳐들어온다는 보고에 그 역시 군사를 세 길로 나누어 이들을 막게 했다. 먼저 유소(劉劭)로 하여금 군사를 거느리고 강하(江夏)를 구하게 하고, 전예(田豫)로 하여금 양양(襄陽)을 구하게 했다. 그리고 위주 자신은 만총과 더불어 대군을 거느리고 합비(合淝)를 구하기로 하였다.

만총은 먼저 한무리의 군사들을 거느리고 소호(巢湖) 어귀에 이르렀다. 동쪽 언덕을 바라보니 헤아릴 수 없이 많은 동오의 전선이 정연하게 꽂힌 정기를 나부끼며 정박해 있었다. 만총이 군중으로 돌아와 위주에게 아뢴다.

"동오군은 필경 우리가 멀리서 왔다고 가벼이 여겨 방비가 소홀할 것이니, 그 틈을 타서 오늘밤 동오의 수채를 덮친다면 반드시 크게 승리할 것입니다."

위주가 고개를 끄덕인다.

"그대의 말이 바로 짐의 뜻과 같도다."

위주 조예는 즉시 효장(驍將, 사납고 날랜 장수) 장구(張球)로 하여금 군사 5천을 거느리고 나가되, 군사들은 각기 화구(火具)를 지니고 호수 어귀로부터 공격하게 했다. 또한 만총에게는 군사 5천을 거느리고 동쪽 언덕으로부터 공격하도록 했다.

그날밤 2경, 장구와 만총은 각기 군사를 거느리고 소리를 죽여 호수 어귀를 향해 진군해 동오의 수채 가까이에 이르러 일제히 함성을 지르며 들이쳤다. 갑작스런 위의 기습에 놀란 오군들은 싸워볼 엄두도 내지 못한 채 어지러이 흩어지며 달아나기에 바빴다. 위군들은 달아나는 오군들을 무찌르며 사방에서 불을 질러 전선을 비롯해 군량과 마초, 무기 등을 수도 없이 태워버렸다. 제갈근은 패잔병을 수습해 겨우 면수(沔水) 어귀로 달아났다. 위군은 대승을 거두고 돌아갔다.

다음날 정탐꾼에 의해 이 소식은 재빨리 육손에게 보고되었다. 육손이 장수들을 모아놓고 의논한다.

"내 주상께 표문을 올려, 신성을 포위하고 있는 군사를 철수하고 그 군사들로 하여금 위군이 돌아갈 길을 끊게 하겠소. 그런 다음 내가 군사를 이끌고 앞쪽에서 공격한다면 저들은 앞뒤로 공격을 받게 되니 한번 북을 울려 가히 적을 쳐부술 수 있을 것이오."

장수들은 모두 육손의 의견에 찬성했다. 육손은 즉시 표문을 마련해 한 장교로 하여금 비밀리에 신성으로 전하게 했다. 육손의 표문을 지니고 길을 떠난 장교는 나루터에 이르러 잠복해 있던 위군에게 붙잡히고 말았다. 그는 곧장 조예에게로 끌려가서 몸수색을 당했다. 위주 조예는 밀사의 몸에서 나온 표문을 보고 감탄해 마지않는다.

"동오 육손의 지모가 참으로 교묘하구나!"

곧 동오의 장교를 가두게 하고, 유소로 하여금 손권의 후군을 엄중히 막도록 명했다.

한편 제갈근은 싸움에 크게 패한데다 찌는 듯이 더운 날씨가 계속되어 사람과 말 모두 병이 나서 고충이 이만저만이 아니었다. 생각끝에 서신 한 통을 써서 육손에게 보내 군사를 거두어 본국으로 철수하고 싶다는 뜻을 비쳤다. 서신을 읽고 난 육손이 심부름 온 자에게 말한다.

"돌아가서 장군께 내게 이미 생각이 있다고 전하여라."

사자가 돌아가 제갈근에게 이 말을 전하자 제갈근이 묻는다.

"육장군의 거동이 어떠하더냐?"

사자가 대답한다.

"그저 보기에는 육장군께서는 군사들을 재촉해 영채 밖에다 콩을 심게 하고, 장군께서는 장수들과 원문(轅門)에서 활쏘기를 즐기고 계셨습니다."

깜짝 놀란 제갈근은 그 길로 당장 육손의 영채로 찾아갔다. 육손을 만나자마자 그는 대뜸 묻는다.

"지금 조예가 친히 군사를 거느리고 와서 그 군세가 심히 왕성한데, 도독은 장차 무슨 수로 그들을 막아낼 생각이시오?"

육손이 천연스레 대답한다.

"전번에 주상께 표문을 올렸는데, 뜻밖에도 적의 수중에 들어가고 말았소이다. 기밀이 누설되었으니 만반의 준비를 하고 있을 그들과 싸워봤자 무익할 터라, 차라리 물러나느니만 못하겠다 싶어서 주상께 사람을 보내 서서히 군사를 물리겠다고 표문을 올렸소."

제갈근이 다시 묻는다.

"기왕에 도독의 뜻이 그러하다면 왜 속히 퇴군하지 않고 늑장을 부리시는 게요?"

육손이 대답한다.

"우리 군사가 철수하려면 마땅히 천천히 움직여야 합니다. 급하게 움직이면 위군들이 반드시 승세를 타고 추격해올 것이니, 그렇게 되면 패하는 수밖에 더 있겠소? 귀공께서는 먼저 전선을 독려하며 거짓으로 적에게 대항하는 체하시오. 나는 군마를 거느리고 양양으로 진격하는 것처럼 하여 적을 속이겠소. 그러면서 천천히 강동으로 물러난다면 위군이 감히 추격해오지 못할 것이오."

제갈근은 그 계책에 따라 즉시 육손과 하직하고 본채로 돌아와 전선을 정돈하고 짐짓 공격할 듯 기세를 드높이며 돌아갈 준비를 했다. 육손도 대오를 정비해 한껏 기세를 올리며 양양을 바라고 출군했다.

정탐꾼은 곧 오군의 이러한 움직임을 조예에게 보고하고 단단히 방비하도록 간했다. 이 소식을 들은 위의 장수들은 일제히 출전을 서둘렀다. 위주 조예는 육손의 재주를 익히 아는 터라 서두르는 장수들을 타이른다.

"육손은 지략이 있으니 유적지계(誘敵之計, 상대방을 유인하려는 계책)를 쓰는 것일지도 모른다. 섣불리 움직일 일이 아니니라."

그 말에 위장들은 일단 싸울 마음을 거두었다. 며칠 뒤 다시 정탐꾼의 보고가 들어왔다.

"세 길로 나뉘어 진격해오던 동오의 군마가 간 곳 모르게 물러났사옵니다."

위주가 믿을 수 없어 재차 사람을 보내 탐지하게 했으나 과연 동오군은 모두 물러갔다는 보고였다. 위주는 길게 탄식한다.

"육손의 용병술이 손자·오자에 뒤지지 않으니 내 무슨 수로 동오를 평정한단 말인가!"

즉시 여러 장수에게 영을 내려 각기 요충지를 지키게 하고, 자기는 대군을 이끌고 합비로 돌아가 주둔하며 정국의 변화를 지켜보기로 했다.

한편 공명은 기산에 머물면서 그곳에 오래 주둔할 생각으로 군사들에게 영을 내려 위나라 백성들과 함께 농사를 짓도록 했다. 밭을 갈고 씨를 뿌려 그 수확물을 3분의 1만 차지하고 나머지 3분의 2는 반드시 백성들에게 돌아가게 하니, 백성들 모두 안심하고 생업을 즐겼다. 사마사가 그의 부친에게 고한다.

"촉군이 허다한 우리 군량을 빼앗고서도 요사이 우리 백성과 함께 위수 연안에서 밭을 갈고 있으니, 필시 구원지계(久遠之計, 장구하게 꾀하는 계책)를 꾸미나 봅니다. 이는 진실로 국가의 큰 환난이 아닐 수 없사온데, 아버님께서는 어찌하여 공명과 한바탕 결전을 벌여 자웅을 결하지 않으십니까?"

사마의가 대답한다.

"글쎄 난들 생각이 없겠느냐만, 굳게 지키라는 칙명이 있었으니 함부로 움직일 수도 없는 일 아니냐?"

이때 사람이 들어와 고하기를 촉장 위연이 얼마 전에 사마의가 숲에서 잃은 황금투구를 쓰고 나타나 갖은 욕설을 퍼부으며 싸움을 걸고 있다는 것이다. 장수들은 화가 나서 자리를 박차고 일어나 싸우려 했다. 사마의가 웃으며 말한다.

"무얼 그리 야단들인가. '작은 일을 참지 못하면 대사를 그르친다'는 옛 성인의 말씀도 모르는가. 우리는 그저 굳게 지키는 것만이 상책이니 자중하라."

장수들은 그 말에 따라 싸우러 나가지 않았다. 위연은 한동안 욕설을 퍼부어대며 오락가락하다가 제풀에 꺾여서 돌아가버렸다. 공명은 갖가지로 싸움을 걸어도 사마의가 움직일 기미를 보이지 않자 마대에게 은밀히 영을 내려서 목책을 둘러치고 영채 안에 깊은 구덩이를 파서 마른풀과 인화물질을 쌓아두게 했다. 또한 근방의 산위에도 마른풀과 나무 등으로 가짜 초막을 지어 그 안팎에 지뢰를 묻어두도록 했다. 모든 준비를 마치고 나서 공명은 다시 마대의 귀에 대고 낮은 소리로 계교를 일러준다.

"호로곡 뒷길을 끊고 골짜기에 군사를 매복시켜두었다가 만일에 사마의가 추격해오거든 골짜기 안으로 들어가게 내버려두고, 지뢰와 건초더미에 일제히 불을 놓도록 하라. 또 군사를 시켜서 낮이면 골짜기 어귀에 칠성기(七星旗)를 세우고, 밤이면 산위에 칠잔등(七盞燈)을 밝혀서 군호로 삼으라."

영을 받은 마대는 즉시 군사를 거느리고 출발했다. 공명은 다시 위연을 불러 분부한다.

"그대는 5백 군사를 거느리고 위군의 영채를 쳐라. 무슨 수를 쓰든지 사마의를 꾀어내도록 하는데, 싸워서 이길 생각은 말고 거짓으로 패한 체하며 달아나야 한다. 그러면 필시 사마의가 뒤쫓을 것이니, 낮이면 칠성기가 나부끼는 곳으로 들어가고, 밤이면 칠잔등이 비치는 곳으로 달아나라. 사마의를 유인해 호로곡 안으로 들어가게만 하면 내게 그를 사로잡을 계책이 있다."

위연이 계책을 받고 군사를 휘몰아 떠났다. 이번에는 고상을 불러놓고 명한다.

"그대는 목우와 유마를 이끌고 2, 30마리나 4, 50마리씩 무리를 지어 군량을 가득 싣고 산길을 왔다갔다 하라. 만일 위군이 그것을 빼앗아간다면 이는 곧 그대의 공이다."

고상은 공명의 계책을 받고 목우와 유마를 정돈해 군량을 싣고 출발했다. 공명은 기산의 군사들에게 일일이 할일을 분별해 보내고 나서 둔전병(屯田兵)만 따로 모아 분부한다.

"너희들은 위군이 싸우러 오거든 거짓으로 패한 체하며 물러나되, 사마의가 몸소 나타나거든 즉시 힘을 다해 위수 남쪽을 공격하여 사마의가 돌아갈 길을 끊도록 하라."

이렇듯 모든 배치를 끝내자 공명은 몸소 한무리의 군사들을 거느리고 상방곡(上方谷) 가까이에 영채를 세웠다.

한편 사마의의 영채에서는 하후혜·하후화 두 형제가 사마의에게 고한다.

"근래 촉군들이 사방에다 영채를 세우고 밭을 갈며 장기간 버틸 계책을 꾸미고 있사온데, 만일 지금 저들을 물리치지 못한다면 갈수록 뿌리를 깊게 내려 제거하기가 어려워질 것입니다."

사마의는 전혀 귀담아들으려 하지 않았다.

"이 또한 필시 공명의 계교일 게야."

두 사람은 답답하다는 듯 말한다.

"도독께서 그처럼 의심만 하신다면 어느 세월에 적을 물리칠 수 있겠습니까? 저희 형제 두 사람이 죽기로써 한바탕 싸워 나라의 은혜에 보답하려 하오니 허락해주십시오."

"정 그렇다면 너희 둘이 길을 나누어 출전하도록 하라."

사마의는 하후혜와 하후화 두 사람에게 각기 군사 5천명씩을 주어 출전하게 하고 나서 소식을 기다렸다.

하후혜와 하후화는 군사를 두 길로 나누어 진군하다 얼마 안 가서 목우와 유마를 이끌고 오는 촉군들과 마주쳤다. 두 사람이 일제히 군사를 휘몰아 짓쳐나가자 그 기세에 눌린 촉군들은 크게 패하여 달아났다. 하후혜와 하후화는 촉군들이 도망치며 버리고 간 목우와 유마를 수습해 사마의가 있는 본영으로 보냈다. 다음날도 하후혜와 하후화는 어렵지 않게 1백여 인마(人馬)를 사로잡아 역시 사마의의 영채로 보냈다. 사마의는 잡혀온 군사를 문초해 허실을 탐지하려 했다. 그중 한 촉군이 대답한다.

"도독께서 굳게 지키기만 할 뿐 좀처럼 나오질 않으시니, 공명께서는 저희들에게 사방으로 흩어져 밭을 갈게 하며 장기적인 계책을 세우셨습니다. 이렇게 사로잡힐 줄은 전혀 생각지 못했습니다."

사마의는 즉시 부하들에게 명해 잡혀온 촉군들을 모두 놓아주게 했다. 하후화가 납득할 수 없다는 듯 묻는다.

"어째서 죽이지 않고 놓아주십니까?"

사마의가 말한다.

"그까짓 졸개들을 죽인들 무슨 이익이 있겠는가? 차라리 본채로 돌려보내 우리 위장들의 관대함과 인자함을 두루 알려서 저들의 전의를 해이하게 하느니만 못할 것이다. 이는 여몽(呂蒙)이 형주를 칠 때 쓰던 계교니라."

이어 영을 내린다.

"앞으로 촉군을 사로잡거든 잘 타일러 돌려보내도록 하되, 적을 사로잡는 군사들에게는 전과 다름없이 상을 내릴 것이다."

모든 장수들이 분부를 받고 물러났다.

한편 공명의 영을 받은 고상은 목우와 유마를 몰아 곡식을 운반하는 척하고 상방곡 안을 왔다갔다하면서 하후혜 등에게 기습을 받아 불과 보름도 못 가서 많은 목우와 유마, 그리고 군량을 빼앗겼다. 사마의는 촉군을 여러 차례 무찌르자 내심 기뻐해 마지않았다. 하루는 또 하후 형제에게 사로잡힌 촉군 수십명이 끌려왔다. 사마의가 그들을 장막으로 불러 묻는다.

"공명은 지금 어디에 있느냐?"

무리들이 입을 모아 아뢴다.

"제갈승상께서는 기산에 계시지 않고 상방곡에서 서쪽으로 10리 가량 떨어진 곳에 영채를 세웠습니다. 요즘 그곳에 머물면서 매일같이 상방곡으로 군량을 나르고 있습니다."

사마의는 자세히 캐물은 다음 포로들을 놓아보내고 나서 여러 장수를 불러 영을 내린다.

"공명은 지금 기산이 아니라 상방곡에 주둔하고 있다. 그대들은 내일 일제히 힘을 모아 기산 대채를 들이치도록 하라. 나도 군사를 이끌고 뒤따라 돕겠다."

여러 장수들은 각기 부산하게 출전 준비를 서둘렀다. 큰아들 사마사가 묻는다.

"아버님께선 어찌하여 상방곡이 아니라 기산을 치려 하십니까?"

사마의가 대답한다.

"기산은 촉군들의 본거지나 다름없으니, 그곳을 공격하면 각처의 적들이 모두 구하러 몰려올 것이다. 우리가 그 틈을 타서 상방곡을 취하고 쌓아놓은 군량과 마초에 불을 질러버리면 저들은 전군과 후군이 서로 협력할 수 없어 크게 패하고 말 것이다."

사마사는 부친의 고견에 탄복하여 절하고 물러났다. 사마의는 즉시 군사를 일으켜 출진하면서 장호와 악침으로 하여금 각기 군사 5천명 씩을 거느리고 뒤에서 돕게 했다.

이때 공명은 산위에서 위군이 1,2천명 혹은 4,5천명씩 떼를 지어 앞뒤를 살피며 대오도 짓지 않고 분분히 몰려오는 것을 보았다. 분명 위군이 기산 대채를 공격하려 한다고 판단한 공명은 즉시 장수들에게 은밀히 영을 내린다.

"만일에 사마의가 친히 나타나거든 그대들은 지체없이 위의 본영을 쳐서 빼앗고 위수 남쪽을 취하라."

장수들은 각기 공명의 영을 들었다.

한편 위군이 모두 기산 대채 가까이 달려들자 사방에 흩어져 있던 촉군들은 때를 맞추어 일제히 고함을 지르며 기산 쪽으로 몰려들어 분주하게 막아내는 체했다. 촉군이 모두 기산 대채를 구하기 위해 모여들었다고 판단한 사마의는 곧 두 아들과 함께 중군이 되어 호위 군마를 거느리고 상방곡을 향해 쳐들어갔다. 이때 위연은 골짜기 어귀를 지키면서 사마의가 오기만을 기다리고 있었는데, 갑자기 한떼의 위군이 몰려든다. 위연이 곧 말을 박차고 앞으로 달려나가 살펴보니 과연 앞장선 장수는 사마의가 틀림없었다.

"사마의는 꼼짝 마라!"

위연이 큰소리로 호통치며 춤추듯 칼을 휘두르며 달려나가니, 사마의는 창을 꼬나잡고 이에 맞섰다. 칼과 창이 겨루기 시작한 지 겨우 3합이 지났을 때 위연이 갑자기 말머리를 돌려 달아나기 시작했다. 사마의가 그 뒤를 쫓았다.

위연은 칠성기가 바라보이는 곳을 향해 힘껏 말을 달렸다. 사마의는 위연이 혼자이고 따르는 군마도 많지 않은 것을 보고 방심한 채 쫓았다. 왼쪽에 사마사를, 오른쪽에는 사마소를 거느리고 삼부자가 말머리를 나란히하여 맹추격을 하니, 위연은 5백 군사를 이끌고 골짜기 안으로 달아나버렸다. 상방곡 어귀에 다다른 사마의는 멈추어선 채 정탐꾼을 시켜 골짜기 안으로 들어가 살펴보게 했다. 정탐꾼이 돌아와 고한다.

"복병이라고는 찾아볼 수 없고, 건초더미와 장작으로 지은 초막만 무수하옵니다."

"필시 양곡을 쌓아두는 창고일 것이다."

사마의는 주저없이 군사를 휘몰아 골짜기 안으로 들어갔다. 그런데 이게 웬일인가. 군량창고인 줄로만 알았던 초막은 온통 마른 장작으로 가득할 뿐이었다. 게다가 달아난 위연은 종적을 감추어 찾을 수가 없었다. 사마의는 그제야 덜컥 의심스런 마음이 일어 두 아들에게 말한다.

"만일에 적이 골짜기 어귀를 막아버린다면 큰일이로구나."

그 말이 미처 끝나기도 전에 난데없이 함성이 터져오르며 산위에서 무수한 횃불이 떨어져내렸다. 골짜기 어귀는 순식간에 불길에 휩싸여 버렸다. 위군은 달아날 길도 없는 골짜기 안에서 갈팡질팡하면서 어찌할 바를 몰랐다. 그때 산위에서 다시 불화살이 빗발치듯 쏟아져내리자 사방에서 지뢰가 터지면서 초막의 장작더미에 옮겨붙어 불길이 하늘을 찌를 듯하고 굉음이 귀청을 찢었다. 사마의는 사색이 되어 어찌할 바를 모르다가 말에서 내려 두 아들을 끌어안고는 대성통곡을 한다.

"우리 삼부자가 여기서 모두 죽는구나!"

한창 통곡하는데, 홀연 광풍이 크게 일며 검은 기운이 하늘을 뒤덮었다. 이어서 땅을 뒤흔드는 듯한 뇌성벽력과 더불어 굵은 빗방울이 쏟아지기 시작했다. 마침내 골짜기 가득 번지던 불길이 맥없이 꺼지면서 지뢰도 더이상 터지지 않았고 맹렬하던 화기들도 힘을 잃었다. 사마의가 크게 기뻐하며 소리친다.

"지금 빠져나가지 않고 다시 어느 때를 기다리랴!"

즉시 군사들을 독촉해 촉군을 무찌르며 골짜기를 빠져나가기 시작했다. 때마침 장호와 악침이 각기 군사를 거느리고 골짜기 어귀로 달려와서 도왔다. 마대는 워낙 거느린 군사가 적어 달아나는 사마의 부자를 뒤쫓지 못한 채 물러서고 말았다.

사마의 부자는 장호·악침과 더불어 위수 남쪽의 대채로 달아났다. 그러나 간신히 대채로 이르러보니 그곳은 이미 촉군에게 점령당한 뒤였다. 곽회와 손례가 부교 위에서 촉군을 막아내느라 한창 접전중인 것을 본 사마의는 군사를 휘몰고 부교로 달려가 두 사람을 도와 겨우 촉군을 물리쳤다. 그리고 즉시 부교를 불태워 끊어버리고 북쪽 기슭에 영채를 세웠다.

한편, 기산에서 촉의 영채를 공격하고 있던 위군들은 사마의가 대패하고 위수 남쪽 영채마저 이미 무너졌다는 소식에 크게 당황하여 급히 후퇴하려 했다. 이러한 기미를 눈치챈 촉군이 사방에서 밀려들며 닥치는 대로 찌르고 죽이니, 위군은 크게 패하여 열에 여덟, 아홉이 상하고, 죽은 자 역시 헤아릴 수 없이 많았다. 가까스로 살아남은 위군들은 뿔뿔이 흩어져 위수 북쪽으로 달아났다.

산위에서 위연이 사마의를 유인해 골짜기 안으로 들어가는 것을 지켜보던 공명은 잠시 후에 불길이 크게 치솟는 것을 보고 무척 기뻐했다.

'이번에야말로 사마의가 꼼짝없이 죽겠구나.'

그러나 생각지도 못한 소나기가 한바탕 쏟아져 불이 채 다 붙지 못한데다 이내 파발꾼이 달려와 보고한다.

"사마의 부자가 달아났습니다."

공명은 크게 탄식하며 말한다.

"'일을 꾸미는 것은 사람이나, 일을 이루는 것은 하늘의 뜻〔謀事在人 成事在天〕'이니 억지로 될 일이 아니로다!"

이를 두고 후세 사람이 시를 지어 탄식했다.

광풍이 골 안으로 불어 불길이 치솟는데	谷口風狂烈焰飄
어찌 생각했으랴, 푸른 하늘에서 소나기 퍼부을 줄을	何期驟雨降靑霄
제갈 무후의 묘계가 뜻대로 이루어졌던들	武侯妙計如能就
천하가 진나라로 돌아갈 수 있었으리오	安得山河屬晉朝

한편 사마의는 위수 북쪽 영채에 머물면서 명을 내렸다.

"위수 남쪽의 대채를 잃고 말았으니, 장수들 가운데 앞으로 다시 출전하자는 자가 있으면 당장에 목을 벨 것이다!"

장수들은 아무도 입을 열지 못했다. 이때 곽회가 들어와 아뢴다.

"근래 들어 공명이 자주 군사를 거느리고 순시한다 하는데, 아마도 영채 세울 곳을 찾는 게 아닌가 싶습니다."

사마의가 고개를 끄덕이며 말한다.

"만일에 공명이 무공(武功)으로 나와 산을 의지해 동쪽에 자리 잡으면 우리는 위태로울 것이고, 혹시 위수 남쪽으로 나아가 서쪽 오장원(五丈原)에 머문다면 마음을 놓아도 될 것이다."

그러고는 곧 사람을 시켜 탐지해오게 했다. 얼마 후 정탐꾼이 돌아와 보고한다.

"공명은 오장원에 영채를 세웠사옵니다."

사마의는 손으로 이마를 치며 기뻐한다.

"이는 바로 대위(大魏) 황제의 큰 복이로다!"

이어 여러 장수들에게 말한다.

"나가 싸우지 말고 굳게 지키라. 그러면 머지않아 변화의 조짐이 있을 것이다."

한편 공명은 오장원에 주둔한 뒤로 자주 군사를 보내 싸움을 걸었지만 위군은 한결같이 꿈쩍도 하지 않았다. 마침내 공명은 여인들의 건괵(巾幗, 부인이 상중에 쓰는 두건)과 호소(縞素, 흰 상복)를 큰 함 속에 넣고 서신 한 통을 써서 위군 영채로 보냈다. 위의 장수들은 이 일을 그

오장원에서 공명과 사마의가 맞붙다

낭 덮어둘 수도 없어 사자를 사마의에게로 데려갔다. 사마의가 함을
열어보니 여인네들이 쓰는 두건과 치마저고리와 함께 서신이 들어 있
었다. 그것을 펴보니 다음과 같았다.

중달 그대는 기왕에 대장이 되어 중원의 무리를 통솔하고 있거
늘, 굳은 의지와 번쩍이는 예기로 자웅을 겨룰 생각은 않고 토굴만
굳게 지키고 앉아 칼과 화살을 피하려고만 하니 아녀자와 무엇이
다르다 하리오. 내 이제 사람을 시켜 여자들이 쓰는 두건과 치마저
고리를 보내니, 싸우지 않으려면 두번 절하고 이를 받으라. 혹여 아
직도 사내로서 부끄러운 마음이 남아 있거든 즉시 회답하여 기일을
정하고 싸움에 응하도록 하라.

사마의는 보고 나서 마음속에 노기가 물끓듯 일어났으나 겉으로는 태연자약하게 웃음을 띠며 말한다.

"공명이 나를 아녀자로 알고 있구나."

즉시 물건을 받아두고, 사자를 후하게 대접하며 묻는다.

"그래, 공명께서는 요사이 침식이 어떠하며, 일 처리하는 데 어려움은 없으신가?"

촉의 사자가 답한다.

"승상께서는 아침 일찍 일어나시고 밤엔 늦게 주무시며, 곤장 20대 이상의 형벌은 모두 친히 처결하시며, 잡수시는 음식은 하루에 몇 홉에 지나지 않사옵니다."

사마의는 미소띤 얼굴로 수하장수들을 돌아보며 말한다.

"공명이 먹는 것은 적고 하는 일은 많으니, 이러고서야 어찌 오래 갈 수 있겠느냐?"

사자는 하직하고 오장원으로 돌아가서 공명을 뵙고 고한다.

"사마의가 보내신 물건들을 받고 서신을 읽었으나 조금도 진노하는 빛 없이 다만 승상의 침식이 어떠한지, 일 처리하는 데 어려움은 없으신가를 물을 뿐, 군사의 움직임에 대해서는 일절 거론하지 않았습니다. 제가 사실대로 대답했더니 '먹는 것은 적고 일은 많으니, 이러고서야 어찌 오래 갈 수 있겠느냐'고 하였습니다."

공명이 탄식하며 말한다.

"사마의가 나를 꿰뚫어보고 있구나!"

주부(主簿) 양옹(楊顒)이 아뢴다.

"저도 평소에 승상께서 장부책까지 손수 살펴보시는 것을 보고 그렇게까지 하실 필요가 없으리라고 생각했습니다. 무릇 다스림에는 법도가 있어 위아래가 서로 간섭하지 않아야 합니다. 비유컨대 집안을 다스리는 데도 법도가 있으니 사내종에게는 밭을 갈게 하고 계집종에게는 부엌일을 맡겨야만 각자의 일이 헛되지 않고 구하는 바를 모두 충족시킬 수 있으며, 그 주인은 유유자적 베개를 높이 베고 차려주는 음식을 배불리 먹을 수 있는 것입니다. 이 모든 일을 친히 하자면 장차 몸은 고단하고 정신은 괴로워 마침내 한 가지도 이뤄내기 어려울 것입니다. 이것이 어찌 주인의 지혜가 비복(婢僕)들만 못해서이겠습니까? 주인의 도리를 잃은 까닭입니다. 옛사람들이 이르기를, 앉아서 도(道)를 논하는 사람은 삼공(三公)이요 일어나 행하는 사람은 사대부(士大夫)라 했습니다. 또 옛날에 병길(丙吉)은 소의 천식은 걱정하면서도 길가에 쓰러져 죽은 사람은 그냥 지나쳤고(서한의 승상 병길이 교외에 나갔다가 길가에 쓰러져죽은 사람을 보고는 아무 말이 없다가 소가 헐떡이는 것을 보고 크게 관심을 가져 누가 이유를 묻자 "날이 덥지 않은데 소가 헐떡이니 천시天時가 바르지 못해 농사에 영향을 주지 않을까 두려워 그러하다. 이는 승상이 해야 할 직책이다"라고 대답한 고사) 진평(陳平)은 전곡(錢穀)의 수량을 알지 못하여 '그런 일은 맡아보는 사람이 따로 있다'고 말했다 합니다.(서한의 승상 진평이 전국에서 판결한 안건과 거둬들인 곡식의 양을 묻는 황제의 물음에 "그런 것은 주관하는 관원에게 물으십시오. 승상의 직책은 신하들을 통솔하는 것이지 그런 일에 관계하는 것이 아닙니다"라고 대답한 고사) 이제 승상께서는 친히 세세한 일까지 살피시고 하루종일 땀흘려 일하시니 어찌 수고롭지 않으시겠습니까? 사마의의 말이 참으로 옳다 아니할 수 없습니다."

공명이 소리없이 눈물을 흘리며 말한다.

"그대가 하는 말을 내 어찌 모르겠는가. 선제로부터 탁고의 중임을 맡은 이래로, 다른 이에게 맡겼다가 나만큼 마음을 다하지 않을까 염려되어 그리 한 것이오."

이 말을 들은 사람들이 모두 눈물을 흘렸다. 그뒤로 공명은 머리도 맑지 못하고 몸도 편안치 않음을 스스로 느꼈다. 그로 인해 모든 장수들도 감히 출군하지 못한 채 시일만 보내고 있었다.

한편 위의 장수들은 공명이 여인의 두건을 보내 사마의를 모욕한 일을 모두 알고 있었다. 사마의가 그것을 받고도 좀처럼 싸울 생각을 하지 않자 장수들은 분통을 터뜨리며 장막으로 몰려가서 사마의에게 아뢴다.

"우리는 모두 대국의 명장들입니다. 촉군의 이같은 모욕을 받고도 어찌 참고만 있겠습니까? 청컨대 당장 출전하여 자웅을 결하도록 허락해주십시오."

사마의가 말한다.

"난들 싸울 줄 몰라 이런 모욕을 당하고도 견디는 줄 아는가? 다만 황제께서 굳게 지킬 뿐 움직이지 말라 명하셨으니, 경솔히 출전하는 것은 군명(君命)을 어기는 짓이다."

모든 장수들은 저마다 분을 참지 못해 불만을 터뜨렸다. 사마의가 다시 말한다.

"그대들이 그렇게 출전하기를 원한다면, 내가 황제께 아뢰어 윤허를 받겠다. 그때까지 기다렸다가 힘을 모아 싸우는 것이 어떻겠는가?"

모든 장수들이 이구동성으로 말한다.

"좋습니다!"

사마의는 즉시 표문을 써서 합비의 군중에 있는 위주 조예에게 보냈다. 조예가 사마의의 표문을 받아보니 다음과 같다.

신이 재주는 박하고 소임은 무거워 폐하의 밝으신 뜻을 받들어 지금까지 굳게 지키며 나가 싸우지 않고 촉군이 스스로 무너지기만을 기다렸습니다. 하오나 근자에 제갈량이 신에게 여인의 두건을 보내 아녀자 취급을 하는 심한 치욕을 당했사옵니다. 신은 삼가 성은을 받들어 한번 죽음을 각오한 결전을 벌여 조정의 은혜에 보답하고, 삼군이 당한 수치를 씻을까 하옵니다. 격분을 참을 길이 없어 이렇듯 아뢰옵니다.

조예는 글을 읽고 나서 여러 관료들을 돌아보며 묻는다.

"사마의가 이때까지 소리 없이 잘 지키더니, 갑자기 표문을 보내 싸우겠다고 하는 연유가 무엇인가?"

위위(衛尉) 신비(辛毗)가 아뢴다.

"사마의는 본래 싸울 마음이 없으나 필경 제갈량의 모욕에 분을 참지 못한 여러 장수들이 들고 일어난 듯하옵니다. 그래서 이렇듯 표문을 올려 폐하의 칙명을 기다리는 동안 장수들의 마음을 가라앉히려는 속셈이 아닌가 하옵니다."

조예는 고개를 끄덕였다. 곧 신비에게 절(節)을 주어 위북 영채로 가서 출전하지 말라는 영을 전하도록 했다. 신비가 위북 영채에 도착하자 사마의가 장막 안으로 맞아들였다. 신비는 여러 장수들 앞에서 칙명을 전한다.

"앞으로 감히 다시 출전하자고 말하는 자가 있다면 그 누구를 막론하고 칙명을 거역한 죄로 엄히 다스릴 것이다."

모든 장수들은 입을 다문 채 묵묵히 칙명을 받들었다. 신비와 마주 앉아 사마의가 은밀히 말한다.

"공은 진정 내 마음을 알아주시는구려!"

사마의는 곧 황제께서 신비에게 절을 주어보내 칙명을 내렸음을 군중에 널리 알리게 했다. 소문은 마침내 촉군에게까지 퍼져서 이를 들은 장수가 공명에게 고하니, 공명이 웃으면서 말한다.

"그게 바로 사마의가 삼군을 안정시키는 법이다."

강유가 묻는다.

"승상께서는 그것을 어찌 아십니까?"

공명이 말한다.

"사마의가 전혀 싸울 생각이 없으면서도 싸우겠다고 표문을 올린 것은, 군사들에게 자신의 용맹함을 내보여 불만을 무마시키기 위해서요. '외지에 있는 장수는 임금의 명령이라도 받지 않을 수 있다' 했거늘, 천리 밖에 있는 장수가 임금에게 싸움을 허락해달라고 청하는 경우가 어디 있겠는가? 이는 곧 사마의가 조예의 칙명을 핑계로 장수들의 노여움을 가라앉히고 뭇사람들을 통제하려는 속셈이고, 이렇듯 널리 소문을 퍼뜨리는 것은 우리의 군심을 해이하게 하려는 심사요."

두 사람이 이야기하고 있는데 성도에서 비의가 왔다는 보고가 들어왔다. 공명은 비의를 안으로 청해들였다.

"무슨 일로 이렇듯 왔는가?"

비의가 말한다.

"위주 조예는 동오군이 세 길로 나뉘어 진격해온다는 보고를 받고 곧 대군을 거느리고 합비에 이르러 만총·전예·유소로 하여금 세 길로 군사를 나누어 막게 했습니다. 만총이 계책을 세워 동오와의 첫싸

움에서 군량과 마초, 무기를 모조리 불태워버린데다가 오군의 태반이
병이 나서 전의가 크게 떨어졌다 합니다. 육손이 오왕께 표를 올려 협
공을 꾀하다가 표 가진 자가 중도에서 위군에게 잡혀 기밀이 누설되
는 바람에 오군은 아무 소득도 없이 물러가고 말았습니다."

뜻밖의 소식을 들은 공명은 길게 탄식하더니 갑자기 모로 쓰러지며
정신을 잃었다. 놀란 장수들이 좌우에서 부축하여 자리에 눕히니, 공
명은 반식경 후에야 비로소 깨어났다. 공명이 탄식하여 말한다.

"내 마음이 혼란스러워 묵은 병이 재발하는 모양이니, 오래 살지
못할 것 같구나!"

그날밤 공명은 겨우 몸을 일으켜 장막 밖으로 나가 하늘을 우러러
천문을 살피다가 몹시 놀라고 당황한 기색으로 쓰러질 듯 다시 장막
으로 들어왔다. 공명이 강유에게 말한다.

"내 명이 얼마 남지 않았구나."

강유가 놀라 묻는다.

"승상께서는 어찌 그런 말씀을 하십니까?"

공명이 말한다.

"천문을 보니 삼태성(三台星) 중에 객성(客星)이 갑절이나 밝고, 주
성(主星)은 비록 반짝이기는 하나 그 빛이 어두웠소. 천문이 이러하
니 내 명을 내가 알겠도다."

강유가 긴장하며 말한다.

"천문이 그러하다면 승상께서는 어찌 기양법(祈禳法, 액을 막는 기원을
올리는 술법)을 써서 이를 만회하려 하지 않으십니까?"

공명이 한숨을 내쉬고 나서 말한다.

"내 기도하는 법을 모르는 바 아니나, 다만 하늘의 뜻이 어떠한지

공명은 병으로 쓰러지다

헤아릴 수가 없구나."

잠시 생각하더니 마침내 명을 내린다.

"그대는 나가서 갑사(甲士, 갑옷차림의 군사) 49명에게 각기 검은 깃발을 들게 하고 검은 옷을 입혀서 장막 밖에 둘러서게 하오. 나는 안에서 북두(北斗)께 기도를 올리겠소. 만일 7일 안에 주등(主燈)이 꺼지지 않으면 내가 12년은 더 살 것이요, 등불이 꺼지고 만다면 목숨을 연장하지 못할 것이오. 쓸데없는 사람을 들이지 말고 소용되는 모든 물품은 두 동자에게 운반하게 하오."

강유가 명을 받고 준비를 서두르니, 때는 8월 중추(中秋)였다. 그날 밤 은하수는 유난히 반짝이고 구슬 같은 밤이슬이 내리니 모든 깃발은 미동도 하지 않았다. 순찰 도는 군사의 조두(ㅋ斗, 야전용 솥 겸 징. 낮에는 밥짓는 데, 밤에는 경계하는 데 씀) 치는 소리마저 없이 고요했다. 강유가 장막 밖에서 갑사 49명을 거느리고 호위하는 동안, 공명은 안에서 향기로운 꽃과 제물을 차려놓고 땅에는 7개의 큰 등을 밝혀놓았다. 그 바깥쪽에 49개의 작은 등을 늘어놓고, 안에는 본명등(本命燈, 목숨을 상징하는 주등)을 안치해놓았다. 공명이 절을 하고 축문을 외운다.

제갈량이 난세에 태어나 기꺼이 수풀과 샘 가운데 묻혀 늙으려 했으나 소열황제께서 세번이나 찾아주신 은혜와 어린 임금을 부탁하신 중임에 힘입어 이날에 이르도록 견마지로를 다하여 맹세코 국적(國賊)을 토벌하려 하였습니다. 하오나 뜻밖에도 장성(將星)이 떨어지려 하고 수명이 다하려 하옵니다. 삼가 짧은 글을 올려 창천에 고하나이다. 엎드려 비옵건대, 자비로운 하늘은 굽어살피사 신의 수명을 늘여주시어, 위로는 황제의 은혜에 보답하게 하고 아래로는 백성을 구원하게 하여 옛땅을 되찾아 한나라의 사직을 길이 받들게 하옵소서. 이는 망령되이 비는 것이 아니옵고 진실로 간절한 정성이오니, 부디 굽어살피소서.

축원을 마친 공명은 꿇어엎드려 아침까지 기도했다.

다음날 공명은 병을 무릅쓰고 평상시와 다름없이 군무를 보는데, 끊임없이 피를 토했다. 이렇게 낮에는 군기(軍機)를 의논하며 쉬지 않고 밤에는 정성껏 북두성께 기도를 드렸다.

한편 영채에 들어앉아서 굳게 지키기만 하던 사마의는 어느날 밤 문득 천문을 보고 은근히 기뻐하며 하후패에게 말한다.

"장성이 제자리를 잃은 것을 보니, 공명이 병이 들어 오래지 않아 죽을 모양이다. 너는 군사 1천명을 거느리고 나아가 오장원의 동정을 살펴보도록 하라. 만약 촉군이 혼란에 빠져 싸우러 나오지 않으면 공명이 필시 병이 난 것이니, 내 마땅히 이때를 타서 공격하리라."

하후패는 곧 군사를 이끌고 오장원으로 나아갔다.

공명이 기도를 올린 지 여섯번째 밤을 맞고 있었다. 공명은 정성을 다해 기도하면서 빛을 잃지 않고 여전히 밝게 타고 있는 주등을 보고는 내심 기뻐해 마지않았다. 강유가 장막 안으로 들어가보니, 마침 공명은 머리 풀고 칼을 든 채 답강보두(踏罡步斗, 북두칠성 별자리를 밟듯 발걸음을 옮기며 비는 것)하며 한창 장성의 기운을 돋우고 있었다. 이때 난데없이 영채 밖에서 함성이 크게 일어났다. 강유가 놀라 밖으로 나가며 무슨 일인지 알아보려는데, 위연이 장막 안으로 황급히 뛰어들며 고한다.

"위군이 오고 있습니다!"

급하게 뛰어들어오던 위연의 발에 주등이 걸려 넘어지면서 그만 불이 꺼지고 말았다. 공명은 깜짝 놀라 들고 있던 칼을 내던지며 탄식한다.

"아아, 죽고 사는 일이 천명에 달린지라, 빌어서 얻을 일이 아니로다!"

위연은 황공하여 땅에 엎드려 죄를 청했다. 머리끝까지 화가 난 강유가 위연을 죽이려고 칼을 뽑아들었다.

세상만사 사람 마음대로 되지 않나니   萬事不由人做主
지성을 다해도 운명과는 겨루기 어렵구나   一心難與命爭衡

위연의 목숨은 어찌 될 것인가?

104

큰 별 떨어지다

큰 별이 떨어지매 제갈량은 저승으로 돌아가고
사마의는 공명의 목상을 보고 간담이 서늘해지다

강유는 위연이 등불을 꺼트린 데 화가 치밀어서 칼을 뽑아 그를 베
어 죽이려 했다. 공명이 손을 들어 강유를 막는다.

"그만두오. 이는 내 명이 다한 것이지 문장(文長, 위연의 자)의 잘못
이 아니오."

강유는 칼을 거두자 공명은 피를 토하고 침상에 쓰러지듯 누워서
위연에게 명한다.

"지금 사마의가 내 병난 것을 짐작하고 우리 허실을 정탐하려 사람
을 보낸 것이니, 그대는 어서 나가서 맞아 싸우라."

위연은 명을 받고 장막을 나서서 즉시 군사들을 이끌고 영채 밖으로 짓쳐나갔다. 영채 가까이까지 다가왔던 하후패는 위연의 공격에 황망히 군사를 돌려 달아났다. 위연은 20여리쯤 하후패의 뒤를 쫓다가 돌아왔다. 공명은 위연에게 본채로 돌아가 지키라고 명했다.

강유가 장막 안으로 들어와 공명의 병세를 살폈다. 공명이 말한다.

"나는 충성을 바쳐 중원땅을 회복하고 힘이 다할 때까지 한실을 다시 일으키려 애써왔으나, 하늘의 뜻이 이러하니 이제 내 목숨이 조석에 달렸소. 내 평생 배운 바를 24편(篇)의 글로 남기니, 글자 수로는 10만 4112자에 달하고 그 내용으로는 팔무(八務)·칠계(七戒)·육공(六恐)·오구(五懼)의 법이 적혀 있소. 내 두루 여러 장수들을 살펴보았으나 이를 전수할 만한 자가 없고, 오로지 그대만이 덕목을 갖추었다 생각되어 이 책을 전하니, 부디 소홀히하지 마오."

강유는 울면서 절하고 공명의 책을 받았다. 공명이 다시 말한다.

"내가 연노지법(連弩之法)이라는 것을 생각해냈는데, 아직 실전에 사용해보지는 못했소. 이는 화살의 길이가 8촌(寸)으로, 쇠뇌 하나로 한번에 10개의 화살을 쏠 수 있는데, 여기에 도본을 그려두었으니, 나중에 그대로 만들어 사용하도록 하오."

강유는 또 절을 하고 받았다. 공명이 말을 잇는다.

"촉으로 들어오는 여러 길들은 모두 크게 염려할 것이 없으나 다만 음평(陰平)땅만은 각별히 주의를 기울여야 하오. 그곳이 비록 험준하다고는 하나 잘 대처하지 않으면 머지않아 반드시 잃게 될 것이니 부디 조심하오."

이어 공명은 마대를 불러들여 침상 가까이 다가오게 하더니 귀에 대고 은밀히 계교를 일러주고서 다짐하듯 말한다.

"내 죽은 뒤에 그대는 반드시 그 계교대로 행하라."

마대가 계략을 받고 물러났다. 잠시 후 양의(楊儀)가 들어오자 또한 침상 가까이 부르더니 공명은 이불 속에서 비단주머니 하나를 꺼내주며 은밀히 당부한다.

"내가 죽고 나면 반드시 위연이 배반한 날이 있을 것이오. 그때 그대는 싸움에 임하기 전에 이 주머니를 열어보시오. 그러면 자연히 위연의 목을 벨 사람이 나타날 게요."

이렇듯 공명은 일일이 뒷일을 조처하더니 갑자기 정신을 잃고 쓰러져서 저녁 늦게야 다시 깨어났다. 정신이 들자 곧 사람을 시켜 후주 유선에게 올리는 표문을 써주어 급히 떠나보냈다. 공명의 표문을 받은 후주는 크게 놀라 즉시 상서(尙書) 이복(李福)에게 명하여 밤을 새워 달려가 공명을 문병하고 아울러 뒷일을 물어오게 했다. 이복은 그 길로 말을 재촉해 오장원으로 달려갔다. 공명에게 후주의 뜻을 전하고 문안인사를 올리자 공명이 눈물을 흘리며 말한다.

"내가 불행히도 명이 다하여 국가대사를 돌보지 못하고 중도에 그치니 천하에 큰 죄를 지게 되었소. 내 죽은 뒤 공들은 마땅히 충성을 다해 주군을 보좌하여 나라의 은혜에 보답하오. 옛 제도를 함부로 고쳐서도 안되고, 내가 쓰던 사람들을 경솔히 폐해서도 안되오. 병법은 이미 남김없이 강유에게 전했으니, 그가 능히 내 뜻을 이어 나라를 위해 힘을 다할 것이오. 내 목숨이 이미 조석에 달렸으니 곧 표문을 써서 황제께 올리겠소."

이복은 공명이 건네주는 표문을 받아들고 하직인사를 한 뒤 총총히 떠나갔다. 공명은 병든 몸을 억지로 일으켜 좌우의 부축을 받으며 작은 수레에 올라 각처의 영채를 두루 살폈다. 가을바람이 얼굴에 스치니 그 냉기가 뼛속까지 스미는 듯했다. 공명이 한숨을 내쉬며 탄식한다.

"내 다시는 싸움에 나가 적들을 토벌하지 못하겠구나. 유유한 창천이여, 어찌 이렇게 끝내십니까!"

긴 탄식 끝에 수레를 몰아 장막으로 돌아오니 이때부터 공명의 병세는 더욱 악화되었다. 공명이 양의를 불러 분부한다.

"왕평 · 요화 · 장의 · 장익 · 오의 등은 모두 충의지사로, 오랜 세월을 전장에서 보낸데다 많은 공을 쌓았으니 앞으로 무슨 일이든 맡길 만하오. 또한 내가 죽은 뒤에라도 모든 일은 옛법에 따라 처리할 것이며, 군사를 회군할 때는 천천히 물리고 급히 서두르지 마시오. 그대는 지략이 뛰어나니 더 여러 말이 필요없겠고, 강유는 지모와 용맹을 겸비했으니 그로 하여금 뒤를 맡게 하면 쫓아오는 적을 능히 막아낼 수 있을 게요."

양의는 눈물을 흘리며 절하고 분부대로 행할 것을 다짐했다. 공명은 문방사보(文房四寶, 종이 · 붓 · 먹 · 벼루의 네가지)를 가져오라 하여 침상에 기대앉아 마지막으로 후주께 올릴 표문을 쓰기 시작했다. 그 내용은 대략 다음과 같다.

엎드려 듣자옵건대, 생사에는 불변의 이치가 있어 정해진 수명에서 벗어나기 어렵다 하니 이제 죽음에 임하여 보잘것없는 충성이나마 다하려 하옵니다. 신 제갈량은 천성이 어리석고 졸렬한 자로, 어려운 때를 만나 크신 명을 받들어 승상직을 맡았나이다. 군사를 일으켜 북벌에 나섰다가 미처 공을 이루지도 못한 채 병이 고황(膏肓, 몸속 깊은 곳으로 그곳에 병이 들면 낫기 어렵다 함)에 들고 목숨이 조석에 걸려 폐하를 끝까지 섬기지 못하게 될 줄을 어찌 생각이나 했으리이까. 한스럽고 또 한스러울 따름입니다. 엎드려 비옵건대, 폐하께서는 오로지 마음을 맑게 하고 욕심을 줄이시며 몸가짐을 검소히 하시고 백성을 사랑하시어, 선제의 뜻을 받들어 효도를 다하시고 은혜를 천하에 펴소서. 숨은 인재를 찾아내고 어질고 현명한 선비를 아끼시며 간사한 무리를 물리치셔서 풍속을 두터이 하소서.

성도(成都) 신의 집에는 뽕나무 8백 그루와 밭 15경(頃)이 있어 자손의 의식은 넉넉할 것이옵니다. 신이 외방(外方)의 임무를 맡아 나와 있는 동안에는 소용되는 바를 모두 관(官)에서 받아쓰며 따로 살림을 늘리지 않았사옵니다. 신이 죽는 날에 안으로 비단 한조각 없고 밖으로 몇푼의 재물도 남기지 않은 것은 이로써 폐하의 믿음을 저버리지 않고자 함이옵니다.

표문을 다 써내려간 공명은 다시 양의에게 당부한다.

"내가 죽거든 발상(發喪)하지 말고, 큰 감실(龕室, 사당 안의 신주를 모셔두는 곳)을 만들어 그 안에 내 시신을 앉힌 다음 백미 일곱 알을 내 입안에 넣고 다리 밑에는 등잔 하나를 밝혀두오. 군중은 여느 때처럼 안정케 하고 절대 곡하지 못하게 하오. 이렇게 하면 장성이 떨어지지 않을 것인즉, 나의 음혼(陰魂)이 다시 일어나 이를 지킬 터이니, 사마의는 장성이 떨어지지 않음에 필시 놀라고 의심할 게요. 그동안에 우리 군사들은 뒤쪽 영채부터 먼저 떠나서 차례로 한 영채씩 천천히 퇴군하도록 하오. 만일 사마의가 추격해오거든 즉시 진을 벌이고 깃발을 늘여세운 뒤 북을 울리도록 하오. 적군이 이르기를 기다렸다가, 미리 만들어둔 내 목상(木像)을 수레에 싣고 장수들로 하여금 좌우로 호위하며 적진 앞으로 밀고 나가게 하오. 사마의가 이를 보면 필시 놀라서 달아날 것이오."

양의는 공명의 분부를 하나하나 되새겼다. 그날밤 공명은 사람들의 부축을 받으며 밖으로 나와 북두성을 우러르다가 그중 한 별을 손가락으로 가리키며 말한다.

"저것이 나의 장성이다."

사람들이 하늘을 올려다보니 큰 별 하나가 금방이라도 떨어질 듯 희미하게 흔들리고 있었다. 공명은 칼을 뽑아 별을 가리키며 주문을 외우더니 장막으로 돌아오기가 무섭게 혼절하여 쓰러지고 말았다. 여러 장수들은 당황하여 어쩔 줄을 몰랐다. 그때 상서 이복이 다시 와서 공명이 혼수상태에 빠져 침상에 누워 있는 것을 보고는 큰소리로 울부짖는다.

"내가 국가 대사를 그르쳤구나!"

얼마 뒤 정신이 돌아온 공명은 이복이 곁에 있는 것을 보고 힘없는 목소리로 말한다.

"공이 다시 온 바를 짐작하오."

이복이 공손히 아뢴다.

"이몸이 황제의 명을 받자옵기를, 승상이 돌아가시면 대임(大任)을 누구에게 맡겨야 좋을지 여쭤보라 하셨는데, 일전에 찬찬히 묻지 못하여 다시 왔습니다."

공명이 말한다.

"내가 죽은 뒤에 대사를 맡길 만한 사람은 장공염(蔣公琰, 장완蔣琬)이 가장 적임자라 생각하오."

이복이 다시 묻는다.

"공염의 뒤는 누구로 이으리까?"

"비문위(費文偉, 비의)가 좋겠지……"

이복이 또다시 물었다.

"문위 뒤에는 누가 마땅할는지요?"

공명은 더이상 대답이 없었다. 장수들이 가까이 다가가 살피니 공명은 이미 세상을 떠난 뒤였다. 때는 건흥 12년(234) 8월 23일, 공명의 나이 54세였다.

후세에 두보(杜甫)가 시를 지어 공명의 죽음을 애도했다.

간밤에 장성이 군영 앞으로 떨어지더니	長星昨夜隆前營
공명 선생 부음을 오늘 듣는구나	訃報先生此日傾
장막 안에서 지휘하시던 소리 들리지 않고	虎帳不聞施號令
오직 기린대에 공훈의 이름 올랐도다	麟臺惟顯著勳名
문하의 3천 객은 어쩔 줄 몰라하니	空餘門下三千客
흉중에 품고 있던 10만 군사 저버렸도다	辜負胸中十萬兵
맑은 날 녹음이 짙푸른 속이 좋건만	好看綠陰淸晝裏
이제는 다시 그 노랫소리 들을 길 없네	于今無復雅歌聲

또 백거이(白居易)가 지은 시도 있다.

선생이 자취 감추어 산림에 누웠거늘	先生晦跡臥山林
어진 군주 세번이나 찾아오시다니	三顧那逢聖主尋
물고기 남양에 이르러 비로소 물을 얻었고*	魚到南陽方得水
용이 하늘 밖으로 날아 비를 내렸다	龍飛天漢便爲霖

공명은 하늘로 돌아가다

탁고의 중한 부탁 정성 다한 은근한 예절에	託孤旣盡殷勤禮
나라의 은혜에 보답하고자 충의지심 기울였네	報國還傾忠義心
전후로 올린 출사표 남아 있어	前後出師遺表在
한번 읽는 사람들 눈물로 옷깃 적시네	令人一覽淚沾襟

 * 유비가 제갈량을 얻고서 물고기가 물을 만난 것 같다고 말한 일.

전에 촉의 장수교위(長水校尉)였던 요립(廖立)은 자신이 공명 다음 가는 재주를 가졌다고 자부하며, 제 직위 낮은 것을 불평하여 원망과 비방을 그치지 않았다. 이에 공명이 그를 파직시키고 평민으로 만들어 문산(汶山)땅으로 귀양보낸 일이 있었다. 요립은 공명이 죽었다는 소식에 눈물을 흘리며 한탄한다.

"나는 끝내 평민 신세를 면하지 못하게 되었구나!"

이엄(李嚴)도 공명의 부음을 듣고는 목놓아 울다가 끝내 병이 나서 죽고 말았다. 이엄은 늘 공명이 자기를 다시 거두어주어서 지난날의 과오를 만회할 기회만 기다리던 터였는데, 공명이 죽었으니 다시 등용될 길이 막힌 것을 슬퍼한 것이다.

훗날 원미지(元微之, 미지는 당나라 때 시인 원진元稹의 자)도 공명을 칭송해 시를 지었다.

난세를 바로잡고 위태로운 주인을 붙들어	撥亂扶危主
은근한 말씀에 탁고의 중책을 받았도다	殷勤受託孤
뛰어난 재주는 관중 악의보다 낫고	英才過管樂
교묘한 계책은 손자 오기를 능가하도다	妙策勝孫吳
늠름하여라 저 출사표	凜凜出師表

당당할손 팔진도로다	堂堂八陣圖
공과 같이 온전하고 거룩한 덕 지닌 이	如公全盛德
고금에 다시 없음을 탄식하노라	應歎古今無

그날밤 하늘과 땅이 수심에 잠기고 달빛마저 제 빛을 잃더니 공명은 문득 하늘로 돌아갔다. 강유와 양의는 공명의 유명(遺命)을 받들어 감히 곡도 하지 못했다. 법도에 따라 염습을 마치고 감실 속에 모신 후 심복부하 3백명으로 하여금 수호하게 했다. 한편 위연에게 은밀히 전령을 보내 뒤를 끊도록 지시한 후, 각처의 영채를 정리해 천천히 군사를 물리기 시작했다.

한편 사마의는 밤에 천문을 살피다가 커다란 별 하나가 붉은빛을 띠더니 긴 꼬리를 남기며 동북쪽에서 서남쪽으로 흐르다가 촉의 영내에 떨어지는 것을 보았다. 그 별은 떨어졌다가 솟구치기를 두세 번이나 하면서 은은한 소리를 내었다. 사마의는 크게 놀라는 한편 기뻐한다.

"드디어 공명이 죽었구나!"

즉시 대군을 일으켜 촉군을 추격하도록 영을 내렸다. 그런데 군사들을 거느리고 막 영채 문을 나서려던 사마의의 마음속에 문득 의심이 일어났다.

'공명이 평소 육정육갑(六丁六甲)의 술책을 잘 쓰는데, 내가 오래도록 싸울 생각을 하지 않으니 이제 죽은 것처럼 꾸며 나를 끌어내려는 계책인지도 모른다. 지금 저들을 추격했다가는 반드시 그 계교에 빠지고 말 것이다.'

사마의는 그 자리에서 말머리를 돌려 영채로 들어와 다시 나가지 않았다. 그리고 하후패를 시켜 조용히 기병 수십명을 이끌고 오장원으로 나아가 정탐해오도록 했다.

　한편 위연은 밤에 본채에서 잠을 자다가 난데없이 머리 위에 두개의 뿔이 돋는 꿈을 꾸었다. 꿈에서 깨어난 뒤에도 기이한 생각을 떨치지 못했다. 다음날 행군사마(行軍司馬) 조직(趙直)이 찾아오자 위연은 그에게 묻는다.

　"그대가 역리(易理, 천문의 이치)에 밝다는 말을 오래 전부터 들었소. 내 간밤에 머리에 뿔 두개가 돋는 꿈을 꾸었는데, 나로서는 길몽인지 흉몽인지 알 수 없구려. 번거로우시겠지만 해몽을 부탁하오."

　조직은 한참동안 생각에 잠기더니 이윽고 말한다.

　"이는 아주 길한 징조입니다. 기린도 머리에 뿔이 있고 창룡(蒼龍)도 머리에 뿔이 있으니, 이는 곧 무슨 변화가 있어 높이 날아오를 징조라 할 수 있습니다."

　위연은 매우 기뻐하며 말한다.

　"공의 말이 맞으면 내 마땅히 후하게 사례하리다."

　조직은 위연과 작별하고 돌아가다가 상서 비의를 만났다. 비의가 반가워하며 묻는다.

　"그대는 어디서 오는 길이오?"

　"위문장의 영채에 갔다 오는 길이외다."

　조직은 위연에게서 들은 꿈이야기를 비의에게 해주었다.

　"문장이 간밤에 머리에 두개의 뿔이 돋는 꿈을 꾸었다고 그 길흉을 묻습디다. 아시다시피 그게 길조는 아니잖소? 바른 대로 말했다가 무슨 일이 일어날지 몰라 그저 기린과 창룡을 빗대어 둘러대고 오는 길이오."

"그대는 어떻게 그것이 길조가 아님을 아셨소?"

"뿔 각(角)자 모양이 바로 칼 도(刀)자 아래에 쓸 용(用)자이니 머리 위에 두개의 칼을 쓰는 격인데, 그보다 더 흉한 꿈이 어디 있겠소이까?"

비의가 당부한다.

"그 이야기를 절대 누구에게도 누설하지 마오."

조직과 헤어진 비의는 위연의 영채에 이르렀다. 좌우의 사람을 물리치게 하고 위연에게 말한다.

"어젯밤 3경에 승상께서 세상을 떠나셨습니다. 승상께서 임종시에 거듭 당부하시기를, 장군으로 하여금 뒤를 끊게 하여 사마의를 막으며 천천히 퇴군하되, 승상의 죽음을 알지 못하도록 발상도 하지 말라 하셨습니다. 여기 병부(兵符)를 가지고 왔으니 즉시 군사를 일으키시오."

위연이 묻는다.

"그렇다면 지금은 누가 승상을 대신해 대사를 맡고 있소?"

"승상께서는 대사를 전부 양의에게 부탁하셨고, 용병하는 밀법(密法)은 모두 강백약(姜伯約, 강유)에게 전수하셨소. 이 병부는 양의의 명령으로 가져온 것이오."

위연이 발끈하여 말한다.

"비록 승상은 돌아가셨으나 내가 있지 않소? 양의로 말하자면 일개 장사(長史)에 지나지 않는데, 어찌 그같은 대임을 감당할 수 있겠소? 양의에게는 승상의 영구를 모시고 성도로 돌아가 장사나 지내게 함이 마땅할 것이오. 나는 군사를 이끌고 사마의를 공격해 기어이 공을 이루고야 말겠소. 승상 한 사람으로 인해 국가 대사를 폐해서야 되겠소이까?"

비의는 좋은 말로 달랜다.

"승상께서 유언으로 남긴 명이니 거역할 수 없소. 즉시 군사를 물리도록 합시다."

위연은 버럭 화를 낸다.

"승상께서 지난번에 내 계책에 따랐던들 벌써 장안을 취하고도 남았을 게요. 지금 내 관직이 전장군(前將軍) 정서대장군(征西大將軍) 남정후(南鄭侯)인데, 어찌 한낱 장사 따위의 명을 받아 뒤를 끊으란 말이오?"

비의가 말한다.

"장군 말씀을 듣고 보니 그렇기는 합니다만, 그렇다고 우리가 지금 경솔히 움직였다가 적의 웃음거리가 되면 어찌하오? 내 곧 양의를 만나 이해를 따져서 장군께 병권을 양도하도록 설득해볼 터이니 그때까지만이라도 기다리는 게 어떻겠소?"

위연이 응낙한다.

"좋소. 그 말대로 하리다."

비의는 위연과 작별하고 길을 재촉해 급히 대채로 돌아와서는 즉시 양의를 만나 위연의 말을 전했다. 양의가 말한다.

"승상께서 임종시에 내게 당부하시기를, 위연이 반드시 딴뜻을 품을 것이라고 주의를 주셨소. 내가 짐짓 병부를 보내 그의 마음을 떠본 것인데, 과연 승상의 말씀이 조금도 틀림이 없소그려. 일이 이러하니 백약으로 하여금 뒤를 끊게 하겠소."

마침내 양의는 영구를 모시고 먼저 떠나면서, 강유로 하여금 뒤를 끊게 하고 공명이 남긴 명령에 따라 천천히 군사를 물리기 시작했다.

위연은 영채에서 비의를 기다리고 있었다. 그러나 비의는 나타나지 않았다. 의심스런 생각이 든 위연은 마대를 시켜 군사 10여기를 이끌고 가서 대채의 소식을 탐지해오도록 했다. 이윽고 마대가 돌아와 고한다.

"후군은 강유가 맡고 있고, 전군은 태반이 이미 퇴군하여 산골짜기로 들어갔습니다."

드디어 위연은 크게 노했다.

"하찮은 선비놈이 어찌 감히 나를 속인단 말이냐. 내 반드시 이놈을 죽이고야 말리라!"

그러고는 마대를 향해 묻는다.

"어떻소, 공은 나를 돕겠소?"

마대가 대답한다.

"저 역시 양의에게 원한이 있던 터입니다. 기꺼이 장군을 돕겠습니다."

위연은 크게 기뻐하며 즉시 영채를 거두고 군사를 인솔하여 남쪽을 향해 나아갔다.

하후패가 군사를 몰고 오장원에 이르렀을 때는 이미 한명의 촉군도 눈에 띄지 않았다. 급히 되돌아가 사마의에게 고한다.

"촉군은 이미 철수하여 군사라고는 그림자도 없었습니다."

사마의는 발을 구르며 소리친다.

"그렇다면 공명이 죽은 게 분명하다. 속히 추격하라!"

하후패가 말한다.

"도독께서 몸소 가실 것이 아니라 편장 하나를 앞세워 먼저 가게 하십시오."

사마의가 단호하게 말한다.

"아니다. 이번에는 내가 가야겠다."

사마의는 두 아들과 함께 군사를 거느리고 급히 오장원을 향해 진군해갔다. 촉군의 영채에 다다라 군사들이 함성을 지르며 안으로 뛰어들었으나 과연 촉군은 한 사람도 없었다. 사마의가 두 아들을 돌아다보며 말한다.

"내가 먼저 군사를 이끌고 전진할 테니 너희는 군사를 재촉해 뒤를 따르도록 하라."

두 아들 사마사와 사마소에게 후군을 독촉하게 하고, 사마의는 몸소 군사를 휘몰아 앞장서서 촉군을 추격해갔다. 사마의의 군사가 산기슭을 돌아드는데 멀지 않은 앞쪽에 촉군의 행렬이 보였다. 있는 힘을 다해 뒤를 쫓는데, 문득 산 뒤에서 한방 포소리와 함께 함성이 크게 일어난다. 깜짝 놀라 바라보니 물러가던 촉군이 갑자기 돌아서며 반격할 태세로 북을 치면서 숲 사이에서 우르르 쏟아져나오는 게 아닌가. 그 한복판에 중군기가 나부끼는데 '한승상 무향후 제갈량(漢丞相武鄕侯諸葛亮)'이란 글자가 대뜸 눈에 띄었다.

사마의는 대경실색했다. 자세히 살피기 위해 눈을 부릅뜨고 보니 군중에서 수십명의 장수들이 사륜거를 호위해 나오는데, 그 위에 학창의 차림에 윤건을 쓰고 깃털부채를 든 채 단정히 앉아 있는 사람은 틀림없는 공명이었다. 사마의는 가슴이 철렁 내려앉았다.

"공명이 살아 있거늘, 내가 잘못 판단하고 경솔히 움직여서 그의 계책에 빠져버렸구나!"

사마의가 급히 말머리를 돌려 달아나려 하는데 등뒤에서 강유가 큰

소리로 외친다.

"적장 사마의는 꼼짝마라. 너는 이미 우리 승상의 계책에 빠졌도
다!"

혼비백산한 위군들은 갑옷이며 투구를 벗어던지고 앞다투어 달아
났다. 창과 칼이 아무렇게나 나뒹굴고 저희끼리 서로 밟고 밟혀 죽은
자만 해도 헤아릴 수가 없었다. 사마의는 뒤도 돌아보지 않고 50여리
가량을 정신없이 달아났다. 그때였다. 뒤에서 두 장수가 달려와 사마
의의 말고삐와 재갈을 움켜잡으며 소리친다.

"도독께서는 진정하십시오."

사마의는 그제야 멈춰서서 제 머리를 만지며 묻는다.

"내 머리가 그대로 붙어 있느냐?"

두 장수가 말한다.

"이제 안심하십시오. 촉군은 멀리 가고 없습니다."

사마의는 한동안 가쁜 숨을 몰아쉬다가 비로소 제정신이 든 듯 새
삼스럽게 두 장수를 바라보았다. 두 장수는 하후패와 하후혜였다. 그
제야 사마의는 다시 말고삐를 잡고, 두 장수와 함께 천천히 소로를 더
듬어 본채로 돌아왔다. 사마의는 본채로 돌아온 즉시 여러 장수들에
게 군사를 이끌고 각기 흩어져 촉의 형세를 살펴오게 했다.

그로부터 이틀이 지났다. 고을의 백성 한 사람이 사마의에게 와서
고한다.

"촉군이 산골짜기로 물러갈 때 슬프게 우는 소리가 땅을 울렸습니
다. 군중에 백기가 휘날렸으니 공명이 죽은 것이 분명합니다. 강유가
1천 군사를 거느리고 뒤를 끊었을 뿐, 수레 위에 앉아 있던 것은 공명
이 아니라 나무를 깎아만든 목상이었습니다."

사마의는 탄식해 마지않는다.

"아, 나는 공명이 살아 있는 줄로만 알았지 죽었을 거라고는 전혀 생각지 못했구나!"

이로부터 촉땅 사람들 사이에서는 '죽은 제갈량이 산 중달을 달아나게 했다'는 속담까지 생겼다. 후세 사람이 이 일을 탄식한 시가 있다.

장성이 밤중에 하늘에서 떨어진 것을 보고	長星半夜落天樞
급히 추적하다가 제갈량 죽지 않았구나 하고 놀랐네	奔走還疑亮未殂
촉땅의 사람들 지금도 비웃는구나	關外至今人冷笑
'아직도 내 머리가 붙어 있느냐' 묻던 일을	頭顱猶問有和無

비로소 공명의 죽음을 확인한 사마의가 다시 군사를 이끌고 적안파 (赤岸坡)까지 추격했으나 촉군은 이미 멀리 가버리고 보이지 않았다. 군사를 이끌고 돌아온 사마의는 여러 장수들을 모아놓고 말한다.

"공명이 이미 죽었으니 우리는 이제 아무 걱정이 없도다."

마침내 군사를 거두어 회군했다. 도중에 공명이 세웠던 영채 자리를 지났는데, 가만히 살펴보니 전후좌우로 추호의 빈틈도 없이 정연했다. 사마의는 거듭 감탄했다.

"참으로 천하의 기재였도다!"

군사를 이끌고 장안으로 돌아온 사마의는 여러 장수를 나누어 각처의 요충지를 수비하도록 했다. 그리고 자신은 황제를 뵈러 낙양으로 향했다.

한편 양의와 강유는 진을 펴고 천천히 물러가다가 잔도 어귀에 이르러서야 일제히 상복으로 갈아입고 발상했다. 비로소 조기(弔旗)를 올리고, 군사들은 마음놓고 서럽게 울기 시작했다. 그들의 비통함이 어찌나 컸던지 몸부림치며 머리를 땅에 짓찧다가 승상의 뒤를 따르는 군사들도 있었다.

곡을 하면서 촉군의 전군 선봉이 막 잔도로 들어서는 참이었다. 문득 앞에서 화광이 하늘을 찌를 듯 치솟고 함성이 땅을 뒤흔들며 한떼의 군사가 나타나 앞을 막아섰다. 깜짝 놀란 장수들은 울음을 거두고 이 사실을 고하기 위해 급히 양의에게 달려갔다.

이미 위군 영채의 장수들 돌아감을 보았는데	已見魏營諸將去
촉땅에 어인 군사들 왔는가 알지 못할레라	不知蜀地甚兵來

앞을 막아선 군사들은 도대체 어디서 온 것일까?

105

비단주머니 속의 계책

제갈량은 미리 비단주머니에 계책을 남겨두고
위주 조예는 승로반을 떼어다가 옮겨놓다

양의는 앞에 적이 나타났다는 보고를 받은 즉시 군사들을 멈춰세우고 급히 사람을 보내 정탐하게 했다. 잠시 후 정탐꾼이 돌아와서 고한다.

"위연이 잔도를 불태워 끊고 군사를 거느리고서 길을 막고 있습니다."

양의는 크게 놀랐다.

"승상께서 생전에 그자가 뒤에 반드시 반역하리라 하시더니, 그래도 오늘 이럴 줄 누가 생각이나 했겠는가! 이제 우리가 돌아갈 길을 끊었으니 어쩌하면 좋단 말인가?"

비의가 말한다.

"그자가 필시 먼저 황제께 달려가 우리들이 모반했다고 거짓 주청을 올렸으니 이렇게 잔도를 태워 끊고 우리 앞길을 막는 게 아니겠습니까? 우리도 마땅히 황제께 표문을 올려 위연이 반역한 사실을 아뢴 뒤에 일을 도모하도록 합시다."

강유가 말한다.

"이곳에 협소한 지름길이 하나 있는데, 이름은 사산(槎山)이라 하오. 험준하기 짝이 없지만 잔도 뒤로 빠져나갈 수 있습니다."

양의 등은 곧 표문을 황제께 보내는 동시에 군마를 사산 쪽으로 나아가게 했다.

한편 성도의 후주는 까닭없이 마음이 편치 않아 잠자리가 불안하고 제대로 먹지도 못하다가 하루는 성도를 둘러싼 금병산(錦屛山)이 와르르 무너지는 꿈을 꾸었다. 깜짝 놀라 깨어난 후주는 다시 눈을 붙이지 못한 채 날이 밝기만을 기다렸다. 다음날 아침 후주가 입조한 문무백관들에게 간밤의 꿈에 대해 이야기하자 초주가 아뢴다.

"신이 어젯밤에 천문을 보니, 큰 별 하나가 붉은빛을 뿜으며 꼬리를 길게 물고 동북쪽에서 서남쪽으로 떨어졌사옵니다. 이는 승상께 큰 화가 닥칠 것을 예고하는 징조입니다. 더구나 폐하께서 산이 무너지는 꿈을 꾸셨다 하니 이 또한 그 조짐에 상응하는가 하옵니다."

후주는 초주의 말에 더욱 놀라 어찌할 바를 몰랐다. 이때 마침 이복이 돌아왔다는 보고가 들어왔다. 후주가 급히 불러들여 승상의 병세를 묻자 이복이 머리를 조아리고 울음을 터뜨리며 말한다.

"승상께서는 이미 돌아가셨나이다."

이복은 공명이 임종하면서 남긴 말을 세세히 아뢰었다.

"하늘이 나를 버리시는구나!"

후주는 대성통곡하다가 그대로 용상 위에 쓰러졌다. 신하들이 급히 후주를 부축해 후궁으로 모셨다. 오태후(吳太后)도 이 소식을 듣고 목 놓아 통곡하며 그칠 줄을 몰랐다. 많은 관원들 중에 애통해하지 않는 자가 없었고, 백성들 또한 승상의 부음을 듣고 한없는 슬픔에 잠겼다. 후주는 상심한 나머지 연일 조회도 열지 못했다. 이때 갑자기 위연으로부터 양의가 반역했다는 내용의 표문이 당도했다. 뜻밖의 소식을 접한 문무백관들은 모두 깜짝 놀라 당장 후주에게 이 사실을 알렸다. 이때 오태후도 곁에 있었다. 보고를 받은 후주가 크게 놀라 근신에게 명하여 표문을 읽게 했다. 그 내용은 대략 다음과 같다.

정서대장군 남정후 신 위연은 실로 황송함을 무릅쓰고 머리를 조아려 아뢰나이다. 양의가 스스로 병권을 움켜쥐고 군사들을 거느려 반란을 일으켰으며, 또한 양의의 무리는 승상의 영구를 빼앗고 적군을 끌어들여 경계를 침범하려 하옵니다. 그래서 신은 우선 잔도를 태워 끊고 이들을 막아 싸우고 있음을 삼가 표를 올려 아뢰는 바입니다.

표문을 다 읽고 나자 후주가 의심스럽다는 듯이 묻는다.

"위연은 용맹한 장수라 능히 양의의 무리를 막아낼 수 있을 터인데 어쩌자고 잔도를 태웠단 말인가?"

오태후가 한마디 한다.

"일찍이 선제께서 말씀하시기를, 공명이 위연의 뒤통수를 보고 반역할 상이라 하며 죽이려 했다가 그 용맹스러움을 가상히 여겨 그냥 쓰고 있는 것이라고 하셨소. 그러니 양의의 무리가 반역했다는 말은 쉽게 믿을 수 없는 것이오. 더욱이 양의로 말하면 문사(文士)라, 승상 께서 장사의 소임을 맡긴 것은 믿고 쓸 만하니 그랬겠지요. 지금 만약 한쪽 말만 듣고 일을 처리한다면 양의의 무리가 반드시 위로 투항해 갈 것이오. 이 일은 깊이 생각하여 조처하고 함부로 처신해서는 아니 되오."

여러 관원들이 머리를 맞대고 이 일을 상의하는데, 때마침 양의로 부터 급한 표문이 올라왔다는 보고가 들어왔다. 근신이 표문을 읽었 다.

장사(長史) 수군장군(綏軍將軍) 신 양의는 황공하옵게도 머리를 조아려 삼가 표를 올리나이다. 승상께서 임종하실 적에 대사를 신 에게 맡기시며, 만사를 옛법에 따르되 감히 바꾸지 말라 하셨으며, 위연으로 하여금 뒤를 끊게 하고, 강유로 하여금 뒤를 대비하게 하 라 하셨습니다. 이제 위연이 승상의 유언을 따르지 않고 스스로 군 사를 거느리고 먼저 한중에 들어와서 잔도를 불태운 뒤 승상의 영 거(靈車)마저 빼앗아 모반하려 하고 있사옵니다. 창졸간에 일어난 변괴인지라 황급히 표를 올려 아뢰는 바이옵니다.

듣고 나서 오태후가 관원들에게 묻는다.
"경들의 소견은 어떠한가?"
장완이 아뢴다.
"신의 어리석은 소견으로는, 양의가 비록 성품이 지나치게 급하여

포용력은 없사오나, 군량과 마초를 관장하고 군무에 참여하여 오랫동안 승상을 모셔왔으며, 더욱이 승상께서 임종하며 대사를 맡기셨으니 결코 나라를 배반할 사람은 아니라고 여겨집니다. 위연으로 말하자면 평소 공이 높은 것만 믿고 오만하게 굴어 사람들이 모두 함부로 대하지 못했으나, 오직 양의만이 그를 신통찮게 여기는지라 위연이 항상 반감을 품어온 터입니다. 이제 양의가 군사를 총지휘하게 되었으니, 위연은 이에 불만을 품고 일부러 잔도를 태워 끊어 돌아가지 못하게 한 후 거짓 표문을 올려 그를 해치려 모함하는 것으로 보입니다. 신은 제 가족의 생명을 걸고 양의가 결코 반란을 일으킬 사람이 아님을 보증하오나, 위연만은 감히 보증하지 못하겠나이다."

동윤(董允) 또한 아뢴다.

"위연은 스스로 제 공만 믿고 마음에 불평불만이 가득해 매사에 원망하는 소리뿐이었습니다. 그러면서도 감히 배반하지 못했던 것은 승상을 두려워했기 때문인데, 이제 승상께서 돌아가셨으니 이 틈에 반란을 일으키려 하는 것이 분명하옵니다. 하오나 양의로 말하자면 재간이 뛰어나고 민첩하여 승상의 신임을 받아온 터에 그가 무슨 연유로 반란을 일으키려 하겠사옵니까?"

후주가 걱정스러운 빛으로 묻는다.

"위연이 과연 모반하려 한다면, 장차 이를 무슨 수로 막아내겠는가?"

장완이 아뢴다.

"승상께서 항상 위연을 믿지 못하셨으니, 필시 좋은 계책을 양의에게 남기셨을 것입니다. 만일에 믿는 바가 없었다면 양의가 어찌 골짜기 어귀로 들어왔겠사옵니까? 위연은 필경 계책에 말려들 것이옵니다. 폐하께서는 너무 염려 마소서."

얼마 안 가서 다시 위연으로부터 표문이 올라왔다. 그 표문은 여전히 양의가 반역을 꾀하고 있음을 알리고 있었다. 잠시 후 다시 표문이 올라왔다. 이번에는 양의가 위연이 배반했음을 알리며 간하고 있었다. 이렇듯 두 사람이 올리는 표문이 번갈아 올라오며 각자 내세우는 시비가 어지러웠다. 이때 문득 비의가 성도에 도착했다는 보고가 들어와 후주가 비의를 불러들였다. 비의가 위연이 배반하게 된 경위를 자세히 고하니 후주가 드디어 결단을 내려 말한다.

"사태가 진실로 이러하다면, 동윤으로 하여금 절을 가지고 가서 좋은 말로 위연을 위무하게 하라."

동윤은 칙명을 받들고 떠나갔다.

한편 위연은 잔도를 불태워 끊고 남곡(南谷)에 군사를 주둔한 채 험하고 좁은 길목을 지키면서 대사를 이미 이룬 것처럼 만족해하고 있었다. 양의와 강유가 야음을 타서 군사를 이끌고 남곡 뒤쪽으로 빠져나가리라고는 생각지도 못했다. 양의는 혹시 한중을 잃을까 염려하여 하평(何平)을 선봉으로 삼아 군사 3천을 이끌고 먼저 나아가게 했다. 그리고 자기는 강유와 함께 군사를 거느리고 승상의 영구를 모신 채 한중을 향해 곧장 나아갔다.

한편 하평은 군사를 휘몰아 남곡 뒤로 가서 북을 울리며 함성을 질렀다. 척후병이 나는 듯이 말을 달려 위연에게 이를 고한다.

"양의가 선봉 하평을 사산 소로를 질러 진군하게 해 우리에게 싸움을 돋우고 있습니다."

크게 노한 위연은 급히 말에 오르더니 칼을 휘두르며 군사를 휘몰아 달려나갔다. 양쪽 군사는 둥그렇게 진을 치고 대치했다. 하평이 말을 달려 앞으로 나오면서 소리친다.

"반적 위연은 어디 있느냐?"

위연이 맞선다.

"네 이놈, 너야말로 양의를 도와 모반한 주제에 어찌 감히 나를 욕하느냐?"

하평은 더욱 소리를 높여 꾸짖는다.

"승상이 돌아가시고 아직 그 골육이 식지도 않았거늘, 네 어찌 감히 배반한단 말이냐?"

그러고는 채찍을 들어 위연이 거느린 서천의 군사들을 가리키며 말한다.

"너희 군사들은 모두 서천사람으로 고향에 부모와 처자식과 형제, 친구들을 두었고, 더욱이 승상께서 살아 계실 때 너희를 조금도 박대하신 일이 없거늘, 어찌하여 이제 와서 역적놈을 돕는단 말이냐? 어서 각기 고향으로 돌아가 상이 내리기를 기다리도록 하라."

하평의 말을 듣고 군사들 태반이 일제히 함성을 지르더니 앞다투어 흩어지며 달아나고 말았다. 위연은 크게 노해 칼을 휘두르며 당장 하평을 향해 달려들었다. 하평은 창을 꼬나잡고 맞서싸우다가 몇합 싸우지 않고 짐짓 패한 척하며 달아났다. 위연이 말에 채찍을 가하며 맹렬히 뒤를 쫓았다. 그러자 기다렸다는 듯 하평의 군사들이 일제히 위연을 겨누고 활을 쏘아댔다. 위연이 부랴부랴 말머리를 돌리는데 그사이에 수하군사들이 뿔뿔이 흩어지며 달아나고 있었다. 위연은 분노를 참지 못해 말을 달려 닥치는 대로 군사 몇명을 쳐죽였다. 그러나 도망치는 군사들을 막을 수는 없었다. 그런 중에도 다만 마대가 거느린 군사 3백명만은 움직이지 않고 제자리를 지키고 있었다. 위연은 고마운 마음에 진정으로 마대에게 말한다.

"공이 이렇듯 진심으로 나를 도울 줄은 몰랐소. 내 대사를 이루는 날에는 결단코 그대의 공로를 저버리지 않으리다."

위연은 다시금 분발하여 마대와 함께 하평의 뒤를 쫓기 시작했다. 하평은 위연과 마대의 추격에 나는 듯이 달아나 어디론가 사라져버렸다. 위연은 남은 군사를 수습하고 나서 마대와 더불어 상의한다.

"기왕에 이렇게 되었으니 위에 투항하는 것이 어떻겠소?"

마대가 깜짝 놀라 말한다.

"장군은 어찌 그리도 지혜롭지 못한 말씀을 하시오? 사내대장부로서 스스로 패업을 도모하지 않고 어찌 남의 밑에 가서 무릎을 꿇는단 말이오? 내 보기에 장군은 지모와 용맹을 겸비해 서천과 동천에서 감히 장군과 견줄 수 있는 자는 없소이다. 나는 맹세코 장군과 함께 먼저 한중을 취하고 이어 서천을 칠 작정이오."

위연은 크게 기뻐하며 마대와 함께 군사를 거느리고 남정(南鄭)을 치기 위해 출발했다.

양의와 강유는 이미 남정성에 들어가 위연의 군사가 오기만을 기다리고 있었다. 강유가 남정성 위에서 위연과 마대가 위용을 떨치며 바람처럼 내달려오는 것을 보고는 급히 조교를 들어올려 성문을 굳게 닫아버렸다. 위연과 마대는 성 앞에 이르러 큰소리로 외쳐대기 시작했다.

"어서 항복하라!"

강유는 양의를 청하여 대책을 의논한다.

"위연의 용맹이 빼어난데다 마대까지 합세하여 돕고 있으니, 비록 저들의 군사가 많지 않다고는 하지만 쉽게 물리칠 계책이 서질 않습니다."

양의가 대답한다.

"승상께서 임종시에 내게 비단주머니를 주며 당부하시기를, 위연이 배반하는 날이 있거든 그와 대적할 때 열어보라 하셨소. 그 안에 반드시 위연을 죽일 수 있는 계책이 있다 하셨으니, 이제 그것을 꺼내 봅시다."

두 사람이 비단주머니를 열자 그 안에서 다음과 같은 글이 씌어진 봉투가 나왔다.

'위연과 대적할 때 말 위에서 열어보라.'

강유가 크게 기뻐하며 말한다.

"이미 승상께서 이렇듯 계책을 주셨으니 장사(양의)께서 그대로 거두어두시오. 내가 군사를 몰고 성을 나가 진을 벌일 테니 곧 뒤따라 나오시오."

강유는 말을 마치기가 무섭게 갑옷을 입고 투구를 쓰고는 말에 올라 창을 치켜들더니 3천 군마를 거느리고 기세 좋게 성을 나갔다. 북소리가 요란하게 울리는 가운데 양쪽 군사들은 진을 벌여세웠다. 강유가 창을 세워들고 문기 아래로 말을 몰아나가며 큰소리로 꾸짖는다.

"반적 위연은 듣거라. 일찍이 승상께서 너를 박대하지 않으셨거늘 오늘날 어찌하여 배반한단 말이냐?"

위연이 칼을 비껴들고 말을 멈추더니 대꾸한다.

"백약아, 네가 간섭할 일이 아니니 양의더러 나오라 해라."

이때 양의는 문기 뒤에 말을 세우고 비단주머니 속의 봉투를 뜯어 보고 있었다. 공명이 남긴 계교를 읽어내려가는 양의의 얼굴에는 희색이 가득했다. 이윽고 양의는 가볍게 말을 몰아 진 앞으로 나서더니 위연을 손가락질하며 비웃듯 말한다.

"승상께서 생전에 머지않아 네가 반드시 배반할 것이라 하시며 내게 방비하라 하시더니, 과연 그 말이 맞았구나. 그래, 네놈이 진정 대장부라면 말탄 채 그대로 '누가 감히 나를 죽이겠느냐?' 하고 세번만 외쳐봐라. 그러면 내 한중땅을 네게 넘겨주마."

위연은 어처구니없다는 듯 껄껄 웃는다.

"네 이놈 양의야! 공명이 살아 있다면 내게 두려운 마음이 서푼어치는 들겠지만 이제 공명이 죽은 마당에 천하에 감히 누가 나와 대적한단 말이냐? 그런 소리야 세번이 아니라 3만번을 외치라 해도 어려울 것 없다!"

위연은 득의만면하여 한손에는 칼을 들고 다른 한손으로는 고삐를 당기며 큰소리로 외친다.

"누가 감히 나를 죽이겠느냐?"

위연의 그 첫마디가 채 끝나기도 전에 뒤에서 누군가가 큰소리로 답한다.

"내가 너를 죽이겠다!"

순간 그가 들었던 칼을 내려치니 어느새 위연의 목이 말 아래로 나뒹굴었다. 모두들 놀라 바라보니, 위연을 벤 장수는 다름아닌 마대였다. 원래 공명은 임종이 가까워질 무렵 제일 먼저 마대에게 밀계를 준 바 있었다. 즉 위연이 '누가 감히 나를 죽이겠느냐?'고 소리치는 순간 그의 목을 치라는 것이었다. 그날 양의는 비단주머니 속의 계책을 읽고 비로소 마대가 위연을 따라다니는 진의를 깨닫고서 계책대로 행하여 위연을 죽였던 것이다.

공명이 남긴 계책대로 위연은 마대의 손에 죽다

후세 사람이 이를 두고 찬탄한 시가 있다.

제갈량이 미리 위연을 꿰뚫어보고　　　　　　　諸葛先機識魏延
훗날 서천에 모반할 줄을 알았었네　　　　　　　已知日後反西川
비단주머니에 남긴 계교 뉘 짐작했으리　　　　　錦囊遺計人難料
바로 눈앞에서 마대가 성공시킴을 보네　　　　　却見成功在馬前

동윤이 칙명을 받들고 남정성에 도착하기도 전에 마대는 이미 위연
을 베고 강유와 더불어 군사를 한데 합쳤다. 양의는 그날밤으로 표문
을 써서 후주께 올렸다. 양의의 표문을 본 후주가 명한다.

"위연의 죄는 씻을 수 없으나 지난날의 공로를 생각하여 관을 마련
해 장사지내주도록 하라."

양의 등이 공명의 영구를 모시고 성도에 이르니, 후주는 문무백관
을 거느리고 상복차림으로 성밖 20리까지 나와 영접했다. 후주가 방
성대곡하니, 위로는 공경대부로부터 아래로는 산속에 사는 백성에 이
르기까지 남녀노소 모두 통곡하지 않는 이가 없고, 곡성이 땅을 뒤흔
들었다. 후주는 영구를 붙들고 성으로 들어와 승상부에 모시게 하고
그 아들 제갈첨(諸葛瞻)으로 하여금 장례를 치르게 했다.

후주가 조정으로 돌아오니 양의가 스스로를 결박하고 죄를 청했다.
후주는 신하들에게 명해 결박을 풀어준 뒤 부드럽게 말한다.

"만일에 경이 승상께서 남기신 뜻을 받들지 않았던들 영구가 어느
세월에 돌아오며, 어떻게 위연을 없앨 수 있었겠소? 큰일을 무사히
이룬 것은 모두 경의 힘이오."

후주는 양의에게 중군사(中軍師)의 벼슬을 내리고, 마대에게는 역

적을 죽인 공이 크다 하여 위연의 벼슬을 그대로 물려주었다. 양의가 공명이 남긴 표문을 올렸다. 읽고 난 후주는 또다시 통곡하고서 칙령을 내려 명당자리를 찾아 안장하도록 일렀다. 비의가 아뢴다.

"승상께서 임종시에 명하시기를, 정군산(定軍山)에 장사지내되, 담장과 벽돌, 석상 따위는 물론 제물도 일절 쓰지 말라 하셨습니다."

후주는 그 말에 따라 그해 10월 길일을 택하여 몸소 공명의 영구를 따라 정군산까지 가서 안장했다. 이어 제를 지내고 충무후(忠武侯)라는 시호를 내렸으며 면양(沔陽)에 사당을 지어 계절마다 제사를 올리도록 분부했다.

뒤에 두보가 시를 지어 남겼다.

승상의 사당 어디 가서 찾으리오 　　　　　丞相祠堂何處尋
금관성 밖 측백나무 우거진 곳이라 　　　　錦官城外柏森森
섬돌에 비친 푸른 풀빛은 봄기운 완연하고 　映階碧草自春色
나뭇잎 사이로 꾀꼬리소리 부질없이 좋구나 隔葉黃鸝空好音
삼고초려의 번거로움 천하를 위한 계책이라 三顧頻煩天下計
두 대를 이어 열어나간 일 늙은 충신의 마음이로다 兩朝開濟老臣心
출사하여 이기지 못하고 몸이 먼저 죽으니 　出師未捷身先死
오래도록 영웅들 눈물로 옷깃 적시네 　　　長使英雄淚滿襟

두보는 또 이렇게 읊었다.

제갈량 큰 이름 우주에 드리웠으니 　　　　諸葛大名垂宇宙
위대한 인물의 형상 그 모습도 맑고 높아라 　宗臣遺像肅淸高

천하삼분 할거함에 책략이 얽히니　　　　　　三分割據紆籌策

만고의 세월 구름 낀 하늘에 한낱 깃털이로다　　萬古雲霄一羽毛

견줄 만한 인물은 이윤과 여상이요　　　　　伯仲之間見伊呂

군사 지휘는 소하와 조참도 따르지 못했네　　指揮若定失蕭曹

한나라 운수 다함에 되돌리기 어렵건만　　　運移漢祚終難復

굳은 뜻 몸을 다할 때까지 군무에 바쳤다네　　志決身殲軍務勞

후주가 성도로 돌아오자 신하들이 급히 아뢴다.

"변방에서 알려오기를, 동오의 손권이 전종(全琮)으로 하여금 군사 수만명을 거느리고 파구(巴丘) 경계 어귀에 주둔하게 했다는데, 그 진의를 알 수 없사옵니다."

후주가 놀라 말한다.

"승상께서 세상을 떠나시자마자 동오가 동맹을 저버리고 경계를 침범하려 하니, 이를 어찌하면 좋단 말인가?"

장완이 아뢴다.

"신이 왕평과 장의로 하여금 군사 수만명을 이끌고 영안(永安)으로 나아가 주둔하며 만일의 경우에 대비하게 하겠사옵니다. 폐하께서는 다시 한 사람을 동오에 사자로 보내 승상의 상(喪)을 알리고 그 움직임을 살피게 하소서."

후주는 장완의 진언에 따르기로 하며 말한다.

"그렇다면 반드시 언변이 좋은 사람이 사자로 가야 하겠소."

그때 한 사람이 나선다.

"부족하오나 신이 가겠나이다."

모든 사람이 보니 참군(參軍) 우중랑장(右中郎將) 종예(宗預)였다.

그는 남양 안중(安衆) 사람으로 자는 덕염(德艶)이었다. 후주는 크게 기뻐하며 즉시 종예로 하여금 동오로 가서 공명의 부음을 전하는 동시에 그 허실을 탐색해오게 했다.

종예는 명을 받은 즉시 금릉(金陵)으로 가서 오주 손권을 뵈었다. 예를 갖추고 나서 고개를 들고 보니 좌우 사람들 모두 흰옷을 입고 있었다. 손권이 굳은 낯빛으로 말한다.

"오와 촉은 이미 한집안이 되었거늘, 어찌하여 그대의 주인은 백제(白帝)땅의 군사를 늘리는가?"

종예가 대답한다.

"신이 생각건대, 동오에서 파구에 군사를 더했으니 서촉에서도 군사를 늘려 백제를 수비하는 것은 당연한 일이옵니다. 사세가 이러하니 서로 따져물을 일도 아니라고 봅니다."

손권이 웃으며 말한다.

"그대는 등지(鄧芝) 못지않은 인물이로다."

그러고는 다시 종예에게 말한다.

"짐은 제갈승상이 세상을 떠났다는 말을 듣고 하루도 눈물을 흘리지 않은 날이 없으며, 모든 관원들에게도 상복을 입게 하였소. 다만 짐은 위군이 이번 상사를 틈타 촉을 엿보지나 않을까 하여 파구에 군사 1만명을 더 보내 지키게 한 것일 뿐 다른 뜻은 없노라."

종예는 머리를 조아리며 사례했다. 손권이 다시 입을 연다.

"짐이 이미 촉과의 동맹을 허락한 바 있거늘, 의리를 저버릴 까닭이 있겠는가?"

종예가 말한다.

"승상께서 별세하셨으므로 황제께서 특별히 신으로 하여금 상사를 전하라 하시어 이렇게 왔사옵니다."

손권은 화살통에서 금화살 하나를 꺼내 꺾어서 맹세해 보이고는 말한다.

"짐이 만일 전날에 맺은 맹세를 저버리는 일이 있으면 내 자손이 끊어지리라."

그러고는 사자에게 향과 비단과 부의(賻儀)를 갖추어 서천으로 가서 문상하고 오라는 영을 내렸다. 종예는 손권에게 하직인사를 올리고 오나라 사신과 함께 성도로 돌아왔다. 종예가 후주를 뵙고 아뢴다.

"오주께서는 승상께서 돌아가셨다는 말을 듣고 눈물을 흘리며 슬퍼하셨고, 모든 신하들에게 상복을 입도록 했습니다. 파구에 군사를 더한 것은 틈을 노려 위군이 서측을 침입하지나 않을까 염려한 때문으로, 다른 뜻은 없었다고 하옵니다. 화살을 꺾어 보이며 동맹을 배반하지 않으리라 맹세하셨습니다."

그제야 후주는 크게 기뻐하며 종예에게 후히 상을 내리는 한편 오나라 사신을 극진히 대접하여 돌려보냈다. 그러고 나서 후주는 드디어 공명의 유언에 따라 장완을 승상으로 높이는 동시에 대장군 녹상서사(錄尙書事)로 삼고, 비의를 상서령(尙書令)으로 삼아 승상의 일을 돕게 했다. 또한 오의를 거기장군(車騎將軍)으로 삼고 절을 내려 한중을 지키게 했다. 강유를 보한장군(輔漢將軍) 평양후(平襄侯)에 봉하여 각처의 인마를 총독하게 했으며, 오의와 함께 한중으로 나가 위군을 막게 했다. 그 나머지 여러 장수와 장교들은 모두 이전의 관직 그대로 임무를 다하게 했다.

이때 양의는 벼슬을 지낸 햇수로 보아 자기가 장완보다 먼저인데 그 밑에 있게 되었고, 지난날 세운 공로가 적지 않음을 자부하던 터에 후한 상을 받지도 못하자 비의에게 불평을 털어놓았다.

"지난날 승상이 돌아가셨을 때 내 모든 군사를 이끌고 차라리 위로 투항해갔던들 지금처럼 적막하지는 않겠소."

비의는 은밀히 표를 올려 이를 후주에게 고했다. 후주가 크게 노해 양의를 잡아다 옥에 가두고 목을 베려 하자 이를 딱하게 여긴 장완이 후주에게 간한다.

"양의의 죄 비록 크다 하오나, 지난날 승상을 따라 많은 공로를 세웠으니 죽이지는 마시고 내쳐 평민으로 삼으소서."

후주는 장완의 말을 받아들여 양의의 벼슬을 빼앗고 한중땅 가군(嘉郡)으로 내쫓아 평범한 백성으로 살게 했다. 양의는 부끄러운 나머지 스스로 목을 찔러 자결하고 말았다.

촉한 건흥 13년(235)은 바로 위주 조예의 청룡 3년이요, 오주 손권의 가화(嘉禾) 4년이었다. 그해에는 삼국이 모두 군사를 움직이지 않았다.

그무렵 위주 조예는 사마의를 태위(太尉)에 봉해 군마를 총독하고 각처 변방을 지키게 했다. 사마의는 엎드려 절하고 낙양으로 돌아갔다. 위주는 허도에서 크게 공사를 일으켜 궁전을 지었으며, 낙양에도 조양전(朝陽殿)과 태극전(太極殿)을 짓는 한편 총장관(總章觀)을 쌓았는데, 그 높이가 열 길이나 되었다. 또한 숭화전(崇華殿)·청소각(青霄閣)·봉황루(鳳凰樓) 등을 세우고, 구룡지(九龍池)를 만들었다. 박사(博士) 마균(馬鈞)에게 이 일의 총감독을 맡겨 대들보와 기둥을 화려하게 조각하고 푸른 기와와 금빛 벽돌을 사용하게 하니 그 화려함이 극에 달했다. 공사가 진행되는 동안 천하에 이름난 명장(明匠) 3만여명이 동원되고, 30여만명이 넘는 백성들이 부역으로 끌려와 밤낮으로 일해야 했다. 이로 인해 백성들의 원망이 끊이지 않았다. 그러나 조예는 백성들의 원성에는 아랑곳하지 않고 다시 영을 내려 방림원(芳林園)에 토목공사를 일으키는데, 공경대부들까지 동원해 흙과 나무를 져나르게 했다. 보다 못한 사도(司徒) 동심(董尋)이 표문을 올려 간절히 간하였다.

엎드려 아뢰옵나니, 건안(建安) 이래로 수많은 백성들이 전장에서 죽고 혹은 대가 끊겨 가문이 멸하여 비록 살아 있다 해도 고아나 노약자들뿐이옵니다. 오늘날 궁실이 협소하여 부득이 넓혀야 할지라도 때를 가려 농사에 방해가 되지 말아야 할 터인데, 하물며 아무런 이익도 없는 건물을 짓는 일에는 더 말할 것이 있사오리까? 폐하께서 여러 신하들을 높여 관을 쓰게 하고 화려하게 수놓은 옷을 입으며 수레를 타게 하신 것은 이들이 백성들과 다름을 보이려 하심이옵니다. 이제 그들에게 나무를 지고 흙을 나르게 하여 그 몸과 발을 흙투성이로 만들어 나라의 영광을 훼손하고 무익함을 높이시니, 실로 무어라 이를 바가 없사옵니다. 공자께서 말씀하시기를 '임금이 신하를 예로써 부리고, 신하는 임금을 충성으로 섬겨야 한다〔君使臣以禮 臣事君以忠〕'고 하였습니다. 충성이 없고 예의가 없다면 나라가 어찌 존립할 수 있으리까? 신이 이런 말씀을 올리면서 반드시 죽을 것을 알고 있사오나 스스로를 소털 한 오라기쯤으로 생각하오니 살아서 유익함이 없을진대 죽는다 한들 손해될 것이 있겠나이까? 붓을 잡고 눈물을 흘리며 마음으로 세상에 작별을 고하나이다. 신에게 아들 여덟 형제가 있으니, 신이 죽은 뒤에 폐하께서 정의를 베풀어주시옵소서. 몸이 떨림을 이기지 못하며 그저 처분을 기다릴 뿐이옵니다.

표문을 본 조예는 대로하여 소리친다.

"동심이 죽음도 두렵지 않다고 하는구나!"

좌우 신하들이 일제히 동심을 참형에 처할 것을 주청하자 조예는 짐짓 관대한 척 명한다.

"동심은 평소 충의가 있던 사람이니 다만 관직을 폐하여 평민으로 만들라. 앞으로 다시 이런 망언을 하는 자가 있으면 가차없이 목을 벨 것이다!"

그때 태자사인(太子舍人, 태자를 가까이서 모시는 사람) 장무(張茂)라는 사람이 있었는데, 자는 언재(彦材)였다. 그 또한 표문을 올려 강력히 간하니 조예가 이번에는 용서하지 않고 즉시 목을 베게 했다. 그리고 그날로 마균을 불러들여 묻는다.

"짐이 고대준각(高臺峻閣)을 지어서 신선과 더불어 오가며 불로장생하는 법을 구하고자 하는데, 좋은 생각이 있는가?"

마균이 아뢴다.

"한조의 24대 황제들 가운데 오직 무제(武帝)만이 가장 오랫동안 나라를 다스리고 장수하신 것은 하늘에 있는 해와 달의 정기를 복용하셨기 때문입니다. 무제께서는 일찍이 장안궁(長安宮)에다 백량대(柏梁臺)를 짓고 그 위에 승로반(承露盤)이란 쟁반을 받쳐든 동인(銅人, 동상)을 세워 3경이 되면 북두성에서 내린 이슬을 받게 하였습니다. 이 이슬을 천장(天漿) 또는 감로(甘露)라고도 하는데, 이 물에 미옥(美玉)가루를 타서 늘 복용하면 늙은이도 어린아이처럼 젊어진다 합니다."

조예가 크게 기뻐하며 명한다.

"그렇다면 그대는 즉시 장정들을 거느리고 밤낮을 가리지 말고 장안으로 가서 그 동상을 방림원에다 옮겨놓아라."

마균은 조예의 명을 받은 즉시 1만여명의 장정들을 거느리고 장안으로 달려갔다. 장정들에게 명해 백량대 주위에 나무를 엮어세워서 타고 올라가게 하니 잠깐 사이에 5천여명이 밧줄을 타고 허공에 떠서 선회하며 백량대에 오르기 시작했다. 백량대는 그 높이가 20길이고, 대를 받친 구리기둥의 둘레가 자그마치 10아름이나 되었다.

마균은 장정들에게 먼저 동상을 떼어내라고 명했다. 장정들이 힘을 합쳐 동상을 떼어내는데 그 동상의 두 눈에서 눈물이 흘러내렸다. 사람들이 모두 크게 놀라 웅성거리는데 갑자기 백량대 주변에 일진광풍이 일어나며 모래와 돌이 비오듯 쏟아지며 흩날리기 시작했다. 이어서 하늘이 무너지고 땅이 갈라지는 듯한 소리가 나면서 받치고 있던 기둥이 기울고 대가 무너져 눈 깜짝할 사이에 장정 1천여명이 깔려죽고 말았다. 그런 일을 겪고도 마균은 남은 장정들을 독려하여 동상과 승로반을 가지고 낙양으로 돌아가 이를 위주에게 바쳤다. 위주 조예가 묻는다.

"구리기둥은 어디 있느냐?"

마균이 아뢴다.

"구리기둥은 무게가 1백만근이나 되어 옮길 도리가 없었습니다."

조예는 버럭 화를 내며 당장 그 구리기둥을 부숴 낙양으로 운반해오도록 명했다. 구리기둥을 옮겨와 그것을 녹여서 다시 두개의 동상을 만들어 사마문(司馬門) 밖에 나란히 세우고, 옹중(翁仲)이라 이름

붙였다. 또한 구리로 용과 봉황을 만들게 하니 용의 높이는 네 길이요, 봉황의 높이는 세 길 남짓 되었다. 이들을 모두 전(殿) 앞에 세우고 또한 상림원(上林苑)에는 온갖 기이한 꽃과 나무들을 심고 진귀한 새와 괴상한 짐승들을 모아들여 기르게 하였다. 이때 다시 소부(少傅) 양부(楊阜)가 표를 올려 간했다.

신이 듣자옵건대 요임금은 초가집에 사셨건만 만국이 안락했고, 우임금은 궁실을 낮게 하여 천하가 즐거이 생업에 종사했다 하더이다. 은나라 주나라에 이르러 당(堂)을 높였으되 석 자에 지나지 않았고, 돗자리를 아홉장 까는 것으로 법도를 삼았다고 하옵니다. 예로부터 위대한 황제와 현명한 임금은 궁실을 높고 화려하게 하느라 백성의 재력(財力)을 마르게 하지 않았습니다. 그후 걸왕(桀王)에 이르러 보옥으로 방을 꾸미고 상아로 복도를 만들었으며 주왕(紂王)은 거대한 궁전과 으리으리한 보물창고를 짓다가 끝내 나라를 망쳤사옵니다. 초(楚)나라 영왕(靈王) 역시 장화궁(章華宮)을 축조하다 화를 자초했으며, 진시황은 아방궁을 지어 그 아들의 대에 이르러 재앙을 만나니 천하가 배반하여 겨우 2대 만에 멸망하고 말았습니다. 무릇 만백성의 노고를 헤아리지 아니하고 오직 자신의 눈과 귀만을 즐겁게 하려다가 망하지 않은 자가 없습니다. 폐하께서는 마땅히 요·순·우(禹)·탕(湯)·문·무 임금들을 본받으시고 걸왕·주왕·영왕·진시황을 경계로 삼으셔야 하옵니다. 그렇지 않고 스스로 한가로움이나 찾고 궁실이나 꾸미는 데만 정성을 쏟으신다면 나라를 위태롭게 하고 마침내는 큰 화를 면치 못하게 될 것입니다. 임금은 머리가 되고 신하는 팔다리가 되어 존망과 득실을 함께 해야 하거늘, 신이 비록 늙고 겁이 많지만 어찌 임금의 잘못을 간하는 신하로서의 의를 저버리겠사옵니까? 드린 말씀이 절박하지 못하고 지극하지 못하여 족히 폐하를 감동시킬 수 없사오리니, 오로지 관(棺)을 갖추고 몸을 정갈히 하여 죽음이 있기만을 기다리옵니다.

이렇듯 간곡한 표문을 올렸지만 조예는 반성하는 빛 없이 마균을 다그쳐 높은 대를 쌓고 동상을 세워 승로반을 안치하게 했다. 또한 널리 천하의 미녀들을 뽑아다가 방림원에 두고 한껏 쾌락을 즐겼다. 여러 신하들이 분분하게 표문을 올려 간했으나 조예는 그 어떠한 간언에도 귀를 기울이지 않았다.

한편 조예의 황후 모씨(毛氏)는 하내(河內) 사람으로 조예가 제위에 오르기 전 평원왕(平原王)으로 있을 때 가장 총애를 받았으며, 즉위하면서 황후가 되었다. 그러나 뒷날 조예가 곽부인에게 빠지면서 모황후는 조예의 총애를 잃게 되었다. 곽부인은 미모가 빼어날 뿐만 아니라 총명하기까지 하여, 조예는 그녀에게 사로잡혀 한달이 넘도록 궁궐에서 나오지 않았다. 그해 춘삼월 방림원에 온갖 꽃이 다투어 핀 가운데 조예는 곽부인과 더불어 술을 마시며 경치를 즐기고 있었다. 곽부인이 말한다.

"폐하께서는 어찌하여 황후를 청하여 함께 즐기시지 않사옵니까?"

조예가 마땅치 않다는 듯 대꾸한다.

"그 사람만 있으면 짐의 목에 술이 넘어가지 않는구나."

그러고는 궁녀들에게 모황후에게는 이 사실을 일절 알리지 말도록 분부했다. 그날 모황후는 조예가 한달이 넘도록 정궁(正宮)에 들지 않자 궁녀 10여명을 거느리고 취화루(翠花樓)에 올라 시름을 달래고 있었다. 그때 멀리서 흥겨운 풍악소리가 들려왔다. 모황후가 곁의 시비에게 묻는다.

"저 풍악은 어디서 들려오는 것이냐?"

"폐하께서 곽부인과 더불어 어화원에서 꽃을 즐기시며 술을 드시나이다."

이 말을 들은 모황후는 심중에 일어나는 번뇌를 누를 길 없어 그 길로 궁으로 돌아와 자리를 펴고 누워버렸다. 이튿날 모황후는 작은 수레를 타고 궁을 나와 거닐다가 굽은 회랑에서 조예와 마주쳤다. 모황후가 만면에 웃음을 띠고 말한다.

"폐하께서는 어제 북원에서 노시느라 여간 재미있지 않으셨나 봅니다?"

조예는 크게 노하여 전날 시중들던 궁인들을 모조리 잡아들이게 하고는 대뜸 꾸짖는다.

"어제 북원에서 놀며 짐이 너희들에게 절대 알리지 말라 일렀거늘 어찌하여 모황후가 그 사실을 알고 있단 말이냐?"

추상같은 호령을 내려 남녀 가릴 것 없이 모두 목을 베게 했다. 이 소식을 들은 모황후는 크게 놀라 황급히 수레를 돌려 회궁했다. 조예는 지체없이 조서를 내려 모황후에게 사약을 내리고 곽부인을 황후로 삼았다. 그러나 조정의 문무대신들 중 누구 하나 감히 간하는 자가 없었다.

그러던 어느날 유주 자사 관구검(毌丘儉)이 표를 올려, 요동의 공손연(公孫淵)이 모반했음을 알려왔다. 공손연이 스스로 연왕(燕王)이라 칭하고, 연호를 고쳐 소한(紹漢) 원년으로 하며, 궁전을 세우고 관직을 두는가 하면 군사를 일으켜 북방을 어지럽히고 있다는 것이었다. 조예는 크게 놀라 곧 문무관료를 불러모아 공손연을 물리칠 계책을 의논했다.

토목공사로 온 나라를 수고롭게 하더니 　　　　　　　纔將土木勞中國
다시 외방에서 전쟁이 일어나는구나 　　　　　　　又見干戈起外方

조예는 과연 어떤 계책으로 공손연을 막을 것인가?

106

기회를 노리는 사마의

공손연은 싸움에 패하여 양평에서 죽고
사마의는 병든 체하여 조상을 속이다

공손연은 바로 요동 공손도(公孫度)의 손자요, 공손강(公孫康)의 아들이었다. 건안 12년(207)에 조조가 원상(袁尙)을 추격한 일이 있었다. 이때 조조가 미처 요동에 이르기 전에 공손강은 원상의 목을 베어 조조에게 바쳤고, 조조는 그런 공손강을 양평후(襄平侯)에 봉했다. 그뒤 공손강이 죽자 두 아들인 공손황(公孫晃)과 공손연이 모두 어렸으므로 공손강의 아우인 공손공(公孫恭)이 직위를 계승했는데, 조비 때에 와서 공손공을 거기장군 양평후로 봉한 바 있었다. 태화(太和) 2년 (228), 장성하면서 천성이 굳세고 싸우기를 좋아하며 문무를 아울러 갖춘 공손연은 마침내 숙부의 자리를 빼앗고 말았다. 이때 조예는 그를 양렬장군(揚烈將軍) 요동 태수로 봉했다.

그 얼마 뒤 오주 손권이 장미(張彌)와 허안(許晏)에게 갖가지 금은 보화를 주어 파견해 공손연을 연왕에 봉했다. 그러나 공손연은 중원의 조예를 두려워한 나머지 장미와 허연의 목을 베어 그 머리를 조예에게 보내니, 조예는 이를 가상히 여겨 그를 대사마(大司馬) 낙랑공(樂浪公)에 봉했다. 그러나 공손연은 이에 만족하지 못하고 부하들과 의논한 끝에 마침내 연왕을 자칭하며 연호를 고쳐 소한 원년이라한 것이었다. 이때 부장 가범(賈範)이 간한다.

"중원에서 주공에게 상공(上公)의 작위를 내려 대접한 것이 결코 소홀하다 할 수 없을 터인데, 만약 이를 배반한다면 실로 불손한 일이옵니다. 더구나 중원에는 사마의처럼 용병에 능한 이가 있어 서촉의 제갈 무후도 당해내지 못했거늘, 하물며 주공께서 무슨 수로 그와 대적하려 하십니까?"

공손연은 버럭 화를 내며 좌우에게 호령해 당장 가범을 결박지어 목을 베라고 명했다. 지켜보던 참군(參軍) 윤직(倫直)이 간한다.

"가범의 말이 옳습니다. 성인도 말하기를 '국가가 망하려면 반드시 요사스런 일이 일어난다'고 했는데, 요사이 나라 안에 괴이한 일이 연달아 일어나고 있습니다. 근자에는 개 한 마리가 머리에 두건을 쓰고 몸에는 붉은 옷을 감고 지붕 위에 올라가 사람행세를 하는가 하면, 성 남쪽에서는 백성이 밥을 지었는데 솥뚜껑을 여니 그 안에서 쪄죽은 어린아이가 나왔다고 합니다. 또 양평 북쪽 저잣거리에서는 갑자기 땅이 꺼지면서 구멍이 생기더니 그 속에서 시뻘건 고깃덩이 같은 것이 솟아나왔는데, 그 둘레가 수척이나 되고 머리는 이목구비를 다 갖췄으나 손과 발이 없는 기이한 형상이더랍니다. 사람들이 하도 이상

해서 칼로 찌르고 화살을 쏘아보았으나 상처도 나지 않았고, 정체도 알 수 없었다 합니다. 한 점쟁이가 점을 쳐보고 '형체는 갖췄으나 아직 완전하지 못하고 입은 있어도 말을 못하니 나라가 망하려면 이런 것이 나타난다'고 했답니다. 이제까지 말씀드린 세 가지는 모두 상서롭지 못한 징조이니, 주공께서는 마땅히 흉한 것을 피하고 길한 곳으로 나가시며, 경거망동하셔서는 아니 될 줄로 아룁니다."

공손연은 발끈 화를 내며 무사들에게 윤직과 가범을 함께 묶어 저 잣거리로 끌어내 목을 베도록 했다. 그런 다음 대장군 비연(卑衍)을 원수(元帥)로 삼고 양조(楊祚)를 선봉으로 삼아 요동의 15만 군사를 일으켜 중원으로 쳐들어갔다. 변방의 관리가 이 사실을 위주 조예에게 알리자 조예는 크게 놀라 사마의를 불러들이고 대책을 의논했다. 사마의가 말한다.

"신의 휘하에 있는 기병과 보병 4만이면 능히 적을 격파할 수 있습니다."

조예가 걱정스럽게 묻는다.

"경이 그렇게 적은 군사로 먼길을 떠나 빼앗긴 땅을 수복하기가 어디 그리 쉽겠는가?"

사마의가 대답한다.

"싸움의 승패는 군사의 많고 적음에 좌우되지 않습니다. 적은 군사로도 뛰어난 계책과 지혜로써 어떻게 용병하는가에 달려 있습니다. 신은 폐하의 큰 복에 힘입어 반드시 공손연을 사로잡아 폐하께 바치겠사옵니다."

조예가 다시 묻는다.

"경의 생각으로는 공손연이 어떻게 움직일 것 같은가?"

사마의는 서슴지 않고 대답한다.

"공손연이 만약 성을 버리고 달아나면 그것은 상책이요, 요동을 지키면서 대군을 막는다면 이는 중책이며, 양평성에 앉아 지키기만 한다면 이는 하책이온즉 반드시 신에게 사로잡히게 될 것입니다."

"이번 원정길에 왕복으로 얼마나 소요되겠는가?"

"4천리 길이니 가는 데 1백일, 치는 데 1백일, 돌아오는 데 1백일, 쉬는 데 60일을 잡는다면 1년이면 충분합니다."

조예가 걱정스럽게 말한다.

"그동안에 동오나 서촉에서 쳐들어오면 어쩐다지?"

사마의는 자신있게 말한다.

"그에 대해서는 심려 마소서. 신이 이미 방어할 계책을 마련해두었습니다."

조예는 크게 기뻐하며 사마의로 하여금 즉시 군사를 일으켜 공손연을 정벌하도록 명했다. 사마의는 조예를 하직하고 성을 나온 즉시 영을 내려 호준(胡遵)을 선봉으로 삼고, 전군(前軍)의 군사를 거느리고 진군하여 곧장 요동에 이르러 영채를 세우게 했다. 이 소식은 정탐꾼에 의해 나는 듯이 공손연에게 알려졌다. 공손연은 비연과 양조를 시켜 8만 대군을 나누어 요동에 주둔하되, 주위 20여리에다 참호를 파고 녹각(鹿角)을 둘러쳐서 삼엄한 경계 태세를 갖추도록 했다. 호준은 지체없이 사마의에게 적의 동정을 보고했다. 사마의가 웃으며 말한다.

"역적들이 싸울 생각은 않고 시일을 끌어 우리를 지치게 하려는 속셈이로구나. 내 생각에 적군의 태반이 이곳에 주둔하고 있어 그 소굴은 필시 텅 비어 있을 터이니, 여기를 버리고 지름길로 하여 양평으로 진군해가야겠다. 그러면 놈들은 반드시 그곳을 구하기 위해 뒤따라올 것이니, 기다리고 있다가 중도에 기습한다면 반드시 승리를 거둘 수 있다."

사마의는 즉시 군사를 재촉해 샛길로 해서 양평으로 향했다. 이때 비연은 양조와 상의하고 있었다. 비연이 말한다.

"만일에 위군이 쳐들어온다 해도 나가 싸우지 맙시다. 저들은 천릿 길을 왔으니 군량을 조달하지 못해 오래 버티지 못할 터이고, 군량이 떨어지면 반드시 물러날 것이오. 우리가 그때를 타서 기습한다면 쉽게 사마의를 사로잡을 수 있소. 지난날 사마의는 촉군과 대치하고 있을 때 나가 싸우지 않고 위수 남쪽을 굳게 지켜 공명을 진중에서 죽게 했으니, 이제 우리도 바로 그와 같이 풀어야 하오."

두 사람이 한참 상의하고 있는데 급보가 들어온다.

"위군들이 남쪽으로 움직이고 있습니다."

비연이 크게 놀라 말한다.

"저들이 우리 양평에 군사가 적은 것을 알고 본영을 치려는 모양이오. 양평을 잃는다면 우리가 애써 여기를 지킨들 무슨 소용이 있겠소?"

비연과 양조는 곧 영채를 거두고 군사를 다그쳐서 일제히 출발했다. 정탐꾼이 이 소식을 사마의에게 고하자 사마의는 한바탕 소리내어 웃으며 말한다.

"허허허, 결국 내 계책에 빠져들고 마는구나!"

즉시 하후패와 하후위에게 각기 한무리의 군사들을 거느리고 나아가 요수(遼水)가에 매복하게 했다.

"매복하고 있다가 요동의 군사가 나타나는 즉시 양쪽에서 일제히 짓쳐나가도록 하라."

두 사람은 사마의의 명을 받고 떠났다. 잠시 후 과연 비연과 양조가
군사를 거느리고 나타났다. 한방의 포소리를 신호로 북 치고 깃발을
흔들며 왼쪽에서는 하후패가, 오른쪽에서는 하후위가 일제히 군사를
휘몰아 공격해나갔다. 요동의 비연과 양조는 감히 맞서싸울 생각도
못하고 필사적으로 길을 뚫고 달아났다. 수산(首山)에 이르러 진군해
오고 있는 공손연의 군사와 마주친 두 사람은 군사를 합쳐 다시 힘을
얻어서 일제히 말머리를 돌려 위군과 맞섰다. 비연이 말을 몰고 앞으
로 나서며 꾸짖는다.

"적장은 간계를 쓰지 말라! 네 감히 나와서 싸우지 않겠느냐?"

하후패가 칼을 휘두르며 말을 달려나가 비연을 맞았다. 그러나 두
사람이 맞서싸운 지 불과 수합도 안되어 하후패가 휘두른 칼에 비연
의 목이 말 아래로 굴러떨어지고 말았다. 장수의 죽음에 요동군은 이
내 큰 혼란에 빠져버렸다. 그 틈을 놓치지 않고 하후패는 군사를 다그
쳐 마구 엄살해들어갔다. 공손연은 군사를 이끌고 달아나 양평성으로
들어가더니 성문을 굳게 닫아걸고 다시는 움직이려 하지 않았다. 위
군은 사면으로 양평성을 에워쌌다.

때마침 가을비가 한달 내내 쉬지 않고 내리니, 평지에도 물이 석자
나 고여서 군량을 운반하려면 요하(遼河) 어귀로부터 양평성 아래까
지 배를 이용해야 했다. 위군들은 모두 물속에 잠긴 꼴로 앉기도 걷기
도 어려웠다. 좌도독(左都督) 배경(裵景)이 장막으로 들어와 고한다.

"비가 쉬지 않고 내려 영내가 온통 진흙밭이 된지라 군사를 머물게
할 수 없습니다. 영채를 앞산 위로 옮겨야겠습니다."

사마의가 버럭 화를 낸다.

"이제 곧 공손연을 잡느냐 마느냐 하는 판에 어찌 영채를 옮긴단 말인가? 누구든 다시 그런 말을 하는 자가 있으면 가차없이 목을 벨 것이다!"

배경은 예, 예 하며 물러나왔다. 얼마 있지 않아 이번에는 우도독(右都督) 구련(仇連)이 장막으로 들어와 다시 고한다.

"군사들이 물에 잠겨 고생을 하니 태위께서는 부디 영채를 높은 곳으로 옮기게 해주십시오."

이 말에 사마의의 진노는 극에 달했다.

"내 이미 군령을 내렸거늘, 네 어찌 감히 이를 어기느냐!"

사마의가 즉시 구련을 참해 그 머리를 원문 밖에 내걸게 하자 군심은 크게 위축되었으며, 두려움에 누구 하나 입을 열지 않았다.

사마의는 남쪽 영채의 군사들만 20리 가량 후퇴시켰다. 그리고 양평성 안의 군사들과 백성들이 밖으로 나와 땔감을 장만하고 소와 말을 놓아 먹이도록 방관했다. 사마(司馬) 진군(陳群)이 사마의를 찾아와 묻는다.

"지난날 태위께서 상용(上庸)을 치실 적엔 군사를 여덟길로 나누어 8일 안에 성밑에 이르러 마침내 맹달(孟達)을 사로잡는 큰 공을 이루셨습니다. 지금은 완전무장한 군사 4만명을 거느리고 수천리를 와서도 성을 공격하라는 영은 내리시지 않고, 군사들을 오랫동안 진흙탕 속에서 고생시키면서 성안의 적의 무리들은 마음대로 나와 나무하고 말과 소를 방목하게 하시니, 참으로 태위께서 무슨 생각을 하고 계시는지 속뜻을 알 수 없습니다."

사마의가 껄껄 웃으며 말한다.

"공은 아직 병법을 모르시는가? 지난날 맹달은 군량은 많은데 군사는 적고, 우리는 군량은 적은데 군사가 많았으니 불가불 속전속결해야 했고, 그래서 갑자기 적을 들이쳐서 이겼다. 지금은 사정이 그와는 정반대여서, 적은 수효가 많으나 우리는 적고, 적은 배고프나 우리는 배부른 판에 애써 칠 까닭이 무엇이겠는가? 가만히 있어도 그들은 견디다 못해 달아날 터, 우리는 그때를 기다려 일시에 뒤를 치면 될 일이다. 잠시 나무를 하고 소와 말을 놓아 먹이게 한 것도 그들이 달아날 수 있도록 짐짓 한가닥 길을 열어준 것에 불과하다."

진군은 크게 감복하여 절하고 물러나왔다. 사마의는 사람을 낙양으로 보내 군량을 재촉했다. 위주 조예가 조회를 열어 이 일을 상의하자 관료들이 입을 모아 아뢴다.

"근래 가을비가 쏟아지기 시작해 한달이 넘도록 멈추질 않으니 군마가 모두 피로에 지쳐 있다 하옵니다. 이쯤에서 사마의를 불러들여 군사를 거두게 하심이 옳을 줄로 아옵니다."

조예는 머리를 저었다.

"사마 태위로 말하면 용병에 능하고 지모가 뛰어나니 위기에 처하더라도 임기응변으로 얼마든지 극복해낼 사람이오. 이제 머지않아 공손연을 사로잡아올 터인데 경들은 무엇을 걱정한단 말인가?"

조예는 신하들의 간언을 듣지 않고 사마의의 요구대로 군량을 보내주었다. 사마의가 영채에서 다시 며칠째 지루한 가을장마에 갇혀지내던 어느날, 드디어 비가 그치고 하늘이 맑게 개었다. 그날밤 사마의가 장막 밖으로 나가 천문을 살피는데, 문득 말(斗)만큼이나 커다란 별이 몇길이나 되는 긴 꼬리를 끌며 수산 동북쪽으로부터 양평 동남쪽으로 떨어졌다. 각 영채의 장졸들은 이를 보고 하나같이 놀라며 불안해했다. 그러나 사마의는 크게 기뻐하며 장수들을 불러놓고 말한다.

"앞으로 닷새 후면 별이 떨어진 곳에서 어김없이 공손연의 목을 베게 될 것이다. 그대들은 내일부터 총력을 기울여 성을 공격하라!"

명을 받은 여러 장수들은 다음날 날이 밝기가 무섭게 군사들을 움직였다. 양평성을 사면으로 포위해 토산을 쌓고 땅굴을 팠으며, 포대를 가설하고 운제를 세웠다. 그러고는 밤낮없이 쉬지 않고 공격을 퍼부으니 화살이 빗발처럼 성안으로 쏟아져들어갔다.

성안에서 공손연의 군사들은 마침내 식량이 떨어져 모두들 소와 말을 잡아 주린 창자를 달래고 있었다. 사람들은 하나같이 원망이 가득해 성을 지키려는 마음보다 공손연의 목을 잘라 위군에 투항하고 싶어했다. 공손연은 이러한 민심을 듣고 매우 놀랐다. 고심 끝에 급히 상국(相國) 왕건(王建)과 어사대부 유보(柳甫)를 위군 영채로 보내 항복할 뜻을 전하게 했다. 두 사람은 성위에서 스스로를 줄에 묶어 성밖으로 내려가 사마의에게 아뢴다.

"청컨대 태위께서 군사를 20리만 물려주시면 저희 군신(君臣)이 모두 나와 항복하겠습니다."

사마의는 화를 낸다.

"어찌 공손연이 몸소 오지 않은 게냐? 참으로 무례하구나!"

무사들에게 호령해 두 사람을 끌어내 목을 베게 했다. 두 사람의 머리는 따라온 종자들에 의해 공손연에게 보내졌다. 크게 놀란 공손연은 이번에는 시중(侍中) 위연(衛演)을 위의 영채에 보냈다. 사마의는 장막의 대 위에 올라 수하 장수들을 좌우에 늘여세우고 위연을 맞이했다. 위연이 무릎걸음으로 기다시피 들어와 엎드려 아뢴다.

"원컨대 태위께서는 잠시 우레 같은 노여움을 거두어주십시오. 오늘중으로 먼저 세자 공손수(公孫修)를 인질로 보내고, 뒤따라 저희 군신이 스스로 결박지어 항복하겠습니다."

사마의가 꾸짖는다.

"네 듣거라. 군사(軍事)의 큰 요체로 다섯 가지가 있으니, 능히 싸울 만하면 당당히 맞서싸워야 하고, 능히 싸울 수 없으면 지켜야 하며, 지킬 수도 없으면 도망쳐야 하고, 도망칠 수도 없으면 항복해야 하며 항복할 수도 없으면 마땅히 죽어야 할 뿐이다. 어찌하여 자식을 인질로 보내려 한단 말이냐? 썩 돌아가서 내가 한 말을 그대로 공손연에게 전하라!"

위연은 고개도 들지 못한 채 쥐구멍을 찾듯 물러나와 곧장 공손연에게 돌아가 사마의의 말을 전했다. 더욱 놀란 공손연은 즉시 아들 공손수와 상의한 끝에 군사 1천명을 뽑아 그날밤 2경에 남문을 열고 동남쪽으로 달아났다. 다행히 아무도 앞을 막는 자가 없었다. 공손연은 내심 기뻐하며 쉬지 않고 앞만 보고 내달렸다. 그러나 10리를 채 못 가서 산위에서 난데없이 포성이 울리더니 북소리 뿔피릿소리가 요란히 일어나면서 한떼의 군사들이 나타나 앞을 가로막았다. 보니 중앙에 버티고 선 사람은 사마의였다. 그 왼쪽에는 사마사가, 오른쪽에는 사마소가 있다가 큰소리로 외친다.

"이 역적놈아, 꼼짝마라!"

혼비백산한 공손연이 급히 말머리를 돌려 달아났으나 얼마 못 가서 이번에는 호준이 군사들을 거느리고 앞을 막아섰다. 그 왼쪽에서는 하후패와 하후위가, 오른쪽에서는 장호와 악침이 달려들어 공손연을 사면으로 철통같이 에워쌌다. 마침내 공손연 부자는 말에서 내려 항복했다. 사마의가 말 위에서 모든 장수들을 돌아보며 말한다.

"내 지난 병인일(丙寅日) 밤에 큰 별이 이곳으로 떨어지는 것을 보

사마의는 요동을 평정하다

았더니, 오늘 임신일(壬申日)에 그 징조가 맞아떨어지는구나."

여러 장수들이 입을 모아 칭송하며 축하한다.

"과연 태위의 신산은 놀랍기 짝이 없습니다."

사마의가 두 사람을 참하라고 명하니 마침내 공손연 부자는 서로 마주한 채 참형을 당했다.

사마의는 군사를 정비해 거느리고 양평성으로 향했다. 미처 성에 이르기 전에 호준이 먼저 군사를 이끌고 성안으로 들어가니 성안의 백성들은 향을 피우고 절하며 위군들을 맞이했다. 위군이 모두 입성하기를 기다려 관부(官府)를 차지하고 앉은 사마의는 공손연의 가족들과 그밖에 공손연과 공모한 관리들을 색출해 모조리 처형하게 하니, 무려 70여명에 달하는 사람들의 목이 떨어져나갔다. 그러는 한편으로 방(榜)을 붙여 민심을 안정시키는 일도 잊지 않았다. 한 사람이 찾아와 사마의에게 고한다.

"가범과 윤직은 모두 반역해서는 안된다고 공손연에게 간하다가 죽임을 당했습니다."

사마의는 가범과 윤직의 묘의 봉분을 높이고, 그 자손들에게는 벼슬과 재물을 내렸다. 또한 창고에 가득 찬 재물들을 풀어 삼군을 위로하고 후히 상을 내린 다음 낙양으로 회군했다.

한편 어느날 위주 조예가 궁중에 있는데, 3경 무렵 문득 한줄기 음산한 바람이 일더니 등불이 꺼졌다. 그러더니 어둠속에서 모황후가 함께 죽은 수십명의 궁인들을 데리고 나타나 울면서 옥좌 앞에 이르러 목숨을 돌려달라고 아우성치는 것이었다. 이 일로 해서 조예는 그만 자리에 눕더니 병세가 점점 위중해져 마침내는 시중 광록대부(光祿大夫) 유방(劉放)과 손자(孫資)로 하여금 추밀원(樞密院, 황제의 칙명을 관리하는 관아)의 일체 사무를 맡아보게 했다. 또한 문제(조비)의 아들인 연왕 조우(曹宇)를 대장군으로 삼아 태자 조방(曹芳)을 보좌해 섭정하게 했다. 그러나 조우는 그 사람됨이 겸손하고 검소하며 온화한 성품으로, 자신은 대임을 감당할 수 없다고 한사코 사양했다. 조예가 유방과 손자를 불러 묻는다.

"종친들 가운데 누가 대임을 맡으면 좋겠는가?"

두 사람은 오랫동안 조진의 은혜를 입어온 터라 동시에 입을 열어 아뢴다.

"조자단(조진)의 아들 조상(曹爽)이 적격자라고 생각하옵니다."

조예는 이를 받아들였다. 두 사람이 다시 아뢴다.

"조상을 기용하시려면 연왕 조우는 마땅히 돌려보내셔야 할 것입니다."

조예가 머리를 끄덕이며 응낙하자 두 사람은 조예에게 조서를 내리도록 청하여 이를 받들고 연왕을 찾아갔다.

"황제께서 조서를 내리셨습니다. 연왕께서는 오늘로 즉시 임지로 돌아가되 앞으로 조서를 내리지 않는 한 다시는 조정에 오지 말라는 명이시오."

연왕은 울면서 돌아갔다. 그대신 조상이 대장군이 되어 조정의 일을 모두 관장하게 되었다.

이후 조예의 병은 점점 위중해졌다. 마침내 스스로 회복하기 어려운 줄을 깨달은 조예는 급히 신하에게 절과 조서를 주어보내 사마의를 불러들였다. 사마의는 명을 받고 급히 허창으로 달려왔다. 조예가 말한다.

"짐이 경을 못 보고 세상을 떠날까 근심했거늘, 오늘 이렇게 만나니 이제 죽어도 한이 없겠소."

사마의가 머리를 조아리며 아뢴다.

"신이 도중에 성체(聖體)가 편치 않으시다는 소식을 듣고 날개가 없음을 한탄하며 달려왔습니다. 이제 폐하의 용안을 뵈오니 신으로서도 진정 천만다행이옵니다."

조예는 곧 태자 조방과 대장군 조상, 그리고 시중 유방과 손자 등을 가까이 불러들인 후 사마의의 손을 잡고 말한다.

"지난날 유현덕이 백제성(白帝城)에서 병이 위중하여 어린 아들 유선(劉禪)을 제갈공명에게 부탁하니, 공명은 죽을 때까지 그 뜻을 받들어 충성을 다했소. 변방의 소국에서도 이러했거늘, 하물며 우리 같은 대국에서야 더 말할 게 무엇이겠소? 짐의 아들 방은 이제 겨우 여덟살이라 사직을 맡아 다스리기엔 너무 어리오. 바라건대 태위와 종실의 어른들, 원로공신들이 힘을 다해 보필하여 부디 짐의 뜻을 저버리지 않도록 하오."

그러고는 조방에게 말한다.

"중달은 나와 한몸이나 다름없으니 너는 마땅히 공경하고 예로써 대해야 할 것이다."

사마의에게 조방을 데리고 가까이 오게 했다. 순간 조방은 사마의의 목을 끌어안고 떨어질 줄을 몰랐다. 조예가 목멘 소리로 말을 잇는다.

"태위는 부디 태자가 보인 오늘의 이 애틋한 정을 잊지 마오."

간신히 말을 맺는 조예의 두 눈에서 하염없이 눈물이 흘러내렸다. 사마의 역시 머리를 조아리며 눈물을 흘렸다. 조예는 정신이 혼미해지는 듯 손가락으로 태자를 가리키며 더이상 말을 잇지 못하더니 그대로 숨을 거두었다. 조예가 제위에 오른 지 13년 되던 해로 그때 그의 나이 36세였다. 위 경초(景初) 3년(239) 정월 하순의 일이었다.

사마의와 조상은 태자 조방을 받들어 제위에 오르게 했다. 조방의 자는 난경(蘭卿)으로, 조예가 남모르게 양자로 들인 아들이었다. 그러나 바깥세상과 동떨어진 궁중의 일이라 이 사실을 아는 사람은 아무도 없었다. 조방은 조예의 시호를 명제(明帝)라 하고 고평릉(高平陵)에 장사지냈다. 또한 곽황후(郭皇后)를 황태후(皇太后)로 높이고, 정시(正始) 원년으로 개원했다. 이로부터 사마의는 조상과 더불어 정사를 돌보았다. 조상은 사마의를 몹시 조심스러워하여 모든 일을 반드시 사마의에게 먼저 고한 뒤에야 처결했다.

조상의 자는 소백(昭伯)으로, 어려서부터 궁중에 출입해왔는데 행동거지가 점잖고 의젓해 명제로부터 극진한 사랑을 받았다. 조상의 문중에는 무려 5백명이 넘는 빈객들이 드나들고 있었다. 그중에 유독 실속없이 겉만 화려한 이들로, 서로 절친하게 지내는 다섯 사람이 있었다. 그 하나는 성명이 하안(何晏)이요 자는 평숙(平叔)이고, 다른 한 사람은 성명이 등양(鄧颺)이요 자는 현무(玄茂)로 등우(鄧禹)의 후예이며, 또 한 사람은 성명이 이승(李勝)이고 자는 공소(公昭)이며, 또다른 사람은 성명이 정밀(丁謐)에 자는 언정(彦靖)이며, 마지막으로 필궤(畢軌)란 사람의 자는 소선(昭先)이었다. 그밖에 대사농 환범(桓範)이 있었는데 그의 자는 원칙(元則)으로, 지모가 뛰어나서 사람들은 그를 '꾀주머니'라고 불렀다. 이들 여섯 사람은 모두 조상이 깊이 신임하는 자들이었다. 어느날 하안이 은근히 조상에게 말한다.

"주공께서는 어찌하여 대권을 남에게 맡기십니까? 그랬다가 후환이 생길까 두렵습니다."

조상이 대답한다.

"사마공은 나와 더불어 선제로부터 어린 황제를 잘 보좌하라는 당부를 받았으니 어찌 그를 배반할 수 있겠는가?"

하안이 말한다.

"지난날 주공의 선친께서는 중달과 함께 촉군을 물리칠 적에 수차에 걸쳐 모욕을 당하다가 마침내 그 때문에 돌아가시기까지 했는데, 주공께서는 어찌하여 그 사실을 생각지 않으십니까?"

조상은 비로소 정신이 번쩍 들었다. 즉시 여러 관료들과 의논한 끝에 궁중으로 들어가서 위주 조방에게 아뢴다.

"사마의로 말하자면 그 세운 바 공로가 높고 그 지난 바 덕이 무거우니 태부(太傅)로 삼으소서."

어린 조방은 그 말에 따랐다. 그로부터 나라의 병권은 모두 조상에게로 돌아갔다. 조상은 아우 조희(曹羲)를 중령군(中領軍)으로 삼고, 조훈(曹訓)을 무위장군(武衛將軍)으로, 조언(曹彦)을 산기상시(散騎常侍)로 삼아 각각 어림군(御林軍) 3천명을 거느리게 하고 마음대로 궁중에 드나들게 했다. 또한 하안과 등양, 정밀에게는 상서(尚書)의 벼슬을 내리고, 필궤는 사예교위(司隸校尉), 이승은 하남윤(河南尹)으로 삼으니, 이 다섯 사람이 밤낮으로 조상과 더불어 크고작은 나랏일을 의논하기에 이르렀다. 이렇듯 조상의 세력이 커지면서 그의 문하에는 드나드는 빈객이 날로 늘어갔다. 이때부터 사마의는 병을 핑계삼아 두문불출하며 아예 조정에도 나가지 않았다. 따라서 두 아들마저 벼슬을 내놓고 한가하게 지내고 있었다.

조상은 날마다 하안 등과 더불어 술을 마시며 쾌락에 빠져 지냈는데, 평소에 입는 의복과 집기들이 모두 황궁의 것과 다름이 없었다. 각처에서 진상하는 공물과 진기한 물건들은 그가 먼저 골라 차지한 뒤 나머지를 궁으로 들여보냈으며, 그의 부원(府院)을 미녀들로 가득 채웠다. 게다가 장당(張當)이란 환관은 조상에게 아첨하느라 선제(조예)의 시첩 7,8명을 골라 그의 부중으로 보내기까지 했다. 그것으로도 부족해 조상은 노래 잘하고 춤 잘 추는 좋은 집안의 자녀 3,40명을 뽑아들여 가악(家樂, 가내 악단)으로 삼고 단청을 화려하게 입힌 누각을 짓는 한편, 금과 은으로 접시와 그릇을 만들고자 전국의 장인 수백명을 모아들여 밤낮을 가리지 않고 일하게 했다.

한편 하안은 평원(平原)땅에 있는 관로(管輅)가 점술에 밝다는 소문을 듣고 그를 청해다가 주역을 논했다. 때마침 등양이 옆에 있다가 관로에게 묻는다.

"그대는 주역에 통달했다고 하면서 한번도 주역의 문구에 대해서는 언급하지 않으니 무슨 까닭이오?"

관로가 대답한다.

"무릇 주역을 잘 아는 자는 주역을 말하지 않는 법이라오."

하안이 웃으며 칭찬하여 말한다.

"가히 요점을 짚은 말이로다!"

그러고 나서 관로에게 은근히 묻는다.

"시험삼아 내 점괘나 한번 뽑아보오. 혹시 내가 삼공의 자리에 오르지 않겠소?"

연이어 또 묻는다.

"내 밤마다 쇠파리 수십마리가 콧잔등에 모여드는 꿈을 꾸는데, 그건 무슨 징조겠소?"

관로가 대답한다.

"옛날에 순임금을 보필한 팔원(八元, 고대 전설에 나오는 고신씨高辛氏 수하의 선량한 여덟 재자才子)·팔개(八愷, 고양씨高陽氏 수하의 자애로운 여덟 재자)와 주 성왕(成王)을 보필한 주공은 성품이 온화하고 은혜를 베풀 줄 알았으며 겸손하고 공손하여 많은 복을 누렸소이다. 지금 군후(君侯)께서는 벼슬이 높고 권세가 무거우나 그 덕을 따르는 자는 적고 위엄을 두려워하는 자들뿐입니다. 이는 조심하여 복을 구하는 도리가 아니지요. 또한 코는 원래 산(山)입니다. 산은 높되 위태롭지 않아야 오래도록 귀한 자리를 지킬 수 있거늘, 이제 쇠파리가 악취를 맡고 모여들어 지위 높은 자가 넘어지니 어찌 두렵지 않겠습니까? 바라건대 군후께서는 넘치는 것은 줄이고 부족한 것은 채우며 예가 아니거든 행하지 말아야 비로소 삼공의 자리에 이를 수 있으며, 쇠파리떼를 물리칠 수 있을 것이외다."

등양이 화를 내며 말한다.

"이 늙은이가 무슨 상스러운 소리를 하는 게야?"

관로가 말한다.

"늙은이가 살지 못할 것을 보고, 상스러운 말을 하는 자가 말하지 못할 것을 보았구나!"

그러고는 소매를 떨치고 가버렸다. 하안과 등양 두 사람은 크게 소리내어 웃으며 말한다.

"정말 미친 늙은이로군!"

집에 돌아온 관로는 외삼촌에게 그날 있었던 일을 이야기했다. 외삼촌이 놀라며 말한다.

"하안과 등양 두 사람의 권세가 어떤지를 몰라서 함부로 그런 말을 했단 말이냐?"

관로가 심드렁하게 대답한다.

"죽은 사람하고 얘기했는데 무엇을 두려워한단 말입니까?"

"죽은 사람이라니, 그 무슨 말이냐?"

"등양은 걸음을 걸을 때 근육이 뼈를 지탱하지 못하고 혈맥이 살을 제어하지 못하여, 일어섰다 하면 마치 수족이 없는 듯 휘청거렸습니다. 이는 곧 '귀조(鬼躁)'의 상으로, 조만간 귀신이 될 형상입니다. 또한 하안의 눈을 보면 혼이 집을 지키지 못해 얼굴에 화색이 없는데다 정신이 맑지 못하여 연기처럼 떠 있고 용모는 마른나무 같으니, 이 또한 '귀유(鬼幽)'의 상으로, 저승 귀신의 상입니다. 조만간 두 사람은 죽고 말 터인데 두려울 게 뭐란 말입니까?"

외삼촌은 관로를 미친놈이라고 크게 꾸짖고는 이내 가버렸다.

한편 조상은 하안·등양 등과 종종 사냥을 즐겼다. 하루는 아우 조
희가 간한다.

"형님은 막중한 권세를 잡은 몸으로서 늘 사냥만 즐기시니, 혹시
어떤 놈이 일을 꾀하기라도 한다면 그때는 후회해도 이미 늦습니다."

조상이 꾸짖는다.

"당치도 않은 소리 말아라. 병권이 내 손안에 있거늘 무엇을 두려
위한단 말이냐?"

사농(司農) 환범도 간했으나, 조상은 듣지 않았다.

세월은 흘러갔다. 때는 위나라 정시 10년(249), 위주 조방은 다시
연호를 고쳐 가평(嘉平) 원년으로 했다. 조상은 여전히 정권을 틀어
쥐고 나랏일을 마음대로 하였다. 그런데 오로지 궁금한 일 한 가지는
바로 사마의의 동태였다. 때마침 위주 조방이 이승(李勝)을 형주 자
사로 제수하자 조상은 이승에게 떠나는 길에 사마의에게 들러 하직인
사 겸 그 동정을 탐지하라고 분부했다. 이승이 하직인사를 드리러 태
부 사마의의 부중에 이르자 문지기가 안으로 들어가 이승의 내방을
알렸다. 이승이 왔다는 전갈에 사마의가 두 아들에게 말한다.

"이는 필시 조상의 사주를 받고 내가 정말 병이 났는지를 알아보러
온 것일 게다."

그러고는 즉시 쓰고 있던 관을 벗더니 머리를 헝클어뜨린 채 침상
에 올라앉아 두명의 시비에게 부축하게 한 뒤 이승을 안으로 청해들
였다. 이승은 사마의의 침상에 다가와 절하며 말한다.

"오랫동안 태부를 뵙지 못했는데 이렇듯 병이 위중하신 줄 몰랐습

니다. 이번에 황제의 명으로 형주 자사가 되어 떠나는 길에 특별히 하직인사를 드리러 들렀습니다."

사마의는 웃으며 짐짓 엉뚱한 말을 한다.

"응, 그래. 병주(幷州)는 북방에 가까운 곳이니 방비를 굳건히 해야 할 게야."

이승이 고쳐 말한다.

"형주 자사입니다. 병주가 아닙니다."

"그대가 병주에서 오는 길이라구?"

"병주가 아니고 한수(漢水) 유역의 형주올시다."

사마의가 머리를 끄덕이며 크게 웃는다.

"오오라, 형주서 왔단 말이구먼?"

이승이 답답한 듯 중얼거린다.

"태부께서 어쩌다가 이렇듯 중병에 걸리셨는가?"

좌우에서 대답한다.

"태부께서는 귀가 어두워져 잘 알아듣지 못하십니다."

그제야 이승은 고개를 끄덕이며 말한다.

"종이와 붓을 썼으면 합니다."

사람들이 지필묵을 가져다주자 이승은 하고 싶은 말을 적어서 사마의에게 올렸다. 종이를 받아들고 물끄러미 들여다보던 사마의가 웃으면서 말한다.

"내가 오래 앓더니 귀까지 먹은 것 같아. 아무튼 이번에 가거든 몸조심하게."

말을 끝내고 사마의가 손으로 자신의 입을 가리키니 시비가 얼른 탕약을 올렸다. 사마의는 떨리는 손으로 탕약을 받아들더니 질질 흘

一
사마의는 병든 체하여 조상을 속이다

리며 마셨다. 좌우에서 시비들이 도와 겨우 약사발을 비웠으나 약물은 입술을 타고 흘러내려 옷자락을 흥건히 적셨다. 사마의가 짐짓 목멘 소리로 다시 입을 연다.

"내 이미 늙고 병들어 목숨이 조석에 달렸네. 바라건대 그대는 미숙한 내 두 아들을 잘 지도해주게. 대장군(조상)을 뵙거든, 내가 두 자식을 천번 만번이나 부탁하더라고 전해주게."

말을 마치더니 사마의는 가쁜 숨소리를 내며 그대로 침상에 쓰러져 버렸다. 이승은 사마의를 하직하고 돌아와 조상에게 본 대로 상세히 고했다. 조상이 매우 기뻐하며 말한다.

"그 늙은이만 죽으면 내게 무슨 근심이 더 있겠느냐!"

한편, 사마의는 이승이 물러간 즉시 자리를 떨치고 일어나며 두 아들에게 말한다.

"이승이 돌아가서 보고 들은 대로 전하면 조상은 더이상 나를 경계하지 않을 것이다. 이제 조상이 사냥하러 성밖으로 나오기를 기다렸다가 일을 도모해야 하니 준비를 서두르도록 해라."

과연 하루도 채 못 가서 조상은 위주 조방에게 선제의 고평릉에 제사 올리러 가기를 청했다. 조상의 말에 따라 조방은 대소 관원을 거느리고 어가에 올라 성밖으로 나섰다. 조상은 특별히 세 아우와 심복 하안 등과 함께 어림군을 거느리고 어가를 호위했다. 갑자기 사농 환범이 말고삐를 잡아당기며 간한다.

"주공께서 금병(禁兵, 대궐을 지키는 군사)을 총독하시는 터에 형제분이 모두 성밖으로 나가시는 것은 옳지 않습니다. 만일 성안에 무슨 변이라도 일어나면 어쩌시렵니까?"

조상은 채찍을 들어 환범을 가리키며 꾸짖는다.

612

"누가 감히 변을 일으킨단 말인가? 다시는 그따위 어리석은 말은 꺼내지도 말라!"

그날 사마의는 조상이 군사들을 거느리고 성밖으로 나가는 것을 확인하고 속으로 몹시 기뻐했다. 그는 즉시 두 아들과 지난날 함께 적을 물리쳤던 심복장수 수십명을 거느리고 조상을 모살(謀殺, 계략을 써서 살해함)하기 위해 말에 박차를 가했다.

문을 닫자 홀연히 화색이 돌고	閉戶忽然有起色
군사 치달리니 이로부터 위풍을 드날리네	驅兵自此逞雄風

조상의 운명은 어떻게 될까?

107

三
國
志
—

사마씨가 권력을 잡다

위의 정권은 사마씨에게 돌아가고
강유의 군대는 우두산에서 패하다

사마의는 조상의 동생 조희·조훈·조언과 심복 하안·등양·정밀·
필궤·이승 및 어림군이 위주 조방을 따라 명제의 묘를 참배할 겸 사
냥을 하러 떠난다는 소식을 들었다. 사마의는 크게 기뻐하며 즉시 성
안으로 갔다. 사도(司徒) 고유(高柔)에게 절월(節鉞, 부절과 도끼. 오늘날의
임명장)을 주어 대장군직을 맡기고 우선 조상의 진지를 점거하도록 하
고 태복(太僕) 왕관(王觀)에게는 중령군직을 맡겨 조희의 진지를 점
거하게 했다. 그리고 자신은 친히 옛 관리들을 거느리고 후궁으로 들
어가 곽태후에게 아뢴다.

"조상이 선제(先帝, 조예)께서 탁고하신 은혜를 저버리고 간사한 무

리와 함께 나라를 어지럽히니, 마땅히 그 죄를 물어 관직을 폐해야 할 것이옵니다."

곽태후는 깜짝 놀라 묻는다.

"황제께서 밖에 나가 계신 터에 어찌하란 말이오?"

사마의가 말한다.

"신이 황제께 표문을 올릴 터이고 간신들을 없앨 계책이 서 있으니, 태후께서는 심려 마소서."

태후는 두려움에 떨며 시키는 대로 따랐다. 사마의는 곧 태위 장제(蔣濟)와 상서령(尙書令) 사마부(司馬孚)에게 표문을 작성하도록 하고 이를 환관에게 주어 즉시 사냥터로 달려가 황제께 바치도록 명했다. 그런 다음 자신은 군사를 거느리고 무기고를 점령했다. 눈 깜짝할 사이에 벌어진 놀라운 이 소식은 이내 조상의 집에 알려졌다. 조상의 아내 유(劉)씨는 급히 부(府)를 지키는 관리를 불러 묻는다.

"주공께서 밖에 나가 안 계신 마당에 중달이 군사를 일으켰다 하니 대체 이게 어찌 된 일이오?"

수문장 반거(潘擧)가 대답한다.

"부인께서는 놀라지 마십시오. 제가 곧 알아보고 오겠습니다."

즉시 궁노수 수십명을 거느리고 문루에 올라 보니, 때마침 사마의가 군사를 거느리고 부 앞을 지나가고 있었다. 반거는 즉시 궁노수들에게 영을 내려 화살을 쏘게 했다. 어지럽게 날아오는 화살에 사마의는 더 나아가지 못하고 주춤 물러섰다. 이때 뒤에 있던 편장(偏將) 손겸(孫謙)이 앞으로 나서며 반거에게 만류하여 말한다.

"멈추시오! 태부께서는 국가대사를 보시는 것이오. 활을 쏘지 마시오!"

이렇게 세 차례나 만류하자 마침내 반거는 공격을 중지시켰다. 사마소는 아버지 사마의를 호위해 그 앞을 지나서 군사를 이끌고 성을 빠져나가 낙하(洛河)에 주둔하고 부교(浮橋)를 지켰다.

이때 조상의 수하 사마 노지(魯芝)가 성안에 변란이 일어난 것을 보고 참군(參軍) 신창(辛敞)을 찾아가 상의한다.

"중달이 이같이 변란을 일으켰으니 이제 어찌하면 좋겠소?"

신창이 대답한다

"군사를 이끌고 성을 빠져나가 황제가 계신 곳으로 가는 것이 좋겠습니다."

노지는 신창의 말에 따르기로 했다. 신창은 급히 후당으로 달려들어갔다. 그를 보고 누이 신헌영(辛憲英)이 묻는다.

"아우는 무슨 일로 이렇게 허둥대는 겐가?"

신창이 말한다.

"황제께서 성밖에 나가 계신데 태부가 성문을 닫아걸었으니 필시 역모를 꾸미는 게 틀림없소."

누이 신헌영이 말한다.

"사마공께서 무엇 때문에 역모를 꾀한단 말이냐? 그저 조상 장군이나 죽이려는 게지."

신창이 깜짝 놀라 묻는다.

"그렇다면 이 일이 어찌 될 것 같소?"

신헌영이 단호하게 말한다.

"조장군은 사마공의 적수가 아니다. 반드시 패할 것이다."

신창이 묻는다.

"지금 사마 노지와 함께 황제가 계신 곳으로 가기로 했는데, 이를 어찌하면 좋겠소?"

신헌영이 대답한다.

"제 직분을 지키는 것은 사람으로서 마땅히 지켜야 할 대의이다. 여느 사람이 난을 당하더라도 구해주는 게 도리이거늘, 하물며 섬기던 사람을 외면한다면 그보다 큰 잘못이 어디 있겠느냐?"

신창은 그 말을 좇아 노지와 더불어 기병 수십명을 이끌고 막아서는 자들을 쳐죽이며 성문을 빠져나갔다. 이 일은 즉시 사마의에게 보고되었다. 사마의는 환범마저 달아나버릴까 염려되어 급히 사람을 보내 불러들이게 했다. 환범은 아들과 더불어 어찌해야 할지 상의했다. 아들이 대답한다.

"어가가 밖에 있으니, 남쪽으로 가는 것이 좋겠습니다."

환범은 그 말에 따라 말을 타고 평창문(平昌門)으로 달려갔다. 그러나 성문은 이미 굳게 닫혀 있었다. 다행히도 성문을 지키는 자는 바로 지난날 자신의 부하였던 사번(司蕃)이었다. 환범은 소매 속에서 죽판(竹版, 조서를 쓴 대나무판)을 꺼내 들어보이며 소리친다.

"여기 태후께서 내리신 조서가 있다. 어서 문을 열어라!"

사번이 말한다.

"그러시다면 조서를 한번 봅시다."

뜨끔해진 환범이 버럭 소리를 질러 꾸짖는다.

"내 부하였던 네가 어찌 감히 이럴 수가 있단 말이냐?"

사번은 마침내 문을 열어주었다. 환범은 일단 성문을 빠져나가자 사번을 돌아보며 말한다.

"태부가 반역했으니 너는 속히 나를 따르도록 하라!"

사번은 그제서야 크게 놀라 급히 뒤쫓았으나 결국 놓치고 말았다.

이 사실을 보고받은 사마의가 크게 놀라며 탄식한다.

"꾀주머니가 달아났으니 이를 어찌하면 좋단 말인가!"

옆에 있던 장제가 말한다.

"노둔한 말(조상을 빗댐)은 외양간 콩에 연연해하여 반드시 쓰지 않을 것입니다."

사마의는 즉시 허윤(許允)과 진태(陳泰)를 불러 말한다.

"그대들은 조상에게 가서 내게 딴뜻은 없고 다만 그들 형제의 병권만 거두려 할 뿐이라고 전하여라."

허윤과 진태는 분부를 받고 곧 떠났다. 이어 사마의는 장제에게 글을 쓰게 하여 전중교위(殿中校尉) 윤대목(尹大目)에게 주고 조상에게 전하도록 했다.

"그대가 조상과 교분이 두터워 특별히 이 소임을 맡기니 가서 조상을 만나거든 나와 장제가 낙수(洛水)를 두고 맹세하는바, 오직 병권 때문일 뿐 그밖에 딴뜻은 전혀 없다고 전하라."

윤대목도 명을 받고 떠나갔다.

한편 조상은 사냥터에서 매를 날리고 개를 풀어 한참 사냥을 하고 있었다. 이때 급보가 올라와 고하기를 성안에서 변란이 일어났으며, 태부 사마의가 표문을 보내왔다는 것이다. 조상은 크게 놀라 하마터면 말에서 떨어질 뻔했다. 환관이 황제 앞에 꿇어앉아 표문을 올렸다. 조상이 이를 받아 측근 신하에게 읽게 하니, 대략 다음과 같다.

정서대도독(征西大都督) 태부 신 사마의는 진실로 황송하고 두려운 마음으로 머리를 조아려 삼가 표를 올리나이다. 지난날 신이 요동에서 돌아왔을 때, 선제께서는 조서를 내려 폐하와 진왕(秦王) 및

사마의는 군사를 일으켜 조상의 병권을 빼앗다

신 등을 부르시고, 침상 곁에 다가오게 하여 신의 손을 잡으시며 후사를 염려하셨습니다. 지금 대장군 조상이 선제께서 부탁하신 바를 저버리고 국법을 어지럽히며 안으로는 참람한 짓을 일삼고 밖으로는 위엄과 권세를 마음대로 하고 있사옵니다. 또한 환관 장당을 도감(都監)으로 삼아 궁중을 함부로 드나들며 폐하를 감시하게 하고, 황제의 자리를 엿보는 동시에 이궁(二宮, 황제와 곽태후 사이)을 이간하여 골육의 정을 상하게 하는 등 그 폐단이 이루 말할 수 없사옵니다. 그로 인해 천하가 흉흉해지고 백성들은 겁을 먹고 두려움에 떠니, 이는 선제께서 폐하와 신에게 부탁하시던 본의가 아니로소이다.

신이 비록 늙고 우매하지만 어찌 감히 선제께서 남기신 말씀을 잊으오리까? 태위 장제와 상서령 사마부 등이 모두 조상이 폐하를 제대로 모시지 않음을 알고 조상 형제가 병권을 가지고 있는 것은 부당하다고 생각하여 영녕궁(永寧宮) 황태후께 주청드렸사옵니다. 신은 삼가 황태후의 명에 따라 표문을 올리고 시행하려 하오니, 이제 주무 장관과 환관에게 명을 내려 조상과 조희, 조훈 형제의 병권을 삭탈하고 집으로 돌아가 있게 했으며, 이들이 더이상 어가를 억류하지 못하게 할 것이옵니다. 만일 감히 억류하는 일이 있다면 군법으로 엄히 다스리겠습니다. 신은 이제 병을 무릅쓰고 낙수에 군사를 주둔하여 만일의 사태에 대비해 부교를 지키고 있사옵니다. 삼가 이러한 사실들을 아뢰며 들어주시옵기를 엎드려 바라나이다.

위주 조방은 표문을 다 듣고 나서 조상에게 묻는다.

"태부의 말이 이러하니 경은 어떻게 대처하려오?"

조상은 얼어붙은 듯 꼼짝도 못하다가 두 아우를 돌아본다.

"너희들 생각은 어떠냐?"

조희가 말한다.

"이 아우가 일찍이 형님께 몇번이나 간했는데도 듣지 않으시더니 만 오늘 일이 이렇게 되지 않았습니까. 사마의의 속임수는 공명도 당해내지 못했거늘, 우리 형제가 무슨 수로 겨루겠소? 차라리 우리 스스로 결박하고 찾아가 죽음을 면하느니만 못하겠소."

말이 채 끝나기도 전에 참군 신창과 사마 노지가 도착했다. 조상이 묻는다.

"성안 형편이 어떠한가?"

두 사람이 황망히 대답한다.

"성안에는 군사들이 쫙 깔려 철통같이 방비하고 있고, 태부가 낙수 부교를 지키며 주둔하고 있으니 다시 돌아가기는 어렵습니다. 속히 대책을 세우셔야 합니다."

이렇게 말하고 있는데, 이번에는 사농 환범이 말을 달려와서 대뜸 조상에게 말한다.

"태부가 변란을 일으켰는데, 장군은 어찌 황제를 모시고 허도로 돌아가 외지 군사를 불러서라도 사마의를 치려 하지 않으십니까?"

조상이 목멘 소리로 말한다.

"내 가족들이 모두 성안에 있는데 어찌 다른 곳에 원병을 청한단 말인가!"

환범이 말한다.

"한낱 필부라도 난을 당하면 살려고 발버둥칩니다. 지금 주공께서는 황제를 모시고 천하를 호령하는 판인데, 누가 감히 따르지 않겠습니까? 그런데도 스스로 사지에 뛰어들려 하십니까?"

조상은 결단을 내리지 못하고 눈물만 흘렸다. 환범이 다시 간한다.

"여기서 허도까지는 반나절밖에 걸리지 않고, 허도성 안에는 족히 수년은 지탱할 만큼의 군량이 쌓여 있습니다. 더욱이 주공의 별영(別營) 군마가 지척간인 관문 남쪽에 있으니 부르기만 하면 당장이라도 달려올 것 아닙니까? 대사마의 인장을 제가 가지고 왔으니 주공은 시각을 지체 마시고 속히 움직이십시오."

조상이 말한다.

"너무 재촉하지 말고 나에게 찬찬히 생각할 시간을 달라."

얼마 안 있어 이번에는 시중 허윤과 상서 진태가 와서 말한다.

"태부께서는 장군의 권한이 너무 크다고 하여 그 병권을 꺾고자 할 뿐, 다른 뜻은 없다 하십니다. 장군은 될 수 있는 대로 속히 성으로 돌아가도록 하십시오."

조상은 입을 다문 채 결단을 내리지 못하였다. 연이어 전중교위 윤대목이 당도해서 말한다.

"태부가 낙수를 가리키며 맹세하기를 다른 뜻은 전혀 없다 하더이다. 장태위(장제)가 장군께 권유하는 서신이 여기 있으니 장군은 병권을 내놓고 빨리 상부(相府)로 돌아가십시오."

그 말에 조상은 마음이 동한 듯 고개를 끄덕였다. 순간 환범이 애가 타서 소리친다.

"장군! 사태가 급박한데 저들의 말만 듣고 사지로 들어갈 작정이십니까?"

그날밤 조상은 마음을 정하지 못한 채 칼을 빼들고 한숨을 푹푹 내쉬며 이 생각 저 생각에 잠을 이루지 못했다. 날이 훤히 밝아올 때까지도 눈물만 흘리며 끝내 결단을 내리지 못하였다. 환범이 장막으로 찾아와 다시 재촉한다.

"주공께서는 하루낮 하룻밤을 꼬박 생각하시고도 아직 결정을 내리지 못하셨습니까?"

순간 조상은 칼을 집어던지며 탄식하듯 말한다.

"나는 군사를 일으키지 않겠네. 벼슬을 버리고 부잣집 늙은이로 편안히 살다가면 그것으로 족하겠네."

환범은 큰소리로 울음을 터뜨리며 장막 밖으로 나가버렸다.

"지난날 조자단은 천하가 알아주는 지모로 스스로도 긍지를 삼았거늘, 그 자식 삼형제는 진정 돼지새끼나 다름없구나!"

탄식하며 통곡을 그치지 못했다.

허윤과 진태는 조상에게 우선 인수(印綬)를 사마의에게 보내도록 권했다. 조상이 인수를 꺼내려 하는데 주부(主簿) 양종(楊綜)이 인수를 붙들고 통곡하며 말한다.

"주공께서 지금 병권을 버리고 스스로를 결박하여 항복한다면 필경 동쪽 저잣거리에서 죽음을 면치 못하실 것입니다."

조상이 조용히 대꾸한다.

"태부는 신의를 저버릴 분이 아니다."

조상은 마침내 허윤과 진태에게 인수를 내주고 사마의에게 전하게 했다. 대장군 조상이 인수를 꺼내 병권을 넘기는 광경을 지켜보던 군사들은 모두 뿔뿔이 흩어져 가버렸다. 조상의 수하에는 몇몇 관료들만 남았다. 마침내 조상 일행은 사냥터를 떠나 부교에 이르렀다. 사마의는 영을 내려 조상 삼형제만 그들의 집으로 돌려보내고 나머지는 모조리 감금하여 황제의 명을 기다리게 했다. 조상 삼형제가 성을 들어설 때는 따르는 시종이 하나도 없었다. 얼마 뒤 환범이 부교에 이르자 사마의가 말 위에서 채찍을 들어 가리키며 말한다.

"환대부(桓大夫)는 어쩌다 이리 되셨소?"

환범은 차마 고개를 들지 못한 채 성을 향해 묵묵히 걸음을 옮길 뿐이었다.

마침내 사마의는 어가를 모시고 영채를 거두어 낙양성으로 들어갔다. 그리고 조상 삼형제가 집으로 들어간 뒤 그들의 집 대문에 커다란 자물쇠를 채우고는 8백여명의 백성들로 하여금 겹겹이 포위하여 지키게 했다. 조상은 걱정과 근심으로 바늘방석에 앉은 기분이었다. 동생 조희가 말한다.

"형님, 양식이 다 떨어졌소. 형님께서 사마의에게 서신을 보내 양식을 꾸어달라 부탁해보십시오. 만약 양식을 보내준다면 우리를 해칠 생각이 없다는 뜻 아니겠소?"

조상은 즉시 편지를 써서 사마의에게 보내니 그 서신을 받아본 사마의는 당장 군사들을 시켜 1백섬이나 되는 식량을 조상의 부중으로 날라다주게 했다. 조상은 크게 기뻐하며 말한다.

"사마공은 본시 우리를 해칠 생각이 없었음이 분명하다."

이후 조상의 마음에는 씻은 듯이 근심이 사라졌다. 그러나 정작 일은 다른 데서 벌어지고 있었다.

이보다 앞서 사마의는 환관 장당을 잡아다 옥에 가두고 문죄했다. 장당이 변명하여 말한다.

"나 한 사람이 한 짓이 아닙니다. 하안·등양·이승·필궤·정밀 등 다섯 사람이 함께 반역을 꾀했습니다."

사마의는 그 진술을 문서로 받아놓고 하안 등을 잡아들였다. 그들을 문초한 끝에 3개월 안에 반란을 일으키기로 약조했다는 자백을 받아내자 그들에게 큰칼을 씌워 옥에 가두었다. 그때 수문장 사번이 사마의에게 고한다.

"환범이 거짓 칙서를 빙자해 성을 빠져나가면서 태부께서 반역을 꾀하고 있다고 말했사옵니다."

사마의는 크게 역정을 냈다.

"남을 역적으로 무고한 자는 반좌죄(反坐罪, 남을 무고한 죄에 대한 벌)로 다스려야 한다."

이렇게 하여 환범 또한 옥에 갇히고 말았다. 그후 사마의는 조상 형제 세 사람을 비롯해 그 일당을 모조리 잡아다가 저잣거리에서 목을 베고 그들의 삼족을 멸했으며, 그 재산은 몰수해 국고에 넣었다. 이때 조상의 종제(從弟)뻘 되는 문숙(文叔)의 아내만이 살아남았다. 그녀는 하후령(夏侯令)의 딸로 일찍이 과부가 되어 자식도 없이 혼자 살고 있을 때 친정아버지가 개가시키려 하자 귀를 잘라 개가하지 않겠다고 맹세한 열녀였다. 조상의 집안이 몰살당하자 그 친정아버지는 그녀를 다시 개가시키려 했다. 그러자 그녀는 이번에는 코를 베어버려 식구들을 당황하게 했다. 식구들이 그녀를 타일렀다.

"사람의 한평생이란 가벼운 티끌이 연약한 풀잎에 얹힌 것과 같거늘 어찌 자신을 이리도 괴롭히느냐? 더구나 네 시댁 식구들은 모두 사마의에 의해 몰살당했거늘, 대체 누구를 위해 수절한다는 것이냐?"

그녀가 눈물을 흘리며 말한다.

"제가 듣기로 '어진 사람은 성쇠(盛衰)에 따라 절개를 고치지 않으며, 의로운 사람은 존망(存亡)에 따라 마음을 고쳐먹지 않는다'고 했습니다. 조씨 집안이 왕성했을 때도 죽기까지 받들려 했는데, 하물며 멸망한 지금에 와서 어찌 저버릴 수 있겠습니까? 어찌하여 저더러 그런 금수 같은 행동을 하라 하십니까?"

사마의는 이 소문을 듣고 그 어진 마음에 감탄한 나머지 그녀로 하여금 양자를 두어 조씨 문중을 잇게 했다.

후세 사람이 이 일을 두고 시를 지어 남겼다.

여린 풀 가는 먼지도 달관을 다했거늘   弱草微塵盡達觀
하후씨의 딸이 있어 그 절의 태산 같았네   夏侯有女義如山
장부도 치마 두른 여인의 절의에 미치지 못하니   丈夫不及裙釵節
수염 달린 사내들 얼굴에 진땀 흐르누나   自顧鬚眉亦汗顏

사마의가 조상을 죽이고 나자 태위 장제가 말한다.

"아직 더 있습니다. 노지와 신창은 관문을 쳐서 성밖으로 나갔으며, 양종은 인수를 빼앗아 내놓으려 하지 않았습니다. 이들 역시 그냥 두어서는 안됩니다."

사마의가 말한다.

"그들 모두는 각자 주인을 위해 그렇게 했으니 의리있는 사람들이오."

그러고 나서 그들을 모두 옛 직책에 복직시켰다. 이 소식을 들은 신창은 감격해 마지않았다.

"내가 누님과 상의하지 않았더라면 대의를 저버릴 뻔했구나!"

후세 사람이 신헌영을 칭찬하는 시를 지었다.

신하되어 녹을 먹었으면 응당 갚아야 하나니   爲臣食祿當思報

섬기던 주인 위태하면 충성 다해야 하리   事主臨危合盡忠

신씨 부인 일찍이 동생을 정도로 권하여   辛氏憲英曾勸弟

고금 천년에 높은 풍도로 칭송되네   古今千載頌高風

사마의는 신창 등을 용서하고 방을 내걸어 조상 문하의 사람들을 모두 살려주고 관직에 있던 사람들은 모두 복직시킨다고 선포했다. 이로써 군사들과 백성들은 모두 그 업을 지키며 안팎이 두루 안정되었다. 하안과 등양은 비명에 죽고 말았으니, 지난날 관로의 말이 그대로 적중한 셈이었다. 후세 사람이 시를 지어 관로를 칭송했다.

성현에게서 전수받은 오묘한 비결이여   傳得聖賢眞妙訣

평원땅 관로의 상법은 신통도 하구나   平原管輅相通神

귀유 귀조로 하안 등양 나누었으니   鬼幽鬼躁分何鄧

초상 나기 전에 이미 죽은 사람임을 알았도다   未喪先知是死人

한편 위주 조방은 사마의를 승상으로 봉하고 구석(九錫, 황제가 특히 공로가 있는 신하에게 내리는 아홉가지 물품)을 내렸다. 사마의는 이를 사양했으나 조방은 끝내 사마의 부자 세 사람에게 국사를 맡아보게 했다. 문득 사마의는 불안한 생각이 들었다.

'비록 조상의 집안은 주살당했다 할지라도 아직 하후현(夏侯玄)이 옹주 등지를 수비하고 있으니 조상의 친족으로서 혹시 난이라도 일으키면 이를 어떻게 하나?'

사마의는 즉시 칙서를 내려 옹주로 사자를 보냈다. 내용인즉 '정서장군 하후현은 상의해야 할 중대한 문제가 있으니 즉시 낙양으로 오라'는 것이었다. 이 소식을 듣고 깜짝 놀란 하후현의 숙부 하후패는 지체없이 3천 군사를 거느리고 반란을 일으켰다. 그때 옹주 자사 곽회가 하후패의 반역을 알고 즉시 군사를 거느리고 하후패를 치러 왔다. 곽회가 말을 몰고 나가며 꾸짖는다.

"너는 이미 대위의 황족이요, 황제께서 너를 홀대하지 않으셨는데 무슨 까닭으로 반역했단 말이냐?"

하후패도 마주 꾸짖는다.

"내 아버지(하후연)께서 나라를 위해 많은 공을 세웠거늘, 사마의 이 놈이 나의 형 조상 일족을 몰살하고 이제 나까지 죽이려 하니 조만간 제위를 찬탈하려는 흑심을 품고 있는 게 분명하다! 이제 내가 의리를 중히 여겨 역적을 토벌하려 하는데, 네 어찌 이를 반역이라 하느냐?"

곽회는 크게 노하여 창을 치켜들고 말을 박차며 달려나가 곧장 하후패를 취하려 했다. 하후패도 칼을 뽑아들고 달려나왔다. 두 사람이 어울린 지 10합이 못 되어 곽회는 패하여 달아났다. 하후패가 곽회의 뒤를 쫓아 추격하는데, 갑자기 후군 쪽에서 요란한 함성이 일어났다. 하후패가 급히 말머리를 돌리는데 진태가 군사를 거느리고 쳐들어오고 달아나던 곽회도 말머리를 돌려 앞뒤에서 협공해왔다. 하후패는 크게 패했고, 군사도 태반이나 잃었다. 궁지에 몰려 아무리 생각해도 묘책이 떠오르지 않자 마침내 한중으로 투항해 후주에게 몸을 의탁하기로 했다.

이 사실은 즉시 강유에게 보고되었다. 강유는 선뜻 믿을 수가 없어 사람을 보내 정황을 탐지한 뒤에 비로소 성문을 열어 하후패를 맞아들였다. 하후패는 절하여 인사하고 나서 소리내어 울면서 그간의 정황을 세세히 고했다. 강유가 좋은 말로 위로한다.

"옛날에 미자(微子)는 주나라로 가서 이름을 만고에 떨치지 않았소?(상商나라 주왕의 형 미자가 주왕의 포학함을 간했으나 듣지 않자 분연히 떠나서 뒤에 상나라를 멸망시킨 주周나라의 작위를 받은 고사) 공께서도 반드시 한실(漢室)을 바로잡아 옛사람에게 부끄럽지 않은 인물이 되시오."

강유는 크게 잔치를 베풀어 하후패를 후히 대접했다. 술을 마시다가 강유가 은근히 묻는다.

"사마의 부자가 권력을 장악했는데 혹시 우리 촉을 넘보고 있는 것은 아니오?"

하후패가 대답한다.

"그 늙은 도적놈은 지금 반역할 궁리를 하느라 바깥일에는 마음 돌릴 겨를이 없을 것입니다. 다만 위에 새롭게 나타난 두 인물이 있는데, 이들이 군사를 거느린다면 촉과 오에 큰 우환거리가 될 것입니다."

"그 두 사람이 누구요?"

"한 사람은 현재 비서랑(秘書郎)으로 있는 종회(鍾會)입니다. 종회는 영천(穎川) 장사(長社) 사람으로 자는 사계(士季)인데, 태부 종요(鍾繇)의 아들로 어려서부터 대담하고 총기가 있어 이름이 났습니다. 한번은 종요가 아들 형제를 데리고 문제를 뵈온 적이 있었답니다. 그때 종회는 일곱살이고 그 형인 육(毓)은 여덟살이었는데, 종육은 황제를 뵙자 너무도 두려운 나머지 얼굴이 온통 땀으로 뒤범벅이 되었답니다. 이때 황제께서 '웬 땀을 그렇게 많이 흘리느냐?' 물으시자 종육은 더욱 땀을 흘리며 '두려운 마음이 앞서서 땀이 비오듯 합니다' 했다 합니다. 황제께서 이번에는 늠름히 앉아 있는 종회를 보시고 '너는 어째서 땀을 흘리지 않느냐?' 하고 물으시니 종회는 서슴지 않고 '너무도 무섭고 두려운 나머지 감히 땀도 나지 않사옵니다'라고 하여 황제께서 매우 기특히 여기셨답니다. 그후 성장하면서 병서 읽기를 즐기고 육도삼략(六韜三略, 병법)에 밝아 사마의와 장제가 그 재주를 높이 평가하고 있습니다. 또 한 사람은 지금 연리(掾吏)로 있는 의양(義陽) 사람 등애(鄧艾)로, 자는 사재(士載)입니다. 등애는 어린 나이에 아버지를 잃었는데, 평소 큰뜻을 품어 높은 산이나 큰 연못만 보면 그냥 지나치지 않고 자세히 살피며 어느 곳이 군사를 주둔하기에 좋은지, 군량은 어디에 쌓아두어야 하며 어느 지점에 군사를 매복할 지를 지적하곤 했습니다. 사람들은 이러한 등애를 하나같이 비웃었으나 오직 사마의만은 그의 재주를 기이하게 여겨 군사 기밀에 관여하게 했습니다. 등애는 본래 말을 더듬어 보고를 할 때마다 '애, 애' 하니, 한번은 사마의가 우스갯소리로 '경은 말할 때마다 애애(艾艾)하니 대체 여기 애(등애)가 몇이나 있단 말인가?' 했습니다. 등애가 그 말에 대답하기를 '사람들이 봉(鳳)이여 봉이여 하지만 실상 봉새는 한 마리인 것과 같습니다' 했답니다. 등애의 명민함이 대강 이러하니, 어찌 이 두 사람이 두렵지 않다 하겠습니까?"

강유가 껄껄 웃으며 말한다.

"그까짓 어린애들을 염려할 게 뭐가 있겠소?"

그러고 나서 하후패를 데리고 성도로 들어가 후주를 뵙게 했다. 강유가 아뢴다.

"사마의가 조상을 모살하고 마침내 하후패마저 잡으려 하여 하후패가 우리에게 투항해왔습니다. 지금 사마의 부자가 권세를 장악하고 있는데, 조방이 나약해 장차 위가 크게 위태로울 듯하옵니다. 신은 여러 해 동안 한중에 있으면서 군사를 훈련시키고 양곡을 비축했으니 원컨대 이제 군사를 거느리고 하후패를 향도관(嚮導官, 길을 안내하는 사람)으로 삼아 중원을 취하고 한실을 중흥하여 폐하의 넓으신 은혜에 보답하며, 아울러 승상이 남긴 뜻을 다할까 하나이다."

상서령 비의가 나서며 말한다.

"근자에 장완과 동윤이 잇달아 세상을 떠나서 내정을 다스릴 사람이 없습니다. 백약께서는 때를 기다려야지 함부로 움직이실 일이 아닙니다."

강유가 말한다.

"그렇지 않소. 인생은 내닫는 말을 문틈으로 잠시 보듯 덧없이 빠른데, 우리가 이대로 세월을 보내다가 어느 천년에 중원을 회복하겠소?"

비의가 간곡히 만류한다.

"손자가 말하기를 '적을 알고 나를 알면 백번 싸워 백번 이긴다(知彼知己 百戰百勝)'하지 않았소? 승상도 중원을 회복하지 못했거늘 하물며 재주가 승상보다 못한 우리가 무슨 수로 이뤄낸단 말씀이오?"

강유는 단호하게 말한다.

"나는 오랫동안 농상(隴上)에 살아서 강인(羌人)들의 마음을 잘 알고 있소. 지금 우리가 강인들과 동맹하여 그들의 후원만 얻는다면, 비록 중원은 회복하지 못한다 할지라도 농상 서쪽땅은 쉽게 차지할 수 있을 것이오."

잠자코 듣고만 있던 후주가 마침내 결단을 내린다.

"경이 위를 정벌하고자 하면 충성과 힘을 다하되, 반드시 군대의 사기를 잃지 말며 짐의 기대를 저버리지 말라."

마침내 강유는 조칙을 받들고 하후패와 더불어 한중으로 돌아와 서둘러 위를 칠 계책을 의논했다. 강유가 말한다.

"먼저 강인들에게 사자를 보내 동맹을 맺은 뒤에 서평(西平)으로 나아갑시다. 옹주 근처에 이르면 먼저 국산(麴山) 기슭에 두개의 성을 쌓고 군사들에게 이를 지키게 하면서 기각지세(掎角之勢)를 이루어야 하오. 우리는 군량과 마초를 서천 어귀로 수송해 승상의 옛 방법에 따라 차례로 진군해야 하오."

그해 8월이었다. 강유는 장수 구안(句安)과 이흠(李歆)을 미리 보내 군사 1만 5천명으로 하여금 국산 앞에 두 개의 성을 축조하게 했다. 그리고 구안에게는 동쪽 성을, 이흠에게는 서쪽 성을 지키게 했다.

정탐꾼이 일찌감치 촉군의 동태를 옹주 자사 곽회에게 전했다. 곽회는 이 사실을 낙양에 보고하는 한편 부장 진태를 보내 5만 군사를 이끌고 촉군과 맞서싸우게 했다. 구안과 이흠은 각기 군사를 거느리고 나와 맞섰으나 워낙 군사가 적은지라 변변히 겨뤄보지도 못하고 군사를 거두어 성안으로 들어가버렸다. 진태는 승세를 몰아 사면으로 성을 포위하고 공격하는 한편 군사들을 보내 한중으로 통하는 군량 보급로를 차단해버렸다. 성안의 구안과 이흠은 당장 군량의 부족함을 겪게 되었다. 뒤이어 곽회가 군사를 거느리고 와서 지세를 살펴보고는 매우 만족스러워하며 영채로 돌아와 진태와 계책을 상의했다. 곽회가 말한다.

"이 성들은 높은 산위에 자리잡고 있어 필시 물이 적을 게요. 물을 구하려면 반드시 성밖으로 나와야 할 테니 우리가 물길을 끊어버리면 촉군은 기갈이 나서 죽음을 면치 못할 것이오."

곧 군사들을 시켜 상류에 둑을 쌓게 해 물길을 끊어버렸다. 과연 성안에는 물이 말라버렸다. 이흠이 물을 긷기 위해 군사들을 이끌고 성문을 나섰다. 옹주 군사들은 기다렸다는 듯이 에워싸고 맹공격을 해왔다. 이흠은 사력을 다해 싸웠으나 포위망을 뚫지 못하고 다시 성안으로 후퇴하고 말았다.

구안의 성안에도 물이 없기는 마찬가지였다. 구안은 이흠과 군사들을 한데 합쳐 일제히 몰려나가 한참동안 전투를 벌였지만 결국 위군에게 쫓겨 성안으로 되돌아왔다. 군사들은 모두 목이 타서 죽을 지경이었다. 구안이 이흠에게 말한다.

"강도독의 군사가 지금까지도 도착하지 않으니 무슨 일인지 모르겠소이다."

이흠이 결연히 대꾸한다.

"내 목숨을 걸고라도 뚫고 나가 구원을 청해야겠소."

이흠은 기병 수십명만을 거느리고 성문을 열더니 바람처럼 내닫기 시작했다. 옹주 군사들이 일제히 에워싸며 달려들었다. 이흠은 사생결단으로 돌진해 가까스로 적의 포위를 벗어났으나 온몸에 중상을 입었으며, 따르던 군사들을 모두 잃고 혼자 남았다. 그날밤 북풍이 크게 일며 검은 구름이 하늘을 가리더니 갑자기 폭설이 내렸다. 굶주림과 목마름에 지쳐 있던 성안의 촉군들은 눈을 뭉쳐 갈증을 달래고, 남은 양식을 나누어 눈녹인 물로 밥을 지어 먹었다.

한편 옹주군의 포위에서 벗어난 이흠은 상처투성이의 몸을 이끌고 서산(西山) 샛길을 따라 말을 달려서 이틀 만에 마침내 강유의 군사를 만났다. 이흠은 말에서 굴러떨어지듯 내려 땅에 엎드리며 고한다.

"국산의 두 성은 위군에게 포위당해 물길이 끊어진 지 오래입니다. 다행히 큰 눈이 내려 이를 녹여 마시며 겨우 지탱하고 있으나 심히 위급한 처지입니다."

강유가 말한다.

"내 급히 지원하려 했는데, 강병(羌兵)이 오지 않아서 일을 이렇게 그르치고 말았구나."

즉시 사람을 시켜 이흠을 서천으로 데려가 치료하도록 지시하고 나서 하후패에게 묻는다.

"강병은 아직 오지 않고, 위군들이 국산의 두 성을 포위해 형세가 매우 위급하오. 장군의 고견을 듣고 싶소."

하후패가 대답한다.

"강병이 오기만을 기다리며 움직이지 않았다가는 국산의 두 성은 함락당하고 맙니다. 제 생각에 옹주 군사가 국산을 공격하고 있다면 필시 옹주성은 텅 비어 있을 겝니다. 장군께서는 군사를 거느리고 지름길로 해서 우두산(牛頭山)으로 나아가 옹주성 뒤를 기습하십시오. 곽회와 진태는 옹주를 구하기 위해 군사를 돌릴 수밖에 없을 터이니, 이렇게 되면 국산의 포위망은 자연히 풀릴 것이외다."

강유는 무릎을 치며 기뻐한다.

"좋은 생각이오. 그것이 최선책이오그려."

강유는 즉시 군사를 이끌고 우두산으로 향했다.

한편 진태는 이흠이 성을 빠져나와 포위를 뚫고 달아난 뒤 급히 곽회에게 달려가 아뢴다.

"이흠이 달려가 위급함을 알린다면 강유는 우리 대군이 모두 국산에 있음을 알고 우두산으로 나가 우리의 배후를 기습하려 할 것입니다. 하오니 장군께서는 군사들을 이끌고 조수(洮水)를 점령해 촉군의 보급로를 끊으십시오. 나는 남은 군사를 거느리고 우두산으로 가서 강유를 격파하겠습니다. 적들은 보급로가 끊어진 줄 알면 반드시 스스로 물러갈 것입니다."

곽회는 그 말에 따라 군사들을 거느리고 은밀하게 조수를 취하러 떠났다. 진태 역시 나머지 군사를 이끌고 우두산을 향해 급하게 말을 몰았다.

한편 강유는 군사를 거느리고 우두산에 이르렀다. 문득 전군(前軍)에서 함성이 일더니 위군이 앞을 가로막고 있다는 보고가 들어왔다. 강유가 황망히 말을 몰아 직접 전군 쪽으로 나가 살피는데, 그때 적장 진태가 불쑥 나타나며 소리친다.

"네가 감히 우리 옹주를 기습하려 하느냐? 내 여기서 너를 기다린 지 오래다."

강유는 크게 노하여 창을 비껴잡고 말을 내달려 곧장 진태를 치려 했다. 진태도 지지 않고 칼을 휘두르며 달려나와 맞섰다. 그러나 맞서 싸운 지 불과 3합도 못 되어 진태가 패하여 달아났다. 강유가 군사를 휘몰아 마구 엄살해들어가자 옹주군은 퇴각하여 산머리로 달아나 진을 쳤다. 강유는 군사를 거두어 우두산 기슭에 진을 쳤다. 그뒤 날마다 군사를 휘몰고 나가 싸웠으나 승부는 쉽게 나지 않았다. 하후패가 강유에게 말한다.

"여기는 오래 머무를 곳이 아닙니다. 또한 매일 싸워도 승부가 나지 않으니, 이는 저들이 유병지계(誘兵之計, 군사를 유인해 붙들어두는 계책)를 쓰고 있는 것입니다. 필시 저들에게는 또다른 계책이 있을 터이니, 잠시 군사를 뒤로 물렸다가 새로운 계책을 강구해 공격하는 게 좋을 것입니다."

이렇게 의논하고 있는데 문득 보고가 들어왔다. 곽회가 군사를 거느리고 조수를 점령해 군량 보급로를 끊었다는 소식이었다. 강유는 크게 놀라 하후패로 하여금 먼저 퇴군하게 하고, 자신은 뒤를 끊으며 물러났다. 그 틈을 노려 진태는 군사를 다섯길로 나누어 쳐들어왔다. 강유가 혼자서 다섯 방향에서 몰려오는 위군들을 막아내는데, 어느새 진태는 군사들을 산으로 올려보내 화살을 빗발치듯 쏘아대고 돌을 던지게 했다. 강유는 더 버티지 못하고 군사를 물려 조수에 이르렀다.

이번에는 곽회가 기다렸다는 듯이 군사를 휘몰아 덤벼들었다. 강유는 군사들을 독려해 맹공격을 했지만 위군의 철통같은 수비를 깨뜨릴 수는 없었다. 강유가 사력을 다해 가까스로 포위망을 뚫고 혈로를 열고 보니 이미 군사를 태반이나 잃은 뒤였다. 간신히 목숨을 건진 강유는 나는 듯이 양평관을 향해 말을 달렸다. 문득 앞쪽에서 또다시 한떼의 위군이 먼지를 일으키며 달려와 길을 막았다. 선두에 선 대장이 칼을 휘두르며 무서운 기세로 달려오는데, 보니 둥근 얼굴에 귀가 크고, 입은 네모졌으며 입술이 유난히 두툼했다. 왼쪽 눈 아래에 검은 사마귀가 있고, 사마귀 위에는 수십개의 검은털이 나 있으니, 바로 사마의의 맏아들인 표기장군 사마사였다. 강유가 크게 노해 꾸짖는다.

"어린 놈이 감히 내 귀로를 막다니!"

말을 마치기가 무섭게 창을 꼬나잡고 말을 박차더니 곧장 사마사를 찌르려 했다. 사마사도 칼을 뽑아들고 맞섰다. 서로 어울린 지 3합 만에 사마사를 물리친 강유는 몸을 빼어 양평관에 이르렀다. 성위에서 지키던 군사가 지체없이 성문을 열어 강유의 군사를 맞아들였다. 그런데 강유에게 패해 물러났던 사마사가 다시 군사를 수습해 뒤쫓아왔다. 이때 사마사의 군사가 성밑까지 육박해오자 갑자기 성 양쪽에 숨겨두었던 쇠뇌가 일제히 발사되기 시작했다. 쇠뇌 하나에 10대의 화살이 소나기처럼 쏟아져나오니, 이 연노는 바로 무후(武侯, 제갈량)가 임종시에 전수한 연노법(連弩法)에 의해 만들어진 것이었다.

이날 삼군이 모두 패해 지탱하기 어렵더니   難支此日三軍敗

전에 전수받은 연노법에만 의지하네   獨賴當年十矢傳

사마사의 목숨은 과연 어떻게 될 것인가?

108_

사마의와 손권의 죽음 이후

정봉은 엄동설한에 단검만 들고 쳐들어가고
손준은 연회석에서 은밀히 계책을 쓰다

강유는 곧장 말을 달리다가 앞길을 막는 사마사의 군사와 맞닥뜨렸
다. 원래 강유가 옹주를 공격했을 때 곽회는 조정에 급히 사람을 보내
전황을 알렸다. 위주 조방이 사마의를 불러 상의하니 사마의는 맏아
들 사마사에게 5만 군사를 주어 옹주의 싸움을 돕게 했다. 옹주로 가
던 도중 사마사는 곽회가 이미 촉군을 물리쳤다는 소식을 듣고 촉군
의 세력이 크게 약화되었으리라 짐작해 중도에서 맞아 싸우다가 곧장
양평관까지 추격했다. 이때 강유는 무후가 남긴 연노법으로 만든 연
노를 썼다. 관문 양쪽에 숨겨둔 연노 1백여기에서는 각각 10발의 화

살이 한꺼번에 쏟아져나왔다. 게다가 그 화살촉에는 독약이 묻어 있었다. 양쪽에서 소나기처럼 퍼붓는 화살에 선두에 섰던 위의 전군 군사들은 말과 함께 떼죽음을 당했다. 전군이 큰 혼란에 빠져 좌충우돌하는 가운데 사마사는 남은 군사를 이끌고 겨우 빠져나와 정신없이 달아났다.

한편 국산성(麴山城) 안에서 오로지 원군이 오기만을 기다리던 촉장 구안은 끝내 아무런 소식도 받지 못한 채 성문을 열고 위군에게 항복하고 말았다. 이렇게 하여 강유는 군사 수만명을 잃고서 패잔병을 수습해 한중으로 회군했다. 이어 사마사도 군사를 거두어 낙양으로 돌아갔다.

가평(嘉平) 3년(251) 8월, 사마의는 병이 들어 자리에 눕더니 병세가 점점 악화되었다. 마침내는 두 아들을 병상으로 불러 조용히 당부한다.

"내가 오랫동안 위를 섬겨 벼슬이 태부에 이르렀으니, 신하로서 더 이상 높은 자리는 없다 할 것이다. 그런데 사람들 모두 내가 딴마음을 품지 않나 하여 하나같이 의심의 눈초리를 보내니, 내 그동안 두렵고 불안하여 마음 편할 날이 없었다. 내가 죽은 뒤 너희들은 합심하여 국정을 보살피되, 매사에 삼가고 또 삼가야 한다."

그러고는 마침내 숨을 거두었다. 장남 사마사와 차남 사마소가 위주 조방에게 부친의 죽음을 아뢰니 조방은 성대히 장례를 치르게 하는 한편 진귀한 물품과 시호를 내렸다. 또한 사마사를 대장군에 봉해 상서기밀대사(尙書機密大事)를 맡게 하고, 사마소는 표기상장군(驃騎上將軍)으로 삼았다.

한편 오주(吳主) 손권에게는 일찍이 서(徐)부인의 소생인 태자 손등(孫登)이 있었는데, 그가 적오(赤烏) 4년(241)에 병들어 죽자 다시 낭야(琅邪)의 왕(王)부인 소생인 손화(孫和)를 태자로 삼았다. 그러나 손화는 전공주(全公主)와 사이가 좋지 못해 그녀의 참소로 폐위당하여 이에 한을 품은 채 급기야 화병으로 죽고 말았다. 손권은 다시 셋째아들인 반(潘)부인의 소생 손량(孫亮)을 태자로 삼았다.

이때는 육손이나 제갈근 등이 죽은 뒤라 나라의 크고작은 일은 모두 제갈각(諸葛恪)이 도맡아 처리하고 있었다. 태원(太元) 원년(251) 8월 초하루, 갑자기 큰 바람이 일더니 강과 바다가 넘쳐 평지에까지 여덟자가 넘게 물이 고였다. 오주의 선릉(先陵)에 심은 소나무와 잣나무가 모조리 뿌리째 뽑히더니 바람에 날려 멀리 건업성(建業城) 남문 밖에 거꾸로 꽂히는 괴변이 일어났다. 손권은 이 일로 너무도 놀라 그만 병이 되어 자리에 눕더니 점점 병세가 악화되어 마침내 이듬해 4월 태부 제갈각과 대사마 여대(呂岱)를 불러 후사를 당부하고 숨을 거두었다. 촉한 연희(延熙) 15년(252), 당시 손권의 나이 71세로 제위에 오른 지 24년 되던 해였다.

후세 사람이 손권의 죽음을 애도한 시가 전해지고 있다.

붉은 수염에 푸른 눈 영웅으로 칭하리	紫髥碧眼號英雄
신하들 어루만져 충성 다 바치도록 하였네	能使臣僚肯盡忠
재위 24년 동안에 대업을 일으켰으니	二十四年興大業
용이 서리고 범이 웅크리듯 강동에 웅거했네	龍盤虎踞在江東

손권이 죽은 뒤 제갈각은 태자 손량을 세워 제위를 잇게 하고, 천하

에 대사면령을 내렸다. 또한 연호를 고쳐 건흥(建興) 원년(252)으로 하고, 손권의 시호를 대황제(大皇帝)라 하여 모시고 장릉(蔣陵)에 장사 지냈다.

이 소식이 정탐꾼에 의해 낙양에 알려지자 사마사는 즉시 군사를 일으켜 오나라 칠 일을 상의했다. 상서(尙書) 부하(傅嘏)가 말한다.

"동오에는 험한 장강이 있어서 선제께서도 누차 정벌하려 하셨으나 번번이 뜻을 이루지 못하셨습니다. 각처의 변방을 굳게 지키는 것이 상책입니다."

사마사는 상서와 의견이 달랐다.

"천하의 운세는 30년에 한번씩 변하는 법인데, 어찌 지금까지도 세 황제가 정립하여 지낼 수 있단 말이오? 내 기필코 오를 쳐야겠소."

사마소도 그의 형 사마사와 의견이 같았다.

"이제 손권이 죽고 그 아들 손량은 아직 어리고 나약하니, 이 틈에 공격하면 능히 승리를 거둘 수 있소."

마침내 사마사는 오를 치기 위해 군사를 일으켰다. 먼저 정남대장군(征南大將軍) 왕창(王昶)에게 명하여 10만 군사를 거느리고 남군(南郡)을 치게 했다. 정동장군(征東將軍) 호준(胡遵)에게는 10만 군사를 주어 동흥(東興)을 공격하게 했으며, 진남도독(鎭南都督) 관구검(毋丘儉)에게도 군사 10만을 주어 무창(武昌)을 공격하게 했다. 이렇게 세 길로 나뉘어 진격해들어가며, 아우 사마소를 대도독(大都督)으로 삼아 세 길 군마를 지휘하게 하였다.

그해 12월에 사마소의 군사는 동오의 변경에까지 이르렀다. 군사를 주둔한 사마소는 왕창과 호준, 관구검 등 세 대장을 장막으로 불러 계책을 의논했다. 사마소가 말한다.

"동오에서 가장 중요한 요충지는 동흥이오. 지금 그들은 큰 둑을 쌓고 좌우에 성을 축조해 소호(巢湖) 뒤쪽의 공격을 방비하고 있으니 그대들은 각별히 조심하기 바라오."

그러고는 왕창과 관구검에게 영을 내렸다.

"1만 군사를 좌우로 나누어 진을 벌이되 나아가지는 말고, 동흥군이 함락되기를 기다렸다가 일제히 진군하라."

왕창과 관구검이 영을 받고 각기 떠나갔다. 사마소는 다시 호준을 선봉으로 삼아 세 길 군마를 거느리고 앞서가게 하며 명한다.

"그대는 먼저 나아가 부교를 세우고 동흥의 큰 제방을 점령하라. 좌우의 두 성을 빼앗는다면 큰 공을 세우게 되리라."

호준은 곧 군사들을 거느리고 부교를 가설하기 위해 떠났다.

이때 오의 태부 제갈각은 위군이 세 길로 나뉘어 쳐들어온다는 말을 듣고 서둘러 관리들을 모아 대책을 의논했다. 평북장군(平北將軍) 정봉(丁奉)이 말한다.

"동흥은 우리의 가장 긴요한 요새이니 만약 이곳을 잃는다면 남군과 무창이 위태로워집니다."

제갈각이 고개를 끄덕인다.

"내 생각도 그와 같소. 공께서는 수군(水軍) 3천을 거느리고 강을 따라 나가시오. 내가 여거(呂據)·당자(唐咨)·유찬(劉贊)으로 하여금 각각 1만의 보군을 거느리고 세 길로 뒤따르게 하겠소. 연주포(連珠炮) 소리가 들리거든 지체하지 말고 일제히 진격하시오. 나도 곧 대군을 거느리고 뒤따르리다."

정봉은 명을 좇아 3천 수군을 30척의 배에 나누어 태우고 강줄기를 따라 곧장 동흥을 향해 나아갔다.

이때 위군의 선봉 호준은 부교를 건너 제방에 주둔하면서 환가(桓嘉)와 한종(韓綜)을 내보내어 두 성을 공략하게 했다. 왼쪽 성은 오의 장수 전단(全端)이, 오른쪽 성은 유략(留略)이 각각 지키고 있었다. 이 두 성은 어찌나 높고 견고한지 아무리 거세게 공격해도 끄덕도 하지 않았다. 전단과 유략은 쳐들어오는 위군의 기세에 눌려 감히 나가 싸울 엄두도 내지 못하고 그저 굳게 지킬 뿐이었다. 호준은 서당(徐塘)에 영채를 세웠는데, 마침 엄동설한이라 함박눈이 펑펑 내렸다. 호준이 장수들을 불러모아 잔치를 베풀어 술자리가 한창 무르익어가는데 급보가 들어왔다.

"물길로 전선 30척이 몰려오고 있습니다."

호준이 영채 밖으로 나가 바라보니 오의 전선들이 막 연안에 닿으려 하고 있었다. 배 한척에 타고 있는 군사들은 1백여명 가량이었다. 호준은 장막으로 돌아와 장수들에게 말한다.

"기껏해야 3천명인데 두려워할 게 무엇이겠는가?"

부장들에게 적정을 살피게 하고는 계속해서 술을 마셨다.

한편 오의 장수 정봉은 배를 일렬로 늘어세우고 부장들을 향해 소리친다.

"대장부로서 공명(功名)을 세울 날이 바로 오늘이다!"

그러고는 모든 군사들에게 갑옷과 투구를 벗고 장창대극(長槍大戟, 긴창과 큰 쌍날창) 대신 단검으로 무장하게 했다. 위군들은 언덕 위 영채에서 그들이 하는 양을 바라보며 크게 웃을 뿐 아무런 대비도 하지 않았다. 그때 갑자기 연주포소리가 세번 크게 울리자 이를 신호로 오의 장수 정봉이 단검을 빼들고 뭍으로 뛰어내렸다. 뒤따라 모든 군사들도 단검을 빼들고 기슭으로 뛰어내리더니 그대로 위군의 영채로 거침없이 짓쳐들어왔다.

위군들은 미처 손놀릴 틈도 없었다. 한종이 급히 커다란 쌍날창을 들고 맞섰으나 정봉은 재빨리 창자루를 잡아채 몸을 피하면서 단검을 내질러 한종을 고꾸라뜨려버렸다. 환가가 왼쪽에서 창을 들고 뛰어나와 정봉에게 덤벼들었다. 정봉이 날쌔게 옆으로 피하면서 창을 잡아 낚아챘다. 환가는 정봉에게 창을 빼앗기고 황망히 달아나다가 왼쪽 어깨에 정봉이 던진 단검을 맞고 뒤로 나뒹굴었다. 정봉은 지체없이 달려들어 들고 있던 창으로 환가의 가슴을 찔렀다.

동오의 3천 군사들은 성난 표범처럼 위군 영채로 뛰어들어 좌충우돌 쳐부숴댔다. 호준이 황급히 말에 올라 살길을 찾아 줄행랑을 치자 다급해진 위군들은 우우 몰려 부교 쪽으로 달아났다. 그러나 부교는 이미 끊어져 있었다. 진퇴양난에 빠진 위군들의 태반이 엉겁결에 물에 뛰어들어 죽거나 칼에 맞아 눈덮인 벌판을 피로 물들이며 죽어갔다. 이 싸움에서 오군이 위군에게서 노획한 수레며 말이며 각종 무기들의 수효는 헤아릴 수도 없었다. 사마소와 왕창, 관구검 등은 동흥의 군사들이 참패당했다는 소식을 듣고는 곧 군사를 재촉해 퇴군하고 말았다.

한편 제갈각은 대군을 이끌고 동흥에 이르렀다. 곧 군사들을 수습하고 공로에 따라 상을 내려 군사들을 위로하고 나서 장수들을 모아놓고 말한다.

"사마소가 싸움에 패하고 북쪽으로 돌아가니, 바야흐로 중원을 취할 좋은 기회로다!"

제갈각은 즉시 서신을 써서 촉으로 보내 강유에게 함께 북쪽을 공격하여 천하를 반씩 나누자고 청했다. 그러고는 몸소 20만 대군을 일으켜 중원 정벌의 대장정에 올랐다. 제갈각이 진군하려 할 때였다. 갑자기 땅에서 흰 기운이 솟아나며 시야를 가렸다. 잠깐 사이에 군사들은 서로 마주보고도 누가 누군지 알아볼 수 없게 되었다. 장연(蔣延)이 앞으로 나서며 아뢴다.

"이 기운은 바로 백홍(白虹, 흰 무지개)이라는 것으로, 군사를 잃을 조짐입니다. 태부께서는 즉시 회군하십시오. 위를 치는 것은 불가하옵니다."

제갈각이 버럭 화를 낸다.

"그대는 어찌 함부로 불길한 말을 입밖에 내어 군심을 흐려놓는가?"

그러고는 무사들을 시켜 당장 장연의 목을 베게 했다. 좌우 사람들이 입을 모아 살려줄 것을 간청하자 제갈각은 간신히 노기를 가라앉혔으나 장연의 관직을 삭탈하고 평민으로 내쳤다. 제갈각은 군사를 재촉해 진군하기 시작했다. 얼마쯤 가다가 정봉이 말한다.

"위는 신성(新城)을 가장 중요한 요충지로 여기고 있으니 우리가 이곳부터 점령한다면 사마사의 간담이 서늘해질 것입니다."

그 말에 제갈각은 매우 기뻐하며 즉시 군사를 휘몰아 신성으로 나아갔다.

이때 신성을 지키던 아문장군(牙門將軍) 장특(張特)은 오군들이 구름처럼 몰려오자 성문을 굳게 닫아걸고 삼엄한 수비태세를 갖췄다. 제갈각은 군사를 배치해 성의 사면을 겹겹이 포위했다.

정탐꾼이 이 사실을 나는 듯이 낙양에 전했다. 주부(主簿) 우송(虞松)이 사마사에게 고한다.

"지금 제갈각이 신성을 포위하고 있습니다만 선뜻 나가 싸워서는 안됩니다. 오군은 멀리서 와서 지친데다가 사람은 많고 양식은 적습니다. 며칠 지나지 않아 양식이 떨어지면 저절로 물러갈 것이니, 그때를 기다려 일시에 공격하면 반드시 대승을 거둘 수 있습니다. 다만 촉군이 침범할 경우에는 즉시 막아내야 합니다."

사마사는 머리를 끄덕였다.

"옳은 생각이오."

곧 사마소로 하여금 한무리의 군사들을 거느리고 가서 곽회를 도와 강유의 침략을 막도록 했다. 그리고 관구검과 호준에게는 오군을 막게 하였다.

한편 제갈각은 몇달 동안 신성을 포위 공격했으나 장특이 굳게 지키고 있어 함락하지 못했다. 마침내 여러 장수들에게 명한다.

"모든 장수들은 힘을 다해 성을 공격하라! 만일 태만한 자가 있으면 가차없이 목을 베겠다!"

제갈각의 명령에 모든 장수들이 분발하여 성을 공략하니, 마침내 성의 동북쪽이 무너지기 시작했다. 성을 지키던 장특은 다급히 계책을 생각해내고 즉시 말 잘하는 선비 한 사람을 불러들여 밀계를 내려 책적(冊籍, 관청에서 관할구역의 호구·지적 등을 적은 장부)을 가지고 오군 영채로 가서 제갈각을 회유하게 했다. 장특의 명을 받은 사자가 제갈각에게 가서 아뢴다.

"위의 법에는 적에게 포위당했을 때 성을 지키는 장수가 1백일이 넘도록 버텨도 구원병이 이르지 않아 항복하는 경우 그 가솔들에게는 죄를 묻지 않게 되어 있습니다. 장군께서 우리 성을 포위한 지 90여 일이 지났으니, 바라건대 며칠만 더 참아주신다면 우리 장군께서 모든 군민을 이끌고 성을 나와 투항할 것임을 이 문서를 올려 맹세하는 바입니다."

성의 문서를 받은 제갈각은 사자의 말을 믿고 일단 공격을 멈추고
군사를 거둬들였다. 이른바 완병지계(緩兵之計, 적군의 공격을 늦추는 계책)
를 써서 제갈각으로부터 며칠간의 말미를 얻어낸 장특은, 성안의 집
을 헐어 무너진 성벽을 보수하고 군비를 재정비했다. 그런 다음 성위
에 올라 오군을 내려다보며 큰소리로 꾸짖는다.

"우리 성안에 아직도 반년은 먹을 양식이 있거늘 어찌 너희 오나라
개들에게 항복하겠느냐? 어디 싸울 테면 싸워봐라!"

진노한 제갈각은 군사를 독촉해 다시금 성을 공격하기 시작했다.
성위에서는 기다렸다는 듯 화살이 빗발치듯 쏟아졌다. 제갈각은 미처
피할 겨를도 없이 이마에 화살을 맞고 몸을 뒤집으며 말에서 굴러떨
어졌다. 몇몇 장수들이 급히 달려들어 부축하고 영채로 돌아왔으나
상처가 깊었다. 군사들도 사기가 떨어져 더이상 싸울 용기를 잃었다.
게다가 날씨마저 찌는 듯이 무더워서 병으로 쓰러지는 군사들이 속출
했다. 며칠 뒤 상처가 어느정도 아물자 제갈각은 다시 군사를 다그쳐
성을 공격하려 했다. 한 영리(營吏)가 말한다.

"지금 군사들이 모두 병으로 시달리고 있는 판에 무슨 수로 또 싸
우겠다 하십니까?"

제갈각이 버럭 소리친다.

"듣기 싫다! 다시 한번 병 이야기를 지껄이는 자가 있으면 가차없
이 목을 벨 것이다!"

이 말은 이내 군사들 사이에 입에서 입으로 전해졌고, 겁에 질려 달
아난 자도 부지기수였다. 이때 도독 채림(蔡林)이 군사를 이끌고 위
에 항복했다는 보고가 들어왔다. 크게 놀란 제갈각은 그제야 몸소 말

을 타고 각 영채를 돌아보았다. 과연 군사들마다 얼굴이 누렇게 뜨고 병색이 완연한 것을 본 제갈각은 마침내 퇴군령을 내렸다.

이 소식은 곧 정탐꾼에 의해 관구검에게 전해졌다. 관구검은 군사들을 있는 대로 모두 일으켜 퇴각하는 오군의 뒤를 엄습했다. 오군은 크게 패하여 동오로 돌아갔다.

제갈각은 너무나 부끄러워 병을 핑계로 조정에도 나가지 않고 집에 드러누워버렸다. 오주 손량이 친히 제갈각의 집까지 거동해 문병하고, 그밖의 문무관료들도 모두 찾아가 문안을 드렸다. 제갈각은 자신의 허물이 사람들에게 비난받지 않을까 두려워하여 먼저 여러 관원들의 과실을 찾아내 죄가 가벼운 자는 변방으로 귀양을 보내고 무거운 죄를 지은 자는 가차없이 목을 베어 저자에 내걸어 사람들이 보게 했다. 이를 지켜보던 내외 관료들은 하나같이 두려움에 떨었다. 또한 제갈각은 심복장수 장약(張約)과 주은(朱恩)으로 하여금 어림군을 거느리게 하여 자신의 수족으로 삼았다.

한편 손준(孫峻)의 자는 자원(子遠)으로, 손견의 아우 손정(孫靜)의 증손이자 손공(孫恭)의 아들이었다. 그는 손권이 살아 있을 적에 각별한 사랑을 받아 일찍부터 어림군을 장악하고 있었는데, 갑자기 제갈각의 명에 의해 장약과 주은에게 병권을 빼앗기자 내심 크게 노했다. 그러던 차에 하루는 평소 제갈각과 사이가 좋지 않던 태상경(太常卿) 등윤(滕胤)이 손준에게 찾아와 은근히 말한다.

"제갈각이 외람되게도 권력을 마음대로 하고 함부로 공경대부들을 살해하니, 이는 필시 딴마음을 품고 있는 게 분명하외다. 공은 종실의 한 사람으로서 어찌 두고만 보시는 것입니까?"

손준이 대답한다.

"나 역시 그런 생각을 한 지 오래요. 이제 마땅히 황제께 주청을 올려 그자를 주살해야겠소."

손준과 등윤 두 사람은 함께 궁으로 들어가 손량을 뵙고 은밀히 주청을 올려 제갈각을 죽일 것을 간하였다. 손량이 흔쾌히 말한다.

"짐도 그의 행실에 두려움을 느껴 없애고 싶었으나 마땅한 방법을 찾지 못하던 터였소. 경들의 생각도 그러하다면 충성된 마음으로 비밀리에 도모해보도록 하오."

등윤이 말한다.

"폐하께서는 잔치를 마련해 제갈각을 부르십시오. 저희는 무사들을 휘장 뒤에 매복시켜두었다가 술잔을 던지는 것을 신호로 그 자리에서 놈을 죽여 후환을 없애도록 하겠사옵니다."

손량은 고개를 끄덕이며 그 말에 따르기로 했다.

한편 싸움에 패하고 돌아온 뒤로 병을 핑계삼아 집안에만 있던 제갈각은 갈수록 정신이 혼미하고 불안해졌다. 그러던 어느날 우연히 중당(中堂)으로 나갔다가 상복 차림의 낯선 사람을 보았다. 제갈각이 깜짝 놀라 소리친다.

"웬놈이냐?"

그 사람 역시 몹시 놀란 모습이었다. 제갈각이 아랫사람들에게 그를 심문하게 하니 그 사람이 고한다.

"저는 근자에 부친상을 당해 스님을 청해다가 부친의 명복을 빌던 참이었습니다. 이곳이 절인 줄 잘못 알고 들어왔을 뿐, 태부의 부중인 줄은 꿈에도 몰랐습니다. 그렇지 않고서야 소생이 감히 여기에 들어올 엄두를 냈겠습니까?"

제갈각은 노기가 풀리지 않아 즉시 문을 지키던 군사들을 불러들여 문초했다. 문지기들이 아뢴다.

"저희들 수십명이 병기를 들고 문을 지키며 잠시도 자리를 비운 적이 없사옵고, 한 사람도 들어오는 것을 보지 못했습니다."

제갈각은 더욱 화가 나서 그 자리에서 상복 입은 자와 문지기들을 모조리 목을 베어 죽여버렸다.

그날밤이었다. 제갈각은 잠자리에 들었으나 까닭없이 마음이 불안해 이리 뒤척 저리 뒤척하고 있었는데, 안채 쪽에서 난데없이 벼락 치는 소리가 났다. 깜짝 놀라 달려가 보니 아름드리 대들보가 두 동강 난 채 내려앉아 있는 게 아닌가. 더욱 불안해진 제갈각은 침실로 돌아왔다. 그런데 갑자기 한줄기 음습한 바람이 일면서 자신이 죽인 상복 입은 사람과 문지기 수십명이 한꺼번에 나타나서는 각기 머리를 들고 목숨을 돌려달라고 아우성을 치는 것이었다. 제갈각은 너무나 놀란 나머지 그대로 까무러쳤다가 한참만에야 겨우 깨어났다.

이튿날 아침, 제갈각은 간밤의 일을 꿈이려니 생각하며 자리를 털고 일어났다. 세수를 하려고 얼굴에 물을 끼얹는데 갑자기 피비린내가 확 끼쳐왔다. 시비를 꾸짖어 다시 물을 떠오게 했으나 그 물에서도 역시 피비린내가 진동했다. 수십번이고 다시 물을 떠오게 했음에도 피비린내는 가시지 않았다.

제갈각이 이상한 생각을 떨치지 못하고 있는데, 문득 황제가 보낸 사자가 궁중의 연회에 참석하라는 전갈을 가지고 왔다. 제갈각은 곧 수레와 의장(儀仗)을 대령하게 했다. 의복을 갈아입고 부중을 나서기 위해 막 수레에 오르려는데 어디선가 누런 개가 나타나 옷자락을 덥썩 물고는 마치 사람이 곡을 하듯 길게 울부짖는 게 아닌가. 제갈각은 벌컥 화를 냈다.

"이놈의 개가 나를 희롱하는구나!"

좌우를 꾸짖어 개를 쫓아버리게 하고 간신히 수레에 올라 부중을 나섰다. 그런데 몇걸음 가지 않아서 이번에는 땅에서 흰 무지개가 솟더니 마치 한 필의 명주가 풀리듯 하늘로 뻗어올라갔다. 제갈각이 놀랍고 괴이한 마음을 털어내지 못하고 있는데, 심복장수 장약이 군사를 거느리고 수레 앞으로 다가와서는 나직하게 속삭인다.

"오늘 열리는 궁중의 연회가 어쩐지 불길합니다. 그러니 주공께서는 섣불리 입궁하지 마소서."

장약의 말에 제갈각은 주저없이 수레를 돌려 돌아가려 했다. 그런데 수레를 돌려 열 걸음도 채 못 가서 손준과 등윤이 말을 달려와서 묻는다.

"태부께서는 어찌하여 되돌아가시려는 겁니까?"

제갈각이 말한다.

"갑자기 복통이 일어나서 황제를 뵈올 수 없게 되었네."

등윤이 말한다.

"조정에서는 태부께서 회군하신 이래 아직 뵙고 이야기를 나누지 못한지라 특별히 잔치를 베풀어 함께 국가대사를 의논하고자 하는 것입니다. 태부께서는 비록 몸이 불편하시더라도 참석하시는 것이 도리이옵니다."

제갈각은 그 말에 따라 손준·등윤과 함께 궁으로 들어갔다. 장약도 더는 말리지 못하고 그 뒤를 따랐다. 제갈각은 오주 손량을 알현하고 예를 마친 후 자리에 앉았다. 손량이 술을 따르게 하는데 제갈각은 의심스런 생각이 들어 짐짓 사양한다.

"신은 몸이 불편하여 술을 들 수 없사옵니다."

손준이 말한다.

"그렇다면 태부께서 늘 부중에서 드시는 약주를 가져다 드시면 어떻겠습니까?"

제갈각이 말한다.

"그것이 좋겠습니다."

즉시 종자를 부중에 보내 집에서 빚은 약주를 가져오게 했다. 제갈각은 비로소 안심하고 마시기 시작했다. 술이 몇 순배 돌았다. 그때 손량이 일이 있다고 하며 먼저 몸을 일으켰다. 그와 동시에 손준도 몸을 일으켜 전각 아래로 내려가더니 긴 관복을 벗어버리고 간편한 옷에 갑옷을 갖춰 입었다. 손에는 시퍼런 칼날이 번쩍였다. 손준은 전각 위로 성큼 올라서며 소리친다.

"저 역적놈을 주살하라는 황제의 명이시다!"

제갈각은 깜짝 놀라 쥐었던 술잔을 내던지고 칼을 뽑아 막으려 했다. 그러나 비호처럼 달려든 손준의 칼날에 목이 잘려 땅바닥에 나뒹굴었다. 장약이 얼른 칼을 뽑아 휘두르며 손준에게 달려들었다. 손준은 급히 몸을 피했으나 장약이 휘두른 칼끝에 왼쪽 손가락을 다쳤다. 손준이 잽싸게 몸을 돌려 한칼에 장약의 오른팔을 내려찍어버렸다. 이때 휘장 속에 숨어 있던 무사들이 일제히 뛰쳐나와 장약을 때려눕혀 난도질을 해댔다. 손준은 무사들에게 명해 제갈각의 가솔들을 모두 잡아들이게 하고, 제갈각과 장약의 시체와 수급을 갈대자리에 싸서 작은 수레에 실어 남문 밖 석자강(石子崗) 공동묘지 구덩이 속에 내버리게 했다.

한편 제갈각의 아내는 제 집의 방에 있었는데 까닭없이 심란해 안

제갈각은 손준의 계략에 걸려 죽다

절부절못하고 있었다. 그때 갑자기 방문이 열리더니 시녀 하나가 방 안으로 뛰어들며 온몸에서 와락 피비린내를 내뿜는다.

"네 몸에서 웬 피비린내냐?"

그 시녀는 갑자기 두 눈을 부릅뜨고 이를 갈며 몸을 날려 대들보를 들이받으며 큰소리로 부르짖는다.

"나는 제갈각이다! 간적 손준에게 모살당했다!"

제갈각의 집안사람은 남녀노소 가리지 않고 모두 놀라 떨며 울부짖었다. 이때 한떼의 군사들이 말을 타고 몰려오더니 순식간에 부중을 에워쌌다. 군사들은 제갈각의 집안사람들을 닥치는 대로 결박지어 거리로 끌고 나가 사정없이 목을 베었다. 오 건흥 2년(253) 10월의 일이었다.

지난날 제갈근이 살아 있을 때 아들 제갈각이 지나치게 총명한 것을 두고 한탄하여 말했었다.

"이 아이는 집안을 보전할 주인은 못 되겠구나!"

또 위의 광록대부(光祿大夫) 장즙(張緝)은 일찍이 사마사에게 이렇게 말했었다.

"제갈각은 머지않아 죽을 것입니다."

사마사가 그 까닭을 묻자 장즙이 대답했다.

"그 위엄이 임금을 누를 정도이니 어찌 오래 가겠습니까?"

과연 그 말은 적중했다.

이렇게 하여 손준은 제갈각을 죽였다. 오주 손량은 손준을 승상 및 대장군으로 삼고 부춘후(富春侯)에 봉해 안팎의 모든 군사를 총독케 하였다. 이로부터 모든 병권은 손준의 손에 들어갔다.

한편 강유는 성도에서 서로 힘을 합해 위를 정벌하자는 제갈각의 서신을 받았다. 즉시 후주를 뵙고 윤허를 받은 강유는 대군을 일으켜 중원을 치기 위해 북쪽으로 진군하려 했다.

한번 군사를 일으켜 공적을 아뢰지 못했으니　　　　一度興師未奏績

다시 적을 토벌하여 성공을 거두고자 하네　　　　兩番討賊欲成功

강유는 과연 성공할 수 있을 것인가?

109

인과응보

사마소는 한나라 장수의 계책으로 곤경에 빠지고
조방은 폐위당해 위나라 집안이 인과응보를 받다

촉한(蜀漢) 연희(延熙) 16년(253) 가을, 장군 강유(姜維)는 20만 대
군을 일으켰다. 요화(廖化)와 장익(張翼)을 좌우 선봉으로 삼고, 하후
패(夏侯霸)를 참모로, 장의(張嶷)를 운량사(運糧使, 군량 운반 책임자)로
삼아 대군을 거느리고 양평관(陽平關)을 나와 위 정벌의 대장정에 올
랐다. 강유가 하후패에게 묻는다.

"지난번에 옹주를 취하려다가 이기지 못하고 돌아왔는데, 이제 다
시 그곳으로 간다면 저들은 이미 만반의 준비를 하고 있을 게요. 공에
게 무슨 고견이라도 있으시오?"

하후패가 말한다.

"농상(隴上)의 여러 고을 중 남안(南安)에 곡식과 재물이 가장 풍부하니, 먼저 그곳을 취해 발판을 삼도록 하십시오. 지난번에 우리가 이기지 못하고 돌아온 것은 강병(羌兵)이 오지 않았기 때문입니다. 하오니 이번에는 먼저 사람을 보내 강병과 농우(隴右, 농산 서쪽의 양주涼州 일대)에서 만나기로 한 후에 군사를 이끌고 석영(石營)으로 나아가 동정(董亭)을 거쳐 곧장 남안을 취하면 될 것입니다."

강유는 크게 기뻐하며 말한다.

"거 참 좋은 의견이오."

즉시 극정(郤正)을 사신으로 삼더니, 금은보화와 촉에서 나는 비단을 가지고 가서 강왕(羌王)과 우호를 맺도록 했다. 강왕 미당(迷當)은 강유가 보낸 예물을 받은 즉시 군사 5만을 일으켰다. 장수 아하소과(俄何燒戈)를 대선봉(大先鋒)으로 삼아 군사를 이끌고 남안으로 향했다.

위의 좌장군(左將軍) 곽회(郭淮)는 이 소식을 급히 낙양에 알렸다. 급보를 받은 사마사가 여러 장수들을 모아놓고 묻는다.

"누가 나가서 촉군을 대적하겠느냐?"

그 말이 떨어지기가 무섭게 보국장군(輔國將軍) 서질(徐質)이 선뜻 나서며 말한다.

"제가 가겠습니다!"

평소 서질의 남다른 용맹성을 잘 알고 있던 사마사는 내심 크게 기뻐하며 즉시 영을 내려 서질을 선봉으로 삼고, 사마소를 대도독으로 삼아 농서로 출발하게 했다. 위의 군사는 동정땅에 이르러 강유의 군사와 맞부딪쳤다. 양쪽 군사가 대치하여 진을 벌여세우자 서질이 먼저 개산대부(開山大斧, 큰 도끼)를 휘두르며 달려나왔다. 촉군에서는 요화가 달려나와 맞섰다. 그러나 싸움을 시작한 지 불과 수합에 요화는 패하여 칼을 거두고 물러섰다. 요화의 뒤를 이어 장익이 창을 휘두르며 말을 몰아 달려나갔으나 또한 서질을 당해내지 못하고 패하여 이내 본진으로 돌아왔다. 이때 서질이 군사를 휘몰아 그 뒤를 추격하며 엄살하니, 촉군은 크게 패하여 30여리를 물러났다. 사마소 역시 군사를 거두어 양군은 각각 영채를 세웠다.

싸움에 패한 강유가 하후패와 더불어 의논한다.

"서질의 용맹이 저렇듯 대단하니, 무슨 수로 사로잡을 수 있겠소?"

하후패가 대답한다.

"내일 거짓으로 패한 체하고 매복계를 쓰면 능히 이길 수 있을 것입니다."

강유가 말한다.

"사마소가 누구요? 바로 중달(仲達, 사마의의 자)의 아들이 아니오? 어찌 병법을 모르겠소? 우리가 매복계를 쓴다 해도 저들이 지세를 살펴보고 막히고 가려진 곳이 있으면 의심쩍게 여겨 더는 추격하지 않을 것이오. 내 생각에 위군이 누차 우리의 군량 보급로를 끊던 일을 이번에 우리가 역이용해서 적을 유인한다면 능히 서질을 없앨 수 있을 것이외다."

마침내 강유는 요화를 불러 은밀히 분부를 내리고, 이어 장익을 불러 작전을 지시했다. 명을 받은 두 사람은 물러갔다. 강유는 군사들을 시켜 길에 철질려(鐵蒺藜, 영채 앞에 두어 적의 돌진을 막는 마름쇠)를 깔아놓게 하는 한편, 영채 밖에 녹각(鹿角, 사슴뿔 모양의 방어용 울타리)을 늘어세워 장기전에 임하는 태세를 보였다.

서질은 날마다 촉군 영채 앞으로 와서 싸움을 걸었으나 촉군에서는 아무런 반응도 없었다. 그때 정탐꾼이 달려와 사마소에게 보고한다.

"촉군이 철롱산(鐵籠山) 뒤쪽 기슭에서 목우(木牛)와 유마(流馬)로 군량과 마초를 운반해 장기전에 대비하면서 오직 강병들의 지원이 있기만을 기다리고 있습니다."

사마소는 곧 서질을 불러들여 말한다.

"지난날 우리가 촉군을 이긴 것은 저들의 보급로를 끊었기 때문이다. 지금 촉군들이 철롱산 뒤쪽에서 군량을 나르고 있다 하니, 그대는 오늘밤 군사 5천을 거느리고 나가 저들의 보급로를 끊도록 하라. 그리하면 촉군은 스스로 물러날 것이다."

명령을 받은 서질은 그날밤 초경(初更, 밤 8시)에 군사를 이끌고 철롱산 후면에 이르렀다. 과연 그곳에서는 촉군 2백여명이 1백여마리의 목우와 유마를 몰아 수레 가득 군량과 마초를 나르고 있었다. 위군은 일제히 함성을 지르며 내달렸다. 서질이 앞장서서 촉군의 길을 막았다. 촉군들은 싸울 생각도 않고 길에다 수레를 내버린 채 달아나버렸다. 서질은 군사를 둘로 나누어 절반의 군사들에게 명해 노획한 물건들을 본채로 실어가게 했다. 그리고 자신은 나머지 군사를 이끌고 달아나는 촉군의 뒤를 쫓았다.

서질의 군사가 촉군을 뒤쫓아 10여리도 채 못 가서다. 앞쪽에 촉군이 버리고 간 듯한 수레 따위가 어지럽게 널려 길을 막고 있다. 서질이 군사들에게 말에서 내려 수레를 치우고 길을 열게 하는데 그때 갑자기 길 양쪽에서 불길이 치솟는다. 비로소 계책에 빠진 것을 깨달은 서질은 얼른 말머리를 돌렸다. 급히 오던 길로 달아나는데, 뒤쪽 산기슭 좁은 골짜기에도 수레들이 어지럽게 놓여 길을 막고 있지 않은가.

거기서도 하늘을 찌를 듯한 기세로 불길이 치솟아오른다.

서질은 군사들을 이끌고 자욱한 연기 속으로 뛰어들어 안간힘을 다해 불길을 뚫고 말을 달렸다. 이때 한방의 포소리와 함께 다시 양쪽에서 촉군이 쏟아져나온다. 왼쪽에서는 요화가, 오른쪽에서는 장익이 군사를 휘몰아오며 엄살하니, 위군은 크게 패했다. 서질은 죽기로써 혈로를 뚫고 달아났다. 말과 사람이 모두 지칠 대로 지쳐 달아나고 있는데, 또다시 한떼의 군사가 앞길을 막는다. 강유가 거느린 군사였다. 서질이 놀라 갈팡질팡하는데, 강유가 창을 번쩍 치켜들어 단번에 내려꽂으니 타고 있던 말이 창에 찔려 쓰러지면서 서질은 맥없이 땅바닥에 굴러떨어졌다. 기다렸다는 듯 촉군들이 몰려들어 창과 칼로 난도질하여 서질을 죽여버렸다.

한편 서질의 명에 따라 노획한 군량을 운반해가던 위군들도 중도에 하후패의 군사를 만나 전원이 사로잡히거나 항복했다. 하후패는 사로잡은 위군들의 옷과 갑옷을 거두더니 촉군에게 입혀 위장시켰다. 그리고 위군이 타던 말을 타게 하여 위군의 기를 휘날리며 위군 영채를 향해 샛길로 달려갔다. 영채에 있던 위군들은 자기 군사들이 돌아오는 줄 알고 거리낌 없이 문을 열어 맞아들였다. 위의 영채 안으로 들어오자마자 촉군들은 좌충우돌하며 순식간에 영채 안팎을 뒤집어버렸다.

사마소는 크게 놀라 황급히 말에 올라타고 달아나려 했다. 그때 요화가 군사를 거느리고 앞을 막아선다. 앞으로 나갈 수 없어진 사마소가 서둘러 말머리를 돌리는데, 이번에는 강유가 군사를 몰고 샛길로 들이닥친다. 사마소는 사방을 둘러보았으나 달아날 길이 없었다. 마침내 군사들을 재촉해 철롱산 꼭대기로 올라가 그곳을 점거했다. 철

강유는 사마소의 부장 서질을 무찌르다

롱산은 원래 길이 한 가닥밖에 없는데다 사방은 깎아지른 절벽으로 험준하기 이를 데 없었다. 산꼭대기에는 유일하게 샘이 하나 있었는데 그 샘물로는 1백명의 군사들이 마실 수 있을 뿐이었다. 그런데 사마소가 거느린 군사는 6천여명이나 되었다. 더구나 하나밖에 없는 길목은 강유가 봉쇄해버렸으니 이제 사마소의 군마는 꼼짝없이 갇힌 채 갈증에 허덕이게 되었다. 낙담한 사마소가 하늘을 우러러 길게 탄식한다.

"내가 여기서 죽게 되는구나!"

후세 사람이 이 상황을 시로 읊었다.

신기묘산의 강유를 등한히 보랴	妙算姜維不等閑
위군은 철롱산에 갇혀 꼼짝 못하누나	魏師受困鐵籠間
옛날 방연이 마릉도에 들어가듯	龐涓始入馬陵道
당초 항우가 구리산에서 포위당하듯	項羽初圍九里山

옆에서 주부 왕도(王韜)가 말한다.

"옛날에 경공(耿恭)은 곤경에 처했을 때 우물에 절하여 감천(甘泉, 맛 좋은 물)을 얻었다고 합니다. 장군께서는 어찌하여 이를 따르지 않으십니까?"

사마소는 그 말을 좇아 산꼭대기 우물가에서 두번 절하고 빈다.

"이몸은 칙명을 받들어 촉군을 물리치러 왔사옵니다. 이 사마소가 죽어 마땅하다면 샘물이 마르게 하소서. 그러면 저는 마땅히 자결하고, 군사들 모두 항복하게 하겠습니다. 하오나 아직 저의 수명이 다하지 않았다면, 비옵나니 하늘은 굽어살피사 감천을 내리시어 무수한 생명을 구하소서!"

사마소가 축원을 마치기가 무섭게 샘에서 시원한 물이 펑펑 솟구쳐 나오는 게 아닌가. 이로써 많은 군마가 기갈을 면하고 목숨을 부지할 수 있었다.

한편 철롱산을 포위해 위군을 궁지에 몰아넣은 강유는 여러 장수들을 향해 자신만만하게 말한다.

"지난날 승상(제갈량)께서 상방곡(上方谷)에 진을 치고 계시면서 끝내 사마의를 잡지 못했던 일을 내 오늘까지 한스러워했는데, 이제 그 아들 사마소를 내 손으로 잡게 되었도다."

한편 곽회는 사마소가 철롱산에 갇혀 곤경에 처해 있다는 소식을 듣자 곧바로 사마소를 구하기 위해 군사를 거느리고 떠나려 했다. 진태가 만류한다.

"강유는 지금 강병과 합류해 먼저 남안땅부터 취하려 하고 있습니다. 지금 강병이 이미 도착한 마당에 장군께서 군사를 거두어 이곳을 떠나신다면 강병은 분명 우리의 뒤를 칠 것입니다. 우선 강병에게 거짓항복한 다음 계책을 내어 저들을 물러가게 하십시오. 그런 뒤에야 철롱산의 위기도 풀 수 있을 것입니다."

곽회는 그 말에 따르기로 하고, 즉시 진태(陳泰)에게 군사 5천을 주어 강병의 영채로 향하게 했다. 강병의 영채에 이른 진태는 갑옷과 투구를 벗어던지고 강왕 미당의 앞에 엎드려 눈물을 흘리며 고한다.

"곽회가 망령되이 항상 잘난 척하며 저를 죽이려 하기에 투항하고자 이렇게 찾아왔습니다. 저는 곽회 군중의 허실을 낱낱이 알고 있사오니, 오늘밤 군사들을 거느리고 가서 치신다면 반드시 성공을 거둘 수 있습니다. 이곳 군사가 위군 영채에 당도하면 안에서 접응하기로 되어 있습니다."

미당은 기쁨을 감추지 못하면서 즉시 부장 아하소과로 하여금 진태와 함께 위군 영채를 습격하도록 명을 내렸다. 아하소과는 항복해온 위군을 뒤따르게 하고 진태에게는 강병을 거느리고 앞장서게 했다. 그들이 위군의 영채에 다다른 것은 2경(밤 10시) 무렵이었다. 영채의 문은 활짝 열려 있었다.

진태가 먼저 말을 달려 영채 안으로 뛰어들었다. 아하소과도 창을 꼬나잡고 그 뒤를 따라 위군 영채로 막 들어서는데, 순간 아하소과는 외마디 비명을 내지르며 말과 함께 함정 속으로 굴러떨어지고 말았다. 뒤따르던 진태의 군사들이 그대로 무찔러대고, 곽회가 왼쪽에서 군사를 휘몰아 공격해오니 대장을 잃은 강병들은 갈팡질팡, 저희끼리 밟고 밟히며 쓰러져죽는 자가 부지기수였다. 간신히 살아남은 강병들은 항복하고, 함정에 빠진 아하소과는 스스로 칼로 목을 찔러 자결해버렸다.

곽회와 진태는 군사를 이끌고 곧장 강병의 영채로 달려갔다. 생각지도 못한 기습을 당한 미당은 크게 놀라 허둥지둥 말을 잡아타고 달아나려 했다. 그러나 벌떼처럼 달려드는 위군들에게 사로잡혀 곽회 앞으로 끌려왔다. 곽회가 얼른 말에서 내려 손수 결박을 풀어주고는 좋은 말로 위로한다.

"조정에서 평소 공의 충의로움을 높이 평가해왔는데 공은 무슨 까닭으로 촉군을 돕는 것이오?"

미당은 부끄러워하며 엎드려 사죄했다. 곽회는 다시 달래듯 말한다.

"공이 전군이 되어 철롱산의 포위를 풀고 촉군을 물리친다면 내 황제게 주청을 올려 후한 상을 내리시도록 하겠소."

미당은 선뜻 곽회의 말에 따르기로 한다. 마침내 미당이 이끄는 강병은 전군이 되고 위군은 후군이 되어 철롱산을 향해 급하게 말을 달렸다.

강병과 위군이 철롱산에 당도한 것은 3경 무렵(밤 12시)이었다. 미당은 먼저 강유에게 사람을 보내 자신이 왔음을 알렸다. 강유는 크게 기뻐하며 미당을 영채로 맞아들였다. 그때 많은 위군들은 강병들 속에 섞여 촉의 영채 앞까지 와 있었다. 강유가 영을 내려 군사들을 영채 밖에 머물러 있게 했으나, 미당은 1백여명의 부하를 거느리고 중군 장막 앞까지 왔다. 강유와 하후패 두 사람이 나와 미당을 맞았다. 미당이 채 입을 열기도 전에 갑자기 뒤에 있던 위의 장수가 군사들을 휘몰아 달려들었다. 강유는 크게 놀라 급히 말을 타고 달아났다. 위군과 강병이 한꺼번에 밀어닥치는 바람에 촉군 진영은 순식간에 대혼란에 빠져 군사들은 제각기 목숨을 구해 달아나기 바빴다.

강유는 급히 말에 오르기는 했으나 어찌나 놀라고 당황했던지 손에 칼 한 자루도 없었다. 허리춤에 활과 화살통을 달고는 있었으나, 그마저도 급히 달아나느라 화살을 모두 흘려버려 빈 화살통만 남아 있었다. 정신없이 산속으로 달아나는 강유를 곽회가 바싹 뒤쫓는다. 강유의 손에 아무런 무기도 없는 것을 본 곽회는 창을 고쳐잡고 바람처럼 말을 달려온다. 강유는 다급한 마음에 빈 활시위를 당겨 시윗소리를 10여 차례 냈다. 곽회가 그때마다 급히 엎드리며 피했으나 화살은 날아오지 않았다. 그제야 강유에게 화살이 없는 것을 안 곽회는 들고 있던 창을 말안장에 걸고는 활을 당겨 힘껏 쏘았다. 강유는 화살이 막 날아드는 순간 슬쩍 몸을 피하는가 싶더니 어느 틈에 스치는 화살을 덥석 잡아서 잽싸게 제 활에다 메기더니 곽회가 다가오기를 기다려 얼굴을 겨냥하고 힘껏 쏘았다. 화살이 짧은 바람소리를 내며 날아간 순간 곽회는 말 아래로 굴러떨어졌다. 강유는 말머리를 돌려세워 곽회를 죽이기 위해 달려들었다. 그러나 뒤따르던 위군이 아우성치며 몰려오는 바람에 손을 쓰지 못하고 곽회의 창만 빼앗아들고 다시 달아났다.

위군은 감히 강유의 뒤를 쫓지 못하고 곽회를 구해 영채로 돌아갔다. 영채로 돌아오기가 무섭게 곽회의 머리에 박힌 화살촉을 뽑았으나 상처에서 피가 끊임없이 흘러나오는 바람에 곽회는 결국 죽고 말았다.

사마소는 군사를 거느리고 철롱산에서 내려와 강유를 뒤쫓다가 중도에 군사를 거두어 돌아갔다. 하후패 역시 간신히 목숨을 구해 달아나 강유와 합류했다. 강유는 이번 싸움에 많은 군마를 잃은지라, 지체하지 않고 하후패와 함께 한중으로 돌아갔다. 비록 싸움에 패하기는 했지만 곽회를 쏘아죽이고 서질까지 죽여 위의 기세를 꺾은 공로로 그 죄를 대신했다.

사마소는 강병들의 노고를 치하해 제 나라로 돌려보내고 낙양으로 회군했다. 그뒤로 형 사마사와 더불어 조정의 권세를 마음대로 하니, 여러 신하들 가운데 누구 하나 감히 불복하는 자가 없었다. 위주 조방(曹芳)은 사마사가 입조할 때마다 매번 벌벌 떨며 바늘방석에 앉은 듯했다.

하루는 조방이 조회를 여는데, 사마사가 허리에 칼을 차고 어전에 올랐다. 조방이 황망히 용상에서 내려와 사마사를 맞이하니 사마사가 웃으며 말한다.

"임금께서 어찌 신하를 이렇게 맞으십니까? 청컨대 폐하께서는 마음을 편히 가지십시오."

잠시 후 신하들은 여러 일들을 아뢰는데, 사마사는 위주에게 여쭙지도 않고 모든 정사를 제 맘대로 결정해버렸다. 조회가 끝나고 사마사는 오만한 태도로 조정을 나섰다. 수레에 올라 궁궐을 빠져나가는 사마사의 앞뒤로 호위하며 따르는 군사가 수천이나 되었다.

바로 그때 위주 조방이 후전(後殿)으로 물러가며 좌우를 돌아보니, 겨우 세 사람이 따르고 있을 뿐이었다. 태상(太常) 하후현(夏侯玄)과 중서령(中書令) 이풍(李豊), 광록대부 장집(張緝)이 그들이다. 그중 장집은 바로 장황후(張皇后)의 아버지이니, 조방의 장인이었다. 조방은 시종들을 물리치고 세 사람을 밀실로 들게 하여 의논했다. 조방이 장집의 손을 잡더니 울음을 터뜨린다.

"사마사가 짐을 보기를 어린애 보듯 하고 만조백관을 초개(草芥)와 같이 여기니, 머지않아 사직이 그 사람에게 넘어가지 않겠소?"

말을 마치고는 통곡한다. 이풍이 아뢴다.

"폐하, 근심하지 마소서. 신이 비록 이렇다 할 재주 없사오나 폐하의 뜻을 받들어 천하의 영웅호걸들을 모아 도적을 소탕하겠습니다."

이번에는 하후현이 아뢴다.

"신의 숙부 하후패가 촉에 투항한 것도 사마 형제의 모해를 두려워한 까닭입니다. 이제 이 역적들만 없앤다면 숙부께서도 반드시 돌아오실 것입니다. 신이 황실의 오랜 인척으로 어찌 간적(奸賊)이 나라를 어지럽히는 것을 보고만 있겠습니까? 폐하께서 윤허해주신다면 이 몸도 함께 조칙을 받들어 도적을 치겠사옵니다."

조방이 힘없이 말한다.

"일이 잘못될까 그게 두렵기만 하오."

세 사람이 울며 아뢴다.

"하늘에 맹세코 저희들 세 사람이 한마음으로 역적을 토벌하여 폐하께 보답하겠사옵니다."

조방은 용봉한삼(龍鳳汗衫, 곤룡포 속에 입는 웃저고리)을 벗더니, 이로 손가락 끝을 깨물어 흐르는 피로 조서를 써서 장집에게 건네주며 간절히 당부한다.

"짐의 할아버지 무황제(武皇帝, 조조)께서 동승(董承)을 죽이신 것도 그들이 일을 은밀히 못한 때문이었소. 부디 경들은 각별히 주의하여 일이 밖으로 새나가지 않게 하오."

이풍이 대답한다.

"폐하께서는 어찌 그런 불길한 말씀을 하시나이까? 신들은 동승의 무리와 같지 않으며, 사마사 또한 어찌 무황제에 비하오리까? 폐하께서는 아무 염려 마옵소서."

세 사람은 조방에게 절하고 물러나와 동화문(東華門) 왼편에 이르렀다. 세 사람이 보니 사마사가 칼을 차고 오는데, 그 뒤를 따르는 수백명의 종자들까지 모두 무기를 가지고 있었다. 세 사람은 길 옆으로 비켜섰다. 사마사가 묻는다.

"그대들 세 사람은 어찌 이리 퇴궐이 늦소?"

이풍이 대답한다.

"성상(聖上)께서 안에서 책을 읽으시기에 저희 세 사람이 모시고 시독(侍讀, 임금에게 경서를 강론하는 일)하느라 늦어졌습니다."

사마사가 다시 묻는다.

"무슨 책을 보셨소?"

이풍이 대답한다.

"하(夏)·상(商)·주(周) 3대의 책을 읽으셨습니다."

"황제께서 그 책을 읽고 무슨 고사(故事)를 물으셨소?"

"황제께서는 이윤(伊尹, 상의 명재상)이 상나라를 붙들어세운 일과, 주공(周公, 주의 명재상)이 섭정하던 일을 물으셨습니다. 저희들이 아뢰기를, 지금 사마 대장군이 바로 이윤과 주공에 견줄 만한 인물이라 했습니다."

사마사가 코웃음을 친다.

"너희가 어찌 나를 이윤과 주공에 비했겠느냐? 실제로는 왕망이나 동탁에게 견주었겠지."

세 사람이 당황하여 동시에 변명한다.

"저희들 모두 장군의 문하에 있사온데, 어찌 감히 그런 말을 했겠습니까?"

사마사는 버럭 화를 내며 말한다.

"네 이놈들, 입에 발린 말일랑 집어치워라! 아까 황제와 더불어 밀실에서 통곡한 것은 무슨 까닭이더냐?"

세 사람은 동시에 말한다.

"그, 그런 일은 없었습니다."

사마사가 호통을 친다.

"울어서 눈들이 새빨갛게 되었는데도 끝까지 잡아뗄 셈이냐?"

하후현은 이미 일이 탄로났다고 생각해 체념하고 소리를 가다듬어 사마사를 꾸짖는다.

"오냐! 우리가 운 것은 다름아니라 네놈이 황제를 핍박해 장차 제

위를 찬탈하려 하는지라 통탄스러워서였다!"

진노한 사마사는 하후현을 가리키며 무사들에게 소리친다.

"당장 저놈을 잡아라!"

하후현이 소매를 걷어올리고 주먹을 휘둘러 사마사를 치려 했으나 중과부적으로. 결국은 무사들에게 붙잡히고 말았다. 사마사는 세 사람의 몸을 뒤지게 했다. 장집의 품속에서 용봉한삼 한벌을 찾아내니, 거기에는 검붉은 혈서가 씌어 있었다. 좌우 사람들이 이를 사마사에게 바쳐 보니, 그것은 밀조(密詔)임에 틀림없었다. 그 내용은 다음과 같았다.

사마사 형제가 대권을 쥐고 장차 찬역을 도모하려 하니 지금까지 내린 조칙과 영은 모두 짐의 뜻이 아니었도다. 각 부의 관군(官軍)과 장수들은 함께 충의를 다하여 역적을 토멸하고 사직을 바로잡으라. 성공을 거두는 날에는 크게 벼슬과 상을 내릴 것이니라.

다 읽고 난 사마사는 분을 참지 못해 소리친다.

"네놈들이 우리 형제를 모해하니 도저히 그냥 둘 수 없다! 당장 이놈들을 저잣거리에 끌어내 허리를 베어 죽이고, 삼족을 멸하라!"

세 사람은 무사들에게 끌려가면서 사마사를 향해 욕설을 퍼부었다. 동쪽 저잣거리에 이르렀을 때는 무사들에게 두들겨맞아 이가 부러지고 빠져 그 말을 잘 알아들을 수도 없었으나 세 사람은 목숨이 다하는 순간까지 욕설을 그치지 않았다. 세 사람을 죽이고 나서 사마사는 곧장 후궁(后宮)으로 들어갔다. 후궁에서는 위주 조방이 장황후와 함께 밀조를 내린 일에 대해 이야기하고 있었다. 장황후가 근심스럽게 말한다.

"궁 안에 이목이 하나둘이 아니니 만약 일이 누설되는 날에는 첩 또한 화를 면치 못할 것이옵니다."

이때 사마사가 벌겋게 상기된 얼굴로 불쑥 들어온다. 장황후가 까 무러칠 듯 놀라 사마사를 쳐다보았다. 사마사는 옆구리에 찬 칼을 움 켜쥐며 위협하듯 조방에게 말한다.

"신의 부친께서 폐하를 세워 임금을 삼았으니 공덕이 옛 주공만 못 하지 않고, 신 또한 폐하 섬기기를 이윤과 다를 바 없이 했거늘, 이제 도리어 은혜를 원수로 갚으려 하고 공로를 허물로 삼아 보잘것없는 신하 두세 사람과 더불어 우리 형제를 모해하니 이게 어찌 된 일입니 까?"

당황한 조방이 가까스로 대답한다.

"짐은 그럴 마음이 없소."

조방의 말이 끝나기가 무섭게 사마사는 소매 속에서 한삼을 꺼내 땅바닥에 내동댕이쳤다.

"그럼 이건 누구의 소행이란 말입니까?"

조방은 혼비백산하여 사시나무 떨듯 떨며 대답한다.

"그건 그들이 나를 핍박하는 바람에 그리 된 것이오. 짐이 어찌 감 히 그런 마음을 먹을 수 있겠소?"

사마사가 서슬푸르게 소리친다.

"그렇다면 대신을 반역한다고 망령되이 무고한 자들에겐 무슨 죄 를 물어야 옳겠소이까?"

조방은 무릎을 꿇고 애걸한다.

"모두 짐의 죄이니 대장군은 제발 용서하시오!"

사마사가 단호하게 말한다.

"폐하는 일어나십시오. 폐하께서 아무리 그러셔도 국법을 폐할 수는 없는 일입니다."

그러고는 대뜸 장황후를 손가락질하며 냉랭한 어조로 말한다.

"저건 장집의 딸이니 없애야 마땅합니다!"

조방은 목놓아 울면서 용서를 빌었다. 그러나 사마사는 들은 체도 하지 않고 좌우에게 명해 장황후를 끌어내더니, 동화문 안에서 흰 비단으로 목을 졸라 죽였다.

후세 사람이 이 일을 두고 시를 지어 탄식했다.

그 옛날 복황후가 궁문으로 끌려나갈 때	當年伏后出宮門
맨발로 슬피 울며 임금을 이별했다네	跣足哀號別至尊
사마씨가 오늘 아침 그 본을 따르니	司馬今朝依此例
하늘의 응보 아들 손자가 받도록 하누나	天教還報在兒孫

다음날 사마사는 모든 신하들을 불러놓고 말한다.

"이제 주상이 황음무도하여 창우(娼優, 옛날 창기나 배우)를 가까이하고, 간사한 무리들의 헐뜯는 말만 믿고 어진 사람의 길을 막으니, 그 죄가 저 한나라의 창읍왕(昌邑王, 음란하고 부덕해 폐위당한 한의 황제 유하劉賀)보다 무겁다 아니할 수 없소. 이러한 주상이 어찌 능히 천하의 주인이 될 수 있겠소? 내 삼가 이윤과 곽광(霍光, 무도한 창읍왕을 폐하고 새 황제를 세운 한나라 신하)을 본받아 새 임금을 세워 사직을 보전하고 천하를 편안히할까 하는데, 그대들의 생각은 어떠시오?"

신하들은 일제히 입을 모아 대답한다.

"대장군께서 이윤과 곽광의 고사를 행하심은 하늘의 뜻에 응하고 사람의 순리를 따르는 것이니 누가 감히 반대하리까?"

사마사는 즉시 수많은 관원들을 이끌고 영녕궁(永寧宮)으로 몰려가 태후에게 자신의 뜻을 고했다. 태후가 묻는다.

"그렇다면 대장군은 누구를 임금으로 세울 생각이시오?"

사마사가 말한다.

"신이 보건대, 팽성왕(彭城王) 조거(曹據)가 총명하고 인자하며 효성스러우니 마땅히 천하의 주인이 될 만합니다."

태후가 말한다.

"팽성왕은 이 늙은이의 시숙뻘인데, 그가 임금이 되면 내가 어찌 감당할 수 있겠소? 내 생각에는 고귀향공(高貴鄉公) 조모(曹髦)가 문황제(文皇帝, 조비)의 손자로, 공손하고 겸양하는 덕이 있어 제위에 오를 만하다 싶은데, 경들께서 잘 의논해보시오."

누군가가 나서며 말한다.

"태후의 말씀이 옳으니, 그 말씀대로 합시다."

모두 바라보니, 그는 곧 사마사의 종숙(宗叔) 사마부(司馬孚)였다. 사마사는 사자를 원성(元城)으로 보내 고귀향공을 불러오게 하는 한편, 태후에게 태극전에 오르도록 청했다. 태극전에 오른 태후는 조방을 불러들여 꾸짖는다.

"그대가 황음무도하여 천한 광대들을 가까이한다니, 그래 가지고는 천하를 다스릴 자격이 없느니라. 지금 당장 옥새를 바치고, 제왕(齊王)의 직위를 줄 터이니 오늘로 궁을 떠나라. 다시 부르기 전에는 도성 안에 한발짝도 들여놓아서는 안될 것이다."

조방은 태후에게 절하고 옥새를 반납한 뒤 수레에 올라 대성통곡하며 성문을 나섰다. 몇몇 충의로운 신하만이 눈물을 머금고 이 행렬을 전송했다. 후세 사람이 이 일을 시로 읊었다.

전에 조조가 한나라 승상으로 있을 적에	昔日曹瞞相漢時
유씨의 과부와 고아를 속였었네	欺他寡婦與孤兒
누가 알았으랴 40년 후의 오늘	誰知四十餘年後
과부와 고아가 또 속임을 당할 줄이야	寡婦孤兒亦被欺

＊2행의 '과부와 고아'는 복황후와 헌제를, 4행의 '과부와 고아'는 장황후와 조방을 말함.

고귀향공 조모의 자는 언사(彦士)로, 문황제의 손자이자 동해(東海) 정왕(定王) 조림(曹霖)의 아들이었다. 그날 사마사는 태후의 영을 받들어 문무관료들로 하여금 난가(鑾駕, 황제가 타는 수레)를 갖추어 서액문(西掖門) 밖에 나가 조모를 맞아들이게 했다. 문무백관이 일제히 절을 올려 조모를 맞이하자 조모가 당황하여 답례한다. 태위 왕숙(王肅)이 말한다.

"주상께서는 답례하시는 법이 아닙니다."

조모가 대답한다.

"나 역시 신하의 몸에 지나지 않거늘 어찌 답례하지 않을 수 있겠소?"

문무백관이 조모를 부축해 수레에 오르게 하여 입궁하려 하자 조모가 사양하며 말한다.

"태후께서 무슨 일로 부르시는지 알지 못하는데 내 어찌 감히 황제의 수레를 타고 들어가겠소?"

그러고는 몸소 걸어서 태극전 동당(東堂)에 당도했다. 사마사가 나와 맞이하자 조모가 먼저 엎드려 절을 했다. 사마사는 급히 그를 부축해 일으키고 안부를 물은 뒤 조모를 태후께 안내했다. 태후가 말한다.

"내 너를 어릴 적에 보고 제왕의 상이라 여겼더니, 이제 천하의 주인이 되었구나. 너는 모름지기 공손하고 근검절약하며 널리 덕을 펴고 인(仁)을 베풀어 선제를 욕되지 않게 하라."

조모는 거듭 사양했다. 그러나 사마사는 문무백관에게 명해 조모를 태극전으로 모시게 하여 새 임금으로 삼았다. 이리하여 가평(嘉平) 6년(254)을 정원(正元) 원년으로 고치고, 천하에 대사령(大赦令, 사면령)을 내렸다. 동시에 대장군 사마사에게 황월(黃鉞)을 주어, 입조할 때 몸을 굽히고 종종걸음을 치지 않아도 되고, 황제께 아뢸 때 자신의 이름을 말하지 않아도 되며, 칼을 찬 채로 어전에 오를 수 있는 등의 특전을 베풀었다. 또한 문무백관들에게도 각기 후한 상과 벼슬이 내려졌다.

정원 2년 정월, 정탐꾼의 보고가 날아들었다. 진동장군(鎭東將軍) 관구검(毋丘儉)과 양주 자사 문흠(文欽)이 임금을 폐한 죄를 묻는다는 명분으로 군사를 일으켰다는 것이었다. 이 소식을 들은 사마사는 깜짝 놀랐다.

일찍이 한나라 신하들 근왕의 뜻 지녔더니	漢臣曾有勤王志
지금 위나라 장수 역적 칠 군사를 일으키네	魏將還興討賊師

사마사는 과연 어떻게 대처할 것인가?

사마사의 죽음

문앙은 필마단기로 위의 대군을 물리치고

강유는 배수의 진을 치고 적을 대파하다

위 정원 2년(255) 정월이었다. 양주 도독이자 진동장군으로 회남(淮南) 군마를 통솔하고 있는 관구검은 자가 중공(仲恭)이요, 하동(河東) 문희(聞喜) 출신이었는데, 멀리서 사마사가 제 마음대로 임금을 폐하고 새로 세웠다는 소식을 듣고 분개해 마지않았다. 그의 맏아들인 관구전(毋丘甸)이 말한다.

"아버님께서는 나라의 한 지역 군정(軍政)을 맡고 계시면서도 사마사가 권세를 휘둘러 임금을 폐위시키고 국가를 누란의 위기[累卵之危, 새알을 쌓아놓은 듯 위험한 형세]로 몰고 가는데 어찌 편안히 지키기만 하십니까?"

관구검은 아들의 말에 맞장구를 쳤다.

"네 말이 옳다."

즉시 자사 문흠을 청하여 의논하기에 이르렀다. 문흠은 본래 조상(曹爽)의 문하 사람으로, 관구검의 부름을 받자 그날로 달려왔다. 관구검은 문흠을 후당으로 안내했다. 서로 인사를 마치고 이야기를 나누는데, 관구검이 눈물을 흘리며 그치지 못했다. 문흠이 의아해 그 까닭을 묻자 관구검이 대답한다.

"사마사가 권세를 장악해 임금을 폐위시켰으니 천지가 뒤집힌 것이나 다름없소이다. 어찌 상심하지 않을 수 있겠소?"

문흠이 말한다.

"나라의 한 방면을 지키고 계신 도독께서 대의명분을 세워 역적을 토벌하는 일에 나선다면 이몸도 목숨을 걸고 돕겠습니다. 더구나 제 둘째아들 숙(淑)은 어릴 적 이름이 아앙(阿鴦)인데, 혼자서 1만명도 대적할 만큼 용맹합니다. 늘 사마사 형제를 죽여 조상의 원수를 갚겠다고 벼르고 있으니, 그 아이를 선봉으로 내세우면 좋을 것입니다."

관구검은 크게 기뻐하며 땅에 술을 뿌려 맹세했다. 관구검과 문흠 두 사람은 먼저 태후로부터 밀조를 받았다고 사칭하고 회남의 대소 관원과 장수와 군사 들을 모두 수춘성(壽春城)으로 불러들였다. 그런 뒤 성 서쪽에 단을 쌓고 백마를 잡아 그 피를 마시며 맹세하고 선언한다.

"사마사는 대역무도한 역적이니, 이제 태후의 밀조를 받들어 회남 군사를 전부 일으켜 대의명분에 따라 역적을 토벌하노라."

군중들은 모두 환호성을 올리며 복종을 다짐했다. 관구검은 6만 군사를 이끌고 항성(項城)에 주둔하고, 문흠은 군사 2만을 거느리고 유

678

격대로서 안팎으로 오가며 돕기로 했다. 또 한편 관구검은 여러 군에 격문을 띄워 각기 군사를 일으켜 돕도록 했다.

그즈음 사마사는 왼쪽 눈에 큰 종양이 생겨 가려움과 통증으로 괴로워하다가 의원을 불러 종양을 째고 약을 발라 싸매고는 부중에서 요양중이었다. 이때 회남에서 반란이 일어났다는 급보가 들어오자 그는 즉시 태위 왕숙을 불러 대책을 상의했다. 왕숙이 말한다.

"옛날에 관운장은 그 위엄을 천하에 떨쳤지만, 손권이 여몽을 시켜 형주를 취하고 그곳 장졸들의 가족을 위무하게 하니 이로 인해 관운장의 군세는 맥없이 무너지고 말았습니다. 지금 회남에서 반란을 일으킨 장병들의 가족은 모두 중원에 있습니다. 빨리 그들을 회유하는 한편 군사를 보내 그들의 귀로를 끊으십시오. 그러면 반드시 흙더미가 무너지듯 와해되고 말 것입니다."

사마사가 안타까운 듯 말한다.

"공의 말이 지극히 옳소. 다만 내가 하필 이런 때에 종기를 째어 몸소 갈 수 없는 처지이고, 그렇다고 남을 보내자니 마음이 놓이질 않아 답답하기만 하구려."

그때 중서시랑(中書侍郞) 종회(鍾會)가 말한다.

"회초(淮楚, 회수와 양자강 하류) 지방의 군사들은 매우 강한지라 그 예기가 여간 날카롭지 않습니다. 만일 다른 사람을 보내 물리치려 한다면 우리에게 불리함이 많고, 자칫 소홀했다가는 대사를 그르치기 십상이니 신중히 판단하셔야 합니다."

그 말에 사마사가 결연히 몸을 일으킨다.

"내가 가지 않고서는 놈들을 격파할 수 없겠다!"

사마사는 아우 사마소로 하여금 남아서 낙양을 지키며 조정의 일을 총괄 섭정하게 하고 자신은 아픈 몸을 이끌고 수레에 올라 드디어 동쪽으로 출병하기로 했다. 먼저 진동장군(鎭東將軍) 제갈탄(諸葛誕)으로 하여금 예주(豫州) 일대의 군사를 거느리고 안풍진(安風津)을 거쳐 수춘을 공격하게 했다. 이어 정동장군(征東將軍) 호준(胡遵)으로 하여금 청주(靑州)의 군사를 거느리고 초(譙)와 송(宋)으로 나가 그 귀로를 끊게 하는 한편, 형주 자사 감군(監軍) 왕기(王基)로 하여금 전군(前軍)을 거느리고 진남(鎭南)땅을 빼앗도록 명했다. 마지막으로 사마사 자신은 대군을 거느리고 양양(襄陽)땅으로 가서 주둔했다. 사마사가 문무관원을 장막으로 불러 상의하자 광록훈(光祿勳) 정무(鄭袤)가 말한다.

"관구검은 꾀는 많으나 결단성이 없고, 문흠은 용맹하나 지혜가 없습니다. 그러나 지금 우리가 갑자기 대군을 일으켜 기습한다면 강회(江淮) 이남의 군사들의 예기가 워낙 날카로운지라 가벼이 대적할 수 없을 터이니 호를 깊이 파고 보루를 높이 쌓아 그들의 기세가 꺾이기를 기다리십시오. 이는 주아부(周亞夫, 한 문제文帝 때의 명장 주발周勃)가 즐겨쓰던 계책입니다."

감군 왕기가 반론을 제기한다.

"그렇지 않습니다. 회남의 반역은 군사와 백성들 스스로 일으킨 것이 아니라 관구검의 핍박에 못이겨 마지못해 한 일이니, 우리 대군이 일시에 쳐들어가면 단번에 무너지고 말 것이외다."

왕기의 말에 사마사도 동의한다.

"그대의 말이 참으로 지당하오!"

사마사는 곧 군사를 이끌고 은수(灅水)로 나아가 중군(中軍)을 은교(灅橋)에 주둔시켰다. 왕기가 다시 말한다.

"군사를 주둔하기에는 남돈(南頓)땅이 더할나위 없이 좋습니다. 오늘밤에라도 당장 군사를 움직여 그곳을 취하십시오. 만일 우리가 지체하면 관구검이 반드시 먼저 취할 것입니다."

사마사는 그 말을 좇아 왕기로 하여금 선발대를 이끌고 남돈으로 가서 진을 치도록 명했다.

한편 항성에 있던 관구검은 사마사가 직접 대군을 이끌고 진격해온다는 보고를 받고 부하들을 불러 대책을 의논했다. 선봉 갈옹(葛雍)이 말한다.

"남돈의 지세는 산을 의지하고 강을 끼고 있어 군사를 주둔하기에 아주 적당합니다. 위군이 먼저 점령하면 몰아내기 어려울 터이니 속히 취해야 합니다."

그 말을 옳게 여긴 관구검은 즉시 군사를 거느리고 남돈으로 향했다. 그런데 얼마 못 가 앞쪽에서 정탐꾼이 나는 듯이 달려오더니, 남돈에 이미 많은 군마가 주둔하고 있다고 보고한다. 적이 그처럼 신속하게 용병할 줄 생각지 못한 관구검은 이 말을 믿지 못해 군사를 거느리고 직접 가보았다. 과연 정기(旌旗)가 온 들에 휘날리는 가운데 영채가 질서정연하게 세워져 있었다. 관구검은 말머리를 돌려 군중으로 돌아왔다. 대처할 적당한 계책이 떠오르질 않아 고심하는 중에 또다시 급보가 들어왔다.

"동오의 손준(孫峻)이 군사를 이끌고 강을 건너 수춘성으로 쳐들어오고 있습니다."

관구검은 크게 놀라 소리친다.

"수춘성을 잃으면 나는 어디로 돌아간단 말인가!"

그날밤 관구검은 군사를 돌려 항성으로 향했다. 사마사는 관구검의 군사가 물러가는 것을 보고, 곧 관원들을 모아 상의했다. 상서(尚書) 부하(傅嘏)가 말한다.

"지금 관구검이 군사를 물리는 것은 동오군이 수춘성을 습격할까 두려워서입니다. 관구검은 항성으로 돌아가면 어떻게든 군사를 나누어 막아내려 할 것입니다. 하오니 장군께서는 한무리의 군사로 하여금 낙가성(樂嘉城)을 공격하게 하고, 한무리의 군사는 항성을 취하게 하며, 또 한무리의 군사는 수춘성을 취하게 하신다면 회남 군사들은 반드시 물러갈 것입니다. 연주(兗州) 자사 등애(鄧艾)는 지략이 뛰어난 인물이니 그로 하여금 먼저 군사를 거느리고 지름길로 나아가 낙가성을 공격하게 하고, 뒤이어 군사를 더 보내 돕는다면 쉽게 적을 물리칠 수 있을 것입니다."

사마사는 그 말에 따라 급히 등애에게 사자를 보내 격문을 전하여 연주 일대의 군사를 일으켜 낙가성을 격파하도록 지시하고, 자신도 돕기 위해 대군을 이끌고 출발했다.

그무렵, 항성에 있던 관구검은 불시에 낙가성으로 사람을 보내 정탐하게 하는 한편, 혹시 적군이 쳐들어올 것에 대비해 문흠을 영채로 불러 의논했다. 문흠이 말한다.

"도독은 염려 마십시오. 제게 5천 군사를 주시면 아들 문앙(文鴦, 문숙)과 함께 낙가성을 보전하겠습니다."

관구검은 크게 기뻐하며 허락했다. 문흠과 그 아들 문앙은 5천 군사를 거느리고 낙가성을 향해 서둘러 출발했다. 문흠 부자가 한창 길을 가는데, 전군으로부터 보고가 날아들었다.

"낙가성 서쪽은 위군들로 가득한데, 그 수가 대략 1만여명입니다. 멀리서 바라보니 백모(白旄)·황월(黃鉞)과 검은 일산, 붉은 깃발이 중군을 에워싸고 있는데, 그 안에 비단에 수놓은 수(帥)자 기가 나부끼고 있었습니다. 사마사의 군사임에 틀림없으나, 영채가 아직 완성되지 않아 방비가 소홀해 보였습니다."

쇠채찍(鋼鞭)을 들고 곁에 서 있던 문앙이 부친에게 아뢴다.

"저들이 아직 영채를 완전히 구축하지 못했으니, 이 틈을 타서 우리가 두 길로 나뉘어 좌우에서 기습공격하면 능히 이길 수 있을 것입니다."

문흠이 말한다.

"그렇다면 언제 출발하면 좋겠느냐?"

문앙이 말한다.

"오늘밤 해가 저물면 아버님께서는 군사 2천 5백명을 거느리고 남쪽을 공격하십시오. 저는 나머지 군사들을 이끌고 성의 북쪽으로 쳐들어가 3경에 위군 영채에서 합치기로 하지요."

문흠은 아들의 말을 좇아 밤이 되기를 기다려 군사를 두 길로 나누었다. 이때 문앙은 나이 18세로, 신장이 8척이나 되었다. 갑옷을 입고 허리에 쇠채찍을 차고서 손에 창을 꼬나잡은 문앙은 말에 올라 위군 영채를 바라보며 군사를 이끌고 나아갔다.

그날밤 사마사는 군사를 거느리고 낙가에 당도해 군사들에게 영채를 세우도록 지시한 후, 아직 도착하지 않은 등애를 기다리고 있었다. 눈밑에 난 종양을 째고 치료한 곳이 곪아 통증이 심해서 그는 수백명의 무장군사들의 호위를 받으며 장막에 누워 있었다. 3경 무렵에 갑자기 영채 안에서 함성이 크게 일며, 군마가 혼란스러워졌다. 사마사가 황망히 묻는다.

"무슨 일이냐?"

한 사람이 안으로 뛰어들며 아뢴다.

"한떼의 군사가 영채 북쪽의 방비를 뚫고 쳐들어왔습니다. 앞장선
장수가 어찌나 사나운지 당해낼 재간이 없습니다."

크게 놀란 사마사는 조급한 마음에 울화가 치밀어올라 곪은 자리가
터지면서 그만 눈알이 튀어나오고 말았다. 상처에서 쏟아져나오는 피
로 주변이 순식간에 흥건히 젖었다. 사마사는 견딜 수 없이 아픈 중에
도 군심이 어지러워질까 두려워 이불을 끌어당겨 악물고 참았다. 어
찌나 힘주어 물어뜯으며 몸부림쳤는지 이불이 해져서 넝마가 되어버
렸다.

사마사의 영채 안을 아수라장으로 만든 사람은 다름아닌 문앙이었
다. 군사를 거느리고 일시에 쳐들어온 문앙이 좌충우돌 무찌르자 방
심하고 있던 위군들은 그 기세를 당해내지 못해 이리 쫓기고 저리 쫓
겼다. 더러 맞서싸우는 자들도 있었으나 모두 창에 찔리거나 쇠채찍
에 맞아죽었다. 문앙은 정신없이 싸우면서 아버지의 군사가 밖에서
협공해오기를 기다렸다. 그러나 어찌 된 일인지 감감 무소식이었다.
그새 여러번 중군으로 쳐들어갔으나 그때마다 사마사의 장막을 에워
싼 호위군사들이 화살을 빗발처럼 쏘아대는 바람에 물러서야 했다.
문앙이 덤벼드는 위군들을 마구 엄살하는 동안 어느새 훤히 먼동이
트기 시작했다. 문득 멀리 북쪽으로부터 북소리와 뿔피릿소리가 천지
를 진동하며 들려왔다. 문앙이 뒤따르던 수하에게 묻는다.

"아버님께서 남쪽으로 와서 협력하기로 하셨는데, 북쪽에서 오시
니 이게 어찌 된 일이겠느냐?"

급히 말을 달려 가보니 한떼의 군사가 질풍노도로 달려오는데, 앞
장선 장수는 바로 등애였다. 등애가 칼을 치켜들고 달려오며 큰소리

로 외친다.

"이 역적놈아, 꼼짝 말고 게 섰거라!"

문앙은 크게 화가 나서 아무 대꾸없이 창을 꼬나잡고 마주나가 싸웠다. 두 장수가 어울려 50여합을 싸우도록 좀처럼 승부가 나지 않았다. 그때 위군들이 일제히 몰려와 앞뒤에서 협공하니, 문앙의 군사들은 제각기 목숨을 구해 뿔뿔이 흩어지고 말았다.

혼자서 위군에 둘러싸여 사력을 다해 싸우던 문앙은 가까스로 혈로를 뚫고 말을 달려 남쪽으로 달아났다. 문앙의 뒤로 수백명의 위장들이 아우성치며 추격해온다. 낙가교 근처에 이르렀을 무렵이다. 바싹 추격해온 위군의 손에 거의 사로잡히려는 순간 문앙은 갑자기 소리를 버럭 지르며 말머리를 홱 돌리더니 그대로 달려오는 위군들 속으로 뛰어들어 미친 듯이 쇠채찍을 휘두르며 좌충우돌했다. 이때 많은 군사들이 쇠채찍에 맞아 말 아래로 나뒹굴었고, 그 서슬에 놀란 나머지 위군들은 일제히 달아나기 바빴다. 이윽고 문앙은 쇠채찍을 거두더니 유유히 말머리를 돌려 멀어져갔다. 그의 서슬푸른 기세에 도망쳤던 위군 장수들은 다시 모여 놀란 가슴을 진정시키며 말한다.

"저놈이 혼자서 우리들을 물리치다니! 다시 한번 힘을 합쳐 쫓아갑시다."

위군 장수 1백여명은 한덩어리가 되어 다시 문앙을 추격하기 시작했다. 쫓아오는 말발굽소리를 들은 문앙은 뒤를 돌아보더니 버럭 화를 낸다.

"이 쥐새끼 같은 놈들이 목숨 아까운 줄을 모르는구나!"

대뜸 위군들 속으로 뛰어들더니 쇠채찍을 마구 휘둘러 순식간에 몇 사람을 쳐죽이고는 다시 말머리를 돌려 천천히 떠나갔다. 위군 장수들은 문앙을 쫓다가는 흩어지고, 흩어졌다가는 다시 모여 추격하기를 네댓번이나 되풀이했다. 그러나 번번이 몇몇 장수들이 죽임을 당했을 뿐, 살아남은 자들은 결국 문앙 하나를 당해내지 못한 채 말머리를 돌려야 했다.

이를 두고 후세 사람이 찬탄한 시가 있다.

장판교에서 홀로 조조의 대군과 맞섰던 일로   長坂當年獨拒曹
조자룡 그 이름 호걸로 세상에 드러났었네   子龍從此顯英豪
오늘 낙가성 서안에서 칼을 부딪쳐 싸우는 곳에   樂嘉城內爭鋒處
문앙의 담력과 기개 또 높이 떨치네   又見文鴦膽氣高

원래 문흠은 험한 산속에서 길을 잘못 들어 헤매다가 겨우 길을 찾아나섰는데 그때는 이미 날이 훤히 밝은 뒤였다. 아들 문앙과 그 군사들의 행적은 묘연하고, 여기저기서 승리한 위군들이 날뛰는 모습만 보였다. 문흠은 감히 싸울 엄두도 못 내고 군사를 물렸다. 위군이 승세를 몰아 그 뒤를 추격해왔다. 문흠은 군사들을 이끌고 수춘을 향해 달아났다.

한편 위의 전중교위(殿中校尉) 윤대목(尹大目)은 원래 조상의 심복 부하였다. 조상은 일찍이 사마의에게 죽임을 당했는데, 그후로 윤대목은 사마사를 섬기면서도 이제껏 틈만 나면 그를 죽여 조상의 원수를 갚을 생각만 하고 있었다. 윤대목은 또한 문흠과 교분이 두터운 사이였다. 윤대목이 장막으로 들어가 눈알이 빠져 꼼짝 못하고 들어앉아 있는 사마사에게 고한다.

"문흠에게는 본래 반역할 마음이 없었는데, 관구검의 핍박에 못이겨 이렇게 된 것입니다. 제가 가서 설득하면 반드시 투항할 것이옵니다."

사마사의 허락을 얻어낸 윤대목은 얼른 갑옷과 투구를 갖춰입고 말에 올라 나는 듯이 문흠의 뒤를 쫓아갔다. 오래지 않아 저만치 달아나는 문흠이 보였다. 윤대목이 쫓아가며 소리친다.

"문자사, 날 좀 보시오! 이 윤대목을 몰라보시겠소?"

문흠이 고개를 돌려 윤대목을 바라보았다. 윤대목은 말고삐를 늦추고 적의가 없음을 보이기 위해 투구를 벗어 말안장에 걸쳐놓고 채찍으로 가리키며 재차 소리친다.

"문자사는 어찌 며칠을 못 참는단 말이오!"

윤대목은 머지않아 사마사가 죽으리란 걸 알고 있었다. 그래서 문흠에게 좀더 머물러 있으라고 붙잡기 위해 소리쳤으나, 문흠으로서는 그 뜻을 알아차릴 도리가 없었다. 문흠은 목청을 높여 꾸짖으며 윤대목을 향해 활을 당기려 했다. 윤대목은 더이상 만류하지 못하고 통곡하며 돌아가고 말았다.

문흠이 군마를 수습해 수춘성에 이르러보니, 수춘성은 이미 제갈탄에게 점령당한 뒤였다. 다시 말머리를 돌려 항성으로 향하니 이번에는 마치 기다리고 있던 것처럼 호준·왕기·등애가 군사를 거느리고 세 방면에서 몰려왔다. 형세가 몹시 위급하자 문흠은 동오의 손준에게로 투항해갔다.

한편 항성에 있던 관구검은 수춘성이 이미 적군의 손에 넘어가고 문흠마저 패했다는 소식을 듣고 크게 낙심해 있었다. 이때 성밖에서 위군이 세 갈래로 나뉘어 쳐들어온다는 보고가 들어왔다. 관구검은 최후의 일전을 결심하고 성안의 모든 군사를 거느리고 싸우러 나갔다. 위장 등애가 진을 벌이고 맞섰다. 관구검은 먼저 갈옹에게 명하여 등애와 겨루게 했다. 그러나 단 1합도 겨루기 전에 갈옹의 목은 등애의 칼을 맞고 땅에 떨어져 나뒹굴었다. 적장을 단칼에 죽인 등애는 승세를 타고 밀물처럼 군사를 휘몰아왔다. 관구검은 죽음을 무릅쓰고 싸웠으나 적을 물리치기에는 역부족이었다. 강회(江淮)의 군사들은 우왕좌왕 혼란에 빠져버렸다. 잇달아 호준과 왕기가 군사를 이끌고 에워싸고 협공을 가해오자 결국 당해내지 못한 관구검은 기병 10여 명만을 거느리고 가까스로 적의 포위를 벗어나 도망쳐서 신현성(愼縣城) 아래에 이르렀다. 현령 송백(宋白)이 성문을 열고 관구검을 맞아들여 후하게 잔치를 베풀어 극진히 대접했다. 싸움에 패한데다 피로에 지친 관구검은 정신없이 술을 퍼마시고 크게 취해버렸다. 그 틈을 타서 송백은 부하들에게 관구검의 목을 베게 하고 그 머리를 위군에 바쳤다. 이로써 회남땅은 평정되었다.

한편 사마사는 여전히 병상에 누운 채 일어나지 못하다가 어느날 제갈탄을 장막으로 불러들여 인수(印綬)를 끌러주고는 진동대장군(鎭東大將軍)으로 삼아 양주 일대의 군마를 총지휘하도록 했다. 그런 뒤 자신은 군사를 이끌고 허도로 돌아갔다. 돌아가는 도중에 사마사의 병은 더욱 악화되었다. 낮에는 눈의 통증으로 신음하고, 밤에는 지난날에 죽인 이풍·장집·하후현 세 사람이 침상 앞에 나타나 괴롭혔다. 심신이 극도로 쇠약해진 사마사는 정신까지 오락가락했다. 마침내 스스로 오래 살지 못할 것을 알아차리고, 급기야 낙양으로 사람을 보내 사마소를 불러오게 했다.

급보를 받고 달려온 사마소는 병상 아래 엎드려 목놓아 울었다. 그때까지 가까스로 목숨을 부지하고 있던 사마사는 아우를 보더니 힘없이 입을 열어 유언한다.

"내가 맡고 있는 권한이 너무 무거워 그만 내려놓고 싶으나 그럴 수도 없구나. 너는 나의 이 막중한 대임을 이어 맡되, 가벼이 남에게 의탁해 멸족의 화를 자초하는 일이 없도록 해라."

인수를 건네는 사마사의 얼굴에 눈물이 비오듯 흘러내렸다. 사마소가 무언가 물어보려고 입을 열려는 순간 사마사는 갑자기 외마디 비명을 내지르더니 눈알이 불룩 튀어나오며 그대로 숨을 거두고 말았다. 때는 정원 2년(255) 2월이었다.

사마소가 위주 조모에게 형 사마사의 죽음을 아뢰자 조모는 사신에게 조칙을 보내 사마소로 하여금 잠시 그대로 허도에 머물면서 동오의 침략을 방비하라 명했다. 조서를 받은 사마소는 선뜻 결단을 내리지 못하고 있었다. 이때 종회가 간한다.

"대장군께서 돌아가신 지 얼마 안되어 민심이 안정되지 않은 이때, 장군께서 만일 허도에 머물러 있다가 조정에 무슨 변이라도 생긴다면 그때는 후회막급입니다."

사마소는 고개를 끄덕이고 즉시 군사를 움직여 낙수(洛水) 남쪽으로 자리를 옮겨 주둔했다. 이 소식을 들은 조모는 크게 놀랐다. 태위 왕숙이 아뢴다.

"사마소가 그 형의 권력을 계승했으니, 폐하께서는 벼슬을 내려 그를 안심시키십시오."

조모는 그 말에 따라 곧 왕숙에게 사마소를 대장군으로 봉하고 녹상서사(錄尙書事)를 겸하게 한다는 내용의 조서를 주어보냈다. 조서를 받은 사마소는 조정에 들어와 사례했다. 이로부터 조정 안팎의 크고작은 일은 모두 사마소의 손아귀에 들어갔다.

이 소식은 정탐꾼에 의해 즉시 성도에 보고되었다. 강유가 후주에게 아뢴다.

"사마사가 죽고 사마소가 대권을 계승한 지 얼마 되지 않은지라 섭사리 낙양을 떠나지 못할 것입니다. 신이 이 기회에 위를 쳐서 중원을 회복할까 하나이다."

후주는 이를 허락했다. 강유는 한중으로 나가 군마를 정비하며 정벌을 위한 만반의 준비를 갖추었다. 정서대장군 장익이 간한다.

"촉의 땅이 협소한데다 전량(錢糧)마저 넉넉지 못한 터에 멀리 정벌길에 나선다는 것은 옳지 않습니다. 오로지 험한 지세를 의지하고 굳게 지키며 군사와 백성을 보살피는 것이 나라를 오래도록 보전하는 길이 아닌가 합니다."

강유가 단호히 말한다.

"그렇지 않소. 지난날 승상께서는 초려(草廬)에서 나오시기 전에 천하가 셋으로 나뉠 것을 미리 알고 계셨지만, 그럼에도 여섯 차례나 기산(祁山)으로 나아가 중원을 회복하려 하셨소. 불행히 중도에서 돌아가시는 바람에 뜻을 이루시지 못했소만, 이제 승상의 유명(遺命)을 받든 나는 그 뜻을 계승하여 충성을 다해 나라에 보답해야 마땅하오. 내 비록 이 일로 하여 죽는다 해도 아무 여한이 없소. 마침 위나라에 틈이 생겼으니, 이때를 타서 정벌하지 않는다면 언제 또다시 이런 기회를 만나겠소?"

곁에서 듣고 있던 하후패가 말한다.

"장군의 말씀이 옳습니다. 먼저 날쌘 기병으로 하여금 포한(枹罕)

으로 나아가게 하여 조서(洮西)와 남안(南安)만 취한다면, 주변의 나머지 고을들은 쉽게 수중에 넣을 수 있습니다."

장익이 다시 말한다.

"우리 군이 지난번 싸움에서 패하고 돌아온 가장 큰 이유는 출병할 때 시간을 너무 지체했기 때문입니다. 병법에 이르기를 '방비가 소홀한 틈을 타서 적을 치고, 적이 생각지도 못할 때 나아가라〔攻其無備 出其不意〕'했습니다. 이제 우리가 위군에게 방비할 틈을 주지 않고 재빨리 군사를 진격시킨다면, 반드시 크게 승리할 수 있을 것입니다."

강유는 곧 5만 군사를 거느리고 포한으로 향했다. 강유의 대군이 조수에 이르자 경계를 수비하고 있던 군사들은 급히 옹주 자사 왕경(王經)과 정서장군(征西將軍) 진태에게 이 사실을 알렸다. 왕경은 기병과 보병 7만을 동원해 맞섰다. 강유는 장익과 하후패를 각각 불러 은밀히 계책을 주어 떠나보낸 다음 몸소 대군을 이끌고 조수가에 배수진을 쳤다. 왕경이 몇 사람의 아장(牙將, 대장군)을 거느리고 나와서 외친다.

"위는 촉과 오와 더불어 이미 정족지세(鼎足之勢)를 이루었는데, 너는 어찌하여 툭하면 침략을 일삼는 것이냐?"

강유가 대답한다.

"사마사가 까닭없이 제 주인을 몰아냈으니 가까운 이웃나라에서 그 죄를 묻는 것은 당연한 일이 아니냐? 하물며 원수의 나라임에야 더 말할나위가 있겠느냐?"

그 말이 끝나기가 무섭게 왕경은 장명(張明)·화영(花永)·유달(劉達)·주방(朱芳) 등 네 장수에게 명한다.

"촉군이 배수진을 쳤으니, 패하면 모두 물에 빠져 죽게 되어 있다.

강유는 용맹스러운 장수이니 너희 네 사람이 힘을 합해 싸우되, 조금이라도 물러서는 기색이 보이거든 사정없이 밀어붙여라!"

네 장수는 각기 군사를 거느리고 좌우로 나뉘어 달려나오더니 강유를 공격하기 시작했다. 강유는 위군을 맞아 건성으로 맞서싸우는 체하다가 갑자기 말머리를 돌려 본진으로 달아났다. 왕경이 많은 군마를 재촉해 일제히 그 뒤를 쫓았다. 강유는 군사를 이끌고 조수 서쪽을 향해 달아났다. 마침내 강가에 다다랐을 때 갑자기 말을 멈추더니 크게 호령한다.

"촉의 장수들은 들어라! 사태가 위급한데 어찌 분발하여 싸우려 하지 않느냐?"

순간 달아나던 모든 장수들이 일제히 말머리를 돌리더니 위군을 향해 맹렬한 기세로 덤벼들었다. 그 기세에 놀란 위군이 갈팡질팡하는데 이때 장익과 하후패가 배후에서 두 길로 나뉘어 협공해 들어오며 위군을 겹겹이 포위해버렸다. 강유는 적진 속으로 뛰어들어 좌충우돌 용맹을 떨쳤다. 위군은 큰 혼란에 빠져 저희끼리 밟고 밟히며 죽는 자가 태반이요, 급히 달아나다가 물속으로 뛰어드는 자 또한 그 수를 헤아리기 어려웠다. 목이 잘려 죽은 자만 1만명이 넘었으니, 그 시체가 몇리에 걸쳐 들판 가득 널렸다. 왕경은 겨우 1백여명의 기병을 거느린 채 사력을 다해 포위망을 뚫고 달아났다. 곧장 적도성(狄道城) 안으로 달려들어가 문을 닫아걸고는 굳게 지킬 뿐 다시 싸우려 하지 않았다.

크게 승리한 강유는 숨을 돌리고 군사들을 위로한 뒤 다시 적도성을 공격할 태세를 갖추었다. 장익이 간한다.

"장군은 오늘 싸움에 큰 공적을 세우셨고 널리 위엄을 떨치셨으니

강유는 배수진을 쳐서 위군을 대파하다

이쯤에서 그만 군사를 거두시지요. 이제 다시 출진했다가 실수라도 하는 날에는 그야말로 화사첨족(畫蛇添足, 뱀을 그리는 데 발까지 그림 즉 쓸데없는 군일을 하여 일을 망침)이 되지 않을까 염려스럽습니다."

강유는 펄쩍 뛰며 나무란다.

"그렇지 않소! 지난번 패했을 때도 오히려 진격하여 중원을 종횡으로 누벼보고자 했는데, 하물며 오늘 조수의 한판 싸움에서 위군들의 간담을 서늘하게 만들었으니, 이 여세를 몰아 곧장 밀어붙이기만 하면 적도성을 취하기는 그리 어려운 일이 아니오. 그런 심약한 소리는 다시 하지 마시오."

장익이 거듭 만류했지만 강유는 끝내 듣지 않고 군사들을 독려해 적도성을 향해 나아갔다.

그무렵 옹주의 정서장군 진태는 군사를 일으켜 왕경과 함께 패배한 분풀이를 하고자 벼르고 있었다. 그때 마침 연주 자사 등애가 군사를 거느리고 도착했다. 서로 인사를 마치고 나서 등애가 찾아온 뜻을 말한다.

"이몸은 대장군의 명을 받들어 특별히 장군을 돕고자 이렇듯 군사를 거느리고 왔습니다."

진태가 기뻐하며 등애에게 촉군을 칠 계책을 묻자 등애가 대답한다.

"조수 싸움에서 크게 승리를 거둔 저들이 앞으로 강병을 끌어들여 동쪽으로 관농(關隴, 관중關中과 농우隴右)에서 우리와 싸움을 벌이고 네 고을에 격문을 돌린다면 우리에게 큰 근심거리가 될 것이오. 저들이 그런 생각을 미처 못하고 오히려 적도성으로 몰려갔으니, 이런 다행한 일이 어디 있겠소이까? 적도성으로 말할 것 같으면, 성벽이 워낙 견고해 아무리 공격해도 쉽사리 함락되지 않을 터이니, 저들은 공연한 헛수고로 힘만 빼게 될 것이오. 우리가 지금 군사를 이끌고 항령(項嶺)으로 나아가 촉군의 뒤를 친다면, 저들을 쉽게 물리칠 수 있을 것이외다."

진태가 크게 기뻐하며 말한다.

"그것 참 좋은 계책이오!"

즉시 출병을 서둘러서 각 대에 50명씩 20대의 선발대를 보냈다. 군사들 모두 깃발과 북, 뿔피리와 횃불을 갖추어 낮에는 숨고 밤에만 행군하여 적도성 동남쪽의 높고 깊은 산골짜기에 매복하게 했다. 촉군이 오면 일제히 북치고 뿔피리를 불어 세를 과시하고, 밤에는 횃불을 치켜들고 포를 쏘아 적을 놀라게 하도록 지시해두었다. 군사들은 모든 준비를 끝내고 촉군이 오기만을 기다렸다. 진태와 등애는 각기 2만 군사를 이끌고 적도성을 향해 출발했다.

한편 강유는 적도성을 포위하고 며칠에 걸쳐 사방팔방으로 공략을 해댔으나 함락시키지 못해 시름에 잠겨 있었다. 아무리 생각해도 뾰족한 수가 없어 고민하고 있는데, 어느날 황혼 무렵 정탐꾼이 네댓 차례 급히 달려와 연거푸 보고한다.

"적들이 두 방면으로 나뉘어 쳐들어오는데, 각각 '정서장군 진태'와 '연주 자사 등애'라고 적힌 깃발을 들고 있습니다."

깜짝 놀란 강유는 즉시 하후패를 불러 대책을 의논했다. 하후패가 말한다.

"내 일찍이 장군께 말씀드렸습니다만, 등애는 어려서부터 병법에 능통하고 지리에도 밝은 자입니다. 그런 그가 군사를 거느리고 온다니 절대 가벼이 대적해서는 안됩니다."

강유는 하후패의 당부에도 대수롭지 않게 말한다.

"적들은 먼길을 오느라 피곤할 터이니, 쉴 틈을 주지 않고 공격하는 것이 상책이오."

그러더니 장익으로 하여금 남아서 적도성을 계속 공략하게 하고, 하후패에게는 군사를 이끌고 진태와 맞서도록 했다. 그리고 자신은 군사를 이끌고 등애와 싸우러 달려나갔다.

강유의 군사가 채 5리도 가지 못했는데, 갑자기 동남쪽에서 포성이 울리면서 이어 북소리와 뿔피릿소리가 땅을 뒤흔들고 화광이 하늘을 밝혔다. 강유가 말을 달려가 살펴보니, 사방이 위군의 깃발로 숲을 이루고 있었다. 강유는 그제야 깜짝 놀라 탄식한다.

"내가 등애의 계책에 빠졌구나!"

즉시 하후패와 장익에게 전령을 보내 적도성을 버리고 퇴군하라고 명했다. 이리하여 촉군은 모두 한중으로 물러났다. 강유는 뒤에 남아 적의 추격을 막으며 서서히 후퇴했다. 배후에서는 적의 북소리가 끊임없이 들려왔다. 마침내 검각(劍閣)땅에 들어선 후에야, 강유는 20여 군데에서 울리던 북소리와 횃불이 모두 위장술이었음을 깨달았다. 강유는 군사를 거두어 종제(鍾提)로 가서 주둔했다.

한편 후주는 조수 서쪽에서 세운 공이 있다 하여 조서를 내려 강유를 대장군으로 봉했다. 강유는 벼슬을 받고 표를 올려 사례하고 나서 다시 군사를 일으켜 위를 칠 일을 상의했다.

| 공을 이루면 사족을 붙일 필요 없거늘 | 成功不必添蛇足 |
| 역적 침에 오히려 범의 위엄 뽐내려 하네 | 討賊猶思奮虎威 |

다음 북벌은 과연 성공할 수 있을 것인가?

111

대권을 잡은 사마소

등애는 지략으로 강유를 격파하고
제갈탄은 의리로 사마소를 토벌하다

강유는 군사를 물려 종제땅에 주둔했고, 위군은 적도성 밖에 군사를 주둔시켰다.

왕경은 진태와 등애를 성안으로 맞아들여 촉군의 포위를 풀어준 데 대해 절하여 사례하고 잔치를 베풀어 대접했다. 그리고 삼군에게 푸짐한 상을 내렸다. 진태는 즉시 표문을 올려 등애의 공로를 위주 조모에게 알렸다. 조모는 등애를 안서장군(安西將軍)에 봉하고 부절을 주어 호동강교위(護東羌校尉)로 임명한 다음 진태와 함께 주둔하여 옹주(雍州)와 양주(涼州)를 지키게 했다. 등애는 조정에 표문을 올려 위주의 은혜에 사례했다. 진태가 등애를 위해 잔치를 베풀고 축하하며 말한다.

"강유가 야반도주한 걸 보니 그 힘이 다했음에 틀림없소. 이젠 감히 다시 쳐들어올 엄두도 내지 못할 것이오."

등애가 웃으며 말한다.

"내 생각에 반드시 촉군이 다시 쳐들어올 이유가 다섯 가지 있소."

진태가 그 이유를 묻자 등애가 대답한다.

"촉군이 지금은 비록 물러갔지만 아직도 승세가 남아 있고, 우리 군사는 막판에 패했던 만큼 쇠약해져 있으니, 이것이 그들이 반드시 쳐들어올 첫번째 이유요. 촉군은 제갈공명으로부터 잘 훈련받은 정예군으로 언제든지 즉시 출정할 수 있는 데 반해, 우리는 대장이 여러번 바뀌어 훈련이 부족하다는 점이 그들이 반드시 쳐들어올 두번째 이유요. 또한 촉군은 자주 배를 타고 다니는데, 우리 군사들은 육지로만 다녀 그 수고로움과 편함이 같지 않다는 점이 그들이 반드시 쳐들어올 세번째 이유요. 적도·농서·남안·기산 네곳 모두 싸워서 막아야 하는 지형으로 촉군이 동쪽을 칠 듯하다가 서쪽을 칠 수 있고, 남쪽을 표적으로 삼았다가 정작 북쪽을 공격할 수도 있으니 우리는 군사를 나누어 네곳을 동시에 방어해야 하는데, 촉군은 한곳을 집중적으로 공격할 것이고, 우리는 넷으로 나뉜 군사로 저들을 당해내야 함이 그들이 반드시 쳐들어올 네번째 이유가 되오. 마지막으로 촉군이 남안과 농서에서 나온다면 강인들의 곡식을 빼앗아 군량으로 쓸 것이며, 기산으로 나온다면 그곳에서 보리를 얻을 수 있으니 그것이 그들이 반드시 쳐들어올 다섯번째 이유라 하겠소이다."

등애의 설명을 듣고 진태가 탄복하여 말한다.

"공께서 적을 귀신처럼 꿰뚫어 아시니, 촉군쯤이야 무슨 염려할 것이 있겠소이까?"

이때부터 진태는 등애와 더불어 망년지교(忘年之交, 나이의 많고 적음을 떠나 벗하는 사귐)를 맺었다. 등애는 날마다 옹주와 양주 방면 군사들을 조련하며, 요충지마다 영채를 세워 불의의 공격에 대비했다.

한편, 종제땅에 주둔하고 있던 강유는 큰 잔치를 베풀어 모든 장수를 청한 자리에서 다시 진군하여 위를 칠 일을 의논했다. 영사(令史) 번건(樊建)이 간한다.

"장군께서는 여러번 출군하셨으나 완승을 거두지 못하다가 이번 조서(洮西, 조수 서쪽) 싸움에서 위군을 굴복시켜 크게 이름과 위엄을 떨치셨는데, 무엇 때문에 또 출정하려 하십니까? 만일 다시 나갔다가 불리해진다면 이전의 공로마저 허사가 될 것입니다."

강유가 대답한다.

"그대들은 위가 땅이 넓고 인구가 많아 쉽사리 취하기 어렵다고 생각하지만 우리가 위를 공격해서 이길 수 있는 다섯 가지 유리함이 있다는 것은 모르고 있소."

모두가 그 다섯 가지가 무엇인지 묻자 강유가 대답한다.

"저들은 조서에서 패하여 예기가 꺾인 반면 우리는 비록 뒤로 물러나야 했으나 군사를 한명도 잃지 않았으니, 만일 지금 진군한다면 틀림없이 승리할 수 있다는 것이 그 첫번째 유리함이오. 또한 우리 군사는 배를 타고 힘들지 않게 나아갈 수 있으나 저들은 육로로만 움직여야 하니 우리보다 더 수고로울 수밖에 없다는 점이 두번째 유리함이며, 우리 군사는 오래 전부터 훈련이 잘 되어 있는 데 반해 저들은 법도가 없는 오합지졸이니, 이것이 우리가 이길 수 있는 세번째 유리한

조건이오. 다음으로 우리 군사가 기산으로 나아가면 들판에 가득한 곡식을 취할 수 있으니 이것이 네번째 유리함이며, 저들은 각 방면을 수비하기 위해 병력을 분산해야만 하나 우리는 군사를 한군데 모아 공격할 수 있으니, 저들이 당해내기 어렵다는 점이 바로 다섯번째 유리한 조건이오. 그러니 바로 이런 때 위를 치지 않고 다시 어느 때를 기다리겠는가?"

하후패가 말한다.

"등애는 비록 젊으나 지혜와 계략이 깊습니다. 더구나 근자에는 안서장군의 직위에 올랐다 하니, 반드시 각처에 방비가 있을 것입니다. 지난날과는 형세가 다릅니다."

강유가 큰소리로 꾸짖는다.

"내 어찌 적을 두려워하겠소? 그대들은 남의 예기를 북돋우며 우리의 위풍당당함을 깎아내리지 마시오. 내 뜻은 이미 정해졌으니, 반드시 농서지방부터 손에 넣고 말겠소."

모든 장수들은 더이상 입을 열지 못했다. 강유는 스스로 전군의 선봉을 맡아 모든 장수들을 뒤따르게 하고 출진했다. 종제를 출발한 촉의 군사들은 기세등등하게 기산으로 짓쳐들어갔다.

얼마 후 앞서 갔던 정탐병이 말을 달려와 위군이 이미 기산에 아홉개의 영채를 세워 방어하고 있다고 보고했다. 강유는 믿을 수가 없어 친히 기병 몇을 거느리고 높은 곳에 올라가 바라보았다. 과연 기산에 아홉개 영채가 뱀처럼 길게 늘어서 있는데, 머리와 꼬리가 서로 접응하는 형세였다. 강유가 감탄하며 좌우에게 말한다.

"하후패의 말이 전혀 과장이 아니었구나. 저 영채들의 절묘한 형세는 나의 스승 제갈승상께서나 능히 펼 수 있는 경지로다. 지금 보니 등애의 솜씨 또한 나의 스승 못지않구나."

본채로 돌아온 강유는 즉시 장수들을 불러 말한다.

"위군이 만반의 준비를 하고 있으니 우리가 올 것을 미리 알아챘음에 틀림없소. 내 생각엔 필시 등애가 이곳에 있으니, 그대들은 허장성세로 나의 깃발을 치켜들고 산골짜기 어귀에 영채를 세우시오. 날마다 기병 1백여명으로 정찰하도록 하는데, 정찰 나갈 때마다 옷과 갑옷을 바꿔입히고, 깃발도 청·황·적·백·흑 오방기치(五方旗幟, 동서남북과 중앙의 다섯 방위를 나타내는 색의 깃발)로 바꿔들게 하시오. 그 사이에 나는 대군을 거느리고 동정땅으로 몰래 진군해 남안을 기습하겠소."

강유는 포소(鮑素)로 하여금 기산 골짜기 어귀에 주둔하도록 지시한 뒤 지체없이 남안을 향해 떠나갔다.

한편, 등애는 촉군이 기산으로 나오리라 짐작하고 진태와 함께 일찌감치 영채를 세우고 지키고 있었다. 그런데 며칠이 지나도록 촉군은 싸움을 걸지 않았다. 하루에 다섯번씩 보초병만 밖으로 나와 말을 타고 10리 혹은 15리 전방까지 정찰하고 돌아가기를 되풀이할 뿐이었다. 등애가 높은 곳에 올라 촉군의 동태를 살피더니 황급히 본채 장막으로 돌아와 진태에게 말한다.

"강유는 이곳에 있지 않소. 동정땅을 취하고 남안을 습격하러 간 것이 분명하오. 영채에서 나와 정찰하는 촉군은 불과 몇 안됩니다. 옷과 갑옷만 바꿔입으며 우리 눈을 속이고 있는데 말들은 이미 지칠 대로 지쳤을 테고, 그 장수도 필시 무능한 자일 것이오. 그러니 진장군께서 군사들을 거느리고 나가 공격하면 쉽게 적의 영채를 격파할 수 있습니다. 그런 다음 즉시 동정으로 통하는 길로 진격해 강유의 퇴로를 끊으십시오. 나는 곧장 군사들을 거느리고 가서 남안을 구하고, 이어 무성산(武城山)을 취하겠소. 내가 무성산을 먼저 점거하면, 강유는 반드시 상규(上邽)땅을 취하려 들 것이오. 상규에는 단곡(段谷)이란 골짜기가 있는데, 좁고 지세가 험해 군사를 매복시키기에 아주 적합합니다. 우리가 단곡에 군사를 매복해두고 저들이 상규로 해서 무성산을 취하러 올 때를 기다린다면 손쉽게 강유를 격파할 수 있을 것이오."

진태가 감탄하여 말한다.

"내가 농서땅을 지킨 지 23년이나 되었건만 이처럼 지리에 밝지 못한데, 공의 말을 듣고 보니 바로 신인(神人)의 계책이오. 공께서는 속히 떠나시오. 나는 이곳 적의 영채를 공격하겠소."

등애는 즉시 군사를 이끌고 출발해 밤낮없이 길을 달리니, 그 급하기가 이틀길을 하루에 가는 강행군이었다. 마침 무성산에 도착해 보니 촉군은 아직 오지 않았다. 등애는 즉시 영채부터 세우고, 아들 등충(鄧忠)과 장전교위(帳前校尉) 사찬(師纂)에게 각기 군사 5천을 주어 단곡 입구로 가서 매복하도록 명하고 시행할 계략을 일러주었다. 두 사람이 떠난 뒤 등애는 전군에게 명하여 기치를 눕히고 북소리를 죽이게 하고서 촉군이 오기만 기다렸다.

한편 강유는 동정을 지나 남안을 바라고 행군을 계속해 마침내 무성산 가까이에 이르자 하후패를 보고 말한다.

"남안 근처에 무성산이란 산이 하나 있는데 이를 먼저 취하게 되면 남안은 손바닥 안에 든 것이나 다름없소. 그러나 등애가 워낙 뛰어난 인물이라 미리 방비하고 있지나 않을지 그게 걱정이오."

바로 그때 산위에서 갑자기 한방의 포소리가 울리더니 함성이 크게 일면서 북소리와 뿔피릿소리가 일제히 터져올랐다. 이어 수많은 깃발

智取伯約

강유는 등애의 계략에 빠져 대패하다

이 동시에 일어서며 여기저기서 위군이 뛰쳐나오는데, 그 한복판에서 펄럭이는 황색 깃발에 커다랗게 쓴 '등애'라는 이름자가 뚜렷했다. 순간 촉군은 크게 놀라 당황했다. 산위 여러 곳에서 위의 정예병이 짓쳐 내려오니 그 기세를 당해내지 못한 촉의 전군(前軍)은 여지없이 패하고 말았다.

강유가 급히 중군 군사를 거느리고 전군을 도우러 갔을 때는 이미 위군이 물러가고 난 뒤였다. 강유는 곧장 무성산 기슭까지 다가가 등 애에게 싸움을 걸었다. 그러나 산위에서는 아무런 반응도 없었다. 강 유는 군사들을 시켜 갖은 욕설을 퍼붓게 했다. 그러다가 날이 저물어 군사를 물리려 하는데 갑자기 산위에서 북소리와 뿔피릿소리가 일제히 울렸다. 그러나 이번에도 위군의 그림자는 눈에 띄지 않았다. 퇴군하려던 강유는 화가 치밀어 군사들을 독려해 그대로 산위로 쳐들어갔다. 그러나 산위에서 돌들이 비오듯 쏟아져내려서 더 나아갈 수가 없었다.

3경이 될 때까지 지키다가 강유는 다시 군사를 물리려 했다. 그때 또다시 산위에서 북소리와 뿔피릿소리가 요란하게 울리며 천지를 진동했다. 강유는 군사들을 산 아래 주둔시키기 위해 돌과 나무를 운반해 영채를 세우기 시작했다. 그런데 기다렸다는 듯 산위에서 또다시 북소리와 뿔피릿소리가 크게 울리며 위군들이 물밀듯 내려왔다. 순간 촉군은 큰 혼란에 빠져 서로 밟고 밟히며 본채로 후퇴하기에 바빴다.

다음날, 강유는 군사들에게 명해 군량과 마초, 수레 등을 무성산까지 옮기게 했다. 이것들을 목책처럼 연이어 둘러치고 그 안에 군사를 주둔시키려는 계책이었다. 그날밤 2경, 등애가 햇불을 든 군사 5백명을 거느리고 산에서 두 방면으로 내려와 촉군의 수레 등을 닥치는 대로 불질렀다. 양군은 어둠속에서 뒤섞여 한바탕 백병전을 치렀다. 그 바람에 진지를 세우려던 계획은 수포로 돌아갔고, 강유는 군사를 거느리고 다시 후퇴하고 말았다. 강유가 돌아와 하후패와 상의한다.

"남안을 얻지 못할 바에야 먼저 상규땅을 치는 수밖에 없소. 상규는 바로 남안 일대의 곡식을 저장해두는 곳이니, 그곳을 점령하면 남안은 저절로 위태로워질 것이오."

하후패에게 무성산에 주둔하여 적을 막게 하고 강유 자신은 정예병과 맹장을 모두 이끌고 상규를 치기 위해 곧장 출발했다. 밤새 행군하여 마침내 날이 밝아서 사방을 살펴보니 산과 길이 험준하기 짝이 없었다. 강유가 향도관에게 묻는다.

"이곳의 지명이 무엇이냐?"

향도관이 답한다.

"단곡이라 합니다."

강유는 깜짝 놀라 말한다.

"그 이름이 좋지 않구나. 단곡(段谷)은 단곡(斷谷)과 음이 같지 않은가. 만일 누군가 골짜기의 입구를 끊어버린다면 그야말로 큰 낭패가 아니냐?"

강유가 망설이고 있는데 마침 전군에서 기별이 왔다.

"산 뒤쪽에서 흙먼지가 크게 일어납니다. 복병이 있는 게 틀림없습니다."

강유가 급히 후퇴명령을 내리는데 바로 그때 사찬과 등충이 각기 군사를 이끌고 쳐들어왔다. 위군의 갑작스런 공격에 강유는 한편으로는 싸우고 한편으로는 달아나며 군사를 물리려 했다. 그때 다시 앞쪽에서 함성이 크게 일어나며 등애가 군사를 거느리고 달려왔다. 위군으로부터 삼면에서 협공당한 강유군은 크게 패했다. 다행히도 하후패가 군사를 거느리고 나타나니 위군은 그제야 물러갔다. 구원을 받은 강유은 다시 기산으로 가려고 했다. 하후패가 말한다.

"기산 영채는 이미 진태에게 격파당하고 포소는 싸우다 죽었소이다. 모든 군사는 한중으로 퇴각했습니다."

강유는 더이상 동정땅을 취할 엄두가 나지 않아 급히 군사를 돌려 궁벽한 산골짜기 샛길로 돌아가려 했다. 그런데 뒤에서 등애가 급히 추격해왔다. 강유는 장수들에게 앞장서서 군사를 이끌게 하고 자신은 후군이 되어 친히 뒤를 끊으며 퇴각을 계속했다. 그때 느닷없이 산속에서 한무리의 군사들이 튀어나와 길을 막았다. 바로 위의 장수 진태가 거느린 군사들이었다. 함성을 지르며 달려드는 위군의 기습에 강유는 포위당하고 말았다. 좌충우돌하며 혈로를 뚫으려 했으나 강유의 군사는 인마가 모두 지쳐 적의 포위를 뚫지 못했다.

이때 탕구장군(蕩寇將軍) 장의(張嶷)는 강유가 곤경에 빠졌다는 보고를 들었다. 즉시 기병 수백명을 이끌고 와서 겹겹이 에워싼 적의 포위를 뚫기 시작하니 강유는 그 틈을 타서 적의 포위를 뚫고 빠져나왔다. 그러나 불행히도 장의는 빗발치는 적의 화살에 맞아 목숨을 잃고 말았다. 한중으로 돌아온 강유는 나라에 바친 장의의 충성과 용맹에 감동해 후주에게 표문을 올려 그 자손에게 벼슬을 내리도록 했다. 이번 싸움으로 촉군의 장졸이 무수히 죽었으니, 그 허물은 모두 강유에게 돌아왔다. 강유는 자신의 죄를 부끄럽게 여겨 지난날 제갈무후가 가정(街亭) 싸움에서 패하고 벼슬에서 물러나기를 청했던 일을 본받아, 임금에게 표문을 올려 스스로 직위를 후장군(後將軍)으로 낮추고 대장군의 일을 맡아보았다.

한편 등애는 촉군이 완전히 퇴각한 뒤 진태와 함께 크게 잔치를 열고 승전을 치하하며 삼군에게 후하게 상을 내렸다. 또한 진태가 표문을 올려 등애의 공을 낙양에 알리자 사마소는 사신에게 절(節)을 주어 보내 등애의 벼슬을 높이고 인수를 내렸으며, 그의 아들 등충을 정후(亭侯)로 봉했다.

이때 위주 조모는 연호 정원 3년(256)을 감로(甘露) 원년으로 바꾸었다. 사마소는 스스로 천하의 병마를 통솔하는 대도독이 되어, 출입할 때면 늘 완전무장한 효장(驍將, 용감하고 날랜 장수) 3천명에게 앞뒤로 호위하게 했다. 또한 모든 조정의 정사를 위주 조모에게 아뢰지 않고 임의로 처리하니, 이때부터 사마소는 반역할 마음을 품기 시작했다. 사마소에게 한 심복이 있었는데, 성명은 가충(賈充)이고 자는 공려(公閭)였다. 죽은 건위장군(建威將軍) 가규(賈逵)의 아들인 그는 사마소 수하에서 장사(長史)로 있었다. 가충이 사마소에게 말한다.

"이제 주공께서 대권을 장악하고 계십니다만, 전국의 민심은 아직 흔들리고 있습니다. 주공께서는 마땅히 은밀하게 민심을 둘러본 뒤에 서서히 대사를 도모하십시오."

사마소가 말한다.

"내 이미 그렇게 하려던 참이다. 너는 나를 대신해 동쪽 지방을 돌아보되, 출정한 군사들을 위로한다는 명분으로 두루 동정을 살펴보도록 하라."

가충은 명을 받고 곧 길을 떠나 먼저 회남에 이르러 진동대장군(鎭東大將軍) 제갈탄(諸葛誕)을 만났다. 제갈탄의 자는 공휴(公休)로 낭야군(琅琊郡) 남양(南陽) 사람이며, 죽은 제갈무후의 집안동생뻘 되는 인물이었다. 그는 일찍부터 위나라의 녹을 먹고 있었지만, 제갈무후가 촉의 승상인 까닭에 높은 지위에 기용되지 못했다. 무후가 세상을 떠나고 난 뒤에야 비로소 중요한 직책을 두루 거쳐 마침내 고평후(高平侯)에 봉해졌고, 그무렵에는 회남과 회북 일대의 군마를 총감독하고 있었다.

그날 가충이 군사를 위로한다는 구실로 회남에 이르러 제갈탄을 찾으니 제갈탄은 가충이 온 뜻을 말 그대로 믿고 잔치를 베풀어 환대했다. 술이 몇순배 돌아 얼큰히 취하자 가충이 은근한 말로 제갈탄을 떠본다.

"근래 낙양의 여러 현명한 선비들 사이에서는 오늘날 주상께서 너무 유약하여 임금의 자리를 감당하지 못한다고 말들이 많습니다. 그러면서 한편으로 사마소 장군은 한 집안에서 세번에 걸쳐 나라를 보필해왔고 그 공이 하늘에 가득한지라, 가히 위의 대통을 이어받을 만하다고들 합니다. 귀공께서는 이를 어떻게 생각하시는지요?"

제갈탄이 버럭 화를 낸다.

"그대는 가예주(賈豫州, 예주는 가규의 자)의 아들로서 대대로 위나라 국록을 먹고 살아왔거늘, 어찌 감히 그런 불경한 소리를 지껄일 수 있단 말인가!"

가충이 사죄한다.

"저는 그저 세상사람들이 하는 말을 귀공께 전했을 뿐입니다."

제갈탄이 말을 잇는다.

"조정에 난이 일어나면 나는 기꺼이 목숨을 바쳐 나라의 은혜에 보답할 것이오!"

가충은 더이상 아무 말도 하지 않았다. 이튿날 낙양으로 돌아와 사마소에게 이 사실을 그대로 전하자 사마소가 발끈하여 소리친다.

"그 쥐새끼 같은 놈이 어찌 감히 그럴 수 있단 말이냐!"

가충이 말한다.

"제갈탄은 회남땅에서 크게 인심을 얻고 있는 터라, 그대로 두었다가는 머지않아 반드시 큰 우환거리가 될 것입니다. 속히 제거해야 마땅합니다."

사마소는 즉시 양주 자사 악침(樂綝)에게 밀서를 보내는 한편으로, 사신에게 조서를 주어 제갈탄에게 보냈다. 제갈탄을 사공(司空)에 봉하여 조정으로 불러들이기 위해서였다. 조서를 받아본 제갈탄은 가충이 돌아가 지난번에 자신이 한 말을 사마소에게 일러바쳤음을 짐작하고 사신을 잡아들여 심문했다. 마침내 사신이 입을 연다.

"이 일은 악침이 잘 알고 있을 것입니다."

제갈탄이 묻는다.

"악침이 이 일을 어찌 안단 말이냐?"

"사마장군께서는 이미 사람을 시켜 양주에 있는 악침에게 밀서를 보냈습니다."

격노한 제갈탄은 무사들에게 명을 내려 사신의 목을 베고, 마침내 수하군사 1천명을 거느리고 양주땅을 향해 치달렸다. 제갈탄이 양주성 남문에 당도하자 성문은 이미 닫혀 있고, 조교도 올려져 있었다. 제갈탄은 성 아래서 문을 열라고 소리쳤다. 그러나 성위에서는 한 사람도 대답하는 자가 없었다. 노기가 충천한 제갈탄이 소리친다.

"악침 네 이놈, 어찌 감히 이럴 수 있단 말이냐?"

그러더니 장수와 군사들에게 당장 성을 공격하라고 명했다. 수하의 용맹한 기병 10여명이 말에서 내려 해자를 건너더니 몸을 날려 성위로 올라가서 수비군사를 마구 죽여 흩어버리고 성문을 활짝 열었다. 군사를 거느리고 성안으로 들어간 제갈탄은 바람 부는 방향을 따라 불을 지르며 악침이 있는 관가로 쳐들어갔다. 다급해진 악침은 누각 위로 피했다. 제갈탄이 칼을 잡고 누각 위로 뛰어올라가며 큰소리로 꾸짖는다.

"네 아비 악진은 옛날에 위나라로부터 큰 은혜를 입었다. 그런데 너는 그 깊은 은혜에 보답할 생각은 않고 어찌하여 역적 사마소를 따른단 말이냐?"

제갈탄은 악침이 뭐라고 대답하기도 전에 그 목을 내려쳤다. 그리고 사마소의 죄목을 낱낱이 적은 표문을 낙양으로 올려보냈다. 또 한편 양회(兩淮, 회남과 회북)에 주둔하고 있던 군사 10여만과 양주에서 항복해온 4만여 군사를 모두 동원했으며, 마초와 양곡을 비축하게 하는 등 진군할 만반의 준비를 갖추었다. 그러고 나서 장사 오강(吳綱)으로 하여금 자신의 아들 제갈정(諸葛靚)을 볼모로 데리고 동오에 가서 구원을 청하며, 함께 사마소를 토벌할 것을 제의하게 했다.

이때 동오의 승상 손준(孫峻)은 병으로 죽고, 그의 사촌동생 손침(孫綝)이 나랏일을 보고 있었다. 손침의 자는 자통(子通)으로, 사람됨이 강포하여 대사마(大司馬) 등윤(滕胤)과 장군 여거(呂據)·왕돈(王惇) 등을 죽이고 대권을 장악했다. 오주 손량(孫亮)은 비록 총명했으나 이미 권세가 손침의 손에 넘어간 터라 속수무책으로 지켜볼 뿐이었다.

이러한 때에 오강이 제갈탄의 아들 제갈정을 데리고 석두성(石頭城)에 이르렀다. 오강은 곧 손침을 찾아가 절하였다. 손침이 온 연유를 묻자 오강이 대답한다.

"제갈탄은 촉한(蜀漢) 제갈무후의 집안동생으로 일찍부터 위나라를 섬겨왔습니다. 이번에 사마소가 임금을 기망하고 권력을 농락하여 이에 군사를 일으켜 토벌하고자 하나 힘이 부족해 이렇듯 도움을 청하려 왔습니다. 달리 성의를 보일 방도가 없어서 그 아들 제갈정을 볼모로 보내셨으니, 바라건대 군사를 보내 도와주십시오."

손침은 오강의 청을 받아들였다. 곧 대장 전역(全懌)과 전단(全端)을 주장으로 삼고, 우전(于詮)을 후군으로 삼아 뒤따르게 하는 한편, 주이(朱異)와 당자(唐咨)를 선봉으로, 문흠을 안내관으로 삼아 7만 군사를 세 방면으로 나누어 출정시켰다. 오강이 수춘으로 돌아가 이 사실을 보고하자 제갈탄은 매우 기뻐하며 군사들을 늘어세우고 언제든지 출군할 수 있도록 만반의 준비를 갖추었다.

한편, 제갈탄이 올린 표문이 낙양에 전해졌다. 이를 본 사마소는 크게 노하여 당장 군사를 몰고 가 제갈탄을 치려 했다. 가충이 간한다.

"주공께서는 부친과 형님의 기업(基業)을 이으셨으나 아직 그 은덕이 천하에 고루 미치지 못하옵니다. 이러한 마당에 황제를 버리고 출정하셨다가 하루아침에 변이라도 일어나는 날이면, 그때는 후회막급일 것입니다. 그러니 태후와 황제께 주청하여 함께 출정하시게 하면 아무 염려할 것이 없겠습니다."

사마소가 기뻐하며 말한다.

"그 말이 바로 내 뜻과 같도다."

즉시 궁으로 들어가서 태후에게 아뢴다.

"제갈탄이 모반을 일으켰사옵니다. 신이 문무백관들과 의논해 뜻을 정했사오니, 태후께서는 황제와 함께 어가를 타고 친정(親征)하시어 선제의 유지를 계승하소서."

태후는 사마소를 두려워한 나머지 순순히 응낙했다. 이튿날 사마소는 위주 조모에게 출정하도록 청했다. 조모가 대답한다.

"대장군께서는 천하 병마를 통솔하고 있으니 마음대로 군사를 보내시면 될 터인데, 짐이 굳이 가야 할 까닭이 있겠소?"

사마소가 말한다.

"그렇지 않습니다. 옛날 무조(武祖, 조조)께서는 천하를 종횡하셨고, 문제(文帝, 조비)와 명제(明帝, 조예)께서는 우주를 품는 웅대한 뜻을 지니시고 팔황(八荒, 사방팔방, 즉 온 천하를 가리킴)을 병탄하실 생각으로 큰 적을 만날 때마다 반드시 친정하셨습니다. 이제 폐하께서도 마땅히 선군(先君)이 남기신 뜻을 계승하여 역적을 소탕하셔야 하거늘, 어찌 스스로 두려워하신단 말입니까?"

조모는 사마소의 기세에 눌려 더는 입을 열지 못한 채 순순히 그 말에 따랐다. 사마소는 즉시 조서를 내려 낙양과 장안 두 도성의 군사 26만을 동원하고 진남장군(鎭南將軍) 왕기(王基)를 정선봉(正先鋒)으로, 안동장군(安東將軍) 진건(陳騫)을 부선봉(副先鋒)으로 삼았다. 그리고 감군(監軍) 석포(石苞)를 좌군(左軍)으로, 연주 자사 주태(州泰)를 우군(右軍)으로 삼고, 태후와 황제의 어가를 호위하며 호호탕탕 회남을 향해 진군해갔다.

이때 동오에서는 선봉 주이가 군사를 거느리고 나와 사마소의 군사들과 맞섰다. 양군은 둥글게 진을 치고 대치했다. 즉시 위군에서 왕기가 말을 달려나가자 이에 맞서 오군에서는 주이가 말을 달려나왔다. 그러나 주이는 채 3합도 싸우지 못하고 패하여 달아났다. 그뒤를 이어 동오의 장수 당자가 말을 달려나와 싸웠으나 그 역시 3합도 못 견디고 크게 패하여 달아났다. 왕기는 고삐를 늦추지 않고 그대로 군사를 휘몰아 추격하며 마구 오군을 무찔렀다. 결국 오군은 크게 패하여 50리 밖에다 영채를 세우고, 즉시 사람을 보내 수춘성에 이러한 정황을 알렸다. 이에 제갈탄은 지체없이 정예병을 거느리고, 문흠과 그의 두 아들 문앙·문호(文虎)와 함께 수만 군사를 휘몰아 사마소와 대적하기 위해 나섰다.

방금 오나라 군사의 예기가 꺾이니	方見吳兵銳氣墮
또 위나라 장수가 강한 군사를 몰고 온다	又看魏將勁兵來

이 싸움은 어떻게 판가름날 것인가?

112

다섯 번째 좌절

우전은 수춘성을 구하려다 의롭게 죽고

강유는 장성을 취하려 격전을 벌이다

사마소는 제갈탄이 오군과 연합해 싸우러 온다는 보고를 받고 산기장사(散騎長史) 배수(裵秀)와 황문시랑(黃門侍郞) 종회(鍾會)를 불러 함께 적을 물리칠 계책을 상의했다. 종회가 말한다.

"오군이 제갈탄을 돕는 것은 실제로는 이익을 얻고자 함이니, 우리도 이익으로써 그들을 유혹하면 반드시 승리할 수 있습니다."

그 말에 따라 사마소는 명을 내렸다.

"석포와 주태는 각각 군사를 거느리고 석두성으로 가서 매복하고, 왕기와 진건은 정예병을 거느리고 그 뒤에 대기하도록 하라. 편장 성쉬(成倅)는 수만의 군사를 이끌고 먼저 가서 적을 유인하고, 진준은 군사들에게 상으로 줄 좋은 물건을 수레와 소·말·당나귀·노새에 가득 싣고 사방에서 영채를 향해 가다가 적군이 오거든 버리고 달아나라."

그날 제갈탄은 왼쪽에 오의 장수 주이를, 오른쪽에 문흠을 거느리고 위의 군마들이 정돈되지 못한 틈을 타 대군을 휘몰아 쳐들어갔다. 그 기세에 눌린 듯 위의 장수 성쉬는 후퇴했다. 제갈탄이 뒤를 쫓자 적은 마구 달아나는데, 보니 소·말·당나귀·노새가 들판 여기저기에 버려져 있고, 오군들은 그것들을 서로 잡으려고 다투느라 싸움에는 전혀 뜻이 없었다. 그때 갑자기 포소리가 나더니 양쪽에서 군사들이 쳐들어오는데, 왼쪽은 위의 장수 석포, 오른쪽은 주태가 이끌고 있었다. 크게 놀란 제갈탄이 급히 퇴각하려고 하는데 다시 왕기와 진건의 정예병들이 쇄도해왔다. 이 싸움에서 제갈탄의 군사는 처참하게 패했는데, 설상가상으로 사마소가 군사를 거느리고 들이닥쳤다.

제갈탄은 패잔병을 이끌고 달아나 수춘성으로 들어가서는 성문을 굳게 닫고 지킬 뿐 나와 싸우려 하지 않았다. 사마소는 군사들에게 수춘성을 포위하고 힘을 합쳐 공격하라고 명했다. 이때 오군은 후퇴해 안풍(安豊)땅에 주둔했고, 위주 조모의 어가는 항성에 머물고 있었다. 종회가 사마소에게 말한다.

"제갈탄이 비록 패하긴 했어도 수춘성 안에는 곡식과 마초가 아직 많으며, 게다가 오군이 안풍땅에 주둔하고 있어 기각지세(掎角之勢, 군사가 양쪽으로 나뉘어 몰아치는 형세)를 이루고 있습니다. 지금 우리 군사들이 포위하고 공격하는데, 천천히 치면 적은 굳게 지킬 것이고, 급히 치면 죽음을 각오하고 싸울 것입니다. 이런 때 혹시라도 오군이 협공해온다면 우리에겐 아무 이득이 없습니다. 그러니 삼면만 공격하고, 남문 큰길은 터주어 적들이 스스로 달아나게 하십시오. 달아나는 적을 치면 온전히 이길 수 있습니다. 또 오군은 먼 길을 와서 군량 수급이 원활하지 않을 터이니, 제가 날쌘 기병들을 거느리고 그 뒤를 끊으면 싸우지 않고서도 이길 수 있습니다."

사마소는 종회의 등을 두드리며 칭찬한다.

"그대는 진정 나의 장자방(張子房, 한고조의 뛰어난 모사 장량張良)이로다."

즉시 왕기에게 명해 남문을 공격하던 군사들을 철수시켰다.

한편 오군은 안풍에 주둔하고 있었는데, 손침이 주이를 불러 심하게 책망한다.

"수춘성 하나 구하지 못하고서 장차 중원을 어찌 도모하겠는가? 만일 다시 싸워 이기지 못하면 반드시 너의 목을 베고 말리라."

주이는 본채로 돌아온 즉시 장수들을 불러 대책을 상의했다. 우전(于詮)이 말한다.

"지금 수춘성 남문에는 적의 포위가 없으니, 제가 군사들을 거느리고 남문으로 들어가서 제갈탄을 도와 성을 지키겠습니다. 장군께서 위군에게 싸움을 거시면 우리도 성안에서 나와 양쪽에서 위군을 협공하도록 하겠습니다. 그렇게 하면 위군을 무찌를 수 있을 것입니다."

주이가 허락하자 전역·전단·문흠 등이 수춘성으로 들어가기를 자원했다. 마침내 우전은 그들과 함께 군사 1만명을 이끌고 수춘성 남문으로 들어갔다. 위군들은 장수의 명령을 받지 못했기 때문에 감히 맞서지 못하고, 오군이 수춘성으로 들어간 사실만을 사마소에게 보고했다. 사마소가 말한다.

"적이 그렇게 하는 것은 주이와 함께 안팎에서 우리를 협공할 속셈일 것이다."

즉시 왕기와 진건을 불러 명령을 내린다.

"그대들은 군사 5천명을 거느리고 가서 주이가 오는 길을 끊고 배후를 공격하라."

두 사람은 명령을 받고 출발했다.

한편 주이는 군사를 거느리고 진격해오고 있었다. 갑자기 뒤에서 큰 함성이 일어나면서 왼쪽에서는 왕기가, 오른쪽에서는 진건이 군사들을 휘몰아 쳐들어왔다. 이 싸움에서 오군은 대패했다. 주이가 겨우 도망쳐 손침에게 돌아와 전세를 보고하자 손침은 화가 머리끝까지 올라 주이를 향해 고함을 지른다.

"패하기만 하는 너 같은 장수를 어디다 쓰겠느냐!"

무사들에게 주이를 끌어내 목을 베게 했다. 이어 전단의 아들 전의(全褘)를 불러 꾸짖는다.

"만약 위군을 물리치지 못한다면 너희 부자는 다시 나를 볼 생각을 말아라!"

이렇게 조처한 뒤 손침은 건업(建業)으로 돌아갔다.

이때 종회는 사마소에게 권하고 있었다.

"손침이 물러갔습니다. 밖에서 도울 구원군이 없으니 이제 수춘성을 포위하는 게 좋을 듯합니다."

사마소는 그 말에 따랐다. 즉시 군사들을 독려해 무서운 기세로 수춘성을 포위하고 공격을 퍼부었다. 이때 전의는 군사들을 이끌고 수춘성으로 들어가려 하다가 위군의 엄청난 기세에 나아갈 수도 물러설 수도 없는 처지에 빠지자 마침내 사마소에게 투항하고 말았다. 사마소는 투항해온 전의를 즉시 편장군에 임명했다. 사마소의 은덕에 감읍한 전의는 아버지 전단과 숙부 전역에게 서신을 썼다.

"손침은 인자하지 못하니 차라리 위에 항복하는 것이 낫겠습니다."

다 쓴 쪽지를 화살에 매어 수춘성 안으로 쏘아보냈다. 전의의 서신을 받아본 전역은 전단과 함께 수천 군사를 거느리고 성문을 열고 나와 사마소에게 항복했다.

성안에 있던 제갈탄은 크게 걱정하고 있었다. 이때 모사 장반(蔣班)과 초이(焦彝)가 들어와서 권한다.

"성안에 식량은 적고 군사는 많아 오래 지키는 것은 불가능하오니, 모든 군사를 휘몰고 나가 위군과 죽기로써 한판 싸움을 벌여 결판을 내도록 하십시오."

제갈탄이 화를 내며 소리를 지른다.

"나는 지키려고 하는데 너희들은 싸우자고 하니, 뭔가 딴마음을 품고 있는 게로구나! 다시 그런 말을 하면 목을 베고 말겠다!"

두 사람은 하늘을 우러러 길게 탄식한다.

"머지않아 제갈탄 장군은 망하겠구나! 우리는 이제라도 속히 항복하여 죽음이나 면하도록 합시다!"

그날밤 2경 무렵, 장반과 초이는 성을 넘어가 위군에게 항복했다. 사마소는 그들을 중용했다. 이런 일이 있은 뒤로 수춘성에서는 싸우고자 하는 사람이 있어도 감히 말을 하지 못했다.

제갈탄이 성에서 보니, 회수의 범람을 막기 위해 위군은 사방에 토성을 쌓고 있었다. 제갈탄은 회수가 범람해 위군의 토성을 무너뜨리면 그때 군사들을 몰고 나가 적을 공격하려고 기다렸다. 그런데 가을이 지나고 겨울에 이르도록 비는 한방울도 내리지 않았다. 회수는 끝내 범람하지 않고 수춘성의 식량은 나날이 줄어들었다. 이때 작은 성에서 두 아들과 함께 굳게 지키고 있던 문흠은 군사들이 굶주려 쓰러지는 것을 보다 못해 제갈탄에게 가서 말한다.

"식량은 떨어지고 굶어죽는 군사들이 속출하니, 북방 군사들(제갈탄의 군사)을 성밖으로 내보내 식구를 줄이는 것이 좋겠습니다."

제갈탄은 크게 노하여 소리를 지른다.

"북방 군사들을 다 돌려보내라고 하는 걸 보니, 네가 감히 나를 없앨 생각이구나!"

즉시 좌우의 군사들에게 명하여 문흠을 끌어내 목을 베게 했다. 아버지가 살해당하는 것을 본 문앙과 문호는 각기 단도를 뽑아들고 그 자리에서 수십명을 베어죽인 다음 몸을 날려 성위로 올라서더니 곧바로 뛰어내려 해자를 건너서 위군 영채에 투항했다. 사마소는 지난날 문앙이 필마단기로 위군을 무섭게 물리쳤던 일에 원한이 맺혀 그의 목을 베려고 했다. 종회가 간언한다.

"죄는 문흠에게 있습니다. 이제 문흠은 죽었고, 그의 두 아들은 형세가 다급해 항복해왔습니다. 항복해온 장수를 죽인다면 성안의 인심을 더욱 단결시킬 뿐입니다."

사마소는 그 말에 따랐다. 즉시 문앙과 문호를 장막으로 불러들여 좋은 말로 위로하고 준마와 비단을 하사했으며, 편장군을 삼아 관내후(關內侯)에 봉했다. 문앙과 문호는 감사의 절을 올리고 말에 올라 수춘성 주위를 한바퀴 돌며 큰소리로 외친다.

"우리 두 사람은 대장군에게 용서받고 더구나 벼슬까지 받았다. 너희들은 어찌 속히 항복하지 않느냐!"

성안 사람들은 이 말을 듣고 수군거리며 의논했다.

"문앙은 사마소의 원수인데도 저렇듯 중용되었는데, 우리야 무엇을 거리낄 게 있겠소?"

그러고는 모두들 투항하기를 원했다. 이 말을 들은 제갈탄은 크게 화를 내며 낮이나 밤이나 친히 성을 순찰하면서 닥치는 대로 백성을 죽여 겁을 주었다.

한편, 종회는 성안 인심이 이미 변한 것을 알고 장막으로 들어가 사마소에게 고한다.

"이 기회에 성을 공격해야 합니다."

사마소는 매우 기뻐하며 공격을 명했다. 삼군은 사방에서 구름떼처럼 떨쳐일어나 일제히 수춘성을 공격했다. 이때 성을 지키던 장수 증선(曾宣)이 북문을 열고 위군을 성안으로 맞아들였다. 위군이 이미 성안으로 들어왔다는 보고에 제갈탄은 황급히 수백명의 군사를 거느리고 샛길을 달려 조교 가까이에 이르렀는데 그만 적장 호분과 맞닥뜨렸다. 호분의 칼이 한번 허공에 번뜩이자 제갈탄은 목을 잃고 말 아래로 떨어지고, 그의 수백 군사도 모두 결박당했다.

한편, 왕기는 군사를 거느리고 성의 서문으로 쳐들어가다가 바로 동오의 장수 우전과 마주쳤다. 왕기가 대갈일성한다.

"네 어찌 빨리 항복하지 않느냐!"

우전이 크게 화를 내며 소리친다.

"명을 받고 어려움에 처한 사람을 구하기 위해 출전해서 능히 구하지 못하고 적에게 항복하는 것은 의인(義人)이 행할 도리가 아니다."

말을 마치더니 투구를 벗어 땅에 던지며 크게 소리친다.

"사나이로 태어나 전쟁터에서 싸우다 죽는 것은 행운이다!"

그러고는 급히 칼을 휘두르며 사력을 다해 30여합을 싸웠다. 그러

우전은 죽음으로써 충절을 지키다

나 말과 함께 지칠 대로 지친 우전은 끝내 적에게 죽임을 당했다.

후세 사람이 이를 찬탄한 시가 있다.

사마소가 수춘성을 포위했을 그 당시	司馬當年圍壽春
수많은 군사들이 수레 앞에 항복을 했네	降兵無數拜車塵
동오에 영웅들이 없지 않겠지만	東吳雖有英雄士
우전처럼 의를 위해 죽은 사람 누구란 말인가?	誰及于詮肯殺身

수춘성에 입성한 사마소는 제갈탄의 가족을 남녀노소 가리지 않고 모두 참형에 처해 머리를 내걸게 하고 그의 삼족을 멸했다. 사마소의 무사들은 제갈탄의 직속 군사 수백명을 잡아들였다. 사마소가 묻는다.

"너희들은 항복하지 않겠느냐?"

제갈탄의 부하들은 모두 크게 외친다.

"제갈공과 함께 죽겠다! 결코 네게 항복하지 않는다!"

몹시 화가 난 사마소는 그들을 모조리 결박지어 성밖으로 끌어내게 하고서 한 사람씩 불러내 묻는다.

"항복하면 살려주겠다. 항복하겠느냐?"

어느 누구도 항복하겠다고 말하지 않고 그대로 죽어갔다. 사마소는 끝까지 아무도 항복하지 않는 것을 보고 한참을 탄식하더니, 모두 잘 묻어주라고 명했다.

후세 사람이 그들을 기린 시가 있다.

충신은 뜻을 굳히면 살기를 구하지 않나니	忠臣矢志不偸生

제갈탄 휘하의 사람들 그러했노라   諸葛公休帳下兵

만가 소리는 오늘도 그치지 않누나   薤露歌聲應未斷

남긴 자취 곧 전횡*을 계승함이다   遺蹤直欲繼田橫

> *전횡(田橫): 제(齊)나라의 의사(義士). 한나라 유방에게 굴복하지 않으려고 자결하
> 자 그 부하 5백인이 모두 뒤를 이어 자살했다.

당시 대부분의 오군들은 위에 항복했다. 배수가 사마소에게 말한
다.

"오군의 가족들이 모두 동남의 강회(江淮)에 있으니 그냥 두면 뒤
에는 반드시 반란을 일으킬 것입니다. 차라리 모두 생매장해버리도록
하십시오."

종회가 반대한다.

"그래서는 안됩니다. 예로부터 군사들을 부리는 장수는 '나라를 온
전히함을 으뜸(全國爲上, 싸움을 최소화하여 천하백성과 땅을 온전히 얻음이 가장
좋은 병법이라는 『손자』에 나오는 말)'으로 삼아 언제나 그 원흉(元凶)만 죽였
습니다. 오군들을 모두 생매장한다면 이는 결코 어질지 못한 짓입니
다. 차라리 그들을 풀어주고 강남으로 돌려보내 우리의 관대한 도량
을 보여줌이 좋을 것입니다."

사마소가 말한다.

"그것이 묘책이오."

즉시 오군들을 모두 다 제 고향으로 돌려보내라고 명했다. 그러나
오의 장수 당자는 손침을 두려워하여 돌아가지 못하고 위에서 받아줄
것을 간청했다. 사마소는 그런 사람들을 모두 중용하여 삼하(三河, 하
동河東·하내河內·하남河南)의 땅에 골고루 배치하니, 이로써 회남은 평

정되었다.

　마침내 사마소는 군사를 물려 돌아가려 했다. 그때 갑자기 서촉의 강유가 군사를 거느리고 장성(長城)을 습격해 군량과 마초를 빼앗으려 한다는 보고가 들어왔다. 크게 놀란 사마소는 여러 관리들과 함께 촉군을 물리칠 일을 상의했다.

　이때는 촉한이 연희(延熙) 21년(258)을 경요(景耀) 원년으로 개원한 해였다. 한중에서 강유는 서천의 장수 두명을 뽑아 매일 군사와 말을 훈련시키고 있었다. 두 장수는 바로 장서(蔣舒)와 부첨(傅僉)으로, 담력이 뛰어나고 용감해 강유는 그들을 몹시 아꼈다. 그때 강유에게 급보가 들어왔다. 회남의 제갈탄이 사마소를 토벌하고자 군사를 일으키고, 동오의 손침은 이를 돕기로 했으며, 사마소가 낙양과 장안의 군사를 크게 일으켜 태후와 위주까지 데리고서 출정했다는 보고였다. 강유는 크게 기뻐하며 말한다.

　"내 이번에는 큰일을 이루겠구나!"

　즉시 후주에게 군사를 일으켜 위를 치겠다는 표문을 올렸다. 중산대부(中散大夫) 초주(譙周)는 이 사실을 듣고서 탄식했다.

　"요즘 황제께서는 주색에 빠지셔서 환관 황호(黃皓)를 신임하여 나랏일은 다스리지 않고 오로지 환락만 쫓으시고, 백약(伯約, 강유의 자)은 전쟁만 하려 할 뿐 군사들을 가엾게 여기지 않으니, 장차 나라가 위태롭겠구나!"

　마침내 「수국론(讎國論)」(적국에 대해 논한 글)을 한편 지어 강유에게 보냈다. 강유가 뜯어보니 그 내용은 다음과 같았다.

어떤 사람이 '예로부터 약한 나라가 강한 나라를 이기기 위해서는 어떤 방법을 썼는가?' 하고 묻는다면 이렇게 대답하리라. '큰 나라에 있으면서 환란이 없으면 늘 태만하기 쉽고, 작은 나라에 있으면서 걱정이 있으면 늘 잘하려고 생각한다. 지나치게 태만하면 변란이 일어나고, 잘하려고 생각하면 잘 다스려지는 것은 당연한 이치이다. 주(周)나라 문왕(文王)은 백성을 잘 거두었기 때문에 조그만 땅에서 일어나 많은 땅을 차지했고, 전국시대 구천(句踐)은 군사들을 극진히 아껴 마침내 약한 처지에서 강한 자를 거꾸러뜨렸다. 바로 이것이 비결이다.'

어떤 사람이 또 '옛날에 초나라는 강하고 한나라는 약해서 홍구(鴻溝)땅으로 경계를 삼자고 했으나, 장량(張良)은 민심이 일단 안정되면 다시 움직이기 어렵다고 주장하며 군사를 거느리고 추격해 마침내 항우를 쓰러뜨렸으니, 반드시 주나라 문왕이나 구천을 본받아야 할 필요가 없지 않은가?' 하고 묻는다면 이렇게 대답하리라. '상나라와 주나라 때는 대대로 왕과 제후를 존중했고 임금과 신하의 관계가 오랫동안 굳건했으니, 만일 그때 한고조가 태어났다면 어찌 칼을 들고 천하를 차지할 수 있었겠는가? 그후 진(秦)나라가 제후를 없애고 각 지역마다 관리하는 자들을 둔 이래로 백성들은 노역에 지칠 대로 지쳐 천하가 붕괴하니, 이에 호걸들이 들고일어나 서로 다투게 되었다. 지금은 적이나 우리가 모두 나라를 대물림하기 쉬운 세상이 되었다. 지금은 진나라 말기처럼 서로 다투는 시대가 아니고 6국(제齊·초楚·연燕·한韓·조趙·위魏)이 병립하던 때와 같으니, 주문왕처럼 될 수는 있으나 한고조처럼 되기는 어려운 시국이다. 매사는 때를 기다려 움직여야 하고 기회에 맞추어 일으켜야

하는 법, 두번 싸우지 않고 단 한번에 이긴 은(殷)나라 탕왕(湯王)
과 주나라 무왕(武王)을 모범으로 삼아야 한다. 이는 진실로 백성
들의 노고를 중히 여기고 때를 잘 살폈기 때문이다. 오로지 무력만
믿고 전쟁을 일삼다가 불행히도 어려움을 만나게 되면 아무리 지혜
로운 자라도 수습하지 못하는 법이다.'

강유는 다 읽고 나서 몹시 화를 내며 소리친다.
"이건 썩어빠진 유생들의 말일 뿐이다!"
강유는 초주의 글을 땅바닥에 내팽개쳐버렸다. 그러고는 서천의 군
사를 일으켜 중원을 치기 위해 서두르며 다시 부첨에게 묻는다.
"공의 생각으로는 어디로 나아가는 것이 좋겠는가?"
부첨이 대답한다.
"위의 군량과 마초는 모두 장성(長城)에 있습니다. 우리가 낙곡(駱
谷)을 치고 침령(沈嶺)을 넘으면 곧바로 장성땅에 이릅니다. 먼저 적
의 군량과 마초를 다 태워버리고 나서 진천(秦川)을 취하게 되면 중
원을 차지한 것이나 다름없습니다."
강유가 말한다.
"공의 생각이 바로 나의 계책과 같도다."
즉시 군사를 거느리고 출정해 낙곡을 공략하고, 침령을 넘어 장성
을 향해 나아갔다.
한편, 이때 장성을 지키던 장수는 사마망(司馬望)으로, 사마소의 집
안 형이었다. 장성에는 군량과 마초는 매우 많은 반면 군사와 말은 적
었다. 촉군이 쳐들어온다는 보고를 받은 사마망은 급히 왕진(王眞)과
이붕(李鵬) 두 장수와 함께 군사를 이끌고 성에서 20리 떨어진 곳으

로 나아가 영채를 세웠다. 이튿날 촉군이 도착하자 사마망은 즉시 두 장수를 거느리고 진을 나섰다. 강유가 말을 달려나와 사마망을 가리키며 말한다.

"이번에 사마소가 너희 임금을 군중(軍中)으로 옮긴 것은 필시 이 각(李催)·곽사(郭汜)와 같은 뜻을 품었기 때문이다. 내 이제 조정의 칙명을 받들어 너희의 죄를 물으러 왔으니 너는 속히 항복하라. 만약 어리석게도 지체한다면 너희 집안을 도륙을 내고 말겠다!"

사마망이 큰소리로 대꾸한다.

"네놈들이 무례하여 자주 큰 나라를 침범하는데, 속히 물러가지 않으면 너희 갑옷 한조각이라도 온전히 돌아가지 못하리라!"

그 말이 채 끝나기도 전에 사마망의 뒤에서 왕진이 창을 꼬나들고 말을 달려나왔다. 촉군에서는 부첨이 달려나왔다. 두 사람이 어우러져 10합도 싸우지 않았는데 부첨이 짐짓 패한 체하며 틈을 보이자 왕진이 창을 냅다 찔러왔다. 순간 부첨은 몸을 틀어 창을 피하면서 잽싸게 왕진을 사로잡아 자기 말 위로 끌어올리더니 본진으로 말머리를 돌렸다. 지켜보던 이붕이 노기충천하여 칼을 휘두르며 왕진을 구하러 말을 달려나왔다. 부첨은 이붕이 가까이 뒤쫓아올 때까지 모른 체하다가 갑자기 왕진을 땅바닥에 내던지고서 몰래 네모진 철간(鐵簡, 철 편과 비슷한 무기)을 손에 쥐었다. 그러더니 이붕이 바싹 다가와 칼로 내려치려는 순간, 몸을 돌려 가볍게 피하면서 이붕의 얼굴을 철간으로 후려갈겼다. 두 눈알이 빠져나온 이붕은 말에서 굴러떨어져 죽고 말았다. 왕진도 벌떼처럼 달려든 촉군들의 창에 무수히 찔려죽었다. 이때 강유가 군사를 휘몰아 진격해나갔다. 사마망은 맞서싸우기는커녕 영채까지 버리고 달아나 장성으로 들어가더니 성문을 굳게 닫아걸고 나오지 않았다. 강유가 부하 장수를 불러 명령을 내린다.

"오늘밤은 군사들을 편히 쉬게 하여 사기를 북돋고, 내일은 반드시 입성하도록 하라."

이튿날 날이 밝자 촉군은 앞을 다투어 성 바로 아래까지 진격해가서 성안으로 불화살과 화포(火炮)를 마구 쏘아댔다. 불화살을 맞은 성안의 초가집들은 순식간에 타오르고, 위군들은 자중지란에 빠지고 말았다. 강유는 다시 명령을 내렸다. 촉군들이 성 아래에 마른장작을 가득 쌓고 일제히 불을 지르니, 맹렬한 화염이 하늘을 찌를 듯 타올랐다. 이제 곧 성이 무너질 위기에 처한 가운데 위군들의 울부짖음과 통곡소리는 사방 들에까지 퍼져나갔다. 촉군은 공격의 고삐를 죄어들어갔다. 그런데 그때 갑자기 등뒤에서 커다란 함성이 터져올랐다. 강유가 말을 돌려 바라보니 한무리의 위군이 요란하게 북을 치고 깃발을 휘두르며 호호탕탕 진격해오고 있었다. 강유는 곧 명령을 내려 후군을 전군으로 삼고 친히 문기(門旗) 아래 서서 위군이 당도하기를 기다렸다. 잠시 후 위군 진영에서 차림을 완전히 갖춘 한 젊은 장수가 창을 잡고 말을 달려나온다. 나이는 20세쯤 되어 보이는데 얼굴은 분을 바른 듯 하였으며 입술은 붉은 칠을 한 듯했다. 젊은 장수가 크게 소리를 지른다.

"너희가 등장군(鄧將軍)을 아느냐?"

강유는 생각했다.

'저자가 바로 등애로구나!'

즉시 창을 고쳐잡고 말을 달려나갔다. 두 사람이 서로 어우러져 3, 40합을 싸웠으나 승부가 나지 않았다. 젊은 장수의 창 쓰는 법은 조금도 빈틈이 없었다. 강유는 문득 생각했다.

'이때 계책을 쓰지 않으면 어찌 승리할 수 있겠는가?'

생각이 떠오른 순간 그대로 말머리를 돌려 왼쪽 산길로 달아났다. 젊은 장수가 말을 달려 쫓아왔다. 강유는 창을 말안장에 걸고서 몰래 활을 잡더니 갑자기 몸을 돌리며 젊은 장수에게 화살을 날렸다. 그러나 눈 밝은 젊은 장수는 이미 그것을 다 보고 활시윗소리와 함께 몸을 수그려 피했다. 화살은 그의 등위로 지나가버렸다. 강유가 다시 돌아보는데 벌써 등뒤까지 쫓아온 젊은 장수는 강유를 향해 창을 내질렀다. 그순간 강유는 가볍게 피하면서 젊은 장수의 창을 번개같이 잡아챘다. 젊은 장수는 창을 버리고 자기 진영으로 달아났다. 강유는 자기도 모르게 탄식한다.

"아깝도다, 아까워!"

애석한 마음에 다시 말을 달려 위의 진영 앞까지 젊은 장수를 뒤쫓아갔다. 바로 그때 한 장수가 칼을 들고 진을 나서며 소리친다.

"강유 네 이놈, 더이상 내 아들을 뒤쫓지 마라! 등애가 바로 여기 있다!"

강유는 깜짝 놀랐다. 원래 그 젊은 장수는 등애의 아들 등충(鄧忠)이었던 것이다. 강유는 속으로 거듭 감탄하며 칭찬했다. 그러나 등애와 다시 맞서기에는 말이 너무 지쳐 있어 손가락으로 등애를 가리키며 자못 허세를 부린다.

"내 오늘 너희 부자를 알았으니 이제 서로 군사를 물리고 내일 다시 싸워 결판을 내도록 하자."

등애도 싸움이 불리한 것을 알고서 곧 말을 세우고 대답한다.

"그렇다면 서로 군사를 물리도록 하자. 이러고서도 비겁한 짓을 한다면, 그건 사내대장부가 아니니라."

이에 따라 양쪽 모두 군사를 물렸다. 등애는 위수가에 영채를 세우고, 강유는 두 산을 끼고 진을 쳤다. 등애는 촉군 진영이 자리잡은 지세를 살펴보더니 편지를 써서 사마망에게 보냈다.

우리는 절대 싸워서는 안됩니다. 오로지 굳게 지키며 관중(關中)에서 군사가 오기를 기다리고 있으면 촉군의 군량과 마초가 떨어질 터이니, 그때 삼면에서 공격하면 반드시 승리할 것입니다. 지금 큰아들 등충을 성으로 보내니, 서로 힘을 합쳐 굳게 성을 지키도록 하십시오.

그러는 한편 등애는 사람을 사마소에게 보내 구원을 요청했다. 그때 강유가 사람을 시켜 약속대로 내일 한판 크게 싸우자는 전서(戰書)를 등애의 영채로 보냈다. 등애는 거짓으로 이를 받아들이는 체했다.

이튿날 5경(새벽 4시) 무렵, 강유는 영을 내려 군사들로 하여금 밥을 지어 먹게 하고 나서 날이 밝자 진을 펴고 위군과의 한판 싸움을 기다렸다. 그러나 등애의 영채에서는 기를 전부 눕힌 채 북도 치지 않았으며, 마치 사람 하나 없는 것 같았다. 강유는 해가 저물어 그냥 진을 거두었다. 그 이튿날 강유는 또다시 싸움을 거는 전서를 보내 약속을 지키지 않은 죄를 책망했다. 등애는 전서를 가지고 온 사람에게 술과 음식을 대접하며 말한다.

"어제는 내가 좀 아파서 싸우지 못했지만 내일은 싸우겠다."

이튿날 강유는 다시 군사를 거느리고 나가 진을 쳤다. 그러나 등애는 여전히 나오지 않았다. 이러기를 대여섯번, 마침내 부첨이 강유에게 말한다.

"무슨 수작을 부리는 것이 분명하오니, 이를 막아야 합니다."

강유가 말한다.

"관중에서 군사가 오기를 기다려 삼면에서 우리를 공격할 속셈이 틀림없다. 내 곧 동오의 손침에게 글을 보내 힘을 합쳐 위를 공격하자고 청해야겠다."

이때 갑자기 파발꾼이 말을 달려와서 고한다.

"사마소가 수춘성을 함락하고 제갈탄을 죽였으며, 동오의 군사들도 모두 항복했습니다. 사마소는 군사를 거느리고 낙양으로 돌아갔는데, 다시 군사를 일으켜 지금 장성을 구원하러 오는 중입니다."

강유가 몹시 놀라며 말한다.

"이번에도 위를 치는 일이 그림의 떡이 되었구나. 차라리 돌아가느니만 못하겠다."

이미 네번이나 실패하여 탄식하더니　　　　　已歎四番難奏績
다섯번째에 또 성공 못한 것을 탄식한다　　　又嗟五度未成功

촉군은 어떻게 후퇴할 것인가?

113

三
國
志

어리석은 후주

정봉은 계책을 세워 손침을 죽이고
강유는 진법을 다투어 등애를 격파하다

강유는 적의 구원병이 오는 것을 두려워하여 무기와 수레 등 일체
의 군수품과 보병부터 먼저 후퇴시킨 다음 기병으로 하여금 뒤를 끊
으며 물러가게 했다. 정탐꾼이 이 사실을 등애에게 알렸다. 등애가 웃
으며 말한다.

"강유는 우리 대장군의 군사가 진격해오는 것을 알고 먼저 물러가
는 것이니 절대 뒤쫓지 마라. 뒤쫓으면 그의 계책에 걸려들고 말 것이
다."

그러고는 즉시 정탐꾼을 내보내 적정을 살피도록 했다. 얼마 후 정

탐꾼이 돌아와서 보고한다.

"과연 낙곡 좁은 곳에 마른풀을 잔뜩 쌓아놓고, 추격해오는 군사가 있으면 태워죽이려고 만반의 준비를 해놓고 있습니다."

모두들 감탄하며 등애를 칭찬한다.

"장군은 정말 신처럼 모든 일을 꿰뚫어보십니다."

등애는 곧 표문을 작성해 사자에게 주고 낙양으로 보내 이 일을 아뢰었다. 사마소는 매우 기뻐하며, 등애에게 상을 내리도록 황제에게 청했다.

한편, 동오의 대장군 손침은 전단과 당자 등이 위군에 항복했다는 소식을 듣고 대로하여 그들의 가족을 모조리 잡아들여 죽였다. 이때 오주 손량(孫亮)은 16세였는데, 손침이 사람을 함부로 죽이는 것을 매우 못마땅하게 생각했다. 하루는 서쪽 화원으로 나간 손량이 매실을 찍어 먹으려고 환관에게 꿀을 가져오게 했다. 그런데 가져온 꿀 속에는 쥐똥이 몇개 들어 있었다. 장리(藏吏, 황실 창고를 담당하는 관리)를 불러오라 하여 그 일을 꾸짖으니, 장리가 머리를 조아리며 아뢴다.

"신이 단단히 봉해놨는데 어찌 쥐똥이 들어갈 수 있겠습니까?"

손량이 묻는다.

"환관이 꿀을 달라고 한 적이 있느냐?"

장리가 말한다.

"며칠 전에 꿀을 달라고 한 적은 있습니다만, 신이 어찌 감히 주었을 리 있겠습니까."

손량이 환관을 가리키며 말한다.

"너는 장리가 꿀을 주지 않은 데 원한을 품고 일부러 꿀 속에 쥐똥을 넣어 모함하려 했구나!"

환관은 자백을 하지 않고 계속 부인했다. 손량이 말한다.

"이 일은 쉽게 알 수 있다. 쥐똥이 꿀 속에 오랫동안 들어 있었다면 속까지 젖어 있을 테고, 넣은 지 얼마 안된다면 겉만 젖고 속은 젖지 않았을 것이다."

즉시 쥐똥을 쪼개게 하여 보니 과연 속은 젖어 있지 않았다. 그제서야 환관은 자신의 죄를 자백했다. 손량은 이처럼 총명했다. 그러나 이런 손량도 손침에게 억눌려 자신의 주장을 전혀 펴지 못했다. 손침의 동생 위원장군(威遠將軍) 손거(孫據)가 창룡문(蒼龍門)에서 숙직하며 감시하고, 무위장군(武衛將軍) 손은(孫恩)과 편장군(偏將軍) 손간(孫干), 장수교위(長水校尉) 손개(孫闓)가 모든 군영에 나뉘어 주둔하고 있었다.

어느날 손량은 우울한 마음으로 앉아 있었다. 그 곁에는 국구(國舅, 황후의 오라버니) 황문시랑(黃門侍郎) 전기(全紀)가 있었다. 손량이 울며 말한다.

"손침이 권세를 휘둘러 함부로 사람을 죽이고 짐을 속이니, 지금 도모하지 않고 내버려두면 뒷날 반드시 걱정거리가 될 것이오."

전기가 대답한다.

"폐하께서 신을 쓰실 곳이 있으면 신은 만번 죽어도 마다하지 않을 것이옵니다."

손량이 말한다.

"경은 지금 즉시 금군(禁軍, 친위군)들을 모아 장군 유승(劉丞)과 함께 각 성문을 지키도록 하오. 짐이 친히 나가 손침을 죽이겠소. 그러나 결코 이 일을 경의 어머니가 알게 해서는 안되오. 경의 어머니는 바로 손침의 누이가 아니오? 만약 이 일이 사전에 누설되면 짐의 일을 그르치고 말 것이오."

전기가 말한다.

"바라건대 폐하께서는 신에게 조서를 내려주십시오. 일을 일으킬 때 모든 이들에게 조서를 보임으로써 손침의 부하들까지도 함부로 날뛰지 못하게 하겠습니다."

손량은 즉시 밀서를 써서 전기에게 주었다. 전기는 조서를 받아 지니고 집으로 돌아와 아버지 전상(全尙)에게 이 일을 몰래 알렸고, 전상은 그만 이 일을 아내에게 말하고 말았다.

"사흘 안에 손침을 죽일 것이오."

아내가 대답한다.

"그야말로 옳은 일입니다."

입으로는 그렇게 대답하고 그 아내는 몰래 편지를 보내 손침에게 이 일을 알렸다. 손침은 크게 분노하여 그날밤으로 네 동생들을 불러들여 각기 정예병을 이끌고 먼저 궁궐을 포위하고, 이어 전상과 유승의 가족을 모두 잡아들이도록 했다.

이튿날 날이 밝을 무렵 오주 손량은 궁문 밖에서 크게 울리는 징소리와 북소리를 들었다. 그때 환관이 급히 들어와 아뢴다.

"손침이 군사를 거느리고 궁궐을 포위했습니다."

손량은 노기충천하여 전황후(全皇后)를 가리키며 꾸짖는다.

"네 아비와 오라비가 나의 큰일을 망쳤구나!"

그러고는 즉시 칼을 뽑아들고 나가려 하자 전황후와 측근 신하들이 옷깃을 붙들고 통곡하며 말렸다. 손침은 벌써 전상과 유승 등을 죽이고 나서 문무백관을 조정으로 불러들여 명령을 내린다.

"주상이 주색에 빠져 오랫동안 병을 앓더니 이젠 정신까지 혼미해지고 분별을 잃었소이다. 이러고서야 어찌 종묘를 받들 수 있겠소? 이에 마땅히 폐위하고자 하니, 그대들 문무백관들 중에서 감히 따르지 않는 자가 있으면 역적으로 간주하겠소."

관원들이 모두 두려움에 떨며 응한다.

"장군의 명령대로 따르겠습니다."

그런데 이때 상서(尙書) 환이(桓彝)가 크게 화를 내며 무리 가운데서 나서서 대뜸 손침을 손가락질하며 꾸짖는다.

"폐하께서는 총명하신 군주이시다. 네 어찌 감히 그따위 말을 함부로 하느냐. 나는 죽을지언정 너 같은 역적놈의 말은 따르지 않겠다!"

손침은 펄펄 뛰며 스스로 칼을 뽑아들더니 환이를 쳐죽였다. 그러고는 바로 내전으로 들어가서 오주 손량에게 폭언을 퍼붓는다.

"무도하고 어리석은 임금을 죽여 천하에 사죄케 함이 마땅하나, 선제의 체면을 생각해 그대를 폐위하고 회계왕(會稽王)으로 삼는다. 내 덕 있는 분을 모셔다 임금으로 세울 것이다."

그러고는 즉시 중서랑(中書郎) 이숭(李崇)을 시켜 손량의 인수를 빼앗더니 등정(鄧程)에게 맡겼다. 손량은 대성통곡을 하며 떠나갔다.

후세 사람이 이 일을 탄식한 시가 있다.

못된 역적이 이윤을 무고하더니	亂賊誣伊尹
간신이 곽광*의 이름을 도용하도다	奸臣冒霍光
가련해라, 총명한 어린 임금	可憐聰明主
부득이 왕위를 물러나야 하는구나	不得莅朝堂

*곽광(霍光): 한 무제의 신하. 후에 소제(昭帝)가 8세에 즉위하자 곽광이 20여년을

736

보좌했으며, 소제가 일찍 죽자 창읍왕 유하를 제위에 앉혔는데, 그가 음란하므로 황태후에게 주청하여 폐위하고 선제(宣帝)를 세운 바 있다.

  손침은 종정(宗正) 손해(孫楷)와 중서랑 동조(董朝)를 호림(虎林)으로 보내, 낭야왕(琅琊王) 손휴(孫休)를 임금으로 모셔오게 했다. 손휴의 자는 자열(子烈)로 바로 손권의 여섯째 아들이었다. 손휴가 호림 땅에서 밤에 꿈을 꾸는데, 용을 타고 하늘로 올라가다가 문득 뒤돌아보니 용의 꼬리가 없어서 깜짝 놀라 깨어났다. 그 이튿날이었다. 손해와 동조가 와서 절하며 청한다.
  "도성으로 돌아가시옵소서."
  일행이 길을 떠나 곡아(曲阿)에 이르렀을 때였다. 한 노인이 다가와 자신의 이름을 간휴(干休)라고 밝히면서 머리를 조아려 말한다.
  "늦으면 반드시 변이 일어날 것이니 전하는 속히 떠나소서."
  손휴는 노인에게 감사하고 다시 길을 떠나 포색정(布塞亭)에 이르렀다. 손은(孫恩)이 이미 어가를 준비하고 있다가 손휴를 맞이했다. 손휴는 감히 황제의 어가를 탈 수가 없어 조그만 수레를 타고 도성으로 들어갔다. 길가에서 문무백관이 절을 하며 맞았다. 손휴가 황망히 수레에서 내려 답례하는데, 손침이 나와 부축해 일으키고 곧장 대전으로 모시고 들어가더니 어좌에 올라 황제의 자리에 오를 것을 청했다. 손휴는 거듭 사양하다가 옥새를 받았다. 이에 문무백관들이 하례를 올리고 천하에 대사령이 내려졌다. 그리고 태평(太平) 3년(258)을 영안(永安) 원년으로 개원했다. 손침은 승상 겸 형주목(荊州牧)에 올랐고, 많은 관리들 또한 벼슬이 오르거나 상을 받았다. 또한 손침의 형 손화의 아들 손호(孫皓)를 오정후(烏程侯)로 봉했다. 이로써 손침의 가문에서 다섯 제후가 나고 그들이 모두 금군을 거느리니 그 권세가 임금을 눌렀다. 오주 손휴는 무슨 변란이 일어날까 겁이 나서 겉으로는 은총을 내렸지만 속으로는 단단히 방비하고 있었다. 손침의 교만과 횡포는 날이 갈수록 심해졌다.

그해 12월, 손침은 임금의 만수무강을 비는 상수(上壽)의 예를 다하기 위해 쇠고기와 술을 가지고 궁으로 들어갔다. 그러나 손휴는 이를 받지 않았다. 화가 난 손침은 좌장군 장포(張布)의 부중으로 가서 그 쇠고기와 술을 함께 마셨다. 술이 얼큰히 취하자 손침이 장포에게 말한다.

"내가 회계왕을 폐했을 때 사람들이 모두 내게 직접 제위에 오르라고 권했으나, 나는 금상(今上, 지금의 황제)이 어진 것을 보고 일부러 데려다가 등극시켰소. 그런데 오늘 내가 상수의 예를 하겠다는데도 거절하니, 이는 나를 무시하는 것이 분명하오. 내 조만간 뭔가를 보여주겠소."

장포는 그저 옳은 말씀이라고 하며 손침의 비위를 맞췄다. 그러고 나서 이튿날 장포는 궁에 들어가 손휴에게 손침이 한 말을 은밀히 고했다. 손휴는 몹시 두려워하며 밤낮없이 불안해했다. 그로부터 며칠이 지나서 손침은 중서랑 맹종(孟宗)에게 중영(中營) 소속의 정예병 1만 5천을 내주고 무창(武昌)땅에 주둔하게 했다. 그뿐 아니라 무기고에 있는 무기까지 다 옮겨가게 했다. 장군 위막(魏邈)과 무위사(武衛士) 시삭(施朔) 두 사람이 손휴에게 이 사실을 몰래 아뢴다.

"손침이 밖에서 군사를 훈련시키고 무기고에 있는 무기 또한 전부 옮겨갔습니다. 조만간에 반드시 변란이 일어날 것입니다."

손휴는 깜짝 놀라 급히 장포를 불러 상의했다. 장포가 아뢴다.

"노장(老將) 정봉(丁奉)은 지혜가 출중하여 능히 큰일을 도모할 수 있습니다. 그와 함께 의논하시는 것이 좋을 듯하옵니다."

손휴는 즉시 정봉을 궁으로 불러들여 이 일을 은밀히 의논했다. 정봉이 아뢴다.

"폐하께서는 걱정하시지 마옵소서. 신에게 한가지 계책이 있으니, 이제 나라를 위해 해로운 자를 없애버리겠습니다."

"어떻게 할 작정이오?"

"내일은 납일(臘日, 동지부터 세번째 술일戌日로, 나라 제사를 지냄)이니 신하들을 모두 부르십시오. 손침이 부름을 받고 오면 그때 신이 알아서 처리하겠나이다."

계책을 듣고 손휴는 몹시 기뻐했다. 정봉은 위막과 시삭에게 바깥에서 할일을 지시하고, 장포에게는 안에서 할일을 맡겼다.

그날밤 광풍이 크게 일어 모래가 날고 돌이 굴렀으며 늙은 나무들이 뿌리째 뽑혀 쓰러졌다. 날이 밝으면서 바람은 차츰 멈추었다. 사자가 칙명을 받들고 가서 손침에게 궁중의 잔치에 참석하도록 청했다. 손침은 그날 자리에서 일어나다가 누구에게 떠다밀리기라도 한 것처럼 나자빠진 터라 별로 내키지 않았지만, 사자로 온 10여명의 호위를 받으며 입궁하려 했다. 그때 집안사람들이 나서서 말린다.

"어젯밤에 바람이 미친듯이 쉬지도 않고 불어댄데다가 오늘 아침에는 까닭도 없이 놀라 넘어지셨으니, 좋은 징조가 아닌 듯합니다. 그러니 잔치에 가지 마십시오."

손침이 말한다.

"내 형제들이 모두 금군을 거느리고 있는데 누가 감히 내게 접근할 수 있겠는가? 그렇긴 하지만 혹시 무슨 변이 생기면 부중에서 불을 올려 신호하도록 하라."

당부하고 나서 손침은 수레를 타고 궁으로 들어갔다. 오주 손휴가 황급히 어좌에서 내려와 맞이하더니 높은 자리에 앉기를 청했다. 자리를 정하고 앉아서 술이 몇 순배 돌았을 때 갑자기 사람들이 놀라 소리친다.

"궁 밖에서 불길이 오릅니다!"

손침이 자리에서 즉시 일어서려고 하자 손휴가 말리며 말한다.

"승상은 편히 앉아 계시오. 바깥에 군사들이 많은데 무얼 걱정하신단 말이오?"

그 말이 채 끝나기도 전에 좌장군 장포가 무사 30여명을 거느리고 칼을 뽑아든 채 대전으로 뛰어올라오더니 소리를 지른다.

"칙명을 받들어 역적 손침을 체포하노라!"

손침은 급히 달아나려 했으나 곧 무사들에게 붙들려 끌려내려갔다. 손침이 엎드려 머리를 조아리며 말한다.

"바라건대 교주(交州)로 귀양보내 밭이나 갈게 해주소서."

손휴가 꾸짖는다.

"너는 어째서 등윤·여거·왕돈 등을 귀양보내지 않았는가?"

손휴가 즉시 손침을 죽이라고 명하자, 장포가 대전 동쪽으로 끌고 가서 처형했다. 손침을 따르던 자들은 두려움에 사색이 되었을 뿐 아무도 감히 움직이지 못했다.

장포가 칙명을 선포했다.

"죄는 손침 한 사람에게 있다. 그 나머지 사람들은 누구도 문책하지 않는다."

비로소 모든 사람들은 안도의 숨을 내쉬었다. 장포가 손휴에게 오봉루(五鳳樓)에 오르기를 청했다. 그때 정봉·위막·시삭 등이 손침의 형제들을 모두 붙잡아왔다. 손휴가 영을 내려 그들을 저잣거리로 끌어내 모조리 목을 베게 하니, 그 일당으로 죽은 자가 수백명이었다. 그들의 삼족을 멸하고, 손준의 무덤을 파헤쳐 그 시체의 목을 잘랐다.

손휴는 또한 그들에게 죽임을 당한 제갈각·등윤·여거·왕돈 등의 무덤을 크게 만들어 그 충성을 드러내고 그들에게 연루되어 먼곳으로 귀양가 있는 사람들을 모두 풀어주어 고향으로 돌아오게 했다. 정봉 등에게는 벼슬을 올리고 상을 후하게 내렸다. 동오는 이 사실을 서신으로 써서 서촉의 성도에 보내 알렸다. 후주 유선(劉禪)이 사신을 보내와 축하하니, 동오에서는 다시 사신으로 설후(薛珝)를 보내 서촉에 가서 답례하게 했다. 설후가 돌아오자 오주 손휴가 묻는다.

"요즘 촉의 동태가 어떻던가?"

설후가 아뢴다.

"요즘 중상시(中常侍) 황호가 권력을 잡고 있어 공경대부들도 아부하고 있었습니다. 조정에 바른말 하는 사람이 없고, 백성들은 굶주린 기색이 완연했습니다. 이른바 '제비와 참새(소인배)가 당상에 득실거리니, 큰집에 장차 불이 나는 것도 모른다'는 격이었습니다."

손휴가 탄식한다.

"제갈무후가 살아 있었다면 어찌 이 지경까지 되었으랴."

그러더니 다시 서신을 성도로 보냈다. 장차 사마소가 위의 황제자리를 빼앗으면 반드시 오와 촉을 침범하려 할 것이니, 각기 준비했다가 힘을 합쳐 물리치자는 것이었다.

강유는 이 소식을 듣고 기쁜 마음으로 표문을 올렸다. 그러고는 다시 위를 치기 위해 출사할 것을 상의했다. 때는 촉한 경요 원년 겨울이었다. 대장군 강유는 20만 군사를 일으켜서 요화와 장익을 선봉으로 삼고, 왕함(王含)과 장빈(蔣斌)을 좌군으로, 장서와 부첨을 우군으로 삼았다. 그리고 호제(胡濟)를 후군으로 삼고, 자신은 하후패와 함께 중군이 되어 후주에게 하직인사를 올렸다. 마침내 강유는 한중에 이르러 어디를 먼저 칠 것인지 하후패와 상의했다. 하후패가 말한다.

"기산이야말로 군사를 쓸 만한 곳이니, 지난날 제갈승상께서도 여섯번이나 기산으로 나아가셨습니다. 다른 곳으로 나아가는 것은 좋지 않습니다."

강유는 그 말에 따라 즉시 삼군에 영을 내려 기산으로 출진하여 골짜기 어귀에 이르러 영채를 세웠다.

그때 마침 위의 등애는 기산 영채에 머물면서 농우의 군사를 점검하고 있었다. 급하게 정탐꾼이 달려와 보고한다.

"촉군이 지금 골짜기 어귀에 영채를 세 개 세웠습니다."

등애는 보고를 받고 높은 곳에 올라 촉군의 영채가 서 있는 쪽을 살펴보았다. 그러더니 영채의 장막으로 돌아와 크게 기뻐하며 말한다.

"내 짐작이 틀리지 않았도다!"

원래 등애는 미리 지형을 조사해 장차 촉군이 와서 영채를 세울 만한 곳을 비워두었다. 그런 다음 기산 영채로부터 촉군의 영채에 이르는 땅굴을 파놓고 촉군이 오기만을 기다리고 있었던 것이다. 이때 강유가 골짜기 어귀에 도착해 영채를 셋으로 나누어 세우니, 위군의 땅굴은 바로 촉군의 왼쪽 영채 밑으로 나 있었다. 그 영채에는 왕함과 장빈이 군사를 거느리고 있었다. 등애는 즉시 아들 등충과 사찬을 불러 명령을 내린다.

"너희들은 각기 1만 군사를 이끌고 좌우에서 촉군을 습격하라."

이어 부장 정륜(鄭倫)을 불러 명한다.

"땅굴 팠던 군사 5백명을 거느리고 오늘밤 2경에 땅굴을 통해 진격한다. 바로 촉군 왼쪽 영채에 이르러 그대로 밀고나가면서 기습하도록 하라."

한편, 왕함과 장빈은 그때까지도 영채를 완전히 세우지 못해서 혹시 위군이 쳐들어오지나 않을까 불안해 갑옷도 벗지 못하고 자고 있었다. 잠들기 직전에 갑자기 영채 안 중군에서 큰 소란이 일어났다. 왕함과 장빈은 황급히 일어나 무기를 잡고 말에 올라탔다. 그때 영채 밖에서는 등충이 군사를 거느리고 마구 쳐들어왔다. 안팎으로 협공을 당한 두 장수는 죽기를 각오하고 싸웠으나, 결국 대적하지 못하고 영채를 버리고 달아났다.

이때 강유는 장막 안에 있다가 왼쪽 영채에서 일어나는 큰 함성을 듣고 적에게 내응하는 군사가 있어 안팎으로 협공당하고 있음을 알았다. 급히 말을 타고 중군 장막 앞으로 나서면서 명령을 내린다.

"경거망동하는 자가 있으면 즉시 목을 벨 것이다. 적군이 우리 영채에 접근하면 물을 것도 없이 무조건 활을 쏘아라."

이렇게 조처하는 동시에 오른쪽 영채에도 사람을 보내 경거망동하지 말도록 엄하게 지시했다. 과연 위군은 10여차례나 습격해왔다. 그러나 번번이 촉군이 빗발치듯 쏘아대는 화살에 쫓겨 돌아갔다. 이렇게 되풀이하는 동안에 날이 밝아서 위군은 더이상 쳐들어오지 못했다. 등애는 군사를 거두어 본채로 돌아오더니 길게 탄식하며 말한다.

"강유는 제갈공명의 병법을 깊이 터득하고 있구나! 군사들이 야습을 받고도 놀라지 않고, 장수들이 변고가 있음을 듣고도 우왕좌왕하지 않으니 강유야말로 참으로 뛰어난 장수로다!"

이튿날 왕함과 장빈은 패잔병들을 이끌고 돌아와 대채 앞에 엎드려 죄를 청하였다. 강유는 두 장수를 일으켜 세우며 말한다.

"그건 그대들의 죄가 아니오. 내가 지리에 밝지 못했던 탓이오."

두 장수에게 다시 군사와 말을 내주며 영채를 튼튼히하고 전사자들을 묻고 흙으로 잘 덮어주도록 했다. 그러고 나서 마침내 강유는 등애에게 전서를 보내 내일 싸우기를 청했다. 등애는 이를 흔쾌히 받아들였다.

이튿날, 양쪽 군사는 기산 앞에 진을 벌여세우고 대치했다. 강유는 제갈무후의 팔진법(八陣法)에 따라 천(天)·지(地)·풍(風)·운(雲)·조(鳥)·사(蛇)·용(龍)·호(虎)의 형상으로 진을 펼쳤다. 등애는 말을 달려나와 강유가 팔괘(八卦)진을 이루어놓은 것을 한번 보더니, 자기도 똑같이 진을 폈다. 전후좌우의 문호(門戶)까지 모두 같았다. 강유가 창을 잡고 말을 달리며 등애를 향해 크게 소리친다.

"네가 나의 팔진을 그대로 흉내는 냈다만, 이 진을 능히 변화시킬 수 있겠느냐?"

등애가 웃으며 대꾸한다.

"너만 이 진법을 펼 줄 안다고 생각하느냐? 나도 진을 폈으니 어찌 변화하는 법을 모르겠는가!"

말을 마치기가 무섭게 등애는 말을 돌려 진 안으로 들어갔다. 집법관(執法官, 진을 펼치는 방법대로 집행하는 무관)에게 기를 좌우로 휘두르게 하더니 8·8이 64개의 진문으로 변화시키고는 다시 진 앞으로 나와서 소리친다.

"나의 변화시키는 법이 어떠하냐?"

744

姜鄧鬪陣

강유는 공명의 팔진법을 써서 등애를 격파하다

강유가 말한다.

"비록 틀린 데는 없다만, 그렇다면 네 감히 나의 팔진을 포위할 수 있겠느냐?"

등애는 코웃음을 치며 말한다.

"어찌 못할 리 있겠는가!"

양쪽 군사는 각기 대오를 지어 진군했다. 등애는 중군에서 지휘했다. 양쪽 군사가 서로 격돌했지만 진법은 조금도 흐트러지지 않았다. 그런데 이때 강유가 중간 지점에 이르러 기를 한번 휘둘렀다. 순간 진이 갑자기 장사권지진(長蛇卷地陣, 뱀이 몸을 사리고 있는 모양의 진)으로 변하여 등애를 첩첩이 에워싸면서 사방에서 함성이 터져오르며 진동했다. 등애는 이 진법을 알지 못해 속으로 깜짝 놀랐다. 촉군은 점점 좁혀들어오는데 등애는 장수들을 거느리고 좌충우돌했지만 도무지 빠져나갈 수가 없었다. 촉군들이 외치는 소리는 점점 커졌다.

"등애는 속히 항복하라!"

등애가 하늘을 우러러 길게 탄식한다.

"내가 솜씨를 한번 보이려다가 이제 강유의 계책에 꼼짝없이 걸려들고 말았구나!"

그때 갑자기 서북쪽에서 한무리의 군사가 진을 깨뜨리며 마구 쳐들어왔다. 등애가 보니 바로 위군이었다. 등애는 기회를 놓치지 않고 마구 적을 무찌르며 진을 벗어났다. 등애를 구출한 사람은 바로 사마망이었다. 사마망이 등애를 구출했을 때는 기산의 아홉 영채를 모두 촉군에게 빼앗긴 뒤였다. 등애는 패잔병을 이끌고 허둥지둥 위수 남쪽으로 물러가 영채를 세우고 나서야 사마망에게 묻는다.

"공은 어떻게 그 진법을 알고서 나를 구했습니까?"

사마망이 대답한다.

"나는 어렸을 때 형남(荊南)땅에서 공부하며 최주평(崔州平)·석광원(石廣元, 초려에 있던 시절 제갈량의 친구들)과 친분을 맺었는데, 그때 이 진법에 대해 논한 적이 있소. 오늘 강유가 변화시킨 것은 '장사권지진'이오. 다른 곳을 아무리 공격하더라도 이 진을 깰 수는 없소이다. 나는 그 진의 머리가 서북쪽에 있음을 보고, 그쪽을 쳤기 때문에 깰 수 있었던 것이오."

등애가 사례하며 말한다.

"나도 그 진법을 배우긴 했지만 변화시키는 법은 깊이 알지 못하오. 공은 그 법을 잘 알고 있으니, 내일 그 진법을 써서 기산의 영채를 되찾도록 도와주시오."

"내가 배운 정도로 강유를 꺾을 수 있을지 모르겠소."

"내일 공이 진을 벌이고 강유와 진법으로 싸우면, 내가 몰래 군사를 거느리고 기산 뒤로 돌아가 습격하겠소이다. 우리가 양쪽에서 협공하면 영채를 되찾을 수 있을 것입니다."

등애는 정륜을 선봉으로 삼아 직접 군사들을 이끌고 은밀하게 기산 배후로 떠나기에 앞서, 내일 진법으로 겨뤄보자는 전서를 강유에게 보냈다. 강유는 이를 응낙하여 위의 군사를 돌려보내고 나서 모든 장수들을 불러 묻는다.

"내가 제갈무후께 전수받은 비서(秘書)에는 이 진을 변화시키는 법이 모두 365가지나 되니, 이는 천체(지구)가 한바퀴 도는 데 따른 것이오. 이제 그들이 이러한 나에게 진법으로 싸움을 거는 것은 반문농부(班門弄斧, 노魯나라의 명장名匠 반수班輸 앞에서 도끼질한다는 뜻. 분수 모르고 작은 재주를 자랑한다는 말)나 다름없소. 이는 반드시 무슨 속임수를 쓰려는 수

작일 텐데, 그대들은 알겠는가?"

요화가 대답한다.

"겉으로는 진법으로 싸우자고 하면서 실은 한무리의 군사로 갑자기 우리의 뒤를 습격하려는 게 틀림없습니다."

강유는 웃으며 말한다.

"그대의 말이 내 생각과 같소이다."

즉시 장익과 요화에게 군사 1만명을 주며 미리 산 뒤에 가서 매복해 있으라고 명했다.

이튿날, 강유는 아홉 영채의 군사들을 모두 거느리고 기산 앞으로 나가 진을 쳤다. 사마망도 군사를 거느리고 위수 남쪽을 떠나 바로 기산 앞에 도착해 말을 달려나오더니 강유에게 싸움을 걸었다. 강유가 소리친다.

"그쪽에서 진법으로 겨루고 싶다고 청했으니 먼저 너부터 진을 벌여보아라."

그 말에 따라 사마망은 팔괘진을 펴보였다. 강유가 잠깐 보더니 비웃으며 말한다.

"그건 내가 펴보인 팔진법과 똑같다. 남의 것을 훔쳐 부린 재주를 어찌 훌륭하다 하겠느냐!"

사마망이 소리친다.

"너 또한 남의 진법을 훔쳐 쓰는 게 아니고 무엇이냐?"

강유가 묻는다.

"그렇다면 이 진이 몇가지로 변화하는지 알고 있느냐?"

사마망이 웃으며 대답한다.

"내 이미 진을 폈는데 어찌 그 변화를 모르겠는가? 9·9하여 81로 변화하느니라."

강유가 웃으며 말한다.

"그럼 어디 한번 변화시켜보아라."

사마망이 진으로 들어가 몇가지로 변화시키고 나와 소리친다.

"너는 내가 방금 보여준 진의 변화를 알고 있느냐?"

강유가 비웃으며 대답한다.

"나의 진법은 주천수(周天數, 천체가 한바퀴 도는 것)인 365가지로 변화하는데, 너 같은 우물 안의 개구리〔井底之蛙〕가 어찌 그 현묘한 이치를 알겠느냐!"

사마망은 그 얘기를 듣기는 했으나 완전히 배우지 못한 터라 짐짓 허세를 부린다.

"믿을 수 없다. 어디 네가 직접 변화시켜보아라."

"등애를 나오라 해라. 그럼 내가 보여주마."

"등애 장군은 작전을 생각할 뿐 진법은 좋아하지 않는다."

강유가 껄껄 웃는다.

"무슨 좋은 작전이 있겠느냐? 기껏해야 너를 내세워 나와 진법으로 싸우게 하고, 저는 산 뒤로 돌아와 습격하려는 것이겠지."

사마망은 깜짝 놀라 즉시 군사들을 진격시켜 싸움을 벌이고자 했다. 그때 강유가 말채찍을 번쩍 치켜들자 촉 진영의 양 날개를 이루고 있던 군사들이 먼저 쳐들어오며 마구 무찔렀다. 그 무서운 기세에 위군들은 갑옷을 벗어던지고 창을 버린 채 제각기 달아나며 목숨 구하기에 바빴다.

한편, 등애는 선봉 정륜을 독촉해 기산 배후로 진격하고 있었다. 정륜이 막 산모퉁이를 돌았을 때였다. 갑자기 포소리가 울리더니 북소리 뿔피릿소리가 하늘을 진동하며 복병들이 일제히 쏟아져나왔다. 맨 앞에 선 장수는 바로 요화였다. 두 장수는 말 한마디 나누지 않고 곧바로 달려들어 서로를 겨루었다. 두 장수의 말이 스치는 순간 요화가 한번 번쩍 칼을 휘두르니 정륜의 머리가 말 아래로 떨어지며 나뒹굴었다. 등애는 깜짝 놀라 급히 군사를 물리려 했다. 그때 장익이 군사들을 거느리고 쇄도하여 협공해오니 위군은 이 싸움에서 크게 패했다.

등애는 죽기로써 싸워 적의 포위망을 뚫고 빠져나오기는 했지만 몸에 화살을 네 대나 맞았다. 가까스로 도망쳐 위수 남쪽 영채에 도착하니, 사마망도 패하여 돌아와 있었다. 두 사람은 촉군을 물리칠 일을 상의했다. 사마망이 말한다.

"요즘 촉주 유선은 환관 황호를 신임하여 밤낮 주색에 빠져 있다고 하오. 그러니 반간계(反間計, 이간질하는 계책)를 써서 강유를 불러들이게 하면 우리는 이 위기에서 벗어날 수 있을 것이오."

등애가 모사들에게 묻는다.

"누가 촉으로 들어가 황호를 매수할 텐가?"

등애의 말이 채 끝나기도 전에 한 사람이 대답한다.

"제가 가겠습니다."

등애가 보니 양양 사람 당균(黨均)이었다. 등애는 크게 기뻐하며 당균에게 황금과 명주(明珠) 등의 보물을 갖추어주었다. 그리고 성도로 가서 황호를 매수하고, 강유가 황제를 원망해 머지않아 위에 투항할 것이라는 유언비어를 퍼뜨리라고 계략을 일러주었다. 과연 그후 성도에서는 사람이 모이는 곳마다 강유가 위에 투항한다는 소문이 나돌며 무섭게 퍼져나갔다. 황호가 후주에게 이 소문을 아뢰었다. 후주는 즉시 사람을 시켜 밤을 새워 기산으로 달려가 강유에게 성도로 돌아오라는 칙령을 전하게 했다.

한편, 기산에서는 강유가 매일 싸움을 걸었지만 등애는 굳게 지키기만 할 뿐 나와 싸우지 않았다. 강유가 적의 대응을 이상하게 생각하고 있는데, 칙사가 도착해 칙령을 전했다. 강유는 무슨 일인지 영문도 모른 채 군사를 거두어 회군해야 했다. 등애와 사마망은 강유가 자기들의 계책에 빠져 회군하려 하자 위수 남쪽의 군사들을 이끌고 그 뒤를 추격했다.

악의는 제나라를 치다가 이간질을 당했고   樂毅伐齊遭間阻
악비는 적을 격파해서 참소 만나 돌아왔네   岳飛破敵被讒回

장차 승부는 어떻게 될 것인가?

114

위나라의 황제를 바꾸다

조모는 수레를 타고 가다 궁궐 남문에서 죽고
강유는 군량을 버려 위군에 승리하다

강유는 퇴군명령을 내렸다. 이때 요화가 말한다.

"'장수가 전장에 나와 있으면 임금의 명이라도 받들지 않을 때가 있다'는 말이 있습니다. 비록 칙명이 내려졌다 하더라도 지금은 움직일 때가 아닙니다."

장익이 나서서 말한다.

"대장군께서 해마다 군사를 동원했기 때문에 촉의 백성들은 원망하고 있습니다. 이번에 이겼으니 군사를 거두어 민심부터 안정시키고, 다음에 다시 좋은 계획을 세우도록 하십시오."

강유는 선선히 응낙한다.

"좋소!"

마침내 강유의 각 부대는 대오를 정연하게 갖추어 후퇴하기 시작했다. 요화와 장익은 뒤를 끊어 위군의 추격을 막도록 했다. 한편, 군사를 거느리고 뒤쫓던 등애는 저 멀리 촉군이 기치도 정연하게 천천히 물러가는 것을 바라보다가 탄식하며 말한다.

"강유는 제갈무후의 병법을 깊이 터득하고 있도다!"

그러고는 더이상 뒤쫓지 않고 기산 영채로 돌아갔다.

한편, 강유는 성도에 이르러 후주를 뵙고 불러들인 이유를 물었다. 후주가 대답한다.

"짐은 경이 변경에서 너무 오랫동안 돌아오지 않아 군사들이 고생하지나 않을까 걱정되어 부른 것이지, 다른 뜻은 없었노라."

강유가 아뢴다.

"신은 이미 기산의 위군 영채들을 점령하고 공을 세우려던 참이었는데, 뜻하지 않게 도중에 포기해야만 했습니다. 이는 등애의 반간계가 있었음이 분명하옵니다."

후주는 아무 말도 하지 않았다. 강유가 계속 아뢴다.

"신은 맹세코 역적을 무찔러 나라의 은혜에 보답하겠습니다. 폐하께서는 부디 소인배의 말을 듣지 마시고, 신을 의심하지 마소서."

한참만에 후주가 대답한다.

"짐은 경을 의심하지 않소. 경은 한중으로 돌아가 위에 변란이 있기를 기다려 다시 토벌하도록 하오."

강유는 탄식하며 궁을 나와 한중으로 돌아갔다.

한편, 당균은 기산 영채로 돌아가 이 사실을 알렸다. 등애는 사마망에게 말한다.

"임금과 신하가 화합하지 않으면 반드시 안에서 변란이 일어나게 마련이오."

즉시 당균을 낙양으로 보내 사마소에게 이 사실을 알렸다. 사마소는 매우 기뻐하며, 곧장 촉을 치고 싶은 마음에 중호군(中護軍) 가충(賈充)에게 묻는다.

"내가 지금 촉을 치면 어떻겠소?"

가충이 대답한다.

"아직은 촉을 칠 때가 아닙니다. 황제가 주공을 잔뜩 의심하고 있는데, 이런 때 출병하면 반드시 내란이 일어날 것입니다. 지난해에 황룡(黃龍)이 영릉(寧陵) 우물 속에 두번 나타났을 때, 모든 신하들이 상서로운 일이라고 황제께 하례를 드렸습니다. 그때 황제는 '그건 분명 상서로운 일이 아니다. 용은 임금을 상징하는 것인데, 위로 하늘에 있지 않고 아래로 밭에 있지도 않으며, 하필 우물 속에 있단 말인가. 이는 분명 깊이 갇힐 징조로다' 하더니 잠룡시(潛龍詩)를 한 수 지었습니다. 그 시에는 분명히 주공을 원망하는 뜻이 들어 있습니다. 그 시는 이렇습니다."

슬프다! 용이 곤경에 빠져	傷哉龍受困
능히 깊은 못에서 벗어나지 못하네	不能躍深淵
위로는 하늘을 날지 못하고	上不飛天漢
아래로는 밭에서 일어서지 못하네	下不見於田
우물 속에 웅크리고 있으니	蟠居於井底

미꾸라지와 뱀장어 들이 앞에서 날뛰누나	鰌鱔舞其前
이빨을 감추고 발톱을 숨긴 모양이	藏牙伏爪甲
아, 내 신세 또한 마찬가지로구나	嗟我亦同然

다 듣고 나서 사마소는 몹시 화를 내며 가충에게 말한다.

"그자가 조방을 본받으려 하는 모양이구나. 속히 도모하지 않으면 오히려 나를 죽이려 들겠다."

가충이 대답한다.

"제가 주공을 위해 조만간에 도모하겠습니다."

때는 위의 감로 5년(260) 4월이었다. 사마소가 칼을 찬 채로 대전에 오르자 조모가 일어나서 맞이한다. 모든 신하가 아뢴다.

"대장군은 공덕이 높고 또한 커서 가히 진공(晉公)이 될 만하오니, 구석(九錫, 황제가 특별우대하는 신하에게 내리는 아홉 가지의 값진 물품)을 내리소서."

조모가 머리를 숙이고 대답을 하지 않는데 사마소가 버럭 소리를 지른다.

"내 아버지와 우리 형제 세 사람이 이렇듯 큰 공을 세웠는데도 내가 진공이 되는 것이 마뜩찮단 말이오!"

조모가 대답한다.

"어찌 감히 경의 말씀을 따르지 않겠소?"

사마소가 따진다.

"잠룡시를 지어 우리를 미꾸라지나 뱀장어로 보시니, 이게 과연 예의에 맞는 일입니까?"

조모는 대답을 못했다. 사마소는 싸늘하게 비웃으며 대전에서 물러갔다. 모든 신하들은 그 서슬에 저절로 몸을 떨었다. 조모는 후궁으로 들어가서 시중 왕침(王沈)·상서 왕경(王經)·산기상시(散騎常侍) 왕업(王業) 세 사람을 불러들여 상의했다. 조모가 울며 말한다.

"사마소가 역모를 꾀하리라는 것은 누구나 다 아는 사실이오. 짐은 앉아서 폐위되는 굴욕을 당할 수 없소. 경들은 짐이 사마소를 치도록 도와주시오."

왕경이 아뢴다.

"아니 되옵니다. 옛날에 노(魯)나라 소공(昭公)은 계손씨(季孫氏)의 횡포를 참지 않았다가 패하여 나라까지 잃고 도망했습니다. 지금 사마씨가 큰 권세를 잡은 지 오래여서 안팎의 공경대부들 가운데 순역(順逆)의 이치를 따르지 않고 간특한 역적에게 아부하는 자가 한둘이 아닙니다. 더구나 폐하를 보위하는 자는 숫자도 적고 약하니 명령을 내리셔도 받들 사람이 없사옵니다. 폐하께서는 은인자중(隱忍自重)하지 않으시면 큰 화를 당하시옵니다. 이 일은 천천히 도모해야지 서둘러서는 안되옵니다."

조모는 소리친다.

"이러고도 참는다면 못 참을 일이 무엇이겠소! 짐의 뜻은 이미 확고하니, 죽는다 해도 두려울 것 없다."

벌떡 일어서더니 곧장 태후전으로 가서 이 사실을 알렸다. 왕침과 왕업이 왕경에게 속삭인다.

"일이 매우 급하게 됐소. 이대로 있다가 멸족의 화를 당할 수는 없지 않소? 곧바로 사마공의 부중으로 가서 이 사실을 고하고 목숨을 부지하도록 합시다."

왕경이 분노하여 소리친다.

"임금에게 근심이 있으면 신하는 굴욕을 당하게 마련이며, 임금이 굴욕을 당하면 신하는 죽어야 마땅하거늘, 어찌 감히 딴뜻을 품을 수 있겠소?"

왕침과 왕업은 왕경의 완강한 태도를 보고는 둘이서만 사마소의 부중으로 갔다.

이윽고 위주 조모는 내전에서 나왔다. 곧장 호위(護衛) 초백(焦伯)에게 영을 내려 궁중의 숙위(宿衛, 숙직하며 지키는 호위병)·창두(蒼頭, 푸른 수건으로 머리를 동여맨 군사)·관동(官僮, 하인) 3백여명을 모아 북 치고 함성을 지르며 나아가게 했다. 조모는 친히 칼을 잡고 수레에 올라 좌우를 호령하며 궁궐 남문을 향했다. 왕경이 수레 앞에 엎드려 대성통곡하며 아뢴다.

"지금 폐하께서 겨우 수백명을 거느리고 사마소를 치려 하심은 양들을 몰고 호랑이 입으로 들어가는 일이옵니다. 헛되이 목숨만 버릴 뿐 아무 이익이 없습니다. 신이 이처럼 간하는 것은 목숨이 아까워서가 아니라 실로 이 일이 무모함을 알기 때문입니다."

조모가 말한다.

"짐이 이미 군사를 일으켰으니, 경은 막지 말라."

조모는 마침내 운룡문(雲龍門)을 바라보며 궁궐을 나섰다. 그때 무장하고 말을 탄 가충이 왼쪽에 성쉬(成倅), 오른쪽에 성제(成濟)와 함께 완전무장한 수천의 금군들을 거느리고 함성을 지르며 달려들었다. 조모가 칼을 들고 꾸짖는다.

"나는 황제다! 너희들이 궁정으로 쳐들어오는 걸 보니 임금을 죽일 작정이냐!"

금군들은 조모를 보고서 감히 움직이지 못했다. 가충이 성제에게 호령한다.

"사마공께서 어디에 쓰려고 너를 길렀겠는가? 바로 지금 같은 일을
위해서니라."

성제는 선뜻 창을 바로잡더니 가충을 돌아보며 묻는다.

"죽여버릴까요, 아니면 결박을 할까요?"

가충이 대답한다.

"사마공의 명령이시다. 죽여라!"

성제는 창을 세워들고 곧장 황제의 수레 앞으로 달려들었다.

조모가 큰소리로 꾸짖는다.

"네 이놈, 어찌 이리도 무례하냐!"

그 말이 끝나기도 전에 성제의 창이 가슴을 찔러 조모를 수레에서
굴러떨어뜨렸다. 성제가 창을 치켜들어 한번 내려찍자 창끝은 조모의
가슴을 관통해 등뒤로 뚫고 나왔다. 조모는 한마디 비명도 지르지 못
하고 그대로 죽어버렸다. 초백이 창을 들고 달려들었지만, 그 역시 성
제의 창에 찔려죽었다. 나머지 무리는 모두 달아나버렸다. 왕경이 뒤
쫓아와서 가충을 저주한다.

"이 역적놈아, 네 어찌 감히 임금을 죽였느냐?"

가충은 화가 나서 부하들에게 왕경을 잡아 결박하게 하고, 사마소
에게 이를 알렸다. 사마소는 궁궐로 들어와 조모의 시체를 보고는 크
게 놀란 척하더니, 머리를 수레에 짓찧으며 곡을 했다. 그리고 사람을
보내 각 대신에게 이 일을 알렸다.

이때, 태부 사마부(司馬孚)가 들어와 조모의 시신을 보더니 그 머리
를 자기 무릎 위에 눕히면서 통곡한다.

"폐하를 돌아가시게 한 것은 신의 죄이옵니다."

사마소는 부하를 시켜 황제 조모를 죽이다

마침내 조모의 시신을 관에 넣고 편전 서쪽에 안치했다. 사마소가 대전으로 들어가보니 신하들이 모두 모였는데, 상서복야(尙書僕射) 진태만이 와 있지 않았다. 사마소는 진태의 외삼촌인 상서 순의(荀顗)를 시켜 그를 데려오게 했다. 진태가 대성통곡을 하며 말한다.

"세상사람들은 곧잘 나를 외삼촌과 비교하지만, 오늘 보니 외삼촌은 나만 못합니다."

곧바로 상복을 입고 궁으로 들어가 곡을 하며 영전에 절을 올렸다. 사마소 또한 거짓으로 곡을 하다가 슬쩍 묻는다.

"오늘 일을 어떻게 처리해야 하겠소?"

진태가 대답한다.

"가충의 목을 베어야만 다소나마 세상사람들이 용서할 것이오."

사마소는 한참동안 침묵하다가 거듭 묻는다.

"다른 방법은 없을지 다시 한번 생각해보시오."

진태가 말한다.

"오직 이 방법뿐, 다른 방법은 모르겠소."

갑자기 사마소가 명령을 내린다.

"성제는 대역무도한 죄를 저질렀으니, 그 살을 발라내고 삼족을 멸하도록 하라!"

성제가 이를 갈며 사마소를 저주한다.

"나는 아무 죄도 없다. 가충이 전한 너의 명령, 죽이라는 명령을 따랐을 뿐이다!"

사마소는 즉시 명을 내려 성제의 혀를 자르게 했다. 성제는 죽을 때까지 몸부림치며 짐승처럼 울부짖기를 그치지 않았다. 그의 동생 성쉬 또한 저잣거리에 끌려나가 참형당하고, 이어 그의 삼족이 몰살당했다.

후세 사람이 이 일을 탄식한 시가 있다.

그 당시 사마소가 가충에게 시해를 명하여	司馬當年命賈充
남궐에서 임금의 용포 피에 젖었네	弑君南闕赭袍紅
죄는 성제에게 둘러씌워 삼족을 멸했구나	却將成濟誅三族
군민을 온통 귀머거리로 알았더냐	祇道軍民盡耳聾

사마소는 다시 명령을 내려 왕경의 집안 식구 모두를 옥에 가두었다. 왕경은 정위청(廷尉廳, 감옥)에 끌려와 있다가 그 어머니가 결박당해 끌려들어오는 것을 보고 머리를 조아리며 통곡한다.

"이 불효자가 어머님에게까지 누를 끼쳤습니다."

그 어머니가 크게 웃으며 말한다.

"이 세상에 죽지 않는 사람이 어디 있겠느냐. 다만 죽을 자리를 찾지 못함이 걱정이었는데, 이렇게 목숨을 버리게 됐으니 무슨 한이 있겠느냐?"

이튿날 왕경의 가족은 동쪽 저잣거리로 끌려나갔다. 왕경과 그 어머니가 웃음을 지으며 죽임을 당하니, 성안의 선비와 백성들 가운데 눈물 흘리지 않는 자가 없었다.

후세 사람이 시를 지어 이를 기렸다.

한초에 자결해 죽는 걸 자랑으로 여겼더니	漢初夸伏劍
한말에는 왕경이 나왔도다	漢末見王經
참으로 맵도다 마음은 변함이 없고	眞烈心無異

굳세도다 의지 더욱 푸르러라	堅剛志更淸
그 절의 태산(泰山)처럼 무거웠고	節如泰華重
그 목숨 깃털처럼 가볍게 여겼다네	命似鴻毛輕
어머니와 아들의 명성이 울려	母子聲名在
응당 하늘 땅과 함께 전하리다	應同天地傾

태부 사마부가 조모를 왕에 대한 예법대로 장사지내기를 청하니 사마소는 이를 허락했다. 가충 등이 사마소에게 위의 황제자리에 오르기를 권했다. 사마소가 대답한다.

"옛날에 주문왕은 천하의 3분의 2를 차지하고서도 은나라를 섬겨서 옛 성인들께서 문왕을 지극히 덕있는 분이라 칭송했다. 위 무제(조조)도 한의 황제 자리를 직접 이어받지 않았으니, 나 또한 위의 황제 자리를 계승하고 싶지는 않다."

가충 등은 그 말을 듣고 사마소가 아들 사마염(司馬炎)을 염두에 두고 있음을 알아차리고, 더이상 권하지 않았다. 그해 6월에 사마소는 상도향공(常道鄕公) 조황(曹璜)을 세워 황제로 삼고, 경원(景元) 원년(260)으로 개원했다. 조황은 이름을 조환(曹奐)이라 고쳤는데, 자는 경명(景明)이고, 바로 위 무제 조조의 손자이며, 연왕(燕王) 조우(曹宇)의 아들이었다. 황제의 자리에 오른 조환은 사마소를 승상 겸 진공(晉公)에 봉하고, 돈 10만냥과 비단 1만필을 하사했다. 그리고 문무관원들에게도 각기 벼슬을 올리거나 상을 내렸다.

정탐꾼이 이런 사실을 탐지해 촉에 보고했다. 강유는 사마소가 조모를 죽이고 새로 조환을 임금으로 세웠다는 소식을 듣고 기뻐하며 말한다.

"내 이제야 위를 칠 명분을 얻었구나."

즉시 동오로 편지를 보내 함께 군사를 일으켜 임금을 죽인 사마소의 죄를 묻자고 청하고 후주에게 아뢰어 윤허를 받았다. 그리고 군사 15만을 일으키고 수레 수천대를 동원해 군수품 궤짝을 실었다. 요화와 장익을 선봉으로 삼아 요화는 자오곡(子午谷)으로, 장익은 낙곡(駱谷)으로 나아가고, 강유 자신은 야곡(斜谷)으로 나아가 다 같이 기산 앞에서 모이기로 했다. 세 방면으로 나뉜 촉군은 일제히 기산을 향해 진군하였다.

이때 등애는 기산 영채에서 군사들을 훈련시키고 있다가 갑자기 촉군이 세 방면으로 쳐들어온다는 보고를 받고 모든 장수들을 불러모아 의논했다. 참군(參軍) 왕관(王瓘)이 말한다.

"제게 한가지 계책이 있으나 밝혀 말씀드릴 수가 없어 글로 써왔으니, 장군께서 한번 읽어보십시오."

등애가 그 글을 펴보더니 왕관을 보고 웃으며 말한다.

"이 계책이 절묘하긴 하나, 강유를 속이지는 못할 듯하오."

"제가 목숨을 걸고 한번 해보겠습니다."

"공의 뜻이 그처럼 굳다면, 반드시 성공할 것이오."

즉시 왕관에게 군사 5천명을 주었다. 왕관은 군사를 거느리고 밤낮 없이 야곡을 가로질러 나아가다가 촉군의 전군 정탐병들과 맞닥뜨렸다. 왕관이 외친다.

"나는 위를 버리고 촉에 항복하려는 장수이다. 그대들의 대장께 보고하라."

정탐병이 이 일을 강유에게 보고하자 강유는 군사들은 붙들어두고 장수만 데려오라고 명했다. 잠시 후 왕관이 와서 땅에 엎드려 절하며 말한다.

"저는 왕경의 조카 왕관입니다. 근자에 사마소가 임금을 죽이고 제 숙부의 가문을 멸하여 그 원한이 뼈에 사무칩니다. 이제 다행히 장군께서 그 죄를 물으러 군사를 일으키셨다 하기에 제가 투항하고자 수하군사 5천명을 이끌고 왔습니다. 원컨대 장군의 명을 받아 간특한 일당을 없애 숙부의 원수를 갚고 싶습니다."

강유가 크게 기뻐하며 말한다.

"네가 진심으로 항복해왔는데 내 어찌 진심으로 대하지 않을 수 있겠느냐. 우리 군의 걱정은 군량이 부족한 것이다. 너는 지금 서천 어귀에 있는 군량과 마초를 기산으로 운반해오너라. 내 이제부터 기산의 적을 치러 갈 것이다."

왕관은 자신이 세운 계책이 맞아떨어지자 속으로 크게 기뻐하며 흔쾌히 명령을 받들었다. 강유가 이어 명한다.

"군량을 운반하는 데 5천 군사가 다 필요하지는 않을 것이다. 너는 3천명만 데리고 가고, 2천명은 여기 남겨두어라. 내 그들에게 길 안내를 시켜 기산을 공격하겠다."

왕관은 혹시 강유의 의심을 살까 두려워 즉시 3천 군사만 거느리고 떠나갔다. 강유는 부첨에게 위군 2천명을 내주며 필요에 따라 쓰도록 했다. 그때 갑자기 하후패가 왔다는 보고가 들어왔다. 하후패가 강유에게 말한다.

"도독은 어째서 왕관의 말을 그대로 믿으시오? 내가 위에 있을 때, 비록 자세한 것은 모르지만, 왕관이 왕경의 조카라는 말은 들어본 적이 없소. 이는 속임수가 분명하니 장군께서는 깊이 살피시오."

강유가 껄껄 웃으며 말한다.

"내 이미 왕관의 투항이 속임수라는 것을 알고 있었소. 그래서 그의 병력을 나눈 것이오. 이제 그자의 계책을 역이용해야겠소이다."

"공은 그걸 어찌 아셨소?"

"사마소는 조조 못지않은 간웅(奸雄)이오. 이미 왕경을 죽이고 그 삼족까지 몰살한 사마소가 어찌 왕경의 친조카를 죽이지 않고, 더구나 군사를 거느리고 요충지를 지키도록 내버려둘 리가 있겠소? 그래서 속임수라는 걸 알았소. 중권(仲權, 하후패의 자)의 생각도 과연 나와 같았구려."

강유는 야곡으로 나아가지 않았다. 그뿐 아니라 군사들을 도중에 몰래 매복시켜두어 왕관의 계책에 치밀하게 대비했다. 채 열흘이 지나기도 전에 과연 매복하고 있던 군사들이 등애에게 보내는 왕관의 서신을 지니고 돌아가는 자를 잡아왔다. 강유는 그를 철저히 문초하고 몸을 뒤져 왕관의 편지를 찾아냈다. 그 편지는 8월 20일에 샛길을 이용해 촉군의 군량을 기산 대채로 보낼 터이니, 군사를 담산(壜山) 골짜기로 보내 맞이하라는 내용이었다.

강유는 즉시 등애에게 편지를 가지고 가던 자를 죽여버리고 편지의 내용을 8월 15일에 등애가 직접 대군을 거느리고 담산 골짜기로 와서 협력하라고 고쳤다. 그리고 군사 한명을 위나라 군사로 위장시켜 그 편지를 주어 위군 진영으로 보냈다. 이렇게 조처하고 나서 또 한편으로 부첨으로 하여금 수백대의 수레에 군량 대신 마른 장작과 풀, 인화물질을 싣고 푸른 천으로 잘 가린 후 투항해온 위군 2천명을 거느리고 군량 호송기를 앞세우고 진군하게 했다. 또한 강유 자신은 하후패와 함께 각기 군사를 이끌고 가서 산골짜기에 매복하기로 했다. 장서

는 야곡으로 나아가고, 요화와 장익은 각기 군사를 거느리고 기산을
취하게 했다.

한편 등애는 왕관의 편지를 받고 매우 기뻐하며 곧바로 답장을 써
보냈다. 마침내 8월 15일이 되었다. 5만의 정예병을 거느리고 담산
골짜기에 도착한 등애는 사람을 시켜 높은 곳에 올라가 멀리까지 정
탐하게 했다. 군량을 실은 무수히 많은 수레들이 꼬리에 꼬리를 물고
산골짜기로 오고 있다는 보고가 들어왔다. 등애가 직접 말을 타고 가
서 보니 과연 그 수레들을 운반하는 자들은 모두 위군이었다. 좌우에
있던 부하장수들이 말한다.

"날이 이미 저물었습니다. 속히 가서 협력하여 왕관을 골짜기에서
나오게 하시지요."

등애가 대답한다.

"앞쪽의 산세가 험난하니 만일 복병이 있어 기습해오면 급히 물러
서기 어렵소. 여기서 기다려야 하오."

그 말이 떨어지기가 무섭게 군사 두 사람이 달려와서 보고한다.

"왕관 장군이 군량과 마초를 운반해 막 경계를 넘고 있는데 지금
촉군이 뒤쫓고 있습니다. 바라건대 속히 구원해주십시오."

등애는 크게 놀라 급히 군사를 재촉해 달려갔다. 그때는 초경이었
는데 달이 대낮처럼 밝았다. 갑자기 산뒤에서 함성이 일었다. 등애가
왕관이 산 뒤에서 싸우는 줄 알고 급히 달려가려는데, 그때 등뒤 숲속
에서 한떼의 군사가 달려나왔다. 맨앞에 선 것은 다름아닌 촉의 장수
부첨이었다. 부첨이 말을 달려오며 외친다.

"등애 네 이놈, 너는 이미 우리 대장군의 계책에 걸려들었다. 속히
말에서 내려 죽음을 받아라!"

등애는 소스라치게 놀라 급히 말을 돌려 달아났다. 순간 모든 수레에서 일제히 불길이 치솟았다. 그것은 바로 촉군의 신호였다. 치솟는 불길과 함께 양쪽 산에서 촉군이 쏟아져내려오며 마구 위군을 쳐죽이고 사로잡으니 위군은 어찌할 바를 모르고 큰 혼란에 빠졌다. 이때 산 위아래 할 것 없이 크게 울려퍼지는 소리가 있었다.

"등애를 사로잡는 자에겐 상으로 천금을 주고 만호후(萬戶侯, 1만호의 주민이 사는 지역을 식읍食邑으로 가지는 제후)로 봉하리라!"

기겁을 한 등애는 갑옷과 투구를 벗어버리고 말까지 내버린 채 보병 속에 섞여 산을 기어올라 고개를 넘어 달아났다. 강유와 하후패는 등애가 걸어서 도망갔으리라고는 생각지 못하고 말 타고 앞장선 자만 사로잡으려 했다. 이윽고 강유는 승리한 군사를 거느리고 군량과 마초를 운반해오는 왕관에게 달려갔다.

한편 왕관은 등애와의 밀약에 따라 먼저 군량과 마초를 수레에 가득 싣고 정비까지 마치고 나서 거사할 날만을 기다리고 있었다. 그때 심복부하가 급히 달려와 보고한다.

"우리의 거사가 누설되었습니다. 등애 장군은 대패하여 생사조차 알 수 없습니다."

왕관은 깜짝 놀라 부하를 보내 사실을 알아오게 했다. 곧 정탐하러 나갔던 부하가 돌아와 보고한다.

"지금 촉군이 우리 군을 에워싸고 삼면에서 쳐들어오고 있습니다. 그 뒤에서도 흙먼지가 크게 일고 있어서, 사방 어디로도 도망갈 길이 없습니다."

왕관은 부하들을 호령해 군량과 마초를 실은 수레에 전부 불을 지르게 했다. 불길은 순식간에 하늘까지 태울 듯 맹렬하게 타올랐다. 왕관이 절규하듯 외친다.

"일이 급하다! 모두들 죽음을 각오하고 싸우자!"

즉시 군사를 휘몰아 서쪽으로 나아갔다. 이때 강유는 군사를 세 방면으로 나누어 위군을 추격하고 있었다. 강유는 왕관이 살기 위해 위나라로 달아날 것이라고 생각했는데, 뜻밖에도 왕관은 도리어 한중으로 쳐들어가고 있었다. 왕관은 거느린 군사가 적고 뒤쫓아오는 촉군은 많은 것을 보고 지나는 잔도(栈道, 군사 이동용으로 절벽에 나무를 엮어 연결한 길)와 관문마다 모두 불을 질러 태워버렸다. 강유는 한중을 잃을까 걱정되어 등애 추격을 포기하고 군사를 휘몰아 밤낮없이 좁은 샛길로 해서 왕관을 추격했다. 왕관은 사면에서 밀려드는 촉군의 끈질긴 공격을 막아내지 못하고 그만 흑룡강(黑龍江)에 몸을 던져 죽었다. 그의 나머지 군사들은 모두 강유에게 사로잡혀 생매장당했다. 강유는 비록 등애에게 승리를 거두기는 했지만 많은 군량과 마초를 잃은데다 잔도까지 불타버려 마침내는 군사를 이끌고 한중으로 돌아갔다.

한편, 등애는 패잔병을 거느리고 기산 영채로 돌아오자마자 황제에게 표문을 올려 죄를 청하고 스스로 벼슬을 깎았다. 사마소는 등애가 지금까지 여러번 큰 공을 세운 것을 생각해 벌하지 않고 도리어 많은 상을 하사했다. 등애는 하사받은 많은 재물들을 모두 이번 싸움에 전사한 장수와 군사 들의 가족에게 나누어주었다. 사마소는 다시 촉군이 쳐들어올까 불안하여 군사 5만을 더 내주고 등애에게 요충지를 굳게 지키라고 지시했다.

한편, 강유는 밤낮없이 잔도를 수리했다. 그리고 장수들과 함께 다시 출전할 일을 의논했다.

잇달아 잔도를 수리하고 잇달아 출병하니   連修棧道兵連出
중원을 정벌하지 않고는 죽어도 멈추지 않네   不伐中原死不休

장차 승부가 어찌 날 것인가?

115

회군명령

후주는 참소를 믿고 회군명령을 내리고
강유는 둔전을 평계로 화를 피하다

촉한 경요 5년(262) 10월, 대장군 강유는 사람을 보내 밤낮으로 잔
도를 수리하고 군량과 무기를 정비하는 한편, 한중의 수로에 모든 배
를 집합시켰다. 이렇게 만반의 준비를 갖추고 나서 강유는 표문을 올
려 후주께 아뢰었다. 그 표문의 내용은 다음과 같다.

신이 여러번 출전하여 아직 큰 공을 세우지는 못했사오나 이미
위의 간담을 서늘하게 했사옵니다. 이제 군사를 양성한 지도 오래
니, 만일 싸우지 않으면 게을러질 것이고 게을러지면 병폐가 생길

것이옵니다. 지금 병사들은 죽음도 불사할 각오이고 장수들은 명령 내리기만 기다리고 있사옵니다. 신이 이번에 이기지 못하면 마땅히 목숨을 내놓는 벌을 받겠나이다.

후주는 표문을 읽고 결정을 내리지 못했다. 이때 초주가 반열에서 나와 아뢴다.

"신이 밤에 천문을 보니 우리 서촉 방면의 장성(將星)이 어둡고 빛이 희미했습니다. 이러한 터에 대장군이 다시 출사하려 하오니, 이는 매우 이롭지 못합니다. 폐하께서는 조서를 내려 중지시키소서."

후주가 말한다.

"이번에 어찌 되나 봅시다. 과연 이롭지 않으면 그때는 당연히 중지시키겠소."

초주가 거듭거듭 간했으나 후주는 듣지 않았다. 초주는 집으로 돌아가 연방 탄식하더니 마침내는 병을 핑계삼아 조정에 나가지 않았다.

한편, 강유는 군사를 일으킬 즈음 요화에게 묻는다.

"이번에 출사하여 반드시 중원을 회복해야 할 터인데, 먼저 어느곳부터 치는 게 좋겠소?"

요화가 대답한다.

"해마다 계속된 출정으로 군사와 백성 들이 하루도 편안한 날이 없었고, 게다가 위에는 지모가 출중한 등애가 버티고 있어 결코 만만하지 않습니다. 장군께서는 굳이 싸우겠다 하십니다만, 나는 찬성할 수 없소이다."

강유가 벌컥 화를 내며 말한다.

"지난날 제갈승상께서 여섯번이나 기산으로 나아가신 것도 모두 국가를 위해서였소. 내 이제 위를 여덟번째 치려 하는 것도 어찌 나 개인을 위한 일이겠는가? 이번에는 마땅히 먼저 조양(洮陽)을 공격할 것이니, 내 뜻을 거역하는 자는 즉시 목을 베겠소!"

그러고 나서 요화에게는 남아서 한중을 지키게 하고, 강유 자신은 여러 장수들과 함께 30만 군사를 거느리고 곧바로 조양을 치러 나아갔다. 서천 어귀에 있던 사람이 이 사실을 즉시 기산 영채에 보고했다. 이때 등애는 사마망과 함께 군사에 대해 이야기하다가 이 보고를 듣고 정탐꾼을 보내 자세한 정황을 알아오도록 했다. 정탐꾼이 돌아와서 보고한다.

"촉군은 조양으로 향하고 있습니다."

사마망이 등애에게 묻는다.

"꾀가 많은 강유인지라 조양을 치는 체하면서 실은 기산을 취하러 오는 게 아니겠소?"

등애가 가볍게 대답한다

"이번에 강유는 정말 조양을 칠 것이오."

"공은 어찌하여 그리 생각하시오?"

"지금까지 강유는 우리가 군량을 보관해둔 곳만 여러번 공격해왔소. 지금 조양에는 군량이 없으니, 강유는 우리가 기산만 지키고 조양은 지키지 않으리라 생각하고 그리로 쳐들어가는 것이오. 조양성을 점령하면 군량과 마초를 비축하고 나서 강인들과 손을 잡고 장기전을 도모할 것이오."

사마망이 고개를 끄덕이더니 묻는다.

"그럼 어찌하면 좋겠소?"

등애가 다시 말한다.

"우리는 이곳 군사를 두 방면으로 나누어 조양성을 지원하러 가야 하오. 조양에서 25리 떨어진 곳에 후하(侯河)라는 조그만 성이 있는데, 바로 조양의 목구멍과 다름없는 땅이지요. 공은 군사들을 거느리고 조양성 안에 매복하시되, 모든 기를 눕히고 북소리도 죽인 채 사방 성문을 활짝 열고 기다리다가 계략대로만 하시오. 나는 군사들을 거느리고 가서 후하에 매복하겠습니다. 그러면 우리는 반드시 크게 이길 수 있습니다."

계책이 정해진 뒤 두 사람은 각자 맡은 임무대로 떠나갔다. 기산에는 편장 사찬(師纂)이 남아 모든 영채를 지키기로 했다.

한편 강유는 하후패를 선봉으로 삼아 조양을 공격하게 했다. 하후패가 군사를 이끌고 조양 가까이 이르러 바라보니, 성위에는 깃발 하나 보이지 않고 사방의 성문 또한 활짝 열려 있었다. 하후패는 의심이 들어 함부로 성으로 들어가지 못하고 장수들을 돌아보며 묻는다.

"혹시 속임수가 아니겠느냐?"

여러 장수들이 한결같이 대답한다.

"보이는 그대로 성은 텅 비었습니다. 몇몇 백성들만 남았을 뿐, 대장군의 군대가 온다는 소문을 듣고 모두들 성을 버리고 도망갔나봅니다."

하후패는 믿을 수가 없었다. 직접 말을 달려 성 남쪽으로 가보니, 성 뒤로 많은 노인과 아이 들이 서북쪽을 향해 달아나고 있었다. 하후패가 크게 기뻐하며 말한다.

"정말 빈 성이로구나!"

마침내 앞장서서 성안으로 쳐들어갔다. 군사들도 그 뒤를 따랐다.

옹성(甕城) 근처에 이르렀을 때였다. 갑자기 한방의 포소리가 울리더니 성위에서 북소리와 뿔피릿소리가 터져나왔다. 순간 무수한 깃발들이 일제히 일어서 나부끼며 조교가 높이 들어올려졌다. 하후패가 크게 놀라 소리친다.

"적의 계책에 걸려들었구나!"

황급히 후퇴하려는데, 기다렸다는 듯 성위에서 화살과 돌이 빗발치듯 쏟아지기 시작했다. 가련하게도 하후패와 그의 5백 군사들 모두 성 아래서 죽고 말았다.

후세 사람이 이를 탄식한 시가 있다.

담력 큰 강유 계책 또한 신묘했건만   大膽姜維妙算長
어찌 알았으랴, 등애가 미리 방비할 줄   誰知鄧艾暗提防
안타깝구나 한으로 넘어온 하후패는   可憐投漢夏侯覇
성 밑에서 순식간에 화살 맞고 죽는구나   頃刻城邊箭下亡

성안에서 사마망이 달려나와 맹렬하게 공격하니 촉군은 대패하여 달아났다. 마침 강유가 구원병을 이끌고 와서 사마망을 물리치고 바로 성밑에 영채를 세웠다. 하후패가 적의 화살에 맞아 죽었다는 말에 강유는 크게 상심했다.

그날밤 2경에 등애가 후하성에서 군사를 이끌고 몰래 와서 촉군 영채를 기습했다. 촉군은 일대 혼란에 빠졌고, 강유는 이를 막기 위해 혼신의 힘을 다했다. 이때 다시 조양성 위에서 북소리와 뿔피릿소리가 하늘을 진동하며 사마망이 군사를 이끌고 나와 협공하니 이 싸움에서 촉군은 대패하고 말았다. 강유는 좌충우돌 죽을 힘을 다해 싸운 끝에 겨우 적의 포위를 뚫고 20여리 후퇴하여 영채를 세웠다. 두번이나 연속으로 패하여 도망친 터라 촉군은 크게 동요하고 있었다. 강유가 장수들에게 말한다.

"이기고 지는 것은 병가상사(兵家常事, 전쟁에서 흔히 있는 일)요, 비록 군사와 장수를 잃었지만 크게 근심할 바 못 된다. 이루고 이루지 못함은 이번 싸움에 달려 있으니, 모두들 한마음으로 끝까지 싸우라. 만일 물러가자고 하는 자가 있으면 즉시 목을 벨 것이다."

장익이 나서서 말한다.

"위군이 이곳에 몰려와 있으니 지금 기산은 분명히 비어 있을 것입니다. 장군은 등애와 싸우면서 조양성과 후하성을 공격하십시오. 저는 군사들을 이끌고 기산을 공격하겠습니다. 기산의 아홉 영채를 점령하고 곧바로 군사들을 휘몰아 장안으로 향하겠습니다. 그것이 상책일까 합니다."

강유는 그 말에 따랐다. 즉시 장익에게 후군을 주어 기산을 공략케 하고, 자신은 군사를 거느리고 후하성으로 가서 등애에게 싸움을 걸었다. 등애가 군사를 거느리고 나왔다. 양쪽 군사들이 진을 치고 맞선 가운데 강유와 등애가 맞붙어 수십합을 싸웠지만 승부가 나지 않아서 각기 군사를 거두어 영채로 돌아갔다. 이튿날 강유는 다시 군사를 거느리고 나가 싸움을 걸었다. 그러나 등애는 나오지 않았다. 강유는 군사들을 시켜 등애에게 온갖 욕설을 퍼붓게 했다. 그때 등애는 곰곰이 생각에 잠겨 있었다.

'촉군이 크게 패했지만 후퇴하지 않고 오히려 매일 싸움을 거니, 이는 반드시 군사를 나누어 기산 영채를 치려는 계략이다. 기산 영채를 지키는 사찬은 군사도 적고 지혜도 부족하니 공략당하면 패할 것

이 분명하다. 내가 가서 구해야겠구나.'

즉시 아들 등충을 불러 당부한다.

"너는 신중하게 이곳을 지켜야 한다. 촉군이 와서 싸움을 걸어도 함부로 응하지 말아라. 나는 오늘밤에 군사를 거느리고 가서 기산을 구해야겠다."

그날밤 2경에 강유는 영채 안에서 계책을 생각하고 있었다. 그때 갑자기 영채 밖에서 함성이 진동하며 북소리와 뿔피릿소리가 하늘을 뒤흔들었다. 부하가 달려들어와서 보고한다.

"등애가 3천 정예병을 이끌고 기습해왔습니다."

장수들은 급히 나가 싸우려 했다. 강유가 말린다.

"함부로 움직이지 마라!"

실제로 등애는 군사를 거느리고 촉군의 영채 앞까지 쳐들어와서 한 번 기세를 올려 탐색하고는 그 길로 기산을 구원하러 떠났다. 등충은 성안으로 돌아갔다. 강유가 장수들을 불러놓고 말한다.

"등애는 야습하는 척하여 우리를 속이고는 반드시 기산 영채를 구하러 갔을 것이다."

즉시 부첨에게 명을 내린다.

"그대는 이곳 영채를 지키되 함부로 나가 적과 싸우지 마라."

이렇게 조처한 뒤 강유는 즉시 3천 군사를 이끌고 장익을 도우러 진군해갔다.

한편, 기산에 이른 장익은 곧바로 영채를 공격했다. 영채를 지키던 사찬은 군사가 적어 오래 버티지 못하고 거의 함락당할 위기에 처했다. 그때 갑자기 등애가 군사를 휘몰고 들이닥쳐 닥치는 대로 공격하니 촉군은 크게 패했다. 적들은 장익을 산뒤로 몰아넣고 퇴로를 끊어버렸다. 그런데 장익의 군사가 위기에 몰린 바로 그때, 홀연 함성이 크게 진동하고 북소리와 뿔피릿소리가 하늘을 뒤흔들더니 위군들이 뿔뿔이 흩어져 정신없이 도망치기 시작했다. 좌우에서 보고한다.

"강백약(姜伯約, 강유) 대장군께서 오셨습니다."

이에 장익은 기운을 얻어 군사들을 휘몰아 협공을 가했다. 등애는 이 싸움에서 패하여 기산 영채로 물러가서는 나오려 하지 않았다. 강유는 사방을 에워싸고 공격하라고 명령을 내렸다.

여기서 이야기는 두 갈래로 갈라진다.

그때 성도에 있는 후주는 환관 황호의 말만 믿고 주색에 빠져 조정 일은 전혀 돌보지 않았다. 당시 대신 유염(劉琰)의 아내 호(胡)씨는 대단한 미인이었다. 한번은 호씨가 하례차 궁에 들어와 황후를 알현한 적이 있었다. 황후는 호씨를 궁중에 머물게 했다가 한달 만에 돌려보냈다. 유염은 그동안 자신의 아내가 후주와 정을 통한 것으로 의심하여 즉시 수하군사 5백명을 늘어세우고 아내를 결박지어 꿇어앉혔다. 그런 다음 군사들을 시켜 신발을 벗어들어 호씨의 얼굴을 수십번씩 후려치게 했다. 호씨는 거의 죽을 뻔했다가 가까스로 살아났다. 이 일을 들은 후주는 크게 노했다. 즉시 담당 관서에 유염의 죄를 의논해 조처하라고 명령을 내렸다. 관원들이 그 죄를 논하여 다음과 같이 다스리기를 후주에게 아뢰었다.

"군사란 아내를 매질하는 자가 아니고, 얼굴은 형벌을 가하는 곳이 아니옵니다. 유염은 저잣거리에서 참수해야 합당합니다."

그래서 유염은 목이 잘렸고, 이때부터 대신의 아내는 입궁이 금지되었다. 그러나 당시 관료들 가운데는 후주의 황음무도함에 대해 의심하고 원망하는 자가 많았다. 따라서 서촉 조정에서 현자들은 점점 자취를 감추고 소인배들만 들끓게 되었다.

이때 우장군 염우(閻宇)는 한치의 공도 세운 바 없으면서도 다만 황호에게 아첨해 높은 벼슬을 얻은 자였다. 강유가 군사를 거느리고 기산에 있다는 말을 듣고 황호를 설득해 자신에게 이롭도록 후주에게 아뢰게 했다. 황호가 아뢴다.

"강유는 여러번 나가 싸웠으나 아무 공도 세우지 못했사옵니다. 염우를 대신 보내도록 하소서."

후주는 그 말에 따라 즉시 칙사를 보내 강유에게 돌아오라는 명을 내렸다.

그때 강유는 기산의 위군 영채를 공격하고 있었다. 갑자기 하루에 칙사가 세 사람이나 연달아 와서 군사를 거두어 돌아오라는 후주의 칙명을 전했다. 강유는 칙명을 어길 수 없었다. 먼저 조양 방면의 군사부터 물러가게 하고, 자신은 이어 장익의 군사와 더불어 천천히 퇴각하기 시작했다. 그날밤 등애는 영채에서 하늘을 뒤흔드는 북소리와 뿔피릿소리를 듣고도 촉군이 무슨 수작으로 그러는지 전혀 알지 못했다. 이튿날 날이 밝자 부하가 들어와서 보고한다.

"촉군이 모조리 물러가고 그들의 영채는 텅 비었습니다."

등애는 강유가 계책을 쓰는 것이 아닌가 의심하여 감히 추격하지 못했다.

한중에 도착한 강유는 군사들을 쉬게 하고 자신은 후주를 뵈러 칙사와 함께 성도로 갔다. 후주는 강유가 성도에 이른 뒤로 열흘 동안이나 조회를 열지 않았다. 강유는 속으로 의심이 일었다. 그날 동화문 앞에 나갔다가 비서랑(秘書郎) 극정(郤正)을 만난 강유가 묻는다.

"황제께서 내게 회군하라고 하신 까닭을 공은 아시오?"

극정이 웃으며 말한다.

"대장군은 아직도 그 내막을 모르시오? 황호가 염우에게 공을 세울 기회를 주려고 조정에 아뢰었고, 그 일로 황제께서 조서를 내려 장군을 돌아오게 하신 것이오. 이제 그들은 등애의 용병술이 자유자재하다는 말을 듣고서 이 일을 그만 흐지부지 덮어버렸다 하오."

강유가 크게 화를 내며 소리친다.

"내 반드시 그 환관놈을 죽여버리고 말리라!"

극정이 간곡하게 말린다.

"대장군은 제갈무후의 뜻을 계승하여 그 책임이 크고 직책이 막중한데 어찌 경솔히 움직이려 하십니까? 만일 황제께서 용납하지 않으시면 도리어 불미스런 일이 일어날지도 모릅니다."

강유가 사례하여 말한다.

"선생의 말씀이 옳소."

이튿날 후주가 황호와 함께 후원에서 잔치를 베풀어 술을 마시고 있는데, 강유가 몇 사람을 거느리고 들어왔다. 미리 일러준 사람이 있어 황호는 급히 호산(湖山) 옆으로 몸을 피했다. 강유가 정자 아래에 이르러 후주께 절하고 울며 아뢴다.

"신이 기산에서 등애를 곤경에 빠뜨렸사온데 폐하께서는 연달아 세번이나 군사를 거두어 조정으로 돌아오라는 조서를 내리셨습니다. 그렇게 하신 폐하의 뜻은 무엇이었나이까?"

후주는 묵묵부답 말이 없었다. 강유가 또 아뢴다.

"황호가 농간을 부려 권력을 휘두름이 바로 영제(靈帝) 때 십상시(十常侍)와 같습니다. 폐하께서는 가까이로는 장양(張讓, 십상시의 한 사람)을 보시고, 멀리로는 조고(趙高, 진秦나라 환란으로 황제를 죽이고 전권을 휘두름)를 보셔서 한시라도 빨리 황호를 죽이십시오. 그러면 조정은 저절로 바로잡히고 중원도 회복할 수 있을 것이옵니다."

후주가 웃으며 말한다.

"황호는 잔심부름이나 하는 신하일 뿐이니 설사 권력을 부리라고 쥐여줘도 못할 것이오. 전에 동윤(董允)이 황호에게 사사건건 심하게 대하여 짐이 괴상하게 여긴 적이 있소만, 어째서 경까지 이러는지 모르겠소."

강유가 머리를 조아리며 거듭 아뢴다.

"폐하, 지금 황호를 죽이지 않으시면 머지않아 화가 닥칠 것이옵니다."

"사랑하면 살리고자 하고 미우면 죽이고자 한다 하였는데 경은 어찌하여 그깟 환관 하나를 용서하지 못하는가?"

후주는 시종을 시켜 호산 옆에 숨어 있는 황호를 정자 아래로 불러와 강유에게 절하고 사죄하게 했다.

황호는 강유에게 절하더니 흐느껴 울며 말한다.

"저는 아침저녁으로 폐하를 모실 뿐 나랏일에는 간섭하지 않습니다. 장군은 바깥사람의 말만 듣고 저를 죽이려 하지 마십시오. 소인의 목숨이 장군의 손에 달려 있으니 불쌍히 여기시오."

황호는 말을 마치고도 계속 머리를 조아리며 눈물을 펑펑 쏟았다. 이에 강유는 분개하여 원통한 마음으로 궁에서 나와서 곧장 극정에게 가서 있었던 일을 자세히 말하며 의논했다. 극정이 걱정하여 말한다.

"장군에게 머지않아 화가 닥치게 되었소. 장군이 위험에 빠지면 이나라도 망하고 말 터이니 이 일을 어찌하면 좋소?"

강유가 청한다.

"바라건대 선생께서는 부디 나라를 보존하고 이몸도 재앙을 면할 방책을 가르쳐주시오."

극정이 말한다.

"농서지방에 가 있을 만한 곳이 있으니, 바로 답중(畓中)이오. 그곳은 땅이 매우 비옥하니, 장군께서는 제갈무후를 본받아 황제께 아뢰고 그곳에서 둔전(屯田, 주둔군의 군량 마련을 위한 밭농사)을 하시오. 답중에 가서 둔전을 하면, 첫째로 곡식이 익으면 군량에 도움이 될 것이며, 둘째로 농우 일대의 모든 고을을 도모할 수 있고, 셋째로 위군이 한중을 감히 넘보지 못할 것이며, 넷째로 장군이 외방에 머물면서 병권을 장악하고 있으면 누구도 감히 해치지 못할 것이니 이로써 가히 재앙을 피할 수 있으리라. 이는 바로 나라를 보존하고 몸을 안전히할 수 있는 방책이니, 장군께서는 속히 시행토록 하시오."

강유가 크게 기뻐하며 사례하여 말한다.

"너무도 귀중한 말씀입니다."

이튿날 강유는 후주에게 표를 올려 답중에 가서 둔전을 하며 제갈무후의 일을 본받고자 한다고 아뢰었다. 후주는 이를 허락했다. 강유는 즉시 한중으로 돌아가 장수들을 모아놓고 말한다.

"내가 여러번 출사했지만 군량이 부족해 번번이 뜻을 이루지 못했다. 이제 나는 군사 8만명을 거느리고 답중에 가서 보리를 심고 둔전하면서 천천히 중원을 도모할 작정이다. 그대들은 오랜 싸움에 지쳤을 터이니, 골짜기에 주둔하고 있는 군사를 거두어 물러나 한중을 지키도록 하라. 위군이 쳐들어온다 해도 천릿길을 군량을 운반하고 산을 넘고 물을 건너 와야 하니 자연 지칠 대로 지칠 것이다. 일단 지치

강유는 후주에게 둔전을 청해 화를 피하다

면 물러가게 마련이니 그 기회를 놓치지 않고 추격하면 반드시 이길 수 있다."

이어 호제에게는 한수성(漢壽城)을, 왕함에게는 낙성(樂城)을, 장빈에게는 한성(漢城)을, 또 장서와 부첨에게는 각처의 관문과 요충지를 함께 지키라고 명했다. 그리고 자신은 8만 군사를 거느리고 답중으로 가서 보리를 심어가꾸는 장구한 계획을 실행하기로 했다.

한편, 등애는 강유가 답중에서 둔전을 하고 있으며, 길가에 40여 개의 영채를 잇달아 세워 마치 긴 뱀의 형상 같고 영채들 사이에 연락이 끊이지 않는다는 보고를 받았다. 즉시 정탐꾼을 보내 그 일대의 상세한 지도를 그려오게 하여 표문과 함께 낙양으로 올려보냈다. 이를 보고 진공 사마소가 화를 내며 말한다.

"강유가 여러 차례에 걸쳐 중원을 침범해왔건만 이를 무찌르지 못하니, 정말 큰 골칫거리로다."

가충이 말한다.

"강유는 공명의 병법을 깊이 터득하고 있어 급하게 물리치기는 어렵습니다. 지혜와 용맹을 겸비한 장수를 하나 보내 강유를 찔러죽이게 하면, 수고스럽게 많은 군사를 동원할 필요가 없을 것입니다."

이때 종사중랑(從事中郎) 순욱(荀勖)이 나서며 말한다.

"그렇지 않습니다. 지금 촉주 유선은 주색에 빠져 황호만 신임하기 때문에 모든 대신들이 화를 피할 생각만 하고 있다 하옵니다. 강유가 답중에 머물며 둔전을 하는 것도 실은 화를 면하고자 하는 계책입니다. 이럴 때 대장을 시켜 치면 반드시 이길 터인데, 굳이 자객을 쓸 필요가 무엇입니까?"

사마소가 호탕하게 웃으며 말한다.

"그 말이 가장 좋소. 나는 촉을 치고 싶은데, 누구를 대장으로 삼는 게 좋겠소?"

순욱이 대답한다.

"등애는 천하의 명장이오니 종회를 부장으로 삼아 함께 보내시면 반드시 큰일을 이뤄낼 것입니다."

사마소가 크게 기뻐하며 말한다.

"그대의 말이 바로 내 뜻과 같도다."

즉시 종회를 불러들여 묻는다.

"내가 그대를 대장으로 삼아 동오를 치고자 하는데, 그대의 생각은 어떠한가?"

종회가 대답한다.

"주공의 참뜻은 오를 치시는 게 아니라 촉을 치시려는 것 아닙니까?"

사마소가 껄껄 웃는다.

"그대는 정말 내 마음을 잘 아는구나. 내 경을 보내 촉을 칠 생각인데, 어떤 계책을 쓰는 게 좋겠소?"

종회가 말한다.

"저는 주공께서 반드시 촉을 치실 것이라 생각하고 이미 상세한 지도를 만들어두었습니다."

사마소가 종회가 바친 지도를 펼쳐보니 모든 길이 자세하게 그려져 있을 뿐 아니라 영채를 세울 곳, 군량과 마초를 쌓아둘 곳과 어디로 나아가고 어디로 물러나야 할지까지 일일이 표시되어 있었다. 사마소가 크게 흡족해하며 말한다.

"참으로 훌륭한 장수로다. 경은 등애와 함께 군사를 합쳐 촉을 공략하는 것이 어떻겠는가?"

종회가 대답한다.

"촉땅은 넓고 길이 많으니 한 방면으로만 나아가서는 안됩니다. 저와 등애가 군사를 나누어 각기 진격함이 좋을 것입니다."

사마소는 마침내 종회를 진서장군(鎮西將軍)으로 삼고 절월(節鉞, 적을 치러 가는 장군에게 주는 부절과 도끼. 위임장)을 주어 관중(關中)의 군사를 지휘하게 하고, 청주(靑州)·서주(徐州)·연주(兗州)·예주(豫州)·형주(荊州)·양주(揚州) 등의 군사를 소집하도록 했다. 또 한편으로 사람을 보내 등애를 정서장군으로 임명하여 관외(關外)와 농상 일대의 군사를 총지휘하게 하고, 기일을 정해 촉을 치도록 명을 내렸다.

이튿날 사마소가 조정에서 이 일을 상의하는데, 전장군(前將軍) 등돈(鄧敦)이 나서며 말한다.

"강유가 여러 차례에 걸쳐 중원을 침범해와 우리 군사들이 무수히 죽고 다쳤습니다. 지금 우리는 지키기만 해도 보전하기 힘든 상황입니다. 이러한 터에 어찌하여 산천이 험한 땅에 깊이 들어가 화를 자초하려 하십니까?"

사마소는 버럭 화를 내며 말한다.

"내가 인의(仁義)의 군사를 일으켜 무도한 자를 치려 하는데, 네 어찌 감히 나의 뜻을 거역하느냐!"

무사들에게 호통을 쳐 등돈을 끌어내 목을 베라고 명했다. 잠시 뒤 무사들이 등돈의 머리를 베어 계단 아래에 바쳤다. 모든 신하들은 크게 놀라 얼굴빛이 변했다. 사마소가 말한다.

"나는 동쪽을 친 이래 6년 동안 쉬면서 군사 조련과 무기 수리도 완벽하게 끝냈으며, 오와 촉을 치고자 계획한 지도 오래요. 이제 먼저 서측을 정벌하고, 그 여세를 몰아 수륙으로 동시에 진격해 동오를 손에 넣으려 하니, 이는 바로 '괵(虢)'을 멸하고 우(虞)를 취하는 전법(가도멸괵지계假途滅虢之計)'이라. 짐작건대 서측의 군사란, 성도를 지키는 군사가 8,9만이고 변경을 지키는 군사는 4,5만에 불과하며, 강유가 거느리고 둔전하는 군사 또한 6,7만에 불과하오. 내 이미 등애에게 관외와 농우의 군사 10여만을 거느리고 답중에 있는 강유를 공격해 동쪽을 돌보지 못하도록 묶어놓고, 한편 종회에게는 관중의 정예병 2,30만을 거느리고 낙곡의 세 길로 곧바로 나아가 한중을 공략하라고 명해두었소. 촉주 유선은 원래 어리석으니, 밖으로 변경의 성들이 함락되고 안으로 백성들이 겁을 먹고 떨면 반드시 망하고 말 것이오."

대신들은 모두 엎드려 절했다.

한편, 종회는 진서장군의 인수를 받고 촉을 치기 위해 군사를 일으켰다. 만에 하나 기밀이 누설될까 염려해 오를 친다는 명목을 내세워 청주·연주·예주·형주·양주 다섯 지방에 큰 배를 만들도록 명을 내렸다. 또 당자를 등주(登州)와 내주(萊州) 등 해안지대로 보내 모든 배를 징발하게 했다. 사마소는 그렇게 한 뜻을 모르고 종회를 불러 묻는다.

"그대는 육로를 이용해 서천을 공격할 터인데 배는 무엇하러 만드는 것인가?"

종회가 대답한다.

"촉은 우리 대군이 쳐들어가는 걸 알면 반드시 동오에 구원을 청할 것입니다. 그러니 먼저 동오를 칠 것처럼 이렇게 기세를 올리면 동오는 함부로 움직이지 못할 것입니다. 또한 1년 안에 촉을 격파하고 그 때쯤이면 배도 다 만들어질 것이니 곧바로 동오를 치기도 수월합니다."

사마소는 크게 기뻐하며 출정 날짜를 정했다. 위 경원 4년(263) 7월 초사흘, 종회는 대군을 거느리고 출발했다. 사마소는 성밖 10리까지 나가 전송하고 돌아왔다. 서조연(西曹掾) 소제(邵悌)가 사마소에게 은밀하게 말한다.

"이번에 주공께서 종회에게 군사 10만을 주어 촉을 치게 하셨는데, 제 어리석은 소견으로 원래 종회는 뜻이 크고 마음이 높은 사람이라 이를 이용해 대권을 잡으려 하지나 않을지 걱정이옵니다."

사마소가 웃는다.

"내가 어찌 그것을 모르겠는가?"

소제가 말한다.

"이미 아셨다면 주공께서는 어찌하여 그 임무를 함께할 사람을 보내지 않으셨습니까?"

사마소의 몇마디 말에 소제의 염려는 눈녹듯 사라졌다.

바야흐로 장병이 내닫는 날에   方當士馬驅馳日
장군이 발호할 마음이 있는 줄 미리 알았다네   早識將軍跋扈心

사마소는 뭐라고 대답했을까?

116

제갈량의 혼령

三
國
志

종회는 한중 길에서 군사를 나누고
제갈량의 혼령이 정군산에 나타나다

사마소가 서조연 소제에게 말한다.

"조정 신하들이 모두 아직 촉을 칠 수 없다고 말하니, 이는 겁을 먹은 때문이다. 만일 억지로 싸우게 하면 반드시 패한다. 지금 종회 홀로 촉을 정벌할 계책을 세웠으니, 이는 겁을 먹지 않았기 때문이다. 겁내지 않으면 반드시 촉을 격파할 것이고, 촉이 무너지면 촉의 백성들은 가슴이 찢어질 것이다. '패한 장수는 용맹을 말할 수 없고 망국의 대부(大夫)는 살길을 도모할 수 없다' 했다. 종회에게 이미 딴뜻이 있다 하나, 촉의 백성들이 어찌 그를 도울 수 있겠는가? 또 위군은 이기면 귀향을 생각해 결코 종회를 좇아 반역하지 않을 것이니, 더 걱정하지 않아도 된다. 이 말은 나와 그대만 아는 일이니 절대 누설하지 말라."

소제는 감복하여 엎드려 절했다.

한편, 종회는 영채를 다 세우고 나서 장상에 올라 장수들을 불러모았다. 이때 감군(監軍) 위관(衛瓘)과 호군(護軍) 호열(胡烈), 대장 전속(田續)·방회(龐會)·전장(田章)·원정(爰彰)·구건(丘建)·하후함(夏侯咸)·왕매(王買)·황보개(皇甫闓)·구안(句安) 등 80여명이 모였다. 종회가 말한다.

"이번에는 반드시 대장 한 사람이 선봉이 되어 산을 만나면 길을 열고 물을 만나면 다리를 놓아야 한다. 누가 감히 이 일을 맡겠느냐?"

한 사람이 나선다.

"제가 가겠습니다."

종회가 보니, 호장(虎將) 허저(許褚)의 아들 허의(許儀)였다. 모두가 말한다.

"이 사람이 아니면 선봉이 될 수 없습니다."

종회는 허의에게 말한다.

"그대는 호랑이 같은 체구에 원숭이처럼 긴 팔을 지닌 장수로 부자가 다 유명하며, 오늘 모든 장수들이 그대를 보증하는구나. 그대는 선봉의 인(印)을 걸고 기병 5천과 보병 1천을 이끌고 곧바로 한중으로 쳐들어가라. 군사를 세 길로 나누어, 그대는 중군을 이끌고 야곡으로 나아가고, 좌군은 낙곡으로, 우군은 자오곡으로 나아간다. 이 세곳 모두 산세가 험하니, 마땅히 군사들에게 명해 땅을 메워 길을 닦고 다리를 고치며, 산을 뚫고 바위를 깨뜨려 막힘이 없게 하라. 이를 어기면 반드시 군법으로 다스릴 것이다."

명령을 받은 허의는 군사를 이끌고 앞서 출발했다. 종회는 뒤따라 10만 대군을 거느리고 밤낮없이 진군해갔다.

한편, 이무렵 등애는 농서에 있다가 촉을 정벌하라는 조서를 받았다. 즉시 사마망에게 강인을 막도록 하는 한편, 옹주 자사 제갈서(諸葛緒)와 천수(天水) 태수 왕기(王頎), 농서 태수 견홍(牽弘), 금성(金城) 태수 양흔(楊欣) 등에게 각기 군사를 이끌고 와서 명을 받들도록 했다. 각처의 군마가 구름처럼 모여들기 시작했다. 이때 등애가 밤에 꿈을 꾸었다. 높은 산에 올라 한중을 내려다보는데 홀연 발 아래서 샘이 하나 솟더니 물이 세차게 솟아올랐다. 놀라 깨어보니 온몸이 땀으로 흠뻑 젖어 있었다. 그대로 일어나 앉아 아침을 기다려 호위(護衛) 원소(爰邵)를 불렀다. 원소는 『주역』에 밝은 사람이었다. 등애가 간밤의 꿈을 이야기하자 원소가 대답한다.

"『주역』에서는 '산위에 물이 있는 것을 건(蹇)이라 한다' 했습니다. 이 괘(卦)는 서남쪽이 이롭고 동북쪽이 이롭지 못합니다. 또 공자께서는 '건은 서남쪽이 유리하여 가면 공을 세우지만, 동북쪽은 불리하여 그 길이 막힌다'고 하셨습니다. 장군이 이번에 가시면 반드시 촉을 정벌하실 수 있을 것이나, 다만 길이 막혀 돌아오시지 못함이 애석합니다."

등애는 그 말을 듣고 마음이 우울했다. 그때 종회의 격문이 왔다. 군사를 일으켜 한중에서 합세하자는 내용이었다. 마침내 등애는 옹주 자사 제갈서를 보내 군사 1만 5천명으로 하여금 우선 강유의 귀로를 끊도록 했다. 이어 천수 태수 왕기에게 군사 1만 5천명으로 왼쪽에서 답중을 공격하게 하고, 농서 태수 견홍에게는 군사 1만 5천명으로 오른쪽에서 답중을 공격하도록 했다. 또 금성 태수 양흔은 군사 1만 5천명으로 감송(甘松)에서 강유의 뒤를 습격하도록 하고 등애 자신은 3만 군사를 거느리고서 왕래하며 돕기로 했다.

한편 종회가 출정할 때 백관들은 성밖까지 나와 배웅한다. 정기들이 나부껴 해를 가리고 투구와 갑옷은 서릿발처럼 번쩍이며 군마가 모두 씩씩하고 건장하여 자못 위풍당당했다. 그 모습에 사람들이 모두 칭찬하고 부러워하는 중에, 유독 상국참군(相國參軍) 유식(劉寔)만은 웃을 뿐 아무 말이 없었다. 태위 왕상(王祥)이 유식의 냉소를 보고 말위에서 손을 잡으며 물었다.

"종회와 등애 두 사람이 이번에 촉을 평정할 수 있을까요?"

유식이 말한다.

"반드시 촉을 격파할 터인데, 다만 두 사람 모두 돌아오지 못할까 걱정이외다."

왕상이 그 이유를 물어도 유식은 웃기만 하고 답하지 않았다. 왕상은 다시 묻지 않았다.

위군이 출발하자마자 정탐꾼은 이를 답중의 강유에게 재빨리 보고했다. 강유가 즉시 후주에게 표문을 올리니 그 내용은 다음과 같다.

청하옵건대, 좌거기장군(左車騎將軍) 장익에게 양안관(陽安關)을 지키도록 하고, 우거기장군(右車騎將軍) 요화에게 음평교(陰平橋)를 지키도록 명하옵소서. 두 곳 모두 중요한 요충지이니 만일 이 두 곳을 잃으면 한중을 보전할 수 없사옵니다. 그런 한편으로 마땅히 오에 사신을 보내 구원을 청해야 하옵니다. 저는 답중의 군사를 일으켜 적을 막겠사옵니다.

이때 후주는 경요 6년(263)을 고쳐 염흥(炎興) 원년으로 바꾸었다. 그리고 환관 황호와 더불어 매일 궁중에서 놀며 즐기고 있었다. 갑자기 강유의 표문을 접한 후주는 즉시 황호를 불러 묻는다.

"지금 위가 대군을 일으켜 종회와 등애가 길을 나누어 몰려온다는데 어찌하면 좋겠느냐?"

황호가 아뢴다.

"강유가 공명을 세우고 싶어 이런 표문을 올린 것이옵니다. 폐하께서는 마음을 편안히하시고 염려하거나 의심하지 마옵소서. 신이 듣건대 성안의 무당 하나가 영험한 신을 섬겨 길흉을 알 수 있다 하니, 그를 불러들여 물어보소서."

후주는 그 말을 좇아 후전(後殿)에 향불과 꽃, 종이, 초 등을 갖추고 제물을 차리게 했다. 그리고 황호에게 명해 작은 수레에 무당을 태워 궁중으로 불러들여 용상에 앉혔다. 후주가 향을 사르며 축원을 마쳤다. 무당이 갑자기 머리를 풀어헤치고 맨발로 전 위를 수십번 뛰다가 젯상을 맴돌며 춤을 추었다. 황호가 이른다.

"이는 신이 내린 것이니, 폐하께서는 좌우를 물리고 친히 기도하소서."

후주가 시중드는 신하들을 모두 물리고 다시 절하며 축원을 올렸다. 무당이 큰소리로 외친다.

"나는 서천 토신(土神)이오. 폐하는 태평을 즐기시면서 어찌 다른 일을 물어보시는가? 몇년 뒤에는 위나라 강토도 다 폐하께 돌아올 터이니 아무 근심 마시오."

말을 마치고 혼절해 땅에 쓰러지더니 한참만에 깨어났다. 후주는 크게 기뻐하며 많은 상을 내리고 이때부터 무당의 말을 깊이 믿고 끝내 강유의 말을 듣지 않았다. 후주는 매일 궁중에서 잔치를 벌이고 환락에 빠져 지냈다. 강유가 사태의 위급함을 알리는 표문을 여러번 성도로 보냈지만 모두 황호가 감춰버리니, 이 때문에 나라의 큰일을 그르치게 되었다.

한편, 종회의 대군은 한중을 향해 쉬지 않고 진격했다. 그 가운데 전군 선봉 허의는 공을 먼저 세우려고 군사를 이끌고 남정관(南鄭關)에 다다라 부장들에게 말한다.

"남정관을 지나면 곧 한중땅이다. 관 위에 군마가 많지 않으니 조금만 힘쓰면 적을 무찔러 관을 빼앗을 수 있다."

모든 장수가 명을 받아 일제히 힘을 합쳐 진격해나갔다. 원래 남정관을 지키던 촉의 장수 노손(盧遜)은 위군이 들이닥칠 것에 대비해 일찌감치 관 앞의 나무다리 좌우에 군사를 매복했다. 그리고 제갈량이 남긴 십시연노(十矢連弩, 한번에 화살 열개를 내쏘는 무기)를 장치하고 기다리고 있었다. 허의의 군사가 쳐들어가자 순간 딱딱이소리가 울리며 화살과 돌이 비오듯 쏟아졌다. 허의는 급히 퇴각했으나 이미 화살과 돌에 맞아 죽은 기병이 수십명이었다. 이 싸움에서 위군은 대패했다.

허의가 돌아가 종회에게 이를 보고했다. 종회가 직접 무장기병 1백여명을 데리고 가서 살펴보니, 과연 화살이 일제히 날아 쏟아진다. 종회가 급히 말을 돌려 돌아서는데 관 위에서 노손이 군사 5백명을 휘몰아 쳐내려왔다. 종회가 말에 박차를 가해 다리를 건너려는 순간에 다리 위에 쌓인 흙이 무너졌다. 말굽이 빠지면서 종회는 그만 말에서 굴러떨어질 뻔했다. 말이 끝내 일어나지 못하자 종회는 말을 버리고 다리 아래로 뛰어내리려 했다. 노손이 달려들며 창을 치켜들어 찌르려는 순간 위군 가운데서 순개(荀愷)가 몸을 돌려 활을 쏘았다. 노손은 화살을 맞고 말에서 굴러떨어지고 말았다.

종회는 그 틈을 노려 군사를 재촉해 무서운 기세로 관을 공격했다. 관 위의 군사들은 앞에 촉군이 있어서 감히 화살을 쏘지 못했다. 종회는 그대로 짓쳐들어가 마침내 관을 빼앗았다. 즉시 순개를 호군(護軍)으로 삼고, 안장 얹은 말과 투구와 갑옷을 하사하고 나서 허의를 장막으로 불러들여 책임을 물었다.

"네가 선봉으로 나섰으니, 너는 마땅히 산을 만나면 길을 열고 물을 만나면 다리를 놓으며, 오로지 길을 닦고 다리를 고쳐 행군을 편하게 했어야 한다. 내가 다리에 이르자마자 말굽이 흙구덩이에 빠져 다리에서 떨어질 뻔했으니, 순개가 아니었다면 나는 벌써 죽었을 게다. 이미 군령을 어겼으니 내 마땅히 너를 군법으로 다스리겠다!"

꾸짖고는 좌우에게 당장 끌어내 목을 베라고 명했다. 여러 장수들이 나서서 고한다.

"그의 아비 허저가 조정에 많은 공을 세웠으니, 바라건대 도독께서는 그를 용서해주십시오."

종회가 화를 낸다.

"군법이 분명치 않고서야 어떻게 많은 군사를 이끌겠는가?"

끝내 허의의 목을 베어 모든 사람들에게 보이게 하니 장수들 가운데 떨지 않는 이가 없었다.

이때 촉의 장수 왕함은 낙성을, 장빈은 한성을 지키고 있었다. 그들은 어마어마한 위군의 기세를 보고 감히 출전하지 못하고 굳게 성문을 닫아건 채 지키기만 했다. 종회가 명을 내린다.

"군사는 귀신처럼 빨라야 하는 법, 잠시도 지체해서는 안된다!"

곧 전군 이보(李輔)에게는 낙성을, 호군 순개에게는 한성을 포위하게 하고 자신은 대군을 이끌고 양안관을 치러 갔다.

이때 양안관을 지키던 촉의 장수 부첨은 부장 장서와 나가 싸울 것인지 지킬 것인지 의논하고 있었다. 장서가 말한다.

"위군이 무척 많으니 그 기세를 감당할 수 없습니다. 굳게 지키는 것이 상책입니다."

부첨이 말한다.

"그렇지 않소. 위군은 멀리서 와서 지쳐 있으니, 비록 수가 많다 해도 두려워할 것 없소이다. 우리가 관을 내려가 싸우지 않는다면 한성과 낙성은 둘 다 함락되고 말 게요."

장서는 잠자코 있을 뿐 대답하지 않았다. 그때 위의 대군이 벌써 관 앞에 이르렀다는 급보가 날아들었다. 장서와 부첨은 관 위에 올라가 보았다. 종회가 말채찍을 높이 들고 큰소리로 외친다.

"내 이제 10만 대군을 이끌고 여기에 왔으니, 빨리 나와서 항복하면 품계와 직급에 따라 벼슬을 높여줄 것이다. 만일 어리석게도 끝까지 항복하지 않으면 관을 쳐부수고 모두 도륙을 하고야 말겠다!"

이 말에 격노한 부첨은 장서에게 관을 맡기고, 스스로 3천 군사를 이끌고 관 아래로 쳐내려갔다. 종회는 곧 말머리를 돌려 달아나고 위군은 후퇴했다. 부첨이 기세를 몰아 추격하는데, 위군들이 다시 모여든다. 이를 본 부첨이 관으로 물러나려 하는데, 관 위에는 어느새 위의 깃발이 올라 있었다. 장서가 부첨을 굽어보며 외친다.

"나는 이미 위나라에 항복했다!"

부첨이 대로하여 소리 높이 꾸짖는다.

"은혜를 잊고 의리를 저버린 이 도적놈아! 네 무슨 낯짝으로 세상 사람들을 보려 하느냐!"

즉시 말머리를 돌려 다시 위군과 맞섰다. 위군이 사방을 에워싸고 좁혀들어 부첨을 한가운데로 몰아세웠다. 부첨은 좌충우돌하며 죽기로 싸웠으나 위군의 포위를 벗어날 수는 없었다. 거느린 군사들도 십중팔구가 죽거나 다쳤다. 마침내 부첨은 하늘을 우러러 탄식했다.

"내 촉의 신하로 태어났으니 죽어서도 마땅히 촉의 귀신이 되리라."

다시 말에 박차를 가해 위군 속으로 돌진해들어가 싸우니, 무수히 날아드는 창에 찔려 갑옷과 전포는 금세 피투성이가 되었다. 마침내 타고 있던 말이 쓰러지자 부첨은 스스로 목을 찔러 죽었다.

후세 사람이 그를 찬탄하여 시를 지었다.

하루 동안 충성과 비분을 펼쳐서	一日抒忠憤
천추에 의로운 이름을 얻었구나	千秋仰義名
차라리 부첨의 죽음을 취하지	寧爲傅僉死
장서의 삶을 구하지 않으리	不作蔣舒生

종회는 드디어 양안관을 점령했다. 관 안에는 군량과 마초와 무기가 무척 많아서 종회는 크게 기뻐하며 삼군을 배불리 먹였다.

그날밤, 위군은 양안성 안에 머물렀다. 밤중에 홀연 서남쪽에서 함성이 크게 일었다. 종회는 급히 장막 밖으로 나와 살펴보았다. 그러나 아무런 움직임도 없이 고요하기만 했다. 그날밤 위군은 아무도 감히 잠들지 못했다. 다음날 3경 무렵에 서남쪽에서 또다시 함성이 일어났다. 종회는 놀라고 의아해 새벽녘에 사람을 보내 알아보도록 했다. 알아보러 갔던 사람이 돌아와 보고한다.

"멀리 10여 리까지 나가 살폈지만 사람 하나 없었습니다."

종회는 더욱 놀라고 의심스러웠다. 마침내 군장을 갖춘 기병 수백 명을 이끌고 직접 서남쪽을 순찰하기 위해 나섰다. 어느 산 앞에 이르니, 돌연 사방에서 살기가 일며 먹구름이 퍼지고 안개가 산머리를 덮었다. 종회가 말을 멈추고 향도관에게 묻는다.

"이 산은 무슨 산이냐?"

향도관이 대답한다.

"이 산은 정군산(定軍山)으로, 옛날에 하후연(夏侯淵)이 여기서 죽었습니다."

종회는 그 말을 듣고 슬피 한탄하며 마침내 말머리를 돌렸다. 산비탈을 돌아나오는데 갑자기 크게 광풍이 일어나며 등뒤에서 수천 기병이 바람을 따라 쳐들어온다. 종회는 크게 놀라 군사를 이끌고 말을 휘몰아 정신없이 달렸다. 이때 무수한 장수가 말에서 떨어졌다. 겨우 양안관에 이르러 살펴보니 사람 하나 말 한 마리도 죽지는 않았고 단지 얼굴을 다치거나 투구를 잃은 정도였다. 모두들 말한다.

"검은 구름 가운데서 기병들이 쳐들어왔는데, 가까이 와서는 사람을 다치지 않고, 한줄기 회오리바람으로 바뀌어버렸습니다."

종회가 항복한 장수 장서에게 물었다.

"정군산에 신묘(神廟, 신주를 모신 사당)가 있느냐?"

장서가 말한다.

"신묘는 없고, 제갈무후의 묘뿐입니다."

종회가 깜짝 놀란다.

"이는 필시 제갈무후께서 현성(顯聖, 혼령이 형상을 나타냄)하신 것이로구나. 내 마땅히 가서 제를 올려야겠다."

이튿날 종회는 제례를 갖추고 소·양·돼지를 잡아 제갈무후의 묘 앞에서 재배하고 제를 올렸다. 제사를 마치자 광풍은 잠잠해지고 검은 구름도 사방으로 흩어졌다. 갑자기 맑은 바람이 불어오고 이슬비가 잠깐 흩날리더니 하늘이 맑게 개었다. 위군은 크게 기뻐하며 모두 절하여 사례하고 영채로 돌아왔다.

그날밤 종회는 장막에서 책상에 엎드려 얼핏 잠이 들었다. 갑자기 한줄기 맑은 바람이 스치더니 한 사람이 나타나는데, 윤건을 쓰고 깃털부채를 들었으며, 학창의를 입고 흰 신을 신고 검은 띠를 둘렀다. 얼굴은 관옥 같고 입술은 주사(朱砂, 붉은색 염료)처럼 붉었으며, 눈썹이 짙고 눈은 맑고 깨끗했으며, 키가 8척이었다. 표표한 그 모습이 신선 같았다. 그 사람이 장막 안으로 걸어들어왔다. 종회가 일어나 맞이하며 묻는다.

"공은 뉘신지요?"

그 사람이 말한다.

"오늘 아침 정성껏 나를 돌보아주어 내 그대에게 일러줄 말이 있어 왔노라. 한의 운수가 이미 쇠했으니 천명(天命)을 어길 수는 없겠지만, 양천(兩川, 동천과 서천)의 백성들이 애꿎게 난리를 당할 터이니 참으로 가련하고 애달프도다. 그대가 촉의 경계에 들어간 뒤에는 절대 함부로 백성을 죽이지 말라."

말을 마치자 소매를 떨치고 가버렸다. 종회가 만류하려다 놀라 깨어보니 꿈이었다. 종회는 그것이 제갈무후의 혼령임을 알고 놀라움과

798

종회 앞에 제갈량의 혼령이 나타나다

기이함을 이기지 못했다. 이에 곧바로 전군에 백기 하나를 앞세워 거기에 '보국안민(保國安民)' 네 자를 쓰게 하고 한 사람이라도 함부로 죽이는 자는 목을 벨 것이라 명했다. 그러자 한중 백성들이 성에서 나와 절하며 영접했다. 종회는 백성들을 일일이 위무하고 추호도 범하지 않았다.

후세 사람이 찬탄해 지은 시가 있다.

수만의 음군(陰軍)이 정군산에 둘러 있어	數萬陰兵繞定軍
종회는 신령께 경배를 하였더라	致令鍾會拜靈神
살아 생전에 계책을 써서 유씨를 돕더니	生能決策扶劉氏
죽어서도 유언을 전해 촉땅 백성 보호했다네	死尙遺言保蜀民

한편, 답중에 있던 강유는 위의 대군이 쳐들어왔다는 소식을 들었다. 즉시 요화와 장익, 동궐(董厥)에게 격문을 보내 군사를 일으켜 접응하게 하는 한편 자신도 군사를 점검하고 적을 기다렸다.

갑자기 위군이 들이닥친다는 보고가 들어왔다. 강유가 군사를 이끌고 나가 맞섰다. 위군 대장인 천수 태수 왕기가 말을 달려 나서며 크게 소리친다.

"1백만 대군이 용장 1천명과 더불어 스무 곳으로 나뉘어 진군하여 벌써 성도에 당도했다. 네가 어서 항복하지 않고 도리어 맞설 생각을 하다니 어찌 그리도 천명을 모르느냐!"

강유는 대로하여 창을 꼬나잡고 말을 몰아 곧장 왕기에게 달려들었다. 싸운 지 3합이 못 되어 왕기가 패하여 달아났다. 강유가 군사를 휘몰아 20여리를 추격해갔는데, 갑자기 징소리 북소리가 울리며 한

무리의 군사가 쏟아져나와 앞을 가로막는다. 깃발에는 '농서태수 견흥'이라고 크게 씌어 있었다. 강유가 웃으며 말한다.

"너희 같은 쥐새끼들은 내 적수가 못 된다!"

즉시 군사를 다그쳐 적을 추격해서 다시 10리쯤 가다가 문득 쳐들어오는 등애의 군사와 마주쳤다. 양군이 맞붙어 혼전을 벌이는 가운데 강유는 정신을 가다듬고 등애와 10여합을 겨루었으나 승부가 나지 않았다. 그때 또 뒤쪽에서 징소리와 북소리가 울렸다. 강유가 급히 퇴각하려는데 후군의 군사가 보고한다.

"금성 태수 양흔이 기습해 감송의 모든 영채를 불태웠습니다."

대경실색한 강유는 급히 부장에게 명해 가짜 깃발을 많이 세워 등애를 막도록 하고 자신은 후군을 철수시켜 밤낮없이 감송을 구하러 달려갔다. 마침내 강유는 양흔과 마주쳤다. 그러나 양흔은 감히 맞서지 못하고 산길로 도망쳤다. 강유가 그 뒤를 쫓아 큰 바위 아래 이르렀는데 갑자기 바위 위에서 나무와 돌이 빗발치듯 쏟아져내려 더이상 나아갈 수가 없었다. 강유는 그대로 되돌아서 절반쯤 왔는데, 촉군은 그동안 이미 등애에게 크게 패한 뒤였다. 이어 위의 대군이 들이닥치며 강유 주위를 에워쌌다. 강유는 수하 기병들을 이끌고 혈로를 뚫으며 겹겹의 포위망을 벗어나 대채로 달아나서는 굳게 지키며 원군이 오기를 기다렸다. 그때 갑자기 정탐꾼이 달려와 보고한다.

"종회가 양안관을 격파해 그곳을 지키던 장서가 항복하고 부첨은 전사하여 한중은 이미 위의 손에 들어갔습니다. 낙성을 지키던 왕함과 한성을 지키던 장빈 또한 한중이 함락되자 성문을 열어 항복했습니다. 호제는 적을 막을 수 없어 성도로 구원을 청하러 도망쳤습니다."

크게 놀란 강유는 즉시 영채를 거두라고 명했다. 그날밤 군사들을 이끌고 강천(羌川) 어귀에 이르렀는데, 한무리의 군사가 앞을 막아섰다. 위의 장수 금성 태수 양흔의 군사였다. 강유는 대로하여 말을 달려나가 싸웠다. 양흔은 단 1합에 패하여 달아났다. 강유는 활을 들어 연이어 세번을 쏘았으나 모두 맞지 않자 더욱 화가 나서 활을 꺾어버리고 창을 쥐고는 양흔의 뒤를 쫓았다. 그런데 그만 말이 앞발을 헛디뎌 고꾸라지는 바람에 강유는 땅에 나동그라져버렸다. 이를 본 양흔이 급히 말을 돌려 달려와서는 강유를 치려 했다. 그순간 강유가 펄쩍 뛰어일어나 창으로 냅다 찌르니, 양흔의 말머리 정중앙에 맞았다. 뒤에서 위군들이 바람처럼 쫓아와 양흔을 구해 달아났다. 강유는 다시 말을 타고 추격하려 했다. 그때 뒤쪽에서 등애의 군사가 공격해온다는 보고가 들어왔다. 강유의 군사는 앞뒤가 서로 호응할 수 없게 되었다. 할수없이 강유는 군사를 거두어 한중을 탈환하기 위해 돌아가려 했다. 이때 정탐꾼이 급히 보고한다.

"옹주 자사 제갈서가 이미 퇴로를 끊어놓았습니다."

강유는 험한 산세에 의지해 산밑에 영채를 세웠다. 위군은 음평 다릿목에 주둔했다. 그야말로 진퇴양난이었다. 강유는 길게 탄식한다.

"하늘이 나를 버리시는구나!"

부장 영수(寧隨)가 말한다.

"위군이 비록 음평 다릿목을 끊었지만 옹주에는 필시 군사가 적을 터이니, 장군께서는 공함곡(孔函谷)을 따라 나아가 옹주를 치십시오. 그러면 제갈서는 반드시 음평교의 군사를 철수해 옹주를 구하러 갈 것입니다. 그때 장군께서 군사를 이끌고 검각으로 달려가 그곳을 지키시면 한중을 회복할 수 있을 것입니다."

강유는 그 말에 따라 즉시 출발해 공함곡으로 들어가 짐짓 옹주를 공격하는 척했다. 정탐꾼이 이 사실을 제갈서에게 보고하자 제갈서는 깜짝 놀랐다.

"옹주는 내가 지켜야 할 땅인데, 이를 잃으면 필시 조정의 문책을 당할 것이다."

황급히 대군을 철수해 남쪽길을 따라 옹주를 구하러 가고, 한떼의 군사만 남겨 다릿목을 지키게 했다. 강유는 북쪽길로 들어서서 30리쯤 가다가 위군이 출발했으리라 생각하고 곧 대오를 돌려 후군을 전군으로 하여 음평 다릿목에 이르렀다. 과연 위군의 대부대는 이미 떠나고 약간의 군사들만 지키고 있었다. 강유는 단숨에 적병을 격파하고 영채를 불태워버렸다. 제갈서가 다릿목에서 불이 났다는 소식을 듣고 군사를 돌려 쫓아왔을 때는 강유의 군대가 지나간 지 벌써 반나절이 지나서 감히 뒤를 추격하지 못했다.

한편, 강유는 군사를 거느리고 다릿목을 지나 곧바로 나아갔다. 그때 앞에서 한떼의 군사가 달려오니, 곧 좌장군 장익과 우장군 요화였다. 강유가 상황을 묻자 장익이 대답한다.

"황호가 무당의 말만 믿어 출병시키지 않았습니다. 제가 한중이 위급하다는 소식을 듣고 혼자 군사를 일으켜 달려왔을 때는 양안관이 이미 종회에게 함락당한 뒤였습니다. 이제 장군께서 곤경에 처했다는 소식을 듣고 도우러 이렇게 왔습니다."

이윽고 세 장수는 군사를 한데 합쳐 앞으로 나아갔다. 백수관에 이르렀을 때 요화가 말한다.

"이제 사방이 다 적이고 군량 보급로도 막혔으니 검각으로 물러가 지키면서 다시 좋은 방도를 세우는 것이 낫겠습니다."

강유는 주저하고 근심하며 쉽게 결정하지 못했다. 그때 돌연 종회와 등애가 10여길로 나뉘어 쳐들어온다는 보고가 들어왔다. 강유는 장익·요화와 함께 군사를 나누어 대적하려 했다. 요화가 말한다.

"백수(白水)는 협소하고 길이 많아 싸움을 벌일 만한 땅이 아닙니다. 차라리 후퇴하여 검각을 구하는 것이 낫습니다. 검각을 잃으면 돌아갈 길이 끊기게 됩니다."

강유는 그 말을 좇아 마침내 군사를 이끌고 검각으로 향했다. 관 앞 가까이 이르렀는데 갑자기 북소리와 뿔피릿소리가 일제히 울리며 함성이 크게 일어나면서 깃발들이 사방에 서고 한무리의 군사가 관 입구를 가로막았다.

| 한중의 요충지를 이미 다 잃었거늘 | 漢中險峻已無有 |
| 검각에선 풍파가 홀연히 일어나누나 | 劍閣風波又忽生 |

이것은 과연 어디 군사일까?

117

三
國
志

풍전등화 서촉

등애는 몰래 음평을 통과하고
제갈첨은 면죽에서 전사하다

보국대장군(輔國大將軍) 동궐은 위군이 10여길로 나뉘어 경계를 넘어 쳐들어온다는 급보를 받자 즉시 군사 2만명을 이끌고 검각에 와서 지키고 있었다. 그날 동궐은 흙먼지가 크게 일어나는 것을 보고, 혹시 위군이 아닌가 하여 급히 군사를 거느리고 관 입구로 나와 전투태세를 갖추고 있었다. 동궐이 직접 진 앞에 나서서 보니, 이는 바로 강유·요화·장익이었다. 동궐은 크게 기뻐하며 그들을 맞아들였다. 서로 예를 마친 다음 관 위에 올라 동궐은 후주와 황호에 관한 일을 울면서 호소했다. 강유가 말한다.

풍전등화 서촉 805

"공은 걱정하지 마시오. 이 강유가 살아 있는 한 위군이 우리 촉을 집어삼키게 내버려두지는 않을 것이오. 우선 검각을 지키며 적을 물리칠 계책을 천천히 생각합시다."

동궐이 말한다.

"비록 이곳은 지킬 수 있다 해도, 성도에는 나라를 걱정할 만한 인물이 없습니다. 적군이 갑자기 쳐들어가면 그대로 와해될 것입니다."

강유가 말한다.

"성도는 산세가 험준해 쉽게 취할 수 없을 테니 그리 걱정할 것 없소."

이렇게 이야기하고 있는데 갑자기 제갈서가 군사를 이끌고 관 아래로 몰려온다는 보고가 들어왔다. 강유는 대로하여 급히 군사 5천명을 거느리고 관을 나섰다. 그대로 곧장 위군의 진영으로 짓쳐들어가 좌충우돌하니 제갈서는 여지없이 패하여 달아났다. 제갈서가 수십리를 달아나 영채를 세우고 점검해보니, 죽은 자가 무수히 많았다. 촉군은 위군의 수많은 무기와 말을 노획했다. 강유는 군사를 거두어 관으로 돌아왔다.

한편, 종회는 검각에서 20리 떨어진 곳에 이르러 영채를 세웠는데, 제갈서가 스스로 와서 엎드려 죄를 청했다. 종회가 버럭 화를 낸다.

"내 너에게 음평 다릿목을 굳게 지켜 강유의 귀로를 끊으라고 명했는데 어찌하여 잃었느냐! 게다가 내가 명하지도 않았는데 어째서 네 맘대로 출병하여 이 지경으로 패했느냐!"

제갈서가 대답한다.

"강유는 계략이 뛰어난 자이옵니다. 짐짓 옹주를 치러 가는 듯한 움직임을 보이기에, 저는 옹주를 잃을까 염려하여 급히 군사를 거느리고 구하러 갔습니다. 그런데 그 틈을 타 강유가 달아나기에 검각의 관문 아래까지 뒤쫓은 것입니다. 이렇게 패할 줄은 생각지도 못했습니다."

종회는 대로하여 당장 제갈서의 목을 베라고 호령했다. 이때 감군 위관이 나서서 만류한다.

"비록 제갈서에게 죄가 있으나 그는 정서장군 등애의 수하장수입니다. 장군께서 죽이시면 두 장군의 의가 상할까 두렵습니다."

종회가 말한다.

"나는 황제의 조서와 진공(晉公, 사마소)의 명을 받들어 촉을 치러 왔다. 만일 등애에게 죄가 있다면 마땅히 그의 목도 벨 것이다!"

모든 사람들이 힘써 말려서 마침내 종회는 제갈서를 함거(檻車, 죄인을 태우는 수레)에 가두어 낙양의 사마소에게 보내 처벌을 일임하고, 그의 군사들은 자기 수하에 거두었다. 사람들이 이 일을 보고하자 등애는 크게 노했다.

"나와 종회의 품계(品階, 벼슬의 등급)가 같고 내 오랫동안 변방을 지켜 나라에 공로가 크거늘, 어찌 감히 망령되이 혼자만 잘난 척한단 말이냐!"

아들 등충이 조심스럽게 말한다.

"'작은 일을 참지 않으면 큰일을 망친다'고 했습니다. 아버님께서 그와 의가 상하시면 나라의 대사를 망치게 되오니 부디 참고 또 참으십시오."

등애는 그 말에 고개를 끄덕였으나 끝내 분을 이기지 못해 기병 십수명을 거느리고 종회를 만나러 갔다. 등애가 왔다는 말에 종회는 좌우에게 물었다.

"등애가 거느리고 온 군사가 얼마나 되느냐?"

사람들이 대답한다.

"겨우 기병 10여명입니다."

종회는 즉시 명하여 장막 안팎에 무사 수백명을 늘어세웠다. 등애
는 말에서 내려 걸어왔다. 종회가 나와 맞이하니 두 사람은 장막으로
들어가 서로 인사를 나누었다. 등애는 삼엄하게 늘어서 있는 군사들
을 보자 마음이 불안해져서 종회에게 한마디 한다.

"장군이 한중을 얻었으니 이는 조정의 큰 복이오. 이제 어서 검각
을 차지할 계책을 세워야 하지 않겠소이까?"

종회가 묻는다.

"장군의 고견은 어떠십니까?"

등애는 거듭거듭 자신의 무능함을 들며 대답을 회피했다. 그런데도
종회가 굳이 계책을 묻자 마침내 등애가 대답한다.

"내 어리석은 생각으로는, 군사를 거느리고 음평 샛길로 해서 한중
의 덕양정(德陽亭)으로 빠져나가 곧바로 성도를 기습하면 강유는 반
드시 군사를 물려 구하러 갈 것입니다. 그 틈에 장군이 검각을 취하면
능히 성공할 수 있을 것이오."

종회는 크게 기뻐하며 말한다.

"장군의 그 계책이 참으로 절묘합니다! 즉시 군사를 거느리고 가시
오. 나는 여기서 기쁜 소식을 기다리고 있겠소."

두 사람은 서로 술잔을 나누고 헤어졌다. 종회는 본부 장막으로 돌
아와 장수들에게 말한다.

"사람들이 모두 등애를 유능하다 하더니, 오늘 내가 보니 그의 재
주가 용렬하기 짝이 없구나!"

장수들이 그 이유를 물었다. 종회가 대답한다.

"음평의 샛길은 고산준령이어서 만일 촉군 1백여명만이라도 그 험악한 요충지를 지켜 퇴로를 끊어버리면 등애의 군사는 모두 굶어죽고말 것이다. 나는 오로지 큰길로만 나아갈 것이다. 어찌 촉을 격파하지 못하겠느냐!"

마침내 종회는 운제(雲梯)를 만들고 포대를 설치해 검각의 관문을 본격적으로 공격하기 시작했다.

한편, 종회의 영채를 나와 말에 오른 등애는 뒤따르는 자를 돌아보며 묻는다.

"나를 대하는 종회의 태도가 어떠하더냐?"

따르는 자가 대답한다.

"말하는 기색을 보니 장군의 말을 무척 못마땅해하면서 입으로만 칭찬하는 것 같았습니다."

등애가 웃으며 말한다.

"종회는 내가 성도를 얻지 못할 거라 생각하겠지만 내 기필코 성도를 점령하고야 말겠다!"

등애가 본채로 돌아오자 사찬과 등충 등 몇몇 장수들이 나와 영접하며 묻는다.

"오늘 종회 장군과 좋은 의견을 나누셨습니까?"

등애가 대답한다.

"나는 종회에게 진심으로 말했는데, 그는 나를 하찮게 보았다. 그가 이번에 한중을 얻어 큰 공을 세운 줄 알지만, 내가 답중땅에서 강유의 발을 묶어두지 않았더라면 제가 어떻게 능히 성공했겠느냐! 이번에 내가 성도를 취하면 한중을 취한 것보다 더한 공이 될 것이다!"

그밤으로 등애는 명을 내려 영채를 모두 거두고 즉시 출발해 음평의 샛길로 진군하여 검각에서 7백리 떨어진 곳에 영채를 세웠다. 한 사람이 이 사실을 종회에게 보고했다.

"등애가 성도를 취하고자 출발했습니다."

종회는 등애의 지각 없음을 비웃었다.

이때 등애는 밀서를 써서 낙양의 사마소에게 사자를 보내는 한편 모든 장수를 장막에 불러모아 묻는다.

"나는 적의 빈틈을 타서 성도를 취하고 그대들과 더불어 공명을 세우고자 한다. 기꺼이 나를 따르겠느냐?"

모든 장수들이 일제히 답한다.

"군령을 따를 것이며, 만번 죽어도 마다하지 않겠습니다."

등애는 먼저 아들 등충에게 정예군 5천을 이끌도록 명하고 모두 갑옷을 벗고 도끼와 정 따위의 연장을 준비해 산세가 험한 곳을 만나면 산을 뚫어 길을 내고, 물이 나타나면 다리를 만들어 후속부대가 행군하는 데 편리하게 하라고 지시해 떠나보냈다. 그런 뒤 등애 자신은 친히 군사 3만명을 선발해 각기 마른 양식과 굵은 밧줄을 지니게 하고 출발했다. 1백여리쯤 가서 군사 3천명을 남겨 영채를 세우게 하고, 또 1백여리쯤 가서 다시 군사 3천명을 남겨 영채를 세우게 하면서 행군을 계속했다.

그해 10월 음평에서 출발한 등애의 군사가 깎아지른 산과 험한 골짜기 안에 이르기까지 대략 20여일이 걸렸는데, 그동안 7백여리를 행군했으나 대체로 사람 하나 없는 무인지경이었다. 등애는 도중 몇군데에 영채를 세워 군사를 남겼기 때문에, 이제 수하에는 2천 군사밖에 없었다. 문득 길 앞에 높은 고개가 나타나니, 바로 마천령(摩天嶺)

이었다. 말이 오르지 못할 만큼 험준하여 등애가 걸어서 고갯마루 위에 올라보니, 길을 뚫기 위해 앞서 떠났던 등충과 그의 군사들이 울고 있었다. 등애가 까닭을 물으니 등충이 고한다.

"이 고개 서쪽은 깎아지른 듯한 바위절벽이라 도무지 길을 뚫을 수가 없습니다. 이제까지의 고생이 모두 헛되어 울고 있는 중입니다."

등애가 말한다.

"우리 군사는 여기 오기까지 벌써 7백여리를 행군해왔다. 여기만 지나면 바로 강유(江油)인데 어찌 여기서 물러서겠느냐?"

마침내 등애는 모든 군사를 불러모아 말한다.

"'호랑이 굴에 들어가지 않고 어떻게 호랑이 새끼를 얻겠는가[不入虎穴 焉得虎子]!' 나와 너희들이 여기까지 왔으니, 이 일을 이루면 함께 부귀를 누리리라."

모두가 일제히 답한다.

"장군의 명에 따르겠습니다."

마침내 등애는 군사들에게 무기를 모두 절벽 아래로 던져 떨어뜨리게 했다. 이어 자신의 몸을 털가죽옷으로 감싸고 맨먼저 아래로 굴러내려갔다. 부장들 중에 털가죽옷이 있는 자들은 등애의 뒤를 따라 몸을 감싸고 굴러내려가고, 털가죽옷이 없는 자는 각자 튼튼한 밧줄로 허리를 동여매고 한손으로는 나뭇가지를 붙들거나 매달리면서 꼬챙이에 꿰인 생선들처럼 연이어 절벽을 내려갔다. 이렇게 하여 마침내 등애와 그 아들 등충 그리고 2천 군사와 길을 개척하던 장정들까지 모두 마천령을 넘었다. 고갯마루에서 던져내린 갑옷과 투구, 무기를 정돈해 떠나려는데 문득 보니 길가에 비석이 하나 서 있었다. 거기에는 '승상 제갈무후가 쓰노라[丞相諸葛武侯題]'라고 하고 다음의 글이

등애와 군사들은 천신만고 끝에 험준한 마천령을 넘다

새겨져 있었다.

두 불이 처음 일어나매*	二火初興
이곳으로 넘을 사람이 있으리	有人越此
두 장군이 공을 다투다가	二士爭衡
머지않아 스스로 죽으리	不久自死

* 두 불(二火)은 '炎'자로, '이화초홍(二火初興)'은 촉 염홍(炎興) 원년을 가리킴.

깜짝 놀란 등애가 황망히 비석에 두번 절하며 말한다.

"제갈무후는 진정 신인이시로구나! 스승으로 모시지 못해 참으로 애석하도다!"

후세 사람이 이 일을 시로 지어 읊었다.

음평의 험준한 고개 하늘과 가지런해	陰平峻嶺與天齊
현학도 빙빙 돌며 날아오르기 겁내더라	玄鶴徘徊尙怯飛
등애는 털가죽으로 몸을 싸고 굴러내렸는데	鄧艾裹氈從此下
제갈량이 이 일을 예견할 줄 그 누가 알았으랴	誰知諸葛有先機

등애는 은밀히 음평을 지나 군사를 이끌고 계속 진군해가던 중에 텅 빈 영채 하나를 발견했다. 좌우에서 고한다.

"들으니 제갈무후가 살아 있을 때는 여기에 1천 군사를 두어 늘 지키게 했는데 오늘날에는 촉주 유선이 영채를 폐하여 이 지경이라고 합니다."

등애는 경탄해 마지않으며 모든 이에게 말한다.

"우리에게 온 길은 있으나 물러설 길은 없다. 앞쪽 강유성에는 곡식이 충분하다. 전진하면 살고 물러서면 죽을 것이니 모두 힘을 합쳐 공격하라."

모든 군사들이 일제히 답한다.

"목숨을 걸고 싸우겠습니다!"

등애는 2천여 군사를 이끌고 밤낮을 가리지 않고 이틀길을 하루에 걸으며 강유성을 향해 진군해갔다.

한편, 강유성을 수비하는 장수 마막(馬邈)은 이미 동천(東川, 한중)이 함락되었다는 소식을 듣고 대비하고 있었다. 그러나 큰길만 지켰을 뿐, 강유가 검각을 지키는 것을 믿고 더이상 방비에 힘쓰지 않았다. 그날도 군마를 훈련시키고 귀가한 마막은 아내 이(李)씨와 더불어 화로를 끼고 앉아 술을 마시고 있었다. 아내가 묻는다.

"변방의 형세가 매우 급하다고들 하는데 장군은 아무 근심이 없으시니 어찌 된 일입니까?"

마막이 말한다.

"강유가 있어 큰일을 다 장악하고 있으니 내가 무엇을 더 하겠소?"

"비록 그렇다 해도 장군은 이 성을 지켜야 하니, 이보다 더 막중한 일이 어디 있겠습니까?"

"황제께서는 황호의 말만 믿고 주색에 빠져 계시니, 내 보기에 머지않아 큰 화가 닥칠 것이오. 위군이 쳐들어오면 곧 항복하는 것이 상책인데 무얼 근심한단 말이오?"

마막의 아내는 크게 화를 내며 그의 얼굴에 침을 뱉었다.

"당신은 남자가 되어 싸우기도 전에 불충불의(不忠不義)한 마음을 품고서 지금껏 헛되이 나라의 녹을 받았단 말씀이오? 내 무슨 면목으로 당신을 다시 보겠소!"

마막은 부끄러워 아무 말도 못했다. 그때 갑자기 집안사람이 뛰어
들며 보고한다.

"어디로 해서 왔는지 위의 장수 등애가 군사 2천여명을 거느리고
일제히 성으로 몰려옵니다."

마막은 크게 놀라 황망히 나가더니 공당(公堂) 아래서 절하고 엎드
려 울며 고한다.

"오래 전부터 저는 항복할 생각이었습니다. 이제 성안의 백성과 군
마를 전부 불러 장군께 항복시키고자 합니다."

등애는 마막의 항복을 받아들였다. 강유성의 군마를 수하에 거두어
들이고, 마막은 향도관으로 삼았다. 그때 마막의 부인 이씨가 목을 매
자살했다는 보고가 들어왔다. 등애가 그 이유를 묻자 마막은 사실대
로 고했다. 마막의 처 이씨의 덕행에 감탄한 등애는 예를 갖추어 성대
히 장사지내도록 명하고 몸소 제사에 참석했다. 이를 전해들은 위나
라 사람들 중에 감탄하지 않는 이가 없었다.

후세 사람이 시를 지어 이 일을 찬탄했다.

후주 혼암하여 한의 사직 쓰러지니　　　　　　後主昏迷漢祚顚
하늘은 등애를 보내 서천을 취하였네　　　　　天差鄧艾取西川
슬프다 파촉에 명장이 많다지만　　　　　　　可憐巴蜀多名將
강유성의 이씨 부인 따를 자 없었다네　　　　不及江油李氏賢

등애는 강유성을 점령한 즉시 음평 샛길에 남겨두었던 군사들을 불
러 한데 합치고 군사를 정비하자마자 곧바로 부성(涪城)을 공략하려

했다. 그때 부하 장수 전속(田續)이 말한다.

"우리 군사는 험한 곳을 진군해온 탓에 몹시 지쳐 있습니다. 며칠 쉬어 기운을 차린 뒤에 진격하심이 어떨까 합니다."

등애가 버럭 소리를 지른다.

"군사를 부리는 데는 무엇보다 신속해야 한다. 네 어찌 감히 군심을 어지럽히는 것이냐!"

좌우에게 끌어내 즉시 목을 베라고 명하니 모든 장수들이 나서서 겨우 말렸다. 등애는 그 길로 군사를 휘몰아 부성을 공격했다. 성안의 관리와 군사, 백성들은 적군이 하늘에서 내려온 것이나 아닌가 의심하며 모두 나와 항복했다.

부성의 촉군이 나는 듯이 사람을 보내 이 사실을 성도에 보고하자 후주는 황급히 황호를 불러들여 대책을 물었다. 황호가 아뢴다.

"이는 꾸며낸 말입니다. 신령께서는 절대 폐하를 곤경에 처하시게 하지 않을 것입니다."

후주는 무당을 불러오게 했다. 그러나 무당은 어디로 가버렸는지 거처를 알 수 없었다. 이때 멀고 가까운 곳에서 급박한 사태를 고하는 표문이 겨울날 눈발 날리듯 들이닥치고, 오가며 연락을 취하는 사자 또한 끊이지 않았다. 후주가 조회를 열어 계책을 의논하는데, 여러 신하들은 얼굴만 쳐다볼 뿐 한마디도 하지 못했다. 극정이 반열에서 나와 아뢴다.

"사태가 급박하옵니다. 폐하께서는 무후(제갈량)의 아들을 불러 적을 물리칠 대책을 상의하소서."

원래 제갈무후의 아들 제갈첨(諸葛瞻)은 자가 사원(思遠)으로, 그 어머니 황씨는 바로 황승언(黃承彦)의 딸이었다. 그 어머니는 용모는

816

보잘것없었으나 재주가 기이하여 위로는 천문에 통달하고 아래로는 지리에 밝았으며, 육도삼략(병법)과 둔갑술에 이르기까지 여러 서적에 두루 이해가 깊어 깨치지 못한 바가 없었다. 제갈무후가 남양땅에 머물던 시절, 그 현명함을 듣고 청혼해 아내로 삼았으니, 제갈무후의 학식도 그 부인에게서 도움받은 것이 많았다. 그뒤 제갈무후가 죽고 나서 얼마 안되어 부인도 세상을 떠났는데, 임종 때 아들 제갈첨에게 유언하기를 오로지 충효에만 힘쓰라고 하였다. 어려서부터 총명했던 제갈첨은 이후 후주의 딸과 혼인해 부마도위(駙馬都尉)가 되었고 나중에는 아버지 무후의 작위를 이어받았다. 경요 4년(261)에 행군호위장군(行軍護衛將軍)이 되었는데, 이때부터 황호가 득세하여 날뛰자 병을 핑계 대고 바깥출입을 삼갔다.

후주는 극정의 말에 따라 즉시 칙사를 연달아 세번이나 보내 제갈첨을 궁으로 불러들였다. 제갈첨이 어전에 나오니 후주가 울며 호소한다.

"등애의 군사가 부성을 빼앗아 주둔하고 있다 하니 이곳 성도가 위급하게 되었소. 경은 선군(제갈량)을 생각해서라도 짐의 목숨을 구해주오."

제갈첨 역시 울며 아뢴다.

"신의 부자는 선제(유비)께 두터운 은혜를 입고 폐하께 특별한 대우를 받았으니, 비록 간뇌도지(肝腦塗地)하더라도 다 보답할 수 없나이다. 원컨대 폐하께서 성도의 군사를 모아주시면 신은 목숨을 걸고 적과 싸워 결판을 내겠습니다."

후주는 즉시 성도의 장수와 군사 7만명을 제갈첨에게 내주었다. 후주를 하직하고 나온 제갈첨은 군마를 정돈하고 장수들을 불러모아 묻는다.

"누가 선봉에 서겠는가?"

그 말이 채 끝나기도 전에 한 소년장수가 나서며 말한다.

"이미 아버님이 총지휘권을 맡으셨으니 제가 선봉이 되고자 하옵
니다."

사람들이 보니 바로 제갈첨의 맏아들 제갈상(諸葛尙)이었다. 이때
제갈상의 나이는 19세로, 병법을 두루 익히고 무예에 능통했다. 제갈
첨은 크게 기뻐하며 마침내 아들 제갈상을 선봉으로 삼고 그날로 위
군을 맞아 싸우기 위해 성도를 떠났다.

한편, 등애는 마막이 바친 지도를 받아 훑어보았다. 부성에서 성도
까지 360리에 걸쳐 산천과 도로, 험준한 지형의 넓고 좁음이 분명하
고 상세하게 그려져 있었는데, 이를 보던 등애가 깜짝 놀라 말한다.

"내가 부성만 지키다가 촉군이 앞산을 차지하면 어찌 공을 이룰 수
있겠는가? 이렇게 날짜만 끌다가 강유의 군사라도 들이닥치면 우리
군사가 위태롭겠구나."

급히 사찬과 아들 등충을 불러 명한다.

"너희는 군사들을 이끌고 밤을 새워 면죽땅으로 진군해가서 촉군
을 막도록 하라. 내 곧 뒤따라가겠다. 결코 태만하지 말라. 만약 적이
요충지를 먼저 차지한다면 즉시 너희들의 목을 베겠다!"

사찬과 등충 두 사람은 즉시 군사와 장수들을 이끌고 내달려 면죽
땅 가까이 이르러 촉군과 맞닥뜨렸다. 양쪽 군사는 각기 진을 벌여세
웠다. 사찬과 등충 두 사람이 문기 아래 말을 세우고 보니, 촉군이 벌
인 것은 팔진(八陣)이었다. 북소리가 세번 울리자 문기가 양쪽으로

갈라지며 수십명의 장수가 사륜거 한 채를 호위하고 나온다. 사륜거 위에 단정히 앉은 사람은 윤건을 쓰고 깃털부채를 쥐었으며, 학창의를 입고 있었다. 사륜거 위로 황색 깃발이 나부끼는데 보니 '한승상 제갈무후'라고 씌어 있다. 사찬과 등충은 너무나 놀라 온몸에 진땀을 흘리며 군사를 돌아보고 소리친다.

"공명이 아직도 살아 있으니 우리는 이제 죽었구나!"

급히 군사를 돌리려 하는데 촉군이 마구 무찌르며 덮쳐들었다. 위군은 싸워보지도 못하고 대패하여 달아났다. 촉군은 20여리를 추격하다가 구원하러 오는 등애의 군사와 맞닥뜨려 양군은 각기 군사를 거두었다. 등애는 장막 안에 높이 앉아 사찬과 등충을 불러 책임을 묻는다.

"너희들은 어찌하여 싸우지도 않고 물러섰느냐?"

등충이 말한다.

"촉군 진영에서 제갈공명이 군사를 지휘하고 있었습니다. 그래서 그만 급하게 돌아섰습니다."

화가 난 등애가 말한다.

"설사 공명이 다시 살아온다 해도 내 어찌 두려워하겠느냐! 경솔하게 너희들이 후퇴하는 바람에 이런 패배를 당한 것이다. 내 너희의 목을 베어 군법을 바로 세우리라!"

모든 사람들이 나서서 간절하게 말려서 등애는 겨우 화를 풀었다. 즉시 사람을 보내 적정을 탐지해오도록 하여 돌아온 정탐꾼의 보고를 들으니, 공명의 아들 제갈첨이 대장이고 제갈첨의 아들 제갈상이 선봉이며, 수레 위에 앉았던 것은 공명의 모습을 새긴 목상(木像)이라고 했다. 등애가 사찬과 등충에게 말한다.

"성공하느냐 실패하느냐는 이번 싸움에 달렸다. 또다시 지는 날에는 기필코 너희들의 목을 벨 것이다!"

사찬과 등충은 다시 군사 1만명을 이끌고 나아가 싸웠다. 제갈상이 홀로 말을 타고 나와 창을 휘두르며 정신을 집중해 싸워 두 사람을 물리쳤다. 이때 제갈첨이 왼쪽과 오른쪽의 군사를 휘몰아나와 바로 위의 진영으로 짓쳐들어갔다. 그대로 좌충우돌하며 수십번을 무찌르니, 이 싸움에서 위군은 크게 패하여 죽은 자의 수를 헤아릴 수 없을 지경이었다. 사찬과 등충도 중상을 입고 도망쳤다. 제갈첨은 군마를 이끌고 도망치는 적의 뒤를 20여리나 추격해 영채를 세우고 맞섰다.

사찬과 등충은 돌아가 등애를 뵈었다. 등애는 두 사람 모두 중상을 입은 터라 더는 꾸짖지 않고 즉시 모든 장수들을 불러 대책을 상의했다. 등애가 말한다.

"촉의 제갈첨은 그 부친의 뜻을 충실히 이어받아 두번 싸움에 1만여 우리 군마를 무찔렀다. 만약 이번에 속히 격파하지 않으면 반드시 나중에 큰 화를 부를 것이다!"

감군 구본(丘本)이 말한다.

"서신을 보내 그를 유인하는 것이 어떻겠습니까?"

등애는 그 말에 따라 즉시 서신 한통을 써서 촉의 영채로 사자를 보냈다. 촉 진영의 수문장이 사자를 장막 안으로 데려가서 서신을 바치게 했다. 제갈첨이 뜯어보니 그 내용은 다음과 같다.

정서장군 등애가 행군호위장군 제갈사원(諸葛思遠, 사원은 제갈첨의 자) 휘하에 서신을 보내오이다. 근래 뛰어나게 현명한 인물을 살펴보면 참으로 공의 부친만한 분이 없소이다. 지난날 초려에서 나오실 때 이미 천하가 삼국으로 나뉠 것을 말씀하셨으며, 형주와 익주를 평정해 드디어 패업(霸業)을 이루셨으니, 고금에 따를 자가 누가 있겠소이까. 그뒤 기산으로 여섯번 나아가신 것은 그 지략과 힘이 부족해서가 아니라 곧 하늘의 운수 때문이었소. 오늘날 후주는 혼미하고 나약해 왕기(王氣)가 이미 다했으니, 등애는 황제의 명을 받들어 대군을 이끌고 촉을 정벌해 이미 모든 지역을 점령하였소. 성도의 위급함이 조석에 있거늘 공은 어찌 하늘의 뜻에 응하고 사람의 뜻에 따라 의롭게 항복하려 하지 않으시오? 이 등애는 마땅히 공을 낭야왕(琅琊王)으로 삼도록 황제께 표문을 올려 공의 가문을 빛나게 할 것이오. 이는 결코 헛된 말이 아니니, 깊이 살피시오.

제갈첨은 다 읽고 나더니 몹시 화를 내며 편지를 찢어버렸다. 이어 좌우 무사들에게 호령해 당장 사자의 목을 베게 하고 따라온 사람에게 사자의 머리를 돌려보내 등애가 보도록 했다. 등애 역시 대로하여 즉시 출전하려 했다. 구본이 간한다.

"함부로 출전하시면 안됩니다. 마땅히 계책을 써서 이겨야 합니다."

등애는 그 말에 따랐다. 천수 태수 왕기와 농서 태수 견홍을 시켜 배후에 군사를 매복하게 한 다음 친히 군사를 거느리고 출전했다. 그때 제갈첨 역시 싸움을 걸려 하고 있었는데 갑자기 등애가 군사를 이끌고 왔다는 보고가 들어왔다. 크게 노한 제갈첨은 곧바로 군사를 이끌고 위군 진영으로 짓쳐들어갔다. 등애가 패한 체하고 달아나니, 제갈첨은 군사를 휘몰아 그 뒤를 추격해갔다. 바로 그때 갑자기 양쪽에서 매복한 적의 군사들이 쏟아져나와 무서운 기세로 달려들었다. 촉

군은 참패하여 면죽으로 퇴각했다.

등애는 즉시 면죽성을 에워싸도록 명했다. 위군은 일제히 함성을 지르며 면죽성을 철통처럼 에워싸더니 점점 죄어들었다. 성안에 있던 제갈첨은 사세가 급박해지자 곧 구원을 청하는 편지를 써서 팽화(彭和)에게 주어 동오로 떠나보냈다. 죽기로써 포위망을 뚫고 곧장 동오로 달려간 팽화는 동오의 군주 손휴를 알현하고 제갈첨의 서신을 바쳤다. 손휴가 서신을 보고 신하들을 불러모아 계책을 의논한다.

"이미 촉이 위기에 처했는데 짐이 어찌 앉아서 보고만 있겠느냐?"

즉시 노장 정봉을 주장으로 삼고 정봉(丁封)과 손이(孫異)를 부장으로 삼아 군사 5만을 내주며 가서 촉을 구하도록 했다. 영을 받은 주장 정봉은 부장 정봉과 손이에게 군사 2만명을 이끌고 면중(沔中)으로 진군하게 했다. 그리고 자신은 군사 3만명을 거느리고 수춘(壽春)으로 향했다. 동오의 원군은 이렇게 진로를 세 방면으로 나누어 급히 진군해갔다.

한편, 제갈첨은 기다려도 원군이 오지 않자 모든 장수들을 모아놓고 말한다.

"굳게 지키고만 있는 게 좋은 방도는 아니다."

아들 제갈상과 상서(尙書) 장준(張遵)에게 성을 지키게 한 다음 자신은 무장하고 말에 올라 삼군을 거느리고 세 성문을 활짝 열어젖히며 무서운 기세로 짓쳐나갔다.

촉군의 공격에 등애는 군사를 철수했다. 제갈첨이 있는 힘을 다해 뒤쫓으며 적을 엄살하는데, 문득 한방의 포성이 울리더니 사방에서 적군이 한꺼번에 밀려들며 물샐틈없이 에워쌌다. 제갈첨은 군사들을 격려하며 좌충우돌 적군 수백명을 죽였다. 그러자 등애는 군사들에게 활을 쏘라고 명했다. 위군이 일제히 활을 쏘니, 촉군은 빗발치듯 쏟아지는 화살을 피해 사방으로 흩어졌다. 제갈첨은 적의 화살에 맞아 말에서 떨어지면서 크게 소리쳤다.

"이제 내 힘이 다했으니 마땅히 죽음으로써 나라에 보답하리라!"

마침내 칼을 빼들어 스스로 목을 찔러 죽었다.

그 아들 제갈상이 성위에서 이 모습을 보고 끓어오르는 화를 참지 못해 즉시 말에 올랐다. 장준이 간곡히 만류한다.

"부디 소장군(小將軍)은 경솔히 나가지 마오."

제갈상이 탄식하여 말한다.

"우리 부자조손(父子祖孫) 3대는 나라의 큰 은혜를 입었소이다. 이제 아버님께서 적과 싸우다가 돌아가셨는데 내가 살아 무엇하겠소!"

끝내 말을 몰아 쏜살같이 달려나가서는 적진에서 싸우다 죽었다.
후세 사람이 제갈첨과 제갈상 부자를 찬탄하여 시를 지었다.

충신 지모가 부족한 까닭이 아니요   不是忠臣獨少謀
하늘이 유씨의 운을 끊으려 함이로다   蒼天有意絶炎劉
그 당시 제갈량은 아름다운 자손을 두어   當年諸葛留嘉胤
그 절의 참으로 무후를 계승할 만했도다   節義眞堪繼武侯

등애는 그 충정을 가련히 여겨 부자를 합장해주었다. 그리고 빈틈
을 타서 면죽성을 맹공격했다. 장준·황숭(黃崇)·이구(李球) 세 사람
이 각기 군사를 끌고 출전해 싸웠지만 중과부적이라 결국 세 장수 모
두 전사하고 말았다. 마침내 면죽성마저 점령한 등애는 지친 군사들
을 위로하고 나서 드디어 성도를 취하러 진격했다.

후주가 위기에 처한 날을 보아라   試觀後主臨危日
유장이 핍박당하던 그때와 다름없어라   無異劉璋受逼時

과연 성도를 어떻게 지켜낼 것인가?

118

三
國
志

촉한의 멸망

유심은 유비의 사당에 통곡하고 죽음으로써 효도하고
두 장수는 서천으로 들어가 공을 다투다

한편, 성도에 있던 후주는 등애가 면죽성을 함락시켰고 제갈첨 부
자는 이미 죽었다는 소식을 듣고 크게 놀라 급히 문무백관을 소집하
여 대책을 의논했다. 측근 신하가 아뢴다.

"성밖 백성들은 늙은이는 부축하고 어린것은 끌고 큰소리로 울며
각자 살길을 찾아 도망치고 있습니다."

후주는 놀라고 황망하여 어쩔 줄을 몰랐다. 그때 갑자기 정탐꾼이
달려와 머지않아 위군이 성 아래에 이르리라는 소식을 전해왔다. 여
러 관원들이 의논하여 아뢴다.

"군사는 적고 장수도 부족하니 적을 맞아 싸우기 어렵사옵니다. 성도를 버리고 한시바삐 남중(南中) 칠군(七郡, 월준越嶲·주제朱提·장가牂牁·운남雲南·흥고興古·건녕建寧·영창永昌)으로 파천(播遷, 임금이 도성을 떠나 난을 피함)하시는 게 낫겠사옵니다. 그곳은 지세가 험준하여 스스로 지킬 수 있고, 이후 만병(蠻兵, 남만 군사)을 빌려 다시 와서 수복해도 늦지는 않을 것입니다."

이때 광록대부 초주가 나서서 아뢴다.

"안되오. 남만은 오래 전 배반한 자들입니다. 평소 우리가 아무런 은혜도 베푼 바 없사온데, 이제 그런 곳으로 가신다면 큰 화를 입을 게 분명하옵니다."

여러 관원들이 다시 아뢴다.

"우리 촉과 오는 이미 동맹한 터입니다. 지금 사태가 급박하오니 오나라로 가시옵소서."

초주가 다시 간한다.

"자고로 다른 나라에 가서 황제노릇을 한 경우는 없사옵니다. 신의 생각에, 위는 능히 오를 집어삼킬 수 있으나 오는 위를 취할 수 없사옵니다. 폐하께서 오에 가서 신하를 칭하신다면 이는 한번 욕을 보시는 것이고, 만일 오가 위에 망하면 폐하는 또 위의 신하노릇을 하셔야하니 이는 두번 욕을 보시는 것입니다. 오로 가시는 것은 차라리 위에 항복하느니만 못하옵니다. 위는 분명코 폐하께 봉토(封土)를 나누어줄 것이니, 위로는 종묘를 지키고 아래로는 백성을 평안히할 수 있사옵니다. 폐하께서는 깊이 생각하소서."

후주는 결단을 내리지 못하고 궁중으로 들어갔다.

다음날도 여러 의견만 분분할 뿐 결정을 내리지 못했다. 초주는 사태가 급박함을 알고 다시 상소하여 간했다. 마침내 후주는 초주의 말을 좇기로 하고 나아가 항복하려 했다. 그때 돌연 한 사람이 병풍 뒤에서 나서면서 소리 높여 초주를 꾸짖는다.

"목숨이 아까운 이 썩은 선비놈아, 네 어찌 망령되이 사직의 중대사를 논하느냐! 자고로 투항한 황제가 어디 있더냐!"

후주가 보니, 자신의 다섯째아들 북지왕(北地王) 유심(劉諶)이었다. 후주에게는 일곱 아들이 있었으니, 장자는 유선(劉璿)이고, 둘째아들은 유요(劉瑤), 셋째아들은 유종(劉琮), 넷째아들은 유찬(劉瓚)이고 다섯째아들이 유심이며, 여섯째아들은 유순(劉恂), 일곱째아들은 유거(劉璩)였다. 일곱 아들 가운데 유심은 어려서부터 총명하고 남달리 영민했는데, 다른 형제들은 모두 착하긴 했으나 유약했다. 후주가 유심에게 이른다.

"모든 대신들이 이제 항복해야 마땅하다고 하는데 유독 너 혼자만 남아의 혈기지용(血氣之勇, 한때의 혈기로 일어나는 용맹)을 내세우니, 너는 온 성안을 피로 물들이고 싶단 말이냐?"

유심이 말한다.

"지난날 선제(유비)께서 살아 계실 때 초주 따위는 감히 국정에 참여하지도 못했습니다. 이제 초주가 망령되이 국가대사에 나서서 함부로 되지않은 말만 해대니, 이는 실로 도리에 맞지 않습니다. 신이 보건대 아직 성도에는 수만 군사가 있고, 검각에 있는 강유의 군사가 위군이 궁궐을 침범한 것을 알면 분명 구원하러 올 것입니다. 그때 안팎에서 협공하면 크게 승리를 거둘 수 있습니다. 어찌 썩은 선비의 말만 들으시고 선제께서 이루신 위업의 터전을 경솔히 버리려 하십니까?"

후주가 꾸짖는다.

"너처럼 어린아이가 어찌 천시(天時)를 알겠느냐!"

유심은 머리를 조아려 울면서 말한다.

"형세가 다하고 힘이 미치지 못해 장차 큰 화가 닥친다면, 마땅히 부자와 군신(君臣)이 성을 의지하고 싸워 사직과 더불어 죽음으로써 선제를 뵈어야 할 것입니다. 어찌 항복을 하겠습니까!"

후주는 유심의 말을 듣지 않았다. 유심은 목놓아 통곡한다.

"선제께서 위업의 기반을 결코 쉽게 마련하신 게 아니온데, 어찌 하루아침에 저버리려 하십니까! 저는 차라리 죽을지언정 욕을 당할 수는 없습니다!"

후주는 측근 신하에게 명해 유심을 궁문 밖으로 내쳤다. 그리고 초주에게 항서(降書)를 쓰게 하여 사서시중(私署侍中) 장소(張紹)와 부마도위 등량(鄧良)에게 내주고, 초주와 함께 옥새를 가지고 낙성으로 가서 항복의 뜻을 전하도록 했다.

그즈음 등애는 날마다 무장 기병 수백명을 시켜 성도를 정탐하고 있었다. 그날 마침내 항복의 깃발이 오른 것을 보고 등애는 더할나위 없이 기뻐했다. 그때 장소 일행이 왔다는 보고가 들어왔다. 등애가 사람을 내보내 맞아들이니, 세 사람은 계단 아래 엎드려 절하고 등애에게 항서와 옥새를 바쳤다. 항서를 받아본 등애는 매우 기뻐하며 옥새를 간직하고, 초주·장소·등량 등을 극진히 대접하고 나서 회신을 써서 세 사람에게 주고 성도로 돌아가 백성들을 안심시키도록 했다.

세 사람은 등애에게 절하여 사례하고 곧바로 성도로 돌아와서 후주를 뵙고 회신을 바치며 등애가 잘 대접해주었음을 자세히 보고했다. 회신을 본 후주는 무척 기뻐하며, 즉시 강유에게 어서 항복하라는 칙령을 전하도록 태복(太僕) 장현(蔣顯)을 떠나보냈다. 그리고 다시 상서랑(尚書郎) 이호(李虎)를 등애에게 보내 문부(文簿, 문서와 장부)를 바쳤다. 그 내용을 보면, 28만 호(戶)에 남녀 총인구가 94만명이었으며, 무장한 장수와 군사가 10만 2천명, 관리가 4만명이었다. 창고의 식량이 40여만섬, 금은이 각기 2천근이며, 무늬비단과 채색비단이 각각 20만필씩이었다. 창고에 있는 그밖의 물건들은 일일이 적을 수조차 없었다. 그리고 12월 초하루를 택해 임금과 신하가 모두 나가서 항복하기로 했다.

북지왕 유심은 이 일을 듣고 노기충천하여 칼을 차고 궁으로 들어갔다. 그 부인 최(崔)씨가 묻는다.

"오늘 대왕의 안색이 이상하십니다. 어찌 된 일이십니까?"

유심이 답한다.

"곧 위군이 쳐들어오려는데 부황(父皇)께서는 이미 항복의 뜻을 전하시고 내일이면 임금과 신하가 모두 나가 항복한다고 하니, 사직은 이제 기울고 말았소. 나는 차라리 먼저 죽어 지하에 계신 선제를 뵙고자 하오. 절대 적에게 무릎을 꿇을 수는 없소!"

최씨 부인이 말한다.

"현명하십니다! 참으로 현명하십니다! 죽을 자리를 정하셨군요! 부디 첩이 먼저 죽게 하소서. 그뒤 왕께서 돌아가셔도 늦지 않으십니다."

유심이 묻는다.

"당신은 어째서 죽으려 하시오?"

최씨 부인이 말한다.

"왕께서는 부친을 위해 죽고 첩은 지아비를 위해 죽으니, 그 뜻은 서로 같사옵니다. 지아비가 죽어서 첩이 죽는데 어찌 이유를 물으십니까?"

말을 마치고 최씨 부인은 머리를 기둥에 부딪고 쓰러져 죽었다. 유심은 제 손으로 세 아들을 죽였다. 그리고 아내의 머리를 베어들고 소열묘(昭烈廟, 유비를 모신 사당)로 가서 땅바닥에 엎드려 통곡한다.

"신은 기업(基業)을 남에게 넘기는 것이 애통하고도 부끄러워 처자를 먼저 죽여 미련을 끊었사옵니다. 이제 제 목숨을 끊어 할아버님(유비)께 사죄하려 하오니 할아버님의 영혼이 있으시면 이 손자의 마음을 굽어살피소서!"

한바탕 통곡을 하니 눈에서 피가 흘렀다. 마침내 유심은 스스로 목을 찔러 죽었다. 촉의 사람들 중에 이 일을 듣고 애통해하지 않는 사람이 없었다.

후세 사람이 그를 찬탄하는 시를 지었다.

임금과 신하들 모두 무릎 꿇기를 달갑게 여기거늘	君臣甘屈膝
왕자 하나 홀로 비통해하는구나	一子獨悲傷
서촉의 일은 이제 끝나버렸지만	去矣西川事
장하도다, 북지왕이여!	雄哉北地王
제 한몸 바쳐 소열 할아버지께 보답하고자	捐身酬烈祖
머리를 쥐어뜯으며 하늘 보고 통곡하더라	搔首泣穹蒼
늠름하게 이 인물 살아 있는 듯	凜凜人如在
누가 한나라가 망했다고 말하랴	誰云漢已亡

북지왕이 자결했다는 소식을 듣고 후주는 사람을 시켜 장사지내주도록 했다.

유심은 유비의 사당에서 스스로 목숨을 끊다

다음날 위의 대군이 도착했다. 후주는 태자와 여러 왕들, 신하들 60여명과 함께 손을 뒤로 하여 묶고 수레 위에 관(棺)을 싣고(항복하는 옛 의식) 북문 10리 밖까지 나가 항복했다. 등애는 후주를 부축해 일으켜 친히 묶은 손을 풀어주고 관을 실은 수레를 불태워버린 뒤 수레를 나란히하여 입성했다.

후세 사람이 이를 시로 지어 탄식했다.

위군 수만이 서천으로 들어오니	魏兵數萬入川來
후주는 목숨 아껴 자결도 못하였네	後主偸生失自裁
황호가 끝내 나라 속일 뜻 품었으니	黃皓終存欺國意
강유의 세상 구할 재주 어디에 쓰랴	姜維空負濟時才
충성 다한 의사들 그 마음 얼마나 열렬한가	全忠義士心何烈
절개 지킨 왕손 그 뜻도 애달퍼라	守節王孫志可哀
소열황제 나라 경영 쉬운 일 아니었거늘	昭烈經營良不易
그 공업이 하루아침에 재가 되고 말았구나	一朝功業頓成灰

성도의 백성들은 향과 꽃을 갖추어 위군을 맞이했다. 등애는 후주를 표기장군으로 삼고, 문무관원들에게도 각기 관직의 높고 낮음에 따라 벼슬을 내렸다. 후주에게 환궁하도록 한 뒤 방을 내걸어 민심을 안정시켰으며, 모든 창고를 접수했다. 또한 태상 장준과 익주 별가 장소를 각기 군(郡)으로 보내 그곳 군사와 백성을 안정시키도록 했다. 그리고 사람을 보내 강유에게 항복을 권하는 한편, 낙양으로도 사람을 보내 승리를 보고했다. 등애는 환관 황호가 간교하고 음험하다는 말을 듣고 죽이려 했으나 황호는 등애의 측근들에게 금은보화를 뇌물

로 바쳐 겨우 화를 면했다. 이리하여 한나라는 멸망했다.

후세 사람이 한나라의 패망과 제갈무후에 대한 추모의 마음을 시로
읊었다.

물고기와 새들조차 군령이 두려운 줄 알았고　　　　魚鳥猶疑畏簡書
바람과 구름도 길이 영채 지켜주었네　　　　　　　風雲長爲護儲胥
상장이 휘두른 신필도 헛되었구나　　　　　　　　徒令上將揮神筆
끝내 항복한 왕 끌려감을 보게 되는구나　　　　　　終見降王走傳車
그 재주 관중(管仲) 악의(樂毅)보다 못하지 않았으리　　管樂有才眞不忝
관우 장비 명이 짧았으니 어찌 해보랴　　　　　　　關張無命欲何如
뒷날 금리의 승상 사당을 지나다가　　　　　　　　他年錦里經祠廟
「양부음」*을 읊으니 한이 남는구나　　　　　　　　梁父吟成恨有餘

　　*제갈량이 즐겨 읊었다는 노래.

한편, 검각에 이른 태복 장현은 강유에게 후주의 칙령을 전하며 항
복하기를 권했다. 강유는 너무나 놀라 할말을 잃었다. 모든 장수들이
그 소식을 듣고 일제히 원한에 차 이를 갈며 눈을 부릅뜨니 분노로 수
염과 머리카락이 곤두섰다. 모두들 칼을 뽑아 돌을 내려치며 큰소리
로 외친다.

"우리는 죽음을 무릅쓰고 싸웠는데, 어찌 먼저 항복한단 말인가!"

통곡소리가 수십리 밖에까지 들렸다. 강유는 사람들이 그래도 한나
라를 걱정하는 마음이 고마워 좋은 말로 위로한다.

"여러 장수들은 걱정하지 말라. 내게 한 계책이 있으니, 한실을 다
시 일으킬 수 있을 것이다."

장수들이 그 계책을 물었다. 강유는 여러 장수들의 귀에 대고 작은 소리로 계책을 일러주었다. 그러고 나서 곧바로 검각 관문에 항복의 깃발을 세운 다음 종회의 영채로 사람을 보내 강유가 장익·요화·동궐 등을 거느리고 항복하러 온다고 알렸다. 종회는 무척 기뻐하며 사람을 내보내 강유 일행을 영접하여 장막으로 맞아들였다. 종회가 말한다.

"백약께서는 어찌 이리 늦었소?"

강유가 정색하고 눈물을 흘리며 말한다.

"나라의 모든 군사가 내 휘하에 있으니, 오늘 여기 온 것도 오히려 빠르다 하겠소."

종회는 이를 매우 가상하게 여기고는 자리에서 내려와 마주 절하며 강유를 귀빈으로 대접했다. 강유가 종회에게 말한다.

"장군은 회남전투 이래로 계책을 쓰되 실수 한번 없었다고 들었소. 사마씨의 번성함은 모두 장군의 힘이니, 그 때문에 이 강유는 기꺼이 머리를 숙입니다. 등사재(鄧士載, 등애)였다면 내 당연히 죽기를 각오하고 싸웠지 결코 이렇게 항복하지 않았을 것이오."

이 말을 들은 종회는 마침내 화살을 꺾어 맹세하며 강유와 의형제를 맺었다. 두사람의 정은 더욱 깊어져서 종회는 강유에게 예전처럼 군사를 거느리도록 했다. 강유는 은근히 기뻐하면서 장현을 성도로 돌려보냈다.

한편, 등애는 사찬을 익주 자사로 봉하고, 견홍·왕기 등으로 하여금 각기 주와 군을 다스리게 했다. 또한 면죽에는 대를 쌓아 전공(戰功)을 기리게 하고, 성대한 잔치를 마련해 촉의 모든 관리를 불렀다. 이윽고 술이 얼근히 취한 등애가 촉의 관리들을 향해 말한다.

"그대들은 다행히 나를 만나 오늘이 있는 것이다. 만약 다른 장군을 만났더라면 모두 다 죽었을 것이야."

여러 관리들이 몸을 일으켜 절을 올려 사례했다. 그때 문득 장현이 들어와 강유가 스스로 종회 장군에게 항복했다고 알렸다. 등애는 이 때문에 종회에게 한을 품게 되었다. 마침내 사람을 시켜 낙양의 진공 사마소에게 편지를 보냈다. 사마소가 보니, 이렇게 씌어 있다.

신 등애는 간절히 말씀드립니다. 무릇 병법에 먼저 소리쳐 알리고 그뒤에 실력을 보여야 한다고 했으니, 지금은 촉을 평정한 그 기세를 타고 오를 쳐야 할 때입니다. 그러나 이번에 크게 군사를 일으킨 탓에 장수와 군사들이 지쳐 있어 바로 쓸 수 없는 터라, 농우의 군사 2만과 촉군 2만을 남겨 소금을 굽고 쇠를 벼리며 또한 배를 건조하여 물결 따라 진격할 준비를 다하게 한 뒤에 사신을 보내 이해(利害)를 따져 타이르면 직접 가서 싸우지 않더라도 오는 항복할 것입니다. 또한 유선을 후하게 대접하여 손휴(오주)를 안심시켜야 합니다. 만일 지금 유선을 낙양으로 압송한다면 분명 오나라 사람들은 의심하여 우리에게 귀순하지 않을 것입니다. 그러니 유선을 촉에 두었다가 내년 겨울쯤 낙양으로 보냈으면 합니다. 지금 곧 유선을 부풍왕(扶風王)에 봉하고 재물을 내리셔서 좌우 신하들에게 주게 하며, 그 아들은 공후(公侯)로 삼아 항복한 사람에게는 은총을 베푼다는 것을 널리 알리십시오. 그렇게 하시면 오나라 사람들은 위엄을 두려워하고 덕에 감화되어 소문만 듣고도 귀순할 것입니다.

사마소는 서신을 다 읽고 나자 등애가 제멋대로 권력을 휘두르려 하는가 싶어 깊이 의심했다. 마침내 먼저 감군 위관에게 자신의 친서를 주어 떠나보내고, 이어 등애에게 벼슬을 내린다는 황제의 조서를 보냈다. 조서의 내용은 다음과 같다.

정서장군 등애는 위엄을 빛내고 무훈을 떨치며, 적의 경계 깊숙이 들어가 멋대로 왕이라 칭하는 자를 옭아매 항복시켰도다. 군사를 움직여 출전해서는 미처 날이 바뀌기도 전에 구름 걷듯 자리를 말 듯 파촉(巴蜀)을 평정했으니, 비록 백기(白起, 전국시대 진秦의 명장)가 강성한 초(楚)를 격파하고 한신(韓信, 한 고조의 명장)이 굳센 조(趙)를 겪었지만 그대의 공훈 그에 비해 모자람이 없도다. 이로써 등애를 태위(太尉)로 삼고 2만호의 식읍(食邑)을 더하노라. 그리고 두 아들은 정후(亭侯)에 봉하여 각자에게 식읍 1천호씩을 내리노라.

등애가 조서를 받아 읽고 나자 감군 위관이 사마소의 친서를 등애에게 전했다. 그 편지는 등애가 말한 일에 대해 우선 황제께 아뢰어야 하니 절대 함부로 행하지 말라는 것이었다. 등애가 말한다.

"'장수가 외지에 있으면 임금의 명도 듣지 않을 수 있다' 했다. 내 이미 황제의 명을 받들어 정벌의 전권을 가지고 있는데, 어찌 막는단 말인가?"

즉시 답장을 써서 사자에게 주어 낙양으로 보냈다. 그무렵 조정에서는 모두들 등애가 반역할 것이 틀림없다고 말하고 있었고, 사마소는 더욱 의심하여 꺼리던 참이었다. 돌연 사자가 돌아와 등애의 답장을 바쳤다. 사마소가 봉투를 열고 편지를 보니 그 내용은 다음과 같았다.

등애는 황제의 명을 받들어 서촉을 정벌하여 벌써 원흉의 항복을 받았습니다. 이러한 때 마땅히 형편에 맞게 일을 처리해야 항복해 온 처음을 안정시킬 수 있습니다. 만일 나라의 명을 기다린다면 오가는 중에 날짜만 끌게 됩니다. 『춘추(春秋)』의 대의(大義)에 따르면, '대부가 나라 경계 밖에 있을 때는 조정을 편안히하고 나라를 이롭게 하는 일이라면 뜻대로 처리할 수 있다'고 했습니다. 지금 오나라는 아직 항복하지 않았고 그 세력은 촉과 연합하고 있으니, 일을 관례에 얽매여 처리하다 기회를 놓칠까 걱정입니다. 병법에도 '진격할 때는 명예를 구하지 말며 물러설 때는 죄를 피하지 말라(進不求名 退不避罪)'고 했습니다. 이 등애가 비록 옛사람들만한 절개는 없으나 결코 잘못 판단하여 나라에 손실을 끼치지는 않을 것입니다. 먼저 이렇게 상황을 아뢰오니 시행하도록 허락해주십시오.

사마소는 이를 다 보고 나자 깜짝 놀라 황급히 가충과 계책을 상의했다. 사마소가 말한다.

"등애가 공을 세웠다고 교만해져서 일을 제멋대로 행하려 하니, 반역할 뜻이 다 드러난 것이오. 어찌하면 좋겠는가?"

가충이 대답한다.

"주공께서는 어찌하여 종회에게 벼슬을 내려 등애를 견제하지 않으십니까?"

사마소는 그 말에 따랐다. 즉시 사자에게 조서를 보내 종회를 사도

(司徒)로 봉하고, 위관에게는 양쪽의 군마 감독권을 부여한다는 명령을 전했다. 또 한편으로 위관에게 친서를 보내 종회와 함께 등애의 거동을 감시하여 변란을 막으라고 했다. 종회가 조서를 받아 읽어보니 그 내용은 다음과 같았다.

진서장군 종회가 향하는 곳에 감히 맞설 자가 없고, 그 앞에는 강한 적이 없도다. 모든 성을 통제하고 사방으로 도망치는 무리들을 모조리 잡아들이니, 촉의 호걸장수가 스스로 손을 묶어 귀순해오지 않았는가. 계책을 세우되 실수가 없으며, 벌이는 전투마다 공로를 세우지 않은 적이 없도다. 이에 종회를 사도로 삼고, 벼슬을 높여 현후(縣侯)에 봉하며 식읍 1만호를 더한다. 그 아들 둘은 정후에 봉하며 각기 1천호의 식읍을 하사하노라.

종회는 벼슬을 받고서 즉시 강유를 청해 상의했다. 종회가 말한다.
"등애의 공이 나보다 크고 또한 태위의 직책을 받았는데, 이제 사마공은 등애가 반역할까 의심하여 위관에게 군사를 감독하게 하고 내게는 조서를 내려 견제하도록 했소. 백약에게는 무슨 좋은 의견이라도 있으시오?"
강유가 말한다.
"등애는 출신이 미천해 어렸을 때는 농가에서 송아지나 길렀다고 들었소. 이번에 요행히 음평의 샛길을 진군해 나무 잡고 매달려가며 절벽을 기어내려 이렇게 큰 공을 세웠으니, 이는 그의 계책이 뛰어난 때문이 아니라 실은 나라의 큰 복에 힘입은 것이오. 만일 장군이 검각에서 이 강유를 견제하지 않았다면, 등애가 어찌 이런 공을 세울 수 있었겠소이까? 지금 촉주(후주)를 부풍왕에 봉하려는 것도 곧 촉의 인심을 크게 사기 위해서이니, 그의 반역의 뜻은 말하지 않아도 알 수 있소이다. 진공(사마소)의 의심은 당연한 것이오."

종회는 강유의 말에 깊이 공감했다. 강유가 다시 말한다.

"잠깐 좌우를 물려주시오. 내 은밀히 드릴 말씀이 있소이다."

종회는 좌우 사람들을 다 내보냈다. 강유가 소매 속에서 지도 한장을 꺼내 종회에게 주며 말한다.

"옛날 제갈무후께서 초려에서 나오실 적에 이 지도를 선제(유비)께 바치면서 '익주땅은 비옥한 들이 천리이고 백성이 넉넉하며 나라는 부강하니, 가히 패업을 이루실 만하다' 했다 합니다. 이 때문에 선제께서는 마침내 성도에서 창업하신 것이오. 등애가 이제 이곳을 얻었으니 어찌 반역할 마음을 품고 미쳐 날뛰지 않겠소이까?"

종회가 크게 기뻐하며 산천의 형세를 가리켜 물으니 강유는 일일이 대답했다. 종회가 또 묻는다.

"어떤 계책으로 등애를 도모하는 게 좋겠소?"

강유가 말한다.

"진공이 그를 의심하고 꺼려 감시하고 있으니 급히 표문을 올려 등애의 반역을 알리십시오. 진공은 분명 장군에게 등애를 토벌하라 명할 터이니, 그때 일을 벌이면 단번에 사로잡을 수 있습니다."

종회는 그 말을 좇아 곧 낙양으로 표문을 보냈다. 등애가 전권을 휘둘러 촉의 사람들을 결집하고 있으니 조만간 반역할 것이 틀림없다는 내용이었다. 조정의 문무관원들은 모두 크게 놀랐다. 또한 종회는 등애가 보내는 표문을 중도에서 가로채게 하여 등애의 필적을 흉내내어 그 내용을 오만한 말투로 바꿔써서 보냈다.

사마소는 등애의 표문을 보고 크게 노했다. 즉시 종회에게 사람을 보내서 진군하여 등애를 잡아들이라는 명을 내렸다. 또한 가충에게는 3만 군사를 이끌고 야곡으로 나아가게 하고, 사마소 자신도 위주 조환과 함께 출정할 준비를 서둘렀다. 서조연 소제가 간한다.

"종회의 군사는 등애의 군사보다 6배나 많습니다. 종회에게 명하여 등애를 잡아들이게 해도 충분한데, 하필 주공께서 직접 가려 하십니까?"

사마소가 웃으며 말한다.

"그대는 전에 한 말을 잊었는가? 장차 종회가 반드시 반역할 것이라고 하지 않았는가. 이번에 내가 가는 것은 등애 때문이 아니라 종회 때문이로다."

소제도 웃으며 말한다.

"명공(明公)께서 그 일을 잊으셨을까 걱정스러워 한번 여쭤보았습니다. 이제 뜻이 그러하심을 알았으니, 마땅히 비밀에 부쳐 새나가지 않도록 해야 합니다."

사마소도 그 말을 옳게 여기고 마침내 대군을 거느리고 출정했다. 그무렵 가충 또한 종회가 변란을 일으킬까 의심스럽다고 사마소에게 밀고해왔다. 사마소가 말한다.

"만일 그대를 보내면 내 그대 또한 의심해야 하는 것이냐? 내가 장안에 다다르면 모든 게 명백해질 것이다."

어느 틈에 정탐꾼이 사마소가 대군을 거느리고 출정해 장안에 이르렀다고 종회에게 보고했다. 종회는 황망히 강유를 청해 등애를 칠 계책을 상의했다.

서촉땅에선 항복을 받아 사태가 끝났거늘   纔看西蜀收降將
또다시 장안에 대군이 출동하누나   又見長安動大兵

대체 강유는 어떤 계책을 써서 등애를 잡을 것인가?

사마염의 찬탈

거짓투항하여 교묘한 계교를 꾸몄으나 헛일이 되고
황제자리 빼앗는 두번의 놀음 똑같이 되풀이되다

종회는 강유를 청해 등애를 사로잡을 계책을 의논했다. 강유가 말한다.

"먼저 감군 위관에게 등애를 잡아들이도록 명하십시오. 그래서 등애가 위관을 죽이려 하면 그것이 바로 반역의 증거가 됩니다. 장군은 그때 군사를 일으켜 토벌하십시오."

종회는 크게 기뻐하며 즉시 위관에게 수하 수십명을 이끌고 성도로 가서 등애 부자를 잡아오라고 명했다. 이때 수하 하나가 위관을 말린다.

"이는 종사도(鍾司徒, 종회)가 정서장군 등애로 하여금 장군을 죽이게 하여 등애의 반역 증거를 잡으려는 계략에서 나온 명령입니다. 절대로 가셔서는 안됩니다."

위관이 대답한다.

"내게도 계책이 있느니라."

그러고는 즉시 격문 2,30통을 만들어 먼저 보내니 그 내용은 이러했다.

황제의 조칙을 받들어 등애를 체포한다. 그 나머지 사람들에게는 죄를 묻지 않겠다. 만일 일찍이 귀순한다면 이전 벼슬을 그대로 내리고 포상할 것이나, 나오지 않고 감히 맞서는 자는 삼족을 멸하리라.

이윽고 위관은 함거(檻車) 두 대를 준비하고 밤을 새워 성도를 향해 달렸다.

새벽닭이 울 무렵, 등애의 부하장수들 중에 격문을 받아본 자들은 모두 위관의 말 앞에 나와 엎드려 절했다. 이때 등애는 부중에서 아직 일어나기 전이었다. 위관이 부하 수십명을 거느리고 부중으로 들이닥치며 크게 소리친다.

"황제의 칙명을 받들어 등애 부자를 체포한다!"

등애는 깜짝 놀라 굴러떨어지듯 침상 밑으로 내려왔다. 위관이 무사들을 호령해 냉큼 묶어 함거에 싣게 했다. 이때 그 아들 등충은 무슨 일인지 묻다가 또한 사로잡혀 결박당한 채 함거에 올랐다. 부중의 장수와 관리들이 놀라 등애 부자를 되찾으려 덤비는데, 저 멀리서 먼지가 자욱이 일어나며 파발꾼이 달려들더니 종회 사도가 대군을 거느리고 당도했음을 알렸다. 부중의 장수와 관리들은 모두 사방으로 달아나버렸다. 종회는 강유와 함께 말에서 내려 부중으로 들어왔다. 묶여 있는 등애 부자를 보자 종회가 말채찍으로 등애의 머리를 후려치며 꾸짖는다.

"소나 치던 어린놈이 어찌 감히 이럴 수 있느냐!"

강유 또한 등애를 꾸짖는다.

"보잘것없는 자가 요행으로 험한 샛길을 질러넘더니 역시 오늘날 이꼴이 아니냐?"

등애 역시 그들에게 마주 욕을 해댔다. 종회는 등애 부자를 낙양으로 압송하도록 했다. 그런 다음 성도에 들어서서 등애 휘하의 군마를 모두 장악하고 위엄을 크게 떨쳤다. 종회가 강유에게 말한다.

"이제야 내 평생의 소원을 이뤘소이다."

강유가 말한다.

"옛날에 한신(韓信)은 괴통(蒯通)의 말을 듣지 않아 미앙궁(未央宮)에서 화를 당했고(한의 장군 한신이 병권을 쥐었을 때 괴통이 유방을 저버리라 권했으나 듣지 않다가 병권을 박탈당하고 간계에 빠져 미앙궁에서 죽은 고사) 대부(大夫) 문종(文種)은 범려(范蠡)를 따라 오호(五湖)에 가지 않았다가 칼에 엎드려 죽고 말았습니다.(범려와 문종은 둘 다 전국시대 월越의 공신. 월왕 구천을 섬겨 오를 정벌했으나 범려는 구천이 더불어 즐거움을 누릴 수 없는 사람이라 생각해 그를 떠났는데, 이때 문종에게 함께 가기를 권했으나 문종이 이를 듣지 않다가 후에 구천의 박해를 받아 자살한 고사) 그들 두 사람의 공로가 어찌 빛나지 않았겠습니까만, 이해에 어둡고 기회를 잡는 데 빠르지 못해 원통한 죽음을 당했습니다. 오늘날 공은 이미 큰 공을 세워 그 위세가 주인을 떨게 하는데, 어찌하여 배를 띄워 종적을 끊고 아미산(峨嵋山)에 올라 적송자를 따라 노닐지(한의 공신 장량張良이 공을 이룬 뒤 신선인 적송자를 따라 은둔함으로써 화를 피한 일을 가리킴) 않으십니까?"

종회는 웃으며 말한다.

"그대 말이 잘못되었소. 내 나이 아직 마흔도 안되었는데, 앞으로 나아갈 생각을 해야지 어찌 물러나 한가히 노는 일을 본받겠소?"

강유가 말한다.

"만일 물러나 한가히 지내지 않으시려면 속히 좋은 계책을 세워야 합니다. 이는 공의 지혜와 힘으로 능히 할 수 있는 일이니, 이 늙은이 가 더 말씀드리지 않겠소."

종회는 손뼉을 치면서 껄껄 웃으며 말한다.

"백약이야말로 내 마음을 아시는구려."

두 사람은 이때부터 날마다 대사를 상의했다. 이때 강유는 후주에 게 은밀히 밀서를 보냈다. 그 내용은 이러했다.

바라옵건대 폐하께서는 며칠만 굴욕을 참으십시오. 이 강유는 사 직에 닥친 위기를 헤쳐 평안케 하고자 하며, 어두워진 해와 달을 다 시 밝히고, 한나라 황실이 결코 끊기지 않게 하겠사옵니다.

한편, 종회가 강유와 더불어 반역을 도모하는 중에 갑자기 사마소 가 서신을 보내왔다는 전갈이 왔다. 종회가 편지를 받아보니 그 내용 은 이러했다.

"나는 사도가 등애를 사로잡지 못할까 걱정스러워 직접 군사를 이 끌고 장안에 와 있소. 조만간 보았으면 하여 이렇게 먼저 알리오."

종회가 깜짝 놀라 말한다.

"우리 군사가 등애의 군사보다 몇배나 많으니 등애를 내게 맡겨도 걱정할 것이 없음을 알 터인데, 이제 진공이 직접 군사를 거느리고 장안에 온 것은 나를 의심해서다!"

즉시 강유와 함께 계책을 상의했다. 강유가 말한다.

"임금이 신하를 의심하면 신하는 필경 죽게 마련이니, 어찌 등애의 경우를 생각지 못하시오?"

종회가 말한다.

"내 뜻은 결정되었소. 이 일이 성공하면 천하를 얻을 것이요, 성공하지 못한다 해도 서촉으로 물러나 유비 정도는 될 것이오."

"근래 들으니 곽태후(郭太后)가 세상을 떠났다고 하오. 거짓으로 태후의 유서를 만들어 사마소를 쳐서 임금을 시해한 죄를 밝히라고 교시하십시오. 현명하신 공의 능력이면 분명 중원을 손에 넣으실 수 있습니다."

"백약께서 선봉이 되어주시오. 일이 이루어진 뒤에 부귀를 더불어 누립시다."

"원컨대 견마지로(犬馬之勞)를 다하고자 합니다. 다만 여러 장수들이 따르지 않을까 두렵소이다."

"내일이 정월 대보름이오. 고궁에 등불을 환히 내걸고 모든 장수들을 청해 잔치를 열고 더불어 술을 마실 것이오. 그 자리에서 복종하지 않는 자는 모조리 목을 베도록 하겠소."

강유는 남몰래 기뻐했다.

다음날, 종회와 강유 두 사람은 장수들을 모두 불러 잔치를 열고 술을 마셨다. 술이 몇 순배 돌자 갑자기 종회가 술잔을 붙들고 대성통곡을 한다. 장수들이 놀라 이유를 묻자 종회가 말한다.

"곽태후께서 세상을 떠나시며 남긴 조서가 여기 있소. 사마소는 남쪽 궁궐에서 임금을 죽인 대역무도한 자로, 조만간 우리 위나라를 빼앗을 것이니 그자를 토벌하라고 내게 명하셨소이다. 그대들은 여기에 각자 서명하고 마음을 합쳐 함께 이 일을 이루도록 합시다."

모든 이들이 놀라 서로의 얼굴만 쳐다보고 있었다. 종회가 칼을 뽑아들며 말한다.

"명령을 거스르는 자는 목을 베겠다!"

사람들은 모두 두려움에 떨며 시키는 대로 서명을 했다. 서명을 마친 뒤 종회는 곧 그들을 궁중에 감금하고 군사들을 시켜 엄중히 감시하게 했다. 강유가 권한다.

"내 보기에 아무도 충심으로 복종하는 자가 없습니다. 그들을 모조리 구덩이에 묻어버리십시오."

종회가 말한다.

"이미 궁중에 구덩이를 파라고 이르고, 큰 몽둥이를 수천개 준비하게 했소. 복종하지 않는 자가 있으면 쳐죽여 묻어버릴 것이오."

이때 종회의 심복장수 구건이 옆에 있었다. 그는 호군(護軍) 호열(胡烈)의 옛 부하였다. 호열 역시 궁중에 감금되어 있었다. 종회의 말을 들은 구건은 곧 호열에게 이 사실을 몰래 알려주었다. 호열은 크게 놀라 울며 말한다.

"내 아들 호연(胡淵)이 군사를 이끌고 외지에 있으니, 이러한 종회의 속셈을 어찌 알겠는가? 그대가 지난날의 정을 생각해서 이 소식을 알려만 준다면, 내 비록 죽어도 한이 없겠네."

구건이 대답한다.

"주공께서는 걱정하지 마십시오. 제가 방도를 생각해보겠습니다."

그러고는 즉시 나와 종회에게 말한다.

"주공께서 감금하신 여러 장수들이 궁안에 있어 물과 음식 먹기가 불편합니다. 한 사람을 시켜 오가며 갖다주게 해야겠습니다."

평소부터 종회는 구건의 말을 잘 듣는 편이었다. 그렇게 하라고 하며 그에게 잘 감시하도록 당부한다.

"너에게 중요한 일을 맡겼으니 절대 새나가지 않게 하라."

구건이 말한다.

"주공은 마음 놓으십시오. 제게 엄하게 단속할 방법이 있습니다."

구건은 호열과 친하고 믿을 만한 사람 한명을 몰래 안으로 들여보냈고, 호열은 그 사람에게 밀서 한통을 주고 부탁했다. 그 사람은 밀서를 가지고 부리나케 호연의 영채로 달려가서 사태를 상세히 전했다. 호연은 깜짝 놀라 마침내 여러 진영에 그 서신을 돌렸다. 이를 받아본 장수들은 크게 노해 황급히 호연의 영채로 모여들어 대책을 상의했다. 모두들 말한다.

"차라리 죽을지언정 어찌 역적을 따를 수 있겠는가?"

호연이 말한다.

"정월 열여드렛날 모두들 궁중으로 짓쳐들어가 이러저러하게 합시다."

감군 위관은 호연의 계획에 무척 기뻐했다. 이내 군마를 정비하고, 구건을 통해 이 사실을 호열에게 알리도록 했다. 호열은 또 이를 갇혀 있는 장수들에게 전했다.

한편, 종회가 강유를 불러 묻는다.

"어젯밤 꿈에서 큰뱀 수천 마리가 나를 물었소이다. 이 꿈의 길흉을 아시겠소?"

강유가 대답한다.

"꿈속의 용이나 뱀은 모두 길하고 경사스런 징조입니다."

종회는 그 말을 믿고 기뻐하며 강유에게 말한다.

"심문할 기구들이 이미 준비됐소. 장수들을 끌어내 의향을 물어보는 것이 어떻겠소?"

강유가 답한다.

"그자들은 모두 복종할 마음이 없소이다. 머지않아 분명 해가 될 것이니 이참에 죽여버리는 게 낫겠소."

종회는 그 말에 따랐다. 곧 강유에게 무사들을 거느리고 가서 위의 장수들을 모두 죽여버리라고 명했다. 강유는 명을 받고 막 몸을 일으키려 하다가 갑자기 가슴이 찢어지는 듯한 통증을 느껴 그만 땅에 쓰러지며 기절해버렸다. 좌우에서 부축해 일으키니 한참만에야 겨우 깨어났다.

이때 갑자기 궁 밖에서 사람들의 떠드는 소리가 물끓듯 일어났다. 종회가 사람을 시켜 알아보려 하는데, 함성이 진동하며 사면팔방에서 군사들이 무수히 들이닥쳤다. 강유가 말한다.

"이는 분명 여러 장수들이 꾸민 난동이오. 우선 그들의 목부터 베야 합니다."

그때 군사들이 벌써 궁 안까지 밀고 들어왔다는 보고가 들어왔다. 종회는 즉시 정전(正殿)의 문을 닫아걸게 하고 군사들에게 정전 지붕에 올라가 기와를 던져 싸우라고 명했다. 순식간에 서로간에 수십명이 죽었다. 궁밖 사방에서 불길이 치솟더니, 밖의 군사들이 정전 문을 열어젖히며 몰려들었다. 종회는 직접 칼을 뽑아들고 몇명을 쳐죽였으나 어지럽게 날아오는 화살에 맞아 쓰러졌다. 여러 장수들이 달려들어 종회의 목을 베어 내걸었다.

강유는 칼을 뽑아들고 정전 위를 오가며 적을 마구 무찔렀다. 그런데 그때 다시 가슴에 통증이 일어나며 점점 심하게 아파왔다. 강유가 하늘을 우러르며 크게 절규한다.

"내 계책을 이루지 못함은 바로 하늘의 뜻이로다!"

마침내 스스로 목을 찔러 죽으니, 이때 그의 나이 59세였다. 이 소동으로 궁중에서 죽은 자는 수백명이었다. 위관이 말한다.

"모든 군사는 각자 영채로 돌아가 왕명을 기다려라."

위군들이 원수를 갚고자 달려들어 강유의 배를 가르니 그 쓸개가 계란만큼이나 컸다. 장수들은 또 강유의 가족을 잡아들여 몰살했다. 등애의 부하들은 종회와 강유가 죽은 것을 보고, 마침내 등애를 빼앗아 살리기 위해 밤낮없이 압송행렬의 뒤를 쫓았다. 누군가 이를 급히 위관에게 알리자 위관이 말한다.

"등애를 잡은 것이 바로 나다. 만일 그자가 살게 되면 나는 죽어서 묻힐 땅도 없게 될 것이다."

호군 전속이 말한다.

"강유땅을 공격할 때 등애가 저를 죽이려 했는데, 다행히 모든 관원들이 풀어주기를 사정해 겨우 살아났습니다. 오늘 마땅히 그 원한을 갚겠습니다."

위관은 크게 기뻐하며 마침내 전속에게 군사 5백명을 이끌고 뒤쫓도록 했다. 전속이 황급히 말을 달려 면죽땅에 이르렀을 즈음, 등애 부자는 함거에서 풀려나 성도로 돌아오고 있었다. 등애는 제 수하군사들이 달려온 것으로만 알고 아무런 의심 없이 소식을 물어보려는 참에 전속이 단칼에 그 목을 베어버렸다. 등충 역시 어지러운 군사들 틈에서 죽임을 당했다.

후세 사람이 등애를 탄식해 시를 지었다.

어려서부터 계교를 잘 쓰더니	自幼能籌畫
꾀가 많아 용병에 능하였더라	多謀善用兵
눈을 응시하면 지리를 꿰뚫고	凝眸知地理
얼굴을 들면 천문을 알았구나	仰面識天文
말이 이르는 곳 산허리를 끊고	馬到山根斷
군사를 몰아가니 비탈이 갈라지네	兵來石徑分
공을 이루자 제 몸이 해를 입으니	功成身被害
그 넋은 서천의 구름 위에 떠도는구나	魂繞漢江雲

또 종회를 탄식한 시가 있다.

어려서부터 조숙한 지혜로 일컫더니	髫年稱早慧
일찍이 비서랑이 되었구나	曾作秘書郎
신묘한 계책으로 사마소가 귀기울여	妙計傾司馬
그당시 자방(子房, 장량)이란 칭호를 얻었네	當時號子房
수춘땅에서 여러번 공적을 이뤘고	壽春多贊畫
검각에선 용맹을 드날렸더라	劍閣顯鷹揚
도주공의 숨는 법을 배우지 못해	不學陶朱隱
떠도는 넋은 고향으로 가서 그리워 슬퍼하네	游魂悲故鄉

또 강유를 탄식한 시가 있다.

천수땅이 자랑하는 영재	天水夸英俊
양주땅에서 기이한 인물을 낳았구나	涼州産異才
계통을 보면 강태공의 후예요	係從尙父出
병법으로 말하면 제갈무후를 이었네	術奉武侯來
담이 커서 응당 두려움이 없고	大膽應無懼
마음이 씩씩하니 맹세 변할 줄 몰랐더라	雄心誓不回
성도에서 죽임을 당하던 날	成都身死日
한나라 장수들 슬픔이 그지없었네	漢將有餘哀

한편, 강유·종회·등애가 이미 죽고, 장익 등도 또한 어지럽게 싸우는 중에 죽었다. 태자 유선과 한수정후(漢壽亭侯) 관이(關彛, 관운장의 후손)도 모두 위군들에게 죽음을 당했다. 성도의 군사와 백성들이 큰 혼란 속에서 서로 짓밟고 싸워서 이때 죽은 자가 헤아릴 수 없이 많았다. 10여일이 지난 뒤 가충이 먼저 와서 방을 내걸고 백성들을 안정시키니, 그제야 불안한 분위기가 수습되었다. 가충은 위관에게 남아 성도를 지키게 하고 드디어 후주를 낙양으로 올려보냈다. 상서령 번건과 시중 장소, 광록대부 초주, 비서랑 극정 등 몇몇 사람만 그 뒤를 따라갔다. 요화와 동궐은 병을 핑계로 누워 있었는데 뒤에 모두 울화병으로 죽었다.

이때 위는 경원 5년(264)을 함희(咸熙) 원년으로 개원했다. 그해 봄 3월 오의 장수 정봉은 촉이 이미 망한 것을 알고서 마침내 군사를 거두어 오나라로 귀환했다. 중서승(中書丞) 화핵(華覈)이 오주 손휴에게 아뢴다.

"오와 촉은 곧 입술과 이의 관계라, 입술이 없으면 이가 시린 법〔脣亡齒寒〕입니다. 신의 생각에 사마소는 곧 오를 칠 터이니 바라옵건대 폐하께서는 더욱 방비를 튼튼히 하옵소서."

손휴는 그 말에 따랐다. 즉시 육손(陸遜)의 아들 육항(陸抗)을 진동대장군(鎭東大將軍)에 봉해 형주목으로 삼아 강어귀를 지키게 하고, 좌장군 손이(孫異)에게는 남서(南徐)의 모든 요충지를 지키게 했다. 그리고 장강(長江) 연안에 군사를 주둔시키고 영채 수백 개를 설치해 노장 정봉에게 총지휘하게 함으로써 위군의 공격에 대비했다.

건녕(建寧) 태수 곽익(霍弋)은 성도가 함락당했다는 소식에 소복을 입고 서쪽을 바라보며 사흘 동안 통곡했다. 여러 장수들이 묻는다.

"이미 한나라 임금이 지위를 잃었는데, 어찌하여 속히 항복하지 않으십니까?"

곽익이 울며 말한다.

"길이 끊어졌으니 우리 주군의 안위를 어찌 알겠는가? 위주가 우리 주군을 예로써 대한다면 그때 성을 내놓고 항복해도 늦지 않을 것이다. 만일 우리 주군께 해를 끼치고 욕을 보인다면, 주군이 욕을 보면 신하는 마땅히 죽어야 하는 것이니, 어찌 항복할 수 있겠느냐?"

장수들은 모두 그 말을 옳게 여겨 즉시 낙양에 사람을 보내 후주의 소식을 탐문하게 했다.

한편, 후주가 낙양에 이르자 사마소 역시 이미 조정에 돌아와 있었다. 사마소가 후주를 꾸짖어 말한다.

"공은 황음무도하여 현명한 사람을 내쫓고 나라를 다스리는 데 실패했으니 죽어 마땅하도다."

후주는 안색이 흙빛으로 변하며 어찌할 바를 몰랐다. 문무관원들이 말한다.

"촉주는 나라의 기강을 잃었으나 다행히 빨리 항복했으니 용서해야 마땅하옵니다."

마침내 사마소는 유선(후주)을 안락공(安樂公)으로 삼아 집을 하사하고 매달 쓸것을 대주며, 비단 1만필에 1백명의 시종을 내렸다. 그 아들 유요와 촉의 신하 번건·초주·극정 등은 모두 후작(侯爵)으로 봉했다. 후주는 위주의 은혜에 감사하고 궁을 나왔다. 사마소는 황호가 나라를 좀먹고 백성을 해쳤다는 이유로 무사들로 하여금 저잣거리로 끌어내 능지처참하게 했다. 그때 곽익은 후주가 작위를 받았다는 소식을 전해듣고 비로소 부하 군사를 이끌고 와서 항복했다.

이튿날, 후주는 친히 사마소의 부중에 가서 절을 올려 사례했다. 사마소는 잔치를 베풀어 극진히 대접하며, 먼저 위나라의 음악과 춤을 보여주었다. 옛 촉의 관리들은 모두 슬퍼 애통해하는데, 후주는 기쁜 빛을 띠었다. 이어 사마소가 촉나라 사람에게 명해 촉의 음악을 들려주니, 옛 촉의 관리들은 모두 눈물을 흘리는데 후주는 태연히 즐거워하며 웃음을 지었다. 술이 얼큰히 취하자 사마소가 가충에게 말한다.

"사람이 이렇게까지 무정하다니! 비록 제갈공명이 살았다 해도 저런 자는 온전히 보좌할 수 없었을 터인데, 하물며 강유가 어찌 도울 수 있었겠소?"

그러고 나서 후주에게 묻는다.

"서촉이 생각나지 않으시는가?"

후주가 답한다.

"이렇게 즐거우니 촉이 생각나지 않습니다."

후주는 즐거움에 빠져 망국의 설움을 생각지 않다

잠시 후 후주가 일어나 변소에 가는데 극정이 복도 아래 이르러 아뢴다.

"어찌하여 폐하께서는 촉이 그립다고 답하지 않으셨습니까? 만일 또 물어오면 울면서 '선조의 묘가 멀리 촉땅에 있으니 서쪽을 보면 마음이 비통해 하루도 생각지 않는 날이 없습니다' 하십시오. 진공은 반드시 폐하를 촉으로 보내줄 것입니다."

후주는 명심하고 자리로 돌아왔다. 술이 좀더 취한 뒤에 사마소가 또 물었다.

"촉이 그립지 않으신가?"

후주는 극정의 말대로 대답하고 울려고 하는데 도무지 눈물이 나오지 않자 눈을 감아버렸다. 사마소가 말한다.

"어쩌서 극정의 말과 똑같소?"

후주는 눈을 뜨고 놀라 쳐다보더니 말한다.

"참으로 그러합니다."

사마소와 좌우 사람들 모두 웃었다. 사마소는 후주의 고지식함을 보고는 그로부터 다시 의심하지 않았다.

후세 사람들이 탄식하여 시를 지었다.

환락을 좇으니 얼굴에 웃음이 가득하여   追歡作樂笑顔開
망국의 슬픔이란 한점도 보이지 않는구나   不念危亡半點哀
타국에 잡혀와 쾌락에 취해 고국을 잊었으니   快樂異鄉忘故國
후주 이리 못난 사람인 줄을 알았도다   方知後主是庸才

한편, 조정 대신들은 사마소가 서천을 얻는 데 공이 있으니 그를 높여 왕으로 삼아야 한다는 표문을 위주 조환에게 올렸다. 당시 조환은 이름만 황제일 뿐 사실상 아무런 주장도 하지 못했다. 나랏일은 전부 사마씨의 수중에 있었으니, 감히 따르지 않을 수 없었다. 마침내 진공 사마소를 진왕(晉王)으로 삼고, 그 아비 사마의에게는 선왕(宣王), 그 형 사마사에게는 경왕(景王)이라는 시호를 내렸다.

사마소의 처는 왕숙(王肅)의 딸로, 두 아들을 낳았다. 큰아들 사마염(司馬炎)은 체격이 크고 뛰어난 인물로, 일어서면 머리카락이 땅에까지 드리웠고 두 손은 무릎 아래까지 내려왔다. 총명하고 무예에 능했으며, 담대하고 도량이 큰 것이 남다른 바 있었다. 둘째아들 사마유(司馬攸)는 성정이 온화하고 공손했으며, 검소하고 효성스러우며 우애가 있었다. 사마소는 둘째를 특히 사랑하여, 형 사마사가 자식 없이 죽자 그의 양자로 세워 뒤를 잇도록 했다. 사마소는 늘 말하곤 했다.

"천하는 바로 내 형님의 것이다."

이런 까닭에 사마소는 진왕의 직위를 받은 뒤 사마유를 세자로 세우려 했다. 산도(山濤)가 간한다.

"큰아들을 폐하고 작은아들을 세우는 것은 예법에도 어긋나거니와 상서롭지 못합니다."

가충·하증·배수 등도 또한 간한다.

"큰아드님은 총명하고 무예에도 능한 것이 세인을 뛰어넘습니다. 이미 사람들의 기대가 크고, 제왕의 기품을 타고나셨습니다. 결코 남의 신하노릇을 할 상이 아닙니다."

사마소는 주저하며 결정을 내리지 못했다. 태위 왕상과 사공 순의가 다시 간한다.

"전대(前代)에 동생을 세워 나라가 혼란에 빠진 적이 많습니다. 바라건대 전하는 다시 생각하십시오."

마침내 사마소는 장자인 사마염을 세자로 삼았다.

대신 한 사람이 사마소에게 아뢴다.

"올해 양무현(襄武縣)에 한 사람이 하늘에서 내려왔습니다. 키가 2
장(丈, 1장은 10척) 남짓이며 발자국 길이만 3척 2촌에 머리카락은 희고
수염이 푸른데, 황색 홑옷에 황색 두건을 쓰고 명아주 지팡이를 짚었
다 합니다. 이 사람이 말하기를 '내가 곧 백성의 왕이다. 이제 너희들
에게 알리나니, 천하가 왕을 바꾸면 태평하리라' 하며 사흘 동안 저잣
거리를 돌아다니다가 홀연 사라졌다고 합니다. 이는 곧 전하께 길조
입니다. 전하께서는 열두줄 면류관에 황제의 깃발을 세우며, 출입하
실 때는 사람들의 통행을 제한하시고 여섯 마리의 말이 끄는 금근거
(金根車, 황제가 타는 수레)를 타십시오. 또한 왕비를 왕후로 높이고 세자
를 태자로 삼으소서."

사마소는 속으로 매우 기뻐했다. 이윽고 궁중으로 돌아와 음식을
먹으려는데, 갑자기 중풍(中風)이 들어 말을 하지 못했다. 이튿날에
는 병세가 위독해져서 태위 왕상·사도 하증·사공 순의 등 대신들이
궁에 들어와 문안했다. 사마소는 아무 말도 못하고 겨우 손으로 태자
사마염을 가리키고는 죽었다. 8월 신묘일(辛卯日)이었다. 하증이 말
한다.

"천하 대권이 진왕에게 있으니, 태자를 진왕으로 삼은 뒤에 장례를
치러야 할 것입니다."

그날로 사마염은 진왕의 위에 올랐다. 곧 하증을 진(晉) 승상으로,
사마망은 사도로 삼았으며, 석포를 표기장군으로, 진건을 거기장군으
로 삼았다. 그리고 부친에게는 문왕(文王)이라는 시호를 올렸다.

장례를 마치고 나서 사마염은 가충과 배수를 궁으로 불러들였다.
사마염이 묻는다.

　"일찍이 조조가 '만일 천명(天命)이 내게 있다면 나는 주(周) 문왕
처럼 되리라' 했다는데, 과연 이것이 사실인가?"

　가충이 대답한다.

　"조조는 대대로 한나라의 녹을 먹은 탓에 사람들이 역적이라 수군
거릴 것을 두려워하여 그런 말을 했습니다. 이는 분명 그 아들 조비를
황제로 삼으려 했던 것입니다."

　사마염이 묻는다.

　"나의 부왕(父王)께서는 조조에 비해 어떠한가?"

　가충이 대답한다.

　"비록 조조의 공이 천하를 덮었다지만 백성들은 그 위세를 두려워
했을 뿐 그 은덕을 사모하지는 않았습니다. 아들 조비가 뒤를 이었으
나 부역은 과중하고 동서로 출정하느라 평안한 세월이 없었습니다.
그후 선왕(宣王, 사마의)과 경왕(景王, 사마사)께서 거듭 큰 공을 세우시
고 은혜와 덕을 베풀어 펴시니 천하의 인심이 돌아온 지 오래입니다.
문왕(文王, 사마소)께서는 서촉을 평정하셔서 그 공이 천하에 흘러넘치
니 어찌 조조에 비하겠습니까?"

　사마염이 단호히 말한다.

　"조비도 오히려 한의 대통을 이었는데, 내가 어찌 위의 대통을 잇
지 못하겠느냐?"

　가충과 배수 두 사람이 두번 절하고 아뢴다.

　"전하께서는 조비가 한나라를 계승한 고사를 본받아, 수선대(受禪
臺, 황제자리를 이어받는 의식을 거행하는 대)를 다시 쌓고 천하에 널리 알려

대위에 오르소서."

사마염은 크게 기뻐했다. 다음날 사마염은 칼을 차고 궐내로 들어갔다. 그무렵 위주 조환은 며칠째 조회도 열지 않았으며, 심신이 혼미하고 행동거지도 두서가 없었다. 사마염은 곧바로 후궁으로 불쑥 들어갔다. 조환이 황망히 자리에서 내려와 사마염을 맞았다. 사마염이 좌정하고는 묻는다.

"누구 때문에 위나라 천하가 되었습니까?"

조환이 말한다.

"진왕의 부친과 조부(祖父)께서 주신 것이오."

사마염이 웃으며 말한다.

"내 보기에 폐하께서는, 문(文)으로는 도를 논하지 못하고 무(武)로는 나라를 경영하지 못하는데, 어째서 재주있고 덕있는 사람에게 자리를 물려주지 않으시오?"

조환은 너무나 놀라서 입을 다문 채 말을 하지 못했다. 곁에 있던 황문시랑 장절(張節)이 소리쳐 꾸짖는다.

"진왕의 말은 옳지 않소! 옛날 위 무조(武祖)께서는 동쪽을 소탕하고 서쪽을 평정하며, 남쪽을 정벌하고 북쪽을 토벌하셨으니 이 천하를 쉽게 얻으신 것이 아니오. 또한 지금 황제께서는 덕이 있고 아무런 죄도 없으신데, 무슨 까닭으로 남에게 자리를 내주란 말이오?"

사마염이 크게 화를 내며 말한다.

"이 사직은 곧 대한(大漢)의 것이었다. 조조가 황제를 끼고 제후들을 호령하다가 스스로 위왕이 되어 한 황실을 찬탈했고, 나와 조부와 부친 3대는 위나라를 보위해왔다. 천하를 얻은 것은 조씨의 능력이 아니라 실로 사마씨의 힘이다. 이는 온 세상이 다 아는 일인데, 내 어

진왕 사마염은 황제가 보는 앞에서 장절을 죽이고 전을 박차고 나가다찌 위의 천하를 계승하지 못한단 말이냐?"

장절이 또 말한다.

"이런 짓을 하려 하다니, 실로 나라를 빼앗는 역적이로다!"

사마염이 노기충천하여 말한다.

"내가 한 황실의 원수를 갚겠다는데 어찌하여 안된다 하느냐!"

무사들에게 호령해 장절을 전각 아래로 끌어내리더니 몽둥이로 마구 패서 죽여버렸다. 조환은 눈물을 흘리며 무릎을 꿇었다. 사마염은 벌떡 일어나 전각을 내려가버렸다. 조환이 가충과 배수에게 묻는다.

"사태가 급박하니, 어찌해야겠느냐?"

가충이 대답한다.

"천수가 이미 다했습니다. 폐하께서 하늘을 거스르실 수는 없사옵니다. 마땅히 한 헌제(獻帝)의 고사를 살펴 수선대를 중수하고 대례를 갖추어 진왕에게 위(位)를 넘기소서. 위로 천심에 부합하고 아래로 민심을 따르시면 폐하는 장차 아무 근심하실 것이 없습니다."

그 말에 따라 마침내 조환은 가충에게 명해 수선대를 쌓게 했다. 12월 갑자일(甲子日)에 친히 국새를 받들고 수선대 위에 섰고, 문무관원이 모두 모였다.

후세 사람이 이를 탄식한 시가 있다.

위는 한조를 삼키고, 진은 조씨를 삼키니 　　　魏吞漢室晉吞曹

천운의 순환은 피할 도리 없는 걸세 　　　　　天運循環不可逃

아름답다 장절은 나라에 충성하여 죽었으니 　張節可憐忠國死

한 주먹으로 태산을 가로막는도다 　　　　　一拳怎障泰山高

조환은 진왕 사마염에게 청해 단에 올라 대례를 받게 했다. 그리고 자신은 단에서 내려와 관복을 갖추어입고 관리들의 앞자리에 섰다. 사마염은 수선대 위에 단정히 앉았다. 가충과 배수가 칼을 쥐고 좌우에 늘어서서 조환에게 두번 절하고 땅에 엎드려 황제의 영을 받들기를 명했다. 가충이 말한다.

"한 건안(建安) 25년(220)에 위가 한을 이어받은 지 이미 45년이라. 이제 하늘이 내린 복이 다하고 천명이 진에 있도다. 사마씨의 공덕이 드높아 하늘에 닿고 땅에 가득한즉, 황제의 위를 바르게 하여 위의 대통을 계승하노라. 그대를 진류왕(陳留王)으로 봉하나니 금용성(金墉城)에 나가 거하도록 하라. 지금 당장 떠나 황제의 부르심이 없는 한 도성으로 들어오지 말라."

조환은 울며 사례하고 떠났다. 태부 사마부가 조환 앞에 통곡하며 절한다.

"신은 위의 신하였으니 결코 위를 저버리지 않겠습니다."

사마염은 사마부가 이렇게 하는 것을 보고 안평왕(安平王)으로 봉했다. 그러나 사마부는 이를 거절하고 물러났다. 이날 문무백관은 수선대 아래에서 두번 절하고 산호만세(山呼萬歲, 황제를 위해 부르는 만세)를 불렀다. 사마염은 위의 대통을 이어 국호를 대진(大晉)이라 하고, 태시(太始) 원년(265)으로 개원하여 천하에 대사령을 내렸다. 마침내 위는 망했다.

후세 사람이 탄식해 시를 지었다.

진나라의 규모가 위나라와 한가지라   晉國規模如魏王
진류왕의 종적은 한 헌제와 같구나   陳留蹤迹似山陽

수선대에서 앞의 일이 또 벌어졌으니　　　　　　　　　重行受禪臺前事
지난날을 돌아보면 애달플 뿐이로다　　　　　　　　　回首當年止自傷

진의 황제 사마염은 사마의에게 시호를 추증해 선제(宣帝)로 했으며, 백부 사마사는 경제(景帝)로, 부친 사마소는 문제(文帝)로 하고, 7묘(七廟)를 세워 가문을 빛냈다. 어떻게 7묘인가. 한나라 정서장군 사마균(司馬鈞)과 그의 소생 예장(豫章) 태수 사마량(司馬量)과 그의 소생 영천(穎川) 태수 사마준(司馬雋)과 그의 소생 경조윤(京兆尹) 사마방(司馬防)과 그의 소생 선제 사마의와 그의 소생 경제 사마사와 문제 사마소의 일곱 사당이었다. 이렇게 대사를 정하고 나서 사마염은 매일 조회를 열어 오를 정벌할 계책을 의논했다.

촉한의 성곽은 이미 옛 주인을 잃었으니　　　　　　　漢家城郭已非舊
오나라 강산도 장차 바뀌려 하네　　　　　　　　　　　吳國江山將復更

대체 어떻게 오를 정벌할 것인가?

120

三
國
志
—

삼분천하는 한바탕 꿈으로

노장 양호는 두예를 천거해 새로운 계책을 바치고

손호의 항복을 받아 삼분천하가 통일되다

오주 손휴는 사마염이 위를 찬탈했다는 소식을 듣고 장차 오를 치러 올 것을 근심하다가 병이 되어 누워 일어나지 못했다. 마침내 승상 복양흥(濮陽興)을 불러들이고 태자 손완(孫𩅣)으로 하여금 그 앞에 절하도록 했다. 오주는 복양흥의 팔을 잡고 손으로 손완을 가리키며 죽었다. 복양흥은 물러나와 대신들과 상의해 태자 손완을 임금으로 삼으려 했다. 이때 좌전군(左典軍) 만욱(萬彧)이 나서며 말한다.

"손완이 어려서 정사를 감당할 수 없으니, 오정후(烏程侯) 손호(孫皓)를 세우는 것이 좋겠습니다."

좌장군 장포 또한 말한다.

"손호는 재주와 식견이 있고 판단이 분명하니 제왕으로서 더 합당합니다."

승상 복양흥은 결정하지 못하고 들어가 주태후(朱太后)에게 아뢰었다. 태후가 말한다.

"나는 한낱 과부일 뿐이니 사직의 일을 어찌 알겠소? 경들이 잘 생각하여 세우는 것이 좋겠소."

마침내 복양흥은 손호를 맞아 임금으로 삼았다.

손호의 자는 원종(元宗)으로, 대제(大帝) 손권의 태자 손화의 아들이었다. 손호는 영안 7년(264) 7월 황제의 자리에 올라 원흥(元興) 원년으로 개원했다. 태자 손완을 예장왕(豫章王)에 봉하고, 부친 손화에게는 시호를 추증해 문황제(文皇帝)로 했으며, 어머니 하(何)씨를 태후로 높였다. 그리고 노장 정봉을 우대사마(右大司馬)로 삼았다. 이듬해에는 다시 감로(甘露) 원년으로 연호를 고쳤다. 손호는 나날이 흉포해지고 주색에 빠졌으며, 중상시(中常侍) 잠혼(岑昏)만을 총애했다. 복양흥과 장포가 간했으나 화가 난 손호는 두 사람의 목을 베고 그 삼족을 멸했다. 이때부터 조정 신하들은 입을 다물고 아무도 다시는 간하려 하지 않았다.

다음해에 또 연호를 보정(寶鼎) 원년으로 고치고, 육개(陸凱)와 만욱을 좌우 승상으로 삼았다. 이때 손호는 무창땅에 있었는데, 양주(揚州) 백성들은 강을 거슬러 물자를 공급하느라 고생이 극심했다. 게다가 손호는 사치스럽기가 한이 없어 나라와 백성이 모두 피폐해졌다. 이에 육개가 상소를 올려 간하니 그 내용은 다음과 같다.

요즘 재앙도 없는데 백성들이 죽어가고, 이룬 바 없이 국가재정이 비었으니 신은 참으로 통탄하는 바입니다. 지난날 한 황실이 쇠하여 솥발처럼 삼국이 맞서다가, 이제 조씨와 유씨가 도를 잃어 진의 천하가 되었으니, 이는 눈앞에 분명하게 드러난 징조이옵니다. 어리석은 신은 그저 폐하를 위하고 나라의 현실을 안타까워할 뿐이옵니다. 무창은 토지가 험하고 메말라 제왕이 도읍으로 삼을 만한 곳이 아니라, 항간에는 '차라리 건업의 물을 마시지 무창의 고기는 먹지 않겠네. 차라리 건업으로 돌아가 죽지 무창에 머물러 살지 않겠네'라는 동요가 떠돕니다. 이야말로 민심과 천의(天意)를 분명히 밝힌 것입니다. 나라에 한해를 버틸 양식이 없이 그 바닥이 드러났는데, 관리들은 가혹하게 세금을 뜯을 뿐 백성을 돌보지 않사옵니다. 대제(大帝, 손권) 시절에는 궁녀가 1백명이 못 되었는데, 경제(景帝, 손휴) 이래로 1천명이 넘으니, 이는 재정의 극심한 낭비입니다. 또 폐하의 좌우가 모두 그런 것은 아니지만, 사람들이 서로 무리를 이루어 충신을 해치고 어진 사람을 가리니 이는 모두 정사를 좀먹고 백성을 병들게 하는 일이옵니다. 원컨대 폐하께서는 굽어살피시어 백성의 부역을 줄이고 가혹한 과세를 타파하며 궁녀를 줄여 궁밖으로 내보내고 관리를 공정하게 뽑으신다면, 하늘이 기뻐하고 백성들이 따르니 나라가 평안해질 것이옵니다.

상소를 본 손호는 매우 불쾌해했다. 다시 큰 토목공사를 일으켜 소명궁(昭明宮)을 짓는데, 문무관원들까지 산에 들어가 나무를 구해오도록 했다. 그리고 술사(術士) 상광(尙廣)이라는 자를 불러들여 천하를 취할 일을 점쳐보라 명했다. 상광이 대답한다.

"폐하의 점괘는 길조이니, 경자년(庚子年)에 청개거(靑蓋車, 푸른 덮개의 황제가 타는 수레)를 앞세우고 낙양으로 들어가실 것입니다."

손호는 크게 기뻐하며 중서승 화핵에게 말한다.

"선제께서는 경의 말을 받아들여, 장수들을 여러 방면에 나누어 파견해 장강 일대에 수백개의 영채를 설치하고 군사를 주둔케 하여 노장 정봉에게 총지휘를 맡기셨소. 짐이 옛 한나라 땅을 빼앗아 촉주의 원수를 갚고자 하는데, 어느 곳을 먼저 쳐야겠소?"

화핵이 간한다.

"성도를 지키지 못하고 촉의 사직이 기울었으니, 이제 사마염은 틀림없이 우리 오를 집어삼키려고 할 것입니다. 폐하께서는 마땅히 덕을 베푸시어 백성들을 평안케 하십시오. 그것이 상책이옵니다. 만일 군사를 강제로 움직인다면, 이는 베옷을 입고 불을 끄려는 것과 같아 분명 제 몸만 태우게 됩니다. 원컨대 폐하께서는 굽어살피소서."

손호는 불같이 화를 낸다.

"짐이 때를 놓치지 않고 구업(舊業)을 회복하고자 하는데, 그대는 어찌 이렇게 불리한 말만 하는가! 오랜 신하인 그대의 체면을 생각지 않는다면 당장 참하여 저자에 내걸 것이니라!"

손호는 무사들을 호령해 화핵을 궁문 밖으로 쫓아내버렸다. 화핵이 조정에서 나와 탄식한다.

"애석하도다. 금수강산이 오래지 않아 남의 것이 되겠구나!"

그뒤로는 은거하여 다시는 세상에 나오지 않았다.

손호는 진동장군 육항(陸抗)으로 하여금 강구(江口)에 군사를 주둔시키고 양양을 칠 계획을 세우도록 분부했다.

이 소식은 재빨리 낙양에 보고되었다. 측근 신하들이 곧 육항이 양양을 공격할 것이라고 진주(晉主) 사마염에게 고하자 사마염은 즉시 모든 관리들과 더불어 상의했다. 가충이 반열에서 나와 아뢴다.

"신이 듣자니 오나라 손호는 덕정(德政)을 펴지 않고 무도한 짓만 일삼는다 합니다. 폐하께서는 도독 양호(羊祜)에게 조서를 보내 군사를 이끌고 적을 막도록 하십시오. 동오에 변란이 일어나기를 기다려 그 기회를 틈타 공략하면 동오를 얻는 것은 손바닥 뒤집기처럼 쉬울 것입니다."

사마염은 매우 기뻐하며 곧 조서를 써서 양양의 양호에게 사자를 보냈다. 양호는 조서를 받들어 군마를 점검하고 정비하며 적을 맞을 준비를 했다. 이로부터 양호는 양양에 주둔하면서 굳게 지켜 군사와 백성들의 인심을 크게 얻었다. 항복한 오나라 사람들 중에 돌아가고자 하는 자는 모두 그 뜻을 들어주었다. 보초 서는 군사와 순찰 군사의 수를 줄여 밭 8백여경(頃)을 개간하니, 처음 왔을 당시에는 1백일 먹을 군량도 없었던 것이 그해 말에는 10년치 양식이 군중에 쌓였다. 양호는 군영에 있을 때 가벼운 갖옷과 넓은 허리띠만 띠고 갑옷은 입지 않았다. 장막 앞에서 호위하는 군사도 불과 10여명이었다. 하루는 부장이 장막에 들어와 양호에게 아뢴다.

"정탐꾼이 보고하기를 오군들의 방비가 해이해졌다 합니다. 이를 틈타 습격하면 반드시 크게 이길 것입니다."

양호가 웃으며 말한다.

"그대들은 육항을 우습게 보는가? 육항은 지모가 뛰어난 사람이다. 일전에 오주의 명으로 서릉(西陵)을 공략해 보천(步闡)과 그의 부하 장수 수십명을 목베었으나, 나는 그들을 구하지 못했다. 육항이 장수로 있는 한 우리는 그저 지키고만 있다가, 내란이 일어나기를 기다려 그때 일을 도모해야 할 것이다. 만일 때와 사세를 살피지 않고 가벼이 진격한다면 그것이 곧 패하는 길이다."

모든 장수들은 그 말에 감복해 굳게 경계를 지키기만 했다.

어느날 양호는 여러 장수를 거느리고 사냥을 하러 나갔다. 그때 마침 육항도 사냥을 나와 서로 마주쳤다. 양호가 명을 내린다.

"우리 군사는 결코 경계를 넘지 말라."

명을 받은 양호의 장수들은 진나라 경계를 지켜 오의 경계를 범하지 않았다. 육항이 바라보며 탄식했다.

"양장군 군대는 기율이 있으니, 함부로 범하지 못하겠구나!"

이윽고 날이 저물어 각기 물러났는데, 군중으로 돌아온 양호는 잡은 짐승들을 살펴보고서 오군이 먼저 화살을 쏘아 맞힌 짐승은 모두 돌려보냈다. 오군들은 모두 기뻐하며 이 일을 육항에게 고했다. 육항은 양호가 보낸 사자를 불러들여 묻는다.

"너희 장군은 술을 드시는가?"

사자가 답한다.

"반드시 좋은 술만 드십니다."

육항이 웃으며 말한다.

"내게 좋은 술이 있어 오랫동안 간직해왔다. 이제 네게 줄 터이니 가지고 가서 도독께 바치도록 하라. 이 술은 내가 친히 담가 마시던 것으로 특별히 한 작(勻, 1홉의 10분의 1)을 바치니, 이로써 어제 사냥의 정을 표하려 함이니라."

사자가 술을 가지고 돌아가자 좌우 사람들이 육항에게 묻는다.

"장군이 양호에게 술을 보내신 데는 어떤 뜻이 있습니까?"

육항이 말한다.

"양호가 먼저 내게 덕을 베풀었는데 내 어찌 갚지 않을 수 있겠는 가?"

모두가 그 말에 그저 놀랄 뿐이었다.

한편, 사자는 돌아가서 양호를 뵙고, 육항이 묻던 말과 더불어 술을 주기에 받아온 일을 자세히 보고했다. 양호가 웃으며 말한다.

"그 또한 내가 술 마시는 것을 알고 있더란 말이지?"

이윽고 술병을 열게 하여 마시려 했다. 부장 진원(陳元)이 나서서 말린다.

"그 술에 적의 간교한 속임수가 있을까 두려우니, 도독께서는 드시지 마십시오."

양호가 웃으며 말한다.

"육항은 독을 보낼 사람이 아니다. 그대들은 쓸데없이 의심하거나 염려하지 말라."

술병을 기울여 그대로 술을 마셨다. 이때부터 양호와 육항은 사람을 보내 안부를 물으며 늘 서로 왕래했다.

어느날, 육항이 사람을 보내 양호의 안부를 물었다. 양호가 그 사람에게 묻는다.

"육장군께서도 안녕하신가?"

온 사람이 답한다.

"우리 장군께서는 며칠째 병환으로 누워 출입을 못하십니다."

양호가 말한다.

"장군의 병은 나와 같을 것이다. 내 이미 지어놓은 약이 여기 있으니, 드시도록 갖다드려라."

그 사람은 약을 가지고 돌아가 육항에게 바쳤다. 여러 장수들이 육항에게 말한다.

"양호는 우리의 적입니다. 이 약은 필시 장군께 좋은 약이 아닐 것입니다."

육항이 말한다.

"어찌 양숙자(羊叔子, 양호)가 사람을 독살하겠는가? 그대들은 의심하지 말라."

마침내 양호가 보내준 약을 먹었다. 그 이튿날로 육항의 병은 나았고, 장수들은 모두 절을 올리며 축하했다. 육항이 말한다.

"저쪽에서 오로지 덕으로써 대하는데 나는 오로지 폭력으로써만 대한다면, 이는 저쪽에서 장차 싸우지 않고서도 우리를 굴복시키게 하는 것이다. 지금은 마땅히 각자의 경계를 지켜야 할 뿐이니, 작은 이익을 구하려 해서는 안된다."

모든 장수들은 그 명령에 따랐다. 이때 갑자기 오주로부터 사자가 왔다는 전갈이 들어왔다. 육항이 맞아들여 온 이유를 묻자 사자가 말한다.

"황제께서는 장군께 속히 진군하여 진나라에서 먼저 쳐들어오지 못하게 하라 하십니다."

육항이 말한다.

"그대는 그냥 돌아가시오. 내가 곧 황제께 상소를 올리겠소."

사자는 작별하고 떠났다. 육항은 즉시 상소문을 지어 사람을 시켜 건업으로 보냈다. 측근 신하가 이를 바치자 손호가 그 상소문을 보았다. 그 글에는 아직 진나라를 칠 수 없는 정황이 자세히 적혀 있었다. 또한 오주에게 덕을 닦고 형벌을 삼가 나라 안을 안정시키고, 무력을 함부로 쓰지 말 것을 권하고 있었다. 다 읽고 난 오주가 벌컥 화를 내며 말한다.

"짐이 듣건대 육항이 변경에 있으면서 적들과 내통한다고 하더니 오늘 보니 과연 그렇구나!"

즉시 사자를 보내 육항의 병권을 몰수하고 사마(司馬)로 그 벼슬을 내리고, 좌장군 손익(孫翼)에게 명해 대신 군사를 통솔하게 했다. 신하들은 아무도 감히 간하지 못했다.

오주 손호는 스스로 연호를 건형(建衡) 원년(269)으로 고쳤다. 그리고 봉황(鳳凰) 원년(272)까지 매사를 제멋대로 하며 군사들을 오랫동안 변방에 주둔시키니 상하 모두 원망하지 않는 자가 없었다. 승상 만욱(萬彧)과 장군 유평(留平), 대사농 누현(樓玄) 세 사람은 손호의 무도함을 두고 바른말 쓴소리로 간하다가 모두 죽임을 당했다. 그 앞뒤로 10여년 사이에 손호에게 죽임을 당한 충신이 40여명이었다. 손호가 드나들 때는 늘 철기군 5만명이 엄중히 호위하니 모든 신하들은 겁에 질려 감히 어쩌지를 못했다.

한편, 양호는 육항이 병권을 빼앗기고 손호가 덕을 잃는 것을 듣고, 이때를 틈타 오를 칠 수 있으리라 여겼다. 마침내 오 정벌을 청하는 표문을 써서 낙양으로 사자를 보내니 그 내용은 다음과 같다.

무릇 기회와 운세는 하늘이 주시는 바라 하지만, 공업을 이룸은 반드시 사람에게 달린 것이옵니다. 오늘날 강회(江淮, 장강과 회수)가 험하다 해도 검각땅만큼 험하지는 않습니다. 손호의 포악함이 유선보다 더하고, 오의 백성들의 곤궁함은 지난날 촉의 백성보다 심한데, 대진(大晉)의 병력은 지난날보다 강성해졌사옵니다. 하오니 이번 기회에 천하를 평정하지 않고 군사를 주둔시켜 계속 지키게만 한다면, 천하가 변방 수비에 지쳐 차츰 국력도 쇠할 것이니 오래 가기 어렵사옵니다.

사마염은 표문을 읽고는 크게 기뻐하며 즉시 군사를 일으키려 했다. 그러나 가충·순욱·풍담(馮紞) 세 사람이 절대 안된다고 힘써 간하자 이 때문에 사마염은 오를 정벌할 계획을 실행하지 못했다. 자신의 청이 받아들여지지 않자 양호는 크게 탄식했다.

"천하에 여의치 않은 일이 십중팔구이거늘, 이제 하늘이 주시는데도 받지 않다니 어찌 참으로 애석하지 않겠는가!"

함녕(咸寧) 4년(278)에 이르러 양호는 조정에 들어가 벼슬을 내놓고 고향으로 돌아가 병을 다스리겠다고 청했다. 사마염이 말한다.

"경은 과인에게 나라를 편안히할 계책을 가르쳐주오."

양호가 대답한다.

"손호의 학정이 이미 극심하니, 지금은 싸우지 않고도 이길 수 있습니다. 만일 불행히도 손호가 죽고 어진 임금이 서게 되면 폐하께서는 오를 얻으실 수 없을 것이옵니다."

이 말에 사마염은 크게 깨닫는 바 있어 말한다.

"이제라도 경이 다시 군사를 이끌고 가서 치면 어떻겠소?"

양호가 대답한다.

"신은 늙고 병들어 이 일을 감당할 수 없사옵니다. 폐하께서는 지략과 용기를 겸한 장수를 고르십시오."

마침내 양호는 사마염에게 하직하고 돌아갔다. 그해 11월 양호의 병세가 위독해졌다. 사마염은 어가를 타고 친히 양호의 집으로 문병을 갔다. 사마염이 병상 앞에 이르자 양호가 눈물을 흘리며 말한다.

"신은 만번 죽어도 폐하께 능히 보답할 수 없을 것이옵니다!"

사마염 또한 울며 말한다.

"짐은 경을 써서 오를 치지 않은 일을 후회하오. 오늘날 누가 있어 경의 뜻을 이어받겠소?"

양호가 눈물을 머금고 말한다.

"신은 이제 죽습니다만, 우둔한 충성심으로 감히 말씀드리오면 우 장군 두예(杜預)가 이 일을 맡을 만합니다. 만일 오를 치고자 하신다 면 두예를 쓰셔야 마땅하옵니다."

사마염이 말한다.

"착하고 어진 인재를 천거함은 아름다운 일이오. 경은 어찌하여 늘 사람을 조정에 천거하고는 즉시 추천서를 불살라버려 남이 알지 못하게 하셨소?"

양호가 말한다.

"관직은 조정에서 받는 것이니 사사로이 사례하는 것은 신하가 취할 바 아니옵니다."

말을 마치고 양호는 죽었다. 사마염은 대성통곡하고 궁으로 돌아와 그를 태부(太傅) 거평후(鉅平侯)로 추증했다. 남주(南州, 형주) 백성들은 양호가 죽었다는 소식에 가게문을 닫고 통곡했고, 강남 변방을 지키던 장수와 군사들 또한 모두 울었다. 양양 사람들은 양호가 생전에 늘 현산(峴山)에서 놀던 것을 생각해 그곳에 사당을 짓고 비를 세워 철마다 제사를 지냈다. 그곳을 왕래하는 사람으로 그 비문을 읽고 눈물 흘리지 않는 사람이 없는지라, 그 이름을 '타루비(墮淚碑, 눈물을 흘리게 하는 비석)'라 했다.

후세 사람이 시를 지어 찬탄했다.

진의 신하 생각하고 이른 아침 언덕에 오르니	曉日登臨感晉臣
현산의 봄 옛 비석만 쓸쓸해라	古碑零落峴山春
소나무 사이로 뚝뚝 지는 이슬방울	松間殘露頻頻滴
그 당시 사람들이 떨어뜨린 눈물인가	疑是當年墮淚人

진주 사마염은 양호의 말대로 두예를 진남대장군(鎭南大將軍)에 봉하고, 형주의 일을 관할하는 도독으로 삼았다. 두예는 사람됨이 노련하고 활달하며 학문을 좋아하고 게으르지 않았다. 특히 좌구명(左丘明)의 『춘추전(春秋傳)』을 가장 즐겨 읽어 앉든지 눕든지 항상 곁에 두었으며, 드나들 때도 매번 사람을 시켜 『좌전(左傳)』(춘추전)을 들고 말 앞에 나아가게 했다. 그래서 당시 사람들은 그를 '좌전벽(左傳癖, 좌전에 미친 사람)'이라 불렀다. 두예는 진주의 명을 받들어 양양으로 가서 백성을 어루만지고 군사를 기르며 오를 정벌할 준비를 했다.

그무렵, 오나라에서는 정봉과 육항이 모두 죽었다. 오주 손호는 잔치 때마다 신하들에게 취하도록 술을 마시게 하고, 황문랑(黃門郎) 열 사람을 두어 관리들을 감시하게 했다. 잔치가 끝난 후 허물을 고하게 하여 잘못을 범한 자는 얼굴가죽을 벗기고 혹은 눈을 도려냈다. 나라 사람들은 모두 두려움에 떨었다.

진의 익주 자사 왕준(王濬)이 상소하여 오를 칠 것을 청했다. 그 글은 다음과 같다.

손호는 황음무도하고 흉포하기 그지없으니 마땅히 속히 오를 쳐야 하옵니다. 일단 손호가 죽고 다시 어진 임금이 서면 동오는 막강한 적이 될 것이옵니다. 신이 배를 만들어둔 지 7년이라 나날이 썩어가고 있으며, 신의 나이 70살이라 언제 죽을지 모르옵니다. 이 셋 가운데 한가지만 어긋나도 일을 도모하기 어렵습니다. 바라건대 폐하께서는 이번 기회를 놓치지 마소서.

진주 사마염이 상소문을 보고 마침내 신하들과 더불어 의논했다. 진주가 말한다.

"왕공의 말이 바로 양도독의 뜻과 같소. 짐의 뜻은 이미 결정되었소."

시중 왕혼(王渾)이 아뢴다.

"신이 들으니 손호가 북상(北上)하고자 이미 군사를 정비하고, 그 기세가 매우 등등하여 싸우기 어렵다 합니다. 1년만 더 기다려 그들이 지치면 쉽게 공을 이룰 수 있을 것이옵니다."

진주는 그 말을 좇아 즉시 군사를 동원하지 말라는 조서를 내리고, 후궁으로 물러나와 비서승(秘書丞) 장화(張華)와 소일 삼아 바둑을 두고 있었다. 그때 측근 신하가 변경에서 표문이 도착했음을 아뢰었다. 진주가 표문을 보니 두예가 보낸 것이었다. 그 내용은 다음과 같았다.

지난날 양호 장군은 조정 신하들과 널리 의논하지 않고 은밀히 폐하께 계책을 아뢴 까닭에 조정 신하들의 의견이 많이 갈렸습니다. 무릇 일은 마땅히 이해를 따져보아야 합니다. 이번 거사에서 이로움을 얻는 십중팔구이고, 그 해로움이라고 해야 공을 못 세운다는 것뿐입니다. 가을부터 적을 토벌하려는 우리의 준비가 몇번

드러났으니 만일 지금 중지하면 손호는 겁을 먹어 무창으로 도읍을 옮기고, 강남의 모든 성을 수리하여 백성들을 옮겨 살게 할 것입니다. 이렇게 되면 성을 공격할 수 없고 들에서 식량을 약탈할 수도 없는즉, 내년에도 계책을 이루기는 어렵사옵니다.

진주가 표문을 다 읽고 나자 장화가 돌연 일어서며 바둑판을 밀치더니 두 손을 맞잡고 아뢴다.

"폐하께서는 성스럽고 용맹하시어 나라는 윤택하고 군사는 강성하옵니다. 하온데 오주는 음탕하고 포학하여 백성들은 어렵고 나라는 피폐합니다. 만약 지금 오를 치면 힘들이지 않고 평정할 수 있사오니 바라건대 폐하께서는 더 의심하지 마소서."

진주가 말한다.

"지금의 경의 말이 이해득실을 훤히 꿰뚫고 있으니 짐이 어찌 다시 의심하겠는가?"

즉시 나가서 전각에 올라 명을 내려 진남대장군 두예를 대도독으로 삼고, 군사 10만명을 이끌고 강릉(江陵)으로 가도록 했다. 진동대장군 낭야왕 사마주(司馬伷)는 도중(涂中)으로 가고, 안동대장군 왕혼은 횡강(橫江)으로, 건위장군 왕융(王戎)은 무창으로, 평남장군(平南將軍) 호분(胡奮)은 하구(夏口)로 각기 군사 5만명을 거느리고 가되 모두 두예의 지휘에 따르도록 했다. 또 용양장군(龍驤將軍) 왕준과 광무장군(廣武將軍) 당빈(唐彬)으로 하여금 장강으로 해서 동쪽으로 내려가게 하니, 수군과 육군이 20여만명, 전선이 수만척이었다. 게다가 관군장군(冠軍將軍) 양제(楊濟)에게 양양으로 나아가 주둔하며, 모든 길의 군마를 통제하도록 했다.

이 소식은 곧바로 동오에 보고되었다. 오주 손호는 크게 놀라 황급히 승상 장제(張悌)와 사도 하식(何植), 사공 등순(滕循)을 불러 진의 군사를 물리칠 계책을 의논했다. 장제가 아뢴다.

"거기장군 오연(伍延)을 도독으로 삼아 강릉으로 진격해 두예와 맞서게 하고, 표기장군 손흠(孫歆)에게 진격해 하구 등지에 있는 적군을 물리치게 하십시오. 신은 감히 군사(軍師)가 되어 좌장군 심영(沈瑩), 우장군 제갈정(諸葛靚)과 더불어 군사 10만을 이끌고 우저(牛渚)로 나아가 주둔하여 여러 방면의 군사들을 후원하겠습니다."

손호는 그 말에 따라 마침내 장제에게 군사를 이끌고 떠나도록 했다. 손호가 후궁으로 들어갈 때 그 얼굴에는 근심이 어려 있어 총신(寵臣) 중상시 잠혼이 그 까닭을 물었다. 손호가 말한다.

"진의 대군이 쳐들어온다고 하여 이미 각 방면에 군사를 보냈는데, 왕준이 군사 수만명을 거느리고 전선까지 완전히 갖추어 강을 따라 내려오는 기세가 매우 날카롭다 하니 어찌 싸울 것인가. 그 때문에 짐은 걱정이로다."

잠혼이 말한다.

"신에게 계책이 하나 있으니, 왕준의 배들을 모두 산산조각낼 수 있습니다."

손호가 크게 기뻐하며 그 계책을 물었다. 잠혼이 아뢴다.

"강남에 철이 많으니, 길이 수백 장 되는 쇠사슬을 1백여개 만듭니다. 각 고리의 무게는 2, 30근으로 하여 장강 연안의 중요한 길목마다 가로질러 걸쳐놓으십시오. 또 길이 1장 남짓한 철추(鐵錐, 쇠로 만든 송곳) 수만개를 만들어 수중에 설치해놓으십시오. 진의 전선이 바람을 타고 내려오다 철추와 맞닥뜨리면 부서질 터이니, 저들이 무슨 수로 강을 건널 수 있겠습니까?"

손호가 크게 기뻐하며 즉시 영을 내렸다. 곧 대장장이들을 뽑아 강변에서 주야로 쇠사슬과 철추를 만들어 설치하게 했다.

한편 진의 도독 두예는 군사를 이끌고 강릉으로 나왔다. 아장(牙將) 주지(周旨)에게 명해 수군 8백명과 작은 배를 타고 몰래 장강을 건너 낙향(樂鄕)땅을 야습하도록 했다. 그리고 숲속에 깃발을 많이 세워놓고 낮에는 포를 쏘면서 북을 치고, 밤에는 각처에서 횃불을 올리도록 했다. 명을 받은 주지는 군사를 이끌고 강을 건너 파산(巴山)에 매복했다. 이튿날 두예가 대군을 이끌고 수로와 육로로 동시에 나아갔다. 정탐꾼이 보고한다.

"오주가 오연을 육로로, 육경(陸景)을 수로로 보내고, 손흠을 선봉으로 하여 세 방면에서 몰려옵니다."

두예가 군사를 이끌고 전진하는데 손흠의 전선들이 벌써 들이닥쳤다. 양쪽 군사가 첫 싸움을 벌이는데, 두예가 갑자기 뒤로 물러났다. 손흠은 군사를 휘몰고 연안에 상륙해 끈질기게 추격했다. 그렇게 20리를 채 못 갔는데, 갑자기 한방의 포성이 울리더니 사면에서 진의 대군이 물밀듯이 쏟아져나왔다. 오군들은 황급히 퇴각했다. 두예가 승세를 타고 군마를 휘몰아 마구 무찌르니 이때 죽은 오군의 수는 셀 수도 없었다. 손흠이 분주히 도망쳐 성 가까이에 이르렀다. 그때 주지의 군사 8백명이 그 무리에 섞여들더니 성위에 올라 횃불을 올렸다. 손흠이 크게 놀라 외친다.

"북쪽에서 온 군사들은 날아서 강을 건넜단 말인가!"

황급히 퇴각하려 할 때 주지가 크게 호통을 치며 손흠을 베어 말 아

진의 군사는 파죽지세로 동오를 치다

래로 떨어뜨렸다.

전선 위에 있던 육경은 강남 연안에서 한 줄기 불꽃이 일고 파산 위에 '진 진남대장군 두예'라고 쓴 큰 깃발이 바람에 나부끼는 것을 보았다. 크게 놀라 연안으로 달아나 목숨을 구하려는데, 진의 장수 장상(張尙)이 말을 달려와 단칼에 육경의 목을 쳤다. 오연은 각 방면의 군사가 모두 패했음을 알고 마침내 성을 버리고 달아나다가 복병에게 붙들려 결박당한 채 두예 앞으로 끌려갔다. 두예가 말한다.

"이런 자는 살려둬도 쓸모가 없다!"

무사들에게 호령해 오연의 목을 베었다. 마침내 두예는 강릉을 점령했다. 이에 원수(沅水)·상수(湘水, 둘 다 동정호로 들어가는 하수) 일대와 광주(廣州)의 모든 고을 수령들은 소문만 듣고도 전부 인(印)을 바치며 항복했다. 두예는 사자에게 부절(符節)을 주어 보내 백성들을 안심시키고, 군사들에게 추호도 노략질하지 않도록 명했다. 두예의 군사들이 계속 진격해 무창을 공격하니 무창 역시 항복했다. 진의 군사들이 위엄을 크게 떨치니, 두예는 드디어 모든 장수들을 불러모아 건업을 칠 계책을 상의했다. 호분이 말한다.

"1백년이나 맞서온 적을 일시에 굴복시키기는 어렵습니다. 이제 봄물이 불어나 오래 머물기도 어려우니, 내년 봄을 기다려 다시 군사를 크게 일으킵시다."

두예가 대답한다.

"옛날 악의(樂毅, 연의 장수)는 제수(濟水) 서쪽에서 일대 결전을 벌여 강성한 제나라를 억눌렀다. 이제 우리 군사의 위세가 크게 진동하니 지금처럼 파죽지세로 나아갈 것이라, 적은 우리 군사가 이르는 곳에 저절로 무너져서 손쓸 것도 없을 것이다."

마침내 여러 장수들에게 격문을 보내 모이도록 하고, 일제히 진군하여 건업을 공략하기로 약속했다.

이때 용양장군 왕준은 수군을 이끌고 강을 따라 내려오고 있었다. 갑자기 전방의 전초선으로부터 보고가 들어왔다.

"오나라 사람들이 쇠사슬을 만들어 강을 가로질러 설치해놓고 또한 물속에 철추를 꽂아놓아 방비하고 있습니다."

왕준은 크게 웃고서 즉시 큰 뗏목 수십개를 만들게 했다. 뗏목 위에 풀을 엮어만든 허수아비에 갑옷을 입히고 무기를 들려 빙 둘러 세우고 물 아래쪽으로 떠워보냈다. 오군은 뗏목의 허수아비들이 살아 있는 사람인 줄 알고 그대로 달아나버렸다. 오군이 숨겨놓은 철추들은 뗏목에 박혀 모조리 제거되었다. 또 뗏목 위에다 큰 횃불을 올렸는데, 길이가 10여장, 크기는 10여 아름씩이고 마유(麻油, 삼씨기름)가 흠뻑 배어서, 쇠사슬에 걸려 멈춰지면 이내 쇠를 태워 녹이며 쇠사슬을 모두 끊어버렸다. 진의 수군은 두 길로 나뉘어 큰 강을 따라 내려가면서 가는 곳마다 승리를 거두었다.

한편 동오의 승상 장제는 좌장군 심영과 우장군 제갈정에게 명해 진군을 맞아 싸우도록 했다. 심영이 제갈정에게 말한다.

"상류의 군사들이 막아내지 못했으니 진군은 반드시 여기까지 진격해올 터이오. 마땅히 힘을 다해 싸워야 하는데, 다행히 승리를 거둔다면 강남은 저절로 안정될 것이나 이제 강을 건너 싸워서 불행히 패한다면 만사는 끝장이오."

제갈정이 말한다.

"실로 공의 말씀대로요."

말이 미처 끝나기도 전에 보고가 들어왔다. 진군이 강을 따라 내려오는데 그 기세를 당하기 어렵다는 것이다. 두 사람은 크게 놀라 장제에게 상의하기 위해 급히 달려갔다. 제갈정이 말한다.

"동오가 위급합니다. 어찌 달아나려 하지 않습니까?"

장제가 울며 말한다.

"장차 오가 망하리라는 것은 현명한 자나 어리석은 자나 모두 아는 바이오. 이제 만일 임금과 신하가 모두 항복하는데 국난 중에 죽는 이가 한사람도 없으면, 그런 굴욕이 또 어디 있겠소?"

제갈정 역시 눈물을 흘리며 떠나갔다. 장제가 심영과 더불어 군사를 이끌고 적에 맞서자 진나라 군사가 일제히 그들을 포위했다. 주지가 선봉에 서서 오군 진영으로 쳐들어왔다. 장제는 홀로 힘을 다해 적과 맞서싸우다 어지러운 싸움터에서 죽었다. 심영은 주지의 손에 죽고 오나라 군사는 사방으로 흩어져 달아났다.

후세 사람이 장제를 찬탄해 시를 지어 읊었다.

두예가 파산 위에 큰 기를 세우니　　　　　　　杜預巴山見大旗
강동의 장제가 충절로 죽을 때라　　　　　　　江東張悌死忠時
왕기는 꺾여 남방에서 다했지만　　　　　　　　已拚王氣南中盡
구차히 목숨 빌어 알아준 이 저버리지 못할래라　不忍偸生負所知

한편, 진나라 군사는 우저땅을 점령하고 오나라 경계 깊숙이까지 쳐들어갔다. 왕준이 이 소식을 낙양에 보고하자 진주 사마염이 듣고 크게 기뻐했다. 가충이 아뢴다.

"우리 군사가 오래 외지에서 고생하고 있고 물과 토양이 맞지 않으니 분명 병이 날 것입니다. 마땅히 군사들을 소환하시어 나중에 다시 도모하도록 하십시오."

장화가 말한다.

"대군이 이미 적의 소굴 깊이 들어가 오나라 사람들은 간이 떨어질 지경이고, 손호는 한달이 못 가서 반드시 잡힐 것이옵니다. 만일 군사를 불러들이시면 지금까지의 공로는 모두 수포로 돌아갈 터이니 실로 애석하지 않을 수 없사옵니다."

진주가 미처 응대하기도 전에 가충이 장화를 꾸짖어 말한다.

"그대는 천시(天時)와 지리(地利)를 살필 줄 모르면서 어찌 망령되이 공훈만 앞세워 군사들을 곤경에 빠뜨리려 하시오? 그대의 목을 벤다 해도 천하에 다 사죄할 수 없을 것이오!"

사마염이 말한다.

"이 일은 바로 짐의 뜻이며, 장화는 단지 짐과 뜻을 같이할 뿐이오. 경들은 어찌 말다툼을 하는가?"

이때 두예가 표문을 보내왔다는 보고가 들어왔다. 진주 사마염이 표문을 보니, 그 또한 어서 진군해야 마땅하다는 내용이었다. 진주는 더 의심하지 않고 끝까지 진격해 정벌하라는 명을 내렸다. 왕준 등이 진주의 명을 받들어 수륙 양군이 질풍처럼 진군하니, 그 기세가 벼락이 치는 듯하여 천지가 진동했다. 오나라 사람들은 그 깃발만 보고도 항복해왔다. 오주 손호는 그 소식을 듣고 대경실색했다. 모든 신하들이 고한다.

"북쪽 군사들이 나날이 가까이 다가오는데 강남의 군사와 백성들은 싸우지도 않고 항복하니, 장차 어찌하면 좋겠습니까?"

손호가 묻는다.

"무슨 까닭으로 싸우지 않는 것이냐?"

모두 대답한다.

"오늘 이런 화를 초래한 것은 전부 잠혼의 죄이옵니다. 청컨대 폐하께서는 그자를 죽이소서. 저희들은 성밖에 나가 죽기를 각오하고 싸우겠습니다."

손호가 말한다.

"일개 환관이 어찌 나라를 망칠 수 있겠는가?"

모든 대신들이 절규한다.

"폐하는 어찌 촉의 황호의 일을 못 보십니까?"

대신들은 마침내 오주의 명도 기다리지 않고 일제히 궁중으로 몰려가 잠혼을 마구 베어죽이고 그 살을 짓씹었다. 도준(陶濬)이 아뢴다.

"신이 이끄는 전선은 모두 작사옵니다. 원컨대 군사 2만명과 큰 배를 주시면 능히 그들을 격파할 수 있습니다."

손호가 그 말을 좇아 어림군을 모두 도준에게 내주고 상류에서 적을 맞도록 했다. 그리고 전장군 장상(張象)에게는 수군을 이끌고 강을 내려가 적과 맞서도록 했다. 두 사람의 군사가 막 출발하려 하는데 난데없이 서북풍이 크게 일어나 오군의 깃발들이 서 있지를 못하고 배 안에 쓰러져버렸다. 군사들은 이를 불길하게 여겨 제각기 하선해서는 사방으로 도망쳐버렸다. 장상은 겨우 10여명의 군사만 거느리고 적을 맞게 되었다.

한편, 진의 장수 왕준이 돛을 높이 달고 나아가는데, 삼산(三山)을 지날 때 배를 젓는 군사가 말한다.

"풍파가 심해 배가 나아가기 어려우니 바람이 좀 잠잠해지기를 기다려 가시지요."

왕준은 몹시 화를 내며 칼을 빼들고 꾸짖는다.

"우리는 지금 석두성(石頭城) 점령을 눈앞에 두고 있다. 어찌 감히 멈추자고 하느냐!"

그대로 북을 치며 나아갔다. 이때 오나라 장수 장상이 군사를 이끌고 와서 항복하기를 청했다. 왕준이 말한다.

"만일 그대가 진실로 항복하는 것이면 선봉이 되어 공을 세우라."

장상은 자신의 전선으로 돌아와 석두성 아래 이르자 소리쳐 성문을 열게 하고 진나라 군사를 맞아들였다.

손호는 진나라 군사가 입성했음을 듣자 스스로 목을 찔러 죽으려 했다. 그때 중서령(中書令) 호충(胡沖)과 광록훈(光祿勳) 설영(薛瑩)이 아뢴다.

"폐하께서는 어찌하여 안락공(安樂公) 유선의 예를 따르려 하지 않으십니까?"

손호는 그 말을 좇아 수레에 관을 싣고 제 몸을 스스로 묶은 다음 문무대신들을 이끌고 왕준의 군사 앞에 나아가 항복했다. 왕준은 즉시 결박을 풀고 관을 불사르게 한 다음, 왕의 예로써 그를 대접했다. 뒤에 당나라 사람이 시를 지어 탄식했다.

왕준의 누선이 익주에서 내려오니	西晉樓船下益州
금릉의 왕기 어둠속에 사라지네	金陵王氣黯然收
천길 쇠쇄는 강바닥에 가라앉고	千尋鐵鎖沉江底
한 조각 항복의 깃발 석두에 걸렸구나	一片降旗出石頭
인간세상에 몇번이나 지난 일을 슬퍼하나	人世幾回傷往事
산의 모양 의구하여 흐르는 물에 잠겼어라	山形依舊枕寒流
이제 사해가 하나로 합하는 날	今逢四海爲家日

옛 성루 소소히 갈대꽃 핀 가을이라   故壘蕭蕭蘆荻秋

　이제 동오의 4주(州) 43군(郡) 313현(縣)과 52만 3천 호구(戶口), 3
만 2천 관리, 군사 23만과 남녀노소 230만명, 미곡 280만섬, 배 5천여
척, 궁녀 5천여명이 모두 진에 속하게 되었다. 이로써 나라의 대사가
정해지자 방을 내걸어 백성을 안심시키고 국고를 모두 봉(封)했다.
　이튿날 도준의 군사는 싸우지 않고 저절로 무너졌다. 낭야왕 사마
주와 왕융의 대군이 전부 와서, 왕준이 이룬 엄청난 공훈을 보고 진심
으로 기뻐했다. 이튿날 또 두예가 당도해 삼군을 크게 포상하고, 창고
를 열어 오나라 백성들을 구휼했다. 이에 오나라 백성들은 비로소 안
심했다. 오로지 건평(建平) 태수 오언(吾彦)만이 성을 지키며 항거했
으나 오나라가 이미 망했음을 듣고는 곧 항복했다.
　왕준은 표문을 올려 낙양에 이 소식을 전했다. 조정에서는 오를 평
정했음을 듣고 임금과 신하가 다 함께 축하했다. 진주 사마염이 술잔
을 잡고 눈물을 흘리며 말한다.
　"이는 양태부(양호)의 공인데 그가 직접 보지 못하니 그저 애석할 따
름이구나!"
　표기장군 손수(孫秀)는 조정에서 나와 남쪽 하늘을 바라보면서 통
곡했다.
　"옛날 토역장군(討逆將軍, 손견)은 한낱 교위(校尉)로서 기업(基業)
을 세웠는데, 오늘 손호는 강남을 버렸으니, 유유한 푸른 하늘이여,
어찌 이런 사람을 내었단 말인가!"
　한편, 왕준은 군사를 거느리고 돌아오면서 오주 손호를 낙양으로
데려와 임금을 뵙게 했다. 손호는 대전에 올라 머리를 조아리며 진 황

제를 뵈었다. 진제 사마염이 앉을 자리를 내어주며 말한다.

"짐이 이 자리를 마련하고 경을 기다린 지 오래로다."

손호가 대답한다.

"신 또한 이런 자리를 남방에 마련해놓고 폐하를 기다렸습니다."

진제가 껄껄 웃었다. 가충이 손호에게 묻는다.

"듣건대 그대가 남방에 있을 때 늘 사람의 눈알을 도리고 얼굴가죽을 벗겼다는데, 그건 어떤 형벌이오?"

손호가 말한다.

"신하로서 임금을 시해하려는 자와 간사하고 불충스런 자에게만 이런 벌을 내렸습니다."

이에 가충이 말을 못하고 심히 부끄러워했다. 진제는 손호를 귀명후(歸命侯)에 봉하고 그 자손들은 중랑(中郎)으로 삼았으며, 그를 따라 항복한 오나라 신하들을 모두 열후에 봉했다. 승상 장제는 싸우다 죽었으므로 그 자손을 대신 임명했다. 왕준은 보국대장군(輔國大將軍)으로 봉하고, 그밖의 사람들도 모두 벼슬을 올리고 후하게 상을 내렸다.

이로써 삼국이 진제 사마염에게 돌아가 천하가 하나로 통일되었다. 이른바 '천하대세란 합쳐진 지 오래면 반드시 나뉘며, 나뉜 지 오래면 반드시 합쳐진다'는 대로이다.

그뒤 후한(後漢) 황제 유선은 진 태시(泰始) 7년(271)에 세상을 떠났고, 위주 조환은 태안(太安) 원년(302)에 죽었으며, 오주 손호는 태강(太康) 4년(283)에 세상을 떠났다.

후세 사람이 고풍(古風)의 시 한편을 지어 그 사적을 그렸다.

삼국은 진으로 통일되다

한고조 칼을 들고 함양으로 들어갈 때   高祖提劍入咸陽

타오르는 해 부상에서 떠올랐네   炎炎紅日升扶桑

광무제 용흥(龍興)하여 대통을 이으니   光武龍興成大統

금빛 까마귀 하늘 한복판으로 비상하였도다   金烏飛上天中央

슬프다, 헌제가 천하를 이어받고부터   哀哉獻帝紹海宇

붉은 해가 함지로 떨어졌구나!   紅輪西墜咸池傍

하진이 무모하여 환관들 난을 일으키고   何進無謀中貴亂

서량의 동탁은 조정을 차지했네   涼州董卓居朝堂

왕윤이 계책을 세워 반역의 무리 죽였으되   王允定計誅逆黨

이각과 곽사 창을 들고 설쳤다네   李催郭汜興刀槍

사방에서 도적들이 벌떼처럼 일어나니   四方盜賊如蟻聚

천지간의 간웅들 매처럼 날아올랐다   六合奸雄皆鷹揚

손견 손책은 강동(江東)에서 일어나고   孫堅孫策起江左

원소 원술은 하량(河梁)에서 떨쳤도다   袁紹袁術興河梁

유언 부자는 파촉을 점거하고   劉焉父子據巴蜀

유표의 군대는 형양에 주둔하니   劉表軍旅屯荊襄

장연 장로는 남정에서 패권을 잡고   張燕張魯霸南鄭

마등 한수는 서량을 장악하며   馬騰韓遂守西涼

도겸 장수 공손찬도   陶謙張綉公孫瓚

제각기 웅략(雄略)을 펴 한지방을 점령했다네   各逞雄才占一方

조조는 승상으로 권력을 틀어줘자   曹操專權居相府
문무 영재들을 수하에 끌어모으고   牢籠英俊用文武
그 위엄 천자도 떨고 제후들 호령하며   威挾天子令諸侯
용맹한 군사를 거느리고 중원을 진압했네   總領貔狳鎭中土

누상촌의 유현덕 본래 한나라 종실로서   樓桑玄德本皇孫
관우 장비와 의형제 맺고 한실을 부응하고자   義結關張願扶主
동분서주 기반 없음을 한탄하니   東西奔走恨無家
장수 적고 군사 미약하여 떠도는 신세여라   將寡兵微作羈旅

남양의 삼고초려 그 뜻이 얼마나 깊었던고   南陽三顧情何深
와룡은 첫 만남에서 삼분천하의 계책을 세웠네   臥龍一見分寰宇
먼저 형주를 취하고 뒤에 서천을 얻으니   先取荊州後取川
패업이며 왕도도 서천땅에 있었더라   霸業圖王在天府

오호라, 유현덕이 3년 만에 승하하며   嗚呼三載逝升遐
백제성에서 아들을 부탁하니 얼마나 비장한가!   白帝託孤堪痛楚
제갈공명은 기산으로 여섯번 출정하니   孔明六出祁山前
한손으로 기우는 하늘을 붙잡으려 함이었네   願以只手將天補

어이하리, 운수가 이에 이르러 다한 것을   何期曆數到此終
장성(長星)이 밤중에 산기슭으로 떨어졌도다!   長星半夜落山塢
강유 홀로 저의 높은 능력에 의지해   姜維獨憑氣力高

중원을 아홉번 쳤으되 공을 못 이루고 노고하였구나　　　　　九伐中原空劬勞

종회 등애가 두 길로 쳐들어오니　　　　　　　　　　　　　鍾會鄧艾分兵進
한나라 강산이 모두 조씨에게 돌아갔네　　　　　　　　　　漢室江山盡屬曹
조비를 거쳐 조예, 조방, 조모, 조환에 이르러　　　　　　丕睿芳髦纔及奐
천하는 사마씨로 바뀌었네　　　　　　　　　　　　　　　　司馬又將天下交

수선대 앞에 운무가 일어나는데　　　　　　　　　　　　　受禪臺前雲霧起
석두성 아래는 물결조차 일지 않누나　　　　　　　　　　　石頭城下無波濤
진류왕, 귀명후(歸命侯) 그리고 안락공(安樂公)이여　　　陳留歸命與安樂
왕후공작은 뿌리를 좇아 나오느니라　　　　　　　　　　　王侯公爵從根苗

분분한 세상사는 끝이 있을소냐　　　　　　　　　　　　　紛紛世事無窮盡
운수는 망망하여 도망할 길이 없도다　　　　　　　　　　　天數茫茫不可逃
삼국 정립도 이미 꿈으로 돌아갔거늘　　　　　　　　　　　鼎足三分已成夢
후세 사람들 애도한다며 공연히 소요를 일으키누나　　　　後人憑弔空牢騷

| 해제 |

소설『삼국지』의 오랜 역사와 변함없는 매력

전홍철
우석대 교수, 중문학

1. 글머리에

외국의 장편소설로서 우리나라에서 장기간 베스트쎌러 목록의 앞
자리를 점유하고 있는 대표적인 작품이 바로 소설『삼국지』라 해도
지나치지 않을 것이다. 현재 시중 서점의 외국소설 코너에 진열되어
있는『삼국지』번역서와 관련서적이 수십 종에 달하고, ‘삼국지’란
이름을 달고 크게 히트한 컴퓨터 게임·만화·TV드라마·영화·동호
회 싸이트 등이 지속적으로 선보이고 있는 현상은 이 소설이 얼마나

인기가 있고 파급력이 큰가를 말해준다. 이처럼 소설『삼국지』는 중국의 문학작품이지만 우리나라에 유입된 이래 가장 오랫동안 그리고 가장 폭넓게 애독되었고, 오늘날에 이르러서는 '삼국지 산업'이란 말까지 생길 정도로 큰 영향을 끼치고 있다.

지금 우리나라에서『삼국지』라 부르고 있는 이 소설의 원래 이름은『삼국지통속연의(三國志通俗演義)』이며, 중국에서는 부르기 좋게『삼국연의(三國演義)』라고 한다. 역사책『삼국지』와 소설『삼국지』는 엄연히 다르므로 소설의 이름을『삼국지』로 부르는 것은 명백한 잘못이다. 이러한 오류가 생긴 것은 아마도 일본 출판계의 영향[1]인 듯하지만, 현재 우리 사회에서는 '삼국지'란 이름이 이미 책제목을 넘어선 현상이 될 만큼 관용어가 되었으므로 부득이 이 책에서는 '삼국지'란 명칭을 그대로 사용했다.

이제까지 국내에서 출간된『삼국지』번역서의 수는 일본보다도 많은 50여종에 달한다. 그런데 이렇게 엄청난 번역서가 쏟아져나왔음에도 아직도 제대로 된『삼국지』가 없다는 말이 나오는 것은, 번역서의 상당수가『삼국지』원본을 축약하거나 자의적으로 개편하여 본모습을 훼손했고 오자와 오역 또한 적지 않기 때문이다. 수많은『삼국지』를 대하는 독자의 입장에서는 직접 원문과 대조하며 번역서를 읽을 수가 없고, 여러 번역본에 담겨 있는 삼국시대의 영웅담이 비슷비슷하여 이러한 문제가 있다는 사실을 잘 몰랐을 것이다. 따라서 이번에 황석영 선생이 창작과비평사에서 새로운『삼국지』번역본을 내놓

1 필자가 조사한 바에 따르면 현재까지 일본에서 출간된 소설『삼국지』의 번역본은 오가와 타마끼(小川環樹)·이마다 진이찌로오(今田純一郎) 역『완역 삼국지』(岩波書店 2000년 9월 제18쇄), 타쯔마 쇼오스께(立間祥介) 역『삼국지연의』(平凡社 1972년 초판 1쇄: 1997년 초판 21쇄) 등 20여종이 있는데 그중 2/3가 '삼국지'란 명칭을 사용하고 있다.

으면서 원문의 맛을 잃지 않은 평이한 우리말로 번역하고 아울러 기존 『삼국지』의 숱한 오류를 최대한 바로잡은 것은 만시지탄의 감은 있으나 참으로 다행스러운 일이라 하겠다.

방금 소설 『삼국지』의 정식 명칭은 『삼국지통속연의(三國志通俗演義)』라 했는데, 여기서 '통속연의'란 말은 정사(正史) 『삼국지』에 들어 있는 역사이야기를 독자들이 이해하기 쉽고 재미있게 느끼도록 통속적으로 설명했다는 뜻이다. 뒤에서 다시 말하겠지만 소설 『삼국지』는 정통 주자학이 성행하고 책을 읽을 줄 아는 식자층이 비약적으로 늘어났던 명나라 때, 촉한정통론(蜀漢正統論)에 입각한 새로운 『삼국지』의 출현을 고대하는 시대적 요청과 소설책을 유사(類似)역사로 인식시켜 식자층의 구매를 유도하려 했던 출판업자들의 욕망이 맞물려 탄생한 것이다. 명나라 당시 새로운 『삼국지』의 출현을 갈망하는 독자들의 심리를 정확히 읽어낸 사람은 나관중(羅貫中)이란 편찬자였다. 그는 시대적 요구에 부응해 진수(陳壽, 233~97)의 정사 『삼국지』와 반대되는 역사관으로 재해석한 바탕 위에서, 오랜 세월 동안 민간의 이야기판 여기저기에 흩어져 있던 삼국지 이야기를 한꺼번에 묶어 이전과는 전혀 다른 새로운 소설을 만들었으니, 소설 『삼국지』가 바로 그것이다.

그러면 역사책 『삼국지』와 소설 『삼국지』는 어떤 관계이고, 소설 『삼국지』가 탄생하는 데 기여한 민간의 삼국지 이야기에는 어떤 것들이 있으며, 황석영 역 『삼국지』의 특징은 어디에 있는지를 좀더 상세히 살펴보기로 하자.

2. 역사책 『삼국지』와 소설 『삼국지』

진수 『삼국지』의 재해석

현존하는 소설 『삼국지』의 텍스트 가운데 가장 이른 시기의 것은 명나라 때 발행된 소위 가정본(嘉靖本)인데, 이 책 서문에는 뛰어난 통속문학가 나관중이 진수의 『삼국지』를 바탕으로 역사적 사실을 신중하게 취사선택해 엮어서 소설 『삼국지』를 지었다고 밝히고 있다. 그러면 소설 『삼국지』의 뿌리가 된 진수의 역사책 『삼국지』는 어떤 책일까?

진수(자는 승조承祚)의 『삼국지』는 위(魏, 220~65)·촉(蜀, 221~63)·오(吳, 222~80) 세 나라의 역사를 기전체(紀傳體, 연도별이 아닌 인물 중심의 기술방식)로 쓴 정식 역사서이다. 소설 『삼국지』의 독자들이 역사책 『삼국지』를 소설과 비교해가며 읽어보면 여러가지 상이점을 발견하게 되는데, 가장 두드러지는 차이는 그 역사관에 있다. 즉 소설 『삼국지』가 유비의 촉한(蜀漢)을 정통왕조로 내세우는 데 반해, 역사책 『삼국지』에서는 소설과는 정반대로 위나라의 임금인 조씨(曹氏) 일가에게만 황제의 호칭을 붙여 천하의 패권이 위에 있었다고 기록하고 있는 것이다.[2]

우리는 흔히 역사 기술은 객관적이고 사실적이며 기록자 자신의 주관적인 의도가 없다고 생각하기 쉽다. 하지만 위 정통론에 입각해 집필한 진수의 『삼국지』는 삼국시대 전쟁사에 대한 기술은 비교적 정확하면서도, 삼국의 역사와 인물을 평가하는 태도에 있어서는 객관적이

[2] 촉나라 임금인 유비와 유선은 각기 선주(先主)·후주(後主)라고만 높여 불렸고, 오나라 임금들은 모두 이름을 그대로 적었다.

돈황 장경동에서 발견된 진수의 『삼국지』 보즐전

지 않았던 듯하다. 한 예로, 진수는 위·촉·오간의 전쟁을 기술하면서 위의 군대가 패한 사실에 대해서는 일부러 빼버리고 기록하지 않았으니, 적벽지전(赤壁之戰, 적벽대전) 이야기가 대표적이다. 손권과 유비가 연합하고 제갈공명이 화공(火攻)을 써서 조조의 군대를 대파한 적벽대전 이야기는 소설 『삼국지』에서는 백미(白眉)로 꼽히지만 진수 『삼국지』에는 전혀 언급조차 되어 있지 않은 것이다. 또 뛰어난 전략가이자 소설 『삼국지』의 실질적인 주인공의 하나라고도 볼 수 있는 제갈량에 대해서도 진수는 『촉지(蜀志). 제갈량전』에서 촉나라 사람들이 제갈량을 존경하지만 그의 명성은 사실과 달리 과장되었다고 폄하하고, 제갈량이 매년 출정했으면서도 번번이 실패한 것은 그의 책략이 뛰어나지 못했기 때문이라고 깎아내리고 있다.

이외에도 역사책『삼국지』에서는 위·촉·오 세 나라 역사 중 촉에 대한 기록이 가장 간략하다. 이는 촉에 사관(史官)이 설치되어 있지 않아 믿을 만한 사료(史料)가 부족했기 때문으로 추론되지만, 촉한정통론을 중시하는 사람들의 입장에서 보면 지극히 불만스러울 수밖에 없었다. 이러한 시대적 요구를 정확히 읽어내 진수의『삼국지』를 재해석하고 오랜 세월 동안 민간의 이야기판에서 전해오던 삼국지 이야기를 결합해 이전과는 전혀 다른 문학작품을 써낸 사람이 등장했으니 나관중이 바로 그이다.

나관중의 방식: 역사의 소설화

소설『삼국지』는 오랜 세월에 걸쳐 서서히 형성된 것이지, 어떤 특정한 개인에 의해서 창작된 것이 아니다. 그러면 나관중은 도대체 누구이고, 소설『삼국지』의 형성에 어떠한 역할을 했을까?

나관중이 어떤 사람인지 알 수 있는 자료는 거의 없어 그가 소설 『삼국지』를 실제로 창작했는지는 정확히 알 수 없다. 나관중에 대한 정보를 제공하고 있는 자료로는 원말 명초 연극작가들의 생애를 기술한『녹귀부속편(錄鬼簿續編)』중의 다음 기록이 유일하다.

나관중은 태원(太原, 지금의 산시성 타이위엔시) 사람인데, 호해산인(湖海散人)이라고 불렸다. 그는 다른 사람들과는 그리 어울리지 않았다. 그의 악부(樂府, 원나라 때 연극인 잡극을 말함)와 은어는 대단히 청신하다. 나와는 나이차를 따지지 않고 사귀었지만, 당시 이러저러한 연유로 서로 멀리 떨어져 있어 만나지 못했다. 지정 갑진년에 다시 만났으나 헤어진 지 60년이 되었을 때였고, 그가 어디서 생을 마쳤는지는 모른다.

나관중에 대해서 알 수 있는 기록은 이것뿐인데, 여기서 주목할 점은 소설『삼국지』에 대해서는 한마디도 언급하지 않고 있는 사실이다. 이 때문에 나관중은 소설가 한 사람이 아니라 소설가와 극작가 두 사람일지도 모른다는 말까지 나오게 된다. 하지만 당시 글재주 있는 문사들이 연극작품을 지으면서 소설을 편찬하기도 한 사실과, 앞의 기록에서 나관중이 당대 여러 지역을 방랑하며 지내는 문사를 뜻하는 호해산인(湖海散人)이란 별명을 가지고 있었던 점은 소설『삼국지』를 만들어낸 사람이 각지를 떠돌며 글쟁이노릇을 하던 떠돌이 문인집단과 무관하지 않았으리라는 추측을 가능케 한다.

소설『삼국지』와 나관중의 관계에 대해 직접 밝힌 자료는 소설『삼국지』의 가장 중요한 판본 가운데 하나인 이른바 가정본(명 1522년 판본)『삼국지통속연의』이다. 이 책의 표지에는 작가 이름을 적는 곳에 '晉平陽侯陳壽史傳, 後學羅貫中編次'라고 씌어 있다. 즉 옛날 진나라 때 평양후라는 관직을 지낸 진수의 역사책을 후대 문인인 나관중이 편찬했다는 뜻이다.[3] 여기서 나관중 '지음'이라 하지 않고 '편차(編次, 편찬)'라는 말은 쓴 것은 무슨 의미일까? 이에 대한 대답은 가정본 서문을 쓴 장대기(蔣大器)의 다음과 같은 언급에서 찾을 수 있다.

『춘추』를 비롯한 역사서의 문장은 너무 난해하고, 거기에 담겨 있는 의미도 일반인으로서는 너무 알기 어렵다. 그로 인해 이들 역사책은 점차 사

---

3 『삼국지통속연의』 외에 나관중이 지었다고 전해지는 소설로는 『수당양조지전(隋唐兩朝之傳)』『잔당오대지전(殘唐五代之傳)』『평요전(平妖傳)』『수호전(水滸傳)』 등이 있고, 희곡으로는 『풍운회(風雲會)』『연환간(連環諫)』『비호자(蜚號子)』 등이 있지만 실제로 그가 지었는지는 알 길이 없다.

람들이 찾지 않게 되었고, 거기에 기록된 역사적 사실조차 시대가 흐르면서 잊혀지고 말았다.

지난 원나라 시대에는 민간에 전해지는 역사이야기를 바탕으로 평화(平話)를 만들어 장님 이야기꾼에게 구연하게 했지만, 그들의 이야기는 오류가 많고 너무나 저속하여 교양있는 사군자들이 대부분 싫어했다. 그래서 동원땅 출신의 나관중이 진수의 『삼국지』를 바탕으로 역사적 사실을 신중하게 취사선택해 편찬하고 『삼국지통속연의』라 이름했다. 그 문장은 심오하지 않고, 말투는 그다지 속되지 않으며, 사실을 기록해서 역사 본연의 모습에 접근했다. 독자 모두가 쉽게 이해할 수 있도록 만든 것이다.

이 서문을 통해 우리는 원말 명초 때에 '역사책 삼국이야기'와 '민간 이야기판의 삼국이야기' 두 종류가 시중에 유통되고 있었고, 양자 모두가 당시의 독자와 청중들을 그다지 만족시키지 못하고 있었음을 알 수 있다. 역사책 『삼국지』는 문장이 너무 난해하고 재미가 없어 일반 사람들의 환영을 받지 못했고, 민간의 삼국이야기는 역사적 사실과 어긋나는 것이 많고 어투가 저속해 사대부 식자층에게 외면당했던 것이다. 이 시기에 나관중이란 편찬자는 통속성을 중시하는 관점에서 일반 독자층이 이해하기 쉬운 문체로 흥미로운 장면 위주로 서술하고, 역사적 사실에서 크게 벗어나지 않는 범위에서 적당히 픽션을 가미해 소설 『삼국지』라는 새로운 문학작품을 만들어내게 된다.

나관중의 소설 『삼국지』는 진수의 『삼국지』를 바탕으로 지어졌다. 하지만 소설 『삼국지』는 진수의 『삼국지』에 나오는 역사적 사실과는 어긋나는 곳이 많고, 정사에는 전혀 보이지 않는 허구적인 이야기도 많다. 이 때문에 청대의 역사학자인 장학성(章學誠)은 소설 『삼국지』

에 대해 "열에 일곱은 사실이요, 셋은 허구"라고 평한 바 있다. 이러한 지적은 소설『삼국지』가 정사에 의거하면서도 역사책에서 자기에게 편리한 역사적 사실만 일부 골라내 자신의 의도에 걸맞게 바꾸거나 간략하게 기술된 부분에 대폭 픽션을 가해 소설화했음을 말하는 것이다.

3. 소설『삼국지』이전의 '삼국지 이야기'

소설『삼국지』는 역사적 사실을 허구화할 때 수많은 민간의 삼국 관련설화, 필기잡전(筆記雜傳) 속의 삼국 관련고사, 『삼국지평화』와 원대의 삼국희(三國戱) 등 여기저기 흩어져 있는 삼국이야기를 적절하게 활용했다. 소설『삼국지』의 편찬에 참고한 것으로 보이는 명대 이전의 삼국지 이야기를 시대순으로 살펴보기로 한다.

위진시대의 삼국지 이야기

진수의 역사서가 소설『삼국지』에 역사적인 골격을 제공했다면, 위진(魏晉)의 필기소설은 나관중에게 삼국 인물들의 세세한 개인사에 대한 정보를 제공해주었다. 특히 나관중은 정통 유학자들이 거들떠보지도 않던 피안세계에 대한 이야기를 광범위하게 참고함으로써 소설『삼국지』를 편찬해낼 수 있었다.

'지괴(志怪)소설'이라 부르는 간보(干寶)의 『수신기(搜神記)』에는 삼국지의 주인공이라 할 수 있는 유비·관우·장비·제갈량에 대한 전설은 보이지 않지만 손견(孫堅)·손권(孫權)·명의(名醫) 화타(華佗)

등에 대한 사건이 기록되어 있다. 또 유의경(劉義慶, 403~44)의『세설신어(世說新語)』에는 정식 역사서에는 기록되어 있는 않은 이야기들이 기록되어 있는데, 왕융(王戎)의 어렸을 때 이야기나 조조와 원소 등의 청소년시절 이야기는 모두 여기서 따온 것들이다. 이밖에 동진(東晉, 317~420) 사람 습착치(習鑿齒)가 지은『한진춘추(漢晉春秋)』에는 유비와 제갈공명에 얽힌 일화들이 많이 수록되어 있는데, 사마중달이 제갈공명이 죽은 뒤에 목상(木像)에 속아 도망갔다는 유명한 이야기도 여기에 실려 있다.

또한 소설『삼국지』는 배송지(裵松之, 자는 世基, 372~451)의 주가 있었기 때문에 성립했다고 해도 과언이 아니다. 배송지는 남조(南朝) 송나라 때 중서시랑을 지낸 사람인데, 당시의 황제가 진수의『삼국지』를 읽다가 문장 기술이 지나치게 간략한 것에 아쉬움을 느껴 배송지를 시켜 주를 만들게 했다. 이 주는 다른 주석처럼 간단한 자구 해석에 그치지 않고 사건과 인물에 대해 상세하게 기술한 탓에 진수『삼국지』본문의 두 배나 되는 방대한 분량이 되었다. 특히 배송지는 주를 달면서 어환(魚豢)의『위략(魏略)』, 왕침(王沈)의『위서(魏書)』, 위소(韋昭)의『오서(吳書)』를 비롯한 140여종의 사서를 참고해 진수『삼국지』의 간략함을 구체화하고 확대했으며, 이러한 풍부한 자료는 나관중의 창조적 상상력을 이끌어내게 된다.

당대의 삼국지 이야기

7~9세기 당나라 시대에는 시·문인소설·연극·산문·불교문학 어느 하나 발달하지 않은 것이 없으나, 가장 번성한 장르는 시였다. 당시(唐詩) 가운데는『삼국지』를 소재로 한 명작이 많은데, 두보(杜甫)

의 「촉나라 승상(蜀相)」 두목(杜牧)의 「적벽(赤壁)」 이상은(李商隱)의 「버릇없는 아이(驕兒)」 「무제(無題)」[4] 등이 그것이다. 이 가운데 이상은의 「버릇없는 아이」에는 "혹은 장비의 수염 같다고 놀리고, 혹은 등애가 말 더듬는 것 같다고 비웃는다"는 시구가 보인다. 이 시구는 이상은의 개구쟁이 아들이 집에 온 손님을 장비와 등애에 비유해 놀리는 장면을 묘사한 것인데, 이상은의 어린 아들이 이런 버릇없는 행동을 한 것은 아마도 그 당시 시중에서 인기를 끌었던 길거리 연극에 삼국이야기가 들어 있었기 때문일 것이다. 한편 당나라 말기의 시인인 호증(胡曾)은 역사적 인물이나 사건을 시제(詩題)로 삼아 150편의 영사시(詠史詩)를 지었는데, 그중에는 「남양(南陽)」 「동작대(銅雀臺)」 「유수오(濡須塢)」 「단계(檀溪)」 「관도(官渡)」 「오장원(五丈原)」 「적벽」 등 『삼국지』와 관련된 시가 많다. 이 시들은 소설 『삼국지』 속에 원문 그대로 인용되거나 글자만 몇자 바꾸어 삽입되었다.

　당나라 때의 삼국지 이야기를 논할 때 빼놓을 수 없는 것은 목우희(木偶戲)이다. 목우희란 비단옷을 입히고 금은보석을 장식한 나무조각상을 꼭두각시처럼 움직여 공연하는 연극이다. 7세기 초의 작가인 두보(杜寶)는 당시 낙양(洛陽)에서 그리 멀지 않은 신성땅의 고관대작들 연회에서 목우희가 공연되었다는 기록을 남기면서 당시 공연된 목우희를 72개나 적어 놓았는데, 이 가운데 「조만이 초수에서 목욕하다 교룡과 싸우다(曹瞞浴譙水擊蛟龍)」 「위문제가 군사를 일으켜 강물에 이르러 건너지 못하다(魏文帝興師, 臨河不濟)」 「유비가 말을 타고 단계를 건너다(劉備乘馬渡檀溪)」 등 삼국이야기에서 연유한 것들이

---

4 이상은의 「무제(無題)」에는 "익덕의 원혼이 마침내 주상에게 보답하다(益德寃魂終報主)"라는 구절이 보인다.

있다. 이는 원대 연극에 보이는 삼국이야기가 당나라 때 이미 공연되었음을 말해준다.

이것말고도 당대에는 삼국지 이야기가 불전(佛典) 주석에 들어갈 정도로 널리 알려졌던 듯하다. 626년에 씌어지고 630년에 교정해 출간된 『사분율산번보궐행사초(四分律刪繁補闕行事鈔)』라는 불전에는 인간이 어떤 품격을 가져야 사람들의 존경을 받는가를 설법하는 내용이 있다. 이 대목의 소주(小注)에는 "유비가 공명 등을 중용하듯이(似劉氏重公明等)"라는 구절이 있고, 이 구절에 대각이란 승려가 다시 죽은 제갈량이 산 중달을 달아나게 한다는 유명한 이야기를 적어놓았다.[5] 대각 화상의 이 주석은 당나라 때부터 진수『삼국지』의 내용과는 전혀 다른 삼국이야기가 불전 주석에 들어갈 정도로 널리 보급되어 있었고, 그것도 단편적이거나 산발적이 아니라 상당히 체계화된 이야

5 대각 화상이 달아놓은 긴 주석을 전부 번역하면 다음과 같다. "'유비가 공명 등을 중용하듯이'라는 말은 유비가 삼국에 뜻을 두었을 때의 이야기다. 당시 위의 군주 조비는 업을 도읍으로 삼았으니, 지금의 상주땅이 그곳이다. 오나라의 군주 손권은 강녕을 도읍으로 삼았는데, 옛날에는 오도라 하였다. 유비는 촉을 도읍으로 삼았는데, 옛날에는 촉도라 했다. 세상에서는 세 도읍이 솥발처럼 통치하고 있다고 하였다. 촉나라에는 지혜로운 장수가 있었으니 성은 제갈이요, 이름은 량이며, 자는 공명으로 촉나라 임금이 중용하였다. 유비는 매번 말하길 '내가 공명을 얻은 것은 물고기가 물을 얻는 것과 같다'고 했다. 후에 유비가 위나라를 칠 때 공명이 군사를 거느리고 위나라로 쳐들어가 전투를 벌였다. 제갈량은 당시 대장군이었고 책략에 뛰어났다. 위나라는 공명이 두려워 감히 전진하지 못했다. 그러던 와중에 공명이 죽을 때가 가까워지자 자기 발밑에 흙이 한 자루를 두고, 거울로 얼굴을 비추라고 명했다. 그가 죽은 뒤 촉나라 군사는 공명을 그 모습 그대로 진중에 남기고 퇴각했다. 한편 위나라에서는 점쟁이가 점을 쳐보니, 공명이 죽지 않았다는 점괘가 나왔다. 공명이 흙을 밟고 거울을 보고 있기 때문에 살아 있다는 것이다. 그 때문에 위나라 군사는 공격을 주저하다가 한달 후에야 겨우 깨닫고 촉군의 진지에 가보니, 공명은 이미 죽고 촉나라의 군대 역시 벌써 물러간 뒤였다. 그래서 이때 사람들은 '죽은 제갈량이 산 중달이 두려워하다'라고 말했다고 한다. 중달은 위나라의 장수로 성은 사마, 이름은 중달이다. 또 '죽은 제갈량이 산 중달을 달아나게 하다'라고 말했다고 한다. 공명은 도량이 있어 당시 사람들이 와룡이라 불렸고 유비의 깊은 신임을 얻었다."

기틀을 갖추었음을 말해준다.

당대 문학과 『삼국지』의 관계를 말할 때 빼놓을 수 없는 것은 그 당시 사원에서 예능에 뛰어난 승려가 우리나라의 판소리처럼 아니리(白, 사설)와 창 즉 말과 노래로 불경이야기를 통속적으로 구연했던 '변문(變文)'이다. 중국문학사상 역사이야기를 강창(講唱, 말과 노래) 형식으로 구연하고, 이러한 구연의 텍스트가 오늘날까지 남아 있는 것은 변문뿐이다. 우리나라에서 판소리가 판소리계 소설로 발전했듯이 당나라 때의 역사변문은 원대 『삼국지평화』와 명·청대의 장회(章回)소설 『삼국지』를 탄생시킨 원천이었다.

송대의 삼국지 이야기

송대의 번화가에는 오늘날의 도시처럼 다양한 쇼핑매장과 극장이 즐비했었다. 송대의 번화가를 당시에는 와자(瓦子) 또는 와사(瓦舍)라고 불렀는데, 이곳에 설치된 공연장소나 극장을 구란(句欄)이라 했다. 송대 도시 극장에서 행해진 공연물 가운데는 곽사구(霍四究)라는 직업 이야기꾼이 삼국지이야기를 구연한 것이 대단한 인기를 끌었다. 당시에는 직업적 이야기꾼의 삼국지 구연을 '설삼분(說三分, 삼분천하 이야기)'이라 불렀는데, 『수호전』 제90회에는 독화살을 맞은 관운장을 명의 화타가 치료하는 대목을 이야기꾼이 구연하는 생생한 장면이 묘사되어 있다.

송대의 수도였던 개봉의 번화한 모습을 기록한 『동경몽화록(東京夢華錄)』에 따르면, 당시 극장은 수천 명을 수용할 정도로 규모가 컸고, 전문 직업인에 의한 설화 공연은 사회의 모든 계층에게 인기가 높았던 듯하다. 삼국지 이야기로 돈을 번 송대의 직업 이야기꾼에 대해서는 북송의 저명한 시인인 소식(蘇軾, 1036~1101)이 자신의 수필『동파지림』에 다음과 같이 기록하고 있다. "골목의 어린아이들이 망나니짓을 해서 집에서 어떻게 할 도리가 없으면 돈을 줘서 모아앉히고, 옛이야기를 듣게 한다. 어떤 아이는 삼국의 일을 말하는 데 이르러 유비현덕이 졌다는 이야기를 듣고는 이마를 찌푸리고 눈물을 흘린다. 조조가 졌다는 이야기에는 기뻐하며 쾌재를 불렀다." 이러한 기록은 당나라 때 불교사원을 중심으로 행해지던 통속적이고 서사적인 이야기 공연이 송대에 들어와서는 도시민들을 고객으로 한층 대중화되었음을 말해준다.

송대에는 삼국지 이야기가 그림자극(shadow figures, 影戲)으로도 공연되었다. 그림자극은 양 손가락을 사용해서 개·여우·닭·토끼 등 여러 등장인물을 만들거나, 두꺼운 종이그림이나 인형을 움직일 수 있게 하여 그림자를 비춘 다음 이야기꾼이 스토리텔링하는 형태로 공연되었다. 그림자극은 원래부터 중국에서 시작된 것으로 보이는데, 처음에는 공연의 목적에서가 아니라 흩어진 '혼령'을 불러오는 주술적인 수단으로서 사용되었다.[6] 하지만 후대에 들어 도시적 오락수단이 차츰 발달하고 그림을 들고 공연하는 직업 이야기꾼이 등장하면서 이와 비슷한 그림자극도 인기가 높아졌던 듯하다. 11세기 송대에 이르면 그림자극은 과거의 종교적인 모습을 완전히 벗어버리고 오늘날의 영화와 같은 대중적인 인기를 끌게 된다. 송대에 발행된『사물기원(事物紀原)』이라는 책을 보면, "송 인종 때 삼국이야기를 잘 구연하

6 그림자극에 대한 최초 언급은『사기(史記)』(卷28)에 보인다. BC 121년 한 무제(武帝)가 사랑하는 후궁을 잃고 나서 그녀를 다시 보고 싶다는 소망에서 도사(道士) 소옹(少翁)을 부른다. 도사 소옹은 투명한 스크린에 그녀의 이미지를 투사해 황제의 소망을 들어주었다고 한다.

는 시정인이 있었다. 어떤 사람이 그 이야기를 잘 꾸며서 그림자 인형을 만들어 처음으로 위·촉·오 삼분(三分) 전쟁의 상을 이루었다"라는 기록이 보이는데, 이는 송대에 삼국지 이야기가 그림자극으로 공연된 사실을 말해준다. 이외에 장뢰(張耒, 1054~1112)의 『명도잡지(明道雜志)』에도 삼국지 이야기를 공연한 그림자극에 대한 일화가 소개되어 있다.

원대의 『삼국지평화』와 연극 삼국희

'평화(平話, 혹은 評話)'는 송대 도시의 극장에서 장님 이야기꾼이 공연하던 역사이야기를 책으로 만든 것이다. 당시에 극장에서 들었던 이야기를 다시 책으로 만든 것은 설화 구연을 듣는 청중말고도 눈으로 직접 읽고자 하는 독자가 있었기 때문일 것이다.

평화의 특징은 그림에 있다. 평화는 원래 그림 구연의 형태였기 때문에 스토리를 이끌어가는 본문의 문장보다는 각 페이지마다 그려넣는 그림이 주가 되었다. 현재 일본의 내각문고(內閣文庫)에 소장되어 있는 『삼국지평화』를 보면, 그림은 비교적 정교하지만 아랫부분의 문장은 오자가 많고 의미가 제대로 통하지 않는 등 조잡하고 재미가 없다. 이로 볼 때 평화는 단순히 줄거리를 읽는 책이 아니라 삽화를 감상하기 위한 그림책에 가까웠던 듯하다.

그림책 평화를 전상(全相)평화라 하는데 여기서 '전상'이란 모든 이야기에 그림(상相 혹은 상像)이 있는 책이란 뜻이다. 평화는 원나라 지치(至治)년간(1321~23)에 복건성 건양의 출판업자 우씨가 간행한 5종의 씨리즈가 오늘날 남아 있다. 평화 씨리즈는 판면 위 1/3은 그림이고 아래 2/3는 본문인 이른바 '상도하문(上圖下文)' 형식인데, 맨 마지막

원대 지원(至元)년간에 발행된 『신전상삼국지고사(故事)』(왼쪽)와
지치년간에 발행된 『삼국지평화』 표지(오른쪽)

의 책이 바로 『신전상삼국지평화(新全相三國志平話)』이다.

　『삼국지평화』의 줄거리는 소설 『삼국지』와는 판이하다. 『삼국지평화』는 사마중상이 저승 감옥에서 뛰쳐나오는 것으로 시작하며, 뒤이어 조조가 한 초의 명장 한신(韓信)의 분신으로, 유비는 팽월(彭越)의 분신으로, 손권이 영포(英布)의 분신으로 나타나 복수하기 위해 서로 싸우다가 한나라가 셋으로 나뉜다는 황당한 이야기를 담고 있다.

　가정본 『삼국지통속연의』 서문을 보면, 원나라 시대에 야사를 바탕으로 평화를 만들어 장님 강사(역사물을 구연하는 이야기꾼)에게 구연하게 했지만, 이야기에 오류가 많고 어투가 저속해 교양있는 사대부들이 싫어했다는 내용이 보인다. 이로 볼 때, 원대에 만들어진 『삼국지평

『삼국지평화』의 관운장의 단도회(單刀會) 장면(이 책 6권 66장 참조)

화』는 내용이 정사 『삼국지』와 무관한 엉뚱한 스토리로 되어 있었고 문장도 형편없어 독서능력과 구매력이 있는 사대부층의 외면을 받았음이 분명하다.

한편 원대에는 책의 형태 외에 연극으로도 소위 삼국희(三國戲, 삼국지 이야기를 소재로 한 연극)가 대단한 인기를 누렸다. 원대의 연극을 '잡극(雜劇, 다채로운 연극)'이라고 하는데, 이 잡극은 금대의 연극인 원본(院本)에서 발전한 것이다. 이제까지의 조사에 따르면 삼국지 이야기를 다룬 금나라 원본으로「적벽오병(赤壁鏖兵, 적벽에서 적군을 무찌르다)」「척동착(刺董卓, 동탁을 찌르다)」「양양회(襄陽會)」「대유비(大劉備)」「가여포(駕呂包)」 등이 있었고, 원 잡극으로는「관대왕단도회(關大王單刀

會)」「유현덕독부양양회(劉玄德獨赴襄陽會)」「호뢰관삼전여포(虎牢關三戰呂包)」「유관장도원삼결의(劉關張桃園三結義)」「조조야주진창로(曹操夜走陳倉路)」등 21개의 작품이 남아 있다. 현존하는 원 잡극의 총수는 60개 정도가 되는데, 이 가운데 1/3이 삼국 관계 작품인 것을 보면 당시 삼국지 이야기가 관객들에게 얼마나 인기가 있었는지를 짐작할 수 있다.

4. 소설『삼국지』의 수용과 번역

우리나라의『삼국지』수용사

소설『삼국지』가 처음 우리나라에 들어온 정확한 시기는 알 길이 없다. 다만 고려말에 중국어 교과서로 출간된『노걸대(老乞大)』에 고려 상인이『삼국지평화』를 북경에서 사는 장면이 나오고, 이 시대에 편찬된 또다른 중국어 교과서인『박통사(朴通事)』에는『서유기』에 관한 기록이 있는 것으로 보아, 고려시대 사람들이 중국 장회(章回)소설을 즐겨 읽었음을 알 수 있다. 소설『삼국지』에 대한 최초의 기록은『조선왕조실록』선조 2년(1569) 6월 기사에 보이는데, 임금 선조가 소설『삼국지』를 읽는 것을 시독관이었던 기대승(奇大升)이 못마땅하게 여겼다고 적고 있다. 이로써 보면 적어도 1569년 이전에 소설『삼국지』가 전해졌을 것이다. 현재까지 알려진 소설『삼국지』의 텍스트 가운데 가장 빠른 가정본이 1522년에 출판되었으므로, 아마 그후 얼마 지나지 않아 우리나라에 들어왔던 듯하다.

소설『삼국지』에 대한 또다른 기록을 찾아보면, 김만중(金萬重, 1637

~92)이 『서포만필(西浦漫筆)』에서 "임진왜란 이후에 『삼국지연의』가 성행하여 부녀자나 아이들까지 알고 있다"고 했고, 조수삼(趙秀三, 1762~1845)의 『추재집(秋齋集)』에는 서울 동대문 밖에 사는 전기수(傳奇叟, 직업적 이야기꾼)가 매일 장소를 바꿔가며 구연했다고 적고 있다. 이외에도 『삼국지』에 나오는 한 등장인물이나 사건에 촛점을 맞춰 그 일부를 우리말로 옮긴 소설인 『관운장실기(關雲長實記)』『화용도실기 (華容道實記)』『조자룡실기(趙子龍實記)』 등이 임진왜란 이후에 많이 출현했고, 『임진록』『구운몽』『옥루몽』 등 조선시대 소설에도 소설 『삼국지』를 일부 차용한 곳이 보인다.

소설 『삼국지』는 고려시대부터 오늘날에 이르기까지 직업적 이야 기꾼의 구연이나 책의 형태로 지속적으로 우리나라에 수용되었다. 아 마 외국의 소설작품으로서 우리나라에 가장 오랫동안, 가장 큰 인기 를 끈 것이 바로 『삼국지』라고 해도 틀린 말은 아닐 것이다.

황석영 역 『삼국지』의 판본

명청시대 이래 출간된 소설 『삼국지』의 텍스트 수는 오늘날 남아 있는 것만도 100여 가지가 넘는데, 아마 당시에는 이보다 몇배는 더 되었던 듯하다. 더구나 놀라운 사실은 100여 종이 넘는 텍스트들 가 운데 자구가 완전히 일치하는 사례가 하나도 없다는 점이다. 그 까닭 은 오늘날의 출판계처럼 당시에도 출판경쟁이 대단히 심해서 각 출판 업자마다 서로 독자적인 책을 출간해 고객을 끌어들이고자 했기 때문 이었다.

이처럼 100가지가 넘는 『삼국지』 텍스트 가운데 가장 중요한 판본 은 이른바 나본(羅本)과 모본(毛本) 두 가지이다. 나본이란 명나라 가

명 만력(萬曆) 19년(1591)에 발간된 주
왈교본(周曰校本) 『삼국지통속연의』

정년간에 나관중의 이름으로 간행된 『삼국지통속연의』를 말하고, 모
본은 청나라 강희년간에 모륜(毛綸)과 모종강(毛宗崗) 부자[7]가 나본
을 개정해 만든 『모종강평삼국지연의(毛宗崗評三國志演義)』를 말한
다.[8] 나본과 모본은 둘 다 유비를 옹호하고 조조를 반대하는 촉한정
통론의 입장에서 쓴 점에서는 동일하지만, 편찬 체재에서는 차이가
있다. 먼저 나본은 24권 240칙(칙則은 회回와 비슷함)으로 되어 있고,[9] 각

7 모종강의 아버지인 모륜(毛綸)은 명대 말기의 유명한 문학비평가인 김성탄(金聖嘆)과 한
고향(장주長洲, 지금의 江蘇省 蘇州) 출신으로 자는 서시(序始), 호는 혈암(子庵)이다. 모
륜은 젊었을 때 글을 잘 지어 명성을 얻었으나 벼슬을 하지는 않았고, 중년 이후에 두 눈
을 실명해 『삼국지연의』와 『비파기』 등을 구두 비평하는 것으로 즐거움을 삼았다고 한
다. 모종강(毛宗崗) 역시 아버지처럼 문장에 뛰어났으면서도 벼슬은 하지 않고 아버지와
함께 『삼국지연의』에 평점을 달고 교정하는 데 심혈을 기울였다. 모종강 부자가 정식 벼
슬을 하지는 않았으나 당시 시중에서 인기를 끌었던 문학작품에 평점을 달아 출판하는
일만으로도 생계를 충분히 유지했던 듯하다.
8 나본에서 모본으로 발전하는 사이에 가교 역할을 한 두 가지 판본이 있으니, 바로 『이탁
오선생비평삼국지(李卓吾先生批評三國志)』와 『립옹평열회상삼국지제일재자서(笠翁評閱
繪像三國志第一才子書)』이다.

914

칙마다 7언 1구의 제목이 달려 있다. 반면 모본은 60권 120회로 되어 있고, 각 회마다 7언 2구의 제목을 붙여놓았다. 나본과 모본은 이밖에도 여러 면에서 다르지만 가장 두드러지는 차이점은 평점(評點)에 있다. 평점이란 문학작품을 편찬하는 사람이 비평가의 관점에서 제목 밑이나 문장 중간중간에 마치 주석을 달듯이 자신의 견해를 깨알 같은 글씨로 적어넣은 것이다. 나본에는 없는 평점이 모씨 부자의『삼국지』에 이르러 나타난 것은 청대 당시 유행하던 전통 주석학과 고증학 풍조에서 연유한 듯하다.[10]

　방금 언급했듯이 모본은 명대 고본(古本, 나본羅本과 동일)을 바탕으로 청대 독자들의 구미에 맞추어 수정한 것이다. 하지만 모본은 출간 당시에는 독자들에게 널리 환영을 받았을지 모르나, 수차례 개정하는 과정을 거치며 나본의 정확성을 크게 훼손하고 말았다. 텍스트의 신뢰도에서 보면 명대 나본이 청대 모본보다 정확하다 할 수 있는데, 모본이란 개정판이 등장하면서 개선되기보다는 오히려 개악되고 말았던 것이다. 이러한 모본은 청대 이후 300여년 동안 독보적이라 할 만큼 출판계를 석권했는데, 무수히 반복출판하는 과정에서 오류를 바로잡기보다는 그대로 방치한 채 전해졌고, 오늘날 대만 삼민서국(三民書局)본『삼국연의(三國演義)』(1971년 초판 발행)에 이르기까지도 좀처럼

---

9 12권 240칙으로 된 또다른 번각본(飜刻本, 같은 판식을 사용한 책)도 있다.

10 중국에서 발간된『삼국연의』텍스트 가운데『삼국연의 회평본(會評本)』(상·하, 베이징 대학출판사 1986년 7월 제1판)이라는 책이 있다. 이 책은『삼국연의』의 각종 평점을 한꺼번에 모은 것으로, 마치 주석이 빼곡히 달린 유가 경전과 흡사한 느낌을 준다. 이제까지 국내에서 출간된『삼국지』번역본들은 청대 비평가들이 달았던 평점까지 번역하지는 않았다. 아마도 평점이 현대 독자들에게 딱딱하고 생소한 감을 주고, 소설 읽는 맛을 오히려 떨어뜨린다고 판단했기 때문일 것이다. 황석영 역『삼국지』역시 일반 독자들을 고려해 원텍스트를 재해석한 모씨 부자의 평점은 넣지 않았다.

청대 연화(年畵, 설 명절에 실내에 붙이던 그림) 중 삼고초려 장면

착오가 시정되지 않았다.

이제까지 국내에서 출간된 소설『삼국지』는 대만 삼민서국에서 발간한 모본을 바탕으로 번역(혹은 평역)한 것이 많다. 예컨대 김구용 옮김『삼국지연의』(솔 2001. 이 책은 1981년 삼덕출판사에서 간행된 것을 교정 재발간했다), 황병국 옮김『원본 삼국지』(범우사 1984), 이문열 평역『삼국지』(민음사 1988), 조성기 정역『삼국지』(열림원 2001) 등은 한결같이 삼민서국본을 저본으로 삼았다고 밝히고 있다. 국내 번역본의 상당수가 대만의 삼국서국본을 저본으로 삼은 것은 1992년 한중 수교가 이루어지기 전까지 중국 본토의 출판물을 국내에 반입할 수 없어 그당시 손쉽게 구입할 수 있었던 대만 서적을 원본으로 사용했기 때문인 듯하다. 그런데 90년대 이후 중국 본토의『삼국지』텍스트들이 대거 소개

되면서 삼민서국본과 비교할 수 있는 기회가 마련되었다. 특히 삼민서국본과 비슷한 시기에 출간되고 현재 중국 본토에서 가장 널리 보급되어 있는 인민문학출판사(人民文學出版社)본은 가정 임오년(1522)에 발간된 나본(일명 홍치본弘治本)을 참조해 모본의 수많은 오류를 바로잡은 텍스트로 학계의 주목을 받았다.[11]

이번에 황석영 선생이 번역한 『삼국지』는 바로 이 인민문학사본을 저본으로 삼았다. 이것을 선택한 이유는 국내의 『삼국지』 번역본들이 주로 삼민서국본을 참조한 탓에 모본의 오류들을 그대로 답습해왔기 때문이다. 만약 독자들이 이 책을 다른 번역본들과 꼼꼼히 비교하면서 본다면 새로운 판본에 따라 수정된 부분이 매회 몇군데씩 있고, 어느 회는 10여곳이나 됨을 발견할 수 있을 것이다. 그런데 여기서 수정된 것들은 줄거리의 흐름과는 무관한 인명·지명·관직명·시어(詩語) 등도 많아 얼핏 보면 대수롭지 않아 보이기도 한다. 하지만 이번에 수정된 부분들은 국내외 삼국지 전문가들도 인정하는 명백한 오류들로, 고치지 않으면 앞뒤 문맥에 모순을 낳기도 하기 때문에 반드시 바로잡지 않으면 안되는 것들이었다. 한 예로, 제38회의 다음 부분을 보기로 하자.

회계(會稽) 사람 감택(闞澤)은 자가 덕윤(德潤)이요, 팽성(彭城) 사람

---

11 인민문학출판사에서 발간한 『삼국연의(三國演義)』는 원래 1953년 작가출판사(인민문학사의 전신)의 이름으로 초판을 발행한 이후 수차례 추가 교정하여 1973년 제3판이, 2002년 7월 제9쇄본이 나왔다. 간체자(簡體字)로 씌어진 인민문학사본을 번체자(煩體字)로 바꾼 텍스트로는 강소고적(江蘇古籍)출판사의 『繡像三國演義(수상삼국연의)』(전10책, 1999년 3월 제1판)가 있다. 창작과비평사에서 수행한 교열·교정 과정에서는 간체본과 번체본 두 책을 모두 참고했다.

엄준(嚴畯)은 자가 만재(曼才)요, 패현(沛縣) 사람 설종(薛綜)은 자가 경문(敬文)이요, 여양(汝陽) 사람 정병(程秉)은 자가 덕추(德樞)요, 오군(吳郡) 사람 주환(朱桓)은 자가 휴목(休穆)이요, 육적(陸績)은 자가 공기(公紀)이다. 또한 오인(吳人) 장온(張溫)의 자는 혜서(惠恕)요, 오상(烏傷) 사람 낙통(駱統)은 자가 공서(公緒)요, 오정(烏程) 사람 오찬(吾粲)은 자가 공휴(孔休)이니, 이들이 강동에 왔을 때 손권은 모두 정성껏 맞이하고 예를 다해 대우했다. (4권 43면)

이 인용문은 손책이 죽은 뒤 손권이 강동땅을 기반으로 삼아 영빈관을 설치하고 천하의 인재를 받아들이자 이때 모여든 인재의 이름들을 나열한 대목이다. 여기 등장하는 많은 지명과 인명은 이제까지 국내의 다른 번역본에서는 엄준(嚴畯)을 엄준(嚴峻)으로, 여양(汝陽)을 여남(汝南)으로, 오상(烏傷) 낙통(駱統)을 회계(會稽) 능통(淩統)으로, 공서(公緒)를 공속(公續)으로, 오찬(吾粲)을 오찬(吳粲)으로 모두 잘 못 쓰고 있는데, 이번에 황석영 선생의 『삼국지』에서는 인민문학사본을 토대로 모두 바로잡았다. 이렇게 수정하는 것이 해도 그만 안해도 그만인 일이 아니라 반드시 필요한 이유는 이 대목에 뒤이어 나오는 다음 이야기 때문이다.

손권의 부장 능조(凌操)는 쾌선(快船)을 타고 앞장서서 이들을 하구(夏口)로 추격해들어가다가, 황조의 부장 감녕(甘寧)의 화살에 맞아 죽고 말았다. 죽은 능조의 아들 능통(淩統)은 그때 나이 겨우 열다섯살이었으나, 죽기를 무릅쓰고 앞으로 나아가 끝내 아버지의 시신을 빼앗아 돌아왔다. (4권 45면)

여기서 우리는 능조의 아들 능통(凌統)을 앞 인용문에 나오는 낙통(駱統)이란 인물과 비교할 필요가 있다. 능조의 어린 아들 능통과 손권이 영빈관에서 받아들인 낙통이란 인물은 분명히 다른 사람이며, 동일한 인물일 수가 없다. 하지만 이제까지 국내의 다른 번역본에서는 삼민서국본을 따른 탓에 손권 수하의 인재 이름과 능조의 어린 아들 이름을 모두 '능통'이라 적어놓았다. 앞뒤 줄거리상 15살 어린 소년 능통이 수년 전에 손권의 수하에 들어가 인재노릇을 했을 수가 없는데도 판본의 오류로 인해 수정하지 못했던 것이다.

이번에 출간된 황석영 선생의 『삼국지』는 이와 유사한 수많은 오류들을 찾아내어 최대한 바로잡았다. 또 판본의 차이와는 관련이 없는 잘못된 번역도 여러 곳 찾아내 수정했으니 과거 어느 번역본보다 완성도가 높아졌다고 하겠다. 따라서 독자들은 판본과 번역의 신뢰성에 대해서만은 일단 안심해도 좋을 것이다.

5. 황석영 역 『삼국지』의 특징

필자는 작년 1월 창작과비평사의 부탁을 받고 1년여 기간 동안 황석영 선생의 번역문을 원문과 대조·교열하는 작업을 수행했다. 황석영 선생의 우리말 원고를 중국어 원문과 대조하며 한 줄 한 줄 읽어내려가고, 다시 기존의 국내 번역본들과 일일이 비교하는 작업은 필자로 하여금 『삼국지』에 대한 이해의 깊이를 더하고, 국내의 『삼국지』 번역사에 대해 새로이 인식하게 된 소중한 시간이었다. 이제 이 자리를 빌려 독자들이 황석영『삼국지』를 이해하는 데 반드시 필요하다고 여겨지는 몇가지 기초지식과 교열하면서 가졌던 개인적 소회를 털어놓는 것으로 매었던 작은 짐을 벗을까 한다.

먼저, 황석영 번역문체의 우수성을 말하지 않을 수 없다.『삼국지』와 같은 중국 고대소설은 한학(漢學)과 현대 중국어에 대한 깊은 소양 없이는 정확히 번역하기가 어렵다. 또한 설사 한문 해독능력이 있다 해도 청소년에서 백발의 노인까지 누구나 쉽게 이해할 수 있는 우리말로 번역한다는 것은 결코 쉬운 일이 아니다. 과거에 정역(正譯)을 표방하고 나선 국내의 번역본들이 그다지 독자들의 사랑을 받지 못한 것은 바로 난해하고 어색한 번역문체 때문이었다. 그런데 이번에 황석영 선생은 정확하면서도 유려한 우리말 표현에 더해 선생 특유의 간결하고 사실적인 문체로『삼국지』본연의 뜻을 살려냈다. 이점에서 그동안 진정한 완역본을 기다려온 독자들에게는 희소식이 되리라 확신한다.

둘째, 중국 장회(章回)소설의 특징인 한시(漢詩)의 참맛을 살렸다는 점이다. 장회소설은 오늘날의 TV연속극처럼 1회씩 계속해서 이어지는 소설을 말하는데, 그 가장 큰 특징은 이야기 중간에 삽입하는 한시에 있다.[12]『삼국지』를 보면, 매회 앞머리에 7언시 2구의 제목이 등장하고, 본문 중간중간에 한시가 삽입되어 있으며, 이야기 마무리도 한시로 끝낸다. 중국 작품 속에 한시가 들어가게 된 연유는 우리나라 판소리와 유사한 강창(講唱, 이야기와 창으로 구연하는 예능)에서부터 장회

12『삼국지』의 삽입 시가로는 주로 한시가 쓰였지만 간혹 사(詞)와 부(賦)를 넣기도 했다.

소설이 생겨났기 때문이다. 따라서 『삼국지』에서 이야기 중간에 절묘하게 배치되어 있는 한시를 뺀다면 중국 고전소설의 참맛을 전혀 느낄 수가 없다. 한시가 없는 『삼국지』는 아니리만 있고 창은 없는 판소리와 진배없는 것이다. 현재 국내 번역본 가운데는 한시가 아예 없거나 자의적으로 빼버린 경우가 있는데, 이러한 번역본은 한시들이 빠짐으로써 원문의 장려함이 대폭 줄어들 뿐 아니라 완전한 번역이라는 면에서도 큰 하자를 지닌다. 따라서 창작과비평사에서 『삼국지』를 새롭게 출간하면서 소설 속에 삽입되어 있는 총 210수의 한시를 임형택(林熒澤) 교수의 손을 빌어 정갈한 시어로 다듬어넣은 것은 정역본으로서는 반드시 필요한 일이며 이 책만이 지닌 장점이라 하겠다.

　셋째, 소설 『삼국지』는 그림(삽화)과 밀접한 관계가 있다. 앞에서 설명했듯이 『삼국지』의 전신인 『삼국지평화』는 그림에 본문이 붙은 그림책이었고, 명대 이후 출간된 수많은 『삼국지』 텍스트도 대부분 매회 삽화가 들어 있었다. 요즘도 중국여행을 하다 허름한 길거리 서점에 들어가면 『연환화(連環畵) 삼국지』(만화의 일종으로 그림을 쭉 연결시켜 만든 작은 책)를 쉽게 구할 수 있는데, 이러한 소책자를 보면 『삼국지』의 그림 전통이 오늘날까지 사라지지 않고 있음에 향수를 느끼게 되는 것이다. 이제까지 출간된 국내의 『삼국지』 번역본들은 삽화의 형식이나 중요성에 대해 그다지 유의하지 않았다. 그 결과 대부분의 번역본에서는 삽화를 아예 빼거나, 청대 고판화를 그대로 삽입하는 데 그쳤다. 그런데 황석영 선생의 번역본에서는 『삼국지』의 옛 그림 전통을 되살리기 위해 중국 고대인물화 부문의 권위자인 왕홍시(王宏喜) 화백에게 120회분 채색삽화를 그리게 하여 매회 한 점 이상을 집어넣는 국내 번역사상 초유의 시도를 했다. 이러한 시도는 중국 고전소설의 전통을 복원하는 동시에 우리나라 독자들에게 『삼국지』의 새로운 감상 포인트를 제공한다는 점에서 크게 환영받을 것임에 틀림없다.

넷째, 설화인(說話人, 직업적 이야기꾼)의 어투와 관련한 특성이다. 소설 『삼국지』는 직업적 이야기꾼의 말투를 흉내낸 소설로 『삼국지』 각 회의 마지막은 대체로 "차간하회분해(且看下回分解)" 즉 "다음 회의 이야기를 들으시길"이라는 상투어로 끝나고, 문장 중간에는 "화분양두(話分兩頭)" 즉 "이야기는 두 머리로 나뉜다"라는 관용구가 나온다. 이는 모두 설화인의 어투를 흉내낸 말들이다. 하지만 소설 『삼국지』는 설화인의 어투를 따랐을 뿐이지, 구연된 이야기를 그대로 기록한 소설은 결코 아니다. 정확히 말하면, 소설 『삼국지』는 태생은 민간에 있었으나 최후에는 구어를 가장한 문언체 소설이 되었다고 할 수 있다. 이 책에서는 이러한 설화인의 어투를 흉내낸 불필요한 상투어들을 독자들이 부드럽게 읽을 수 있도록 현대화했다. 또 원문의 비대화체를 등장인물의 대화체로 하거나 원문의 순서를 다소 바꾸어 옮긴 곳이 있는데, 이러한 방식은 축자역(逐字譯)을 따른 이제까지의 정역본에서는 볼 수 없는 것으로 소설을 읽는 독자들에게 훨씬 생동감을 안겨준다는 점에서 황석영 번역문체만의 독특한 특징이라 하겠다.

마지막으로 언급하고 싶은 것은 중국고전 번역의 어려움이다. 평소 존경하던 황석영 선생의 번역문 교열을 처음 부탁받았을 때는 과분한 작업이라는 생각과 함께 내심 몇개월이면 끝날 일로 생각하고 쉽게 응낙했었다. 하지만 결과적으로는 1년여 동안 꼬박 매달려야 할 만큼 간단치 않은 작업이었고, 무엇보다 국내에서 출간된 여러 번역본과 평역본을 놓고 대목대목 비교하면서 빨간 펜으로 수정할 때는 중한 부담감에 목덜미에 식은땀이 느껴지곤 했다. 다행히 국내 언해본과 일본판 『삼국지』 번역본 그리고 『삼국연의시사주석(三國演義詩詞注析)』(姜世棟 等 主編, 하얼삔출판사) 등 구하기 어려운 서적들을 입수할 수 있어서 미심쩍은 부분을 해결하는 데 큰 도움이 되었다. 이제 긴 작업이 끝나고 알찬 부록을 곁들여 황석영 역 『삼국지』가 완성되었다. 이 책이라고 100% 완벽할 수는 없겠으나, 이제까지 우리나라에 진정한 『삼국지』는 없다고 한탄해온 독자들이 드디어 제대로 된 『삼국지』를 손에 넣는 행운을 누리게 되었다면 지나친 말일까. 독자 여러분의 따뜻한 사랑과 꾸준한 질책을 부탁드린다.

삼국지 3
특별합본호

초판 1쇄 발행/2019년 7월 25일
초판 4쇄 발행/2022년 3월 14일

지은이/나관중
옮긴이/황석영
펴낸이/강일우
편집/문학출판부
펴낸곳/(주)창비
등록/1986년 8월 5일 제85호
주소/10881 경기도 파주시 회동길 184
전화/031-955-3333
팩시밀리/영업 031-955-3399 · 편집 031-955-3400
홈페이지/www.changbi.com
전자우편/lit@changbi.com

ⓒ 황석영 2019
ISBN 978-89-364-7718-9 03810
ISBN 978-89-364-7949-7 (전3권)